V&R

Wolfgang Schenk

Die Sprache des Matthäus

Die Text-Konstituenten in ihren
makro- und mikrostrukturellen Relationen

Vandenhoeck & Ruprecht
in Göttingen

CIP-Kurztitelaufnahme der Deutschen Bibliothek

Schenk, Wolfgang:
Die Sprache des Matthäus : d. Text-Konstituenten
in ihren makro- u. mikrostrukturellen Relationen /
Wolfgang Schenk. –
Göttingen : Vandenhoeck und Ruprecht, 1987.
ISBN 3-525-53580-5

© 1987 Vandenhoeck & Ruprecht, Göttingen
Printed in Germany
Druck und Einband: Hubert & Co., Göttingen

"Das Wahrgenommene in seiner Erscheinungsweise ist, was es ist, in jedem Moment des Wahrnehmens, als ein System von Verweisen, mit einem Erscheinungskern, an dem sie gewissermaßen ihren Anhalt haben, und in diesen Verweisen ruft es uns gewissermaßen zu: Es gibt hier noch mehr zu sehen, dreh mich doch nach allen Seiten, durchlaufe mich dabei mit dem Blick, tritt näher heran, öffne mich, zerteile mich. Immer von neuem vollziehe Umblick und allseitige Wendung. So wirst du mich kennenlernen nach allem, was ich bin."
(E.Husserl, Vorlesung WS 1925/6)

"Der Psalter, das Evangelium Johannis, Paulus sollen in der Kirchen gepredigt werden und sollen bleiben für die, so da streiten, für den gemeinen Mann (*pro vulgo*) aber Matthäus."
(M.Luther, Tischrede Nov./Dez. 1532; WA.TR 3,2823; 1,790; *pro vulgo* meint bei Luther 'als Gesetzespredigt' im Unterschied zur 'Evangeliumspredigt')

VORWORT

Nachdem für die Werkanalyse der Evangelien für Mk Lk und Joh mehrere extensivere Stil-Untersuchungen vorliegen, ist die Sprachverwendung des Mt über Einleitungen in Kommentaren (z.B. ALLEN, LANGRANGE, KLOSTER-MANN, GUNDRY, LUZ und die zerstreuten, wertvollen Bemerkungen bei SCHLATTER) sowie den literarkritisch orientierten Darstellungen bei HAWKINS 1909 und LARFELD 1925 am wenigsten zum Gegenstand einer zusammenfassenden Darstellung gemacht worden.

Das Ergebnis meiner langjährigen Beobachtungen, Auswertungen und Auf-arbeitungen konnte durch ein Forschungsstipendium der "Deutschen For-schungsgemeinschaft" 1983-5 überarbeitet, zusammengefaßt und vorläufig abschlossen werden. Prof. Dr. Wolfgang Schrage-Bonn hat in selbstloser Weise das Zustandekommen und die Durchführung dieses Projekts begleitet. Ihm vor allem sei das Buch nicht nur gedankt, sondern auch gewidmet.

Als Form der Darstellung wurde zuletzt die Gestalt eines *Index Matthaei* gewählt, da auf diese Weise die Verwendung der Ergebnisse am besten handhabbar erschien. Ausgangspunkt waren Wortfelduntersuchungen, wes-halb auch jetzt zusammenhängende Komplexe mit Verweisen zusammengeord-net wurden. Die urspüngliche Begrenzung auf für Mt typische Lexeme wurde zugunsten einer vollen Erfassung der mt Lexik aufgegeben (1 691 Lexeme bei einem Wortbestand von ca. 18 300 Wörtern; MORGENTHALER 1973:164. 166f), da damit auch leicht übersehbare Zusammenhänge sowie der Vergleich mit weniger signifikanten Phänomenen in den Blick treten. Die Form des Index nötigte nicht zu einer Beschränkung auf die lexikalischen Elemente, sondern erwies sich zugleich auch als eine Möglichkeit, mikro- und makro-syntaktische Relationen gerade in Zusammenhang mit ihren lexikalischen Elementen zur Darstellung zu bringen.

Ziel ist die Einführung eines zweiten Apparats (neben dem textkriti-schen), der oberhalb des Textverlaufs die autorspezifischen Häufigkeiten und Besonderheiten schon in der Textdarbietung graphisch markiert und damit die Erschließung des Textes erleichtert und vereinfacht, sofern die Ergebnisse dieser Forschung nicht immer neu von vorn begonnen werden müssen, sondern schneller in die Arbeit einbezogen werden können. Dabei erhalten Häufigkeitswörter einen Strich darüber, Präfixe oder Suffixe einen horizontalen Winkel, Syntagmen einen vertikalen Winkel, wenn sie unmittel-bar aufeinander folgen bzw. zwei zugeordnete aber unterbrochene Elemente zwei horizontale Winkel etwas höher angeordnet. Unterhalb des Textverlaufs können Mk-Bestandteile blau, Q-Übernahmen rot unterstrichen (bzw. bei red. Abänderung der Lk-Parallele unterpunktet) gekennzeichnet und bei Permu-tationen durch zusätzliche horizontale Winkel eingeschlossen werden. Grüne Unterstreichung wird für red. Zusätze (bzw. unterpunktet für red. Abände-rungen) vorgeschlagen, wobei Duplizierungen außer dem Grün auch noch durch die zusätzliche Farbe ihrer Herkunftsschicht markiert werden können. Zielpunkt ist eine kommunikativ-äquivalente Übersetzung des Buches; inso-fern stellt die Darbietung dieses Handbuchs die Teilarbeit eines Kommentars dar; sein Ziel ist, den Quellentext als strukturiertes Material für weiter führende Einzelforschungen bereitzustellen.

Eppstein (Taunus), am 1. September 1986   W.S.

KURZE EINFÜHRUNG ZUR REDAKTIONS-SEMANTIK:

Im allgemeinen geht man von der Annahme aus, daß, weil Exegese es doch vorzugsweise mit der Feststellung von Bedeutungen zu tun hat, die Semantik das am meisten beherrschte Handwerk der neutestamentlichen Arbeit sei. Leider ist fast das Gegenteil richtig. Vorherrschend sind
- pauschale Lexikoneintragungen,
- Gewöhnung an tradierte Übersetzungen und ihre zielsprachlichen Konzepte,
- verzeichnende Bindungen an die jeweiligen Frömmigkeitstraditionen.

Methodisch erschwerend kommt das Kleben an reiner Wortsemantik hinzu ("Was für ein Wort steht da im Griechischen?"). Dabei wird zu wenig veranschlagt, daß ein Wort nur Bedeutungsmöglichkeiten hat, Komponenten, die von Autor zu Autor und von Gruppe zu Gruppe wie innerhalb von Gruppen schnell wechseln können, neue Seme anziehen, alte abstoßen, Sem-Konstellationen innerhalb von Konzepten verändert werden. Texte sind zwar komplexe, aber primäre sprachliche Zeichen. Nur Texte haben Bedeutung, ist darum die Grundeinsicht der Textsemantik. Was sich als Text syntagmatisch als Ausgangspunkt der Analyse darstellt, muß paradigmatisch als je autorbezogene Wortfeldanalyse durchgeführt werden, d.h. eine Kode-Analyse ist Kern aller Semantik.

Wie sehr diese noch als Aufgabe vor uns liegt, zeigen die Lexika von BAUER über ThWNT bis zum EWNT, bei denen die meisten der mt Bedeutungen (und die aller anderen Autoren analog) nicht nur nicht ausgearbeitet, sondern zu einem guten Teil noch nicht einmal als zu Erfragendes in den Blick genommen sind. Man bleibt bei relativ vorläufigen Beschreibungssätzen wie: "Auffallend ist bei Mt die häufige Übergehung von γραμματεῖς" (BORNKAMM ThWNT 6,659 n.46). Das ist der einzige Beitrag zur Bedeutung von "Presbyter" bei Mt. Weder wird eine Teilbeobachtung einem Erklärungsversuch unterzogen noch gar geprüft, ob die ungeprüft angenommene Dauerbedeutung "Laienadel" (vom kulturellen Kode des palästinensischen Frühjudentums her) so für Mt noch zutrifft – und das auf einer Seite, die durchaus mit der wechselvollen Geschichte einer Institution den deutlichen Bedeutungswandel eines Ausdrucks voraussetzt. So wird über ThWNT und EWNT hinaus die Frage nach der autorspezifischen Bedeutung weiterhin Untersuchungsgegenstand sein müssen.

Die *Textverarbeitung* eines Autors wird durch *Rezeptionsanalyse* der jeweiligen *Intertextualität* bestimmt:

1. *Grundoperation:*
Eine vorgegebene Zeichenmenge wird nach den Häufigkeiten, Verteilungen und Verbindungen ihrer Elemente und deren Relationen, ihrer Strukturen (= Verbindungen mehrerer Elemente und Relationen) und Systeme (= Gesamtheiten von Strukturen) in syntaktischer (grammatische Relation Zeichengestalt : Zeichengestalt), semantischer (kodierte Relation Zeichengestalt : Zeichengehalt) und pragmatischer (sprechaktliche Relation Zeichengestalt und -gehalt : Kommunikationsfunktion) Hinsicht befragt, um ihre Vernetzungen verstehbar und mit anderen Textmengen kompatibel zu machen:

		Syntaktik	Semantik	Pragmatik		
Vorgegebene	Häufigkeit	+	+	+		Strukturierte
Zeichen- →	Verteilung	+	+	+	→	*Text-*
menge 1	Verbindung	+	+	+		menge 1

2. *Wiederholung(en) der Grundoperation*
Die Grundoperation wird im Prinzip bei jeder Textanalyse wiederholt und kann bei jeder beliebigen weiteren Zeichenmenge (*ZM 2...n*) wiederholt werden. Sie ist bewußt und gezielt (unter evtl. Auswahl der schon als relevant erscheinenden Fragemöglichkeiten) bei einer vergleichbaren Zeichenmenge 2

gegenüber einer Zeichenmenge 1 dann durchzuführen, wenn sich eine Vergleichbarkeit auch als *Textmengen* durch erste Eindrücke oder schon vorgegebene Behauptungen der Kompatibilität (in diesem Falle zugleich als deren Geltungsprüfung) nahelegt (wie z.B. bei der synoptischen Zwei-Quellen-Hypothese).

3. *Feststellung und Markierung der Übereinstimmungen*

Die festgestellten Übereinstimmungen werden markiert (bei gleichen *Elementen* etwa durch Unterstreichungen, aber auch durch Vernetzungen bei gleichen *Relationen* und *Strukturen*).

4. *Feststellung und Beschreibung der Differenzen*

Die in den Blick gekommenen Abweichungen können markiert und entsprechend den vier möglichen "syntaktischen Transformationen" (= *Solözismen* der antiken Rhetorik) beschreibend klassifiziert werden:

4.1 *Insertion* (Zusatz)

4.2 *Delition* (Auslassung)

4.3 *Permutation* (Umstellung – also bestehend aus einer *Delition*, der eine *Insertion* an einer anderen Stelle entspricht)

4.4 *Substitution* (Ersetzung – also bestehend aus einer *Delition*, der eine *Insertion* an der gleichen Stelle entspricht).

5. *Erklärung und Bewertung der Differenzen*

5.1 *im Falle von Vorzeitigkeit/Nachzeitigkeit und Dependenz*

Sind die beiden verglichenen Textmengen hinsichtlich der Relation ihrer gegenseitigen Abfolge und Abhängigkeit schon durch eine begründete Arbeitshypothese bestimmt (etwa der Mk-Priorität), so sind die unter Ziffer 4 getroffenen Beobachtungen nur für den abhängigen Text relevant und brauchen nur für ihn durchgeführt zu werden (Mt R_{Mk} wie Lk R_{Mk} oder Joh $R_{Mt.Mk.Lk}$, Kol R_{Paulus}, Eph R_{Kol}, 2Pt R_{Jud}, Mk R_{Paulus}, Lk R_{Paulus}).

5.2 *im Falle der Gleichzeitigkeit und Independenz*

Sind die beiden verglichenen Textmengen schon durch eine begründete Arbeitshypothese hinsichtlich ihrer Relation zueinander als (vergleichsweise) gleichzeitig und/oder unabhängig voneinander bestimmt (z.B. Mt/Lk im Zwei-Quellen-Modell), so stellt sich die Aufgabe, die eventuell gemeinsame Vorlage als eine weitere dritte und eigene Zeichenmenge (ZM_3 – wie etwa die Redenquelle Q) zu bestimmen. In diesem Falle sind die unter Ziffer 4 getroffenen Feststellungen bei beiden Texten je getrennt und dann im Vergleich miteinander auf ihre mögliche Zugehörigkeit zu der zu eruierenden Textmenge (TM_3) zu befragen. Nur in dem Falle, daß eine solche Zeichenmenge ein strukturiertes Ergebnis erbringt, das die Eigenschaften eines Textes (Kohäsion und Kohärenz) besitzt, kann die *Zeichenmenge* auch als *Textmenge* angesprochen und behandelt werden.

5.3 *Zugehörigkeit und Relevanzprüfung der Differenzen*

Die unter Ziffer 4 angegebenen "syntaktischen Transformationen" müssen mit der gesamten primären Textmenge, aus der das jeweilige Segment entnommen ist, daraufhin verglichen werden, ob die beobachteten Elemente, Relationen und Strukturen öfter belegbar und von daher als *text-* (oder *sender-*)*spezifisch* bestimmt werden können oder nicht (was die Wiederholung der Grundoperation an allen vergleichbaren Stellen erfordert). Im positiven Falle ist der subjekt-spezifische Rezeptionsanteil bestimmt. Im Falle von Ziffer 5.2 kann somit auch erklärungsadäquat entschieden werden, wer von beiden wahrscheinlicher für die abändernde Transformation verantwortlich zu machen ist.

6. *Konsequenz für den Häufigkeitsvergleich*

Unter dem Aspekt einer textlinguistischen Analyse ist der Vergleich der Häufigkeiten darum nicht punktuell zu limitieren, sondern hat neben den Permutationen auch die duplizierenden und mutiplizierenden Insertionen stärker, als es bisher meist geschieht, in Anschlag zu bringen.

῎Αβελ 23,35(=Q nach Gen 4,1-16)

 Mt 1 : Mk 0 : Lk 1 (NT noch Hebr 11,4; 12,24; LXX 14mal)

’Αβιά 1,7.7 (Lk 1,5 nach 2Chr 13,1-14,1 - NT sonst nie)

’Αβιούδ 1,13.13 (1Chr 8,3 - NT sonst nie)

’Αβραάμ

 Mt 7 : Mk 1 : Lk 15 + 7 : Joh 11

    =(Mk 1) + (Q 3) + (A-Mt 3)

Da Mt 1,1 in der Buchüberschrift *Jesus* neben ﹥*Davidssohn* auch als *Sohn Abrahams* prädiziert ist und 1,2 die Josef-Genealogie mit ihm beginnt, die 1,17 im Rückblick erinnert (Klammer!), so ist damit nur die Voraussetzung der Geburt Jesu im Bereich Israels (= *Abrahamnachkommenschaft*), nicht aber auch ein über Israel hinausgehender Völkeruniversalismus signalisiert (gg. BORNKAMM 1970:307f; KINGSBURY 1975:46,100 ist das Wortfeld "Verheißungsträger" und "Segen für die Völker" von Mt nicht aktiviert worden und darum bei ihm auch nicht einzutragen). So ist auch 3,9a.b (=Q Vater - Kinder) klar Israel als Abrahams-Nachkommenschaft im Blick, wie 8,11(=Q) Abraham in der Koppelung mit Isaak und Jakob deutlich als Stammvater Israels erscheint. Dasselbe gilt für die entsprechende Reihung 22,32(=Mk). Die Abraham-Erwähnungen des Mt sind also kein mögliches Mittel dafür, den mt Gottessohn-Begriff als universal gefüllt anzusehen, und sie kennzeichnen den mt Jesus weniger als einen "idealen Israeliten" (gg. KINGSBURY 1975: 85f mit KRENTZ 1964:411.414), sd. als den für die Abrahamsnachkommenschaft bestimmten endzeitlichen Abrahamsnachkommen. Die drei red. Stellen in Kap.1 sagen, daß der mt Jesus während seiner Lebenszeit auch "genuiner Israelit" ist (WALKER 1967:128). Bei den 8,11 wie 22,32 übernommenen Stellen kann auch ein Weiterwirken der jüd. Vorstellung angenommen werden, daß die gerechten Vorfahren Israels ﹥*Engel* sind (CHARLESWORTH 1980).

ἀγαθός (GUNDRY 641)

 Mt 16 : Mk 4 : Lk 16 + 3 : Joh 3

    =(Mk 4 - 1) + (Q 5 + Q-Mt 5) + (A-Mt 3)

Nur Mk 3,4 ist Mt 12,12 abgeändert, wo es sich auf ein Handeln Jesu bezieht, wofür Mt es offenbar nicht haben will, indem er es konstant auf das Gegenüber des mt Jesus und die Abhängigkeit von ihm bezieht. Kennzeichnend für Mt ist die uneingeschränkt ethische Tönung mit dem Sem des Nützlichen, Förderlichen:

 Mt 15 : Mk 4 : Lk 11.

Die Abänderung in 19,16f (gg. Mk 10,17f) ist dafür typisch. In der Art der Bezugnahme auf Gott zeigt sich die Tradition der späten Weisheit: "Nicht die Weisheit gerät in in den Schatten der Großmacht Tora, sd. umgekehrt sehen wir Sirach damit beschäftigt, die Tora aus dem Verstehenszusammenhang der Weisheit her zu legitimieren und zu interpretieren... Die Frage ist nicht: Woher kommt die Tora?, sd.: Inwieweit ist die Tora eine Quelle der Weisheit? Die Antwort lautet: Weil die Tora eine Selbstdarstellung der Urordnung ist"(RAD 1970:314,316; zustimmend ZENGER 1973:50 gg. umgekehrte Relationsbestimmungen). Das wird dadurch bestätigt, daß Mt 7,12 die Goldene Regel (vgl. Sir 31,15) begründend als Leitprinzip *des Gesetzes und der Propheten* angibt. Die mt Schlüsselstelle 19,17 dürfte dem mittelplatonischen Zeitkonsens zugehören, "daß vor dem ἀγαθὸς θεός ein unpersönliches ἀγαθόν als höchste Hypostase steht" (DÖRRIE 1971:295 vgl. Plat Tim 29E; Polit 6, 509B; SenEp 65,10, auch wenn Mt wie Philon die ἀγαθότης in Gott hinein verlegt). Aus der Q-Gleichnisanwendung 12,35 (3mal = Lk 6,45) ist das Lexem Q-Mt 7,18 wohl nachträglich in das Gleichnis selbst eingetragen, denn es findet sich auch in den beiden Zusätzen A-Mt 7,17 und 12,34. Nachträglich red. scheint ebenso die personale, erste Stelle Q-Mt 5,45 zu sein, da die dort verwendete inkonyme Antithese auch Q-Mt 22,10 gg. Lk erscheint. Auch 20,15 liegt ein Abschluß vor. Der umgekehrte Fall, daß Lk

verkürzt hat, dürfte nur Q-Lk 19,19 vorliegen, da Q-Mt 25,23 mit der voranstehenden Parallele 25,21 (=Lk 19,16) übereinstimmt. Dgg. liegt nach dem
Q-Gleichnis 7,11b(=Lk 11,13b - einzige nicht-ethische Stelle) in Q-Mt 7,11c
wieder eine Gleichnisanwendung vor, die Mt abgeändert haben dürfte, da sie
auf der Linie der bisher angetroffenen ethischen Verwendung liegt (metonymisch *das Tun guter Taten* vgl. V.17f) und da Mt den par. von Lk
11,13b bezeugten "Heiligen Geist" für die Gemeinde meidet und auf Jesus
zentriert. Die *guten* Taten bestehen für Mt in Akten des Gehorsams gegen
den mt Jesus, die in Gott gründen (19,17). Es ist Supernym für ↗δίκαιος
und ↗τέλειος sowie synonym zu ↗καλός.

Außer 19,16(=Mk), wo es aber sofort zurückgewiesen wird, findet es sich
nur im Munde Jesu:
    Mt 15 : Mk 3 : Lk 10.
In der Sache vergleichbar ist die Aussage des Lehrers Epiktets, Musonius
16: "Das Gebot des Zeus befiehlt dem Menschen *gut zu sein*, was identisch
ist mit *Philosophieren*" (ed. HENSE 86f).

Kennzeichnend ist weiter die Verteilung, daß 75% der Belege in Allegorie-
stoffen vorliegen, so daß Mt die Q-Vorgaben hier deutlich multipl. hat:
    Mt 12 : Mk 0 : Lk 5.
Typ. mt ist ebenso die konstante Verbindung mit dem Antonym ↗πονηρός
(bzw. 7,17 dessen Synonym):
    Mt 16 : Mk 1 : Lk 5 (vgl. Lk 6,45; 11,13; 19,17);
auch 19,16f bildet dazu keine Ausnahme, da Mt das dort von Mk übernommene als Anfangsklammer mit der red. Schlußklammer 20,15, die den gleichen
Redenzusammenhang abschließt, makrosyntaktisch in einen rahmenden Kor-
respondenzzusammnhang gebracht hat.
ἀγαλλιάω 5,12 (+Q vgl. Lk 1,47; 10,21) *jubeln*
    Mt 1 : Mk O : Lk 2 + 2 : Joh 2 (NT nur noch 1Pt 3mal Apk 1mal)
ἀγανακτέω 20,24(=Mk); 21,15(= Mk 10,14 permutiert; 26,8(=Mk)
    Mt 3 : Mk 3 : Lk 1 + 0 (NT sonst nie) *aufgebracht, unwillig sein*
ἀγαπάω
    Mt 8 : Mk 6 : Lk 13 + 0 : Joh 37
        (=Mk 6 - 2) + (Q 4)
Die Verwendung ist immer *ethisch* und hat *nie Gott* zum *Subj.* Auch Jesus
ist nie Subj., da Mk 10,21 gestrichen wurde. Als *Obj.* erscheint *Gott* nur
2mal in 22,37(=Mk), wo das Hauptgebot von Dt 6,6 übernommen wurde (die
Wiederholung in Mk 12,33 entfiel), sowie der Sache nach auch in der Begründung vom unmöglichen Doppeldienst 6,24(=Q) mit ↗μισέω als Antonym
und ↗δουλεύω als Synonym. Gerade diese Synonymie macht deutlich, daß das
Obj. entscheidend den semant. Gehalt des Vb. bestimmt, denn gerade dieser
läßt sich nicht kongruent auf die übrigen 6 Stellen übertragen, bei denen
ein *Mensch* Obj. ist, so daß im Grunde hier zwei verschiedene Lexeme in
einem Grafem vorliegen. Das jüd. Gebot der Nächstenliebe ist 22,39(=Mk)
übernommen und 5,43 wie 19,19 dupliziert. An der ersten Stelle liegt Permutation von Mk 12,34 vor, an der zweiten wurde das Mk 10,21 vorgegebene
Vb. permutiert und in diesen neuen Zusammenhang gebracht. Außerdem hat
Mt an der ersten Stelle das Antonym von 6,24 dupl., was immerhin möglich
war, aber trotz analoger semant. Opposition gibt es doch keine gleichen
Synonyme. Der semant. Gehalt ist hier: "dem anderen das gleiche Lebens-
recht zugestehen wie sich selbst". Das gilt 5,44(=Q) auch für den Feind,
und die Begründung dafür mit der doppelten und reziproken Verwendung
6,46(=Q) setzt das menschl. Miteinander voraus und definiert so zugleich
das Obj., das Mt nur in den drei Zitierungen von Lev 19,18 hat:
πλησίον Adv. *nahe* substantiviert
    Mt 3 : Mk 2 : Lk 3 + 1 : Joh 1.
Zu dieser Verwendungsgruppe zählt auch das Subst.:

ἀγάπη Mt 24,12 (+Mk als Nom. actionis; (Q-Lk 11,42 ist wohl red.)
    Mt 1 : Mk 0 : Lk 1 + 0 : Joh 7 - anders dgg. das Adj.
ἀγαπητός ↗'Ιησοῦς
μισέω (GUNDRY 646)
    Mt 5 : Mk 1 : Lk 7 + 1 : Joh 12
    =(Mk 1 + 2) + (Q 1 + 1)
Das Vergleichswort vom Dienst zweier Herren 6,28(=Q) hat es als Antonym
zu ἀγαπάω und Synonym zu
καταφρονέω 6,24(=Q Synonym μισέω Gott) dupl. 18,10(+Mk Obj. Mitchrist)
    Mt 2 : Mk 0 : Lk 1 + 0 : Joh 0
in der Antithese Gott vs. Besitz dienen vorgegeben, wie das Pass. im universalen Verfolgungsorakel 10,22 (=Mk) und dupl. 24,9 sowie V.10 als in die
Gemeinde hinein durchschlagend zugespitzt. In der antithet. Q-Formulierung
wurde es 5,32(+Q) auf das Verfolgerverhältnis in Ergänzung des dupl. Liebesgebots zugespitzt dupl. Antonym:
ἀντέχομαι 6,24(=Q - NT noch 1Thess 5,14; Tit 1,9) + Gen. festhalten
σέβομαι 15,9(=Mk Zitat Jes 29,13) (Gott) verehren
    Mt 1 : Mk 1 : Lk 0 + 8 (NT sonst nie)
λατρεύω 4,10(=Lk Zitat Dt 6,13) Gott dienen
    Mt 1 : Mk 0 : Lk 3 + 5 : Joh 0. Unterschieden davon ist
φιλέω (GUNDRY 648)
    Mt 5 : Mk 1 : Lk 2 + 0 : Joh 13 (NT noch 1Kor 16,22; Tit 3,15; Apk 2mal)
    =(Mk 1) + (Q 1 + 3)
erscheint bei Mt immer als negativ bewertete Handlung von Feinden oder
abzuweisende Einstellung und ist darum in seiner Kodierung nicht synonym
mit ἀγαπάω (gg. die Globalaussagen über "das NT" bei STÄHLIN ThWNT 9,126;
FENEBERG EWNT 3,1017f): 26,48(=Mk vgl. Komp. V.49[=Mk]
καταφιλέω wie Simpl. im betontem Unterschied zu ↗προσκυνέω
    Mt 1 : Mk 1 : Lk 3 + 1 [NT sonst nie; LXX 20mal]) meint φ. den Handkuß
der Begrüßung; 23,6(=Q) und dupl. 6,5 lieben, bevozugen, genießen die Gegner öffentliches Auftreten; 10,37a.b(+Q) ist mehr lieben, bevorzugen nicht
neutral gebraucht, da es immer auf der abgewiesenen negativen Seite Seite
(Familienangehörge bevorzugen) steht und keine dir. Umkehrung zu einem
verlangten "Jesus mehr lieben" erfährt, die Antithese vielmehr V.28 in
Kreuzannahme und Nachfolge besteht. So auch das Subst. im Feindesspott:
φίλος 11,19(=Q) subst. (Gast)freund (als Adj. liebend wie geliebt)
    Mt 1 : Mk 0 : Lk 15 + 3 : Joh 6
ἀγγαρεύω 27,32(=Mk) dupl. 5,41(+Q) pers. Lehnwort zum Frondienst zwingen
    Mt 2 : Mk 1 (NT und LXX sonst nie)
ἀγγεῖον ↗ἄγγος
ἄγγελος (GUNDRY 641)
    Mt 20 : Mk 6 : Lk 25 + 21 : Joh 3
    =(Mk 6 - 1 + 2) + (Q 2 - Q-Mt 2) + (A-Mt 11)
3,3 ist Mk 1,2 ausgelassen, weil Mt 11,10 die Q-Dublette übernimmt. Zusatz
zu Mk sind die beiden Schlußstellen; das gilt neben Mt 28,5 auch für V.2,
da das Satzgefüge Elemente aus Mk 16,4 hat.
    Die beiden Q-Belege 4,6; 11,10 sind LXX-Zitate. Dgg. fehlt das Lexem Q-Mt
10,32f (gg. Lk 12,8f, was aber wohl durch die Dublette Mk 8,38 par Mt 16,27
als Q-Vorlage belegt wird; SCHENK 1979).
Kennzeichnend ist das Syntagma mit der Apposition κυρίου (GUNDRY 641):
    Mt 5 : Mk 0 : Lk 1 + 4 (vgl. Lk 1,11; Apg 5,19; 8,26; 12,7.23)
    =(Mk 0 + 1) + (Q 0) + (A-Mt 4).
Neben dem Mk-Zusatz 28,2 finden sich die 4 Alleinstellen in den Vorge-
schichten (1,20.24; 2,13.19). Die Kurzform 28,5 weist immerhin anaphor. auf
V.2 zurück, so daß die erzählenden Epilogstellen insgesamt den Prologstellen
rahmend entsprechen. Zu jenen ist dann anaphor. auch 4,11 nicht nur da-

rum zu rechnen, weil das Mt noch zu seinem Prolog zählt, sd. weil sie nur in diesen Komplexen als erzählte Handlungsträger auftreten, sonst aber nur in wörtlichen Reden erwähnt werden. Neben der Häufigkeit sind somit auch hier Verteilung und Verbindung ein auffallendes Mittel mt Buchrahmung und des mt Lebens Jesu, auf dessen Beginn und Schluß sie sich vermittelnd beziehen. Sein Ende ist wie sein Anfang: Mt versteht die Auferweckung in Korrelation zu seiner himml. Zeugung. Da es an allen Prolog/ Epilog-Stellen um eine ausgeführte Beauftragungsepiphanie geht, so will Mt wohl auch mit der von Mk übernommen summarischen Notiz 4,11 eine solche vorgestellt wissen.

Als einziger Synopt. bildet Mt in seinen Jesusreden das Syntagma, das gerichtseschatol. von *Engeln des Menschensohns* spricht:

Mt 6 : Mk 0 : Lk 0 + 0

=(Mk 0 + 2) + (Q 0 + 0) + (A-Mt 4)

Neben der Abänderung von zwei Mk-Vorgaben durch Zusatz des Poss.-Pron. 16,27; 24,32 finden sich vier Belege in allegor. Stellen: 13,41, wonach dann auch die verkürzende Wiederholung V.49 anaphor. so aufzulösen ist und der Art. das Poss.-Pron. vertritt; dasselbe gilt kataphorisch für die Vorwegnahme V.39. Auch die Präp.-Wendung 25,31 ist red. in diesem Sinne gemeint, zumal eine Anaphora auf 24,32 innerhalb der gleichen Rede vorliegt. Mt dürfte diese Wendung von Q-Lk 12,8f her, was er Mt 16,27 in diesem Sinne änderte, red. gebildet haben. In der Sache düfte er damit die gerichtseschatol. Überordnung Jesu von der beauftragungsepiphanischen von 4,11 während des Lebens Jesu abheben wollen.

Als einziger Synopt. spricht Mt scheinbar von besonderen Engeln einer Menschengruppe, der *Kleinen*: 18,10(+Mk); Dabei ist wohl nicht an Schutzengel zu denken (gg. BROER EWNT 1,33), da sie ja eine gefährdende Funktion haben, sd. eher an Strafengel (vgl. das Synonym am Abschluß V.34). In der Vorstellung kann Mt auch hier *die rehabilitierten getöteten Gerechten als ihre Verbündeten* im Sinn haben.

Als einziger Synopt. spricht Mt einmal von Engeln des Teufels: 25,41 (in Antithese zu denen des Menschensohns V.31), an denen ebenfalls die ewige Strafe vollzogen wird. Mt denkt an die Dämonen (die 9,29 um ihr endgültiges Ende wissen), die ja 12,22f Satan zugeordnet gedacht waren.

Kennzeichnend mt ist also syntaktisch der konsequente Zug zur Gen.-Determinierung (13mal); dabei sind weiter die scheinbar undeterminierten Stellen keine Abweichungen oder Ausnahmen, da sie gewöhnlich als Zweiterwähnung im gleichen Segment erscheinen, so daß sie vielmehr anaphor. von der kurz vorhergehenden Nennung (als "Filler") her in ihrer semant. Tiefenstruktur als ebenso determiniert angesehen (und in ihrem "Slot" ergänzt) werden müssen (4,11:6; 13,49:41; 25,31:24,32 28,5:2).

In solcher textsemant. Relation zu 13,41 steht aber auch die Vorwegnahme (Kataphopra) in 13,39, wo sich die noch mangelnde Näherbestimmung wie das Fehlen des Art. aus dem hier vorliegenden Definitionsstil ergibt (B-D-R 252). In 25,31 ist (neben der Anaphora) die redundante Näherbestimmung (*alle* und *mit ihm*) in der semant. Tiefenstruktur in einem Analogon ebenso gegeben wie 26,53 (*Legionen* und *mein Vater*).

Somit ist die Kurz-Lesart in 22,30 (B D pc) un-mt und kann nicht damit für primär erklärt werden, daß man den Zusatz als natürlich mögliche Erweiterung erklärt, dessen Auslassung unverständlich wäre (so GNTCom 58f); vielmehr erklärt sich die Auslassung hier als sek. Rückangleichung an Mk (H-G 209, während die Kommentare durchgehend ohne Begründung zu selbstverständlich die Kurzform voraussetzen), und sie stellt zugleich eine Erleichterung dar, da der Bezug der ἐν-Wendung auf Gott die Sache verkompliziert und "Engel im Himmel" einfacher erscheint. Doch ist mt *engelgleich* = ≻*ewiges Leben* bei Mt als neuer Äon auf der ≻*Erde* (5,5) gedacht.

Der Sing. *Himmel* signalisiert wohl den Bezug zum neuen Äon. Nach dem Zusammenhang sind auch die gerechten Vorfahren wie Abraham, Isaak, Jakob
(und nach weiteren Stellen Kain, Mose, Elia) engelgleich gedacht, so daß
sich der Umfang der mt Engel-Stellen noch um diese erhöht.

In 24,36 signalisiert der Plur. *Himmel*, daß an die jetzt vom Himmel
kommenden Boten gedacht ist, die (wie Kap. 1-2 im Traum) Weisung geben.
Das bestärkt noch einmal in der Annahme, an solche offenbarende Weisung
auch 4,11 bei den Engeln zu denken, die Jesus nach der "Verhöhnung"
dienen: Ihren "Dienst" dürfte der Leser primär (im Anschluß an Kap.1-2) in
einer Offenbarungsvermittlung zu sehen haben. Dafür spricht vor allem
auch die Zugehörigkeit der Passage zum mt Prolog: Was ab 4,17 in den
Hauptteilen bekanntgemacht wird, ist himmlisch geoffenbarte Weisung.

ἄγγος 13,48(red. - NT sonst nie) *Gefäß* für Fische - wie Deminutiv
ἀγγεῖον 25,4 (red. - NT sonst nie) kleines *Gefäß* für Brennöl

ἀγέλη ⟶χοῖρος

ἁγι- (GUNDRY 641)
    Mt 13 : Mk 7 : Lk 21 + 55

ἅγιος
    Mt 10 : Mk 7 : Lk 20 + 53 : Joh 5
        =(Mk 7 - 5 + 4) + (Q [3Dubl.] + 2) + (A-Mt 2)
Die Hälfte der mt Stellen entfällt auf die Wendung *Heiliger Geist*:
    Mt 5 : Mk 4 : Lk 13 + 43
        =(Mk 4 - 2 + 1) + (Q [2Dubl.]) + (A-Mt 2)
Kennzeichnend ist die Ausschaltung all derjenigen Mk-Stellen, die nicht
direkt jesuanisch bezogen sind: Mk 12,36 (David); 13,11 (Ihr), während die
christol. Stellen übernommen wurden: 3,11(=Mk/Q) wie 12,32(=Mk/Q); dem
vorgeschaltet sind die geburtsbezogenen Stellen 1,18.20 als das Vorzeichen
für alle Stellen, die ihren semant. Gehalt bestimmen. Das christol. Gewicht
wird unterstrichen durch die 28,19 nachgeordnete "Taufstelle", womit eine
dupl. Wiederaufnahme von 3,11 stattfindet (typ. mt mit hell. vorangestelltem
Adj.), wobei die Zuordnung auf ⟶*Vater* und ⟶*Sohn* deutlich die jesulogische
Bedeutung des mt Geistkonzepts unterstreicht (unter dem Sing. des einen
Namens sind die drei ohnehin deutlich zusammengefaßt): Für Mt ist nur sein
Jesus Geistträger. Das Adj. meint in allen Fällen bei Mt *von Gott kommenden*
Geist, der Jesus von der Zeugung an bestimmt. Diese Stellen sind auf An-
fang (1,18.20; 3,11), Mitte (12,32) und Ende (28,19) signifikant verteilt.

Da die restlichen Adj.-Stellen dazwischen stehen, müssen sie von daher
gelesen werden:
    Mt 5 : Mk 3 : Lk 7 + 10
        =(Mk 3 - 3 + 3) + (Q 0 + 2)
Wiederum rahmend verteilt sind die mt Stellen (mit hell. vorangestelltem
Adj.) bei den Ortsangaben 4,5(+Q) und 27,53(+Mk); auch dieses Syntagma
gehört zu den speziellen Mt-Berührungen mit 3Makk (6,5). Von der Zuordnung der ersten Stelle zum Tempel her könnte man annehmen, daß Mt dem
Leser die Kodierung geben wollte: "dem jüdischen Tempelkult zugeordnete
Stadt" (BALZ EWNT 1,39f). Stärker ist jedoch in der Textsequenz des Buches eine Dekodierung von den mt-christol. Stellen her nahegelegt: Die Gott
und seinem geborenen Messiaskönig und Geistträger gehörende (Tempel-)
Stadt; von daher auch 24,15(+Mk - wohl vom abs. Adj. LXX-Dan 11,31 her -
und von Mt manieristisch-semitisierend nachgestellt) wohl für den Jerusalemer Tempel selbst - doch Jesu Verfügungsgewalt über dessen Ende unterstreichend.

Dem alterierend eingeordnet sind die beiden abs. Stellen: 7,6(+Q) im
sachlichen Neutr., was an die christol. *Geist*-Stellen anklingen soll (wie
direkt kontextsemantisch auch an den *Namen* 6,9). Direkte Satzparallele ist
hier auf jeden Fall die typ. mt ⟶*Perle* als eine Weisheitsmetapher, so daß

der Bezug zur mt Weisheits-Jesulogie (SUGGS 1970) deutlich ist, da *Sophia* und *Pneuma* Synonyme sind. Das subst. Adj. als Verbindungsglied ist hier vermutlich von Mk 1,24 angeregt und permutiert. Absolut bzw. subst. ist auch die einzige Plur.-Stelle 27,52(+Mk), wo es die verstorbenen, *dem Vater Jesu Gehörenden* meint (sinngleich mit den sonst genannten *Gerechten/Propheten* der Weissagungszeit als solche, die ja "Jesus" geweissagt haben), wobei dem Plur. nach evtl. Mk 8,38 permutiert ist. Die 3 ausgelassenen mk Stellen sind alle Personenkennzeichnungen: Mk 1,24 (Jesus – doch im Munde der Dämonen und dafür Mt 7,6 als Äquivalent); 6,20 (Täufer); 8,38 (Engel – mit Mt 27,52 als möglichem Äquivalent; die entsprechend erweiternde Lesart Mt 25,31 ist darum un-mt). Beachtenswert in der jesulogischen Konzentration bleibt, daß "die Schriften" ebensowenig wie bei Mk je dieses Prädikat tragen.

Mt dürfte so eine bewußt symmetrische Verteilung im Buch angelegt haben, die für die Kontextsemantik wichtig ist und die die auf den ersten Blick willkürlich erscheinende Setzung oder Nichtsetzung erklären dürfte:

A_{1-5}:	B_{1-3}:	C_{1-2}:
1,18.20; 3,11		
	4,5	
		7,6
12,32		
	24,15	27,52
	27,53	
28,19		

Im griech. Sprachraum wurde es seit Herodot vor allem für heilige Orte, später auch für Götter und Heroen im Sinne des Respekts und der Ehrfurcht (wie lat. *pietas*) verwendet und konnte so sogar auf die Verehrung Epikurs, der als dezidierter Atheist galt, angewendet werden (BALZ ebd.42). Außer dem in den Quellen vorgegebenen LXX-Einfluß kann für Zeit und Ort des Mt auch schon lat. Einschlag angenommen werden, wo vor allem (was dann die weitere Kirchensprache stark bestimmte) die Institutionalisierung konnotiert ist (= *der privaten Verfügung entziehen*) und *heilig* als eine Steigerung von *religiös* erscheint – ein Sprachgebrauch, der bis heute in den abendländischen Kirchentümern bestimmend blieb (bis zur *Heilig*-Sprechung als *anonisierung*). So wurden die entsprechenden jurist. Bestimmungen bei Gaius, Institutiones 2,4-7 mit folgender Definition eingeleitet:
– "*Heilig* (*sacrae*) sind Sachen (*res*), die den Göttern geweiht sind;
– *religiös* (*religiosae*), die den Manen (Verstorbenen) überlassen sind."
Daran schließt sich die entsprechende Erläuterung an:
– "*Heilig* kann alles werden, was auf Grund der Vollmacht des *populus Romanus* geweiht ist durch diesbezügliches Gesetz oder ein Dekret des Senats.
– *Religiös* machen wir etwas durch unseren (eigenen) Willen, indem wir einen Verstorbenen auf dem eigenen Grundstück beerdigen, wenn nur die Bestattung der Toten unsere Aufgabe ist" (KIPPENBERG-WEWERS 1979:50).
Es ist deutlich, daß dieses Heiligkeits-Konzept bis in die jurist. Implikate der Reliquien hineinreicht. Umgekehrt ergibt sich, daß es bei diesem *heilig* um dasjenige offiziell Gott Gehörige geht, das damit der privaten Verfügung entzogen ist. Die mt Religionsgesetzlichkeit scheint durchaus schon römisch bestimmt zu sein. Wenn man sonst bei der Übersetzung aus dem NT auf den Rat hören möchte, wegen dieser Vorprägung des deutsche *heilig* auf dieses Lexem zu verzichten (MÜLLER 1978:19-46), so stellt sich diese Frage bei Mt wohl nicht.

ἀγιάζω (GUNDRY 641)
    Mt 3 : Mk 0 : Lk 1 + 2 : Joh 4
        =(Mk 0) + (Q 1 + 2)
Die vom Verbaladj. her geschaffene sek. LXX-Neubildung (BALZ ebd. 42f) ist
im Herrengebet 6,9(=Q) vorgegeben; semant. bedeutet es keine aussschlies-
sende Alternative, ob man es bei Mt mehr von der griech. Verwendung her
als *respektiert werden* gefüllt sieht oder auch einen lat. Einschlag annehm-
men will: *der privaten Verfügung entzogen.* Auf jeden Fall ist der *Vater-*
Name in seinem mt Sohn-Bezug das Obj. (28,19).
    Bei 23,17.19(+Q) liegt nur auf den ersten Blick ein vordergründiger
"kultischer Gebrauch" (BALZ ebd.41) vor. Denn die Argumente, daß erst der
jüd. Tempel das Geld bzw. der Altar das Opfer "kultfähig macht", stehen ja
im Relationszusammenhang mit dem, was jeweils ≯*größer* ist. Das aber ist in
der mt Textsequenz zu lesen: Nachdem schon 12,6 red. festgestellt hatte,
daß der mt Jesus *größer* als der Tempel ist, so geht es auch Mt 23 um die
Größe dessen, der hier anordnet und festlegt – eben als der Herr dieses
seines Tempels; die Untergangsaussage 24,15 zeigt deutlich, daß für mt der
jesuanisierte Heiligkeitsbegriff nie ausgeblendet ist. Das im allgemeinen
beherzigenswerte Prinzip, ἅγιος und ἱερός nicht vorschnell zu konfundieren
(BALZ ebd.39), ist auf Mt nicht anzuwenden. Zwar verwendet er das zweite
Adj. nicht, doch ansonsten ist der Tempel-Zusammenhang mit dem zweiten
Stamm (ἱερεύς, ἱερόν, ῾Ιεροσόλυμα) durch die Kontexte deutlich gegeben.
    Das Antonym zum Vb. ist 7,6 *zertreten* als Metapher für *entweihen* wie
3Makk 2,18.
ἄγκιστρον ≯βάλλω
ἄγναφος ≯γυμνός
ἀγορά 11,16(=Q); 20,3(=Mk 6,56 permutiert); 23,7(=Mk) *Marktplatz*
    Mt 3 : Mk 3 : Lk 3 + 2 (NT sonst nie)
ἀγοράζω (GUNDRY 641)
    Mt 7 : Mk 5 : Lk 5 + 0 : Joh 3
        =(Mk 5 – 3 + 1) + (Q 0 + 0) + (A-Mt 4)
14,15 ist der *Brotkauf* wie 21,12 das abs. Pt. *Käufer* aus Mk übernommen,
während Mt als redundante Züge Mk 6,37; 15,46; 16,1 gestrichen hat. Die
beiden letzten Stellen könnten einen gewissen anregenden Einfluß auf die
red. Bildung seiner letzten Stelle 27,7 (Ackerkauf der Hierarchen) gehabt
haben, so daß Permutation angenommen werden kann. Als *Ackerkauf* steht
die letzte Stelle wiederum in einer gewissen Gegensatz-Korrespondenz zur
ersten Stelle 13,44, wo es ebenfalls um einen Ackerkauf geht. Die Verwendung dort wird sogleich in der par. Perlen-Allegorie 13,46 verstärkend wiederholt. In einer negativen Korrespondenz zu diesen beiden ersten Stellen
steht auch die doppelte Verwendung in den Allegorie-Zusätzen 25,9f
(SCHENK 1978), wo ein unnützes, weil verspätetes Kaufen unternommen wird.
Auf 2 positive Stellen folgen kontrastierend 5 negative. Weiter ergibt sich,
daß von 5 red. Stellen 4mal eine Verwendung in Allegorien vorliegt:
    Mt 4 : Mk 0 : Lk 2 (Lk 14,18f wohl in red. Erweiterung).
Es ist ein Element, das die ökonomisch-monetäre Erzählwelt der mt Allegorien
mitbestimmt. Das wird durch die Komplenyme bestätigt:
πωλέω
    Mt 6 : Mk 3 : Lk 6 + 3 : Joh 2
        =(Mk 3 + 2) + (Q 1)
Aus Mk übernommen sind: 19,21 (Besitzverkauf-Aufforderung); 21,12a (abs.
Pt. *Verkäufer* in Relation zum Komplenym).12b (spezifiziert: *Taubenverkäufer,*
-händler); aus Q stammt 10,29 (Sperlingsverkauf). In erkennbarer Abhängigkeit von der ersten mk Stelle (Mk 10,21.28) ist das ganze Syntagma *alles*
verkaufen von Mt red. in seiner Allegorie 13,44 dupl. und zugleich in Korrespondenz zum Komplenym gesetzt worden. Mit der Verwendung des Pt. in

der Allegorie 25,9 (wiederum in Korrespondenz zum Komplenym) ist das Pt. aus Mk 11,15 wiederum in der anschließenden Stelle des Mt dupl. worden. Beachtenswert ist, daß auch hier die beiden red. Stellen in Allegorien vorliegen. Gleiches gilt für
πιπράσκω (GUNDRY 647)
    Mt 3 : Mk 1 : Lk 0 + 3 : Joh 1
       =(Mk 1 + 1) + (Q 0 + 1)
26,9(=Mk) für das Luxusparfüm übernommen, ergänzt es 13,46 (mit dem Komplenym) dupl. für den Perlengroßhändler *steigernd* gegenüber der voranstehenden Allegorie: Es steht betont für *größere Geschäfte* gegenüber dem normalen πωλέω. Analog dazu ist die Verwendung in Allegorie 18,25: Millionenschuldner samt Familie und Besitz. Wiederum liegen zwei red. Verwendungen in monetären Allegorien vor. Dasselbe gilt von den Derivaten
ἐμπορία 22,5(+Q – NT sonst nie; LXX 12mal) und
ἔμπορος 13,45 (NT nur noch Apk 4mal)
    Das Nom. agentis bezeichnet 13,45 den *Großkaufmann* (im Unterschied zum κάπηλος, dem *Krämer*; EWNT 1,1088; beide bilden schon klass. als Lokal- und Fern-/See-Handel eine feste Opposition im Wortfeld: "Seehändler bedürfen der Kredite eines Geldbüros"; SANDVOSS 1981:40f). Es gehört trotz seiner einmaligen Verwendung zum red. Wortfeld der gehobenen monetären Bildersprache hinein, wie der Zusammenhang mit dem Luxuartikel *Perle* weiter bestätigt. Von daher ist auch das Nom. actionis *Großhandel* als red. Eintrag in die Q-Allegorie 22,5 zu bestimmen, der direkt von der ersten Stelle her verursacht sein dürfte und diese in antithetischer Entsprechung erinnern und verstärken soll. Außerdem geht in beiden Fällen 22,5 wie 13,44 der alternative Arbeitsbereich ↗ἀγρός voraus, so daß auch diese makrosyntaktische Aufeinanderfolge als mt Stilmerkmal gelten muß.
μαργαρίτης (GUNDRY 645)
    Mt 3 (im NT und LXX nur noch 1Tim 2,9 und Apk 17,4; 18,12.16; 21,21) Das altindische Lehnwort hat erst und nur Mt 7,6 wie 13,45f seinem Jesus in den Mund gelegt. *Perlen (Korallen)* wurden, nachdem sie erst Alexander d.Gr. aus dem Osten in den Mittelmeerraum eingeführt hatte, "der hell.-röm. Welt rasch zum Inbegriff des Kostbaren" (PLÜMACHER EWNT 2,948-50). Da sie schnell zur Metapher der Weisheit avancierte (Ijob 28,18; Spr 3,15; 8,11), legte sich diese Verwendung auch Mt nahe: Als Luxusgegenstand entspricht sie seiner Orientierung auf das Wortfeld höherer monetär-ökonomischer Werte (↗ἀργυρία/χρυσός, θησαυρός), wie 13,34 auch die flankierenden Vorkommen von ἔμπορος und V.45 θησαυρός beweisen. Hier tritt aber nicht einfach "das Himmelreich an die Stelle der Weisheit" (gg. ZELLER EWNT 2,374), sd. der wertsichtige Mensch erkennt im mt Sophia-Jesus den Weg zur individuellen Unsterblichkeit.
    So wie in Mt 13 *Schatz* ein Kontextsynonym ist, erscheint in dem ebenfalls allegorisierenden Spruch 7,6 *das Heilige* (= die im mt Jesus erschienene Weisheit Gottes, zumal heiliges Pneuma und Weisheit ohnehin synonym sind), womit dupl. auf das Unservater 6,9 zurückverwiesen ist. Möglicherweise sollen vor allem die beiden Schlußbitten des Gebets hier aufgenommen und erweiternd konkretisiert werden. Den Vorbehalt in der Verwaltung des anvertrauten Konzepts mt dürfte die Aussendungsrede 10,11-13 weiter entfalten. Es steht hier strukturgleich einschränkend nach 7,1-5 wie 18,15-18 (nach innen) im Anschluß V.10-14 (nach außen; STRECKER 1984:152) wie auch beidemale Gebetsaufforderungen zur richtigen Unterscheidung beider Anwendungsrichtungen folgen.
    Hochgradig kennzeichnend für Mt ist also vor allem die Verbindung der *Komplenyme* und ihre Setzung in ihm eigenen *monetären Allegorien*.
ἄγριος 3,4(=Mk – NT sonst nur Jud 13) *wild*

ἀγρός (GUNDRY 641)
Mt 17 : Mk 8 : Lk 9 + 1 : Joh 0
=(Mk 8 - 6 + 10) + (Q 2 + 3)
Noch signifikanter als die Gesamthäufigkeit ist die Verwendung im *Sing.*
(gerade bei Beachtung der sonstigen Plur.-Bevorzugung des Mt):
Mt 16 : Mk 2 : Lk 6 + 1 (JEREMIAS 1965:81 n.12)
=(Mk 2 - 1 + 10) + (Q 2 + 3)
Der Plur. blieb nur 19,29(=Mk) *Felder* als *Grundbesitz* (PESCH EWNT 1,57).
Der Sing. ist 24,18 von Mk 13,16 übernommen (die Streichung von Mk 15,21
erfolgte in einer übergreifenden Kürzung). Der Zusatz 13,31 (gg. Mk 4,31
und zugleich Q-Lk 13,19) erfolgte im Anschluß an V.24 und 27 zur Verbin-
dung der Allegorien.
Aus Q ist deutlich der *Acker* als Standort des Unkrauts 6,30 (Lk 12,28),
während 12,28 dort bei Lk 12,27 keine Entsprechung hat. Der *Acker* als *Be-
sitz* erscheint in der Allegorie 22,5(=Q), während die Präp.-Wendung Q-Mt
24,40 bei Lk 17,34 fehlt.
Spezifisch mt scheinen zwei Syntagmen zu sein:
Als einziger Synopt. hat Mt das Wort im *adnominalen Gen.* (Semitismus):
Mt 3 : Mk 0 : Lk 0 + 0
=(Mk 0 + 1) + (Q 0 + 2)
Q-Mt 6,28 ist Überschuß gegenüber Lk 12,27, während anschließend V.30 dem
Dat. von Lk gegenübersteht. Dennoch wird man es hier nicht als für Q
urspr. ansehen können, da Mt es auch 13,36(+Mk) in der Einleitung zur red.
Allegorie-Entschlüsselung benutzt.
Als einziger Synoptiker hat Mt auch die *dat. Präp.-Wendung*
ἐν τῷ ἀγρῷ:
Mt 6 : Mk 0 : Lk 0 + 0
=(Mk 0 + 5) + (Q 0 + 1)
13,31(+Mk/Q) erscheint es im Gefolge der Allegoriestellen 13,24.27(+Mk), wo
es V.44a im Gefolge der drei voranstehenden Stellen ein viertes Mal dupl.
In der Endzeitrede erscheint es 24,18 statt des Akk. Mk 13,16 und wird
dort V.40 (statt Q-Lk 17,34 *Bett*) wohl im Gefolge von V.18 angleichend dupl.
Als red. erweisen sich von daher in der Textsequenz auch die Renominalisierungen 13,38 als Allegorie-Entschlüsselung nach V.36, und V.44d folgt
V.44a. Die Tendenz zu renominalisierenden Cluster-Bildungen ist nicht nur
bei der 7maligen Verwendung 13,24-44 zu erkennen, sd. auch bei den Wiederholungen 6,28.30 und 24,18.40. Von daher ist auch der letzte Komplex
27,7.8.8.10(+Mk) als red. anzusehen, wo die drei vorlaufenden Belege auf das
abschließende Erfüllungszitat hin stehen.
ἄγω 10,18(=Mk); 21,2.7(+Mk); 26,46(=Mk) *führen* (für Mt untypisch)
Mt 4 : Mk 3 : Lk 13 + 26 : Joh 12
ἀνάγω 4,1 (=Q-Lk 4,5 permutiert) *Entrückung*
Mt 1 : Mk 0 : Lk 3 + 17 : Joh 0
ἐπανάγω 21,18(+Mk zur Erinnerung an 4,1 gesetzt, da wieder *Hunger* folgt)
Mt 1 : Mk 0 : Lk 2 (NT sonst nie; LXX 5mal)
ἀπάγω
Mt 5 : Mk 3 : Lk 4 + 2 : Joh 0
=(Mk 3 - 1 + 1) + (Q 0 + 2)
26,57(=Mk) wurde übernommen, während die Mk 14,44 voranstehende Stelle
als Bitte des Judas ausgelassen wurde, da sie sich so nicht erfüllt hat.
27,31 ist Mk 15,16 von der Mißhandlung zur Kreuzigung permutiert, um an
einem gewichtigen Übergang zu stehen. Von daher erklärt sich auch die Insertion 27,2(+Mk): Mt signalisiert mit dem Verb als t.t. der *gewaltsamen
gerichtlichen Abführung* (BORSE EWNT 1,273) einen fortlaufenden *count-
down*: zum Priesterfürsten, zu Pilatus, zur Kreuzigung. Dabei ist es immer
vorbereitend-ergänzendes Hyponym zur ≯*Auslieferung* im Wortfeld der Ver-

werfung des Gerechten.

Das Sem des *Gewaltsamen* dürfte auch bei der Verwendung im Zwei-Wege-Logion 7,13f(+Q) präsent sein, zumal Mt hier dieselbe Präp. verwendet wie red. 27,31 (anders die 26,57 von Mk übernommene). Da es im Zwei-Wege-Logion zur Begründung des Imp. steht, ist der Determinismus das eigentlich begründende Bedeutungselement: *Zwangsläufig führt* der eine oder andere Weg zur individuellen Unsterblichkeit oder zur ewigen Strafe.

παράγω

    Mt 3 : Mk 3 : Lk 0 + 0 : Joh 1

      =(Mk 3 - 2 + 2)

Der mt Gebrauch ist einheitlich und weicht vom vorgegebenen mk einheitlich intrans. Gebrauch *vorübergehen* ab, wie 9,9(=Mk) der Adv.-Zusatz *von dort* deutlich zeigt: *weggehen*; V.29(+Mk) wird genau dieses Syntagma dupl. Eben diese mt Bedeutung und nicht die mk (gg. BAUER WB 1217; EWNT 3,40) ist auch bei der nachstehenden abs. Verwendung 20,30(+Mk) anzunehmen, da es sich nicht nur um eine erinnernd-verkürzende Wiederholung der Blinden-Dublette handelt, sd. die wörtl. Rede das V.29 erzählte *Aufbrechen* (ἐκπορεύομαι) wiederholt. Auslöser der Heilungsbitte ist also bei Mt das *Fortgehen* Jesu. Von dieser Einheitlichkeit der mt Verwendung aus wird die Auslassung der anderen Bedeutung von Mk 1,16 wie 15,21 noch deutlicher (und umgekehrt; GUNDRY 61). In der semant. Tiefenstruktur ist damit die Verwendung an allen drei Stellen red. einheitlich. Mt hat sich damit ein Synonym zu ↳ἀναχωρέω, ↳ἐξέρχομαι geschaffen.

προάγω

    Mt 6 : Mk 5 : Lk 1 + 4 : Joh 0

      =(Mk 5 - 1 + 0) + (Q 0 + 1) + (A-Mt 1)

Kennzeichnender ist das Syntagma *mit nachfolgendem Akk. des Pers.-Pron.*:

    Mt 6 : Mk 3 : Lk 0 + 4

      =(Mk 3 - 1 + 2) + (Q 0 + 1) + (A-Mt 1)

Erst die beiden letzten Stellen 26,32; 28,7 sind signifikanterweise aus Mk übernommen. Die Auslassung von Mk 10,23 in Mt 20,17 erfolgte wohl aus übergeordneten Gründen (vgl. Mt 17,23). 14,22; 21,9 wurde das Pers.-Pron. stereotypisierend zu dem von Mk übernommenen abs. Vb. zugesetzt. Von daher ist auch 21,31(+Q) als red. anzusehen (wofür auch noch andere Gründe sprechen, da hier ein mt Synonym zu ↳εἰσέρχομαι = *bejahen* – im Gegensatz zu euch" vorliegt im Bezug auf mt ↳βασιλεία τοῦ θεοῦ) und dann wohl auch 2,9. (Da Apg stets die zusammengesetzte Wendung hat, ist das Vb. im abs. Gebrauch Lk 18,39[+Mk] wohl aus Mk 11,9 vorgezogen worden).

προσάγω 18,24(+Q) Pass. *herbeigebracht, vorgeführt werden*

    Mt 1 : Mk 0 : Lk 1 + 2 (NT nur noch 1Pt 3,18)

ἀδελφή (für Mt untypisch)

    Mt 3 : Mk 5 : Lk 3 + 1 : Joh 6

      =(Mk 5 - 2)

wurde 12,50(=Mk; 13,56(=Mk); 19,29(=Mk) übernommen. Mt hat straffend die jeweiligen Doppelnennungen Mk 3,32 und 10,30 ausgelassen; *Schwestern* sind wohl an der ersten mk Stelle angesichts der mt Straffungstendenz wie der textkritischen Rückangleichungstendenz an Mt als urspr. anzusehen (als sek. Zusatz wären sie eher V.31 zu erwarten: PESCH 1,221 mit GNTCom 82 gg. METZGER ebd.; TAYLOR 246; OBERLINNER 1975:180). Mt geht wohl vom verwandtschaftlichen Sinne aus, hat es aber bezeichnenderweise an der ersten Stelle gerade nicht so, sd. im Blick auf die Jesus-Gemeinde übernommen.

ἀδελφός (GUNDRY 641)

    Mt 38 : Mk 20 : Lk 24 + 57 : Joh 14

      =(Mk 20 - 3 + 5) + (Q 4 + 4) + (A-Mt 8)

Ausgelassen wurden die verwandtschaftlichen Wiederholungserwähnungen Mk

3,32 (da Mt 12,47 gg. GNTCom 32 als sek. Zusatz zu werten ist); 6,18; 10,30.

Die reziproke Verwandtschaftsrelation ist an der Hälfte der Stellen 19mal bezeichnet: 1,2.11; 4,18(+Mk).18(=Mk).21(+Mk).21(=Mk); 10,2(+Mk).2(=Mk).21.a.b (=Mk); 12,46(=Mk); 13,55(=Mk); 14,3(=Mk); 17,1(=Mk 5,37 permutiert); 19,29 (=Mk); 22,24(=Mk).24(=Mk).25(=Mk).25(=Mk permutiert).

In der Regel rechnet man auch 20,24(+Mk) als 20. Stelle dazu. Doch dürfte die Gegenüberstellung zu den 10 (der 12) und die Erinnerung an die Häufung der Weisungen in 18,15ff von Mt eher die verschärfte Pointe "diese zwei Mit-Schüler" in ekklesiol. Verwendung nahelegen. Schwanken in der Zuordnung kann man natürlich auch bei der Frage 12,48(=Mk). Da es aber um eine klare sachliche Verneinung geht, V.49(=Mk) betont die anwesenden *Schüler* (OBERLINNER 1975:243-7) zu α. erklärt (mit red. Zusatz des Poss.-Pron., das Mk 3,33 mit B D arm und in Analogie zu V.35 als nicht urspr. und in den anderen HS als Rückangleichung an Mt anzusehen ist; PESCH 1, 222) sowie V.50(=Mk mit red. betonter Voranstellung des Poss.-Pron.) die Täter des Willens Gottes als α. definiert werden, so ist die Brücke zu dem Folgenden stärker, was die Benennung mit dem Syntagma *meine Brüder* angeht. Diese ist ihm so wichtig, daß er sie abschließend rahmend in den beiden Schlußstellen 25,40 (FRIEDRICH 1977:248f) und 28,10 dupl. red. wiederholt:

Mt 5 : Mk 2: Lk 1

In der semant. Tiefenstruktur gleichbedeutend wird das 23,8(+Mk) - in Analogie zur Feststellung des Rechtsstatus in 12,49 - wiederholt (wohl in Anlehnung an Gal 3,26-28): Diese Bruderschaft ist durch die Lehrerschaft des mt Jesus definiert (Komplenym: Schüler). Diese wird anschließend V.8 - in Analogie zu 12,50 - noch durch die Relation zur herrscherlichen →Vaterschaft Gottes ergänzt (Komplenym: Söhne). Q-Mt 18,15.35 hatten diesen Sachbezug als ständig präsent erinnert (FRANKEMÖLLE 1974:177-85 - doch ist seine Prädizierung der Bruderschaft als "anthropologischer Komponente der Bundestheologie" nicht stringent, da er selbst zugibt, daß "keine traditionsgeschichtliche Verbindung zwischen Mt speziell und der alten Bundestheologie nachgewiesen werden kann" 171).

Die korrelativen Poss.-Pron. 18,15a(=Q), die V.15b.21.35(+Q) wiederholen, bezeichnen damit klar ekklesiol. den Mit-Schüler. Dasselbe gilt auch schon für die Stellen der Bergrede: 5,47(+Q) ist klar innergemeindlich gemeint (im Unterschied zum Feindverhältnis) und ebenso ist das Verurteilungsverbot 7,3.4.5(=Q) mt innergemeindlich zu verstehen, da anschließend V.6 das Außen-Verhältnis zur Sprache kommt (gg. BEUTLER EWNT 1,69 "Bruder = Nächster... mit Übergang(?) zum Glaubens(?)bruder bei Mt" - auch für Q ist ein Außenverhältnis vom Kontext her nicht gegeben - vgl. PIPER 1982); die Arbeitshypothese vor-mt als *Mitmensch*, mt als *Gemeindeglied* ist ein von FRIEDRICH 1977 gehandhabtes, aber nicht bewiesenes Grobraster). Innergemeindlich sind auch 5,22-23.24(+Q) gemeint (FRANKEMÖLLE 1974:182), was sich nicht nur aus der mt Adressierung der Bergrede an die →*Nachfolgenden* 4,25f ergibt, sd. auch aus der unmittelbar vorausgehenden Investitur zu wahren Weisheitslehrern 5,11-16. Mt hat die schon von Q ekklesiol. verwendeten 4 Belege *dein Bruder* (7,3-5; 18,15a) übernommen und sie 5,23.24; 18,15b direkt (dazu 5,47 in den Plur., 18,21 in die 1.Pers., 5,22.22 am Anfang und 18,35 am Schluß in die 3.Pers. transformierend) multipl. Daß Mt es "relativ selten red. gebraucht" (LUZ 1971:158f), sollte man angesichts der 6 Vorgaben und der mindestens 12 red. Bildungen ebensowenig behaupten, wie die Behauptung einer "Synonymität zu μαθητής" (ebd.) im Rahmen der Wortfeldsemantik unpräzis ist; es handelt sich um ein Hyponym *Mit-Schüler*, das durch den gleichen Referenzbezug noch nicht zum Synonym wird.

ἀδημονέω →λυπέομαι

ᾅδης →γέεννα
ἀδικέω, ἄδικος →δικ-
ἀδυνατέω, ἀδύνατος →δυνα-
ἀετός →πετεινόν
ἄζυμος →ἄρτος
'Αζώρ 1,13.14 (NT sonst nie)
ἀθῷος →αἷμα
αἰγιαλός →Γαλιλαία
Αἴγυπτος
    Mt 4 : Mk 0 : Lk 0 + 15 : Joh 0
nur zusammenhängend 2,13.14.15.19 immer in lokalen Präp.-Wendungen
(Flucht und Rückkehr; VÖGTLE 1971:42-53) aus dem Erfüllungszitat V.15 (Hos
11,1) herausgesponnene betonte Renominalisierungen.
αἷμα
    Mt 11 : Mk 3 : Lk 8 + 11 : Joh 6
       =(Mk 3 – 2 + 6) + (Q 3 + 1)
Dreimal ist Q-Mt 23,35 das Lexem metonymisch für den *Mord* an den Propheten übernommen – vom ersten bis zum letzten in der LXX Erwähnten; 23,30
(+Q) kann eine von daher gewonnene und kataphorisch vorgetragene red.
Erweiterung sein, da die Konzentration des Lexems auf den Todesbezug das
mt Spezifikum ist (SENIOR 1982:380f); 26,28(=Mk) hat beim Becherwort die
schon von Mk (von Q her) vorgenommene Erweiterung auf das Q-Wort 23,35
hin mit der Wendung *Blut vergießen* weiter expandierend übernommen und
damit den Bezug dieser bei Mt ja auch aufeinanderfolgenden Stellen noch
deutlicher gemacht. Anschließend daran hat Mt diese Linie fortgeführt, wenn
er 27,4.24(+Mk) die LXX-Wendung (15mal: GUNDRY 554) *unschuldiges Blut* =
Mord an Unschuldigen übernahm:
ἀθῷος Mt 2 (+Mk – NT sonst nie; vgl. →δίκαιος).
    Die Verwendungsweise wird weitergeführt in den Syntagmen 27,6(+Mk) *für
Mord gezahltes Geld* und 27,8(+Mk) *Mord-Acker*, um schließlich in der Antithese zu V.24 in V.25(+Mk) durch bewußten Anklang an 23,35 im ius talionis
dadurch seinen Abschluß zu finden, daß die Mordvergeltung auf die Täter
selbst übertragen wird.
    Mt hat das Wort nur anthropol. verwendet und nie von Tieren ausge-
sagt; es ist mt immer *Menschenblut* = *Menschenmord*. Im Unterschied zu Lk
hat Mt im Sinne seiner semant. Konzentration die beiden, nur auf heilbare
Krankheiten bezogenen Stellen Mk 5,25.29 nicht übernommen und damit seinen vereinheitlichten Lexemgebrauch weiter verdeutlicht; dafür hat er 9,20
das Pt. des Komp., das Hippokrates für jeden Blutverlust verwendete:
αἱμορρέω Mt 1(+Mk – NT sonst nie; LXX nur Lev 15,31),
    in der speziellen Bedeutung *Gebärmutterblutungen* eingeführt.
Auch in der ersten mt *Blut*-Stelle 16,17(+Mk) liegt der semant. Akzent auf
dem Todesbezug, auf *Sterblichkeit*, wenn er die semit. Doppelwendung
Fleisch und Blut (vgl. Sir 14,18; 1Hen 15,4; BÖCHER EWNT 1,91) aufgriff,
zumal sie hier als Antonym zum *lebendigmachenden Gott* (V.16) eingeführt
wird. Da die Verbindung des Doppelausdrucks mit der Negation seine nächste Par. in Gal 1,16; 1Kor 15,50 hat, so dürften diese nächsten Par. die mt
Verwendung unmittelbar angeregt haben (zum Gesamtproblem HOLTZMANN
1911:I 502-7 gg. LINDEMANN 1979:154-8). Da →*Leben* (von und bei Gott) mt
immer Belohnung mit individueller Unsterblichkeit bezeichnet, so dürfte Mt
die Doppelwendung wohl nicht als Hendiadyoin verwenden, sd. in dieser
Doppelung eine steigernde Weiterführung vornehmen: Die von Petrus ausgesprochene Erkenntnis kommt "auch nicht vom prophetenmordenden Israel"
her; selbst von 26,41(=Mk) her hat *Fleisch* →*Schwachheit* einen Bezug zur
Verfolgung (*Angst*):

σάρξ
   Mt 5 : Mk 4 : Lk 2 + 3 : Joh 13
      =(Mk 4 + 1)
Auch 19,5(=Mk).6(=Mk); 24,22 sollte man dieses 26,41 definierte zentrale Sem
Schwachheit berücksichtigen.
αἶνος ⤳ὡσαννά
αἱρετίζω ⤳᾽Ιησοῦς
αἴρω ⤳χείρ
αἰτέω (GUNDRY 641)
   Mt 14 : Mk 9 : Lk 11 + 10 : Joh 11
      =(Mk 9 – 3) + (Q 6 + 1) + (A–Mt 1)
Das metakommunikative Vb. bezeichnet die Sprechhandlung des *Bittens* als
die Aufforderung zur Herstellung eines Sachverhalts. Komplenym ist ⤳*Geben*
5,42(=Q); 14,7(=Mk), das rahmend 7,7.11(=Q) das Komp. *reichen* V.9.10 (bei Mt
nur hier) einschließt wie V.8 sein Synonym *empfangen* ist – ebenso 21,22
(=Mk); Supernym ist ⤳*Wollen*, wie die Fortsetzung von 20,20(=Mk) in V.21
zeigt. Das juridische Sem der *Forderung*, des *Verlangens* liegt bei Mt nicht
vor, da diese Sprechhandlung in der asymmetrischen Kommunikationssitua-
tion immer von dem *untergeordneten* Teil ausgeht: dem Nicht-Habenden 5,42,
dem Sohn 7,9f, dem Schüler 20,20 – und dies sogar beim *Med.*
   Mt 6 : Mk 6 : Lk 3 + 7)
      =(Mk 6 – 2 + 1 + (Q 0 + 1)
(das sonst speziell ein auf Rückgabe ausgerichtetes geschäftliches *Fordern*
bezeichnen kann; MAYSER II/1 109f; STÄHLIN ThWNT 1,192; B-D-R 316 n.3;
RADL EWNT 1,103): 20,22 (in unbetonter Wiederaufnahme von V.20), der
Tochter (14,7 – das Med. hat Mt hier von Mk 6,24f vorgezogen) und 27,20
(=Mk) wie V.58(=Mk) Pilatus gegenüber.
   Wegen dieser irreversiblen Abhängigkeitsrelation konnte es auch schon
Leitwort der Gebetsparänese Q-Mt 7,1-11 sein und als solches schon von Mk
11,24(=Mt 21,22) übernommen und bedenkenlos ins Med. gesetzt werden. Mt
verstärkt diesen Zug, indem er 6,8(+Q) das Akt. von 7,7-11 dupl. wie 18,19
das Med. von 21,22. Die kennzeichnende mt Verwendung liegt darum darin,
daß Mt dieses Vb. zum bevorzugten Ausdruck der Gebetssprache machte:
   Mt 10 : Mk 3 : Lk 5(=Q) + 2 (Apg 7,46; 13,21).
Im Sinne dieser Konzentration entsprechen den zwei red. Erweiterungen des
Mt auch seine drei Auslassungen der redundanten Wiederholungen Mk 6,22.
24.25. Dabei ist hier Mt 20,20.22(=Mk) den Gebetsstellen zugeordnet worden,
da Mt offenbar schon ein nachapostolisches Stadium kennzeichnet, in dem
sich auch Anrufungen an Jesus entwickeln (SCHENK 1967). In der Sache ist
dieser Zusammenhang kontextuell insofern wichtig, als sich aus dieser Stelle
die Einschränkung ergibt, daß nicht alles Erbetene gewährt wird, während
die erhörungsmotivierten Gebetsparänesen 6,8; 7,7-11; 18,19; 21,22 im Sinne
globaler Zusagen und damit eines unbegrenzten Bittens als solchem mißverstanden werden könnten. Synonym dazu (neben ⤳κράζω) auch
δέομαι 9,38(=Q)
   Mt 1 : Mk 0 : Lk 8 + 7 : Joh 0
αἰτία, ἀναίτιος ⤳δίκαιος
αἰων– (GUNDRY 641)
   Mt 14 : Mk 7 : Lk 11 + 4 : Joh 30
αἰών
   Mt 8 : Mk 4 : Lk 7 + 2 : Joh 13
      =(Mk 4 – 1 + 1) + (Q 0 + 0) + (A–Mt 4)
Gleich an der ersten Stelle 12,32, wo Mk 3,29 eine scheinbar nur verstärkende Wendung *niemals* für die Unvergebbarkeit der "Sünde wider den
Geist" als Vorgabe anbot, hat Mt die seinerzeit am Ende des 1.Jh. moderne
Unterscheidung (DALMAN 1930:120-3; vgl. in den Bilderreden 1Hen 48,7 mit

71,15; dgg. dürfte Abot 2,7 "Leben der zukünftigen Welt" zu weit vordatiert sein) von zwei Äonen eingeführt: weder in der gegenwärtigen *Epoche* (= *Jesuszeit* im mt Sinne bis zur Parusie) noch in der endgültigen. Mt dürfte hier *nicht* nur eine Verstärkung eines bloßen *niemals* vornehmen (ALLEN 137; BURNETT 1983:72 gg. HILL 218). Vielmehr wird hier deutlich, daß Mt auch den neuen Äon temporal versteht, mithin für ihn also nicht gilt, daß der Ewigkeit keine "Zeithaftigkeit" eigne (gg. HOLTZ EWNT 1,109). Das wird auch von anderen Begriffen und Zusammenhängen her deutlich (vgl. Adj.).

Auch die darauffolgende Stelle 13,22 ist aus Mk übernommen. Schon der enge Anschluß an die vorgenannte Stelle wie die bei Mt verstärkte Verwendung des Art. mit seiner anaphor. Kraft verbietet es, hier einfach als "Sorge der Zeit" (GRUNDMANN 342f; SCHWEIZER 196 bzw. "der Welt": KLOSTERMANN 120; HOLTZ EWNT 1,110f, BEARE 296 "weltlich") zu übers., sd. *der Jesus-Epoche*. Wahrscheinlich ist aber hier sogar mit den meisten HS (und H-G 91) das zugesetzte Demonstr. zu lesen, während die Auslassung eine Rückangleichung an Mk darstellt, so daß Mt zweimal dieses technische Syntagma an den Anfang seiner Verwendung gestellt hätte.

In Mt 21,19 hat er dgg. bei der "Verfluchung des Feigenbaums" im Unterschied zur Abänderung an der ersten Stelle die Wendung (εἰς τὸν αἰῶνα) beibehalten. Heißt das nun, daß man auch für seine Red. hier das bloße Verständnis *niemals* (HOLTZ ebd.107) annehmen müßte? Dgg. dürfte wiederum die Setzung des Art. auch hier sprechen, vor allem aber die Tatsache, daß Mt inzwischen 3mal 13,39.40.49 seine spezifische Wendung vom *Abschlußtag der jetzigen Epoche* einführte, mit der er dann auch sein Buch 28,20 beschließt. Bezieht man die unbestreitbare Naherwartung des Mt ein (24,29.32f; vgl. SCHENK 1972:50, die selbst GRÄSSER 1960:217f nicht negieren konnte), dann ist der Ausdruck in 21,19 eher als eine metonyme Abkürzung des 28,20 verwendeten volleren Ausdrucks strenger im Sinne seiner Betonung der Epochen zu verstehen: *bis zum Abschlußtag der gegenwärtigen Jesus-Epoche*. Als "Verfluchter" hat er in der *endgültigen Epoche* ohnehin seinen Platz da, wo ihn alle Verfluchten haben (einschließlich des Teufels und seiner Engel): im ewigen Feuer (25,41). Jetzt ist die *vorletzte Epoche*, die auch →*diese Generation* synonym bezeichnet. Die autorspezifische Wendung συντέλεια (τοῦ) αἰῶνος (HAWKINS 1909:7; GUNDRY 648)

Mt 5 (NT sonst nie)

steht an den genannten 5 red. Stellen; das Fehlen des Art. an der ersten Stelle ergibt sich aus dem in der dortigen Stelle vorliegenden Definitionsstil (B-D-R 252 n.6 näherliegend als der von JEREMIAS 1965:82 n.8 angenommene Semitismus nach Analogie des status constructus). Daß die auf die Wendung in 13,39 folgenden Wiederholungen dann den Art. haben, verdeutlicht die anaphor. Kraft des von Mt gehäuften Gebrauchs des Art.: *der Endtag dieser gegenwärtigen Jesus-Epoche*, den der Zusammenhang von 13,40.49 deutlich genug als den Tag des Völkergerichts und so als den Scheitelpunkt markiert. Das Nom. regens kann man nicht mit *Vollendung* übersetzen, da nicht der positive Charakter der darauffolgenden *endgültigen Epoche* betont ist; es ist vielmehr auf das *Zuendegehen* dieser gegenwärtigen Epoche als Weltenwende bezogen (1Hen 16,1; 4Esr 7,113). Seinen mt Ursprung hat σ. bei 24,3 in dem von Mt dort Mk 13,4 einmalig gelesenen und ausgelassenen Vb. LXX-Dan 9,27 (vgl. TestR 6,8; L 10,2; Seb 9,9) bieten wohl Ansatzpunkte, jedoch noch keine feste terminol. Verwendung wie bei Mt, der damit "the termination of the existing world order when present history has run its course" bezeichnet (KINGSBURY 1969:107).

Die drei Synonyme nach der positiven Seite hin sind die folgenden:
παρουσία (HAWKINS 1909:6; GUNDRY 648)

Mt 4 : Mk 0 : Lk 0 + 0 : Joh 0

=(Mk 0 + 1) + (Q 0 + 3)

Die synopt. Belege sind auf Mt beschränkt und bei Mt auf Kap.24 (in typ mt assoziativer Wiederholung). Zu Mk zugesetzt ist zunächst die Schülerfrage 24,3 (*deine*) in dir. Kombination mit dem Syntagma vom *Zuendegehen der gegenwärtigen Epoche*. Die restlichen drei anaphor. Belege V.27.37.39 stehen in dieser Antwortrede immer in Q-Stücken und sind immer mit ≯*Menschensohn* (im Gen.) verbunden. Alle Stellen dürften red. sein. Bezeichnet ist die "Ankunft als Antritt der Anwesenheit" (RADL EWNT 3,102–5 mit BAUER WB s.v.). In der LXX noch nicht terminol. vorgeprägt erscheint der Terminus hell. für Göttererscheinungen und heilbringende Herrscherbesuche deutlich hoheitlich geprägt. Man muß also für die mt Christologie und Eschatologie das Sem des Herrscherlichen ebenso zum Ausdruck bringen wie das des Heil bringenden: *königliche Ankunft zum Gehorsam lohnenden Völkergericht.* Der mt Sprachgebrauch ist wohl von Paulus 1Kor 25,23; 1Thess 2,19; 3,13; 4,15; 5,24 (und von dort nachpaulinisch 2Thess 2,1.8f wie Jak 5,7f) übernommen, wobei Mt außer von Paulus auch von Jak abhängig sein dürfte. Temporal synonym ist weiter

παλιγγενεσία

   Mt 1 : Mk 0 : Lk 0 + 0 (NT nur noch Tit 3,5; LXX nie)
       =(Mk 0 + 0) + (Q 0 + 1)

19,28 hat den Ausdruck red. in das urspr. Schlußwort von Q eingeführt (DALMAN 1930:177; SCHWEIZER 254). Dafür hat er Mk 10,30 dann "Äon" ausgelassen. Der angeschlossene Termporalsatz zeigt, daß der Ausdruck redundant gesetzt ist. Das ihn einleitende temporale ἐν entspricht 13,30.40.49 beim Synonym (vgl. schon 1Kor 15,23 und 1Thess). 19,19f.29 ist ≯"*ewiges Leben* deutlich Kontextsynonym. Darum ist primär die *individuelle Unsterblichkeit* damit bezeichnet (wie PhiloCher 114; Post 124; Mos I 65; Leb 325 vgl. Aet 9; 47; 76; 85; 93; 99; 105; 107) und nicht die stoische Idee der Wiedergeburt des Kosmos semant. bestimmend (BURNETT 1983:60–72 gg. BÜCHSEL ThWNT 1,689; SCHWEIZER 254), da dies zwar die gemeinsame Folge für die gehorsamen Schüler des Buches in der endgültigen Epoche ist, doch daneben ein ebenso unbegrenztes Feuer brennt. Man übers. also am besten: *am Tage des Eintrittes des neuen Äon* als dem *Tage des Eintritts der individuelle Unsterblichkeit bringenden endgültigen Epoche* (gg. STECKER 1971: 238 n.3; FIEDLER 1976:94). Es ist das Völkergericht von der Seite der Begünstigten her gesehen (TRUMMER EWNT 3,11).

   Synonym mit dieser Bezeichnung des Eintritts der individuellen Unsterblichkeit als Wiedergeburt ist auch die entsprechende temporale Wendung bei

ἀνάστασις

   Mt 4 : Mk 2 : Lk 6 + 11 : Joh 4
       =(Mk 2 + 2)

22,23.28.30.31 hat das Subst. von Mk 12,18.23 her ebenfalls nur in der Perikope der "Sadduzäerfrage". Diese Adressaten sind bei Mt allerdings keine individuelle Sondergruppe, sd. als mit den ≯*Pharisäern* identische *Lehrerschaft* Israels gesehen (16,12); für Mt leugnen also die Juden generell die individuelle Unsterblichkeit. Die erste Stelle ist zwar übernommen, jedoch durch Mt zu einer nun explizit gemachten Äußerung verstärkt. Auch hier ist die Bedeutung trans. und somit die Übers. mit *Auferstehung* falsch; ihre Behauptung soll vielmehr lauten: *Gott erweckt nicht.* Bei der Seltenheit des Ausdrucks ist die einmalige Häufung auffallend, aber ein typ. Zug mt Dupl. (vgl. παρουσία). Den Schlüssel für diese Stereotypisierung hier gibt wohl V.30, wo Mt mit dem Nomen das Vb. ersetzt und von V.28 her ἐν wiederholt, während er umgekehrt ebenso wie dort das mk ὅταν wegläßt. Das so betonte temp. ἐν steht in Kontinuität zu den entsprechenden Syntagmen der Parusie, die in 13,30.40.49; 19,28 samt und sonders voranstehen. Die Intention dürfte hierbei also darin liegen: Während Mk an einen an den individu-

ellen Tod gebundenen Übergang dachte, lenkt Mt die Aussage auf den Tag
der Parusie und des Völkergerichts. Darum wird auch in V.30 die Übers. am
Tag der Auferweckung eher gerechtfertigt sein als "in dem Zustand des
Auferstandenseins" (so WELLHAUSEN 113; KLOSTERMANN 179; in diesem Falle
wäre es mit dem Resultat *ewiges Leben* identisch). V.30 nimmt der mt Jesus
direkt die Gegner-Wendung auf, um die Konfrontation so präzis wie möglich
zu benennen. Im rahmenden Chiasmus A/B : B/A wiederholt er V.31(+Mk)
das Subst., fügt aber das Obj. des Totenbezugs (=Mk) hinzu. *Gott* ist zwar
immer als Subj. präsent, doch auch keines der Synonyme faßt den mt Tag
des äonenwendenden Völkergerichts als "Neuschöpfung" auf (gg. RISSI EWNT
2,788), da Mt das positive Resultat grundsätzlich als ≻*Lohn* der gehorsamen
Schülerschaft beschreibt.

ἀνίστημι I trans.
    Mt 1 : Mk 0 : Lk 0 + 9 : Joh 4
hat Mt im gleichen Zusammenhang 22,24 gg. Mk, weil er die Formulierung
des Zitats Gen 38,8 übernommen und das Komp. (seiner Tendenz gemäß) in
das Simpl. versetzt hat. Vor allem hat er damit die Antithese des Wortspiels
dieser Episode erhöht, was im Zusammenhang mit der Steigerung der
Subst.-Verwendung hier steht.

ἀνίστημι II intrans.
    Mt 3 : Mk 16 : Lk 26 + 36 : Joh 3
        =(Mk 16 – 14) + (Q 1)
Da Mt so stark reduziert hat, fragt man sich nach dem besonderen Grund,
warum gerade die Stellen, die noch vorhanden sind, stehen blieben. Q-Mt
12,41 ist durch die Parallele V.42 das Synonym der als Gerichtszubringer
verstandenen *Auferweckung* eindeutig.
    Da Mt aus den mk Erzählungen das bloß plerophore Pt. meist weggelas-
sen hat, so sind die beiden Pt., die stehen blieben, für Mt wohl von einiger
Wichtigkeit und nicht lediglich redundant: 9,9(=Mk) hat Mt, da er vorher
das Sitzen erwähnte, stärker die Aktivität des Verlassens des Sitzes – also
seines angestammten Arbeitsplatzes – betont; zu übersetzen ist hier in der
mt Semantik also: *er verließ seinen Arbeitsplatz* als verstärkte Betonung
dieses Elements der Nachfolge. Auch 26,62(=Mk) bekommt (was im übrigen
auch durch die umgebenden red. Auslassungen auffällt) das Vb. einen stärkeren Sinn, um den Priesterfürsten als eigentlichen Handlungsträger und
entscheidendes Gegenüber zu Jesus darzustellen: *er verläßt tatsächlich*
seinen Richterstuhl – zur Kennzeichnung einer dramatischen Steigerung
(SENIOR 1982:171f hat die mt Umkodierung nicht veranschlagt).

αἰώνιος
    Mt 6 : Mk 3 : Lk 4 + 2 : Joh 17
        =(Mk 3 + 0) + (Q 0 + 0) + (A-Mt 3)
An der ersten Stelle 18,18 ist der Zusatz aus der einzigen negativen Stelle,
die Mk 3,29 vorgab, versetzt übernommen. Da dies genau die Stelle ist, an
der Mt seinerseits seine Zwei-Äonen-Vorstellung betont einbrachte, so ist
diese Versetzung nicht unterzubewerten: Es geht nicht nur um eine Bezeichnung der nie endenden Feuerpein als solcher, sd. das Adj. bezeichnet
als Ableitung vom Subst. noch präziser die Feuerpein des neuen Äons (= *die*
Epoche nach dem Völkergericht ausfüllend) – eine Art nie endendes Vernich-
tungslager.
    Auf die negative Stelle folgen die beiden aus Mk übernommenen positiven
Stellen 19,16.29 als Näherbezeichnung zu ≻*ζωή* und bezeichnen so wiederum
nicht nur die individuelle Unsterblichkeit als solche, sondern auch diese
wiederum als *die epoche nach dem Völkergericht ausfüllend*.
    Beide Aspekte werden an hervorgehobener Stelle, nämlich am "Ende aller
Jerusalemer Reden Jesu" (26,1), nochmals in gleicher Parallelabfolge 25,41
(negativ).46a(negativ).46b(positiv) wiederholt. Mt dürfte also seine Verwen-

dung ebenso bewußt angeordnet wie dosiert haben: Neben den *Parallelismus*
(-) vs (+) : (-) vs (+)
tritt die *numerische Konzentrik* (1mal) + (2mal) : (2mal) + (1mal):

– (1):	18,18	
+ (2):		19,16.29
– (2):	25,41.46a	
+ (1):		25,46b

Diese artifiziellen Momente der Häufigkeit und Verteilung dürften erklären, warum Mt erst so spät und dann so selten diese Näherbestimmungen verwendet. Mt hat also genau abgewogen 3 negative und 3 positive Stellen, während Mk ein Verhältnis von 1 : 2 vorgab. Lk hat sein Konzept nach der genau entgegengesetzten Seite entwickelt, indem er es an allen 4 Stellen zwar auch eschatol., aber nur positiv verwendet. Das hat für die unterschiedliche semant. Füllung beider Autoren eine wesentliche Bedeutung: Der semant. Tiefenstruktur entsprechend darf das Lexem bei beiden nicht gleichlautend übersetzt werden (gg. BALZ EWNT 1,112f).

ἀκαθαρσία, ἀκάθαρτος ✷καθαρ–
ἄκανθα, ἄκαρπος ✷δένδρον
ἀκέραιος ✷πετεινόν
ἀκμήν 15,16(+Mk – NT und LXX sonst nie); der adv. Akk. (B-D-R 160,2 n.3)
   noch schwächt das Jüngerunverständnis zu einem vorübergehenden ab.
ἀκοή ✷οὖς
ἀκολουθέω ✷μαθητής
ἀκούω ✷οὖς
ἀκρασία 23,25(+Q – NT nur noch 1Kor 7,5) *Unenthaltsamkeit*
ἀκριβ– ἀκριβόω, ἀκριβῶς
   Mt 3 : Mk 0 : Lk 1 + 5 : Joh 0
Mt hat das im NT sonst nicht vorkommende Vb. 2,7.16 für die *genauen* Erkundigungen des Herodes, auf die sich dort auch V.8 das Adv. bezieht. Die Verwendung charakterisiert wieder die assoziativen Wiederholungen des Mt und gehört darin zum mt Stil.
ἀκρίς ✷ἄρτος
ἄκρον 24,31.31(=Mk – NT nur noch Lk 16,24; Hebr 11,21) *Spitze = Ende*
ἀκυρόω 15,6(=Mk, wo der jurist. t.t. *Außer-Geltung-Setzen* – offenbar
   von der einzigen weiteren ntl. Stelle Gal 3,17 übernommen ist).
ἀλάβαστρον 27,7(=Mk auf eine reduziert wie Lk 7,37) Metonym *Salbengefäß*
ἅλας 5,13a.b(=Mk/Q) *Salz*
   Mt 2 : Mk 3 : Lk 2 + 0 : Joh 0 (NT nur noch Kol 4,6) mit
ἀλίζω 5,13(=Mk – NT sonst nie)
ἀλείφω ✷κεφαλή
ἀλέκτωρ ✷πετεινόν
ἄλευρον ✷ἄρτος
ἀλήθεια 22,16(=Mk) *Wahrheit* als Gegner-Verlogenheit und Autor-Ironie
ἀληθής 22,16(=M) *wahr* als Gegner-Verlogenheit und Autor-Ironie
ἀληθῶς 14,33(+Mk); 26,73(=Mk); 27,54(=Mk) *wirklich, tatsächlich*
   Mt 3 : Mk 2 : Lk 3 + 1 : Joh 7
ἀλήθω ✷ἄρτος
ἁλιεύς ✷βάλλω
ἀλλά
   Mt 37 : Mk 45 : Lk 35 + 30 : Joh 102
     =(Mk 45 – 26 + 4) + (Q 5 + 6) + (A–Mt 3)
Auffallend ist die 11malige Auslassung der adversativen Konj. in Erzählungen: Mk 1,45; 5,19.26; 6,52; 7,5.25; 9,8 (wo Mt korrekter in *außer* ändert; B-D-R 448,8); 9,22 (im Bericht eines Hilfesuchenden); 11,32; 12,14 (Gegnerworte); 16,7 (Engelworte). In Jesusworten ist es 15mal – meist strafend – ausgelassen: Mk 3,26.27(+Negation, was Mt immer, also auch bei Mk 10,27;

14,29.36, wegläßt).29; 4,22; 6,9; 7,19; 9,37; 13,11a.20.24; 14,28.49.

Berichtend sind nur die Schlußstelle Mt 27,24 (+Mk für die innere Rede des Pilatus) und 16,12 (+Mk für die innere Rede des *Verstehens* der Schüler, auf die Worte Jesu bezogen). Im *Munde von Hilfesuchenden* erscheint es 8,8 (=Q) und 9,19(+Mk, wo der Dualismus Tod/Leben mit dem mk vorgegebenen Wort Jesu V.24 eine Rahmung herstellt).

Bei den 33 Vorkommen in *Worten Jesu* steht es meist antithetisch nach einer Negation im Nachsatz *sondern*: 4,4(+Q dürfte gg. SCHULZ 1972:179 für Q zu reklamieren sein, da Lk 4,22 zeigt, daß er die Fortsetzung des Zitats gelesen hat); 5,15(=Lk 11,33).17(+Q christol. als red. Analogiebildung von 10,34[=Q] her); 6,18 hat die Gott/Mensch-Antithese von 16,23(=Mk 8,33) her, die 16,17 auch dort unmittelbar dupl.; 7,21(+Q); 9,12.13(=Mk; gg. B-D-R 488,1 n.1 nicht nur "relative Negation").17(=Mk); 10,20(=Mk); 13,21(=Mk); 15,11 (=Mk); 17,12(=Mk 9,13 permutiert); 19,6(=Mk).11(+Mk); 20,23.26a.b(=Mk); 22,30.32(=Mk); 24,6(=Mk + *noch nicht*); 26,39(=Mk).

Dgg. ist die Bedeutung weiterführend steigernd *ja sogar* deutlich 21,21 (=Mk 11,23 permutiert) durch den Zusatz des adv. καί markiert (B-D-R 448,6). Obwohl es die einzige Stelle bei Mt ist (bei Mk nie), markiert es deutlich eine Gebrauchsweise in anderen red. Stellen wie 5,39(+Q); 6,13(+Q); 18,23.30(+Q); auch 11,8.9(=Q) düften so gemeint sein, wobei die selbstverständlich negativen Antworten auf die voranstehenden rhetor. Fragen impliziert sind (wie klass. ἀλλά = *nein* bei Selbstfragen: B-D-R 448,4).

8,4(=Mk), wo die erste mk Stelle übernommen ist, dürfte die Verbindung mit dem anschließenden Imp. (vgl. auch die mk Schlußstelle 16,7) stärker bestimmend sein als die voranstehende Negation und sich so die Funktion einer Verstärkung des Imp. ergeben: *wohlan* (RADL EWNT 1,147).

ἀλλήλων
    Mt 3 : Mk 5 : Lk 11 + 8 : Joh 15
      =(Mk 5 – 5 + 2) : (Q 0 – 1) : (A–Mt 1)
Die von Mk vorgegebene Verbindung zum Redebezug und damit das Moment der Gegenseitigkeit hat Mt stets ausgelassen – und damit wohl auch Q-Lk 7,32. *Dgg.* hat er es immer im Sinne des *Feindlichen* eingeführt: 24,10.10 (+Mk) stehen Haß und Verrat *gegeneinander* in chiastischer Entsprechung komponiert; 25,32 meint es die Trennung *voneinander*.

ἄλλος (GUNDRY 641)
    Mt 29 : Mk 22 : Lk 11 + 8 : Joh 35
      =(Mk 22 – 13 + 10) + (Q 2 + 7) + (A–Mt 1)
Ausgelassen wurden Mk 4,18.36; 6,15.15; 7,4 ; 8,28; 10,12; 12,5.5.31.32 (einzige alternativ auf Gott bezogene Stelle); 14,58 (alternativ); 15,41.

Außschließend-alternativ (WEISS EWNT 1,153) gebraucht sind 4 Stellen: 2,12 (Weg); 19,9(=Mk – Frau); 21,41(=Mk – Landwirte); 27,42(=Mk – anderen helfen).

Dual-additiv gebraucht (im Sinne von →ἕτερος; B-D-R 306,3) sind die 4 durch den *Art.* gekennzeichneten Stellen: Q-Mt 5,39 (Backe); 12,13(+Mk – Hand); 27,61(+Mk – Maria) und 28,1(+Mk – Maria). (Die nicht-duale Verwendung 10,23 in einigen HS ist darum nicht mt und nicht urspr.).

Die restlichen 21 Stellen sind *aufzählend-additiv*; das wird beim abs. Pron. 5mal durch den Zusatz von δέ markiert, was nur an den beiden letzten Stellen von Mk übernommen ist: 13,5.7.8(=Mk); 16,14(=Mk); 21,8(=Mk). Abs. erscheint das Pron. additiv 26,71(+Mk) sowie 3mal flektiert: 8,9(=Q) und 20,3.6(+Mk).

Die übrigen 12 Stellen haben es *adnominal* vorangestellt: 21,36(=Mk Sklaven), was 22,4(+Q) in der anschließenden Allegorie dupl. wiederholt. Spezifisch mt ist es auch in der 4maligen Allegorie–Anreihungs-Formel 13,24(+Mk).31(+Mk).33(+Q). Kennzeichnend ist ebenso die 6malige pleonast. Setzung von Zahlworten: 4,21(+Mk); 25,15.17.20.20.22(+Q). Die zusammenhängenden Verwendungsweisen lassen alle 18 über Mk und Q hinausgehenden Belege als red. erscheinen. Teilweise synonym ist das dualische Pron. ἕτερος (GUNDRY 644)

Mt 10 : Mk 0 : Lk 32 + 17 : Joh 1
=(Mk 0 + 3) + (Q 4 + 3)

Korrekt setzt die Antithese Q-Mt 6,24.24 ein (zwei Herren). Klar antithetisch hat Mt auch durch den Zusatz eines epexegetischen Gen. (nämlich: Jünger) auch Q-Mt 8,21 akzentuiert (gg. HAACKER EWNT 2,165f). Red. zugespitzt hat Mt 11,3(+Q gg. Lk 7,19, der es sicher nicht ausgelassen hätte) die christolog. Anfrage nach einem anderen, alternativen Kommenden. Deutlich ist die Zweiteilung bei den spielenden Kindern anschließend 11,16(+Q gg. Lk 7,32, der es auch hier sicher nicht ausgelassen hätte). Klar ist die Alternative auch 21,30(+Q – 2 Brüder, die darum mit N-A gg. H-G als urspr. LA anzusehen ist). Dual ist auch noch 15,30(+Mk), weil hier am Schluß der Aufzählung "das andere, von den Genannten (als Einheit gefaßt) Verschiedene" ausgedrückt ist (B-D-R 306,2).

Das ist an den 3 restl. Stellen nicht mehr der Fall, an denen nur noch additiv weitere Exemplare der gleichen Gattung bezeichnet sind: Vorgegeben Q-Mt 12,45 (Dämonen) und red. am Schluß der Aufzählung 16,14 (gg. Mk ἄλλοι) wie 10,23(+Q – wo der auffallende Art. wohl die nächste meint und wie beim Synonym 8,9 ein Demonst. voransteht).

ἀλλότριος 17,25.26(+Mk) subst. der Fremde (wie Joh 10,5 dgg. Lk 16,12 neutr.)

'Αλφαῖος ≯μαθητής

ἄλων ≯ἄρτος

ἀλώπηξ 8,20(=Q – außer der Dupl. Lk 13,32 nie im NT) Fuchs

ἅμα

Mt 2 : Mk 0 : Lk 0 + 2 : Joh 0
=(Mk 0 + 1) + (Q 0 + 0) + (A-Mt 1)

Mt hat es 2mal in Allegorien: 13,29 in der aus Mk-Umformung entstandenen Unkraut-Allegorie im soziativen Sinne zugleich (statt σύν im NT nur hier; B-D-R 194,3) und 20,1 in der Lohnausgleichs-Allegorie im temporalen Sinne gleich. Beide Verwendungen dürften red. sein.

ἁμαρτάνω

Mt 3 : Mk 0 : Lk 4 + 1 : Joh 3
=(Mk 0 + 1) + (Q 2)

18,15.21(=Q) ist die konkrete Verfehlung (εἴς) gegenüber dem Mitchristen als Anlaß zur innergemeindlichen Vergebungsparänese gemeint, 27,4(+Mk) das dgg. fruchtlose Eingeständnis der Judastat.

ἁμαρτία (GUNDRY 641)

Mt 7 : Mk 6 : Lk 11 + 8 : Joh 17
=(Mk 6 + 1)

Mt ist durchweg von Mk abhängig (26,28 ist 1,4 permutiert), hat immer den Plur. (bzw. 12,31 den distributiven Sing., wobei auch hier kein voller Mk-Zusatz vorliegt, da Mt nur das doppelte ἁμάρτημα von Mk 3,28f ebenso wie Lk völlig vermeidet), neben dem Eingestehen 3,6(=Mk) dem Täufer gegenüber 5mal in Verbindung mit ≯Erlassen (BAUMBACH 1963:97-105; nur 9,2.5.6 wurde in der Übernahme von Mk dessen weitere Stelle 2,7 ausgelassen) bzw. als dessen Vorzeichen 1,21 das retten von eingeführt, wobei die Präp. (als sonstiger Bestandteil des Komp.) nicht nur den Bezug zu 9,2 und den weiteren Stellen herstellt, sd. permutierte Übernahme eines Teils der Wendung von Mk 2,7 darstellt, weshalb sich dann dort die Frage nach dem Können Jesu so gar nicht mehr stellt wie bei Mk.

ἐξομολογέομαι

Mt 2 : Mk 1 : Lk 1 + 1 (sowie Akt. Lk 22,6)
=(Mk 1) + (Q 1)

11,25(=Q) in der dir. Anrede (+ Dat. der angeredeten Person) und auf deren gnoseologisches Handeln bezogen: *der Aussage eines anderen zustimmen*, wobei das Präfix *ἐξ-* das *Öffentliche* der Handlung betont und das Komp. vor allem in der LXX bevorzugt wird (MICHEL ThWNT 5,199-204); hier ist es die *Zustimmung* zum doppelgestaltigen Vorsehungsplan Gottes (dabei ist nicht das antithetische negative Element zu unterschlagen und von "Heilsplan" zu reden sowie dessen ausschließender Charakter komparativisch umzubiegen zu einem "gerade den Armen und Geringen zu erschießen" - so HOFIUS EWNT 2,22).

3,6(=Mk + Akk. der Sache) das *öffentliche Anerkennen eines Vorwurfs* (*Schuldbekenntnis*), das mit dem Simpl. seit SophPhil 980 bezeichnet wurde. Das *öffentliche Eingestehen von Verfehlungen* vor dem Vertreter einer Gottheit zum Zwecke der Abwendung von Strafe oder der Bewahrung vor dem göttl. Gericht war dem Hell. geläufig (vgl. neben Inschriften PlutMor 2,168D.217D.229D; ApulMet 3,28; Juv 6,532-41; JosAnt 8,129.256f.362 beweist aus der Geschichte Israels wiederholt, daß solche Geständnisse vor dem göttl. Gericht bewahrt haben, um einen Bell 5,415 formulierten Grundsatz seines Vorsehungsglaubens zu demonstrieren: "Die Gottheit ist für die, die eingestehen und bereuen, leicht zu versöhnen [εὐδιάλλακτον]"). Typ. ist, daß auch Jak 5,16 das Syntagma verwendet, während bei Paulus eine auf *Widerruf* basierende Bekehrung auf Grund des positiven apostol. Ansatzes bei *Ostern als Neuschöpfung* und der sich darauf ergebenen Gerechtmachung als primärer Dienstqualifizierung völlig fehlt (⭢μετάνοια).

ἁμαρτωλός
    Mt 5 : Mk 6 : Lk 18 + 0 : Joh 4
        =(Mk 6 - 2) + (Q 1)
Der adj. Sing. Mk 8,38 wurde ausgelassen und nur der von *Gegnern* eingebrachte und damit ihren Sprachgebrauch wiedergebende *subst. Plur.* übernommen und zwar in der Doppelung *Steuereinnehmer und andere Sünder* (implikatives ⭢καί; für Mt "ergibt sich" eben nicht "schon[!] aus der Begriffsverbindung", daß ἁ. "nicht der Oberbegriff" sei, "unter den auch Zöllner und Dirnen fallen"; gg. SCHOTTROFF 1981:24f; dgg. spricht auch, daß *Sünden* wesentlich im Zusammenhang mit *Vergebung* - also soteriol. - ins Bild treten): 11,19(=Q) wie 9,10f(=Mk - wobei Mt eine mk Wiederholung straffend kürzte); in der Antwort Jesu 9,13(=Mk) sind diese *Fehlerhaften* als Obj. des Werkes Jesu darum - als zu bekehrende - ebenso bezeichnet. Wenn α. 26,45(=Mk) im Munde Jesu als Subj. seiner Auslieferung erscheinen, dann ist es am Ende der Wirksamkeit Israel, sofern es sich nicht zu seinem Messias bekehrt hat. Gemeindeglieder werden nie so bezeichnet (BAUMBACH 1963:64-6), was sich mit der mt Verwendung von ⭢ἄνθρωπος trifft. Abgesehen von einzelnen Handlungen kennt Mt *sündig* als Zustand nur "vorchristlich".

ἀμελέω ⭢μεταμελέω
ἀμέριμνος ⭢μεριμνάω
ἀμήν ⭢λέγω
'Αμιναδάβ 4,1a.b (außer Lk 3,33 - nach LXX-Rut 4,19 - nie im NT)
ἄμμος ⭢οἰκία
ἄμπελος, ἀμπελών ⭢ἄρτος
ἀμφ-
    Mt 6 : Mk 2 : Lk 7 + 3.
ἀμφίβληστρον ⭢βάλλω
ἀμφιέννυμι ⭢γυμνός
ἀμφότεροι ⭢δύο
'Αμώς 1,10.10 (nach 4Regn 21,18; 2Chr 3,14; ein anderer Lk 3,25)
ἄν
    Mt 40 : Mk 20 : Lk 32 + 15
        =(Mk 20 - 7 + 5) + (Q 7 + 5) + (A-Mt 10)

Zum typ. mt 10maligen ἕως ἄν ⤳ἕως (temporal).

Mit *Ind.* steht es in der Apodosis von irrealen Konsekutivsätzen (B–D–R 360 "klass.") immer nach der Protasis εἰ:

  Mt 8 : Mk 1 : Lk 6 + 1 (Apg 18,14)
     =(Mk 1 + 1) + (Q 3 + 3)

Typ. für das assoziative Vorgehen des Mt ist, daß die drei ersten Stellen unmittelbar aufeinander folgen: Nachdem 11,21(=Lk 10,13) von Q übernommen wurde, wurde es V.23(+Q) red. dupl. und in gleicher Funktion als Vorwurf auch 12,6(+Mk) wiederholt. Analoges wiederholt sich, wenn 24,43b(=Lk 12,29) direkt davor V.43a(+Q) die Apodosis im Interesse der Mahnungsbegründung antithetisch dupl. wurde. Ein Vorwurf liegt wieder in der Allegorie 25,27(=Q) vor; eine illusionäre Begründung als Scheinentschuldigung hat Mt 23,30(+Q) stilisiert. Ein Begründungssatz mit realer Protasis liegt bei der einzigen Anwendung auf Gott vor 24,22(=Mk). 4mal ist die Anfangswendung οὐκ ἄν gebraucht, die zeigt, daß die Verstärkungspartikel *gewiß* so weit wie möglich beim Satzanfang steht (B–D–R 360,2 vgl. auch 25,27par): 12,7(+Mk); 23,30(+Q); 24,22(=Mk).43b(=Q). Die 4 zusätzlichen Stellen des Mt sind red. (wie auch A–Lk 7,39; 17,6.6).

Von den mit dem *Relativum verbundenen* Stellen findet sich nur die Judas-Stelle 26,48(=Mk) nicht im Munde Jesu, die auch darin eine Ausnahme darstellt, daß sie die Protasis zu einem Imp. und insofern nicht konditional, sd. temporal zu fassen ist: "Wenn ich ihn begrüße, weil er es ist, dann...". Die textkritisch umstrittene Satzperiode 21,44(=Q) ist un-mt, sofern kein Bedingungssatz und die Verwendung im Nachsatz vorliegen (H–G gg. GNTCom 58; GUNDRY 430f). Kondit. Relat.-Sätze mit Konj. als Protasis (B–D–R 380) hat als Weisungen Jesu

  Mt 21 : Mk 13 : Lk 12 + 1
     (=Mk 13 – 5 + 3) + (Q 2 + 0) + (A–Mt 8)

Ausgelassen (bzw. abgeändert) wurden Mk 9,37.37; 10,15.4; 11,23. Aus Q stammt es 10,11 und wohl auch V.33(=Lk 12,8 permutiert). Aus Mk übernommen wurden 10,14.42; 12,32.50; 16,25; 18,6; 19,9; 20,27. Zusätze zu Mk liegen Mt 15,5 und 21,22 vor sowie die Dubl. 5,31 (zu 19,9). Auffallend und nicht zufällig dürfte wieder die Anordnung sein, daß Mt seine A–Mt Stellen in je zwei Viererkomplexen rahmend vor und nach den übernommenen Stellen brachte: 5,19.21.22.22 und 23,16.16.18.18. Die Formulierung mit ἄν wird gern im Wiederholungsfall nach ⤳ἐάν gebraucht (vgl. 5,19; 16,25; 20,27). Von daher erklärt sich auch die 11malige Verwendung von δ'ἄν von Q–Mt 10,11. 33; 12,32(=Mk) her in 5,19.21.22.22; 16,25; 18,6; 23,16b.18b.

ἐάν (GUNDRY 643)

  Mt 64 : Mk 35 : Lk 28 + 11 : Joh 58
     =(Mk 35 – 23 + 12) + (Q 10 + 23) + (A–Mt 7)

Die subordinierende konditionale Konj. steht meist mit Konj.Aor (für den eventuellen Fall der besonderen Voraussetzung) und daneben im Konj.Präs. (für den iterariven Fall der regelmäßig gegebenen Voraussetzung) "in Bedingungssätzen zur Bezeichnung dessen, was von einem in der Gegenwart liegenden Standpunkt aus unter Umständen zu erwarten ist" (BALZ EWNT 1,887; B–D–R 373,1; BAUER WB 417-9).

Mt hat es 10mal nicht im Munde Jesu, wobei sich diesbezüglich in der Verteilung wieder erste und letzte Stelle entsprechen: 4,9(=Q im Nachsatz vom Teufel für die Bedingung der Proskynese) und 28,14 (Gegner: *falls es dem Statthalter zu Ohren kommt*); Heilungssuchende 8,2(=Mk *wenn du jetzt willst*) und 9,21(=Mk *wenn ich jetzt sein Gewand berühre*); dazwischen 8,19 (=Q) von einem Gegner (im Nachsatz *wo immer du hingehst*); 14,4(=Mk von Antipas *was du jetzt erbittest*); 15,5(=Mk *was ich dir schulde*); 21,25(=Mk *wenn wir jetzt sagen*).26(+Mk dupl.); 22,24(=Mk *falls einer stirbt*).

Im Munde des mt *Jesus* allein findet sich das Syntagma

ἐὰν οὖν (GUNDRY 643)
   Mt 6 : Mk 0 : Lk 0
zur schlußfolgernden Heilsbedingung aus einem Gerichtswort 5,19(+Q nach
λέγω ὑμῖν V.18).23(+Q nach λέγω ὑμιν V.22); 6,22b(+Q gg. Lk ὅταν, was Mt
auch sonst kürzt [vgl. ferner V.23a], und durch den von V.23b her dupl.
Zusatz von οὖν ethisiert); 24,26(+Mk von V.23 her dupl. und durch οὖν-
Zusatz auf die V.25 ausdrücklich als Vorhersage gekennzeichnete Aussage
als Warnung bezogen). Die für 24,23(=Mk) vorgegebene und V.26 abgeänderte
Verbindung ἐάν τις ist für Mt nicht kennzeichnend, da er hier wie an den
beiden weitere Stellen 21,3 und 24,23 alle 3 bei Mk vorgegebenen Belege
übernommen hat (vgl. Lk 4 + 2 : Joh 20). Zur mt οὖν Gruppe ist auch die
mt Wendung πάντα οὖν ὅσα ἐάν in 7,12(+Q) und 23,3(+Q) als besondere Betonung und Zusammenfassung (der Bergrede bzw. Überschrift von Mt 23) zu
rechnen. Das vergleichbare hypotaktische Syntagma ἐὰν γάρ findet sich
3mal: 5,46(+Q); 6,14(+Mk); 16,25(=Mk).
   Eine paratakt. Zuordnung findet 11mal mit ἐάν δέ statt: 5,13(=Q); 6,15
(+Mk nach V.14).23(gg.Lk); 10,13(+Q nach V.12); 15,14(+Q gedehnt); 18,15a(=Q)
dupl. in V.16.17a.b; 21,26(+Mk von V.25 dupl. um die Antithese zu markieren); 24,48(=Lk). Der paratakt. Anschluß eines weiterführenden Bedingungs-
satzes mit καὶ ἐάν wie 5,47(=Q nach V.46) und 12,11(+Q mit BEYER 1968:266.
281 eine Gräzisierung, was BUSSE 1977:310 bei seiner Veranschlagung für Q
nicht berücksichtigt) ist 18,13(+Q nach V.12 zur Umstilisierung der Parabel
in ein Rechtssatzgefüge) red. und wohl auch in den anschließenden, rechts-
ordnenden Komplementärsätzen 18,18b (nach V.18a) und dupl. 16,19b (nach
V.19a). Die Kontraktion zu κᾰν (B-D-R 18 n.2) ist Mt 21,21c(+Mk in Ergänzung zu V.21b) und 26,35(+Mk im Schwur des Petrus) belegt (dgg. wurden
Mk 5,28; 6,56 nicht übernommen):
   Mt 2 : Mk 2 : Lk 3 + 1 : Joh 4.
Eine mt Häufung ist erkennbar bei
ἐὰν μή (die Zählung 10mal von M-G 240; GUNDRY 643 ist inkonsequent)
   Mt 11 : Mk 6 : Lk 3 + 4 : Joh 18,
       =(Mk 6 - 4 + 5) + (Q 1 + 3)
die 11,8(=Q relat. Nachsatz) und 12,29(=Mk Nachsatz) und 22,24(=Mk) im Er-
gänzungsfalle vorgegeben ist. Einen solchen ergänzenden Fall hat Mt auch
21,21(+Mk) makrosyntaktisch geschaffen. Mikrosyntaktisch ist die Wendung
noch red. als Inhalt einer Eintrittsbedingung mit λέγω ὑμῖν Einleitung 5,20
(+Q) wie 18,3(+Mk); in typ. Antithesenbildung 6,15(+Mk mit δέ nach V.14[+Mk
statt ὅταν]) und von daher dupl. in 18,35; 10,13b(+Q mit δέ nach μέν 13a
[=Q]); 18,16(+Q mit δέ von V.15b[=Q] her dupl.); 26,42(+Mk als Antithese zum
vonanstehenden εἰ).
   Signifikant ist auch die Häufung in Verbindung mit dem Relat.Pron., die
damit als uneigentl. Bedingungssätze neben die eigentl. treten: Als "hell.
Form für wenn" hat ἐάν "in das Gebiet von ᚅᾰν übergegriffen (woraus sich
leicht eine Unsicherheit der Schreiber ergeben konnte); ἐάν steht nämlich
im NT wie in LXX und Pap. (Höhepunkt im I und IᴵᴵP) sehr häufig nach Rela-
tiva, wohl um den Bedingungscharakter zu unterstreichen (B-D-R 107 n.3;
380,1b: Relativsätze machen gewöhnlich allgemeine Aussagen, so daß - entsprechend dem ἐάν der eigentlichen Bedingungssätze - ὅς (ὅστις) ᾰν als das
Regelmäßige erscheint" ᚅᾰν 22mal):
   Mt 23 : Mk 12 : Lk 6 + 3 : Joh 2
       =(Mk 12 - 7 + 7) + (Q 3 + 10)
3mal mit ὅπου ᚅᾰν: 8,19(=Q); 24,28(+Q von V.23[=Mk] her dupl); 26,13(=Mk,
der es 5mal hat); 5mal mit dem Plur. ὅσα ἐάν: 7,12(+Q) und in der Dubl.
23,3; 18,18a.b(+Q von V.15 her dupl. Binden/Lösen), was 16,19a.b mit Sing.
des einfachen Rel.Pron. dupl.; 22,9(+Q mask. alle, die ihr findet), wobei der
Ton immer auf der Gesamtheit liegt (=πάντες ὅσοι); die 15 Stellen mit ein-

fachem Rel.Pron. stehen immer im Sing. (so daß sich der Plur.-Gebrauch des quantifizierenden ὅσα als funktionsgleich erweist): 5,19a(+Q vgl. ἄν V.19b in der Antithese).32b(+Q mit Permutation von Mk 10,12 in der weiteren Konkretisierung nach V.32a πᾶς); 11,6.27(=Q); 12,32a(+Q statt lk πᾶς und in der weiteren Konkretisierung V.32b ἄν); 14,7(=Mk); 15,5(=Mk); 16,18a.b (vgl. 18,18).25(=Mk); 18,5(+Mk statt ἄν).19b(14,7 dupl.); 20,4(mit δίδωμι in der Apodosis wie 14,7 und die unmittelbar voranstehende Stelle 18,19, doch wie 4,9 zeigt, eine geläufige Verbindung).26(+Mk); 21,24(+Mk). Nicht einzbeziehen sind 10,42 (gg. H-G 60) und 26,48, wo die LA mit ἄν als ursprünglicher zu beurteilen ist.

Als eigene Verwendungsgruppe ist die Verwendung von eigentl. Bedingungssätzen als argumentativen Fragen zu registrieren: Q-Mt 5,46(gg.Lk εἰ' wohl urspr.).47(=Lk); 12,11(+Q).29(=Mk – doch gg. ihn rhetor. Frage evt. auf Q zurückgehend); 16,26(=Mk); 18,12(+Q); dgg. hat Mt 15,14(+Q) die rhetor. Frage wohl zugunsten der emphatischen Behauptung durch die eigene Kontexteinpassung aufgehoben (SCHULZ 1972:473), wie die zerteilte Einordnung von δέ und ἐάν markiert.

ὅταν (GUNDRY 646)
      Mt 19 : Mk 21 : Lk 29 + 2 : Joh 17
          =(Mk 21 – 14 + 2) + (Q 3 + 6) + (A-Mt 1)
Die temporale Relativpartikel (= ὅτε ἄν; BAUER WB 1165; B-D-R 367) steht bei Mt immer mit Konj. und nur in Worten Jesu, "in seiner Bedeutung oft nahe an ≻ἐάν herangerückt, indem die Zeitangabe zugleich die Bedingung bezeichnet, unter der die Handlung des Hauptsatzes stattfindet" (BAUER ebd.; K-G II/2 447f; B-D-R 382,2f): wenn von einer bedingten, möglichen und öfters wiederkehrenden Handlung; iterativ mit Konj.Präs., wenn die wiederholte Handlung der des Hauptsatzes gleichzeitig ist 6,5(=Q-Lk 11,2 + Plur. permutiert) jedesmal wenn und V.16 dupl. bzw. im Sing. V.2 und 6; 15,2 (+Mk); ebenso 10,23 jedesmal, wenn sie euch verfolgen als Dubl. des Konj. Aor. der Vorzeitigkeit von 5,11(=Q) jedesmal, wenn sie euch geschmäht haben werden; so auch 9,15(=Mk + τότε als Erkenntnisgrund: Warnung); 10,19 (=Mk); 12,43(=Q); 13,32(=Mk); 23,15(+Q); 24,32f(=Mk) bzw. vom einmaligen Fall 24,15(=Mk + τότε) vor allem für die Parusie red. 19,28(+Q); 21,40(+Mk); 25,41 (+ τότε wenn er gekommen ist, dann); nicht iterativ parusiebezogen mit Konj.Präs. im Rückblick auf eine voranstehende Zeitbestimmung 26,29(=Mk bis an den Tag, wo = bevor statt klass. πρίν ἄν; B-D-R 382 n.4). Die mk Vorgaben mit Ind. hat Mt gestrichen (Mk 11,25 und vor allem erzählende Verwendung Mk 3,11; 11,19).

ἀνά + Akk.
      Mt 3 : Mk 1 : Lk 3 + 0 : Joh 1
13,25(+Mk) liegt die Präp. hinauf schon in der festen Wendung ἀνὰ μέσον (+ Gen.) zwischen (1Kor 6,5) vor, die von Mk 7,31 permutiert sein kann. 20,9f (+Mk) hat die distributive Bedeutung je (red. auch Lk 9,3.14; 10,1), die keinen Hebraismus darstellt (SCHNEIDER EWNT 1,178 mit RADERMACHER 20).

ἀναβαίνω (GUNDRY 641)
      Mt 9 : Mk 9 : Lk 9 + 19
          =(Mk 9 – 3 + 2) + (Q 0) + (A-Mt 1)
Ausgelassen wurde Mk 15,8 (wo die Menge Subj. war) wie Mk 4,8.32 das Aufwachsen des Samens, während es 13,7(=Mk) für die Dornen übernahm und 17,27 für den Fisch (typ. mt im adj. Pt.) dupl. Mit der nachfolgenden Präp. εἰς hat Mt die Stellen vermehrt:
      Mt 6 : Mk 4 : Lk 5 + 12
5,1(=Mk 3,13 permutiert) auf den Berg, was er 14,23(+Mk) und 15,29(+Mk) wiederholte, ohne daß man mit der Wendung als solcher Jesus als den "größeren Mose" (GUNDRY 297) ausgesagt finden müßte. Die Wendung ist an den beiden Zusatzstellen unmittelbar von 14,23(=Mk ins Boot) her in die

voranstehende und nachfolgende Stelle assoziativ dupl. worden. Von den beiden Mk-Übernahmen 20,17f (*nach Jerusalem*) hat Mt die erste betont in den Sing. versetzend auf Jesus allein bezogen. Ein bestimmender Zug der mt Verwendung ist darum die jesulogische Konzentration (in umgekehrter Tendenz zu Lk):

Mt 6 : Mk 3 : Lk 2.

Die erste Stelle 3,16(=Mk) bezieht sich mit der reziproken Präp. auf die Taufe Jesu. Eine Regelmäßigkeit der Verwendung ist auffallend:

3,16 vom Wasser	20,18 wir nach Jeru.
5,1 auf den Berg	20,17 Jesus nach Jeru.
13,7 Dornen	17,27 Fisch
14,23 auf den Berg 15,29 auf den Berg	
14,32 Jesus ins Boot	

ἀναβιβάζω ≯βάλλω
ἀναβλέπω ≯ὀφθαλμός
ἀναβοάω 27,46(+Mk – NT sonst nie) *aufschreien* als Gebetsterminus
ἀναγινώσκω ≯γινώσκω
ἀναγκάζω 14,22(=Mk) die Schüler *nötigen* Jesus ins Boot

Mt 1 : Mk 1 : Lk 1 + 2 : Joh 0

ἀνάγκη ≯δεῖ
ἀνάγω ≯ἄγω
ἀναιρέω ≯ἀποθνῄσκω
ἀναίτιος ≯δίκαιος
ἀνακάμπτω ≯ἀναχωρέω
ἀνακεῖμαι, ἀνακλίνω ≯ἄρτος
ἀναπαυ-

Mt 4 : Mk 2 : Lk 2 + 0 : Joh 0

ἀνάπαυσις

Mt 2 : Mk 0 : Lk 1 + 0 (NT nur noch Apk 4,3; 14,11)

12,43(=Q) nicht vorhandenen *Ruheort* der Dämonen, was im mt Kontext eindeutig antipharisäisch akzentuiert ist; 11,29(+Q in Anspielung an Jer 6,16 und unter dem Einfluß von Sir 6,18ff; 51,13ff die Verheißung Jesu, die ihn als die personifizierte Weisheit ausweist (CHRIST 1970:100–19; FIEDLER EWNT 1,207f). Damit gewinnt in der Textsequenz auch die aus Q übernomme Stelle eine zusätzliche antithetische Schärfe.

ἀναπαύω

Mt 2 : Mk 2 : Lk 1 + 0 : Joh 0

Das ironische Med. Mk 14,41 ist Mt 26,45 übernommen (von Lk 12,19 in seine Beispielerzählung permutiert), nicht aber die Verheißung Mk 6,31. Mt dürfte sie nach 11,28(+Q) permutiert und ins trans. Akt. versetzt haben, so daß sich von daher auch die Wahl des anschließenden Subst. ergab.

ἀναπίπτω ≯ἄρτος
ἀναπληρόω ≯πληρόω
ἀνάστασις ≯αἰών
ἀνατέλλω, ἀνατολή ≯φῶς
ἀναφέρω 17,1(=Mk Akt. in den Evv. nur noch Lk 24,51 Pass.) *hinaufführen*
ἀναχωρέω (HAWKINS 1909:4 starkes Indiz; GUNDRY 641)

Mt 10 : Mk 1 : Lk 0 + 2 (Apg 23,19; 26,31; NT nur noch Joh 6,15)
=(Mk 1 + 4) + (Q 0) + (A–Mt 5)

12,15 ist das Vb. aus Mk 3,7 übernommen und von daher 4,12; 14,13; 15,21 red. in Mk-Zusammenhängen zum standardisierten Motiv ausgeweitet worden. Bezog sich das *Weggehen* 12,15 auf den Entschluß der Gegner zum Töten, so 4,12 auf die Täufergefangennahme, 14,13 auf den Täufertod und 15,21 auf die red. Gegnerreaktion in V.12. Dieser Zusammenhang ist red. durch ein voranstehendes Pt.conj. mit Vb. der Erfahrung (12,15 γνούς; 4,12; 14,13 ἀκούσας wie 2,22) sowie 12,15 und 14,13 mit dem red. Ortsadverb ≯ἐκεῖθεν

noch besonders hervorgehoben. Als Synonym erscheint 2,12
ἀνακάμπτω
    Mt 1 : Mk 0 : Lk 1 + 1 (Lk 10,6; Apg 18,21 – NT nur noch Hebr 11,15).
Vorbereitet sind die vier genannten Jesusstellen durch zwei auf die Magier
(2,12,13) und zwei auf Josef (2,14.22 – als stellvertretend für Jesus Han-
delnden) bezogenen Stellen, bei denen die Vorbereitung zu der so bezeichneten Handlung immer von einer indirekten Weisung Gottes ausgeht und das
Ausweichen vor von Menschen verursachter Gefahr ("drohende Gewaltmaß-
nahmen und Anschläge" – GERHARDSSON 1981:274) ausdrückt.
    Im Zusammenhang mit der Weisung ist zu sehen, daß auf 2,14.22 wie 4,12;
12,15 ein mt Erfüllungszitat folgt, das als empfängerorientiertes Deutesignal
vom Autor direkt an die Leser des Buches gerichtet ist. Noch größere Konstanz zeigt die *Verbindung* mit der *Präp.* der *lokalen Zielangabe* εἰς (2,12.
14.22; 4,12; 14,13; 15,21), die in allen 6 Fällen red. sein dürfte.
    Beachtet werden muß, daß sich die 4 auf Jesus selbst bezogenen Stellen
alle *vor* dem Wendepunkt der Leidens- und Rehabilitierungs-Voransage 16,21
(δεῖ-Notwendigkeit) finden und danach der Weg in den Tod als Zeichen der
Hoheit und des unbedingten Gehorsams geradlinig nach Jerusalem führt. Auf
alle 4 Jesus-Stellen folgt ein erneutes öffentliches Wirken Jesu, so daß nicht
an einen Rückzug in eine isolierende Einsamkeit gedacht ist. Außerdem
bleibt beachtenswert, daß auf 3 dieser Einleitung ἀνέβη εἰς τὸ ὄρος folgt
(5,1 aus Mk 3,13 permutiert und red. wiederholt in 14,23; 15,29): der Ort
unangreifbarer Sicherheit vor den Gegnern. Das Vb. gehört in das Wortfeld
der Verfolgung (GERHADSSON ebd. 274: Der mt Jesus hat "das Schicksal
nicht herausgefordert"; daß dgg. auch die Bedeutungskomponente, daß er
"das Martyrium nicht unnötigerweise gesucht hat"[ebd.], intendiert sei,
kann man als paränetisches Motiv nicht herauslesen. Damit dürfte eine
Fragestellung späterer Kirchengeschichte eingetragen sein). Mt will vielmehr
mit diesem literarischen Mittel den Kontrast zu dem späteren Weg nach
Jerusalem noch stärker herausstellen und insgesamt die Konkretheit und
Differenziertheit seines Vorsehungsplankonzepts veranschaulichen. Synonym
ist ↗φεύγω.
    Daneben ist das Vb. abs. 9,24 red. zur Mk-Vorlage in einem Imp. Jesu
verwendet (=V.25 ↗ἐκβάλλω) und 27,5 vom Weggehen des Judas aus dem
Tempel (wo es mit dem Vb. der erfüllten Untergangsweissagung ↗ἀπέρχομαι
aufgenommen ist; vgl. 2,22). Mt favorisiert auch das Simpl.
Ἀνδρέας ↗μαθητής
ἀνεκτός
    Mt 3 : Mk 0 : Lk 2 + 0 (NT und LXX sonst nie)
        =(Mk 0 + 0) + (Q 2 + 1)
Das Funktionsverbgefüge mit dem Neutr. des Komparativs *es wird erträgli-
cher ergehen* (vergleichsweise mit den Jesus und seine Boten ablehnenden
Juden im Völkergericht) ist von 10,15(=Q im Blick auf Sodom) und 11,22(=Q
im Blick auf Tyros und Sidon) übernommen. Die erste Stelle hat Mt 11,24 im
Gerichtsschluß des Segments nochmals antijüd. dupl.
ἄνεμος
    Mt 9 : Mk 7 : Lk 4 + 4 : Joh 1
        =(Mk 7 – 2 +) + (Q 1 + 2)
Außer 24,31(=Mk – nach LXX-Dtn 13,8; 30,4), wo die *vier Winde* metonymisch
für die vier *Himmelsrichtungen* stehen, ist immer die verändernde Kraft des
Windes im Blick: 11,7(=Q) im Sing. das vom Wind hin und her gepeitschte
Schilfrohr im Blick auf den Täufer, Q-Mt 7,25.27(+Q gg. Lk 6,48f) im mt
Plur. als zusätzliche zerstörerische Gewalt (den Flüssen nachgeordnet) dem
Haus wie an den anderen 5 Stellen dem Boot gegenüber. Im Blick auf die
nach 8,16f vorgezogene Sturmstillungsgeschichte dürfte es Mt im Interesse
der Leserorientierung auch 7,25.27 zugesetzt haben, zumal Mt 8,26f gg. Mk

4,39a.41 ebenfalls den Plur. setzt (die Einleitungsstelle Mk 4,37 ist durch
➤Beben ersetzt und V.39b der Verknappung zum Opfer gefallen. In der Epiphanie auf dem See 14,24(=Mk 6,48).32(=Mk 6,51) blieb der Sing. und wurde
V.30(+Mk) für die zugesetzte Petrusepisode dupl.
ἄνευ Q–Mt 10,29 (gg. Lk 12,6 – sonst im NT nur noch 1Petr 3,1, 4,9 + Gen.
    ohne synonym mit ➤χωρίς)
ἀνέχομαι 17,17(=Mk mit personalem Obj. wie Kol 3,13; Eph 4,2) ertragen
ἄνηθον ➤δύο
ἀνήρ (GUNDRY 641)
    Mt 8 : Mk 4 : Lk 27 + 100 : Joh 8
        =(Mk 4 – 1 + 2) + (Q 1 + 2)
1,19 ist Mk 6,20 im Syntagma (gerecht) vom Täufer auf Josef als Ehemann
übertragen, wobei zugleich Formulierungsanklänge an die Mk 10,2 ausgelassene Verwendung der Entlassung bestehen; von daher ist auch schon der
Akk. 1,16 als Permutation von Mk 10,12 anzusehen. 14,21(=Mk macht der red.
Zusatz "ohne Frauen und Kinder" deutlich, daß Mt klar Männer im Blick hat;
15,38(+Mk) hat er dies genau dupl. Von dieser Rahmung her ist auch 14,35
(+Mk) in diesem spezifischen Sinne zu verstehen und nicht allgemein als
Leute (gg. BAUER EWNT 1,236). Diese Differenzierung ist auch 12,41 (=Q
Männer von Ninive) schon vorgegeben, da V.42 dort das Beispiel der Königin
als Frau folgt. Q–Mt 7,24.26 (gg. Lk 6,48f) dürfte es Mt red. eingebracht
haben, nicht nur weil Lk bei seiner Bevorzugung es kaum ausgelassen haben dürfte, sd. weil Mt 25,1 eine komplementäre Frauen-Allegorie mit gleichem Klugheit/Torheit-Dualismus gebildet hat.
ἄρσην 19,4(=Mk nach Gen 1,27) männliches Wesen
    Mt 1 : Mk 1 : Lk 1 (NT noch Pl 4mal; Apk 2mal)
ἀνθίστημι 5,39(+Q red. Verbot der Gegenwehr; synopt. nur noch Lk
    21,15; Apg 6,10; 13,8)
ἄνθρωπος (GUNDRY 641)
    Mt 112 : Mk 56 : Lk 95 + 46
        =(Mk 56 – 13 + 18) + (Q 23 + 19) + (A–Mt 9)
Ausgelassen wurden Mk 1,23; 2,27.27; 5,2.8; 7,8.11.15a.18.21; 8,24; 11,2; 14,13.
Dennoch hat Mt es zu seinem zweithäufigsten Subst. (nach ➤Jesus) gemacht
(MORGENTHALER 1973:167). Davon entfallen 30 Belege auf das Syntagma der
Selbstbezeichnung Menschensohn. Auch die 82 verbleibenden Stellen finden
sich meist in dir. Rede. Mt hat generell die Menschheit im Blick, wie sie
sich im Gegenüber zur Schülerschaft im mt Sinne definiert. Ein "Humanis-
mus" kann aus der mt Anthropologie gerade nicht abgeleitet werden.
    Da in der Einheitsfront der mt ➤Basileia-Botschaft schon der Täufer
steht, so ist er 11,8(=Q) im Gegenüber zu den Menschen in vornehmer Kleidung definiert. Wenn seine Autorität nach 21,25f(=Mk) als vom Himmel vs
nicht von Menschen ausgesagt ist, so heißt das nach Mt, daß sie in Übereinstimmung mit dem Konzept des mt Jesus ist. Er ist darum unmittelbar anschließend allegor. 21,28 (=Q–Lk 15,11 permutiert) als der Mensch mit den
zwei gegensätzlichen Söhnen bestimmt.
    Auch Jesus wird nur im belanglos mißverstehenden Gegnerzitat 11,19(=Q)
– und zwar sarkastisch-ironisch – als fressender und saufender Mensch
prädiziert. In Entsprechung dazu hat Mt die Absage des Petrus, diesen
Menschen zu kennen, 27,72(+Mk).74(=Mk) gedoppelt. Nicht umsonst hat Mt
dann auch den Ausdruck α. aus dem Centurio-Bekenntnis Mk 15,39 in die
Einführung des Josef aus Arimathäa Mt 27,57 permutiert.
    Schon programmatisch setzt die erste Stelle 4,4(=Q) damit ein, daß der α.
nicht allein als ein sich ernährendes Lebenwesen, sd. durch seinen Bezug
auf Gottes Weisungen definiert ist. Die Philosophie des Machtwortes als
eines α. unter Befehlsgewalt 8,9(=Q) wird beispielhaft für das Zutrauen zur
Befehlsgewalt in die Worte des mt Jesus. In dem Sinne werden schon die

ersten Schüler 4,19(=Mk) mit der Metapher hell. Philosophenschulen (WUELL-NER 1967) zu *Menschenfischern* gemacht. Wenn sie im Eingang der Bergrede zu wahren Weisheitslehrern eingesetzt werden, so ist ihre Lichtfunktion den α. gegenüber sowohl in der "Lehre" im Sinne des Mt 5,19(+Q) wie in der entsprechenden Praxis der "guten Werke" 5,16(+Q) gegeben, ohne daß beide in ein grundsätzliches Gegensatzverhältnis zueinander treten können. Eine Verbalisierung der Zugehörigkeit ist vielmehr gefordet und ihr Versäumnis vernichtend 10,32f(=Q).

Die Sorge einer Zur-Schau-Stellung hat Mt eher der Praxis gegenüber, "seine eigene Gerechtigkeit vor den Menschen zu prostituieren" (SAND EWNT 1,243): 6,1(+Q mit Dupl. der Wendung von 10,32f).2(in Relation zu 5,16).5.16.18, was er per definitionem den Lehrern Israels zuschreibt vgl. 23,5(+Q).7(+Q).28(+Q). Sie sind es 23,4(=Q), die die *Menschheit* verlogen überlasten und ihr den Zugang zur Himmelsherrschaft im Sinne des Mt blockieren 23,13(+Q wiederum mit dupl. Anklang an 10,32f). Ihre Verhaltens-normen sind als die dem mt Jesus entgegenstehend zugleich Gott entgegen-stehende *Menschengebote* 15,9(=Mk), denen gegenüber V.11.11.18.20.10(=Mk) klargestellt wird, was die noch außenstehenden α. wirklich von Gott trennt und was nicht. Der Sprachgebrauch in diesem Kap. macht deutlich, wie sehr sowohl die normgebenden *Juden* als auch *ihre Adressaten* gemeinsam als *out-group* angesehen werden. Die Gerichtsbegründung 16,26.26(=Mk) ist durch die Textsequenz als Renominalisierung von V.13(=Mk) und 23(=Mk) deutlich auf die zur Nachfolge zu gewinnenden *Außenstehenden* bezogen.

Im *Erzählkontext* sind Personen als α. typ. mt (PESCH 1968:469) immer auch als *Zu-Gewinnende* eingeführt: 9,9(+Mk).32(+Q); 12,10.13(=Mk); 17,14(+Mk) und von daher wohl auch 27,32.57(+Mk). Der Erfolg des gewinnenden Han-delns wird darum gemäß 5,16 in der Akklamation beschrieben: 8,27(+Mk). Auch in der Doxologie 9,8(+Mk) sind im Dat.com. die *Zu-Gewinnenden* be-zeichnet, was man schon im Hinblick auf die vorausstehenden Stellen (wie die unmittelbar V.9 nachfolgende) nie hätte bestreiten sollen (SCHENK 1963 zur mt Anthropologie überhaupt und zur Nichtverwendung unseres Subst. für ekklesiol. Sachverhalte gg. STRECKER 1971:256). Typ. ist, daß gerade im Zusammenhang mit dem 12,10.13 zu gewinnenden Kranken bei der gut mt Einschaltung eines deutenden Q-Logions 12,11 von Mt red. aus Mk 3,3 α. in den Q-Text permutiert und V.12 dupl. wird. Das ist nicht *allgemein-menschlich* gemeint, sd. eine bewußte argumentatio ad hominem: "selbst ihr *Außenstehenden, Ablehnenden* (oder gar *Gegner*). Derselbe Zusatz zu einer analogen rhetor. Frage wurde schon 7,9(+Q) gemacht. Auch hier wieder ist α.nicht "allgemein-menschlich" aufzufassen, sd. (im Anschluß an die in der Bergrede voranstehenden Stellen) betont im Blick auf solche, die *noch zu gewinnen*, die *noch nicht Christen* im Sinne des Mt sind. Das gilt deutlich auch auf die 7,12(=Q) angeschlossene "Goldene Regel": Die α. stehen den Angeredeten gegenüber, sind also als die *Außenstehenden* gemeint, wohl so-gar als die *feindlich Außenstehenden*, so daß hier zugleich die Feindesliebe eingeschlossen gedacht werden muß.

Da, wo die Botschaft des mt Jesus nicht angenommen wird, schlägt die Ablehnung in Feindschaft um, und unter diesem Aspekt bezeichnet α. die Außenstehenden als *abweisende Feinde*. Beide Aspekte zusammen faßt 12,43. 45(=Q) in den Blick, wo der von Dämonen-Geheilte sowohl im Blick auf ihn als zu Gewinnenden am Anfang wie im Blick auf sein Nicht-Annehmen des Angebots am Ende als α. prädiziert ist. Im mt Kontext ist die Anwendung auf die Lehrer Israels zudem besonders augenfällig. Das beginnt also mit der Feindschaft Jesus selbst gegenüber, die er 10,35f(+Q) als Zwiespalt voraussagen kann und vor denen er 10,18(+Mk) grundsätzlich als vor Ver-folgern warnen kann, was nach dem Zusammenhang des Kap. bei Mt wiede-rum die Juden sind, was dann auch für die Bekenner-Verpflichtung 10,32f

gilt. Wenn 17,22(=Mk) die Verwerfungsweissagung "in die Hände der α."
übernommen wurde, dann darum, weil damit von vornherein die ablehnenden
Verfolger gemeint sind. Die Verpflichtung zur Vergebung 6,14f(+Mk) ist
darum red. auf die *Verfolger* bezogen und so Ausdruck der Feindesliebe.
Ihr ist jedoch 12,31(=Mk) eine klare Grenze gezogen, sofern es um die
unvergebbare Verwerfung des mt Jesus geht (Q-Mt 12,35f wirkt diese konkrete Inhaltsfüllung noch nach!). 26,24.24(=Mk) wird darum der Auslieferer
als α. prädiziert, sprich: als einer, der *wieder zum Außenstehenden gewor-*
den ist; Mt hat diese Abfall-Stelle 18,7(+Mk) generalisierend dupl. In
unzweideutiger Weise hatte schon 5,13(+Q) deutlich gemacht, daß Mt eine
ihren Auftrag verlassende Gemeinde unter eine tötende Strafandrohung gestellt sieht: α. meint hier nicht nur "Leute" überhaupt, sd. *Verfolger*, die
die Abfallenden nicht als ihresgleichen akzeptieren. Mt hat dieses Element
in seiner Fabel vom Ende des Judas 27,3-10 erzählerisch illustriert. In der
Allegorie vom α. ohne hochzeitliches Gewand 22,11(+Q) ist noch vor der
Setzung der Negation das Sem des *Nichtzugehörigen* durch die Verwendung
von α. gesetzt.

Im Kontext des Mt sind darum Stellen wie die Kritik an Petrus 16,23
(=Mk) nicht im Sinne eines generellen Gott/Mensch-Dualismus zu lesen, sd.
akzentuiert im Kontext des Konzepts *Gott* vs. *die anderen*: Petrus verhält
sich wie einer, der noch keinen Kontakt zu Jesus hatte. Dasselbe gilt für
19,26(=Mk): "bei den α. unmöglich" gilt auch hier nicht pauschal, sd. ist
hier ebenso nach dem Kontext (Besonderheit der Schüler!) konkret auf
Außenstehende hin akzentuiert: "den *anderen* ist das unmöglich" (weshalb
sich erklärt, daß Mt diese Stelle übernahm, andere hingegen nicht). Auch in
der gegnerischen captatio benevolentiae 22,26(=Mk) der Nicht-Menschen-
Gefälligkeit ist konkret die Nicht-*Gegner*-Gefälligkeit zu hören. Man sollte
darum vom mt Gesamtkonzept her auch in den Blick nehmen, warum Mt 19,5f
(=Mk) die Ehe-Entlassung mit α. in den Blick nahm und dann V.10.12(+Mk)
betont daran anknüpfend sein zölibatäres Ideal einbringt. Die immer beo-
bachtete Spannung erklärt sich zu einem guten Teil dann, wenn man α. in
der spezifisch mt Kodierung auffaßt: Für die noch nicht Gewonnenen gilt
Ehepflicht. Die Gemeinde selbst aber stellt sich Mt im Idealfall als eine
Gemeinde von Zölibatären vor.

In seinen *Allegorien* verwendet Mt α. im Anschluß an die klaren Vorgaben 13,24(=Mk).31(=Q); 18,12(=Q); 21,28(=Q-Lk 15,11).33(=Mk); 22,2(=Q);
25,14.24(=Lk 19,11.21) insgesamt 16mal, davon 13mal (abgesehen von den
weiteren red. dupl. Renominalisierungen 13,25.28[+Mk]) zur Gleichnisein-
leitung - und zwar außer an den schon genannten 7 Stellen: 13,44.45.52(+Q
V.31 dupl.); 18,23(+Q V.12 dupl.); 20,1(+Mk 19,26 dupl.); 22,11(+Q V.2 dupl.
und damit als eine weitere Allegorie mit eigenem Wert durch diesen Neueinsatz gekennzeichnet). Auch hier ist das mt Sem des *Andersartigen, Außen-*
stehenden nicht vergessen, und es liegt so etwas wie ein
"allgemein-menschlicher" Gebrauch nicht vor.

Das wird vor allem dadurch verdeutlicht, daß Mt dabei eine *Adjektivie-*
rung durch zugesetztes Subst. vollzieht (B-D-R 242 n.2; red. auch sonst:
27,32): 13,45 (Großhändler); 13,52; 20,1 und 21,33 (Hausherr); 18,23 und 22,2
(König), wobei in der Abfolge der Trias 21,28.33; 22,2 deutlich eine Steigerung vom *Vater* über den *Hausherrn* zum *König* gebildet ist (weshalb Mt sich
hier im ersten Fall mit dem bloßen Lexem begnügt hat). Statt dessen ist das
attributive Pt. 13,24; 25,14 nachgestellt bzw. 13,28 wohl zur besonderen
Betonung der Qualität vorangestellt (B-D-R 474 n.1).

ἄνιπτος →χείρ
ἀνίστημι →αἰων-

ἀνοίγω (GUNDRY 641)
   Mt 11 : Mk 1 : Lk 6 + 16 : Joh 11
      =(Mk 1 – 1 + 4) + (Q 4 + 1) + (A–Mt 2)
Mk 7,35 (Gehör) wurde ebenso ausgelassen wie das Doppel.–Komp. dort V.34.
Das trans. Akt.:
   Mt 5 : Mk 0 : Lk 2 + 11
ist 25,10(=Q) auf →Tür bezogen (Antonym →κλείω), 2,11 auf den Deckel der
Schatztruhen, 17,27 auf den Mund des Fisches, während die semit. Wendung
5,2(+Q) und 13,35(+Mk LXX–Zitat) den Mund öffnen meint: zu sprechen
beginnen (LABUSCHAGNE THAT 2,409; MÜLLER EWNT 1,252f).
Im Pass.:
   Mt 6 : Mk 1 : Lk 4 + 5
ist im Komplenym zu Anklopfen 7,7f(=Q) die Tür das nicht verbalisierte Obj.
(Gebet um Zutritt zur Himmelsherrschaft), während es 9,30(+Mk); 20,33(+Mk)
die →Augen sind, 3,16(Q) die Himmel und 27,52(+Mk) die Gräber
ἀνομία (HAWKINS 1909:4; GUNDRY 641)
   Mt 4 : Mk 0 : Lk 0 + 0 : Joh 0
     =(Mk 0 + 2) + (Q 0 + 2)
Außer dem Alleinvorkommen in den Evv. (JEREMIAS 1965:82 n.11; HUMMEL
1966:64) spricht vor allem die Verteilung der Zusätze für red. Gestaltung: Mt
gebraucht es immer als einen zusammenfassenden Ausdruck für das Bisherige (GUTBROD ThWNT 4,1077–9). Entgegen der etymologistischen Tendenz, α.
vorschnell auf das Mosegesetz zu beziehen (LIMBECK EWNT 1,254f), ist zu
bedenken, daß das analog gebildete Adj. und Adv. bei Mt keine Verwendung
finden. Vor allem aber steht es auch in der LXX gerade ohne Direktbezug
zum Gesetz. Dies ist auch darum für Mt zu veranschlagen, da seine ersten
beiden Stellen LXX–Anklänge sind: Das Verwerfungsorakel 7,23 ist gg. Q an
LXX–Ps 6,9 angeglichen. Das hier verwendete Funktionsverbgefüge ist V.21
vordefiniert als "Nichttun des Willens meines Vaters", was V.24 mit "meine
Worte" aufnimmt (FRANKEMÖLLE 1974:284f). Ein Funktionsverbgefüge analoger Art (mit dem Handlungsverb gebildet) liegt auch 13,41 mit LXX–Ps 140,9
vor. Nach der faktischen Autordefinition, die schließlich 24,12(+Mk Liebe
erkalten) gibt, ist α. mt primär mit Lieblosigkeit und das Funktionsverbgefüge als die Lieblosen wiederzugeben (WALKER 1967:110 n.104). In der
Gegnerklassifizierung des Q–Zusatzes 23,28 steht es neben →Verlogenheit
und nimmt die vorher genannten Begriffe von V.25.27 zusammenfassend auf.
   Wenn man nach einem textsequentiellen Bezug zum Mose–Gesetz dennoch
suchen wollte, so wäre er im Kontext hier 23,13 wie an der ersten Stelle in
7,12 – also doch relativ weitläufig – vorgegeben. Dies ist also weniger der
Sem–Kern als das Moment des frevlerischen Verachtens des Willens Gottes.
Mt bezeichnet damit nicht ein Vergehen überhaupt, sd. eine unvergebbare
Fehlhaltung; darum hat er α. auch bei der Verwendung von LXX–Ps 129,8
zur Deutung des Jesus–Namens in 1,21 bewußt vermieden und ersetzt. Mt
setzt es also mit Bedacht für das, was nicht vergeben wird, die unvergebbare Fehlhaltung, also nicht nur die "Mißachtung des göttlichen Willens" (so
LIMBECK ebd.) überhaupt, sd. speziell die Verachtung des mt Jesus (als der
Weisheit Gottes) und seines Konzepts. Insofern dient dieser Terminus primär
der Selbstlegitimation des Buches selbst.
ἀντάλλαγμα 16,26(=Mk – NT sonst nie) Gegenwert
ἀντέχομαι →ἀγαπάω
ἀντί + Gen.
   Mt 5 : Mk 1 : Lk 4 + 1 (sieht man von der red. lk formelhaften Verwendung mit dem Relativum = weil ab, dann steht das Verhältnis:)
   Mt 5 : Mk 1 : Lk 1 + 0
     =(Mk 1 + 0) + (Q 0 + 2) + (A–Mt 2)
2,22 (anstelle seines Vaters); 5,38.38 (+Q anstelle eines Auges, Zahns); 17,27

(*für* mich und dich); 20,28(=Mk "*für viele*" wie in der voranstehenden Stelle, da hier nicht wie an den ersten beiden etwas in der Vergangenheit Vorhandenes im Blick ist, sd. etwas zu Konstituierendes, das in der Zukunft liegt - also kaum "Sühne" gg. FRANKEMÖLLE EWNT 1,261).

ἀντίδικος →δικ-

ἄνυδρος →ὕδωρ

ἄνωθεν 27,51(=Mk) *von oben*

ἀξίνη →δένδρον

ἄξιος (GUNDRY 641)
    Mt 9 : Mk 0 : Lk 8 + 7 : Joh 1
        =(Mk 0) + (Q 2 + 7)

Das wertvergleichende Adj. zählt zu den "gewählten griech. Wörtern", die Mt verwendet (GRUNDMANN 49; Papyri: FOERSTER ThWNT 1,378-809). Die *Angemessenheit* ist deutlich, wenn der Gen. der Sache (bei Lk 5 + 6) ausdrücklich steht, wie in beiden sicher aus Q übernommenen Wendungen: 3,8 (der Umkehr); 10,10 (der Nahrung). Der Gen. der Person (NT noch Hebr 11,38) ist in den Definitionssätzen 10,37.37.38(+Q) wohl red. gesetzt: nur wer Familienglieder und seine eigene Sicherheit hintansetzt, ist dem mt Jesus *gleichwertig, würdig, angemessen.* Damit wird eine nachträgliche Definition für die gegeben, die sich bei den drei abs. Setzungen zuvor V.11.13.13 (+Q - V.10 assoziativ multipl.) gefragt haben, woran man denn erkennen soll, wann eine Person oder Familie für den Eintritt in ihr Haus α. sein soll. Damit wird zugleich deutlich, daß Mt für seine Leser einen Sachzusammenhang mit der Täuferstelle angenommen hat: Nach seiner Textsequenz Mt 3 besteht die der *Umkehr angemessene* Frucht darin, daß man Jesus als den Größeren erwartet. Das wird bestätigt durch die Allegoriestelle 22,8(+Q), die Kap.10 insofern adäquat ist, da es in ihr ja speziell um die Sendung und Abweisung der Schüler Jesu geht: Man erwies sich der verbindlichen Einladung zur königlichen Hochzeit nicht *würdig. Angemessen* im Sinne des Mt ist die Bereitschaft, was seinem voluntaristischen Konzept entspricht. Der negierte Ausdruck bezeichnet den Abbruch der Gemeinschaft.

ἀπαγγέλλω (GUNDRY 641)
    Mt 8 : Mk 3 : Lk 11 + 16
        =(Mk 3 - 1 + 3) + (Q 1 + 0) + (A-Mt 2)

(Gg. GUNDRY 641 sind Ps-Mk 16,10.13 nicht in den Vergleich einzubeziehen; gg. H-G ist das Vb. Mk 5,19 mit N-A als urspr. LA anzusehen und damit als von Mt ausgelassene Stelle).

Mt dürfte in der *Verteilung* auch dieses Vb. bewußt *konzentrisch* eingesetzt haben:

A : A' wird es für die Gegner an Jesu Lebensanfang und -ausgang gesetzt, wenn 2,8 Herodes *Mitteilung* der Recherchen der Magier erwartet und 28,11 die Grabeswächter den Priesterarchonten alles (8,33 duplizierend) *mitteilen.*

B : B' wird es 8,33(=Mk - doch mit dem red. Zusatz *alles!*) von der *Mitteilung* in der christol. Zentralperikope der 6-teiligen Ringkomposition Kap. 8-9 von der Vernichtung der →Dämonen wohl bewußt verwendet, wie es 28,8(+Mk) analog steht: Die Frauen eilen, um die Engelbotschaft den Jüngern *mitzuteilen,* die 28,10(+Mk) unter Verwendung desselben Wortes verstärkend wiederholt wird.

C : C' sind auf die Täuferjünger bezogen in 11,4 (=Q im Gefolge von 8,33) als Auftrag Jesu an sie, den Inhalt von Kap.5-10 (darauf ist das Obj. bei Mt konkret bezogen) dem Täufer *bekanntzumachen.* 14,12 wird zur Herstellung der Entsprechung Mk 6,30 red. umgestellt und auf die Täuferjünger umbezogen, so daß sie bei Mt den Täufertod Jesus ausdrücklich *mitteilen.*

D: Im Zentrum steht α. 12,18(+Mk) red. in das längste Erfüllungszitat eingefügt (ROTHFUCHS 1969:73f) für das umfassende und grundsätzliche *Ein-*

prägen des Gottesrechts. Dieser Autor-Kommentar dürfte einen Bezug zur Gesamtfunktion des Buches haben und den anwendenden Wiedergebrauch des mt Buches legitimieren wollen.

Daß α. immer nur eine Variante des Simpl. und der Komp. mit ἀν- und δια- sei, die allesamt bei Mt nicht verwendet werden, ist zu bestreiten. Zu bezweifeln ist für Mt auf jeden Fall eine tendenzielle Unterscheidung zwischen "bloßer Mitteilung" in 2,8; 14,12; 28,8 einerseits und dagegengesetzt "in den Auferstehungsgeschichten" andererseits eine "besondere Bedeutung des Geschehens für den christl. Glauben" (so BROER EWNT 1,30). Da Mt kein "Theologe der Auferweckung" ist, artikuliert sich in solchen Formulierungen mit ihrer Inbeziehungsetzung von "Geschehen", "Bedeutung" und "Glauben" eher eine geistesgeschichtlich verankerte Voreingenommenheit eines bestimmten Klassifizierungsmusters. Dgg. ist für die Zentralstelle 12,18 eher der unmittelbare Einfluß rhetor. Schulterminologie anzunehmen: Genau so heißt im Unterricht die erste rhetor. Übung der Nacherzählung bzw. Rezitation einer Chreia (Theon, Progymnasmata 5; und noch Justinian, Novella 137 meint es *Wiederholen* zum Zwecke der Einprägung). Nun geht 12,15f hier gerade eine Chreia voran, die im Zusammenhang der geschilderten Feindreaktionen als zweites positives Gegenstück (nach 11,25-30 und in Entsprechung dazu) das mt Konzept in nuce zusammenfaßt. Genau dies ist es, was *wiederholend eingeprägt* werden soll. Mt organisiert seine eigene *relecture.*

ἀπάγω ⇥ἄγω

ἀπάγχομαι ⇥ἀποθνῄσκω

ἀπαίρομαι ⇥αἴρω

ἁπαλός ⇥δένδρον

ἀπάντησις 25,6 (NT nur noch 1Thess 4,17; Apg 28,15)

    Die Präp.-Wendung meint einfach *entgegen* (LATTKE EWNT 1,275); sie dürfte hier direkt mit 1Thess 4,17 zusammenhängen (SCHENK 1978). Von Einfluß kann auch das Vb. Mk 14,13 gewesen sein, das Mt dort nicht übernahm, so daß hier eine Permutation der Wurzel vorliegt. Voran steht V.1 die Präp.-Wendung mit dem Synonym

ὑπάντησις 8,34; 25,1 (NT nur noch Joh 12,13 übernommen)

    Hier ist durch das Obj. "Bräutigam" ein anregender Einfluß von Tob 11,16(S) her möglich. 8,34(+Mk - so die urspr. LA gg. H-G ist nicht das Komp. mit συν- vorzuziehen) ist deutlich das Vb. von V.28(=Mk) in antithetischer Entsprechung rahmend dupl.:

ὑπαντάω

    Mt 2 : Mk 1 : Lk 2 + 1 : Joh 4 (NT sonst nie)

28,9(+Mk) ist ein weiterer red. Zusatz, da Mt offensichtlich diese Wurzel gern verwendete (GUNDRY 648).

ἀπαρνέομαι ⇥ἀρνέομαι

ἅπας ⇥πᾶς

ἀπάτη 13,22(=Mk - sonst nie in den Evv.) *Täuschung, Betrug*

ἀπέναντι + Gen. *gegenüber* (uneigentliche Präp.)

    Mt 2 : Mk 0 : Lk 0 + 2 (Apg 3,16; 17,7 - NT nur noch Röm 3,18)

27,24.61(+Mk) - in Mk 12,41 wohl nicht urspr., da Mk eher das Synonym setzt:

κατέναντι + Gen. 21,2(=Mk 11,2 - gg. H-G wohl urspr. LA)

    Mt 1 : Mk 3 : Lk 1 + 0 : Joh 0

ἀπέρχομαι ⇥ἔρχομαι

ἀπέχω (GUNDRY 642)

    Mt 5 : Mk 2 : Lk 4 + 2 : Joh 0

      =(Mk 2 - 1 + 4)

Die bei Mt 15,3 letzte Stelle ist aus Mk 7,6 im Sinne eines so weiten Abstands, daß es *völlige Trennung* (von Gott) signalisiert, übernommen. Dieser Sinn dürfte auch für die Einfügung 14,24(+Mk) bestimmend sein: Das Schiff ist schon so weit vom Land, daß eine *völlige Trennung*, *absolute Distanz* betont ist (gg. H–G 117 als urspr. LA anzusehen, da Harmonisierung mit Joh 6,19 sich nur auf ein Wort bezöge und Synopt.–Joh-Angleichungen wesentlich seltener als inner-synopt. sind, so daß auch hier die Variante eher an Mk sek. angeglichen sein wird: GNTCom 37). Im Sinne einer *völligen Trennung* ist darum auch die Verwendung 6,2.5.16 zu verstehen, was sich schon aus dem mt →μισθός-Konzept, aus der Antonymie zu 6,1 kontextgemäß und aus der red. multipl. Abhängigkeit aller 3 Stellen von Mk 9,41 ohnehin ergibt: Sie haben ihre Anwartschaft auf individuelle Unsterblichkeit im neuen Äon *verspielt* (gg. HORSTMANN EWNT 1,289 gilt für Mt in keinem Fall: sie "haben ihren menschlichen Lohn weg"). Synonym ist den →*Heuchlern* ohnehin nur das →*ewige Feuer* des kommenden Äon angesagt. Mt vertritt nicht ein Konzept ausgleichender Vergeltung wie Lk 16,25.

ἀπιστία, ἄπιστος →πιστ–
ἀπλοῦς →δαιμονίζομαι
ἀπό + Gen. (GASTON 1973:62)
    Mt 115 : Mk 46 : Lk 126 + 114 : Joh 40
        =(Mk 46 – 19 + 43) + (Q 11 + 14) + (A–Mt 20)
Es ist die bei Mt dritthäufigste Präp., während sie bei Mk erst den 5. und bei Lk den 4.Rang hat. Mt ersetzt ἐκ durch ἀπό im Zuge der Tendenz, daß ersteres im letzteren schließlich ganz im Neugriech. aufgesaugt wurde (B–D–R 209; BERGER 1972:68f n.1) gg. Mk in Mt 3,16; 14,2 (dupl. es in der Auferweckungswendung 27,64; 28,8 – beließ die Vorlage aber 17,9); 17,18; 21,8; 24,1.29; ebenso gg. Q Mt 7,16(≠ Lk 6,44, während Mt 12,33b im Wiederholungsfalle nicht änderte).16.16; 24,27(≠ Lk 17,24). Ebenso werden gelegentlich andere Präp. ersetzt: 14,24 (gg. Mk 6,47 ἐπί); 16,21 (gg. Mk 8,31 ὑπό, der das bessere Griech. hat, was aber Lk 9,22 ebenso abändert und damit die Zeittendenz spiegelt) bzw. 26,47 (gg. Mk 14,43 παρά – B–D–R 210); 27,55 (gg. Mk 15,41 ἐν). Da Mt παρά vermeidet, dürfte 20,20(+Mk *erbitten von*) ἀπό urspr. sein (mit N–A gg. H–G 185).
ἀπό-causale:
    Mt 16 = (Mk 2 + 6) + (Q 2 + 5) + (A–Mt 1)
In kausaler Verwendung ist Q-Mt 11,19 (=Lk 7,35 *auf Grund ihrer Werke gerechtfertigt* statt ὑπό des Urhebers: B–D–R 210,2) und 24,32(=Mk *vom Feigenbaum lernen* statt παρά: B–D–R 210,3) dupl. 11,29. Von daher erklären sich auch die beiden genannten Abänderungen gg. Mk in Mt 16,21 (Leiden *durch* das Synhedrium; vgl. Gal 2,12) und 26,47 (das Verhaftungskommando *im Auftrag* des Synhedriums) wie 7,16a(+Q *an den Früchten erkennen* als Erkenntnisgrund).20(+Q dupl.). A–Mt 13,44 hat red. *vor Freude* wie 14,26 (+Mk) und 28,4(+Mk) *aus Furcht*; 18,35(+Q *aus Überzeugung*; SCHNEIDER EWNT 1,300f "Redensart") wie 18,7(+Q) die Verstärkung des Gen.causae bei Interjektionen (B–D–R 176,1). Auch 27,9(+Mk) dürfte nicht partitiv "einige Israeliten"(=Führer) gemeint sein, sd. die Preisfestsetzung *durch* die Israeliten (soviel war er den Israeliten wert) als eine Verwerfung durch das ganze Israel (gg. SENIOR 1982:351 mit B–D–R 164; 169 u.a.). Als erwarteter Urheber nach *wollen* steht es im Munde Jesu Q-Mt 5,42 wie im Munde der Gegner 12,38(+Q statt παρά Lk 11,16; Mk 8,11, von woher auch ἀπό permutiert und vom Himmel auf Jesus direkt umorientiert ist und darum wohl mehr als den Ausgangspunkt bezeichnen soll). Dasselbe gilt für 20,20 (+Mk *erbitten durch ihn*, was viele HS aber im Sinne des Ausgangspunktes abänderten, da später das Gebet zu Jesus selbstverständlicher war.)
ἀπό-temporale:
    Mt 22 : Mk 2 : Lk 12 (GUNDRY 642 zählt 23 Belege)
        =(Mk 2 + 12 + (Q 2 + 1) + (A–Mt 5)
ist von Mt bevorzugt als Gliederungs-Präp. benutzt und gerade an wichtigen Einschnitten immer red.:

ἀπ' ἄρτι
    Mt 3 : Mk 0 : Lk 0 + 0
        =(Mk 0 + 2) + (Q 0 + 1)
23,39(+Q) sagt den Schülern den Abschluß der Anwesenheit Jesu bei den
Juden an wie es 26,64(+Mk) dem Synhedrium selbst gesagt wird, was nach
26,29(+Mk) zugleich eine vorübergehende Unterbrechung der direkten Beteiligung an der Mahlgemeinschaft den Schülern selbst darstellt.
ἀπὸ τότε (GUNDRY 642)
    Mt 3 : Mk 0 : Lk 1 + 0
        =(Mk 0 + 3) + (Q 0 – 1)
Die von Q offenbar Lk 16,16 vorgegebene (Mt 11,12 abgeänderte) Wendung,
die sich sonst im NT nie findet (LXX-Ps 75,8; 92,2; 2Esr 5,16), hat offenbar
Mt veranlaßt, sie zu entscheidenden Gliederungsmerkmalen seines Buches zu
machen (LOHMEYER 1,64.264; KRENTZ 1964; SCHMAUCH 1967:64ff; KINGSBURY
1975:7ff; abgeschwächt bei STRECKER 1971:91f; FRANKEMÖLLE 1974:344). Mit
der volleren Wendung "von da an begann Jesus" + Inf. des Redeverbs
(HAWKINS 1909:168 so nur bei Mt) leitet 4,17(+ Mk den Schluß des Prologs
bezeichnend) den ersten Buchteil als die Periode des Umkehrrufes Jesu und
seiner Schüler ein wie ebenso 16,21(+Mk) den zweiten als die Periode der
Verwerfungs- und Rehabilitierungs-Vorhersagen und deren Eintreten. Beide
male läßt Mt Perikopen mit den Zebedaiden als Petrus-Anhang folgen, was im
Zusammenhang damit als ein zusätzliches Gliederungssignal zu werten ist.
Eine andere, untergeordnete Verwendung liegt 26,16(+Mk) vor, weil hier
Judas Subj. ist und die Unterordnung mit voranstehendem und klar angezeigt ist. Dennoch ist die Verwendung auch nicht zu unbetont zu sehen, da
sie ihrerseits auf den V.17 markierten Einsatz eines neuen Tages (und nicht
nur auf eine Wende im Leben des Judas) verweist.
ἀπ' ἐκείνης τῆς ἡμέρας 22,46(+Mk)
    ist dem hierher als definitivem Abschluß zurückversetzten Satz Mk 12,34
zugefügt, um den defintiven Abschluß der Gegnerauseinandersetzungen zu
markieren (STRECKER 1971:92): ab 23,1 redet Jesus nur noch zu den Seinen.
ἀπὸ δὲ τῶν ἡμερῶν Ἰωάννου Q-Mt 11,12
    hat Mt die temporale Präp. übernommen und sie zum Zwecke der Aussage
über die einheitliche Gegnerfront den Basileia-Boten gegenüber präzisiert,
wie es seinem Konzept entsprach.
ἀπὸ τῆς ὥρας ἐκείνης
    Mt 3 : Mk 0 : Lk 0 + 0
        =(Mk 0 + 3)
hat Mt in Abschlüssen von Heilungsgeschichten verwendet: 9,22 indem er die
in Mk 5,34 in der Perikope von der Frau mit den Gebärmutterblutungen
vorgegebene Präp. temporal transkodierte und sie duplizierend auch 15,28
(+Mk zur Tochter der Kaanäerin) wie 17,18(+Mk zum mondsüchtigen Sohn)
zusetzte.
    Von den 13 mt Entsprechungsmarkierungen sind temporal
ἀπό ... ἕως (GUNDRY 642)
    Mt 8 : Mk 1 : Lk 2
        =(Mk 1 + 2) + (Q 2 + 0) + (A-Mt 3)
Hierher zählen – außer den schon durch einen anderen Zusammenhang ver-
merkten Belegen 11,12(=Q); 26,29(+Mk) – A-Mt 1,17.17.17 mit dem apokalyptischen Fazit der Genealogie (6 mal 7 Generationen sind vorüber – also
ist jetzt die letzte 7 mal 7. Königsgeneration Israels); ebenso universal sind
23,35(=Q– vom ersten bis zum letzten Prophetenmord in der LXX) und 24,21
(=Mk – vom Anfang der Menschheit bis jetzt); partial wieder 27,45(+Mk –
von der 6.-9. Stunde).
    Ferner: A-Mt 2,16 (von 2 Jahren an); 19,4(=Mk – seit Beginn der Welt),
was V.8(+Mk); 13,35(+Mk) und 25,34 dupl. ist.

Von den restl. 77 Stellen bezeichnen *lokal partitiv* den Ausgangspunkt und die Entfernung:

Mt 25 = (Mk 10 + 8) + (Q 0 + 2) + (A–Mt 5)

So 5mal in der komplenymen Entsprechung *von – bis* 20,8(letzten/ersten); Q–Mt 24,27(gg.Lk Osten/Westen) und dazu synonym V.31(=Mk *von allen Himmelsrichtungen*); 26,58(=Mk *von weitem bis hinein*); 27,51(=Mk *oben/unten*); ferner A–Mt 1,24 (*aus dem Traum erwachen*); 3,16(+Mk *vom Wasser heraufsteigen*); 8,1(+Mk *vom ⟨berg herab*).30(=Mk *weit von*).34(=Mk *weggehen von*); 14,13(=Mk *folgen aus*).24(+Mk *vom Ufer*).29(+Mk *heraussteigen*); 15,1(=Mk *von Jerusalem*); 17,25a(*nehmen von*).25b.25c.26; 19,1(+Mk *sich entfernen*); 20,29 (=Mk *von Jericho*); 23,34(+Q *von Stadt zu Stadt*); 24,1(+Mk *den Tempel verlassen*); 27,55a(=Mk *von fern*).55b(+Mk *von GAliläa*); 28,8(=Mk *vom Grab*).

Schärfer noch speziell die *Trennung*:

Mt 40 = (Mk 8 + 17) + (Q 6 + 5) + (A–Mt 4)

Vor allem 20mal in theol. relevanten Verwendungen 1,21 (*retten von Sünde*); 3,7(=Q *dem Zorn entfliehen*) dupl. 23,33(+Q); 6,13(+Q *vom Bösen*); 7,23(=Lk *weichen von*); 9,15(=Mk *beraubt*) wie 13,12(=Mk) und 25,28(=Lk).29(+Q); 11,25 (=Q *nicht offenbart vor*); 14,2(+Mk *auferweckt von* in Anwendung auf Jesus mit red. stärkerer Betonung der Trennung) wie 27,64(+Mk) und 28,7(+Mk); 15,8(=Mk *von Gott getrennt*); 21,43(+Mk *Wegnahme der Basileia*); 25,32b.32c (*trennen von*).41(*weggehen von*); 27,40.42(=Mk *vom Kreuz herabsteigen*); ferner 18,8.9(+Mk *werfen von – aus* Komp. permutiert) dupl. 5,29.30(+Mk); 7,15(+Q *hüten vor*) multipl. 10,17(+Q) und 16,6(=Mk).11.12a.b(+Mk); 10,28(=Q *fürchten vor*); 9,16(=Mk *abreißen*); 12,43(=Q *Dämon ausfahren*) dupl. 17,18a (+Mk); 15,27b(+Mk *fallen von*) wie 24,29(+Mk); 21,8(+Mk *Zweige von den Bäumen*); 26,39(=Mk *sich Leiden ersparen*); zweimal hintereinander als Ersatz für den Gen. der Trennung (was kein Hebraismus ist B-D-R 183,3; SCHNEIDER EWNT 1,298f; SENIOR 1982:256) 27,21(+Mk *welcher von beiden*).24(+Mk *unschuldig an*).

Stärker noch speziell die *Herkunft* bzw. den *Ursprung* (B-D-R 209,3f) und damit auch die *Zugehörigkeit*:

Mt 12 = (Mk 5 + 2) + (Q 1 + 4)

2,1 dupl. *von* 8,6(=Q *vom Osten*); 3,4(=Mk *aus Kamelhaar*); 3,13(=Mk) und 4,25(=Mk *aus Galiläa*); 7,16.16(+Q *von Dornen/Disteln*); 15,22(+Mk *aus jenem Gebiet*); 21,11(+Mk *aus Nazareth*); 27,57(=Mk *aus Arimathäa*); 5,18(*Haken vom Gesetz*); 15,27a(=Mk *von dem Bissen essen*).

ἀποδεκατόω ⇥δύο

ἀποδημέω

Mt 3 : Mk 1 : Lk 2 + 0 (NT sonst nie; LXX nur Ez 19,3 A)

Verreisen kommt nur in Parabeln vor: 21,33(=Mk); Q-Mt 25,14f hat keine Par., doch dürfte Lk seiner Umgestaltung entsprechend hier abgeändert haben (während er es evtl. nach 15,13 permutierte); in dem Adj. der mk Kurzfassung 13,34 dürfte ein Q-Relikt stecken.

ἀποδίδωμι (HAWKINS 1909:4 schwach; MORGENTHALER 1973:181; GUNDRY 642)

Mt 18 : Mk 1 : Lk 8 + 4 : Joh 0

=(Mk 1 + 3) + (Q 1 + 1) + (A–Mt 12)

Das Vb. zeigt sowohl in seiner eth. wie in seiner eschatol. Verwendung die starke Prägung des Mt und seines Denkens durch röm. Rechtskategorien. 22,21(=Mk) hat den verallgemeinernden Schlußsatz des Census-Gesprächs übernommen: "Dem legitimen Rechtsforderer muß das ihm zukommende Recht erstattet werden" (SAND EWNT 1,308; vgl. Röm 13,7); Von daher hat Mt diesen Rechtsgrundsatz in seiner Anwendung Gott gegenüber in die red. Anwendung der Winzer-Allegorie 21,41(+Mk) als der vorangehenden Stelle in die Vorlage eingetragen: *die ihm zustehenden Früchte geben*. Dasselbe erschien schon als Zusatz 12,36(+Q) in der festen Wendung *Rechenschaft ablegen* speziell auf das Völkergericht bezogen. 27,58(+Mk) hat weniger den

Akzent der Rechtspflicht, sd. meint einfach das *Herausgeben* der Leiche Jesu, doch kann die Wortwahl durch ein übergeordnetes Recht der Pietät veranlaßt sein.

Aus Q übernommen ist die erste Stelle 5,26, wo es speziell um das *Zurückerstatten* einer Geldschuld geht (Mt hat aus der Q-Allegorie ein *exemplum* gemacht). Von dieser Stelle her hat es aber Mt 7mal in diesem geldrechtlichen Sinne in seiner Allegorie von den beiden Schuldnern red. gehäuft verwendet: Nach der Q-Dublette A-Mt 18,30 steht es dort auch V.25a.25b.26.29.34 immer von der Rückerstattungspflicht einer Geldschuld. Eine Rechtspflicht ist auch im Blick in der festen Wendung 5,33 red. *die Schwüre halten* (LXX-Ps 50,14; POxy VII 1026,6).

Spezifisch mt ohne Vorprägung in der synopt. Tradition ist die Verwendung mit Gott (bzw. dem Menschensohn als seinem Beauftragten) als Subj. für das Handeln beim Völkergericht: Mt 16,27 (vgl.LXX-Ps 61,13; Sir 32,24) ist so red. gg. Mk abgeändert. Dabei ist die Übersetzung "vergelten" sicher nicht adäquat (gg. SAND ebd.307 und die meisten Kommentare): "Da" das Geben des ihm Zukommenden "in Ps 62,13 nur die Belohnung der Getreuen einschließt, denkt Mt vielleicht in diesem an die Jünger gerichteten Abschnitt auch daran und schreibt deswegen *Handeln* statt *Werke*" (SCHWEIZER 226). Diese Vermutung läßt sich verstärken, wenn man die Sachparallele 19,27 bedenkt und vor allem den bei Mt vorangehenden Gebrauch in den red. Antithesen 6,4.6.18, wo es auf ↗μισθός bezogen ist und eindeutig *belohnen* im positiven Sinne heißt. Das wird auch durch die 5. Stelle dieser Verwendung in der red. Allegorie 20,8 bestätigt, wo das Geben des den Jüngern Zukommenden im Endgericht eindeutig die allen gleich zukommende Belohnung mit individueller Unsterblichkeit meint. Damit rückt das Vb. an allen 5 Stellen im Wortfeld der individuellen Unsterblichkeit in nächste Nähe zu ↗εἰσέρχομαι (TRILLING 1964:149 n.26) als dessen Komplenym. Es bezeichnet also bei Mt nicht den "Gedanken der doppelten Vergeltung nach den Werken im Endgericht" (gg. BÜCHSEL ThWNT 2,170f).

ἀποδοκιμάζω ↗ἀρνέομαι

ἀποθήκη

    Mt 3 : Mk 0 : Lk 3 + 0 (NT sonst nie: LXX 13mal)

3,12(=Q) ist *Scheune, Speicher* als Ziel im Munde des Täufers Metapher für das positive Gerichtsresultat, das 13,30(+Mk) im Munde seines Jesus wiederholt wird. 6,26(=Q) ist es Spezifikum menschlicher Handlungsbegabung gegenüber den Vögeln.

(συν)ἀποθνῄσκω

    Mt 5 : Mk 10 : Lk 10 + 4 : Joh 28
       =(Mk 10 - 6 + 1) -

Aus dem mk Ersaufen der Schweine macht Mt 8,32(+Mk) den *Tod* der Dämonen, um seinen Jesus nicht nur als Bezwinger, sd. als ihren Vernichter darzustellen. 9,24(=Mk, während die erste mk Stelle V.35 wie die nächste 9,26 nicht übernommen wurde, da Mt den Rückbezug zu der red. Nachricht von V.18 mit dem Synonym τελευτάω hergestellt hatte), bestreitet Jesus die Tatsache des Todes. 22,24.27(=Mk) in der Sadduzäer-Parabel vom kinderlos dahinsterbenden Juden hat Mt wieder um 2 mk Belege gekürzt und V.25 wiederum durch das Synonym ersetzt. Die Erklärung der Todesbereitschaft des Petrus 26,35 ist aus der Zerlegung des mk Komp. (einmalig in den Evv.) gewonnen. Die Verwendung für den Tod Jesu Mk 15,44b hat Mt nicht übernommen. Auch das Simpl. dort V.44a

θνῄσκω

    Mt 1 : Mk 1 : Lk 2 + 2 : Joh 2

hat Mt nach 2,20 permutiert, wo außerdem eine bewußte Aufnahme von Ex 4,19 vorliegt.

τελευτάω + τελευτή (2,15   Nom. actionis red. – NT sonst nie)
  Mt 5 : Mk 2 : Lk 1 + 2 (NT nur noch Joh 11,39; Hebr 11,22)
        =(Mk 2 – 1 + 2) + (Q 0) + (A–Mt 2)
Im Anschluß an *Ende* (als häufigen Euphemismus für *Tod*) 2,15 ist V.19 der
Gen.abs. des Vb. als Zeitangabe renominalisiert. Zeitbestimmungen liegen
auch in den beiden genannten Mk-Zusätzen Mt 9,18; 22,25 vor, so daß diese
Stellen auch durch ihre gemeinsame Funktion als Zeitangabe red. bestimm-
bar sind. Von den beiden LXX-Zitaten des Mk hat Mt 15,4 den Straf-Imp.
des Gesetzes übernommen (Mk 9,48 wurde ausgelassen). Alle ntl. Stellen sind
intrans. *ein Ende nehmen, sterben.*
θάνατος
  Mt 7 : Mk 6 : Lk 7 + 8 : Joh 8
        =(Mk 6 + 1)
Im Erfüllungszitat 4,16(+Mk) am Ende des Prologs steht *Tod* als Synonym zu
Finsternis und Antonym zu *›Licht*; da V.12 die Verfolgung des Täufers in
lokaler Antithese dazu steht, ist wohl nicht an den Verfolgungstod der
Propheten gedacht; es liegt näher, darin einen Vorweiser auf die zu erwartende Totenerweckung 9,18ff zu sehen. Der Verfolgungstod der Boten
Jesu ist 10,21(=Mk) bezeichnet, das Todesurteil im Funktionsverbgefüge
15,4(=Mk) mit dem genannten Vb. Ein Funktionsverbgefüge (*den Tod nicht
schmecken*) liegt auch in der Zusage 16,28(=Mk) vor, wo nicht direkt der
Verfolgungstod gemeint sein dürfte. Das Todesurteil gegen Jesus bezeichnet
die Vorhersage 20,38(=Mk). Ausgesprochen wird das Urteil *des Todes schuldig* 26,66(=Mk). Dazwischen erscheint das *Zu-Tode-Betrübtsein* V.38(=Mk)
wohl im Sinne eines Superlativs (vgl. Jona 4,9; 3Regn 19,4, GERLEMANN
THAT 1,896; DAUTZENBERG 1966:127-33). Es ist immer auf menschl. Tod bezogen und 4mal auf den gewaltsamen Verfolgungstod.
θανατόω
  Mt 3 : Mk 2 : Lk 1 + 0 : Joh 0
        =(Mk 2 + 1)
10,21(=Mk) steht *töten* für den Verfolgungstod der Schüler par. zum Subst.;
26,59(=Mk) für die Absicht der Tötung Jesu durch das Synhedrium, was 27,1
(+Mk) verstärkend dupl. Synonym ist
ἀποκτείνω
  Mt 13 : Mk 11 : Lk 12 + 6 : Joh 12
        =(Mk 11 – 3 + 1) + (Q 4)
Deutlich ist die Synonymie 24,9(+Mk), wo die Dupl. 10,21 das mk Verb übernommen hatte. Da Mt es sonst nicht zufügt, ist an dieser Stelle wohl eine
bewußte oder assoziative Dupl. der Tötung der Propheten von 23,34.37(=Q)
erfolgt. 14,5(=Mk) ist der Täufer Obj., Jesus 5mal in den eigenen Vorhersagen 16,21(=Mk); 17,23(=Mk 9,31a – während das Pt. V.31b gekürzt wurde
und bei der 3. Vorhersage Mk 10,34 durch *kreuzigen* ersetzt wurde); 21,38f
(=Mk – parabolisch *Sohn*) wie im Beschluß des Synhedriums 26,4(=Mk).
  Auf die Verfolgung der Gesandten *vor* Jesus geht es auch in der Allegorie 21,35(Mk 12,5a permutiert), während es 22,6(+Q von Mk 12,5b permutiert,
um die Gleichartigkeit des Geschicks zu betonen) um die Gesandten Jesu
geht. Diese sind auch gemeint in dem stark hell. geprägten Aufruf zur
Furchtlosigkeit der Spätschicht von Q 10,28a.b(=Lk 12,4f, SCHULZ 1972:
157-61; POLAG 1977:76; BOISMARD 1975:344f will es von seiner Sicht der
synopt. Zusammenhänge sogar der mt Red. zuweisen; dgg. SCHENK 1981:84f;
1985). Wegen des Widerspruchs in der Anthropologie zu dieser Stelle hat Mt
die erste mk Verwendung Mk 3,6 (Töten der Psyche) ausgelassen. So hat Mt
neben 5 auf Jesus bezogene Stellen auch die Balance zu 5 auf seine Schüler
bezogene Stellen hergestellt (10,18.18; 22,6; 23,34; 24,9), während sich 14,5
und 21,35 auf vor-jesuanische Gesandte beziehen und 23,37 alle zusammenfaßt. Hyponym dazu ist

σταυρο-
   Mt 16 : Mk 13 : Lk 9 + 2 : Joh 16
σταυρός
   Mt 5 : Mk 4 : Lk 3 + 0 : Joh 4
      =(Mk 4) + (Q 1)
Die doppelt genannte Bedingung der Kreuz-Aufnahme für die Schüler 10,28
(=Q) und 16,24(=Mk) dürfte bei Mt (ungeachtet der Bedeutung in Q; KUHN
EWNT 3,642f) im Anschluß an 10,18 die Todesbereitschaft als konsequente
Verfolgungsbereitschaft bezeichnen, wie sich auch beim Vb. (23,34) zeigt.
27,32(=Mk) spricht vom Tragen des Kreuzbalkens durch Simon und 27,40.42
(=Mk) im Hohn vom Herabsteigen.
σταυρόω (GUNDRY 648)
   Mt 10 : Mk 8 : Lk 6 + 2 : Joh 11
      =(Mk 8 - 1 + 2) + (Q 0 + 1)
Während es Lk wie Mk nur in den beiden Schluß-Kap. von der Forderung
an Pilatus hat, wo auch Mt es 27,22.23.26.31.35.38; 28,5 übernimmt (nur Mk
15,25 wurde als Dubl. ausgelassen), ist für Mt kennzeichnend, daß er es
schon 20,19(+Mk) und 26,2(+Mk) in zwei Vorhersagen vorträgt, wo es vor
ihm noch keinen Platz hatte. Wenn 23,34(+Q) sogar den Juden ein Kreuzigen
der Jesus-Boten vorwirft, so ist das nur der Gipfel seines unsachlichen
Antijudaismus, der sich schon in den anachronistischen Aussagen von der
Tötung durch die Synagoge überhaupt zeigte (HARE 1967:20ff; TILBORG 1972;
RUETHER 1978:86f; das wird auch von der Birkath ha-Minim nicht getragen:
HORBURY 1982; STANTON 1985).
συσταυρόομαι
   Mt 1 : Mk 1 : Lk 0 + 0 : Joh 1 (Joh 19,32)
27,44(=Mk - NT noch Gal 2,19; Röm 6,6; KUHN EWNT 3,749f "außerchristlich
nicht nachgewiesen").
ἀπόλλυμι (GUNDRY 642)
   Mt 19 : Mk 10 : Lk 27 + 2 : Joh 10
      =(Mk 10 - 2 + 4) + (Q 4 + 2) + (A-Mt 1)
Trans. Mt 11 =(Mk 6) + (Q 2 + 2) +(A-Mt 1):
Umbringen vom Tode Jesu 12,14(=Mk Todesbeschluß) wurde schon A-Mt 2,13
red. dupl. (vgl. auch Synonym V.16) und 27,20(=Mk 11,18 permutiert) im
Synonym zu töten und kreuzigen.
   Ebenso steht es 3mal mit Gott als Subj. und zwar immer im Anschluß und
als Überbietung zu töten: 21,41(=Mk) und dupl. 22,7(+Q) parabolisch für das
Endgericht an Israel und 10,28(+Q) drohend als Warnung vor dem Endgericht zur Einschärfung der Annahme des Verfolgungstodes (gg. SENIOR
1982:134 hier nicht intrans.). Diese drei Stellen zusammen (und verwandte)
lassen den Gott des Mt als eine Art transzendenten Super-Himmler erscheinen.
   In der antithet. gesteigerten Aufforderung zur Annahme der Verfolgung
10,39a.b(=Q) wie in der Dubl. 16,25a.b(=Mk) kommt man in allen Fällen mit
der Bedeutung preisgeben aus, da sicher die eigene Verantwortung durch
aktives Verursachen trans. betont werden soll (gg. KRETZER EWNT 1,325f
nicht im Vordersatz intrans. "einbüßen"; daß Gott der letztlich Ausführende
ist, braucht Mt 10,39 nicht zu explizieren, da es V.28 gerade unmißverständlich gesagt worden war). Bewußt trans. ist auch die anschließende positive
Stelle (durch doppelte Negation) für die, die sich mit den Verfolgten soli-
darisieren 10,42(=Mk): sie "geben" ihre Anwartschaft auf den himmlischen
Lohn gewiß nicht "preis". (Nicht übernommen wurden die auf Dämonen bezogenen Stellen Mk 1,34 als Obj. und 9,22 als Subj.)
Medial intrans. und Pass. verlorengehen, zugrundegehen
   Mt 8 = (Mk 2 + 4) + (Q 2 + 0) + (A-Mt 0):
5,39f(+Mk 9,43.47 lieber ein Körperorgan als das Ganze); 8,25(=Mk im See

untergehen); 9,17(=Mk die Weinschläuche); 10,6(=Lk 15,6 "die verlorenen Schafe" permutiert) und 15,24(+Mk) dupl.; 18,14(=Lk 15,4 Schaf); 26,52(+Mk durchs Schwert *umgebracht werden*). Zum Subst. ⇥αἰών.

συντηρέω 9,17(+Mk) Pass. *erhalten bleiben* (Antonym ἀπόλλυμι JosBell 1,184)
   Mt 1 : Mk 1 (6,20 Akt.) : Lk 1 (NT sonst nie; BAUER WB 1569)

ἀναιρέω
   Mt 1 : Mk 0 : Lk 2 + 19 (NT nur noch 2Thess 2,8; Hebr 10,9)
2,16 als Renominalisierung des Synonyms V.14 der klassische t.t. für *töten* (FRANKEMÖLLE EWNT 1,195).

ἀποκεφαλίζω 14,10(=Mk von der *Enthauptung* des Täufers ⇥κεφαλή)
   Mt 1 : Mk 2 : Lk 1 (außer von der Täufer-Enthauptung nie im NT)

λιθοβολέω 21,35(+Mk) *mit Steinen bewerfen*; 23,37(=Q) dadurch *töten*
   Mt 2 : Mk 0 : Lk 1 + 3 : Joh 0 (NT nur noch Hebr 12,20 vom Tier)
aber nicht nur jüd. Tötungsart (vgl. ArrianAnab 4,14,3 von den Verschwöreren gegen Alexander; BAUER WB 937; vgl. auch die Athener gg. den Kyniker Demonax in der Enkomium-Biographie LukDemon 11).

ἀπάγχομαι 27,5(+Mk – NT sonst nie; LXX 4Regn 17,23; Tob 3,10) *sich aufhängen* (im gleichen Syntagma mit ἀπελθὼν wie Epikt 1,2.3, BAUER WB 157)

φον- (HAWKINS 1909:8; GUNDRY 649)
   Mt 7 : Mk 2 : Lk 3 + 4 : Joh 0

φονεύω
   Mt 5 : Mk 1 : Lk 1 + 0
Für das mt Vorzugswort ist immer das 5,21a.b red. eingeführte *Dekaloggebot* bestimmend, das er auch 19,18(=Mk) meint, wie die Anordnung seiner Reihenfolge zeigt; außerdem ist das Gegenüber als feindlicher jüd. Lehrer gekennzeichnet (Anrede). Gerade darum ist auch die israelbezogene Einbringung statt der Synonyme 23,31.35(+Q) als "Prophetenmörder" eine besondere Betonung, die durch die Wortwahl den Gedanken ihres *Abfalls von ihrem Gesetz* akzentuiert. Dasselbe gilt schon für das personale Subst.

φονεύς
   Mt 1 : Mk 0 : Lk 0 + 3 (NT noch 1Petr 4,15; Apk 21,8; 22,15; LXX nie)
in der Allegorie 22,7(+Q als *steigernde* Renominalisierung des V.6 dupl., synonymen Vb.) für die *Mörder* der Boten Jesu. Dieser Akzent einer stärker anti-jüd. Verwendung ist auch bei dem Nom. actionis

φόνος
   Mt 1 : Mk 2 : Lk 2 + 1 : Joh 0
in 15,19(=Mk – während er die Barabbas-Kennzeichnung Mk 15,7 so nicht übernahm!) zu sehen, wo nicht nur ebenso wie 19,18f wiederum bewußt an die Dekalog-Reihenfolge angeglichen wurde, sd. das gesamt Kap. noch stärker als bei Mk anti-jüd. ausgerichtet ist.

νεκρός (GUNDRY 646)
   Mt 12 : Mk 7 : Lk 14 + 17 : Joh 8
Bei Mt immer als *Subst.* von *menschl.* Personen und im *Plur.* (anders Mk 9,26; Lk 7,15; 15,24.32; Apg 5,10; 20,9; 28,6), so daß die Vergleichswerte lauten:
   Mt 12 : Mk 6 : Lk 11 + 14
        =(Mk 6 - 2 + 3) + (Q 3 + 2)
Die negative Auftragsbestimmung 8,22.22(=Q), die *Toten* ihre *Toten* begraben zu lassen, ist bei Mt nur die negative Kehrseite des positiven Schüler-Auftrags, *Tote* zu erwecken 10,8(+Q red. aus der nachfolgenden Stelle dupl.), deren Vollzug mit denen Jesu zusammen 11,5(=Lk) zu den Werken gehört, die die himmlische Weisheit rechtfertigen. Die einleitende Negativ-Bestimmung wird weiter illustriert durch die Bezeichnung der jüd. Lehrer als "innerlich Totengerippe" 23,27(+Q) wie durch die Grabeswächter, die durch die Angelophanie gleichsam zu *Toten* wurden 28,4(+Mk, wobei Mk 9,26 permutiert wurde).

Das Fazit der ↗Sadduzäer-Kontroverse 22,32(=Mk) beschreibt in der kontradiktorischen Antithese Gott als Gott der Lebenden und nicht der *Nicht-mehr-Lebendigen*, womit nach V.31(=Mk 12,26, während V.25 verkürzt wurde) auf Gottes Auferweckungshandeln abgehoben ist. Jesu Auferweckung wird 17,9(=Mk 9,9 – während die Frage V.10 entfiel) mit der klass. Präp. übernommen, während schon 14,2(=Mk) in das stärker trennende ↗ἀπό änderte, unter welchem Vorzeichen Mt nun auch 17,9 gelesen haben will, zumal er dies 27,64(+Mk) wie 28,7(+Mk) dupl. wiederaufnimmt.

Im Wortfeldbezug dazu steht die komplenyme Folgehandlung

θάπτω

Mt 3 : Mk 0 : Lk 3 + 4 (NT nur noch 1Kor 15,4)

=(Mk 0 + 1) + (Q 2)

Das 8,21(=Q) red. von einem jüd. Lehrer erbetene *Begraben* ist V.22(=Q) Anlaß, ihn von der Nachfolge zurückzuweisen. 14,12(+Mk) begraben die Schüler des Täufers ihren Lehrer. Das hell.

ἐνταφιάζω 26,12 (NT nur noch Joh 19,40; LXX 2mal; BAUER WB 531) wurde

statt des mk Subst. eingeführt. Statt der Vb. steht

ταφή 27,7(+Mk – NT sonst nie)

als Nom. actionis "zum Begräbnis für Fremde". Typ. mt ist ebenso

ταφός (HAWKINS 1909:8; GUNDRY 648)

Mt 6 : Mk 0 : Lk 0 + 0 (NT nur noch Röm 3,13)

=(Mk 0 + 4) + (Q 0 + 2)

Statt der homerischen Bedeutung *Leichenbestattung, -feier* (Od 4,547; 20,307 u.ö.) ist bei Mt immer das *Grab* gemeint (SCHNEIDER EWNT 1,808f): Red. (SCHULZ 1972:105,108) beschimpft der mt Jesus 23,27(+Q) die jüd. Lehrer als "getünchte Gräber" und kritisiert V.29(+Q) ihren Bau von Prophetengräbern als Verlogenheit. Die übrigen Stellen beziehen sich auf das "Grab" Jesu. Zwei Frauenstellen 27,61(+Mk saßen sie dem Grab gegenüber) und 28,1(+Mk kommen, um es zu besehen) rahmen als B/B' die red. Wächter-Stellen C/C' 27,64.66(+Mk Ersuchen um Sicherung und Durchführung). Synonym damit verwendet Mt auch

μνημεῖον

Mt 7 : Mk 6 : Lk 7 + 1

=(Mk 6 – 2 + 2) + (Q 1)

23,29(=Q) steht es par. zum Synonym (wobei die Bedeutung *Gedächtnismal* wohl verblaßt ist; VÖLKEL EWNT 2,1068f), während 3 auf das Grab Jesu bezogene Stellen das Synonym rahmen: Voran stehen als Block A 27,60a.60b (=Mk), während 28,8(=Mk) als A' abschließt. Das Öffnen der Gräber der Heiligen und ihr Herausgehen daraus 27,52.53(+Mk) kann die ausgelassenen Mk-Stellen permutiert haben. Die Wortwahl signalisiert wohl zugleich auch eine Antithese gg. 23,39 (als göttliches Gericht gegenüber dem jüd. Handeln) wie auch eine Antithese gegenüber 8,28(=Mk 5,2), wo die von Dämonen Geplagten aus den Gräbern herauskamen.

ἀποκαθίστημι

Mt 2 : Mk 3 : Lk 1 + 1 (Apg 1,6 – NT nur noch Hebr 13,19)

=(Mk 3 – 1)

12,13(=Mk 3,5 mit doppelter Augmentierung des Doppelkompositums; B-D-R 69,3) von der *Wiederherstellung* der Hand (während Mk 8,25 mit der Blindenheilung nicht übernommen wurde). 17,11(=Mk) von der Funktion des Täufers als des wiederkommenden Elijah, wobei Mt das Vb. direkter an LXX-Mal 3,23 (Futur) angeglichen hat, womit zwischen dem erfüllten Aspekt des schon wiedergekommenen Elijah und dem noch nicht erfüllten (weil durch die Tötung des Johannes verhinderten) der heilenden Wiederherstellung des Ganzen unterschieden wird (GUNDRY 347 gg. Müller EWNT 1,311, der zwischen der mt und der mk Aussage nicht unterscheidet).

ἀποκαλύπτω ↗κρύπτω

ἀποκεφαλίζω →ἀποθνῄσκω
ἀποκρίνομαι →λέγω
ἀποκτείνω →ἀποθνῄσκω
ἀποκυλίω →λίθος
ἀπόλλυμι →ἀποθνῄσκω
ἀπολύω →γαμέω
ἀπονίπτω →χείρ
ἀποπνίγω →πνίγω
ἀποσπάω →εἰρήνη
ἀποστάσιον →γαμέω
ἀποστέλλω (GUNDRY 642)
    Mt 22 : Mk 20 : Lk 25 + 24 : Joh 28
        =(Mk 20 - 8 + 4) + (Q 4 + 2)
Nicht übernommen aus Mk wurden vor allem Häufungen und Dubl. (Mk 1,2; 3,14.31; 6,17; 8,26; 12,5; 14,13 sowie eine Umkehrumg wie 12,3, die verdeutlich, daß bei Mt die Richtung in der Regel unumkehrbar ist. Ein lokales Ziel ist mit εἰς angegeben (mt kennzeichnend GUNDRY 313.642):
    Mt 4 : Mk 1 : Lk 1 + 7 : Joh 4,
wobei Mk 8,26 im Zuge einer größeren Auslassung entfiel und Q-Lk 11,49 ein personales Ziel angibt. Hier ist einfach *schicken* gemeint: 8,31 (Wendung red. durch Permutation des Vb. von Mk 5,10) als Bitte der Dämonen mit dem Zielort Schweine; 14,35(+Mk - Männer schicken ins ganze Umland); 20,1(+Mk der Besitzer schickt in die Plantage), während es 15,24(+Mk) mehr final gemeint sein dürfte (*für die verlorenen Schafe*). Bei personalen Adressaten steht πρός
    Mt 5 : Mk 5 : Lk 4 + 5 : Joh 4
wie 21,34.37(=Mk der Besitzer zu den Pächtern); 23,34(+Q Jesus zu Israel). 37(=Q Gott zu Jerusalem); 27,19(+Mk die Ehefrau zu Pilatus); 22,16(=Mk die Pharisäer Schüler zu Jesus) statt dessen der Dat. der Ziel-Person.
    In den meisten Fällen ist weniger das lokale Ziel im Blick, auf das hin ein Abstand überwunden wird, sd. wenn die Aussage "auf Grund und Ziel des gemeinten Vorgangs, also auf Aussendung und Auftragserfüllung, zugespitzt ist, nimmt das Vb. die Bedeutung *beauftragen* an" (BÜHNER EWNT 1,340f): so schon 2,16(=Mk 6,27 permutiert vom Herodes-Sohn auf den Vater mit dem Auftrag der Tötung); auch 10,5(=Mk), wo der Befehl folgt, ist sinnvoller mit *beauftragen* zu übersetzen; ebenso 10,16(=Q), womit noch deutlicher heraustritt, daß ἐν steht (*inmitten von*) und nicht εἰς, wie man bei der Eindeutschung mit *senden* immer zu übers. versucht; 10,40(=Mk) in der pt. Gottesbezeichnung ist *der mich beauftragt hat* eine hilfreiche Verdeutlichung. Auch auf den Täufer bezogen ist 11,10(=Q) in der Schriftvorhersage *beauftragen* deutlicher, da eine Zweckangabe folgt. Ebenso ist hinsichtlich der Engel des Menschensohns 13,41(=Mk 4,39 permutiert) eine solche Zweckangabe gesetzt, so daß es deutlich um deren Beauftragung geht (*Engel* und Auftragsfunktion sind deutlich aus der voranstehenden Q-Stelle dupl.).
    Derselbe semant. Gehalt bewährt sich auch an der weiteren *Engel*- Stelle 24,31(=Mk). Eine konkrete *Beauftragung* liegt auch beim Einzug 21,1.3(=Mk) vor, zumal Mt dann diese Episode stärker auf die Ausführung des Befehls abhebt. 22,3(=Q) ist die *Beauftragung* durch den einmalig folgenden Inf. der Zweckangabe klar gegeben und ebenso bei der V.4(+Q mit Dupl. von 21,36) anschließenden absoluten Setzung im Wiederholungsfall klar mitzudenken.
    Theol. relevant ist 8mal *Gott* als Beauftragender aller seiner Boten 23,37(=Q) gemeint und von daher der des Täufers Q-Mt 11,10 wie Jesu 10,40 und von daher auch in den Allegorien zusammenfassend 21,34.36(Boten vor Jesus).37(Jesus); 22,3.4(Boten nach Jesus). Christol. erscheint der mt Jesus ebenfalls 8mal als der Beauftrager der Schüler 10,5.16; 21.1.3; 23,34 und

dann allegor. 20,2, sowie seiner Engel 13,41; 24,31 bei seiner Parusie.
ἀπόστολος
     Mt 1 : Mk 2 : Lk 6 + 28 : Joh 1
erscheint 10,2(=Mk 3,14 permutiert) klar funktional nach einer konkreten
Auftragserteilung *Jesu* und ist als direkt darauf rückweisend nicht mit
Apostel einzudeutschen, sd. meint konkret "die Namen dieser Zwölf so
konkret *Beauftragten*".
πέμπω (GUNDRY 647: πέμψας)
     Mt 4 : Mk 1 : Lk 10 + 11 : Joh 32
        =(Mk 1 - 1 + 1) + (Q 1 + 1) + (A-Mt 1)
Typ. in der mt Verwendung gegenüber dem Synonym ist, daß Mt nie Jesus
zum Subj. macht: Die auf Jesus als Subj. bezogene Stelle Mk 5,12 hatte Mt
klar durch ἀποστέλλω ersetzt; umgekehrt hat er 14,10(+Mk) das ἀποστέλλειν
des Herodes zum Zweck der Tötung des Täufers durch π. ausgetauscht. Mt
hat also die Verwendung beider Vb. bewußt von einander abgegrenzt. Das
Sem des Machtvollen und Feindlichen hat das Wort auch bei Mt 22,7(+Q)
allegor. von Gott als dem Zerstörer der "Stadt der Mörder" (gegenüber der
voranstehenden friedlichen Beauftragung V.3f als Steigerung und Umschwung). Wenn es 2,8 schon von Herodes aussagt, so ist dieses feindliche
Moment wohl ebenso in der Wortwahl schon mitzuhören. Anders ist es bei
der Sendung der Täuferschüler 11,2(=Q); Mt hat diese Stelle wohl bewußt
von den anderen drei feindlich akzentuierten dadurch abgesetzt, daß er
dem Vb. die Präp. διά zusetzte. Charakteristisch für Mt ist weiter, daß er
konsequent an allen 4 Stellen das Pt.Aor.Sing. πέμψας als Pt.conj. gesetzt
hat (das Joh dann in anderer Weise favorisierte):
     Mt 4 : Mk 0 : Lk 0 + 1 (Apg 20,17; GUNDRY 647).
ἀποστρέφω ⇸εἰρήνη
ἀποτίθεμαι ⇸φυλακή
ἀποχωρέω ⇸κρίνω
ἅπτομαι med. ⇸χείρ
ἀπώλεια ⇸γέεννα
ἄρα ⇸οὖν
'Αράμ 1,3.4 (vgl. 1Chr 2,9f – NT sonst nie)
ἀργός ⇸ἐργ-
ἀργύριον (*Plur.* HAWKINS 1909:4; GUNDRY 642)
     Mt 9 : Mk 1 : Lk 4 + 5 : Joh 0 (NT nur noch 1Petr 1,18)
        =(Mk 1 + 0) + (Q 2 + 0) + (A-Mt 6)
26,15 ist die einzige Mk-Stelle für *Silbergeld* übernommen, jedoch in den für
Mt überhaupt kennzeichnenden Plur. versetzt worden. Von dieser ersten Judas-Stelle her können auch die 4 anschließend 27,3.5.6.9 multipl. als Mk-
Erweiterungen gewertet werden und ebenso die dann gleichfalls von den
Priesteraristokraten ausgehende Verwendung für die Bestechung der Grab-
wächter 28,12.15, da sie der Judas-Perikope analog gestaltet sind. Mit Lk
gemeinsam ist die erste Stelle Q-Mt 25,18, die auch bei Mt die einzige im
Sing. bleibt, während schon in der zugehörigen Renominalisierung 25,27 (gg.
Lk 19,23) der mt-red. Plur. (gg. H-G 229) als urspr. LA anzusehen ist (wofür auch die Verwendung der gleichen banktechnischen Vb.-Verbindung *kapitalisieren* wie 27,6 spricht; GUNDRY 555). *Plur.* also:
     Mt 8 : Mk 0 : Lk 0 + 0
Dieser 8malige Plur. findet sich sonst nie im NT und ist so ein mt Charakteristikum, das seinen Steigerungstendenzen dient und sie anzeigt, was gerade auch die damit verbundene Summe von "30" in der Judas-Perikope gut
veranschaulicht.
     Diese Plur.-Form des Deminutivums ist außerdem gerade auch in 26,15
trotz der Anlehnung an Sach 11,12, wo das übliche ἀργυροῦς steht (als Plur.
von ἀργύρεος wie Apg 19,24; 2Tim 2,20; Apk 9,20), besonders auffallend, da

sie sonst in LXX wie NT nicht verwendet ist (SENIOR 1982:46f). Mt hat aber den Plur. des neutr. Deminutivums nicht gebildet; es bezeichnete "kleine Münzen" (AristophAves 600; L-S-J 236). Immerhin scheint es typ. für die mt Verwendungsweise seiner monetär-ökonomischen Häufigkeitsterminologie: Er schaute wohl aus dem Bereich des kleinen Geldes auf die Welt der Reichen, die er in seinen Allegorien favorisierte.

In Palästina wurden vor dem Jüdischen Krieg (88-70 n.Chr.) keine Silber- münzen geschlagen (weder von Tetrarchen noch von Prokuratoren; SCHWANK EWNT 1,360f). Die jüd. Tempelabgaben wurden in tyrischen Silberschekeln (Tetradrachme 11,5 g) oder Halbschekeln (Doppeldrachme 6 g) geleistet. Doch dürfte Mt mit seinem auffallenden Plur. in Kap.25-28 und eine Gene- ration nach der Zerstörung des Tempels ohnenin nur irreale und historisch nicht auswertbare Angaben machen (gg. SCHLATTER 738) und mit seinen schein-realen Angaben nur einen phantasievollen Eindruck erwecken wollen. Mt hat ferner die Metallbezeichnung

ἄργυρος
    Mt 1 : Mk 0 : Lk 0 + 1 (17,29; NT noch 1Kor 3,12; Jak 5,3; Apk 18,12)
    Diese dürfte Q-Mt 10,9 (statt des Deminutivs Lk 9,3) in Korrespondenz zum hier verwendeten *Gold* gesetzt haben. Wenn er mit diesem vorangestellten χρυσός den Golddenar meint, dann dürfte er damit den röm. Silberdenar (= griech. Drachme) bezeichnen wollen. Daraus ist zu schließen, daß er auch bei seinem Judas und den Grabeswächtern kaum größere Silbermünzen im Blick hatte.

δηνάριον (GUNDRY 643)
    Mt 6 : Mk 3 : Lk 3 + 0 : Joh 2 (NT nur noch Apk 6,6.6)
        =(Mk 3 - 1 + 4)
22,9(=Mk) ist diese Lehnbezeichnung der röm. Standard-Steuer- und Sold- Münze ("mit Anlehnung der Endung an die griech. Deminutiva" B-D-R 111,3 n.8) im Sing. (*denarius nummus* "Zehner") mit den Kennzeichen Kaiserbild und -umschrift übernommen (der Denar wurde "ausschließlich vom Herrscher geprägt" SCHWANK EWNT 1,711).

εἰκών 22,20(=Mk) *Münzbild*, das den Kaiser als Münzherrn ausweist
    Mt 1 : Mk 1 : Lk 1 + 0 : Joh 0 zusammen mit funktionsgleich
ἐπιγραφή *Münzumschrift* auf der Vorderseite des Denars
    Mt 1 : Mk 2 : Lk 2 (NT und LXX sonst nie; BALZ EWNT 2,64)
Auch die plur. Verwendung in einer monarchischen Allegorie 18,28(+Q), wo der Kontrast zum mt ⊁τάλαντον maßgebend ist, dürfte wegen der Maßangabe im Hunderter eine versetzte Übernahme der an Ort und Stelle ausgelassenen Bezeichnung aus Mk 6,37 sein ("200" - vgl. auch die Auslassung von Mk 14,5 "300"). Auch in 20,2.9f. 13(+Mk) steht der Ausdruck in einer monar- chischen Allegorie und ist so wiederum typ. mt konstitutiv durch monetär- ökonomische Wortfelder geprägt. Diese Verwendung läßt zugleich erkennen, daß der Wert des Denars im Umfeld des Mt etwa einem Tagelohn entsprach. Die etymolog. Bedeutung *Zehner* war nicht mehr bestimmend, da inzwischen nicht mehr 10, sd. 16 *As* (s.u.) einem Denar wertgleich waren. Er "wog urspr. 4,55 g, sank aber unter Nero auf 3,41 g, später auf 2,3 g. Der Durchmesser verringerte sich von 22 auf 18 mm" (SCHWANK ebd.). So zeigt sich also auch in der Verwendung des "Silberdenar" eine mt Häufung, die als red. anzusehen ist und im Zusammenhang der mt Münzvorliebe insgesamt steht (BEARE 1981:9).

ἀσσάριον
    Mt 1 : Mk 0 : Lk 1 + 0 (NT und LXX sonst nie)
Diese Kupfermünze (*assarius* als Lehnwort in gleicher Deminutiv-Bildung) ist Q-Mt 10,29 der Kaufpreis für zwei Sperlinge (par. Lk 12,6 billiger: fünf für zwei As), dem gelegentlichen Braten des kleinen Mannes. Da er in einer Be- gründungsfrage auftaucht, die eine selbstverständliche Bejahung voraus-

setzt, so sind die jeweiligen Wertangaben von der konkreten Umwelt der Autoren bestimmt. Mt hat dieses Stück wohl auch darum hier eingeordnet, weil er in derselben Rede und wohl synonym schon den Ausdruck *Kupfermünze* übernommen hatte 10,9(=Mk – während Mk 12,41 mit der ganzen Perikope ausgelasssen ist):
χαλκός
Mt 1 : Mk 2 : Lk 0 + 0.
κοδράντης Q–Mt 12,42(≠Lk) Lehnwort *Quadrans* = 1/4 As für *kleinste Münze*
Mt 1 : Mk 1 (12,42 permutiert – NT und LXX sonst nie).
δίδραχμον Mt 2 (NT sonst nie) und
στατήρ Mt 1 (NT und LXX sonst nie):
Zum Bereich gehäufter und differenzierter Münzverwendung als typ. mt gehört auch die Erwähnung der Silbermünze *Doppeldrachme* 17,24a.b (11,5 g) und im Zusammenhang damit V.27 die Erwähnung der Vierfachdrachme, des *Stater* (was Normal- oder Einheitsstück als t.t des Münzwesens bedeutet und daher in einigen HS auch sek. erwähnernd Mt 26,15 erscheint; CHANTRAINE KP 5,344f). Die an Legendenmotive sich anlehnende Episode (Hdt 3,2,36–40) dürfte erst Mt gebildet haben, da es ja gar nicht direkt um das Tempelopfer geht, sd. um die Kopfsteuer für jeden Juden (auch aus der Diaspora) an den Kaiser, die erst nach der Zerstörung Jerusalems (70 n.Chr.) eingeführt wurde. Der römische Kaiser "legte den Juden, wo immer sie ansässig waren, eine Kopfsteuer (φόρον) auf: Jährlich hatten sie zwei Drachmen an das Kapitol zu entrichten, entsprechend der Steuer, die sie vorher an den Jerusalemer Tempel zahlten" (JosBell 7,218; vgl. SuetDom 12; DioCass 65,7). Der mt Jesus begründet rückprojizierend die Freiheit von der Doppeldrachme als der jährlichen Kopfsteuer für Juden damit, daß sie ja eigentlich keine Juden sind, sd. offenbar nur dafür gehalten und darum belegt werden sollen. Eine älter Stufe der Geschichte, die sich noch auf die jüd. Tempelsteuer beziehen sollte, ist nicht als konsistenter Text aus der durchgehend mt Stilisierung zu eruieren. Mt dürfte sie aus seiner Distanz zum Judentum heraus red. gebildet haben (GUNDRY 355–7 gg. BULTMANN 1979:34f; die von beiden und anderen im Anschluß an STREETER 1951:504 vollzogene topologische Präzision "nur in Antiochien und Damaskus betrug der Stater genau zwei Doppeldrachmen" überzieht das münzrechtlich Wißbare).
τάλαντον (HAWKINS 1909:7 zu Unrecht als "schwach" gewertet; GUNDRY 648)
Mt 14 (NT sonst nie)
=(Mk 0) + (Q 0 + 14)
Obwohl sich die Belege in der Q–Allegorie Mt 25,15f.20.22.24f.28(+Q) häufen (13mal), so ist τ. nicht etwa allein darum aus der Reihe der mt Vorzugsworte herauszunehmen (gg. MORGENTHALER 1973:51), da hier mehrere Aspekte zusammen zu veranschlagen sind: (a) Mt hat ohnehin einen starken Zug zur Stereotypisierung (zum restringierten Kode) und neigt darum zur Wortwiederholung; (b) es steht hier im Wortfeldzusammenhang der gehäuften monetär-ökonomischen Ausdrücke; (c) auch andere Differenzen zur Q–Fassung Lk 19,11–27 (≯ἀργύριον) weisen auf Eingriffe der mt Red.; (d) die typ. mt Tendenz zur Steigerung und damit zur Verstärkung der monarchischen Anthropos-Allegorien (SELLIN 1974:184f) hat die Verwendung mit konstituiert, was auch das einzige weitere Vorkommen 18,24(+Q) in einer entsprechenden Kontrast-Allegorie als charakteristisch bezeugt.
Die Verwendung zum Ausdruck der Tendenz auf eine phantastische Übersteigerung hin wird noch dadurch erhöht, daß Mt in seiner Plur.-Bevorzugung 11mal das Lexem im Plur. verwendet und schon die erste Stelle 18,24 mit "zehntausend Talenten" eine unvorstellbare Schuldsumme angibt: Nach JosAnt 17,317–20 beliefen sich die Einnahmen von Judäa, Samaria und Idumäa zusammen auf 600 und die von Galiläa-Peräa auf 200 Talente (JEREMIAS

1967:208; GUNDRY 373f). In seiner Weise sind auch 25,15ff die 3 Sing.-Belege
V.24.25.28a wirkungsvoll in die 10 Plur.-Belege eingebettet. Das Subst. bezeichnet keine Münze, sd. eine Zahlungs- und Rechnungseinheit im Größen-
wert von 6 000 Drachmen (= Denare = Tageslöhne) im Wert von 41 kg Silber.
Es ist die höchstmögliche monetäre Wert-Einheit überhaupt. Darum ist das
"Vergraben der Rechnungseinheit" 25,25 von vornherein ein ironischer Bildbruch und nur allegor. aussagbar.
     Das Recht zur Eintreibung der ganzen Schuld war eine übliche rhetor.
Schulaufgabe (Quint. 5,10,105–11 – gerade auch im Zusammenhang mit τ.)
und dürfte von Autor daher hier in beiden Fällen von Mt auf die in Q vorgegebenen Elemente selbständig ausarbeitend angewendet sein.
συναίρω (GUNDRY 648)
     Mt 3 (NT sonst nie)
Abrechnen gehört in das Wortfeld des mt Monetarismus und wurde als End-
gerichtsmetapher darum in die Q-Allegorien 18,23f; 25,19 red. eingeführt.
τραπεζίτης 25,27(+Q statt lk Grundnomen) *Geldwechsler* Metonym *Bank*
     Mt 1 (NT und LXX sonst nie; typ. mt monetäre Konkretisierung)
τόκος 25,27(=Q – NT sonst nie; LXX 16mal) *Zins*
κολλυβιστής 21,12(=Mk wie Joh 2,15) *Geldwechsel*
     Mt 1 = Mk 1 = Joh 1 (NT und LXX sonst nie)
κομίζομαι 25,27(+Q) Med. *zurückerhalten* (finanztechnisch)
δάνειον 18,27(+Q – NT sonst nie; LXX 4mal – im antiken Leihwesen war "die
     Person als Unterpfand zwar seit Solon abgeschafft, aber auch später
noch üblich, die Zinsen waren unerträglich hoch" PETZKE EWNT 1,662).
Das Moment des Gewaltsamen ist nach dem Zusammenhang auch bei
δανίζω Q-Mt 5,42(=Lk 6,34f permutiert) im Blick, so daß es nicht um ein
     reines *Borgen* geht, sd. eine Zwangsmaßnahme im Blick ist, zumindest
"bei unverschämter Aufforderung" (PETZKE ebd.).
χρυσός (HAWKINS 1909:8; GUNDRY 649)
     Mt 5 : Mk 0 : Lk 0 + 1
       =(Mk 0 + 1) + (Q 0) + (A–Mt 4)
10,9 ist als Zusatz zu Mk zu zählen, könnte wegen der Mischung an dieser
Stelle aber auch als Q-Zusatz gewertet werden, da Q wohl nach Lk 9,3 als
Assoziationsvorgabe "Silbergeld" nannte. A–Mt 23,16.17b.c könnte die Nennung des Goldes des Tempels in einem weiteren Sinne auch als Zusatz zu Q
gelten, da eine Erweiterung der Wehe-Reihe vorliegt. A–Mt 2,11 ist das Gold
Bestandteil der Schätze der Magier (→θησαυρός). Da 5 von 9 ntl. Stellen mt
sind und weder Mk noch Q dafür einen Anhalt boten, so liegt es nahe, Mt
als Verursacher anzusehen. Dies wird dadurch bestätigt, daß er überhaupt
die monetäre und ökonomische Terminologie häuft. Das Erwerbsverbot Mt 10,9
dürfte sich auf den röm. Golddenar beziehen (*aureus* = 25 Silberdenare). Die
Nennung *vor* Silber und Kupfer markiert deutlich eine Reihenfolge der Werte, die seine Umwelt bestimmt (wie auch 1Kor 3,12; Apg 17,29; Jak 5,3; 2Tim
2,20; Apk 9,20; 18,12 – während die umgekehrte Reihenfolge noch im AT wi-
derspiegelt, daß im 2.Jt.v.Chr. die Wertfolge Silber : Gold einst umgekehrt
war; SCHWANK EWNT 1,360f). Da erst Mt *Gold* und andere Werte in die Jesusworte einführte, sagt uns das mehr über Mt als über Jesus (KILPATRICK
1950:124ff; KINGSBURY 1969:61).
ἀρέσκω 14,6(=Mk – NT außer bei Paulus nur Apg 6,5; 2Tim 2,5) + Dat. die
     Tochter der Herodias *gefiel* Herodes.
ἀριθμέω 10,30(=Q – NT nur noch Apk 7,9) *zählen* (Haare)
Ἀριμαθαία →γαμέω
ἀριστερός →δεξιός
ἄριστον →ἄρτος

ἀρκε- (GUNDRY 642)
 Mt 3 : Mk 0 : Lk 1 + 0 : Joh 2
ἀρκετός (NT nur noch 1Petr 4,3) + Dat.
 Mt 2 : Mk 0 : Lk 0 + 0
Mt hat seine beiden ersten Reden mit *es ist genug* bestückt: 6,34(+Q) ist ein
zusätzliches Sprichwort angefügt, das er wohl auf Verfolgungen bezieht;
derselbe Sinngehalt ist nach der Komposition des Kontextes auch für die
Setzung 10,25(gg.Lk - ebenfalls Sprichwort; Bill I 577f) maßgebend und
dürfte die red. Abänderung erklären (gg. SCHULZ 1972:449f). Die Verwendung des Vb.
ἀρκέω
 Mt 1 : Mk 0 : Lk 1 + 0 : Joh 2 (im Akt. nur noch 2Kor 12,9 im NT)
ist A-Mt 25,9 dem Adj. entsprechend, da in der Allegorie ein unpersönlicher
Gebrauch vorliegt, der ebenfalls mit Dat. gebildet ist (red. SCHENK 1978;
A-Lk 3,14 hat das intrans. Pass. red.).
ἀρνε-
 Mt 8 : Mk 6 : Lk 7 + 4 : Joh 4
ἀρνέομαι
 Mt 4 : Mk 2 : Lk 4 + 4 : Joh 4
10,33.33(=Q) in der eschatol. Vergeltungsformel paarweise (gg. Lk) übernommen und ebenso von Mk in Mt 27,70.72, wobei im erste Fall mit der
Präp.(+Mk) deutlich an die Ausgangsstelle angespielt ist. Synonym:
ἀποδοκιμάζω 21,42(=Mk Zitat LXX-Ps 117,22)   *verwerfen*
 Mt 1 : Mk 2 : Lk 3 (NT nur noch 1Petr 2,4.7; Hebr 12,17) - das Komp.
ἀπαρνέομαι
 Mt 4 : Mk 4 : Lk 3 + 0 (NT sonst nie)
Es leitet das Simpl. 26,70(=Mk) mit der Vorhersage ein und erinnert sie
abschließend 26,75(=Mk). 16,24(=Mk) bezeichnet es die komplementär geforderte
derte Selbstverneinung. So ist die Verteilung ebenfalls für die Synonymie
signifikant: Auf das erste Simpl.-Paar folgen 3 Komp., auf das zweite
Simpl.-Paar folgt ein Komp. Mt hat die Jesuanität bei allen Komplexen noch
stärker akzentuiert. Semant. ist die gängige Verdeutschung mit *verleugnen*
unzutreffend, da dieses Intensivum von *leugnen* die Behauptung von etwas
Unrichtigem meint. Es geht vielmehr um die Opposition der *Verneinung* von
etwas Vorgegebenen, das Abfallen (SCHENK EWNT 1,368-74; synonym ≯ἀποδο-
κιμάζω, ≯σκανδαλίζω). Das wird auch deutlich an dem in LXX fehlenden
Antonym
ὁμολογέω (HAWKINS 1909:6; GUNDRY 646 im Zshg. mit ≯ὁμοι- überhaupt)
 Mt 4 : Mk 0 : Lk 2 + 3 : Joh 4
     =(Mk 0 + 1) + (Q 2 + 1),
das 10,32.32(=Q) mit α. ein Gegensatzpaar bildet wie schon bei AristRhet
37,1444b.10ff (vgl. JosAnt 6,151; PapZenCol II 83,13f) im Sinne von *bejahen,*
akzeptieren (synonym ≯δέχομαι); der Gebrauch der Präp. ἐν ist als Signal
für einen Aramaismus und die darauf gestützte Behauptung einer historischen Jesuanität nicht tragfähig, da die angeführten rabb. Belege alle später
liegen, generell "in der Koine präp. Wendungen immer häufiger an die Stelle
der einfachen Kasus treten" (KÖHLER EWNT 2,55), aram. Einschlag für das
gesamte ehemalige Perserreich bis zu den Westküsten Kleinasiens bestimmend blieb und nicht für Palästina spezifisch ist, bei diesem Doppelspruch
in Q aber wesentlich zu beachten ist, daß hier der *Menschensohn* schon in
eine ius-talionis-Formel eingewandert ist, die sonst in der Apodosis immer
Gott nennt (also gegenüber der eschatol. Entsprechungen eine spätere Stufe
des Gebrauchs darstellen und keinesfalls das älteste Menschensohn-Logion
darstellen können; EDWARDS 1969; 1971:47-58). Q-Mt 7,23(gg.Lk) bezeichnet
Mt red. die *verbindliche Erklärung* des Weltenrichters damit (vgl. JosAnt
10,166) und 14,7(+Mk mit Inf.) das *Versprechen* (vgl. XenAn 7,4.22; Lys 12,9;

JosAnt 4,76.136 vgl. HOFIUS EWNT 2,1256f). Zum Komp. ἐξομολογέω ⇥ἁμαρτία.
ἁρπαγ- (GUNDRY 642)
   Mt 6 : Mk 2 : Lk 2 + 2 : Joh 4 (ohne die lk συν-Komposita)
ἁρπάζω
   Mt 3 : Mk 0 : Lk 0 + 2 : Joh 4
Wie es Apg und Joh (auch allegor.) von Personen haben (fortreißen), hat es
Mt 12,29a(=Mk statt Komp.) für das Dem-Satan-Entreißen der dämonisch be-
herrschten Kranken, während V.29b(=Mk) das Komp.
διαρπάζω ausrauben als Steigerung übernommen ist
   Mt 1 : Mk 2 (NT sonst nie)
Umgekehrt ist es beim Simpl. 13,19(+Mk) der ⇥Teufel, der das "Wort von der
Basileia" wegraubt. Von daher ist es auch 11,12(+Q) red. im mt Basileia-
Bezug zu verstehen als Tätigkeit der Gegnerfront gegen Täufer, Jesus und
Jünger durch jedweden Agenten des Satans. Sehr gut bestimmt sind die se-
mant. Komponenten von XenAn 6,6.6 her: "vorschnell, ohne die Kosten zu
zahlen, will man das Reich Gottes an sich bringen" (ALMQUIST 1946:118).
Das ist der Vorwurf gegen die Gegner und entspricht ganz der konditiona-
len Heilseschatologie des Mt. In diesem Gegner bezeichnenden Sinne ist die
Stelle in seinem Verständnis auch schon vorbereitet durch das Adj.
ἅρπαξ (NT nur noch 1Kor 5,10f; 6,10; LXX 1mal)
   Mt 1 : Mk 0 : Lk 1 + 0 (Lk 18,11 dgg. subst. wie 1Kor),
das red. Q-Mt 7,15(gg.Lk) in der sprichwörtlichen griech. Verbindung
(L-S-J 246; TRILLING EWNT 1,378) mit "Wolf" für jüd. Lehrer als Pseudopropheten verwendete. Verursacht ist die Verwendung hier als Dublette von
Q-Mt 23,25 her (vgl. zuammen mit innen!), wo das Lexem in
ἁρπαγή (Q-Lk 11,39 – NT nur noch Hebr 10,34: LXX 9mal)
   Mt 1 : Mk 0 : Lk 1 + 0
vorgegeben war, und das Mt eher als Nom. actionis (=Vb.) Raubgier denn
als Nom. resultandum Beute (TRILLING ebd. gg. BAUER WB s.v.) wiederum
für seine jüd. Gegner verwendet. Außerdem ist auch die zugeordnete Bezeichnung Wolf in 7,15 als Q-Dublette anzusehen:
λύκος
   Mt 1 : Mk 0 : Lk 1 + 1 : Joh 2 (NT sonst nie),
das 10,16(=Q) mit gleichem Antonym Schaf wiederum für die Gegner der
Schüler Jesu vorgab. Als red. Kontextsynonym dazu hatte Mt 7,6(+Q;
PEDERSEN EWNT 2,822f) schon
κύων
   Mt 1 : Mk 0 : Lk 1 + 0 (A-Lk 16,21 dgg. unmetaphorisch direkt)
als Gegnerwarnung ("die herrenlosen, wüsten Hunde waren wohl auch in
den Städten eine Plage, die man los sein wollte" EITREM 1938:16; anders das
Deminutiv κυνάριον ⇥ἄρτος), wobei dazu chiastisch die Tätigkeit des ῥήγνυμι
(ῥήσσω ⇥διαρήσσω) zugeordnet ist, die ihrerseits dem vernichtenden Rauben
synonym ist.
ἄρρωστος ⇥μαλακία
ἄρσην ⇥ἀνήρ
ἄρτι (HAWKINS 1909:4; GUNDRY 642)
   Mt 7 : Mk 0 : Lk 0 + 0 : Joh 12
      =(Mk 0 + 5) + (Q 0 + 2)
Das Zeitadv. (synonym zu ⇥νῦν und ⇥σήμερον; RITZ EWNT 1,382f)) erscheint
bei Mt neben 9,18(+Mk) im Munde des hilfesuchenden Vaters (soeben gestor-
ben; vorangestellt, da Ind.) nur im Munde Jesu zur Bezeichnung seines Lebens als der Zeit der Epiphanie des Gehorsams: Schon sein erstes Wort ist
3,15(+Mk – nachgestellt, da Imp.; B-D-R 474,3) "Laß es jetzt zu!". Q-Mt
11,12(+Q) bezeichnet die typ. mt Präp.-Wendung bis jetzt (s.u.) die fort-
schreitende Ablehnung Jesu bis zum gegenwärtigen Augenblick dieser gerade dieses Problem thematisierenden Rede (historisierend auf Jesus und

nicht direkt auf die Gegenwart des Autors, die wie schon 10,23 nur transparent im Blick ist; SCHMAUCH 1867:80). Die komplenyme Präp.-Wendung *von jetzt* (s.o.) hat nur Mt 3mal zur konstanten Bezeichnung des Lebensendes Jesu als einer weiter vorwärtsweisenden Größe (*von jetzt an bis zu*) 23,39 (+Q) als Parusiehinweis und verurteilendes Schlußwort über die "Juden" (nach dem mt Kontext 23,1 schon nicht mehr an sie, trotz der Anrede); 26,29(+Mk) an seine Schüler als Mahlgemeinde; bei seiner Verurteilung 26,64 (+Mk) als Vorhersage der beiden künftigen Etappen der Zeit Jesu (Erhöhung und danach Parusie) – d.h. es ist immer im Schema Verwerfung/Rehabilitierung die erste Phase im Hinblick auf die zweite (SENIOR 1982:281f). Als selbständiges Zeitadv. verbindet es auch die vorletzte Stelle 26,53(+Mk) mit der letzten: die Jetztzeit der Epiphanie des Gehorsams (und der Verwerfung) ist nicht die Zeit, in der mehr als zwölf Legionen Engel zum Einsatz kommen. Im Gehorsamsbezug besteht wiederum eine Korrespondenz zur Anfangsstelle 3,15. Die Übersetzung muß die konkrete semant. Kodierung des Mt mit seinem Jesus-Konzept zum Ausdruck bringen und kann es nicht nur formal-relational übersetzen.

ἄρτος (GUNDRY 642)

   Mt 21 : Mk 21 : Lk 15 + 5 : Joh 24
      =(Mk 21 – 7 + 3) + (Q 3 + 1)

Die aus Q übernommenen Stellen stehen zusammen als ein erster Block: 4,3 (=Lk jedoch mt Plur.).4(=Lk); 6,11(=Lk); 7,9(+Lk) gehört α. als erstes Exempel im Begründungsteil wohl schon zu Q, da es wie 4,3 auch die Opposition zu "Stein" (als dem Ungenießbaren) hat; Lk hat die semant. Opposition *nützlich* vs. *unnütz* durch die verstärkende *nützlich* vs. *schädlich* ersetzt und damit zunächst das Anfangsbeispiel ausgelassen und dann ein weiteres zugesetzt (SCHULZ 1972:162; SCHENK 1981:64; STRECKER 1984:155 gg. GRUNDMANN 225; GUNDRY 124, die einen mt Zusatz annehmen wollen).

   In allen anderen Stellen, die ab 12,4 (Exempel des Verbotenen) als nächster Block folgen, ist Mt von Mk abhängig. Zwar sind Mk 3,20(Sing. nicht essen können); 6,8(Sing. kein Brot mitnehmen).37(kaufen).44(essen).52(verstehen); 7,2(essen); 8,14b(Sing. Nichtvorhandensein) ausgelassen, doch entspricht den Auslassungen am Ende der ersten Speisung in etwa der dreifache Zusatz im Nachgespräch zur zweiten 16,10.11.12(+Mk) als Permutation. Den Plur. hat Mt 15mal gegenüber Mk 14mal. Die restlichen Übernahmen von Mk finden sich außer in drei Einzelperikopen 15,2 (Sing. Händewaschen).26(Sing. wegnehmen); 26,26 (Passamahl) in den gehäuften Komplexen der beiden Speisungen 14,17.19.19 und 15,33.34.36 sowie dem Nachgespräch dazu 16,5.7.8.9, das Mt nochmals auffallend drastisch gesteigert hat, so daß mit allein 7 Belegen – einem Drittel überhaupt – hier die größte Dichte vorliegt.

   "Brot wurde in Israel und im Judentum meist aus Gerstenmehl oder (aufwendiger) aus Weizenmehl und normalerweise unter Beigabe von Sauerteig in bis ca. 1 cm dicken Fladen von bis zu 50 cm Durchmesser gebacken... Brot ist das Hauptnahrungsmittel. Es wird vor dem Essen auseinandergerissen oder gebrochen, nicht geschnitten" (BALZ EWNT 1,384; *Ungesäuertes* kommt bei einer Kürzung nur 26,17[=Mk] im Plur. als Festbezeichnung des Wallfahrtsfestes und nie in einer bestimmten Betonung vor). Von daher steht es an den Sing.-Stellen 4,4; 6,11; 15,2.26 metonymisch für *Nahrung* überhaupt (ebd.385). Es wird 6,11 näher bestimmt durch ἐπιούσιος 6,11(=Q – sonst nie in NT und LXX und davor überhaupt).

   Man wird es – wie seit Origenes vorgeschlagen – als zusammengesetztes Präp.-Adj.(*das für die Existenz Notwendige*; so wohl auch in einem verstümmelten oberägyptischen Papyrus aus dem 5.Jh.; PREISIGKE I 5222) bei Mt wie bei Q verstehen dürfen (und nicht vom Vb. ἔπειμι abgeleitet als *morgig* oder *künftig*; vgl. dgg. zuletzt MÜLLER EWNT 2,79-81; STRECKER

1984:122-4), da es im zweiten Teil der auf den Alltag bezogenen Bitten steht.

ἐσθίω
 Mt 11 : Mk 11 : Lk 12 + 1 : Joh 0 - dazu Aor.2:
ἔφαγον
 Mt 13 : Mk 16 : Lk 21 + 6 : Joh 15
so insgesamt:
 Mt 24 : Mk 27 : Lk 33 + 7 : Joh 15
        =(Mk 27 - 12 + 2) + (Q 5 + 0) + (A-Mt 2)
Als das *Brot* zugeordnete Handlungsverb erscheint es 12,4a(=Mk) und von daher auch ellipt. V.4b(=Mk); 15,2(=Mk) und von daher auch ellipt. V.20(=Mk 7,2 permutiert), wobei hierbei schon die metonymisch ausgeweitete Bedeutung vorlag. Ellipt. klar ist Brot auch das Obj. in dem red. Imp. 26,26(+Mk) und mit den Fischen zusammen 14,16.20.21(=Mk); 15,32.37.38(=Mk, wobei die letzte Stelle Mk 8,1 permutiert). Spezielle Obj. sind weiter
στάχυς 12,1(=Mk - dgg. Mk 4,28.28 nicht übernommen)
 Mt 1 : Mk 2 : Lk 1 + 0 (NT sonst nie) zusammen mit
τίλλω 12,1(=Mk; Lk 6,1 - NT sonst nie) *abgerissene Ähren,* wobei ε. red. zugesetzt ist;
ψιχίον 15,27(=Mk - NT und LXX sonst nie) *Bröckchen, Krümel,* wobei hier einmalig Tiere als Subj. erscheinen:
κυνάριον 15,26f(=Mk - NT und LXX sonst nie) *κύων*-Deminutiv - bezeichnet offenbar *Haushunde;*
πάσχα
 Mt 4 : Mk 5 : Lk 7 + 1 : Joh 10
ist wohl - da Mt das *Schlachten* von Mk 26,12a streicht - schon Mt 26,17.19 (=Mk) nicht speziell als Passalamm (männliches, einjähriges, fehlerloses Schaf- oder Ziegenlamm), sd. als *Passamahl* Obj. des Essens, wie V.18(=Mk) bestätigt, und von daher ellipt. auch in der Textsequenz V.21(=Mk).26(=Mk). Das indekl. Subst. (vom aram.*pasḥā'*) bezeichnete einleitend 26,2(=Mk) den Zeitpunkt des 1.Tages des Mazzotfestes (nicht wie bei Lk die ganze Festwoches des Wallfahrtsfestes (PATSCH EWNT 3,118) und sollte bei der von Mt vorgenommenen Vereinheitlichung des Sprachgebrauchs dann auch als *Passamahl* verstanden werden.

Die abs. Stellen zeigen, daß man von der weiteren Bedeutung *essen, sich ernähren* Q-Mt 6,25.31 und A-Mt 25,35.42 (Antonym *hungern;* vgl. das Komplenym *sättigen* 14,20; 15,37) eine engere *speisen, Mahl halten* (MINDE EWNT 1,147 mit "seinem kommunikativen Element") unterscheiden kann wie vor allem in den Vorwürfen der Gegner 9,11(=Mk) und Q-Mt 11,18f(=Lk) bzw. in umgekehrter Richtung von der Gemeinde nach draußen Q-Mt 24,49(=Lk). In diesem Sinne hat nur Mt das subst. Pt.Präs. 14,21 (statt mk Aor.) und 15,38(+Mk) *Mahlteilnehmer* betont gesetzt. Im Gegnervorwurf bekommt die Mahlteilnahme auch beim Subst. den negativen, abwertenden Akzent *Schlemmer* (so kommunikativer als *Fresser*):
φάγος 11,19(=Q - NT und LXX sonst nie).

Die 4malige Zusammennennung von *Essen und Trinken,* die Lk favorisiert (14 + 3) ist 6,31; 11,18f; 24,49 immer von Q übernommen. In dieser Doppelung hat Mt 24,38(gg. Lk 17,27) einmalig
τρώγω (außer Joh 6,54.56-58; 13,18 sonst nie in NT und LXX).

Nicht übernommen hat Mt *essen* von Mk 1,6; 2,16a; 3,20; 5,43; 6,31.36.37b; 7,3.4; 11,14; 14,14.18b.

πεινάω (GUNDRY 647)
 Mt 9 : Mk 2 : Lk 5 + 0 : Joh 1
      (=Mk 2 + 5) + (Q 2)
Vom *Hunger* Jesu 4,2(=Q) und 21,18(=Mk). Für die Schüler 12,1 wurde es in den Bericht vom David-Beispiel V.3(=Mk 2,25) im Wort Jesu her dupl. Darum

ist auch die Anwendung auf die verfolgten Schüler im Jesuswort 25,35.37.42. 44 als red. dupl. anzusehen. Metaphor. hat es Mt in der Einlaßbedingung 5,6(=Q, was Joh 6,35 so übernahm). Da er hier außerdem
δίψάω (von HAWKINS 1909:4 zu Unrecht als "schwach" gewertet)
     Mt 5 : Mk 0 : Lk 0 + 0 : Joh 6
red. zufügte, das er ebenso in den 4 vorgenannten Stellen im Anschluß daran hat, so ist diese *Verbindung* als mt Kennzeichen (GUNDRY 647) ein weiteres Indiz für die Red. auch an diesen Stellen. Zum Argument der Häufigkeit tritt das Argument der Verbindung als die stärkeren Argumente der "maximal specifity", die nach den gültigen methodologischen Normen nicht durch die erklärungsschwächere allgemeine Erwägung, daß dies eine naheliegende Koppelung sei, außerkraftgesetzt werden kann.
λιμός 24,7(=Mk) *Hungersnot*
     Mt 1 : Mk 1 : Lk 4 + 2 : Joh 0
ἐκλύομαι 15,32(=Mk – NT noch Gal 6,9; Hebr 12,2.5) *vor Hunger ermatten*
νηστεύω (GUNDRY 646)
     Mt 8 : Mk 6 : Lk 4 + 2   (Vb. im NT nur bei den Synopt.)
         =(Mk 6 – 3) + (Q 0 + 1) + (A–Mt 4)
Q–Mt 4,2 (red. gg. Lk) ist nicht an ein *Fasten* im Sinne eines freiwilligen Hungerleidens gedacht, sd. an ein durch 40 Tage Wüste erzwungenes *Hungern*. Man muß sich hüten, überall die lk Kodierung des Ausdrucks auch bei anderen Autoren einzutragen oder von vornherein vorauszusetzen, denn schon die Verwendung des Adj.
νῆστις 15,32(=Mk 8,3 – NT sonst nie)
     meint eindeutig *hungrig* (mit der Gefahr des *Verhungerns* – und so wohl auch das Subst. in den Entbehrungskatalogen 2Kor 6,5; 11,27 *Hungerleiden*; vgl. ZMIJEWSKI EWNT 2,1144).
     Ein freiwilliges Hungerleiden setzte das Torheitsgespräch Mk 2,18ff voraus. Alle mk Belege sind auf diesen Komplex konzentriert, von denen Mt die Hälfte (Mk 2,18a.19a.c) weggekürzt hat. Jetzt steht nur noch Mt 9,14.14 die Erklärung der Täufer–Schüler, daß sie wie die Pharisäer *fasten*, die Jesusschüler indessen nicht. Die Entgegnung des mt Jesus hat das Wort durch das Synonym des *trauerndes Klagens*, 5,4(=Q) dupl., ersetzt:
πενθέω
     Mt 2 : Mk 0 : Lk 1 + 0 : Joh 0,
das damit das pharisäische wie das täuferische Fasten verstärkt als *Trauerfasten* der Gegner kennzeichnet und andererseits zugleich von dorther die Situation der *Verfolgung* in den Blick rückt.
     Die abschließende Verwendung in der Antwort Jesu V.15(=Mk) kann nur – als in Anführungsstriche gesetzt – ironisch verstanden werden und eine *Warnung* der Seinen bezeichnen. Andernfalls wäre auch die anschließende Begründung mit dem Zugrundegehen des neuen Weins in den alten Schläuchen sinnlos. Dafür spricht auch die Analogie zu 22,11–13. Es wird nicht der Realgrund, sd. der *Erkenntnisgrund* angegeben: Wenn der Fall eintritt, daß die pharisäische Synagoge sie zum Abfall zu ihren Praktiken zwingt oder überredet, ist der Fall des "Abfalls" gegeben, also "der Bräutigam von ihnen weggenommen". Auf den Tod Jesu ist die Stelle auch darum mt nicht zu beziehen, da die mt Jesuszeit bis zur Parusie dauert und die Gegenwart Jesu bei den Seinen betont red. zugesagt wird (18,20 wie 28,20). Die log. Argumentation ist also (ebenso wie 1Kor 15,14ff) nicht deduktiv, sd. reduktiv.
     Ein gewisses Äquvalent zu den ausgelassenen Mk-Stellen hat Mt durch Permutation der Stellen in der Schaffung des ebenfalls antithetischen Komplexes A–Mt 6,16.16.17.18. Dabei denkt der von 4,2 herkommende Leser zunächst nur an ein *Hungerleiden* (seinem Herrn entsprechend) der *verfolgten Gemeinde*, dem dann das *freiwillige Hungerleiden* (*Fasten*) der Heuchler/ Pharisäer kontrastierend entgegengesetzt wird. Von einer christl. Fasten-

Praxis dürfte Mt also an keiner seiner Stellen reden. Wie stark man das aber später hineingelesen hat, zeigt auch der Zusatz der HS in 17,21. Mt kennt weder ein freiwilliges noch ein pflichtmäßiges Fasten (und schon gar keines zugunsten anderer Notleidender), sd. nur ein Hungerleiden der verfolgten Gemeinde bzw. den Abfall zum Judentum.

χορτάζω
    Mt 4 : Mk 4 : Lk 3 + 0 : Joh 1
        =(Mk 4 - 1) + (Q 1)
5,6(=Q) ist es klar Antonym zu *Hungern* (=Verfolgungsmerkmal) als dessen eschatol. Aufhebung. 14,20(=Mk) und 15,37(=Mk) formuliert es komplenym das *Resultat des Essens*, wofür es im Wiederholungsfalle schon einleitend V.33 (=Mk) als Zielstellung betont formuliert war. Die metaphorische Verwendung Mk 7,27 wurde zur Konzentration der Aufmerksamkeit auf die par. Speisungen weggelassen.

(κατα)κλάω
    Mt 3 : Mk 4 : Lk 3 + 4 (NT nur noch 1Kor 10,16; 11,24; LXX nur 5+1mal)
        =(Mk 4 - 1)
als rein judengriech. t.t. (jedoch auch röm. poetisch *panem frangere* WANKE EWNT 2,730) der notwendigen Vorbereitungshandlung zum Brotfladen-Essen steht 14,19(=Mk 6,41 das einmalige mk Komp., das Lk hier übernahm - sonst nie im NT - seiner Tendenz entsprechend ins Simpl. vereinfacht) und par. 15,37(=Mk), während es in dem rückblickenden Referat in der Schilderung der ersten Handlung Mk 8,19 ausgelassen wurde. Es steht nochmals beim letzten Mahl 26,26(=Mk).

κλάσμα
    Mt 2 : Mk 4 : Lk 1 + 0 : Joh 2 (NT sonst nie; LXX nur 8mal)
        =(Mk 4 - 2)
steht sowohl 14,20(=Mk) wie 15,37(=Mk) in Korrepondenz zum Vb. als dessen Wiederaufnahme, ist also noch betonter, als es die Übers. erkennen lassen, auf das zum (weiteren) Essen vorbereitete Brot bezogen (gg.Bill I 687; PESCH I 353 ist weniger an "pflichtmäßiges Aufsammeln der zur Erde gefallenen Brocken" zu denken, da dies 15,27[(=Mk] gerade kontastierend zwischen beiden Speisungen anders bezeichnet ist ψιχίον.

    Das erinnernde Referat Mk 8,29f wurde auch nicht übernommen. Die Behälter dafür heißen bei der ersten, jüdischen Speisung:
κόφινος 14,20(=Mk) und im Rückblick darauf 16,9(=Mk) erinnert
    Mt 2 : Mk 2 : Lk 1 + 0 : Joh 1 (sonst und in anderem Zshg. nie im NT),
was den *Tragkorb*, die *Kiepe* als kennzeichnend für Juden (Juvenal 3,14; 6,542; vgl. PESCH I 404) bezeichnet, was durch die Anzahl "12" noch unterstrichen wird: Jeder der 12 engsten Schüler wird mit einem Tragkorb vorzustellen dem Leser eingebildet. Im zweiten Falle der Speisung der nichtjüd. 4000 heißen die Behälter charakteristischerweise:
σπύρις 15,37(=Mk) und im Rückblick darauf 16,10(=Mk) erinnert
    Mt 2 : Mk 2 : Lk 0 + 1 (Apg 9,25 permutiert - NT und LXX sonst nie),
was (=lat. *sporta*) einen *großen Flechtkorb* bezeichnet, der sowohl zum Transport (auch von Geld) als auch zum Fischen verwendet wurde (L-S-J 1631; SPICQ II 787f), weshalb die lk permutierte Stelle den flüchtenden Paulus vorübergehend darin untergebracht vorstellen konnte.
πίναξ 14,8.11(=Mk) *Platte, Teller* (Kopf bei Festmahl DiogLaert 9,58)
    Mt 2 : Mk 2 : Lk 1 (NT sonst nie; LXX nur 4Makk 17,7)
παροψίς 23,25(+Q) *Nebengericht* - metonym: *kleine Schüssel* (neben *Becher*)
    Mt 1 (NT und LXX sonst nie)
τρύβλιον 26,23(=Mk - NT sonst nie; LXX 9mal) *Schüsselchen, Teller*
ἐμβάπτω 26,23(=Mk - NT und LXX sonst nie) in das Schüsselchen *eintauchen*

σῖτος (GUNDRY 648)
  Mt 4 : Mk 1 : Lk 4 + 1 : Joh 1
     =(Mk 1 + 1) + (Q 1 + 1)
kommt bei Mt nur allegor. vor: Getreide (L-S-J 1602; Konkreta wie Weizen
πυρός oder Gerste κριθή fehlen; G.ÜRÖGDI KP 5,217-9); 3,12(=Q – Atonym
ἄχυρον Spreu – NT sonst nie)
     wurde 13,30 als positive Gerichtslohnmetapher dupl., um die mt Einheit-
lichkeit der Jesusbotschaft mit der des Täufers zu unterstreichen. Im gleichen Zshg. wurde 13,25(=Mk) in V.29 dupl. und insgesamt zum Zwecke der
red. neugebildeten Allegorie die Opposition Spreu durch das Antonym Unkraut ergänzt:
ζιζάνιον (NT und LXX nur Mt 8mal im Plur.; von HAWKINS 1909:5 zu Un-
     recht als "schwach" gewertet) wohl durch die Opposition allgemein Un-
kraut bezeichnend 13,25.26.27.29.30.36.38.40 (übernommen EvThom 57). Selbst
bei der Annahme semit. Ursprungs dieses vorher nicht und sonst kaum
verwendeten Wortes (ApkMos 16; BAUER WB 761) ist daraus noch keinesfalls
auf palästinensischen Ursprung zu schließen oder gar Jesuanizität zu begründen möglich (gg.JEREMIAS 1965:22f). Q-Parabelbestandteil ist auch das
subst. Adj.
σιτιστός 22,4 (=Q-Lk 15,27 variierend mit anderen Elementen zusammen
     permutiert und V.23.30 dupl. – sonst nie im NT – Mastvieh als mit Ge-
treide gemästet).
ἄλων 3,12(=Q – NT sonst nie) Tenne
πτύον 3,12(=Q – NT und LXX sonst nie) Wurfschaufel
ζύμη
  Mt 4 : Mk 2 : Lk 2 + 0 : Joh 0 (NT nur noch 1Kor 5,6-8; Gal 5,9)
     =(Mk 2 + 1) + (Q 1)
wird ebenfalls nur metaphor. verwendet – mit Ausnahme der Klarstellung
16,12(+Mk), daß nicht der "Sauerteig für Brote" gemeint sei, sd. die "Lehre"
der jüd. Lehrerschaft. Damit ist zugleich die auflösende Substitution für die
voranstehende Doppelwarnung 16,6.11(=Mk) gegeben. Die sprichwörtliche
Durchdringungskraft des Sauerteigs ist hier warnend als negativer Einfluß
(wie auch 1Kor 5,6-8 und Gal 5,9) bezeichnet (POPKES EWNT 2, 259-62). Ein
verbreitetes Sprichwort (PlutQuestRom 109; QuestConv 3,10.3; BAUER WB
672) steht auch hinter der Q-Parabel 13,33(=Lk), wobei die Einordnung im
mt Kontext der Ablehnung Jesu durch sein Volk den Ton auf das Schlüsselwort verbergen legt: Den meisten muß es in der Gegenwart verborgen bleiben, wovon das nahe Endgericht nicht infragegestellt wird. Die hier positive Durchdringungskraft bezeichnet das Vb.
ζυμόω
  Mt 1 : Mk 0 : Lk 1 (außer 1Kor 5,6; Gal 5,9 nie im NT).
ἄζυμος ungesäuert
  Mt 1 : Mk 2 : Lk 2 + 2 (NT nur noch 1Kor 5,7f)
ist nur 26,17(=Mk) im subst. Fest-Plur. für das Mazzotfest übernommen.
ἄλευρον 13,33(=Q – NT sonst nie; LXX 12mal) Weizenmehl als Obj. des Vb.
ἀλήθω 24,41(=Q – NT sonst nie; LXX 4mal) mahlen als das zugehörige Vb.
σάτον 13,33(=Q) hebr. Getreidemaß Sea (aram. sᵃ'ta'; ca. 13 l)
  Mt 1 : Mk 0 : Lk 1 (NT sonst nie; LXX 2mal)
μύλος
  Mt 2 : Mk 1 (NT nur noch Apk 18,22; LXX 7mal)
Q-Mt 24,41 (gg. Lk 17,25) dürfte nach dem Parallelismus dort schon von Q
übernommen sein, da Lk es auch 18,6(=Mk) abändert. Meint es hier den
Mühlstein, so dort zusammen mit dem zugehörigen Vb., das im fem. Pt. steht,
die Frauenarbeit des Mahlens mit der Handmühle.
ὀνικός 18,6(=Mk; NT und LXX sonst nie) Esels(-Mühlstein vs. Handmühle)

βρῶμα 14,15 (=Mk 7,19 statt Vb. permutiert) Plur. *Nahrungsmittel*
  Mt 1 : Mk 1 : Lk 2 + 0 : Joh 1
βρῶσις
  Mt 2 : Mk 0 : Lk 0 + 0 : Joh 4
Q-Mt 6,19f(gg. Lk 12,33f wohl urspr.; SCHULZ 1972:142) ist *Fressen* durch Insekten gemeint (MINDE EWNT 1,551 – da Metallfraß kaum das Edelmetall betraf, GRUNDMANN 210 faßt alles zusammen).
τρέφω
  Mt 2 : Mk 0 : Lk 3 + 1 : Joh 0 (NT nur noch Jak 5,5; Apk 12,6.14)
6,26(=Q) ist Gott als *Ernährender* der Vögel vorausgesetzt. Die red. Entsprechung zu *Hungern* 25,37 hängt von der mt Verwendung des Subst. ab:
τροφή (HAWKINS 1909:8; GUNDRY 648)
  Mt 4 : Mk 0 : Lk 1 + 7 : Joh 1 (NT nur noch Jak 2,15; Hebr 5,12.14)
    =(Mk 0 +1) + (Q 1 + 2)
Nachdem es 6,25(=Q) übernommen war, hat Mt es statt des von Mk nicht übernommenen Vb. 3,4 in die analoge Korrespondenz von *Nahrung* und *Kleidung* des Täufers eingesetzt. Diese Korrespondenz ist es ebenfalls, die red. Q-Mt 10,10(gg. Lk 10,7) zur Ersetzung von *Lohn* geführt hat, wie vor allem die Reservierung von *Lohn* als festen Ausdruck für die Endgerichtsgabe (HOFFMANN 1972:274; SCHULZ 1972:406). Dies ist ebenso Q-Mt 24,45(gg. Lk 12,42) maßgebend (wobei Mt außerdem an LXX–Ps 103,27 angleicht wie auf das Vb. 25,37 vorweist: Der treue Christ läßt seinen Mitchristen nicht verhungern).
ἀκρίς 3,4(=Mk – NT nur noch Apk 9,3.7) *Heuschrecke*
μέλι 3,4(=Mk; NT nur noch Apk 10,9f) *Honig* (von wilden Bienen)
ἄριστον
  Mt 1 : Mk 0 : Lk 2 + 0 (NT sonst nie)
Q-Mt 22,4(=Lk 14,12 permutiert und 11,38 dupl.) verwendet Mt nicht speziell vom *Frühstück*, da er es auf ein Hochzeitsmahl anwendet. Synonym
δεῖπνον 23,6(=Mk – während er es bei Mk 6,21 wegkürzte)
  Mt 1 : Mk 2 : Lk 5 + 0)
πρωτοκλισία 23,6(=Mk) *Ehrenplatz beim Symposion*
  Mt 1 : Mk 1 : Lk 3 (NT und LXX sonst nie)
ἀνακείμαι (GUNDRY 641)
  Mt 5 : Mk 2 : Lk 2 + 0 : Joh 4
    =(Mk 2 – 1 + 2) + (Q 0 + 1) + (A-Mt 1)
Die letzte Stelle 26,20 ist aus Mk 14,18 für das letzte Mahl Jesu übernommen, wobei aber das Vb. in das Impf. überführt wurde, während alle anderen Stellen des nur in den Evv. gebrauchten Vb. das Pt. haben. Die beiden Stellen, an denen es Mt 9,10; 26,7 gg. Mk hat, ersetzen beide mk κατακείμαι. Dies geschah nicht nur, weil α. der präzisere Ausdruck für das *Zu-Tische-Liegen* ist, während κ. vor Mk 2,15; 14,3 auch in 1,30; 2,4 das *Liegen* auf einem Krankenlager bezeichnete, denn Mt läßt es auch dort (und somit alle 4 mk Belege) aus und verwendet es selbst nie; vielmehr ist auch auffallend, daß Mt α. beim Herodes-Symposion Mk 6,26 überging, während er 14,9(=Mk 6,22) das Doppel-Komp. um dort übernahm wie Mt 9,10 im Zusammenhang mit einem Mahl Jesu aus Mk auch
συνανακείμαι
  Mt 2 : Mk 2 : Lk 3 + 0 : Joh 0
Somit zeichnet sich eine kontinuierliche Tendenz des Mt ab, das einfache Komp. strikt für die Mahlgemeinschaft Jesu zu verwenden. Das wird bestätigt durch die Verwendung als Schlußwort in der mt Allegorie vom königlichen Hochzeitsmahl Q-Mt 22,10, da es im Rahmen der dort red. komponierten Allegorie-Trias (21,28ff Abweisung des Täufers, 21,33ff Abweisung Jesu, 22,1ff Abweisung der Schüler Jesu) konkret um die "nachösterliche" Zeit geht, die aber eben für Mt auch noch die Zeit Jesu und seines Mit-Seins ist

(28,18ff) – und damit um die fortgesetzte Mahlgemeinschaft Jesu in der Zeit der Kirche in der Gegenwart des Autors – mt also in der nachösterlichen Jüngerschaft. Das Pt. *Tischgenossen* im Sinne von Tischgenossen Jesu dürfte darum 22,10 red. sein; das wird bestätigt durch die sofortige red. Wiederderlung in V.11, wo ohnehin nach der makrosyntaktischen Komposition des Mt die Quintessenz als Warnung an die Gemeinde (WALKER 1967:65-8) angeschlossen ist und darum die christl. Gemeinde als Mahlgemeinde im Blick ist.

Damit ergibt sich, daß nicht nur 4 von 5 der mt Stellen red. sind, sd. auch, daß Mt das Vb. nicht nur (wie die anderen Evangelisten auch) allein in der Bedeutung *bei Tisch sein, Tischgenosse sein* verwendet (EWNT 1,196 – Mk 5,20 A C Koine für das Krankenlager ist ohnehin sek.), sd. daß es für Mt sogar ein t.t. für die *Mahlgemeinschaft Jesu* ist, mit dessen Verwendung er die Kontinuität der vorösterlichen Jesusmahle untereinander wie auch deren Zusammenhang mit der nachösterlichen in standardisierter Sprache zum Ausdruck und zur Geltung bringt. Die mt Gemeinde ist nicht nur Schülerschaft, sd. ganz selbstverständlich auch wesentlich Mahlgemeinde. Synonym dazu sind bei Mt auch das mediale

ἀνακλίνομαι 14,19(=Mk); 8,11(=Q)
  Mt 2 : Mk 1 : Lk 3 + 0 (NT und LXX sonst nie) sowie
ἀναπίπτω
  Mt 1 : Mk 2 : Lk 4 + 0 : Joh 5,
das 15,35(=Mk) im Wiederholungsfalle übernahm, während Mk 6,40 straffend entfiel.
πίνω
  Mt 15 : Mk 7 : Lk 17 + 3 : Joh 11
    =(Mk 7 + 2) + (Q 5 + 1)
Trinken neben *Essen* für die Gesamtheit der Ernährung (τρέφω, τροφή) im täuferischen Verzichten oder Gebrauch 11,18f(=Q), von woher auch 6,25(+Q). 31(=Q) wie 24,38(=Q) und 24,49(=Q) in ihrer Tendenz am ehesten täuferischen Kreisen entstammen können; auch 26,27(=Mk zum Befehl umgeformt) folgt analog auf V.26 und wird in der Lohnzusage V.29a.b(=Mk – erweitert durch *mit euch*) wiederholt; diese Vorhersage wird durch die Renominalisierung beim Verzicht 27,34a.b(+Mk) erinnert und unterstrichen. Vom *Trinken* allein ist bei Mt nur metaphorisch von der Annahme der verfolgenden Verwerfung des Gerechten vor der Rehabilitation 20,22b.c.23(=Mk) und 26,42(=Mk 10,39b permutiert) die Rede; damit zusammen
ποτήριον
  Mt 7 : Mk 6 : Lk 5 + 0 : Joh 1
    =(Mk 6) + (Q 1)
metaphorisch für *Todesgeschick* (PATSCH EWNT 3,340; vgl. Ps 11,5; 16,5; 4QpNah 4,6) 20,22f(=Mk); 26,39(=Mk); daneben beim Herrenmahl 26,27(=Mk) und als Trinkgefäß *Becher* auch 23,25(=Q) dupl. V.26(=Mk 7,4 permutiert); 10,42(=Mk) als Instrument des *Zu-Trinken-Gebens* für Verfolgte, was Mt 25,35.37.42 dupl. hat:
ποτίζω
  Mt 5 : Mk 2 : Lk 1 + 0 : Joh 0,
    =(Mk 2 + 3)
was in Antithese dazu noch 27,48(=Mk) analog verwendet ist.
οἰνοπότης 11,19(=Lk) *Weintrinker, Säufer* als Vorwurf
  Mt 1 : Mk 0 : Lk 1 (NT sonst nie; LXX nur Prov 23,20; BAUER WB 1112)
μεθύω 24,49(=Q statt lk *sich...*) *Betrunkene* stärker akt. *Saufbolde*
οἶνος 9,17a.b.c(=Mk); 27,34(=Mk) *Wein*
  Mt 4 : Mk 5 : Lk 6 + 0 : Joh 6
ἀσκός 9,17(=Mk) *Schläuche* zur Weinaufbewahrung
  Mt 4 : Mk 4 : Lk 4 + 0 (NT sonst nie)

μιγνύω 27,34(+Mk) pass. *vermischt*
   Mt 1 : Mk 0 : Lk 1 (NT noch Apk 8,7; 15,2; LXX 6mal) mit
χολή 27,34(+Mk nach LXX-Ps 68,22 - NT nur noch Apg 8,23; LXX 20mal) *Galle*
γεύομαι 27,34(+Mk) *kosten*; 16,28(=Mk) metaphor. *den Tod erleben*
   Mt 2 : Mk 1 : Lk 2 + 3 : Joh 2
ὄξος 27,48(=Mk) *sauren Wein, durch Wasser verdünnten Weinessig*
   Mt 1 : Mk 1 : Lk 1 + 0 : Joh 3 (NT sonst nie; LXX 4mal) mit
σπόγγος 27,48(=Mk) *Schwamm* (an Stange wie AntigCar 158; BAUER WB 1511f)
   Mt 1 : Mk 1 : Lk 0 : Joh 1 (NT und LXX sonst nie)
διυλίζω 23,24(+Q; 10. red. mt διά-Komp. als Intensivum; GUNDRY 643)
   Mt 1 (außer Am 6,6 *gefilterter Wein* nie in NT und LXX)
Das ironische Sprichwort mit der 3fachen κ-Alliteration (*den Wein wegen
einer Mücke durchfiltern*) dient hier zur Definition der *Blindheit* (vgl. *Wein
durchfiltern* auch PlutMor 692D; Diosc 2,86; 5,72; Artem 4,48; PapOxy 413,
154; BAUER WB 396). Auch das Obj.
κώνωψ 23,24(+Q - NT und LXX sonst nie) *Mücke* mit Antonym
κάμηλος 3,4(=Mk *Kamelhaar*) als das größte Tier 19,24(=Mk); 23,24(+Q)
   Mt 3 : Mk 2 : Lk 1 (NT sonst nie)
καταπίνω 23,24(+Q) *hinunterschlucken*
ἄμπελος 26,29(=Mk) *Weinstock*
   Mt 1 : Mk 1 : Lk 1 + 0 : Joh 3 - mit
γένημα 26,29(=Mk "hell. Neubildung von γίνομαι" EWNT 1,584) *Frucht*
   Mt 1 : Mk 1 : Lk 1 (NT nur noch metaphor. 2Kor 9,10) - synonym
σταφυλή 7,16(=Q) *Weintrauben* (im synthetischen Par. mit *Feigen*)
   Mt 1 = Lk 1 (NT nur noch Apk 14,18)
ἀμπελών
   Mt 10 : Mk 5 : Lk 7 + 0 : Joh 0
      =(Mk 5 - 1 + 5) + (Q 0 + 1)
In der Winzer-Allegorie aus Mk 12,1-9 hat Mt 21,33.39.40.41 die 5 vorgegebenen Stellen um eine reduziert, während sie Lk dort um eine weitere erweiterte. Genau aus diesem Komplex hat Mt 21,28 sie in die bei ihm vorangestellte Allegorie red. zum Zwecke bewußter Verbindung vorgezogen. Falls
es sich bei dieser Parabel vom Vater und den beiden ungleichen Kindern
um die Verwendung des Materials handelt, das bei Lk 15,11ff vorliegt (wofür
die Berührungen sprechen), dann ist hier Q-Erweiterung anzunehmen.
   Die übrigen Belege 20,1.2.4.7.8 finden sich bezeichnenderweise wiederum
in einer Parabel - und zwar in der unmittelbar voraufgehenden Allegorie
vom gleichen Lohn für alle. Auch sie dürfte von Mk 12,1ff inspiriert sein, da
Mt 20,8 das Syntagma "Besitzer der Weinplantage" direkt aus 21,40(=Mk
12,9) dupl. ist. Die Änderungen hängen klar damit zusammen, daß hier die
Adressaten eindeutig die Schüler allein und nicht Außenstehende sind.
   Die eingebürgerte Übersetzung "Weinberg" (BORSCH EWNT 1,172f) ist referentiell eine mißverständliche kulturelle Trans-Kodierung, da in diesen
Plantagen auch andere Obstbäume standen und außer Feigen und Oliven
auch Getreide angebaut wurde. Im Blick steht darum nie speziell die Wein-
ernte.
   Wesentlich ist für Mt, daß er in seiner auf die drei Allegorien beschränk-
ten Verwendung immer auf den *Besitzer* abhebt, so daß er damit das für ihn
kennzeichnende Element monarchischer Begründungserzählungen mit Tendenz
zum Reichtum ausbaut. In allen drei Allegorie-Parabeln ist die *Plantage*
zugleich eine Metapher der mt Ekklesiologie (altes ⊁Israel/neues Volk). Das
wird schon an der ersten Stelle 20,1 deutlich, sofern dort die Wendung
"Arbeiter in seine Ernte" aus Q-Mt 9,38 dupl. wiederaufgenommen und erinnert wird, wobei ⊁θερισμός *Erntefeld* synonym durch (*Wein-*)*Plantage* ersetzt
wurde. Auf jeden Fall ist *Weinplantage/Erntefeld* 21,33 für "Israel" zu
substituieren und nicht für "Gottesherrschaft" (KINGSBURY 1975:71 n.83 mit

TRILLING 1964:63 gg. STRECKER 1971:297). Dabei legt die Umstellung 21,39 nicht darauf Wert, daß Jesus außerhalb der Stadt Jerusalem umkam, sd. daß er aus Israel ausgestoßen wurde.

ληνός 21,33(+Mk) *Kelter* (NT nur noch Apk 4mal)

ἀρχαῖος ≯γραφή

'Αρχέλαος 2,22 (NT sonst nie; Herodessohn, Tetrarch von Judäa 4   v. – 6 n. Chr.; vgl. JosBell 2 und Ant 17; SCHNEIDER EWNT 1,386–8)

ἀρχή

Mt 4 : Mk 4 : Lk 3 + 4 : Joh 8
    =(Mk 4 – 1 + 1)

wird von Mt *nur zeitlich* in Worten Jesu verwendet mit ≯ἀπό 3mal vom *Beginn* der Menschheit 19,4(=Mk).8(+Mk dupl.); 24,21(=Mk) – sowie vom *Beginn* der eschatol. *Geburtsschmerzen* als dem damit korrespondierenden Ende dieser Epoche 24,8(=Mk

ὠδίν metaphor. wie seit Aeschyl; BAUER WB 1170
    Mt 1 : Mk 1 : Lk 0 + 1 – NT nur noch 1Thess 5,3).
Die vorgegebene, nicht temp. metakommunikative Stelle der Bucheröffnung Mk 1,1 wurde darum ausgelassen.

ἄρχομαι (GUNDRY 642)

Mt 13 : Mk 26 : Lk 31 + 10 : Joh 1
    =(Mk 26 – 19 + 2) + (Q 2 + 2)

Mt (wie Lk) verwendet es nie im Akt., weshalb er Mk 10,42 ausließ (was hier nicht mitgezählt wurde). Bis auf das temp. Vollverb mit ≯ἀπό in der dir. Rede 20,8(+Mk) hat er das Med. immer mit *Inf.Präs.* in Erzählpassagen (ALLEN XXIf; SCHMID 1930:40; STRECKER 1971:20; vgl. DSCHULNIGG 1984:182f):

Mt 12 : Mk 26 : Lk 26 + 6
    =(Mk 26 – 19 + 1) + (Q 2 + 2)

Mt übernimmt oder setzt es da, wo er wirklich den *Beginn* einer Handlung und deren Fortdauer bezeichnen oder besonders hervorheben will. Das markieren besonders die Buchgliederungsstellen mit dem Zusatz *von da an* 4,17 (erste Stelle von Mk 1,45 bewußt permutiert auf Jesus als Subj.!) wie 16,21 (=Mk); ebenso 11,7(=Q) die Täuferrede wie red. dupl. 11,20(+Q) die Verwerfungsrede; dasselbe gilt für Gethsemani 26,37(=Mk) und allegor. vom Weltgericht als Abrechnung 18,24(+Q).

Nachdem er mit 6 genau die Häfte der Stellen auf *Jesus* verteilt hatte, verwendet er die restl. für die *Schüler:* 12,1(=Mk als *Beginn* ihres vermeintlichen Sabbatbruches); 14,30(+Mk Petrus *beginnt* zu sinken); 16,22(=Mk Petrus *beginnt* ihn abzuhalten); 24,49(=Q allegor. der Mitsklave *beginnt* die Solidarität aufzuheben); 26,22(=Mk Schuldfrage der Schüler).74(=Mk der Höhepunkt der Verneinung des Petrus). So ist bei diesem Lexem nicht die Häufigkeit signifikant, wohl aber die Verteilung und Verbindung: Sie stehen betont an dem Ort, an dem sie stehen. Daneben ist eine alterierende Setzung beider Komplexe wohl ebenfalls beabsichtigt:

Jesus: 4,17; 11,7.20;   16,21;   18,24; 20,8;   26,37;
Schüler: 12,1; 14,30;   16,22;   24,49; 26,22;   26,74.

Genuin mt ist dabei auch die 3malige Verwendung im Pt. 14,30; 18,23; 20,8, die für seine Red. kennzeichnend ist. Die Auslassungen von Mk 4,1; 5,17.20; 6,2.7.34.55; 8,11; 10,28.32.41.47; 11,5; 12,1; 13,5; 14,65.69, 15,8.18 sind also gezielt eine Ablehnung des nur pleonastischen Gebrauchs.

ἄρχων

Mt 5 : Mk 1 : Lk 8 + 11 : Joh 7
    =(Mk 1 + 3) + (Q 1)

20,25(+Mk *Herrscher der nichtjüdischen Völker*) ist vom akt. Vb. des Mk her gebildet; Q-Mt 9,34 wie 12,24(=Mk) ist der "*Herrscher der Dämonen*" der gegen Jesus gerichtete Vorwurf, der im Anschluß mit Herr eines Königtums, einer Stadt oder eines Hauses verglichen werden kann. 9,18.23(+Mk) ist die Bezeichnung gegenüber dem mk "Synagogenvorsteher" abgeändert, wohl weil Mt ihn von dieser Institution (>ihre Synagogen) distanzieren wollte, denn er redet Jesus schon mit >Herr an. Darum dürfte er an einen Hausherrn denken und den Blick auf die Familienrelation (Tochter) verstärken.

ἀρχιερεύς (GUNDRY 642)

    Mt 25 : Mk 22 : Lk 15 + 22 : Joh 21

      =(Mk 22 - 1 + 2) + (Q 0) + (A-Mt 2)

Mt ist in seiner Verwendung ganz von Mk abhängig; beim Sing.

    Mt 7 = (Mk 8 -1) : Lk 3 + 12 : Joh 11,

der sich schon bei Mk 14,47-66 auf den Jerusalemer Priesterfürsten in einem engen Abschnitt konzentrierte, hat Mt insofern weiter verstärkt, als er die letzte Stelle Mk 14,66 wegließ und ebenso dessen erste Mk 2,26, wo es in einem etwas ungereimten Argument mit einem Namen widersprüchlich zusammenstand. Da Mt 26,3(+Mk) auch an seiner ersten Stelle (und V.57 [=Mk] wiederholt) einen Namen zusetzte, so dürfte die erste Mk-Stelle in die erste Mt-Stelle permutiert sein. Der Name ist hier korrekt (JosAnt 18,35.95; vgl. SCHENK EWNT 2,561f):

Καιάφας (amtierte 18-37 n.Chr.)

    Mt 2 : Mk 0 : Lk 1 + 1 : Joh 5.

So ist bei Mt mit der Funktionsbezeichnung immer die namentlich eingeführte Person renominalisiert: 26,3.51.58.62.63.65(=Mk). Mt entläßt ihn betont handelnd aus der Szene und läßt deshalb die nur passive, letzte Nenung des Mk weg. Besonderheiten zeigen sich auch in der mt Verwendung des Plur.:

    Mt 18 : Mk 14 : Lk 12 + 10 : Joh 10

      (=Mk 14 + 2) + (Q 0) + (A-Mt 2).

Hierbei geht es immer kollektiv um das leitende Tempelpersonal in Jerusalem (das man gg. KELLERMANN EWNT 1,295 nicht anachronistisch als "geistlich" klassifizieren sollte). Wesentlich ist für Mt die Koppelung mit anderen Größen des Jerusalemer Gerichtssenats (STRECKER 1971:115f); sie als primär "religiöse" Entität aufzufassen, ginge fehl, da sie stärker in juridischer Funktion erscheinen. Vom Sing. des Priesterfürsten sind sie als Oberpriester abzuheben (entgegen den üblichen konkordanten Übertragungen). Deutlich ist ebenso, daß an den Stellen, an denen sie allein stehen, immer eine anaphor. Ellipse vorliegt, ihre Nennung also pars pro toto metonymisch für das ganze Synhedrium erfolgt (es also nicht "bedeutet", sd. "bezeichnet"): Das ergibt sich eindeutig bei der dritten Verwerfungs/Rehabilitierung-Vorhersage 20,18 (=Mk Doppelgruppe) im Vergleich mit der ersten 16,20(=Mk Trias) als der vorhergehenden Stelle; dasselbe gilt dann erst recht für 26,14(=Mk) nach V.3(=Mk) und 27,6 (wo Mk 15,10 permutiert ist) nach V.3 (wo Mk 14,53 permutiert ist).

    Red. Doppelungen liegen an den beiden A-Mt-Stellen vor, mit denen er rahmend einsetzt und schließt: 2,4 zusammen genannt mit den nichtpriesterlichen Juristen (womit er dann nach der wiederholenden Vorhersage 20,18 [=Mk] in Jerusalem 21,14[=Mk 11,18 permutiert] wieder einsetzt) bzw. 28,11 mit deren ranghöchsten Repräsentanten zusammen als letzter dieser 8maligen, spezifisch mt Doppelung (die 21,33[=Mk] einsetzte und 26,3.47[=Mk]; 27,1[=Mk]; 27,1[=Mk].3[=Mk permutiert].12.20[=Mk] wiederholt wurde). Der Plur. soll auch in der Doppelung das ganze Jerusalemer Synhedrium beschreiben, weshalb sogar 26,59(=Mk) etwa in der Mitte aller Stellen diese Doppelung steht. Rahmend dazu steht am Anfang der ersten Vorhersage 16,21(=Mk) die Trias, die 27,42(=Mk) als solche bewußt am Ende der Verwerfung nochmals wiederholt erscheint: Diese Plazierung dürfte der Grund für die sonst (bei der Fülle der Verkürzungen) befremdlich erscheinenden Erweiterung sein. In wechselnder Ausdruckgestalt dürfte somit immer das ganze Synhedrium unter den verschiedenen Ausdrücken gemeint sein.

Das gilt auch für die letzte mt Doppelung, die außerdem mit den beiden einzigen Mk-Zusätzen zusammenfällt: *Oberpriester und Pharisäer* in 21,45 (+Mk) und 27,62(+Mk). Daß es sich um eine substitutive Renominalisierung mit synonymer Semantik handelt, ergibt sich nicht nur aus dem mt Konstrukt der anderen Doppelgruppen *Pharisäer und Juristen* bzw. *Pharisäer und Sadduzäer*, sd. auch klar aus der Sequenz der ersten drei Jerusalem-Stellen, die zu den *Oberpriestern* steigernd ein Supplement zufügt: 21,15(+ Juristen).23(+ Volksgerichtshofjuristen).45(+ Pharisäer); analog ist der Anschluß von 27,62 an die wiederholte Trias von 27,41 zu sehen. Beide Stellen deuteten darauf hin, daß Mt unter *Pharisäern* die *Summe* von *Rechtskundigen + ihre höchsten Repräsentanten* begreift. Dieser mt Konstruktivismus ist nicht nur mit einer annähernden Parallele wie JosVit 5,21 ("die Oberpriester und die Ersten der Pharisäer") zu erklären (gg. HUMMEL 1966: 15-7 schon gar nicht als mit einer jüd. Gegenwart des Mt übereinstimmend), sd. dient dem doppelten Ziel des Mt, sie einmal direkt in die Verwerfung Jesu einzuführen, wo sie bei Mk ja noch fehlten und sie andererseits seinen Lesern als eine "Instanz" einzubilden (was Joh dann noch verstärkte). Die "Einheit des Bösen" ist so allgegenwärtig (WALKER 1967:29-33). Das Simpl.

ἱερεύς

Mt 3 : Mk 2 : Lk 5 + 3 : Joh 1
　　=(Mk 2 + 1)

erscheint 8,4(=Mk) hier als bewußte *Wiederaufnahme des Komp.* von 2,4: Der erste nach der Grundsatzrede in die Nachfolge Genommene und zum Zeugen Gemachte wird zum ＞Belastungszeugen gegen sie in Gang gesetzt, weil er von seinem Haut-Ekzem (auf der Basis seiner Bereicherungsskrupel) vom heilenden König Israels befreit worden ist. Damit sind die *Priester-Juristen* vom Autor dem Leser als Feinde erinnert. Dasselbe ist 12,4(=Mk) bei der typolog. Überordnung ＞Davids über die *Priester* in der Sabbat-Kontroverse beabsichtigt, an die V.5(=Mk) noch als Ergänzung aus dem Mosegesetz zu dem Argument aus den Propheten das Argument hinzugefügt ist, daß sie selbst es ja sind, die das Sabbatgebot übertreten, um darzutun, daß erst recht der Messiaskönig als Herr des Tempels das tun kann (V.6).

Die Auslassung eines "Levi" aus Mk 2,14 (Mt nie, während Lk steigert) dürfte nicht nur durch die Ersetzung durch einen aus der Zwölferliste positiv motiviert sein, sd. mt zugleich auch noch den antipriesterlichen Affekt haben, die Gegnerfront deutlicher abzugrenzen.

Die Verteilung der Ausdrücke in der Sequenz des Buches läßt die sieben Varianten der Benennungen wie folgt angeordnet sein:

I (+"ganz")	II (Trias)	III (+Pharis.)	IV (+Jurist.) 2,4(+V.!)	V (+Ält.)	VI (allein)	VII (Simpl.)
						8,4
						12,4f
	16,21					
			20,18			
			21,15			
				21,23(+V.)		
		21,45				
				26,3(+V.)		
					26,14	
				26,47(+V.)		
26,59						
				27,1(+V.)		
				27,3		
						27,6
				27,12		
				27,20		
	27,41					
		27,62				
				28,11-12		

Basis für die zugeordneten personalen Subst. ist immer
ἱερόν (GUNDRY 644)
   Mt 11 : Mk 9 : Lk 14 + 25 : Joh 10
    =(Mk 9 - 1 + 2) + (Q 1)
Das immer im Sing. verwendete Subst. ist wie bei Q und Mk immer auf den
Jerusalemer Tempel bezogen (BORSE EWNT 2,430) und bezeichnet den gesamten *Tempelbereich* als den Gott geweihten Bezirk; wenn spezielle Bauteile
gemeint sind es bezeichnenderweise als Gen.Attr. wie 4,5(=Q zu
πτερύγιον – NT sonst nie; LXX 16mal; Deminutiv *Flügelchen* = *Spitze*)
und 24,1(=Mk 13,3 permutiert zu
οἰκοδομή – NT nur noch pl 15mal; LXX 17mal - *Bauwerke, Gebäude*).
   Konzentriert sind 5 Stellen auf Jesu Betreten, wo es bei Mk überhaupt
erst einsetzt; dabei rahmen die beiden Stellen mit εἰς + Akk. 21,12a(=Mk)
und 21,23(=Mk - wobei gerade der Wechsel der Präp. als red. ausfällt) die
drei Stellen mit ἐν + Dat. 21,12b(=Mk).14(=Mk 11,15a permutiert).15(=Mk 11,6
permutiert). Es dürfte schwerlich zufällig sein, daß diese Ringkomposition
damit fortgesetzt wird, daß dem Zentralkomplex je 3 Stellen voranstehen
und nachfolgen. Auch hier scheint die *Verteilung* bewußt arrangiert und
damit auf die drei zentralen Tempelhandlungen als einem Höhepunkt hin
orientiert zu sein:
A (Rahmen)   B (Eintritt)   C (Zentrum)
4,5; 12,5.6
                21,12a
                               21,12b.14.15
                21,23
24,1a.b; 26,55.
   Dabei blickt die letzte Stelle 26,55(=Mk) in Jesusworten auf das Zentrum
zurück. Auch im Vorblick bilden 12,5f(+Mk) zwei Vorkommen in Jesusworten.
Der Hinweis auf den Tempelbereich als den Ort des nicht gesetzesübertre-
tenden Sabbatdienstes ermöglicht nicht nur die red. Bestimmung des Messias
als des Herrn des Tempels, sd. ist damit auch eine wesentliche mt Vorbereitung auf das Zentrum, das hier nun nicht als ein so überraschendes Rhema
mehr erscheint wie bei Mk, sd. als eine ganz selbstverständliche Herr-
schaftsausübung verstanden werden soll. Daß Mt dabei regional die ganze

Anlage (des ja schon eine Generation zerstörten Tempels) der Vorstellungs-
kraft einbildet, wird auch 24,1a(=Mk) durch den Wechsel der Präp. ≻ἀπό
gegenüber der Vorlage (ἐκ) artikuliert. Die Symmetrie-Komposition dürfte
auch die sonst überraschende Auslassung von Mk 12,35 bei Mt 22,26 erklären: Sie hätte die literar. Balance zerstört.

αὐλή (τοῦ ἀρχιερέως)
    Mt 3 = Mk 3 : Lk 2 + 0 : Joh 3 (NT nur noch Apk 11,2)
dürfte in Mt 26 als mt Synonym dafür – und also für den ganzen Tempelbereich – stehen und ebenfalls der literar. Symmetrie wegen in dieser Formulierung erscheinen, denn es ist 26,58(=Mk) in der Bedeutung *die Anlage des
Priesterfürsten* als Syntagma übernommen und V.59(=Mk) als Kurzfassung ellipt. renominalisiert. Der Zusammenhang beider Stellen macht klar, daß der
mt Kode nicht *Palast*, sondern *Hof, Bezirk* im Sinne von *Anlage* bezeichnet.
Nun hatte schon Mt 26,3 eben dieses Syntagma eingeführt, indem er es von
Mk 15,16 vorzog, wo es zweifellos den *Palast* des Pilatus bezeichnete. Mit
der Permutation hat zugleich eine Umkodierung stattgefunden, die auch an
der ersten Stelle *den Bezirk, die Anlage* des Priesterfürsten als Synonym
für den *Tempelbereich* verwendete. Damit wird das Schwanken der Kommentare überflüssig, ob man nur an der ersten oder an den ersten beiden Stellen einen *Palast* des Priesterfürsten bezeichnet sehen sollte. Aus der Anwendung einer konsequenten Textsemantik ergibt sich, das weder das eine
noch das anderer der Fall ist. Mit der mt Streichung eines *Palasts* des Pilatus entfiel für ihn auch ein besonderer *Palast* des Priesterfürsten. Das
wird auch noch dadurch bestätigt, daß Mt konsequent im Verfolgen seiner
mimetischen Topologie dann das Komp. *Vor-Hof* (bibl. Hap.leg.) aus Mk 14,66
ausgelassen und dafür konsequent Mt 26,71 mit seinem Vorzugsstamm

πυλών Mt 1 : Mk 0 : Lk 1 + 5 (NT nur noch Apk 11mal) *Torgebäude* (als für
    vornehme Häuser und Tempel üblich) der gesamten Tempelanlage einsetze.
Analog dazu ist das von Mt ebenfalls nur im Sing. verwendete

ναός (GUNDRY 646)
    Mt 9 : Mk 3 : Lk 4 + 2 : Joh 3
        =(Mk 3 + 1) + (Q 0 + 1) + (A–Mt 4)
immer das *zentrale Tempelgebäude*, das bei Mt immer nur (im Gefolge von
Mk) auf den Jerusalemer Tempel bezogen ist. Es findet sich bei Mk erst im
Anschluß an die Verwendung des Supernyms für die gesamte Tempelanlage:
26,61(=Mk) hat bei der Übernahme dieser ersten übernommenen Stelle darum
betont den tautologischen Zusatz *Gottes* (der 21,12 gg. H–G bei ἰερόν nicht
urspr. sein dürfte); 27,5(+Mk) renominalisiert Mt es *entgegen* der verwendeten Formulierung von LXX-Sach 11,13; die Tatsache, daß Judas ihn als
Nichtpriester nicht betreten durfte, weiß oder schert Mt nicht – jedenfalls
ist die zeitliche, räumliche und soziale Distanz offenbar groß genug, um
keinen Lesereinwand zu erwarten. 27,40(=Mk) ist der Spott wie 27,51(=Mk)
das Zerreißen des *Vorhangs* wiederholt (καταπέτασμα wie von Lk nur hier in
den Evv. von Mk übernommen). Vorangestellt ist in der dritten und endgültigen Israel-Verdammung 23,16a.b.17.21 der Bezug zum Schwören mit der
Höhepunktsaussage, daß Gott in ihm wohne. Darum ist die nach dieser Vorbereitung 5. Stelle als die numerische Zentralstelle 23,35(+Q) vom letzten
Prophetenmord an eben diesem Platz besonders stark betont und hat die
vier voranstehenden wohl erst inspiriert, da dort auch *Altar* erscheint. Der
Wohnbezug Gottes ist von dem voranstehenden Synonym *Haus Gottes* gewonnen, das Mt 12,4(=Mk) und 21,13(=Mk) übernahm.

θυσιαστήριον (HAWKINS 1909:5; GUNDRY 644)
    Mt 6 : Mk 0 : Lk 2 + 0 : Joh 0
        =(Mk 0 + 2) + (Q 1 + 3)
Mit dieser 23,35(=Q) übernommenen LXX-Bildung, die den Ort der Brand-
opferdarbringung bezeichnet, ist bei Mt immer der betreffende *Brand-*

opferaltar im ehemaligen Jerusalemer Tempel bezeichnet (in LXX dgg. auch Altäre fremder Götter; KLAUCK 1980:274f gg. BEHM ThWNT 3,182, dem ROLOFF EWNT 2,405 ungeprüft folgt). Erst von dieser Stelle her dürfte dupl. 23,18. 19.20 die vorangestellte red. Verwendung für die angebliche Schwurpraxis der Gegner konstruiert sein, die nur dazu dient, deren innere Widersprüchlichkeit zu diskriminieren (da dort auch *Tempel* ebenso dupl. ist). Die Sprache des Segments ist so mt, daß sich keine kohärente Vorlage eruieren läßt. Ebenso ist 5,23.24(+Mk) deutlich eine künstliche mt Bildung, weil dort Mk 11,25 zugrunde liegt und die red. Phantasie das wiederum mit dem Stichwort von Q-Mt 23,25 her ausgestaltet hat. Auch hier ist die Sprache so dicht mt, daß sich keine kohärente Vorlage eruieren läßt. Es ist ein unbegründbares, aber deutlich historistisches Wunschdenken, zu behaupten: "Die dem mt Sondergut entstammenden Stellen Mt 5,23f; 23,18f.20 lassen erkennen, daß der Tempelkult trotz der Kultkritik Jesu(?) für das Judenchristentum vor 70 eine bestimmende Realität gewesen ist" (so ROLOFF EWNT 2,406). Vielmehr hat Mt - wie sonst auch - den Versuch unternommen, Weisungen historistisch und novellistisch darzustellen. Es ist also wesentlich ein Produkt seiner mimetischen Einbildungskraft, da er ja seine ganze Ethik positivistisch auf den historischen Jesus zurückführen wollte und dann auch mußte. In der Sache geht es hier nur um eine Bebilderung des Vorrangs der Bruderliebe. Insofern liegt hier auch nicht eine Veranschaulichung für Hos 6,6 in seiner Anwendung Mt 9,13; 12,7(+Mk) vor, denn es geht tatsächlich nur um die ≻*Brüder*, während die Gegner ja mit Bedacht ≻*Toren* gescholten werden. So wenig der mt Text als solcher für ein älteres Judenchristentum herangezogen werden kann, so wenig kann er auch dazu dienen, Mt selbst judenchristlich zu verankern, da Mt ja im Rückblick redet und darum seine ethischen Paradigmen historistisch mit seinem Jesus als dem exklusiven Messiaskönig Israels und damit auch Herrn des Tempels und damit eben auch mit dem Tempel verbinden mußte.

θυσία
    Mt 2 : Mk 1 : Lk 2 + 2 : Joh 0
        =(Mk 1 – 1 + 2)
Mk 9,49 wurde von Mt ausgelassen. Die beiden Mt-Zusätze 9,13 = 12,7 verwenden das Zitat Hos 6,6. Wenn es im semit. Sprachbereich dabei nicht antithetisch, sd. graduell verwendet war ("nicht Kritik oder gar Ablehnung des Opferkults, sd. die Einschärfung des unbedingten Vorrangs der Barmherzigkeit" THYEN EWNT 2,401f), so ist dieser Kode nicht unbedingt auch auf die mt Rezeption übertragbar, zumal beide Äußerungen sich - nach dem Sündermahl wie nach der Sabbaternährung - direkt an Feinde in einem Kontext richten, der die totale Abweisung des Messiaskönigs durch sein Volk belegen soll. Im Wiederholungsfalle ließe sich bei isolierender Betrachtung vielleicht noch sagen, daß Mt die "konkrete Unbarmherzigkeit derer" tadele, "die unter dem Vorwand des Sabbatgebots ihre Augen vor dem Hunger der Armen verschließen" (ebd.); doch die erste Verwendung zeigt, daß Mt darüber hinausgeht, und das hat auch Konsequenzen für das Verständnis des Wiederholungsfalls. Natürlich geht es Mt mit dem Spruch um die Konzentration auf das Liebesgebot, und das Gegenüber ist in der Tat "nicht abstrakte Kritik sog. *pharisäischer Kasuistik*" (ebd.). Doch wenn auch diese Antithese so nicht besteht, so kann am Vorliegen einer Gegner-Antithese schwerlich vorbeigesehen werden. Die Antithese hat den gleichen Dualismus wie 7,12f der von den beiden Wegen/Pforten. Darum steht in der Negation das Subst. als Metonym für "Befolgung jüd.-pharisäischer Vorschriften" überhaupt. (Vielleicht ist vom mt Vb.-Gebrauch her für seine nichtjüd. Leser sogar eher noch *Schlachtung* als Metonym für *Verfolgung* konnotiert). Die Antithese ist nach dem Kontext klar dualistisch festgelegt. Im eth. Positivismus des mt Jesus (*ich sage euch*) geht es auch in den antithetischen

Formulierungen vor allem darum darzutun, daß Anordnungen der "Front des Bösen" einfach von vornherein schädlich und zum Untergang führend sind; pharisäisch-rabbinische Halacha ist für Mt 7,15-20 von vornherein "Falschprophetie" als irreführende Unsterblichkeitsbedingung. Daß es bei Mt auch nicht um eine sogen. Reduktion auf ein Ritual- oder Zeremonialgesetz geht, ist ebenfalls deutlich, da eine solche Unterscheidung erst eine Generation nach ihm bei Justin (vorbereitet durch Lk) tatsächlich auftaucht.

θύω

Mt 1 : Mk 1 : Lk 4 + 4 : Joh 1 (NT nur noch 1Kor 5,7; 10,20)
Q-Mt 22,4(=Lk 15,27 permutiert) vom *Schlachten* des Gemästeten für die königliche Hochzeit, während es für das Passa Mk 14,12 entfiel. Ein Tempelbezug liegt also nicht vor.

Der Anklang an den Tempel ist aber präsent in der Stadtbezeichnung:

'Ιεροσόλυμα (GUNDRY 644)

Mt 11 : Mk 10 : Lk 4 + 23 : Joh 12
=(Mk 10) + (Q 0) + (A-Mt 1)
Mt bildete einen geschlossenen Block der Verwendung, indem er es schon in die erste Verwerfungs-Rehabilitierungsvorhersage 16,21(=Mk 11,15 permutiert) einsetzte, dann 20,17f(=Mk); 21,1(=Mk) fortfuhr und mit der 5. Stelle 21,10(=Mk) abschloß, während die dann noch bei Mk nachfolgenden 3 Stellen fehlen; eine davon erwies sich schon vom Ende an den Anfang dieses Fünferkomplexes permutiert: An allen Stellen steht die gleiche *Präp.* εἰς.

Die beiden restl. Mk-Stellen wurden noch weiter nach vorn umgesetzt: 2,1 dürfte mit wiederum der gleichen Präp. Mk 15,41 permutiert sein, da sich dort nicht nur weitere Anklänge an Mk 15, sd. darüber hinaus noch weitere Permutationen von mk Elementen befinden, so daß auch 2,3 als Versetzung von Mk 11,27 angesehen werden darf. Auffallend an dieser Stelle ist das (mt vorangestellte) Adj. im Sing.Fem., wie sich eine sing. Auffassung auch an der nächsten Stelle (Vb.-Suffix) zeigt: Jerusalem *zieht* 3,5 zum Täufer hinaus (hier statt des einmaligen, pers. Plur. *Jerusalemer* Mk 1,5, den nur Joh 7,25 permutiert). Dgg. ist das Neutr.Plur. deutlich beim Gen. in Mt 4,24(=Mk 3,8 permutiert), wo die Jesus Zuströmenden denen des Täufers korrespondieren und sie zugleich überbieten, und ebenso beim Ursprungsort der Feinde 15,1(=Mk – während die bei Mk 3,22 voranstehende, kongruente Feindstelle ausgelassen wurde).

Einzige wirkliche Zusatzstelle ist Mt 5,35 im Schwurverbot, wo sich geradezu eine Definition findet: *Stadt des größten Gottes*. Der Anklang an den *Temep!bezirk* ist in dieser hell. Übersetzung durch den Kurzlaut der dritten Silbe wie durch den aspirierten Anlaut ganz klar gegeben (BACHMANN 1980: 17f); Mk wie Joh haben nur diese Form *Tempelstadt*. Dgg. ist Mt von Q her auch die ältere indeklinable Namensform vorgegeben, die ein korrekte Wiedergabe des Semit. darstellt (ebd.14f):

'Ιερουσαλήμ (GUNDRY 644)

Mt 2 : Mk 0 : Lk 27 + 36 : Joh 0
Die Doppelanrede 23,37(=Q) erscheint erst im Anschluß an alle anderen Stellen (und erklärt so die Auslassung von Mk 15,41) als bewußter Höhepunkt, wie es ja als Gerichtsorakel des Untergangs das Schlußwort über die Gegner überhaupt ist (mit steigernd fiktionaler Direktanrede an sie als rhetor. Zweitauditorium). Die Auffassung als Fem.Sing. zeigt sich hier deutlich in der Apposition. Von daher dürfte auch der Sing. in die beiden anderen Stellen 2,3; 3,5 übergewandert sein (ebd.20f). Da es sich hier um eine direkte Anrede auf dem Boden Jerusalems handelt, erklärt sich die Anwendung der korrekten semit. Namensform überzeugend. Wie immer der Referenzbezug in Q (enger oder weiter) gewesen sein mag – bei Mt ist Jerusalem direkt gemeint, und es liegt keine Metonymie vor. Im semant. Gehalt ist durch die Setzung als Abschluß und im Anschluß an die semant. gefülltere

hell. Form der Tempelbezug ebenso als präsent anzusehen, da er hier also kontext-semant. gegeben ist.

Eine Analogie zur hell. Namensform liegt auch darin, daß die "Stadt" 4,5; 5,25; 27,53 ausdrücklich als "Gott gehörig" ausgezeichnet ist, weshalb die bisher erkannte Verteilung und ihre Tendenz erklären, warum 27,53 diese Bezeichnung und nicht eine der beiden Namensformen wählte. In dem insgesamt 9mal für sie verwendeten Lexem ist sie als Renominalisierung auch 21,10.17.18; 22,7; 26,18; 28,11 referenz-semant. als Jerusalem zu erkennen.

γραμματεύς

Mt 22 : Mk 21 : Lk 14 + 4 : Joh 0 (NT nur noch 1Kor 1,20)
    =(Mk 21 – 10) + (Q 0 + 9) + (A-Mt 2)

Nicht übernommen wurden die erzählenden Verwendungen (Mk 2,16; 7,5; 9,14; 11,23; 12,28.32; 14,1.43; 15,1; gg. HUMMEL 1966:17 ist Mt 21,45f hier nicht einzubeziehen, da erst Lk hier eine red. Renominalisierung zufügt), während es in den wörtl. Reden der Schüler 17,10(=Mk 9,11 einmalig) und Jesu in den Verwerfungs-Vorhersagen 16,21(=Mk) und 20,18(=Mk) sowie der Warnung 23,2 (=Mk 12,38 permutiert) nur 22,42 bei der Frage Jesu Mk 12,35 nicht übernommen wurde. Während es in der Rede des mk Jesus nur 4mal verwendet war (ca. 20% seiner Stellen), steht es bei Mt 12mal in Worten Jesu (also über 50%): 5,20(+Q); A-Mt 13,52; 23,13(+Q lk νομικοῖς).15(+Q).23(+Q Zusatz zu Pharisäer).25(+Q).27(+Q Zusatz zu Pharisäer).29(+Q).34(+Q), wovon also 8 Stellen auf die Verwerfungsrede über die Führer Israels entfallen. Gegenüber 16 erzählenden Verwendungen bei Mk hat es Mt in dieser Funktion nur 9mal: 2,4 (Doppelgruppe); 7,29(=Mk); 8,19(+Q Einzelner); 9,3(=Mk); 12,38(=Mk 3,22 zur Doppelgruppe permutiert); 15,1(=Mk Doppelgruppe); 21,15(=Mk 11,18 permutiert); 26,57(=Mk); 27,41(=Mk). Q hat offenbar in keinem Falle eine Vorlage geboten. Die entsprechende Q-Bezeichnung dürfte das subst.Adj. *Jurist, Notar* (HÜBNER EWNT 2,1157)

νομικός

Mt 1 : Mk 0 : Lk 6 + 0 (NT nur noch Tit 3,9.13)

gewesen sein, da Mt 22,35 es statt der mk Bezeichnung Mk 12,28 gerade an der letzten Stelle einsetzte, bevor er anschließend den Q-Komplex der Verwerfungsaussagen Lk 11,45-52 dann in Kap.23 einbrachte, wo er von der Eröffnung her die mk Bezeichnung wegen seiner Doppelgruppenstilisierung beibehielt. Die textkritische Frage wird von N-A (GNTCom 59 nur"C"-Wert) durch die Einklammerung überbewertet, da kein Grund besteht, es sek. aus Lk in die Fülle der HS eingedrungen anzusehen; die gelegentliche Auslassung ist verständlich, da es sich um eine nachgestellte Apposition handelt. Da die Gegner Mt 22,26 nur ihre Schüler fungieren ließen, muß nun steigernd einer in Lehrposition erscheinen. Die Änderung wurde natürlich im Hinblick auf die doppelte Nennung von νόμος in diesem Abschnitt hin (V.36. 40) unternommen. Sie wird noch verständlicher, wenn Permutation von Q her angenommen werden kann. Damit ist der Sachbezug zum Mosegesetz stark betont. Außerdem ist er von V.34 her selbstverständlich dem Supernym *Pharrisäer* zugeordnet, was dem mt Doppelausdruck entspricht:

οἱ γραμματεῖς καὶ φαρισαῖοι (HUMMEL 1966:15; WALKER 1967:17-29)

Mt 9 : Mk 0 : Lk 0 (GUNDRY 642)

Bei ihm ist neben dem gemeinsamen Art. (beim 2.Nomen nicht wiederholt und so eine Einheit markierend!) die auffallende Reihenfolge kennzeichnend: 5,20(+Q in dir. Rede); 12,38(+Q durch Permutation des ersten und Dupl. des zweiten Elements an der einzig erzählenden Stelle gebildet); 23,2(durch Permutation von Mk 12,38 und Q-Lk 11,43 gebildet, hier einmalig mit doppeltem Art. zur Verstärkung im Sinne einer epexegetischen Identifizierung, während in den anschließenden 6 Weherufen der Art. überhaupt fehlt, da Anreden vorliegen:) 23,13(statt Q νομικοί).15(+Q beide).23(+Q Pharisäer).25 (+Q Pharisäer).27.29(+Q beide). Die Reihenfolge dürfte sich von der ersten

red. Stelle 5,20 her so erklären, daß das 1. Element schon 2,4 red. eingeführt wurde während das 2. erst 3,7 red. als Gegenüber zum Täufer eingebracht war und nun beide erinnert werden. Mk 7,5 hatte die umgekehrte
Reihenfolge vorgegeben, wobei aber beidemale der Art. steht (was im
Griech. angemessener ist, wenn es sich um verschiedene Personen handelt
B-D-R 276,2) und somit kein Doppelausdruck vorliegt, was dort auch verständlich ist, da damit nur verkürzt die beiden Gruppen von Mk 7,1 "Pharisäer und einige der Juristen, die von Jerusalem gekommen waren," renominalisiert ist. Mt 15,1 hat beide Stellen artikellos zusammengezogen und die
mk Reihenfolge einmalig beibehalten, so daß sie bei ihm die gleiche Funktion
des sonstigen Doppelausdrucks hat. Mt 9,11 hat die Vorgabe von Mk 2,16
"die Juristen der Pharisäer" zu bloßem "die Pharisäer" verkürzt, womit als
Abkürzung dennoch die 5,20 eingeführte Doppelgruppe bezeichnet ist (vgl.
ebenso 15,12 nach 15,1; 23,26 nach 23,25 bzw. kataphorisch in der Einheit
der Szene 12,2.14.24 auf den Doppelausdruck 12,38 hin wie umgekehrt *Juristen* allein 7,29; 8,19; 9,3 anaphor. nach dem Einheitsbegriff von 5,20 stehen
kann). Es ist ein methodologischer Fehlschluß zu behaupten, daß der mt
Doppelausdruck "zeige, daß diese Zusammenstellung bereits zur *festen Formel erstarrt*" sei (HUMMEL 1966:14); denn da sie synchron zunächst nur bei
Mt so synchron vorkommt, liegt erst einmal eine vom Autor gebildete "geprägte Wendung" vor, ohne daß daraus schon die diachrone Behauptung
"zur festen Formel erstarrt" abgeleitet werden dürfte (RICHTER 1971:98-102.
114f; SCHENK 1973:892).

Man geht kontextsemantisch fehl, wenn man rein bei den isolierten Elementen als solchen ansetzt und postuliert, daß γ. für Mt ein "neutraler Begriff" sei, da er auch den "christlichen Schriftgelehrten" kenne (HUMMEL
1966:17f,27; BAUMBACH EWNT 1,624). Schon 13,52 ist damit falsch qualifiziert,
da klar von jedem (ehemaligen) Juristen die Rede ist, "der ein Jünger der
Himmelherrschaft wurde" und als solcher ebensowenig das blieb, was er
war, wie die bekehrten Huren oder Zöllner (WALKER 1967:27-9; das bestätigt
ebenso die angeschlossene Näherbestimmung: Der "Hausherr" tut gerade
"das Gegenteil des ewig Hortenden und Sammelnden, der in seiner Schatztruhe (oder Vorratkammer) tunlichst Neues auf Altes häuft. Der Hausherr im
Gleichnis ist unbesorgt, *er entledigt sich aller Vorbehalte*; er holt Neues
und, erstaunlich zu hören, Altes aus seinem Schatz hervor. Seltsam freier,
bedenkenloser Mann! – So auch jeder Schriftgelehrte, der ein Jünger der
Himmelsherrschaft wird. er verbindet nicht in *schriftgelehrter Weise* Altes
und Neues, fördert schon das Neue und bewahrt dabei doch das Alte. Ihn
charakterisiert vielmehr die kühne *Reservelosigkeit* des Hausherrn im
Gleichnis" (ebd.28 gg. einen Sachbezug auf die Gleichnissammlung als Modell
selbst bei TRILLING 1964:146 und erst recht gg. die Ausleger, die so tun,
als stünde hier *Altes* voran und würde nicht die Doppelheit anschließend
sofort durch *das alles* aufgenommen wie SCHLATTER 450f; SCHNIEWIND 174;
JEREMIAS 1965:214). Schon gar nicht hat Mt sich selbst hier als einen
christl. Schriftgelehrten ins Bild setzen wollen (ebd.29; gg. BAUMBACH EWNT
1,627 ist das ein Mißverständnis von STENDAHL 1968, gg. das er sich selbst
abgrenzte, da er gg. ein Mißverständnis des Titels mehr "für eine Schule"
meinte; S.30f wendet es sich auch gg. die Auswertung der Stelle für den
Autor selbst als "konvertierten jüd. Rabbi" bei DOBSCHÜTZ 1928; KILPATRICK
1946:136f). Im Gefolge des richtigen Verständnisses dieser Stelle kann dann
auch nur die weitere in 23,34(+Q) als von Jesus gesandten, aber von dem
(inzwischen untergegangenen) Israel verfolgten Schriftgelehrten (ebd. 25f)
nur einen Bekehrten meinen. Schon gar nicht ist 8,19(+Q) ein Beleg für ein
solches Konzept, da der red. so Gekennzeichnete in explizite Antithese zum
Schüler gesetzt wird, mit Feindanrede auftritt und "eine abweisende Antwort erhält" (ebd.26f gg. HUMMEL 1966:27). 23,8 will nicht etwa "der Auto-

rität christl. Schriftgelehrter ein Grenze" setzen (so HUMMEL 1966:28), sd. besagt mit der holistischen Antithese *ihr alle aber*: Die christl. Gemeinde "hat kein Rabbinat, sd. in Jesus ihren einzigen Lehrer, der ihr Gottes Willen sagt" (SCHLATTER 670). Die Antithese denen V.7 gegenüber, die sich *Rabbi* nennen lassen, ist total und so kontradiktorisch, daß sie rein hypothetisch ist: "Es ist beachtlich, daß nicht nur die Titel angegriffen, sd. auch die Funktionen der Titelträger geleugnet werden. So heißt es im ganzen gleich dreimal: ein Meister, ein Vater, ein Lehrer!... Die Jünger (von damals) sind streng dazu aufgefordert, anders als Israel zu sein, *nichtschriftgelehrt* und entsprechend *titellos*... Die Jünger (von damals) sind in totalen Gegensatz zu Israel und seiner Lehrerschaft gerufen... Für die Jüngerschaft schlechthin (nicht für einzelne daraus) ist menschliche, schriftgelehrte Größe von der Art des Textes und Kontextes, die jenseits der Alleingeltung Jesu steht (23,8.10.11: Der Größte unter euch soll euer Diener sein) gleichbedeutend mit einem Rückfall in das von Jesus verworfene Wesen der Lehrer Israels" (WALKER 1967:24f). Dabei will außerdem beachtet werden, daß Mt die vorgegebenen, unreflektierten Verwendungen der Rabbi-Anrede Jesu Mk 9,5; 11,21 bewußt gestrichen hat und sie sich nach 23,7f(+Q) nur 26,25(+Mk).49(=Mk) und "allein im Munde des Verräters findet... Die Bezeichnung des jüdischen Lehrers ist eindeutig negativ geprägt" (STRECKER 1971:33):
ῥαββί
    Mt 4 : Mk 3 : Lk 0 + 0 : Joh 8 (NT und LXX sonst nie)
        =(Mk 3 - 2 + 1) + (Q 0 + 2).
Die mt Kodierung ist ebenso verkannt, wenn man behauptet: "Mt kennt nur noch pharisäische Schriftgelehrte" (HUMMEL 1966:15) bzw. "daß für Mt die jüd. Schriftgelehrten als solche zu den Pharisäern gehören" (ebd.17, um dann abschwächend zu erklären, daß die mt *Identifizierung* "historisch nicht völlig(!) gerechtfertigt" sei; ebd.15). Das verbietet sich schon deswegen, weil Mt gerade die Mk 2,16 vorgegebene Wendung "Juristen der Pharisäer" nicht übernahm; angesichts seiner Kodierung "kann es konsequenterweise" gar "keine Schriftgelehrten der Pharisäer mehr geben" (WALKER 1967:20). Der Doppelausdruck als red. geprägte Wendung "läßt, für sich betrachtet, von einer dominierenden Rolle der Pharisäer nichts erkennen. Der Begriff des Schriftgelehrten ist hier nicht von seinem Nebenbegriff Pharisäer her bestimmt, sd. die Schriftgelehrten-und-Pharisäer bezeichnet wie die Pharisäer-und-Sadduzäer *ein* einheitliches Phänomen, angesichts dessen man sagen kann, daß die Schriftgelehrten als solche zu den Pharisäern und die Pharisäer als solche zu den Schriftgelehrten gehören" (ebd.17f); Einzel- und Doppelausdrücke meinen durchweg dasselbe in "perfekter Begriffskongruenz" der Einheits- und Einzelausdrücke: "Die einzigen Gegner sind im Mt Israels Lehrer, die Schriftgelehrten = Schriftgelehrten und Pharisäer = Pharisäer = Pharisäer und Sadduzäer, also etwas sehr anderes als die Pharisäer im historischen Verständnis des Begriffs... Die einzige Anti-Tendenz des Evangelisten ist sein *Anti-Doktorismus*: der Stoß ist gg. das Israel der Vergangenheit gerichtet, das in den *doctores* von ehedem begegnet... Die eine Lehrerschaft des Mt sperrt sich demgegenüber gg. jede zeitgeschichtliche Einordnung. In der bei Mt konstatierbaren Synonymität hat es Israels Lehrerschaft nie gegeben... Die Begriffe haben das geschichtliche Profil verloren, das sie bei Mk, der sie unreflektiert gebraucht, noch an sich tragen. An die Stelle mehrerer individueller, geschichtlich gewachsener Termini ist ein einziger, vom Evangelisten entworfener Uniformbegriff der Lehrerschaft Israels getreten, der aus realen Verhältnissen weder abzuleiten noch auf die anzuwenden ist. Diese Gegnerschaft gibt es nur in der literarischen Geschichte Israels des Mt, nicht in historischer Funktion" (ebd. 22f mit STRECKER 1966:68 rein vergangenheitlich konstruktivistisch

angenommene Topoi, aber keine aktuellen Größen, die nicht einmal darin "offensichtlich seine eigene Lage", "die Vorherrschaft des Pharisäismus nach der Tempelzerstörung" direkt widerspiegeln" gg. HUMMEL 1966:14). So ist auch hier die Ganzheit des Syntagmas anders kodiert denn als Summe der Teile. Das wird auch deutlich an dem analogen Syntagma, mit dem Mt hinsichtlich des Elements γ. einsetzt:

οἱ ἀρχιερεῖς καὶ γραμματεῖς
   Mt 3 : Mk 2

2,4 ist insofern eine einführende Schlüsselstellung, indem mit zugesetzter "Ganz"-Aussage wie dem Gen.-Attribut "des >Volkes" das von Herodes versammelte Jerusalemer Synhedrium bezeichnet ist (>ἀρχιερεύς), das in Funktion tritt, um als Schriftweissagungsexpertengruppe Auskunft über den Ort der Messiasgeburt zu geben, also γραμματεύς in Relation zu >γραφή und γέγραπται einführt. Damit werden sie von vornherein als blinde und unverständige Schriftweissagungsexperten eingeführt, sofern sie wohl Herodes Auskunft geben, sich selbst aber dem Messiaskönig Israels nicht öffnen. Renominalisiert ist dieser Doppelausdruck im 3. Verwerfungsorakel 20,18(=Mk als Verkürzung der Trias im ersten 16,21) und als erzählte Träger eines Einspruchs gg. Jesus im unmittelbaren Anschluß 21,15(=Mk hier mit doppeltem Art. wie 23,2, was wieder auf epexegetische Funktion des καί deutet); an dieser Stelle ist dann die verwendete 3malige Synonymie des Ganzheitsausdrucks in unmittelbarer Aufeinanderfolge bezeichnend:

21,15: οἱ ἀρχιερεῖς καὶ οἱ γραμματεῖς
21,23: οἱ ἀρχιερεῖς καὶ οἱ πρεσβύτεροι τοῦ λαοῦ (vgl. 2,4 !)
21,45: οἱ ἀρχιερεῖς καὶ οἱ φαρισαῖοι.

Aus dieser Substitution ergibt sich nicht nur eine mt Identifikation von *Juristen* und *Pharisäern* (WALKER 1967:19f), sd. zugleich die weitere mit *Ältesten des Volks* im Anschluß an *Juristen des Volks* von 2,4. Dieser Doppelausdruck von 21,23 wird auffallender Weise 26,3.47; 27,1 renominalisiert bzw. danach verkürzt (aber im gleichen Sinne) ohne das red. 4mal zugesetzte Gen.-Attribut (ebd. 30f) in 27,3.12.20; 28,11f (ebd.29–33). "Von den 4 Loci, an denen bei Mt die Schriftgelehrten des Mk-Textes ganz entfallen, geht die Auslassung 3mal zu Lasten der Formel *die Oberpriester und Ältesten des Volks* (Mk 11,27; 14,43; 15,1/Mt 21,23; 26,47; 27,1; vgl. 14,1/26,3), was wieder kein Votum zugunsten der *Pharisäer* ergibt" (ebd.21 gg. das nicht beschreibungsadäquate Votum: "Die Schriftgelehrten treten bei Mt im Vergleich mit Mk stark zurück" HUMMEL 1966:14 mit BORNKAMM ThWNT 6,659 n.46).

πρεσβύτεροι (GUNDRY 647)
   Mt 12 : Mk 7 : Lk 4 + 18 (davon 10mal für Christen) : Joh 0
      =(Mk 7 – 1 + 4) + (Q 0) + (A–Mt 2)

Mt verwendet nur den Plur. (=Mk) und auch nie als Altersangabe (=Mk) wie Lk 15,25, was darum als Vergleichsstelle entfiel; er verwendet es auch nur für Juden (=Mk) und nicht für Christen. Da es keine Altersangabe macht, so ist die Eindeutung mit *Älteste* irreführend. Die Wortbildung als Komparativ enthält nur das Moment der Steigerung, der jedes negative Element des "Alten" fehlt (BORNKAMM ThWNT 6,652; vom hebr. zāqen her höchstens das Sem "Bartträger"; ebd.655). der mt Gebrauch ist nur von Mk her bestimmt, wobei 50% der Stellen red. sind (HUMMEL 1966:22; die Berechnung bei GASTON 1973:63 hat falsche Grundlagen).

   Nach der Delition von Mk 7,3 hat Mt alle folgenden Stellen übernommen. Schon 15,2(=Mk) ist die Nennung der lehrenden mt Doppelgruppe und deren Kommen aus Jerusalem (vgl. 2,4) klar, daß der anaphor. Art. konkret *unsere ordinierten Juristen* meint (so nach 70; BORNKAMM ebd. 660f; LOHSE 1952:51) – mt aber nicht mehr die "Vertreter der Laienaristokratie" (als drittes Element des Synhedriums; JEREMIAS 1962: IIB 88ff).

   Alle folgenden Stellen sind direkt auf Verwerfung/Rehabilitation Jesu bezogen und finden sich in der grundlegenden ersten Vorhersage 16,21 (=Mk); doch hat Mt hier den anschließenden Art. ausgelassen, so daß alle Bezeichnungen unter einem einzigen stehen und so stärker als Einheit dargestellt sind: "der ganze oberste Volksgerichtshof"; dem korrespondiert auch, daß Mt hier red. von vornherein "Jerusalem" als vorhergesagten Ort der Ereignisse als vorhergesagt vorangestellt hat, also bei Mt auf keinen Fall einzelne Gruppen etwa für sich und irgendwo im Blick sein können. Dies ist die einzige selbständige Verwendung bei Mt; danach folgen sie nur in unselbständig angeschlossenen Erwähnungen neben anderen.

Während Mk von hier an 5mal steretyp diese Trias hat, hat Mt seiner tendenziösen Neigung zu unhistor. Doppelgruppen hier freien Lauf gelassen:

Mt 8 : Mk 0 : Lk 0 + 0

Diese Doppelgruppe setzte 21,23 mit dem Segment "Tatfeststellung der Verwerfung der Lehrvollmacht Jesu" Jesu ein durch Streichung der *Rechtskundigen*; diese Delition wird ebenso 26,47 und 27,1 wiederholt; 26,3 wird sie durch Substitution dieser Gruppe erreicht; 27,12.20 wird die Doppelgruppe durch Hinzufügung hergestellt, wie sich diese Insertion auch bei der darauffolgenden Trias 27,41 zeigt. Darum wird die Doppelgruppe auch an den beiden Stellen ohne mk Par. (27,3 und 28,11f) mt Bildung sein. Eine ad-hoc-Abweichung liegt nur 26,57 vor, wo eine Delition der *Oberpriester* erfolgte, um eine analoge Doppelgruppe zu bezeichnen. Daß hier wie 27,41 die *Rechtskundigen* stehen blieben, erklärt sich schlicht so, daß sie in der ersten Voraussage 16,21 eben schon vorkamen und also auch bei der Erfüllung der Weissagung nicht überall gestrichen werden konnten.

Mt hat an den ersten 4 Stellen der Doppelgruppe den konstanten Zusatz *des Volks* (STRECKER 1971:115f betont m.R., daß damit nicht nur *Menge* gemeint ist) als mt Kennzeichen (GUNDRY 647):

Mt 4 : Mk 0 : Lk 0 + 0

Wegen dieses Zusatzes genügt es der mt Semantik des Subst. durchaus nicht, sie nur als "Laienmitglieder des Synhedriums" zu bestimmen (gg. ROHDE EWNT 3,357, der diesen mt Zusatz gänzlich unbeachtet läßt; LXX-Stellen wie Ex 19,7; Num 11,16.24; 1Makk 7,33; 12,35, auf die BAUER WB 1388 m.R. aufmerksam macht, können für Mt nur morphologisch der Anreger gewesen sein, da dort keine Doppelgruppe vorliegt und unser Subst. "im Laufe der wechselvollen, von Parteikämpfen beherrschten Geschichte" des seit Antiochus III (223-187 v.Chr.) als oberster jüd. Regierungsbehörde bestehenden Synhedriums "einen deutlichen Wandel durchmachte" (BORNKAMM ebd.659).

Wenn Mt nach 4 Setzungen des Gen.-Attributs es dann an den letzten 4 Stellen der Erwähnung der Doppelgruppe weggelassen hat, so ist es doch hier 27,3.12.20 (41 auch bei der Trias); 28,12 als Filler in diesem Slot mitzuhören. Beachtlich ist, daß Mt 28,11f so mit der synonym-gleichen Gegner-Doppelung schließt, mit der er 2,4 begann.

Für die mt Semantik ist wesentlich, daß sie 26,57 durch Delition der *Oberpriester* wie beim Spott 27,41 durch Insertion eng an die *Rechtskundigen* angebunden sind - im letzten Fall auffallend gemacht durch Zusammenbindung dieser beiden mit einem Art., obwohl eine Trias vorliegt. Mt dürfte diese Trias hier gerade darum gebildet haben, um zu erinnern, daß er sie als einen, und zwar deren höchsten Teil vorstellt, wie er das schon bei seiner Einführung durch den Zusammenhang von 15,1:2 verdeutlichte (wie schon Mk dieses Wortfeldgefüge markierte). Eindeutig ist die mt Semantik schließlich dadurch, daß schon 2,4 als synonyme Doppelgruppe die gegliederte Formulierung "Oberpriester + Rechtskundige + des Volks" in der Bucheinleitung auftauchte (vgl. 20,18; 21,15). Die mt Semantik will also die Presbyter als die "höchsten nichtpriesterlichen Juristen des Volksgerichtshofs" verstanden wissen: "Die Oberpriester und Ältesten des Volks sind für

Mt die Exponenten der Christus-Todfeindschaft auf dem Boden Jerusalems. Erst Mt hat dieses Bild der Oberpriester und Ältesten als einer Aktionseinheit geschaffen und ihm seine charakteristischen Züge aufgeprägt. Es handelt sich also um einen durchaus ungeschichtlichen Personenkomplex, der aus tendenziöser Bearbeitung vorgegebener Traditionen entstammt (WALKER 1967:31-3.22, wobei man lieber nicht von "Traditionen" im Plur. spricht. da Mk allein der Verursacher ist). Von daher ist aber eben auch die Übersetzung "Älteste" irreführend, weil man dann nur an ein oligarchisch-patriarchalisches oder antik-demokratisches Repräsentationsgremium denken, die entscheidende judikative Bedeutungskomponente des mt Kodes aber unterschlagen würde. Für Mt ist keinesfalls die übliche historisierende Annahme, die auf bloßer Wortsemantik und Vernachlässigung der Wortfeldanalyse beruht, zutreffend, daß unser Subst. einfach den Laienadel bezeichne. Es ist in der mt Kodierung vielmehr gerade das Wort "Volksgerichtshof" angebracht und stellt nicht einen ungerechtfertigten Anachronismus dar. Denn einmal geht es um die judikative Einheit, und zum anderen wird schon 26,3f mit 27,1 rahmend und in dupl. Vorwegnahme der mk Beratung eine regelrechte Sitzung mit förmlichen Todesbeschluß gemacht (KLOSTERMANN 207; WALKER 1967:45f), der deutlich eine Rechtsbeugung aus Mordwillen beschreibt.

Kennzeichnend bleibt, daß zwischen den Doppelgruppen 26,47 (bzw. 57) und 27,1 Mt in der Synonymkette auch sagen kann "die Oberpriester sowie das gesamte Synhedrium" überhaupt 26,59(=Mk) - also inklusiv:

συνέδριον

Mt 3 : Mk 3 : Lk 1 + 14 : Joh 1
=(Mk 3 - 1 + 1) + (Q 0)

Da es sich sonst nie im NT findet, sind alle Stellen im Gefolge des Mk gesetzt. Während Mt 26,59 Mk 14,55 übernommen werden konnte, ist die mk Redundanz-Doppelung Mk 15,1 der Delition anheimgefallen. Die Verfolgungsvorhersage Mk 13,9 wurde Mt 10,17 versetzt übernommen. Diese Permutation ist verständlich, da das Schicksal der Schüler dem des Meisters analog sein muß. A-Mt 5,22 bot es sich an, den aus Mk 15,1 ausgelassenen Terminus im Rahmen der Gerichtstermini aufzunehmen, da hier Bestimmungen des mt Religionsgesetzes angegeben werden. Da es hier wie 18,15-17 um einen Bruder im mt Sinne geht, so ist wohl an einen christl. Gemeinderat gedacht. Mithin liegt die gleiche Gerichtsbarkeit vor, die 18,17 mit "Ekklesia" bezeichnet.

Der Plur. 10,17 bezeichnet nach dem Zusammenhang der Sendungsbeschränkung auf jüd. Territorium synagogale Gerichte (KELLERMANN EWNT 3,719). Für den Jerusalemer Senat erscheint das griech. Lehnwort als t.t. seit Hyrkan II (63-40 v.Chr.: JosAnt 14,167ff) und wird erst unter Herodes geläufig. Nach 6 n.Chr. hatte diese Behörde nur "Jurisdiktions- und Polizeigewalt in Judäa und Jerusalem" ohne das ius gladii (ebd.).

φαρισαῖος (GUNDRY 648)

Mt 29 : Mk 12 : Lk 27 + 9 : Joh 19 (außer Phil 3,5 nie in NT und LXX)
=(Mk 12 - 2 + 8) + (Q 3 + 8)

Nicht übernommen wurden Mk 2,18a; 7,3, da an beiden Stellen eine Häufung vorliegt und Mt solche Häufungen entflechtet. Kennzeichnend für den mt Gebrauch sind auch hier die Doppelausdrücke, deren häufigster (9-11mal) schon analysiert wurde (s.o.). Wesentlich ist, daß Mt sowohl mit einem solchen Ausdruck 3,7(+Q) einsetzt als auch 27,62 schließt, die φ. also nicht einmal selbständig einführt, sd. mit dem red. Doppelausdruck

οἱ φαρισαῖοι καὶ σαδδουκαῖοι (GUNDRY 648)

Mt 5 : Mk 0 : Lk 0

auch 16,1(=Mk).6(=Mk.11(+Mk).12(+Mk) eine homogene Einheit (immer unter einem einzigen Art.) vorstellt (HUMMEL 1966;18-20; WALKER 1967:11-16), wobei die letzte Stelle als Schlüsselstelle von der "Lehre der Pharisäer-und-

Sadduzäer" spricht: "Somit hat man sich die Pharisäer und Sadduzäer im mt Sinne als die verderbliche Lehrerschaft Israels vorzustellen. Sie repräsentieren das böse und ehebrecherische Geschlecht (16,4)" (WALKER ebd.12 - nicht umsonst steht diese Stelle direkt zwischen den Doppelausdrücken). Mt hat auch dieses Komplenym insgesamt am häufigsten:
σαδδουκαῖος
    Mt 7 : Mk 1 : Lk 1 + 5 (NT und LXX sonst nie),
wovon nur 22,23(=Mk) übernommen und von daher mutipl. wurde. Während Mk dort als Autor seinen Lesern erklärt, was ihr Spezifikum ausmacht, hat Mt dies als ihre ad hoc Jesus gegenüber ausgesprochene These stilisiert (mit der LA des wieder zu gesetzten Art. gleichen allerdings viele HS dies verwischend wieder an Mk/Lk an und deuten es als Erklärung, doch Mt hat nie solche erklärenden Zusätze jüd. Angelegenheiten: GNTCom 58 gg. KLOSTERMANN 178; GRUNDMANN 473; BEARE 440 nicht: "die da sagen"); doch dies mt λέγοντες bezeichnet auch nicht eine weniger grundsätzliche, nur gelegentliche Aussage (gg. HUMMEL 1966:19; SCHWEIZER 277), sd. "mit der Behauptung"; durch das Ptzp. + A.c.I. formuliert Mt "im voraus den Inhalt der folgenden vorgebrachten Geschichte... Daß sie damit nicht die Meinung einer sadduzäischen Sondergruppe im Munde führen, sd. für das Volk sprechen, deutet der gegenüber Mk 12,27 stark veränderte Schluß der Perikope an: und als die Mengen es hörten, gerieten sie außer sich über seine Lehre (22,33). Man wird aus dieser Bemerkung folgern dürfen, daß Jesus im Sinne des Evangelisten kein speziell sadduzäisches Theologumenon ad absurdum geführt hat, sd. eine Meinung, die das Volk mit seinem Entsetzen über Jesu Lehre indirekt als die seine erkennt und bestätigt" (WALKER ebd.13 n.8: "Die Leugnung der Auferstehung ist für Mt... sadduzäische = israelistische Lehre"). Daß Mt keine solchen Lehrunterschiede kennt und man nicht das Wissen des Auslegers eintragen darf (mit HUMMEL ebd.18; WALKER ebd.14; STRECKER 1971:140 ist gg. KILPATRICK 1946:120 auch zu bestreiten, daß Sadduzäer eine mt Sammelbezeichnung für nichtpharisäische Juden sei; auf eine Differenzierung ist eben gerade nicht abgehoben), zeigt die Fortsetzung in 22,34, wo Mt beide Ausdrücke red. dafür zusetzte, "daß die Schlappe der Sadduzäer die Pharisäer auf den Plan rief" (HUMMEL ebd. 19); bei Mt geht es nicht um Schadenfreude oder Befriedigung der Konkurrenz (gg. LOHMEYER 328; SCHWEIZER 277; MEYER ThWNT 7,52), sd. um die Solidarität miteinander, da Mt beide Gruppen nicht als miteinander rivalisierende Gegner kennt, sd. sie als Kollegen ansieht; die Niederlage einiger Lehrer Israels läßt andere "zum Gegenschlag ausholen: Die Lehrer Israels, seien es Sadduzäer oder Pharisäer, stehen für Mt in einer Front und kämpfen gemeinsam einen Kampf gegen Jesus. Der Evangelist kennt auch dort, wo er getrennt von Sadduzäern und Pharisäern spricht (22,23.34), der Sache nach nicht die beiden historischen Individualitäten der Pharisäer und Sadduzäer, sd. nur die feindselige, aus 3,7; 16,1.6.11.12 bekannte Gesamtheit der Pharisäer-und-Sadduzäer" (WALKER ebd.13f,44).
    So erhalten auch das starke Schimpfwort "Giftschlangenbrut" (ebd.12):
3,7:   οἱ φαρισαῖοι καὶ σαδδουκαῖοι
12,34:   οἱ φαρισαῖοι (vgl. V.24)
23,33: οἱ γραμματεῖς καὶ φαρισαῖοι (vgl. V.29).
Analoge Verteilungen bei "diese Generation" und "Verhöhnungen" bestätigen dies. Warum Mt 3,7 gerade mit dieser Doppelung einsetzt, dürfte sich daraus erklären, daß er damit variierend an die erste von 2,4 erinnernd anknüpft; er assoziiert mit "Phari-und-Sadduzäer" schlicht "Oberpriester und Juristen", so daß er an allen Stellen seinen Lesern und "Sadduzäer" wohl einfach "Oberpriester" vorstellt. Die Schlußwendung von 27,62(+Mk) dürfte das bestätigen, wo Mt wie vorher 21,45(+Mk) seine weitere autorspezifische Wendung hat (an der letzten Stelle wie bei den analogen Verbindungen mit

verstärkender Wiederholung des Art. – s.o., was Joh 7,32.45; 11,47.57; 18,3 übernimmt und wofür JosVit 5,21 "die Oberpriester und die Ersten der Pharisäer" nur entfernt zu vergleichen ist):
οἱ ἀρχιερεῖς καὶ φαρισαῖοι (HUMMEL 1966:15f)
    Mt 2 : Mk 0 : Lk 0
(worauf an der letzten Stelle wiederum synonym 28,11f "Oberpriester ... zusammen mit den Presbyter-Juristen" folgt!). So wie Pharisäer = Juristen = oberste Juristen im Gegenüber zu den Oberpriestern die nichtpriesterlichen Juristen bezeichnen, so dürfte nach der Seite der "Oberpriester" noch eine weitere Synonymie in den "Herodianern" von 22,16f(=Mk) vorliegen:
ʽΗρῳδιανοί
    Mt 1 : Mk 2 (NT und LXX sonst nie).
Gerade weil die erste mk Stelle Mk 8,6 (Sauerteig der Pharisäer und Herodianer) von Mt 16,11 durch die stark erscheinende Abweichung (WALKER 1966:11 n.5) "Sauerteig der Phari-und-Sadduzäer" ersetzt worden war und andererseits die "Oberpriester-und-Juristen" 2,4 als dienstbare Instanz des Herodes eingeführt wurden, so dürfte in mt Kontextsynonymie der Doppelausdrücke ein solcher Kodierungszusammenhang angenommen werden, zumal der zerstörte Tempel zeitgenössisch als herodianischer Tempel bekannt war: Die "Pharisäer" schicken hier "herodianische Priester" zusammen mit ihren "Schülern" (diese sind von Mk 2,18 permutiert und signalisieren in ihrer unhistorischen Zuordnung wieder die mt Lehrfunktion der Pharisäer).
    Wenngleich also Mt seine "Pharisäer" sowohl in das Gegenüber auch zum Täufer in der Bucheinleitung 3,7 vorgetragen und sie andererseits mit 21,45 (von 12,14 dupl. her und 22,15 nochmals anklingend) sowie 27,62 direkt in die Passion hinein expandiert hat (Mt ist es, der schon vor Joh der Kirche die Überzeugung aufgeprägt hat, "daß Jesus vom Pharisäismus sein Kreuz empfing": SCHLATTER 663; HUMMEL 1966:14 n.8), so muß doch gesehen werden, daß das explizit immer im Zusammenhang mit der Nennung priesterlicher Leute erfolgt: "Hat Mt... an den Sadduzäern kein selbständiges Interesse, so muß im Blick auf die Texte dasselbe in aller Strenge auch für die Pharisäer gelten" (WALKER 1967:15); für alle Elemente und ihre Teile gilt, daß sie sich "geschichtlich nicht verifizieren" lassen und darum historisch nicht ausgewertet werden können – es sei denn zur Kennzeichnung des Abstandes der intendierten Lesergemeinde des Mt auch von jüd. Kontakten: "Es ist vielmehr damit Ernst zu machen, daß der Evangelienschreiber diesen Begriff für die Zwecke seines Evangeliums konzipiert. Es ist ein literarischer Begriff mit rein literarischer Funktion, der innerhalb des Evangeliums die Einheit des *geschichtlichen* Israel darzustellen hat" (ebd.16); doch eben wegen dieser historistisch argumentierenden Orientierung sind die mt Gewaltsamkeiten um so bedenklicher und einer strengen Sachkritik zu unterziehen.
ʼΑσάφ 1,7.8 Königsname in der Genealogie (vgl. 3Regn 15,8 – NT sonst nie)
ἄσβεστος ⤳πῦρ
ἀσθένεια, ἀσθενέω, ἀσθενής ⤳μαλακία
ἀσκός ⤳ἄρτος
ἀσπάζομαι, ἀσπασμός ⤳εἰρήνη
ἀσσάριον ⤳ἀργύριον
ἀστήρ, ἀστραπή ⤳φῶς
ἀσύνετος ⤳γινώσκω
ἀσφαλίζω
    Mt 3 : Mk 0 : Lk 0 + 1 (Apg 16,24 – sonst nie im NT)
27,64 dürfte das Adv., von Mk 14,44 permutiert und von der Gefangennahme auf das Grab übertragen, der Anlaß für die mt Bildung und Verwendung gewesen sein, die dann gleich V.65.66 dupl. wurde.
ἄτιμος ⤳τιμή

αὐλέομαι 11,17(=Q – NT und LXX nur Kor 14,7); Komplenym dazu ist hier ὀρχέομαι, was Mt noch 14,6(=Mk) hat (sonst nie im NT): *Reigen*.

αὐλητής 9,23(+Mk Plur., wie in NT und LXX nur noch Apk 18,22) ist von
da her dupl. für Trauermusiker zugefügt, wie es früh bei den Phrygern verwendet wurde und ApulFlor 17 es als den "angenehmen" (=Trauer–)Ton hervorhebt (dgg. die Wildheit und Schärfe: Lucr 2,620; Catull 64,264 ; HorCarm 1,12.3,4, OvFast 4,341). Der Zusatz muß signifikant für die sozio-kulturelle Umgebung des Mt und seiner intendierten Leser sein. "Der In-strumentengattung nach rechnet der Aulos nicht, wie gemeinhin falsch übersetzt, zur Flötengruppe, sd. ist ein Rohrblatt–(Zungen–)Instrument, also eine einfache oder (häufiger) Doppel–Oboe" (BOETTICHER KP 1,755–9 gg. EWNT 1,429).

αὐλή ϶ἀρχιερεύς

αὐλίζομαι 21,19(+Mk wie andersnorts Lk 21,37 – NT sonst nie) *übernachten*

αὐξάνω ϶δένδρον

αὔριον ϶ἡμέρα

αὐτός
    Mt 903 : Mk 748 : Lk 1074 + 694 : Joh 750
In der identifizierenden Bedeutung *derselbe* (lat. *idem*) besonders, wenn der *Art.* dem *Akk.* voransteht (MORGENTHALER 1973:158; RADL EWNT 1,433):
    Mt 5 : Mk 1 : Lk 7 + 7 : Joh 0
Q–Mt 5,46(+Lk).47(=Lk) *dasselbe tun*; 22,34(+Mk) *am selben Ort*; 26,44(=Mk 14,39 permutiert) *denselben Wortlaut*; 27,44(+Mk) *ebenso*.
    Kennzeichnend für Mt ist zuweilen der *Nom.* (GUNDRY 642), allerdings nur mask. (fem. und neutr. im Sing. wie Plur. bei Mt nicht verwendet) für ein betontes *er/sie* anstelle eines Demonstr. (B–D–R 277,3: "Der Gebrauch ist alt, wenn auch den Attikern fremd"; davon abzuheben ist der bei Lk ca. 30mal vorliegende LXXismus eines unbetonten *und er*).

αὐτός (im Nom.Sing. nie Fem. und Neutr. bei Mt)
    Mt 12 : Mk 15 : Lk 46 + 16 : Joh 16
         =(Mk 15 – 12 + 6) + (Q 1 + 1) + (A–Mt 1)
Von Mk im betonten Sinne übernommen 8,24 (+δέ) erzählend für den schla-fenden Jesus; 26,48 in einer mk Inversion im Munde des Judas für Jesus; 27,57 erzählend zu Kennzeichnung des Josef (mit adv. καί); übernommen ist auch 3,11(=Q) zur betonten Kennzeichnung Jesu im Munde des Täufers. Alle übrigen 8 Stellen dürften red. sein: 1,21 (+ γάρ) zur Identifikation des Namens *Jesus*; 3,4(+Mk + δέ) für den Täufer nach dem Zitat als Wiederan-knüpfung; 11,14(+Q) zur Identifikation des Täufers mit Elijah und ebenso 12,50(+Mk) zur Identifikation der wahren Familienangehörigen Jesu statt mk οὗτος wie im Erfüllungszitat 8,17(+Mk) zur Kennzeichnung der Funktion Jesu (wie 1,21) statt des οὗτος von LXX–Jes 53,4; 14,2(+Mk) im Munde des Antipas zur fälschlichen Identifikation Jesu als des auferweckten Täufers (als Wie-deraufnahme eines οὗτος) und im Kontrast dazu 16,20(statt mk Gen.) in Jesu Bejahung der Prädikation als χριστός; im Munde Jesu von sich auch 21,27 (+Mk).

αὐτός ὁ nur Mt 3,4 (wohl Mk 6,14 auf Jesus permutiert; V.22 ist sek.).
    Mt 1 : Mk 1 : Lk 11 + 2 : Joh 5
αὐτοί (im Nom.Plur.; Fem. und Neutr. wie der Sing. nie bei Mt)
    Mt 10 : Mk 2 : Lk 19 + 12 : Joh 9
         =(Mk 2 – 2 + 0) + (Q 2 + 6) + (A–Mt 2)
Mk 6,31; 7,36 wurden nicht übernommen, die zweite Stelle wohl darum, weil sie berichtend ist und Mt es nur im Munde Jesu verwendet. Aber gerade auch die Weglassung an der ersten Stelle ist wichtig, da Mt es nie für die 2.Pers. der Anrede verwendet und auch von daher in Mt 19,28 nicht als urspr. LA anzusehen ist (N–A gg. H–G 182). Von Q sicher übernommen sind die Kontrastierungen 12,27(=Lk – *gerade eure Söhne eure Gerichtsmaßstäbe*)

und 23,4(=Lk + δέ – "sie selbst aber rühren keinen Finger"; gg. H–G 213 urspr. LA, da die sek. Angleichungen in der Regel an Mt erfolgen, aber nicht von Mt an andere). Betont auch in den Nachsätzen der konditionalen Makarismen Q-Mt 5,4.6 (gg. Lk, aber wohl urspr., da Lk 6,21 die 2.Pers. in Spannung zum Vordersatz hat und V.23 zeigt, daß das mit anderem Vordersatz vorgegeben ist), was Mt an Ort und Stelle 5,5.7.8.9 red. multipl. hat. In red. gebildeten Reden Jesu ist es zweimal mit adv. καί zugesetzt: 20,10 und 25,44 (hier ist der steigernde Charakter als Erweiterung am Schluß augenfällig, weil Mt sonst den Wiederholungsteil dieser Darstellung strikt kürzte).

αὐτοῦ (Adv.) ➤ἐκεῖ, ὧδε

αὐτοῦ (mask. + neutr.)

Mt 256 : Mk 169 : Lk 253 + 126 : Joh 165 (MORGENTHALER 1973:158)
Hier ist eine Steigerung zu mt Häufigkeit zu erkennen. Als Poss.Pron.
a) meist dem determinierten Subst. nachgestellt 1,2.11.18.21.21.23-25;
b) vorangestellt, wenn es zwischen Attr. und Subst. steht Mt 27,60;
c) eine Stellung vor dem Art. erklärt sich daraus, unbetontes möglichst nahe an den Satzanfang zu rücken (B–D–R 284,1; 473,1 mit Verweis auf Mt 2,2, doch ist hier immer zu fragen, ob nicht adv. Gebrauch vorliegt).
d) Von Präp. abhängig 12,14(=Mk); 20,20(+Mk); 25,10 .
     Nicht poss. ist es, wenn es im *Gen.abs.* (immer mask. und immer exakt mit nachfolgendem Subj.-Wechsel) wie der Nom. steht:
Mt 16 : Mk 11 : Lk 17 + 15 : Joh 4
     =(Mk 11 – 7 + 8) + (Q 0 + 1) + (A–Mt 3)
Nicht übernommen wurden Mk 5,2.18; 9,28; 10,17.46; 13,1 14,3. Dgg. ist Mt 9,18 Mk 5,35 permutiert und in den anschließenden beiden Stellen 12,46 (+Mk) wie 17,5(+Mk) dupliziert; ferner 21,23(=Mk 11,27 permutiert); 24,3 (=Mk); 26,47(=Mk). Red. Zusätze sind 1,20; 5,1(+Mk); 8,1(+Mk).5(+Q); 9,10(+Mk); 18,24f(+Q); 21,10(+Mk); 27,19(+Mk).

αὐτῆς

Mt 23 : Mk 15 : Lk 29 + 11 : Joh 10
     =(Mk 15 – 8 + 6) + (Q 3 + 4) + (A–Mt 3)
Bei Mt immer dem Subst. nachgestellt, wie die Umstellung 24,32 (gg. Mk 13,28 *Feige*) deutlich zeigt. Abhängig von Präp. sind 7,13(+Q *Tür*); 21,2(+Mk *Esel*). Vom Vb. bedingt ist der Kasus 16,18(+Mk). 11mal ist eine *Frau* pronominalisiert: 1,19;   2,18;   8,15(=Mk);   9,25(+Mk);   10,35a(+Q).35b(=Q); 14,8(=Mk).11(=Mk);   15,28(=Mk);   20,20(+Mk);   26,13(=Mk).   Sonst 2,16 (*Ort*); 6,34b(+Q *Tag*); 7,27(+Q *Haus*); 11,19(=Q *Weisheit*); 21,43(+Mk *Reich*); 23,37(=Q *Henne*); 24,29(=Mk *Mond*); 26,52(+Mk *Schwert*). In 19,26 ist die LA sek. (N–A gg. H–G 56). Es steht nie im Gen.abs.

αὐτῶν (mask. + fem. + neutr.)

Mt 98 : Mk 39 : Lk 96 + 88 : Joh 34
Die auffallende Häufigkeit weist auf red. Steigerung hin. Betont ist der Plur. wie der Nom. vor allem, wenn er prädikativ steht wie 5,3(+Q) und V.10 rahmend dupl. (mit ἐστιν gehören B–D–R 277,4); von Präp. abhängig 2,4.7. Im *Gen.abs.* ist es nicht poss. (immer exakt bei Subj.-Wechsel):
Mt 12 : Mk 5 : Lk 12 + 13 : Joh 0
     =(Mk 5 – 2 + 5) + (Q 0 + 1) + (A–Mt 3)
2,13; 9,32(+Q); 14,32(+Mk); 17,9(=Mk).22.24(+Mk); 20,29(statt mk Sing.); 26,21. 26(=Mk); 27,17(+Mk); von Frauen 28,11 und in der Allegorie 25,10. Nicht übernommen wurden Mk 6,54 und 11,12.

αὐτῷ (mask. + neutr.)

Mt 168 : Mk 119 : Lk 150 + 85 : Joh 171
Im Nachsatz gelegentlich "regelrecht abundierend ... wie Mt 5,40"(+Q) (RADL EWNT 1,433). Mit Präp. 18,13(+Lk ἐπί) vor allem mit

ἐν αὐτῷ

Mt 6 : Mk 2 : Lk 2 + 5 : Joh 13

10,32(=Q); 14,2(=Mk 6,14, während V.3 nicht übernommen ist); 17,12(+Mk); 21,33(+Mk); 23,20f.
αὐτῇ
   Mt 12 : Mk 12 : Lk 20 + 5 : Joh 18
5,31(+Q); 12,39(=Q), weshalb 16,4(+Mk statt des Demonstr.) an Q angleicht; 14,7(=Mk); 15,23(=Mk 7,27 permutiert).28(=Mk); 20,21(+Mk statt mask.); 21,19b (=Mk); 22,39(+Mk). Auch hier ist das präp. Syntagma dem Mask. analog relativ häufiger gebraucht:
ἐν αὐτῇ 1,20; 10,11(=Q); 21,19(=Mk)
   Mt 3 : Mk 1 : Lk 3 + 4 : Joh 0
αὐτοῖς (mask. + neutr.)
   Mt 101 : Mk 117 : Lk 88 + 77 : Joh 99
Mit Präp. 14,14(gg. mk Akk. ἐπί); 25,16(gg. Lk ἐν).
αὐταῖς 28,9(=Mk).10(+Mk)
   Mt 2 : Mk 1 : Lk 5 + 0 : Joh 1
αὐτόν
   Mt 120 : Mk 177 : Lk 209 + 152 : Joh 170
Mit Präp. ἐπί 4mal red. 3,16(+Mk); 12,18(+Mk =LXX-Jes 42,2); 27,27.42(+Mk); διά 27,29(+Mk); πρός nur 3,5(=Mk).15(+Mk für erstes Wort Jesu urspr. LA gg. normalen Dat. von B f^{13} pc); 13,2(=Mk); 27,19(+Mk), während es Mk 17mal vorgab.
αὐτήν
   Mt 25 : Mk 17 : Lk 29 + 13 : Joh 12
Mit Präp. ἐπί 3mal 9,18(+Mk); 10,13(=Lk mask.); 21,19(=Mk); πρός 23,37(=Lk).
αὐτό
   Mt 9 : Mk 9 : Lk 14 + 2 : Joh 12
2,13 (von Mk 3,6 her); Q-Mt 12,11(gg. Lk mask.); 17,19(=Mk); 18,2(=Mk); Q-Mt 18,13(=Q); 26,29(=Mk).42(+Mk); 27,59f (gg. mk mask.).
αὐτούς (das Fem. hat Mt nie)
   Mt 48 : Mk 45 : Lk 85 + 97 : Joh 17
Die lk Häufigkeit entsteht durch das präp. Syntagma der Redeeinleitung, während es Mt mit πρός nur 14,25(=Mk); 21,37(=Mk) reduzierend (Mk 7mal) übernommen hat.
αὐτά
   Mt 13 : Mk 6 : Lk 7 + 1 : Joh 8
       =(Mk 6 - 5 + 9) + (Q 1 + 2)
Die Häufigkeit läßt eine mt Bevorzugung erkennen. Q-Mt 6,26(gg. lk mask. wohl urspr.); 11,25(=Q); 23,4(gg. Lk, der - wohl urspr. - renominalisiert). Von Mk ist es nur 19,14 übernommen, dgg. steht es statt mk Sing. 13,4.7; für Dämonen 10,1(+Mk); in 27,6.10 steht es im ausführlichen Mk-Zusatz selbst gg. die LXX-Vorlagen; so ist es auch für das "Unkraut" in der Umschreibung der Mk-Vorlage Mt 13,28.30.30 und ihrer Entschlüsselung V.39 als red. anzusehen.
ἀφαιρέω 26,51(=Mk) wegschlagen
   Mt 1 : Mk 1 : Lk 4 + 0 (NT nur noch Röm 11,27; Hebr 10,4; Apk 22,19)
ἀφανίζω ⇸φαίνομαι
ἀφεδρών 15,17(=Mk - NT und LXX sonst nie) Grube, Abort
ἄφεσις
   Mt 1 : Mk 2 : Lk 5 + 5 : Joh 0
26,28 wurde von der einmaligen (Johannes)taufe auf das zu wiederholende Herrenmahl permutiert: "Der Wein wird als Mittel zur Vergebung der Sünden gereicht, weil es das Blut Christi ist. Mit der Interpretation des Todes Jesu berührt sich das nur indirekt" (FISCHER 1970:116). Da in dem Zusammenhang ausdrücklich das Vernichtungsgericht für Judas angesagt ist und andererseits das Belohnungsgericht für die Treugebliebenen ebenso als Gegensatz dazu beschrieben ist, so ist mit dem Nom. actionis nur das erinnert,

was mit dem Vb. 12,31f grundsätzlich ausgesprochen war: es geht nur um die erlaßbaren Sünden der ansonsten dem mt Jesus-Konzept treuen Schüler (entsprechend seinem analogen Konzept vom innergemeindlichen, vorübergehenden *Kleinglauben*, der nicht Unglaube ist). Diese Interpretation, die Gott als Subj. und eine finale Funktion von εἰς annimmt, gilt nur unter der weiteren Voraussezung, daß Mt bei der Permutation der mk Taufstelle das semant. Gefüge unverändert übernommen hat. Bei seiner starken Betonung der von den Schülern zu leistenden Vergebung als Bedingung (6,12.14f; 18,21.35) ist es aber ebensogut möglich, daß Mt auch hier das εἰς in der öfter von ihm eingeührten konsekutiven Funktion setzt *auf die geleistete Vergebung der Verfehlungen hin*, wobei dann die Schüler als menschl. Subj. und das ganze als Bedingung gedacht wäre. Das würde die Häufung der Präp.-Wendungen an dieser Stelle entflechten.

Man bedenke: Mit Gott als Subj. ist das Subst. in der LXX noch nicht verwendet (gg. BULTMANN ThWNT 1,507; LEROY EWNT 1,438 selbst Lev 16,26 nicht, da das alleinstehende Subst. in der Präp.-Wendung mit εἰς dort mit der Apopompe von V.10 identisch ist und einfach das *Weckschicken* des zweiten Bockes am Yom Kippur im Unterschied zu dem geschlachteten bezeichnet; erst bei Philo VitMos 2,147 wird die Wendung zu diesem Syntagma erweitert und transkodiert, da man "Gott gnädig stimme müsse, damit er nicht zürnend strafe"; ebenso dann auch im gleichen Werk SpecLeg 1,190. 215.237 wiederholt). Die Obj.-Angabe im Gen. entstammt der jurist. Sprache "Erlaß von Strafe bzw. Schuld" (Plato Leg 9,869d; Demosth 24,45f dφλημάτων; PlutAlex 13; PapTebt 5,2 ἁμαρτημάτων; vgl. PREISIGKE WB sv.; M-M 96).

dφίημι (GUNDRY 642)

    Mt 47 : Mk 34 : Lk 31 + 3 : Joh 14
       =(Mk 34 - 14 + 7) + (Q 10 + 10)

Davon sind auf menschliche *Verfehlungen* als Obj. bezogen (Subj. Mensch vs. Subj. Gott) zu unterscheiden; dies ist beschreibungsadäquater als von einem "religiösen Sinn" vs. "profanen" zu reden - gg. BULTMANN ebd.):

dφίημι I

    Mt 17 : Mk 8 : Lk 14 + 1 : Joh 2
       (=Mk 8 - 2 + 4) + (Q 5 + 2)

In einer generellen Tendenz des Mt, die negierten Aussagen des Mk zu vermeiden, wurde der Gegnereinwand Mk 2,7 und die den Höhepunkt bildende Zwecksetzung der Parabelrede als Unmöglichmachung des Schulderlasses für die Gegner Mk 4,12 (objektlos, da der Filler in den Slot klar ist) mit Gott als Subj. nicht übernommen.

Mt hat die Stellen in 4 Komplexen angeordnet, wobei sich der erste (Mt 6) und der letzte (Mt 18) darin entsprechen, daß sie von der Vergebungsforderung verknüpft mit Gottes Vergeben reden, während die beiden Mittelblöcke homogen nur Gott als Subj. haben (Mt 9 - vermittelt durch Jesus; Mt 12 ist diese Vermittlung nicht renominalisiert, aber durch dasselbe Pass. divinum impliziert; die Sequenz dieser beiden Blöcke ist noch dadurch unterstrichen, daß Mt zwischen diesen beiden Blöcken ausdrücklich keine anderssinnige Verwendung des Vb. hat).

A: 6,12a(=Q) setzt mit der Schuldenerlaßbitte ein, die durch die bekennende Selbstverpflichtung analogen Handelns gegenüber den personalen Schuldnern V.12b konditioniert ist: "Schulden entstehen nur dadurch, daß empfangen wurde" (SCHLATTER 213). Dieser Zusammenhang ist Mt so wichtig, daß er ihn in umgekehrter Reihenfolge V.14a(*ihr*).b(*Gott*) durch Vorziehung von Mk 11,25 wiederholt (gg. STRECKER 1984:129 ist das wohl keine von Mt abhängige Glosse bei Mk, da Mt öfter einmal vorgegebene Wendungen multipl.) und die Wichtigkeit durch die Dupl. dieses Parallelismus in der negativen Warnform V.15a.b nochmals wiederholend einschärft. Derselbe Zusammenhang erscheint schon in der doppelten Konditionierung Sir 28,2:

"Wenn du deinem Nächsten das dir angetane Unrecht verzeihst (ἄφες ἀδίκη-
μα), dann werden auch deine Verfehlungen fortgeschafft (αἱ ἁμαρτίαι σου
λυθήσονται), wenn du (darum) bittest" (vgl. den gesamten Passus V.1-9 mit
der Warnung vor Vergeltung). Das zuerst 6,12(+Q) mit dem Plur. *Schulden*
ὀφείλημα (wie Demosth 24,45f s.o. - nicht im Sing. subjektive "Schuld"; NT
    nur noch Sing. Röm 4,4 in anderem Sinne; LXX 3mal) angegebene Obj.
wird V.14f mit dem von Mt nur hier verwendeten synonymen Plur. von
παράπτωμα
    Mt 2 : Mk 1 (NT nur noch bei Paulus und in Abhängigkeit von ihm)
aufgenommen - und zwar V.15(=Mk 11,25) von *Verfehlungen* Gott gegenüber
(wie LXX 18mal), während V.14 - nach dem Schema der adäquaten Vergeltung - es auf das Verhalten Menschen gegenüber dupl. (MICHAELIS ThWNT
6,172). Mt hat es so ringkompositorisch in den Außengliedern der beiden
Bedingungssätze gesetzt, daß es in der Apodosis des ersten wie in der
Protasis des zweiten semant. als Filler im Slot auch in der semant. Tiefenstruktur vorhanden ist. Die Synonymie zu V.12 legt nicht nahe, daß die
Wahl dieses Ausdrucks "stärker die Verschuldung als subj. Seite des Vor-
gangs" betone (gg. Cr-K WB 922; SCHLATTER 217, der im Gegenüber zu V.12
eine Steigerung behauptet: "nicht nur für Schwächen und Gebrechen, sd.
ausdrücklich für das verwerfliche, unter die sittliche Verurteilung fallende
Handeln"). Als personales Obj. sind in beiden Fällen der Protasis ausdrücklich red. *die Menschen* im mt Sinne angegeben, so "daß diese abschließende
Mahnung nicht auf das Verhältnis der Christen untereinander beschränkt
ist" (STRECKER 1984:130), sd. hier in der Folge von 5,43-48 die Feindesliebe
konkretisiert. Das erst seit Polyb (15,23.5; 16,20.5) belegte hell. Subst.
bezeichnet (von παρα-πίπτω her gebildet) das *Versehen*, den *Irrtum* auch
PapTebt 1,5.91 (M-M 489, während PREISIGKE WB 2,255 *Fehlbetrag* übers.)
und Philo MigrAbr 170 (bei Josephus nicht verwendet) als das Ergebnis von
Unwissenheit (so auch Gal 6,1). So dürfte π. auch von Mt hier durch den
Bezug gegenüber Außenstehenden gemeint sein, da er 12,31f dann eine nä-
here Differenzierung einführt, die hier schon durch die Wahl des Obj.-
Ausdrucks mitgedacht ist.
    A': Im vierten Komplex ist 18,21(=Q) zunächst der *Mitchrist* Obj. sofern
er als solcher sich gegen einen anderen Mitchristen vergeht; α. bezeichnet
also ein Verhalten Menschen gegenüber - und zwar auf der innergemeindlichen Ebene. In der Antwort V.22 ist es nicht verbalisiert, aber in der
semant. Tiefenstruktur vorhanden. In der anschließenden - von 6,12 her
entworfenen - Allegorie ist α. von daher V.27 zunächst im ius talionis auf
das erlassende Verhalten Gottes dupl., was V.32 in wörtl. Rede wiederholend
erinnert. Dabei wird mit der Setzung des Obj. *Schuldsumme*
ὀφειλή (NT nur noch 1Kor 7,3; Röm 13,7; LXX nie) = Pt.Pass. V.30.34
    bewußt an den Anfang 6,12 erinnernd zurückverwiesen wie schon einlei-
tend 18,24(+Q) auf 6,12(+Q) mit dem dupl. pers. Obj. *(Geld-)schuldner*
ὀφειλέτης (NT noch Gal 5,3; Röm 1,14; 8,12; 15,27; Lk 13,4; LXX nie)
    Mt 2 : Mk 0 : Lk 1 und
ὀφείλω 18,28a.b(+Akk, *Geld*).30.34(Pt.Pass. = Subst. V.32); ferner 23,16.18
Formel: *er ist verpflichtet*
    Mt 6 : Mk 0 : Lk 5 + 1 : Joh 2. Also insgesamt
ὀφειλ- (GUNDRY 646)
    Mt 10 : Mk 0 : Lk 6 + 1 : Joh 2.
18,35 wiederholt abschließend d. - V.21 direkt dupl. - die Bedingung
menschlichen Erlassens auf der innergemeindlichen Ebene. Damit ist auch
die vierfache Verwendung hinsichtlich der Subj. Gott vs. Christ ringkompositorisch angeordnet - diesmal in umgekehrter Reihenfolge wie bei 6,12.14.
Das sachliche Obj. ist an dieser letzten Stelle nicht verbalisiert, aber in
der semant. Tiefenstruktur durch die Textsequenz klar vorhanden.

B: Der zweiten Komplex bilden die 9,2.5.6(=Mk) übernommenen Aussagen Jesu, die das Vb. im Pass.divinum verwenden und als Bezugsobjekt abs. ἀμαρτίαι haben. Damit ist der mt Leser an die einleitende Bestimmung des Jesus-Namens 1,21 erinnert, die diese Funktionsbestimmung schon vorgab. Nach der Zusage V.2 ist die Wiederholung in der rhetor. Frage V.5, die – verstärkt durch die mt Begründungskonjunktion – eine selbstverständliche Antwort voraussetzt (es ist gleichgültig), der Übergang zur Zielaussage V.6: Der (im Grund überflüssige) Heilungsfall ist nur ein Erkenntnisgrund. Wesentlicher ist, daß Mt, der sonst hier überall auf die Redeelemente hin kürzt, bei der Befehlsausführung V.7 im Hinblick auf wörtl. Befehlsausführung hin erweitert. Das gehört zum Erkenntnisgrund hinzu: Die Vergebungszusage ist der Grund dafür, dem mt Jesus zu gehorchen. Darauf bezieht sich auch die indir. Rede der Akklamation von V.9, wo im Pron. die Wendung renominalisiert ist und mit der Dupl. der "Autorität" von V.6 ausdrücklich erinnert und zum Gegenstand gemacht wird. Der Dat. comm. *für die* →*Menschen* im mt Sinne von außerhalb der Gemeinde Stehenden als Bezugs-Obj. erinnert ausdrücklich daran, daß es um den Anschluß von bisher Außenstehenden geht (SCHENK 1963 gg. GUNDRY 162,165, der sich jüngst SCHLATTERS ekklesiol. Bezug anschloß). Mit dem Vorhandensein in der semant. Tiefenstruktur in V.8 hat Mt auch in diesem Komplex faktisch vier Vorkommen. Hier beziehen sich alle auf Gottes Vergeben durch den mt Jesus.

Diese Verwendung mit Gott als Subj. ist erst in LXX geprägt und im wesentlichen auf die kultische Entsühnung durch den Priester innerhalb des Bundesvolkes bezogen (vgl. vor allem die dichte Wiederholung in der Abschlußformel Lev 4,20.26.31.35; 5,10.13), so daß die Wahl des griech. Vb. vor allem den sakral-rechtlichen Zug der Handlung betont (MICHAELIS ThWNT 1,507; bei Jos nur Ant 6,92). Da es Mt 9 um die Handlung gegenüber einem *Menschen* (also mt *Außenstehenden*) geht, ist eher der Primäranschluß an Gott betont, der durch Jesus als den Bevollmächtigten vollzogen wird. Auch darin ist er *größer* als der →*Tempel*.

B': Im dritten, unmittelbar darauf folgenden Verwendungs-Komplex 12,31f ist je 2mal Gottes Vergeben im Pass. divinum V.31a(=Mk) und 32a(=Q) mit Fällen seines Nichtvergebens V.32b(=Mk), was V.31b dupl., kontrastiert. Im positiven Falle führt V.31 jedwede Verfehlung in tätlichen Handlungen (wie 9,2.5f) wie in den daneben besonders genannten Sprechhandlungen ein, und nennt als Bezugsobjekt des *Erlassens* (bzw. als Subj. des Verfehlens) ausdrücklich *Menschen* (im mt Sinne als noch nicht zur Gemeinde Gehörige). Doch auch für sie gilt die V.31b gemachte Einschränkung der Vergebung bei "Lästerung des Geistes", die ja nach dem Kontext des Beelzebul-Vorwurfs der *Gegner* der eigentliche Anlaß für die Aussage ist, und die V.32b als eigentlichen Zielpunkt wiederholt.

Überraschend ist die Übernahme von V.32a mit der Ausnahme in der Protasis, daß selbst ein Wort gg. Jesus vergeben werden könne, was in Q klar war, da die Geistträger Jesus nach- und in gewisser Weise übergeordnet waren, während für Mt Jesus selbst der Geistträger ist. So kann Mt damit wohl nur ein *unbedachtes* Insider-Wort gemeint haben (GUNDRY 237 denkt etwa an die Täuferanfrage 11,2f als Beispiel; törichte Schülerfragen wie die Zebedaiden 20,20ff oder verschiedene Petruseinsprüche wären auch in den Blick zu nehmen). Zu den ausgeschlossenen Widersprüchen gg. Jesus als Geistträger aber zählen die bewußten Ablehnungen (die in seiner Tötung gipfeln) und das Handeln des Judas – also Handlungen, denen ein Vernichtungsurteil angesagt wird. Das Erlassen Gottes oder seine Verweigerung vollzieht sich nach 12,31 sowohl in der Gegenwart der Jesus-Epoche als auch im Völkergericht (→αἰών).

βλασφημ-
　　Mt 7 : Mk 7 : Lk 4 + 5
βλασφημία
　　Mt 4 : Mk 3 : Lk 1 + 1
　　　　=(Mk 3 + 1)
12,31a.b ist es als Nom. actionis einmal aus Mk übernommen (aber in den generalisierenden Sing. gesetzt) und einmal statt des mk Vb. verwendet. Wie das Vb. bezeichnet es umfassend die Redehandlung der *Verspottung, Verhöhnung* und nicht eo ipso *Blasphemie* im Sinne von *Gotteslästerung* (HOFIUS EWNT 1,527-32), zumal es hier im ersten Falle obj.los steht und im antithet. und eingeschränkten Wiederholungsfalle ausdrücklich das Obj. *Geist* erhält. Bei der doppelten Wiederholung V.32 setzt Mt beidemal synonym die Präp.-Wendung *etwas sagen gegen.* V.36(+Q) wird es dann mit dem Obj. *jedes böse Wort* in ausdrücklicher Formulierungs-Erinnerung an V.31 noch durch ein weiteres synonymes Syntagma bereichert. Beide Stellen zeigen, daß Mt in seiner Verwendung ganz von Mk (bzw. Q) abhängig ist und von sich aus andere Wendungen einsetzt. Der Ton liegt nach dem Kontext auf der Verdammungsansage an die Lehrer Israels, deren Höhepunkt hier vorliegt: Sie sind die Geist-Lästerer, da nicht die Autorität Jesu vom Teufel ist, sd. die ihre V.43-5 als Rückkehr der Dämonen klassifiziert wird. Die Wiederaufnahme im Plur. in der Lasterliste 15,19(=Mk) erinnert an die vorangehende Stelle, zumal dort auch eine grundlegende Gegnerkontroverse damit abgeschlossen wird. Bei der Verwendung im Synhedriums-Urteil gg. Jesus 26,65(=Mk) ist im obj.losen Gebrauch (wegen des Todesurteils) als Nom. resultandum präzis *Gotteslästerung* gemeint.
βλασφημέω
　　Mt 3 : Mk 4 : Lk 3 + 4
　　　　(=Mk 4 - 2 + 1)
9,3(=Mk) ist Jesu Zusage der Vergebung Gegenstand des obj.losen Vorwurfs, der also im Zusammenhang klar *Gotteslästerung* meint. Red. korrelierend dazu ist der Vorwurf im Synhedriums-Verhör 26,65(+Mk) erinnernd gesetzt, wie die anschließende Wiederholung im Subst. eine Betonung dessen darstellt. Eine Rahmenbildung mit 9,3 ist beabsichtigt, da zugleich die *Menschensohn*-Selbstbezeichnung beide Stellen bestimmt (im ersten Falle nachgeordnet und an der letzten vorgeordnet). 27,39(=Mk) schildert daraufhin ein weiteres spöttisches Verurteilen Jesu sowohl in Entsprechung zu diesen beiden voranstehenden Stellen als auch in einer den Leser nochmals gegebenen Erinnerung an die beiden 12,31b.32b gegebenen, endgerichtlich maßgebenden Urteilssprüche gegen solches teuflisch inspiriertes (→πειράζω) *Verurteilen.*
　　Mt markiert im Anschluß daran 27,41.44 ausdrücklich die Wichtigkeit seines Wortfeldes dadurch, daß er dafür noch zwei Synonyme verwendet:
ἐμπαίζω (GUNDRY 643)
　　Mt 5 : Mk 3 : Lk 5 + 0 (NT sonst nie)
　　　　=(Mk 3 + 1) +(Q 0) + (A-Mt 1)
Im dritten Verwerfungs-Rehabilitierungs-Orakel 20,19(=Mk) hat Mt ε. (bei reduktiver Elimination der anschließend bei Mk genannten Handlung), das an erster Stelle stand (vgl. Synonym 5,11), zu einer zusammenfasser.den Umschreibung der gg. Jesus gerichteten feindlichen Worthandlungen der *Heiden* gemacht, wie es dann 27,31(=Mk) schon als gemeinsamer Nenner für Einzelhandlungen vorgegeben war (UNTERGASSMAIR EWNT 1, 1085f). Zur Verstärkung ist es davor 27,29(+Mk) red. dupl., während es 27,41(=Mk mit den Synonymen V.39 und 44) für das Handeln der Synhedriums-Mitglieder steht, die damit zugleich in der Textsequenz als quasi heidnisch bzw. heiden-gleich apostrophiert werden. An allen 4 Stellen geht es um das *teuflisch inspirierte spöttische Verurteilen Jesu.* Im Kontrast dazu hat 2,16

im Pass. wohl red. ironisch das verhöhnende *an der Nase herumführen* des Herodes durch die Magier ausdrücklich sogar als göttl. inspirierte Handlung eingeführt. Also ist für Mt solches Handeln nicht per se verwerflich, sd. wird es erst vom Obj. her; was der eigenen Gruppe (vgl. Synonyme) gegenüber verwerflich ist, wird den Gegnern gegenüber als durchaus angebracht, ja von Gott geboten angezeigt. Mt kennt ein göttl. gebotenes *Lästern*. Das bestätigt das Synonym:

ὀνειδίζω

>   Mt 3 : Mk 1 : Lk 1 (NT nur noch Röm 15,3 1Tim 4,10; Jak 1,5; 1Pt 4,14)
>   =(Mk 1) + (Q 1 + 1)

5,11(=Q) ist bei Mt gegenüber seiner Vorlage dadurch ausgezeichnet, daß es an erster Stelle und vor seinem Vorzugswort ≻*Verfolgtwerden* steht. Obj. sind die Schüler Jesu. Die kaum bemerkbaren Abänderungen scheinen unbedeutend zu sein; doch mag d. bei Q nicht mehr als eines der *Geschick-Vb.* der Prophetenverfolgung sein (LATTKE EWNT 2,1256f mit STECK 1966:257–60), so dürfte es bei Mt eine verstärkte Bedeutung haben: *sie mit einem Verwerfungsorakel schmähen.* Dies ergibt sich aus der folgenden Stelle 11,20 (+Lk), an der Mt d. zur red. Einleitung des Q-Verwerfungsorakels Jesu über die ablehnenden Städte gemacht hat. Das metakommunikative Vb. wird hier objektsprachlich durch ein doppeltes "Wehe" expliziert, das Antonym zu dem 5,11 einleitenden Belohnungsorakel-Wort ≻μακάριος ist. Mt hat also auch von daher mit seiner Voranstellung von d. dort eine bewußte Kontrastverstärkung geschaffen. Die stärker juridische Konnotation ist auf jeden Fall an beiden Stellen unverkennbar (vgl. analog auch Hebr 13,13 = Kreuzigung inklusive Verurteilungsaspekt, wie es auch 1Petr 4,14 die *Verurteilung* meint). Von daher ist auch die letzte Stelle 27,44(=Mk) zu hören (einschließlich der beiden Synonyme V.39.41; vgl. weiter mt ≻πειράζω) und verstärkt und aufgeladen zu verstehen: *sich an dem teuflisch inspirierten Verurteilen Jesu beteiligen.* Wie beim Synonym, so ist auch hier nicht die Handlung als solche negativ bewertet, sd. nur vom jeweiligen Subj. und Obj. her: Was der eigenen Gruppe gegenüber verwerflich ist, ist dem Gegner gegenüber durchaus legitim.

dφίημι II

>   Mt 23 : Mk 17 : Lk 13 + 1 : Joh 14
>   =(Mk 17 – 5 + 1) + (Q 3 + 7)

Nicht übernommen wurden: Mk 7,8 (Gebot verlassen); 8,13 (Jesus die Gegner; s.u. Synonym); 11,6 (hier einmalig *entlassen*); 12,19 (als negierte Stelle wie im Komplex I und III); 13,34 (Hausherr sein Haus). In eschatol. Aussagen kann es, wie 24,40f(=Q) zeigt, in Opposition zum Kontinuität stiftenden *Annehmen*(≻παραλαμβάνω) mit pers. Obj. auch negativ das *trennende Zurücklassen* bezeichnen.

Zurücklassen im lokal-trennenden Sinn theol. relevant schon Q-Mt 4,11 (+Lk pers. Obj. Jesus, von dem sich der Teufel geschlagen *zurückzieht*); 22,22(=Mk 12,12 permutiert wird das genauso auf die Gegner übertragen, die damit in Entsprechung dazu gesetzt werden); auch 8,15(=Mk mit pers. Obj. ist mt ein Anklang an die einleitende Teufelstelle: Der Fieberdämon *verläßt* die Kranke); in der Umkehrung 23,38(=Q mit Jesu Weggang ist ihr Tempel *verlassen*); und analog schon 15,14(=Mk 7,12 permutiert und in den Imp. transkodiert als definitive Aufforderung an die Schüler, sich dezidiert von sich aus initiativ von den jüd. Lehrers *abzuwenden*, korrelativ zu derem unverständigen *Distanzieren* V.12, das sie nicht zu bedauern haben). Synonym zu dφίημι II ist ≻καταλείπω (4,13 Kontextsynonym mit ≻ἀναχωρέω V.12; 16,4 substituiert für Mk 8,13 d.; 21,17 wird damit das Synonym in 23,38 vorbereitet).

Ekklesiol. relevant sind einerseits die Nachfolgestellen 4,20(=Mk Netze). 22(=Mk Schiff + Vater); beide Stellen sind erinnert und wieder aufgenommen in 19,27(=Mk *alles*).29(=Mk Häuser + Angehörige); weiter auch 13,36(=Mk 4,36 permutiert: Jesus die Menge zum Zweck der notwendigen Schülerbelehrung); im mt Sinne ist das wohl eine Anwendung von 18,12(+Lk allegor. die 99 auf dem ↗*Berg* – also im mt Sinne *in der Gemeinde* – zurücklassen); diese Konnotation der Wichtigkeit ist auch noch erklärend zu veranschlagen bei dem auffallenden red. Zusatz 26,44(+Mk Jesus *läßt* die Schüler *zurück*, um zu beten); 26,56(=Mk die Schüler *verlassen* Jesus, wobei hier wieder eine Synonymentsprechung zum unverständigen *Sich-Distanzieren* in der Vorhersage V.27.29 hergestellt ist, wie sie schon 15,12.14 auftauchte).

Mit sachl. Obj. Q-Mt 5,24(+Lk *Zurücklassen* der Opfergabe).40(+Lk mit pers. Dat. stärker zielbestimmt *überlassen*); 23,23a.b(+Lk juridisch *unterlassen*); 24,2(=Mk – kein Stein auf dem anderen *lassen*); im hell. Sinne stärker dem jurist. Sprachgebrauch angeglichen (BULTMANN ThWNT 1,506, da red. die Ehefrau zum Obj. statt des Nachkommen gemacht wurde) 22,25 (=Mk "aus einem rechtlichen Verhältnis entlassen" LEROY EWNT 1,437). Auch 27,50(=Mk) ist durch die Permutation und den Obj.-Wechsel von der *Stimme* auf den *Geist* nicht nur die Aktivität der Lebenshingabe Jesu stärker betont, sd. die Stelle zugleich stärker christol. orientiert, da für Mt Jesus Geistträger ist: *zurückgeben*.

ἀφίημι III

     Mt 7 : Mk 9 : Lk 5 + 1

       (=Mk 9 – 7 + 2) + (Q 2 + 1)

im Sinne von *erlauben*, *gestatten* einfach mit *lassen* zu übers.: Signifikant sind hier die Nichtübernahmen der negierten Stellen, wo etwas als *nicht erlaubt* bezeichnet ist: Mk 1,34; 5,19.27; 7,12.; 11,16 sowie die beiden positiven Stellen 7,27; 11,6. Mt übernahm es im Imp. 19,14(=Mk + A.c.I. gg. LEROY EWNT 1,437 darum hier nicht als Voll-Vb. "in Ruhe lassen"), wo die anschließende synonyme Doppelwendung den Sinn klar identifizierend definiert = *nicht hindern*, was Mt nur hier hat:

κωλύω

     Mt 1 : Mk 3 : Lk 6 + 6 : Joh 0.

Im direkten Gegensatz dazu steht an der unmittelbar nächsten Stelle in diesem Sinne der Vorwurf an die jüd. Gegner (wiederum mit A.c.I. und Basileia -Bezug) Q-Mt 23,13(gg. Lk, der das Antonym hat, was sek. sein dürfte, da außer seiner Häufigkeit Mt hier einmalig das negierte Vb. hat, was er Mk gegenüber immer vermied), den Eingang zu *verhindern*, womit indirekt die Aufforderung von 19,14 erinnert ist, da die Schüler ohnehin die Direktadressaten von Kap. 23 sind und hiermit noch deutlicher ist, daß hier die Gegner als fiktive Adressaten, rhetor. als Zweitpublikum eingeführt wurden (LAUSBERG 1976: § 762). Da in der direkten Kommunikationsebene Autor/Leser schon 19,14 die textpragmatische Funktion hatte, das Mt-Buch auch als Kinderlehre zu erlauben und zu gebieten, erklärt sich nicht nur, daß Mt dort den verstärkenden Doppelausdruck stehen ließ, sd. daß diese Funktion an der zweiten Stelle nochmals erinnert wird: Nur die lernende Aufnahme des mt Buches und seines Konzepts garantiert die individuelle Unsterblichkeit.

Kennzeichnend für Mt ist vor allem der Gebrauch des *2.Sing.Imp.Aor.* als feste "hellenistische Formel der Bitte" (LEROY EWNT 1,437, wozu aus dem vorigen Komplex auch 5,24.40 gezählt werden könnte, nicht aber 6,12a aus dem ersten), obwohl die einzige Mk-Stelle 7,27 im Interesse weitergehender Umformulierungen ausgelassen wurde. Übernommen ist 8,22(=Q + A.c.I.) als direkte Handlungsaufforderung. Schon die erste mt Stelle und das erste mt Jesuswort überhaupt 3,15a(+Mk mit typ. mt nachgestelltem Adv.) setzt so ein, woran sich V.15b(+Mk) sogleich die gehorsame Befehlsausführung des Täufers als Vollzugsmeldung anschließt. Interessant sind die Fälle, wo "an den anderen die Aufforderung ergeht, den Redenden etwas tun zu lassen,

klass. mit ἄγε, φέρε, auch δεῦρο" (B-D-R 364,1):
ἄφες
    Mt 2 : Mk 1 : Lk 1 + 0
Übernommen wurde weiter mit hortativem Konj. Q-Mt 7,4(=Lk 6,42 in 1.Sing.), während 27,49 (trotz 1.Plur.Konj.; vgl. Epiktet 1,9.15) Mt red. diese Form aus dem mk Plur. herstellte.
ἀφορίζω →κρίνω
'Αχάζ 1,9.9 (König von Juda 735-27 v.Chr. 4Regn 15,20ff; NT sonst nie)
'Αχίμ 1,14.14 (NT sonst nie)
ἀχρεῖον →δοῦλος
ἄχρι →ἕως
ἄχυρον →ἄρτος
Βαβυλών
    Mt 4 : Mk 0 : Lk 0 + 1 (Apg 7,43; im NT noch 1Pt 5,13 und Apk 6mal)
1,11.12.17 steht es zur Epochengliederung der königslosen Zeit mit
μετοικεσία (NT sonst; LXX 10mal) *Exil*
βάθος 13,5(=Mk) mangelnde *Tiefe* + Gen. "Erdreich"
    Mt 1 : Mk 1 : Lk 1 + 0 : Joh 0
βάλλω (MORGENTHALER 1973:181 Vorzugswort; GUNDRY 642)
    Mt 34 : Mk 18 : Lk 18 + 5 : Joh 16
        =(Mk 18 - 11 + 9) +(Q 5 + 8) + (A-Mt 3)
Werfen 27,6(=Mk von Losen); 15,26(=Mk von Brot + Dat. den Hunden); 7,6(+Q Perlen + Präp. vor die Säue); 4,6 (=Q Teufelsbefehl, *sich hinabzustürzen* + Adv.); *Wegwerfen* (mit ἀπό) von getrennten Körpergliedern 18,8a(+Mk).9a(=Mk - vom Komp. Mk 9,47 her gebildet) und dupl. 5,29a.30a; als feste Wendung *ins Gefängnis werfen* 5,25(=Q) dupl. 18,30(+Q vgl. PapTebt. 567; Epikt 1,1.24; 1,12.23; 1,29,6; BAUER WB 260; JEREMIAS 1965:179 "Verurteilung eines Schuldners zu Gefängnisstrafe durch das Gericht ist dem jüd. Recht unbekannt"; ehe man aber daraus schließt, daß "Jesus" "absichtlich auf außerjüd. Rechtsverhältnisse Bezug nimmt", sollte man das erst einmal für die Kennzeichnung des sozio-jurist. Umfeldes des Mt selbst - bzw. auch schon von Q - veranschlagen, zumal das auch für alle anderen Strafmaßnahmen von Mt 18 ebenso gilt; theol. ist dabei zu bedenken, daß der mt Gott in seinem Richten auch hier als eine verlängerte und übersteigerte drakonische röm. Obrigkeit gedacht ist, was zur Sachkritik nötigt).
    Da *β.* für *heftige Bewegungen* überhaupt steht und auch *stoßen* bezeichnet, ist 6,30(=Q Unkraut in den Ofen) verständlich; allgemeiner von *Ortsveränderungen* überhaupt (HAUCK ThWNT 1,524f): 9,17a(=Mk).b(+Mk dupl. Wein in Schläuche *füllen*) wie 26,12(+Mk) vom *Ausgießen* des Salböls; als Redensart *Frieden bringen* Q-Mt 10,34a(gg.Lk).b(+Lk; vgl. JosAnt 1,98; SCHULZ 1972:258 n.561 wird als Semitismus allgemein als urspr.angesehen).
βάλλω εἰς
    Mt 17 : Mk 9 : Lk 9 + 4 : Joh 11
ist typ. mt: 3,10(=Q); 4,18(+Mk); 5,25(=Q).29(+Mk Dupl.); 6,30(=Q); 7,19(+Q Dubl.); 9,17a(=Mk).b(+Mk Dubl.); 13,42(+Q Dubl.).47(+Mk Dupl.).50(+Q Dubl.); 17,27(+Mk Dubl.);18,8b.9b(=Mk).30(+Q Dubl.; 21,21(=Mk); 27,6(+Mk) - also 10mal red.
βάλλω ἐπί + Gen. 9,2(+Mk); 26,12(+Mk)
    Mt 2 : Mk 0 : Lk 0 + 0 : Joh 0
βάλλω τὰ ἀργύρια 25,27(+Lk); 27,6(+Mk) *Geld anlegen, kapitalisieren*
    Mt 2 : Mk 0 : Lk 0 : Joh 0
im Zshg. der mt monetären Vorzugswendungen (BAUER WB 261: DiogLaert 2,20; Aristoxenus frm. 59).
βέβλημαι Perf.Pass. für *Krankliegen* (SCHULZ 1972:237 n.406)
    Mt 3 : Mk 0 : Lk 0 (Lk 16,20 ist nicht so speziell)
Dieser hell. Sprachgebrauch (Babrius 103,4; Konon 26 fr. 1,17; M-M 109;

BAUER WB 260) ist bei Mt vor allem darum aufallend, weil er die gesamte Präp.-Wendung, die er Mk 7,30 für eine Lage nach der Heilung vorfand, dort wegen des geprägten Sprachgebrauchs seines Milieus als unpassend ausließ und sie zur Krankenbeschreibung nach 9,2(+Mk) permutierte sowie das Vb. von daher auch an den beiden unmittelbar voranstehenden Stellen 8,6(+Q).14(+Mk) einsetzte. So stehen hier typ. mt assoziativ wiederum drei gleichsinnige Verwendungen hintereinander. Offenbar soll damit ein verallgemeinernder Zug in die Darstellung kommen, so daß die ersten beiden Stellen vorbereitend für die dritte stehen und nachträglich von daher erklärt werden, wie sie ebenso das noch weiter verallgemeinernde Synonym von 9,36 (s.u.) vorbereiten helfen.

βάλλω εἰς τὴν θάλασσαν (GUNDRY 642)
     Mt 4 : Mk 1 : Lk 0
ist 21,21(=Mk Befehl an den Berg) übernommen, jedoch 4,18(gg. Mk Komp.) red. hergestellt und vom Fischen auch 13,47 und 17,27 dupl. Dies deutet zusammen mit den Obj. darauf hin, daß Fischfang in der soziokulturellen Umgebung des Mt offenbar ebenso wichtig war wie monetäre Vorgänge:
ἄγκιστρον 17,27 (NT sonst nie; LXX 5mal) *Angel*
ἀμφίβληστρον 4,18 (statt des mk Vb., NT sonst nie; LXX 5mal) *Wurfnetz*
σαγήνη 13,47 (NT sonst nie; LXX 8mal) *Schleppnetz*. Supernym ist
δίκτυον 4,20f(=Mk) Plur. *Fischnetze* (DALMAN 1964:VI 362f)
     Mt 2 : Mk 2 : Lk 4 + 0 : Joh 4 (NT sonst nie); die Handlungsträger sind
ἁλιεύς 4,18.19(=Mk wie Lk 5,2; NT sonst nie) *Fischer* (WUELLNER 1967:68–72)
     Die Dupl. von β. 4,18 in 13,47 deutet darauf hin, daß diese Allegorie von vornherein red. vom Auftrag "Menschenfischer" im ersten Zusammenhang her entworfen ist (GUNDRY 279) und von den Lesern in der Textsequenz auch so gelesen werden konnte und sollte. Chiastisch komplenym zu β. ist
ἀναβιβάζω 13,48 (NT sonst nie) das Schleppnetz *hinaufziehen*.

βάλλομαι (Pass. für das Endgericht)
     Mt 11 : Mk 2 : Lk 3 (GUNDRY 642)
       =(Mk 2 + 2) + (Q 3 + 4)
Der Gerichtsschluß ist im Täuferwort 3,10(=Q) vorgegeben und wurde dann im Munde Jesu multipl.: 7,19; 13,42.50 – und von daher auch in die Allegorie V.48 hineingetragen. Von Mk übernommen wurden 18,8b.9b, was 5,29 dupl. Für Mt ist auch Q-Mt 5,13 als Gerichtsschluß gedacht (vgl. zur Form LÜHRMANN 1969:107–21), was sich auch aus der Versetzung ins Pass.divinum (gg. Lk) ergibt. Dasselbe gilt aus den gleichen Gründen auch für 5,25 (wieder Pass.divinum gg. Lk und den voranstehenden Satz sowie wegen der anschließenden Markierung durch *Amen* als gerichtsbezogen, auch wenn Mt das Voranstehende zunächst als dir. eth. Beispiel verwendete) wie für die Dupl. 18,30 (hier Akt.). Synonym ist
ῥίπτω
     Mt 3 : Mk 0 : Lk 3 + 2 (Lk 4,35; 17,2; Apg 22,23 Nebenform; 27,19.29 –
       =(Mk 0 + 3)   NT sonst nie)
9,36(+Mk) Pt.Pass. vom Zustand des Volkes *darniederliegend* in Verallgemeinerung des Synonyms vor allem von 9,2 her; Akt. 15,30(+Mk Kranke zu Jesu Füßen); 27,5(+Mk das Geld des Judas *zu Boden werfen*).
ἐκβάλλω (GUNDRY 643; doch auch gg. ANNEN EWNT 1,985 bei Mk nicht 18mal)
     Mt 28 : Mk 16 : Lk 20 + 5 : Joh 6
       =(Mk 16 – 6 + 3) : (Q 10 + 5)
Für Gottes Verurteilungshandeln im Vernichtungsgericht synonym zum Simpl. (+ εἰς) ist es 8,12(=Q) übernommen und 22,13; 25,30 dupl. (➚σκότος):
     Mt 3 : Mk 0 : Lk 1 + 0
Mit Obj. Dämonen (Satan, Geister) die häufigste Verwendungsgruppe:
     Mt 13 : Mk 10 : Lk 9 + 0 : Joh 0 (GUNDRY 643)
       =(Mk 10 – 2) + (Q 5)

Kennzeichnend für Mt ist stärker die *Verteilung* als die Häufigkeit, indem er 7,22 (=Mk 9,38 permutiert, wie der Dat.bezug *Name* belegt) mit einer auf die *Schüler* bezogenen Stelle beginnt wie er 17,19(=Mk) damit schließt und im Zentrum des Sendungsauftrags 10,1(=Mk 3,15 permutiert).8(=Mk 6,13 permutiert) ebenfalls zwei Stellen mit den Schülern als Subj. stehen. Dazwischen geschaltet ist ein erster Block mit *Jesus* als Subj.: im Sammelbericht 8,16 (=Mk 1,34 permutiert).31(wohl von Mk 5,40 in den Mund der Dämonen permutiert); Q–Mt 9,33.34, während der zweite Block den eng geschlossenen Komplex der Dubl. dazu umfaßt mit wiederum vier auf Jesus als Subj. bezogenen Verwendungen: 12,24(=Mk).26(=Mk 3,22 permutiert; Satan Subj. und Obj.).27a.28(=Q), ergänzt durch das auf die Schüler jüd. Lehrer bezogene Argument V.27b(=Q):

A Schüler: 7,22;   10,1.8;   17,19;
B Jesus: 8,16.31; 9,33f;   12,24–28;

charakteristisch für diese Verwendungsgruppe ist die durch die Vorgabe der Verwendung mit instrument. *ἐν* (9,34; 12,24.27a.b.28) bedingte red. Verwendung des *bloßen instrument. Dat.*, den nur er bei ε. überhaupt hat, und den er betont gerade an den ersten beiden Stellen setzte: 7,22 (durch Auslassung des mk *ἐν*) und 8,15 (durch den dupl. Zusatz von V.8 von Q vorgegebenen λόγῳ). Dabei zeigt aber auch die Weglassung im ersten Falle eine Differenz zu den Stellen mit der Präp. an und damit die Tatsache, daß Mt (wie 10,25 beweist) die Präp. *nicht* mehr instrument., sd. als freieren Dat. modi (modal: *als*) verstanden hat; dennoch wird man zusammenfassend zählen dürfen ἐ.(Obj. Dämonen) (+ ἐν) + Dat.:

Mt 7 : Mk 2 : Lk 6 + 0 : Joh 0.

Bei den sonstigen Verwendungen mit pers. Subj. ist erzählend Jesus 2mal Subj. des Rausschmeißens 9,25(=Mk für die Trauernden als Vollzug des Imp. von ⊁ἀναχωρέω) und 21,12(=Mk in der Tempelhofhandlung), während er 21,39 (Mk) das allegor. Obj. ist. Ohne das Sem der Gewalttätigen steht es 9,38(=Q) für das erbetene *Aussenden* (εἰϛ wie PapRyl 80,1; HAUCK ThWNT 1,525).

Mit sachl. Obj. 8mal: vom *Entfernen* des Splitters bzw. Balkens Q–Mt 7,4 (ἀπό).5a(ἐκ).5b(ἐκ) mit Lk und gg. Lk Q–Mt 12,35a.35b(ἐκ) Gutes bzw. Böses *hervorbringen* dupl. 13,52(ἐκ). Stärker zielgerichtet mit εἰϛ sind die beiden Mk-Zusätze 15,17 (*fallen lassen*) und im Erfüllungszitat 12,20 ("das Gottesrecht erfolgreich *durchsetzen*"), wo die Wendung gg. LXX-Jes 42,3 offenbar als bewußte Wiederaufnahme von und zur Erinnerung an 9,38(=Q) verwendet, also auch noch als Q-Dubl. anzusehen ist. Nicht übernommen sind Mk 1,12.39.43; 7,26; 9,18.47.

ἐπιβάλλω

Mt 2 : Mk 4 : Lk 5 + 4 : Joh 2

Trans. 26,10(=Mk mit Wiederholung der Präp. + Akk. der Person) vom *gewalttätigen* Jesu; 9,16(+Mk mit Wiederholung der Präp. + Dat. der Sache im Wortspiel mit dem Simpl. V.17) vom "*Aufsetzen* des Flickens" im inneren Akk. vom Subst. (⊁γυμνός) her (vgl. analog 4,18) gebildet. Nicht übernommen ist das Vb. Mk 11,7 sowie an den intrans. Stellen 4,17; 14,72.

βαπτίζω

Mt 7 : Mk 10 : Lk 10 + 21 : Joh 13
=(Mk 10 – 6 + 1) + (Q 1 + 1)

Mt hat reduziert, indem er zugleich die ersten 6 Belege auf Mt 3,6–16 konzentrierte, um dann den 7. im Buchschluß 28,19 in auffälliger Korrespondenz dazu zu setzen. Dazu entfielen alle späteren Stellen des Mk; so Mk 6,14.24 der pt. Täuferbezug (wie auch 1,4) und auch die bildl. Verwendung aus Mk 10,28f (so auch mit Subst. aus Mk 7,4, während Lk 11,37 eine versetzte Verwendung hat). Auch für die mt Rezeption von Q in 21,32 ist dann gg. Q–Lk 7,29f eine red. Auslassung anzunehmen. Mt hat es *nur* für die Handlung des *einmaligen Tauchbades* verwendet. Zusammen mit der mt Konzentration am

Anfang ist dann zugleich der gehäufte *Jesusbezug* zu beachten: 3,6(=Mk).11a (=Q gg. mk Aor.).11b(=Mk/Q Fut. mit Geist und Feuer).13(+Mk als bewußte Zweckangabe Jesu).14(+Mk Q-V.11b dupl. als von Johannes erwartete Geist-taufe).16(=Mk). Vom Geistbezug 3,11b her, der auch V.14 in der semant. Tiefenstruktur gegeben ist, wird die zusammenhängende red. Dupl. in 28,19 verständlich.

βαπτίζω ἐν

Mt 3 : Mk 2 : Lk 1 + 4 : Joh 5

ist ein Syntagma, auf das Mt besonderen Wert legte, weil er es an den drei ersten Stellen hintereinander setzte. Dabei ist schon an der ersten Stelle 3,6 auffallend, daß er die Präp. durch Umstellung direkt an das Vb. an-schließt (*im Jordan untertauchen*). Dasselbe ist an der 2. Stelle V.11a zu beobachten, wo er die Präp. gg. Mk wie Q zusetzte, während bei Lk der Dat. *Wasser* voranstand und bei Mk erst dem pers. Pron. nachfolgte. Die Aufeinanderfolge der beiden ersten Stellen macht deutlich, daß Mt den *Ort* und die *Sphäre* bezeichnet, *nicht* aber das Mittel (*im Wasser = Fluß*; SCHLATTER 77 gg. ZAHN 139 n.41 "mittels"). V.11b ist ἐν von Mk vorgege-ben, hat jedoch wieder die gleiche getrennte Wortfolge wie im Vordersatz. Mt will also nicht das Tauchbad des Joh von dem der Christenheit abheben (gg. LOHMEYER 44), sd. die Wassertaufe von der Endgerichts-*Taufe* (was hier Analogiebezeichnung ist). Die Taufe im Wasser ist für ihn in jedem Fall eine Gehorsamstat als der Akt der geforderten Umkehr als Abkehr von den Verfehlungen (das Widerrufen V.6 einschließend) und der Hinkehr zum es-chatol. Indikativ. Das Endgericht hat ein doppeltes Fluidum, in das man *eingetaucht* wird, wie der Redeschluß V.12 verdeutlicht: in einsammelnden *Gesit* oder in das vernichtenden *Feuer*.

Ἰορδάνης

Mt 6 : Mk 4 : Lk 2 + 0 : Joh 3 (NT sonst nie)

=(Mk 4 + 2)

Die Nennung des Hauptflusses Palästinas ist 3,6(=Mk) als Ort des Tauchba-des übernommen und von daher 3,5(+Mk) dupliziert zum "Umkreis des ʼI." (Peräa? - neben "Jerusalem und ganz Judäa") als Herkunftsort der Taufwil-ligen, wie Jesus 3,13(=Mk 3,9 permutiert) von Galiläa kommend "am ʼI." er-scheint. Ähnlich wird im Erfüllungszitat 4,15(+Mk) die Trennung von Nazara und das Ansiedeln in Kafarnaum als "jenseits des ʼI., Galiläa der Heiden" beschrieben in Dupl. von 4,25(=Mk 3,8 permutiert), wo Leute von dort (außer denen aus anderen Gebieten) unter denen genannt werden, die Jesus nachfolgen. Danach nur noch 19,1(=Mk) von Jesu Weg von Galiläa nach Judäa "jenseits des ʼI.(Peräa?)". Die 4 Umlandangaben des Mt sind wohl nicht kongruent.

ποταμός

Mt 3 : Mk 1 : Lk 2 + 1 : Joh 1

=(Mk 1) + (Q 2)

3,6(=Mk) als Näherbestimmung zum Jordan an der mk ersten, mt aber erst zweiten Stelle, so daß es weniger als Erklärung steht, sd. stärker auf das Tauchbad bezogen ist: es ist eine Jordantaufe und nicht nur überhaupt eine "Wassertaufe" (so wohl gg. H-G 13 urspr. LA, während die gelegentliche Auslassung sek. ist, da nachträgliche Angleichungen von Mt an Mk unwahr-scheinlich sind und nur im umgekehrten Falle veranschlagt werden können). Ferner als hauszerstörende Gewalt 7,25.27(=Q doch red. im mt Plur., wohl um es vom Jordan abzuheben und in der genannten Funktion zu verallgemei-nern).

ὕδωρ

Mt 7 : Mk 5 : Lk 6 + 7 : Joh 21

=(Mk 5 - 2 + 4)

Im Sing. 3,11.16(=Mk) ist es durch das gleiche Präp.-Syntagma wie V.6

konkret zu fassen als Renominalisierung und Kontextsynonym von "Jordan-
fluß" (also nicht generell "Wassertaufe", sd. spezielle "Jordantaufe").
17,15(=Mk) ist es der Ort, in den der Kranke fällt, wobei wohl der galiläische See im Blick ist, da dieser an den drei zwischengeschalteten Stellen
bezeichnet ist. In diesen drei red. Stellen steht immer der mt Plur. für
Wellen, Wogen: 8,32(+Mk) als Tötungsort der Dämonen und dupl. 14,28f(+Mk)
als Ort, den Petrus überschreitet.
κῦμα 8,24(=Mk) dupl. 14,24(+Mk)
    Mt 2 : Mk 1 : Lk 0 + 1 (NT nur noch Jud 13 metaphor.)
Red. ist der Sing. ὕ. 27,24(+Mk) für das Händewaschwasser des Pilatus.
νιπτ- ist ein von Mt multipl. Hyponym
    Mt 4 : Mk 2 : Lk 0 in den drei Formen
νίπτω 15,2(=Mk) *sich die Hände* dupl. 6,17 *das Gesicht waschen*
    Mt 2 : Mk 1 : Lk 0 : Joh 13 (NT nur noch 1Tim 5,10) dupl. als Komp.
ἀπονίπτω 27,24(+Mk; NT sonst nie, LXX 3mal) antonym
ἄνιπτος 15,20(=Mk 7,2 permutiert; NT und LXX sonst nie) Supernym ⊁κοινόω
ἄνυδρος 12,43(=Q; NT nur noch Jud 12; 2Pt 2,17) *wasserlose Plätze* dürfte als
Antonym in der mt Anwendung auf die jüd. Führer keinen speziellen Tauf-
bezug haben, sd. vom *Wasser* als der Grundlage jedes Lebens ausgehen und
unbelebt, unbewohnbar meinen.
βάπτισμα
    Mt 2 : Mk 4 : Lk 4 + 6 (NT noch Röm 6,4; Kol 2,12; Eph 4,5, 1Petr 3,21;
    LXX nie)
Auch hier hat Mt 3,7(=Mk 1,4 permutiert) und 21,25(=Mk) durch die Auslassung von Mk 10,38f den Bezug zum Tauchbad des Joh seinen eigenen
Sprachgebrauch vereinheitlicht und nicht auch andere Waschungen damit
bezeichnet, wobei Mt auch an der ersten Stelle den personalen Personbezug
von der zweiten Stelle her ausdrücklich zusetzte (so wohl urspr. LA mit
N-A und H-G gg. GNTCom 9). Hinsichtlich des Gegnerverhaltens an der
zweiten Stelle wie dem dort nachfolgenden red. Vorwurf in 21,32 kommen 3,7
die mt Gegner nur zum *Ort der Taufe* (= *zum Täufer*), nicht aber mit der
Absicht der Taufe, was auch aus der red. Präp. (= 3,13) hervorgeht.
ὁ βαπτιστής (GUNDRY 642; OEPKE ThWNT 1,544; BAUER WB 263))
    Mt 7 : Mk 2 : Lk 3 (NT und LXX sonst nie)
        =(Mk 2 + 3) + (Q 0 + 2)
Immer als unterscheidendes Attribut zum Namen *Johannes* 14,8(=Mk) und
16,14(=Mk) als Außenbezeichnung übernommen (vgl. auch JosAnt 18,116) und
von daher im Zuge seiner Stereotypisierung schon an der Eingangsstelle 3,1
(statt mk häufigeres Pt.) und 14,2(gg. mk Pt.); 17,13(+Mk) sowie Q-Mt 11,11f
(gg. Lk 7,28; 16,16) multipl.; dgg. fehlt es bei Q-Mt 11,18, wo es Lk 7,33
hat. Daraus ist aber nicht zu schließen, daß es auch Q gekannt habe und
Mt evtl. in die beiden vorlaufenden Sätze vorgezogen habe, denn Lk hat es
ebenso vorher 7,20 in einem eindeutig red. Vers. Damit hat Lk auch die mk
Vorgaben gelegentlich dupl., so daß man nicht die Regel aufstellen kann,
daß Lk den Zusatz meide, wo er selbst formuliert, um daraus den Schluß zu
ziehen, daß er an beiden fraglichen Stellen den Ausdruck übernommen haben müsse. Für eine solche operationale Regel ist hier die Basis des Materials zu schmal, und Lk 9,19 hat nachweislich eine der beiden Mk-Stellen
(8,28) übernommen und auch sonst permutierte Relikte an Auslassungen.
Ἰωάννης I (der Täufer)
    Mt 23 : Mk 16 : Lk 24 + 9 : Joh 23 (NT sonst nie)
        =(Mk 16 - 3 + 2) + (Q 7 + 1)
Der gräzis. Name *Jahwe ist gnädig* (BAUER WB 760; THYEN EWNT 2,518f) erscheint außer an den schon im Syntagma genannten Stellen: 3,4(=Mk).13
(+Mk).14(=Mk 1,9 permutiert); 4,12(=Mk); 9,14(=Mk); 14,3f(=Mk).10(=Mk 6,24
permutiert); 21,25f(=Mk) – während Mk 2,18a; 6,16.20 ausgelassen wurden.

Q-Mt 11,2.4.7.13.18 sowie 21,32(=Lk 7,29 als Schlußstelle permutiert. Mt übernahm die ihm von Q und Mk vorgegebenen Aussagen über ihn und stellte ihn ganz auf die Seite Jesu, indem er ihm 3,2 die von Mk vorgegebene Inhaltsangabe der Botschaft zuschrieb und komplementär täuferische Wendungen in den Mund des mt Jesus dupl., beiden die gleiche einheitliche Gegnerfront zuordnete und in der Gerichtsrede Mt 21,28ff die Verwerfung des Täufers der Jesu 21,33ff zuordnete. Nur 17,13 könnte man in der Determination des Namens einen ausdrücklichen Wechsel zu dem anderen Namensträger V.1 bezeichnet sehen, den Mt aber ohnehin stark reduzierte.

Βαραββᾶς
    Mt 5 : Mk 3 : Lk 1 : Joh 2 (NT und LXX sonst nie)
       =(Mk 3 + 2)
Die Verwendung Mt 27,16(=Mk).17(+Mk).20(=Mk).21(+Mk).26(=Mk) ist ganz von Mk abhängig, und die Erweiterung entspricht ganz der mt Ausdehnung dieser Szene überhaupt, die Mt zu der von ihm behaupteten eigentlichen Verwerfung Jesu durch das jüd. Volk macht (SCHENK EWNT 1,471f). Mt verstärkt durch seine beiden Zusätze jeweils die Alternativsetzung beider Gefangener. Dem dient wohl auch, daß er dem nur durch das Patronymikon vorgegebenen *Sohn des Vaters* in den beiden ersten Erwähnungen V.16f ebenfalls den Namen *Jesus* zuschreibt (so mit N-A gg. H-G 259). Ansonsten bleibt er bei Mt ausgesprochen blaß, da Mt alle konkreten Einzelheiten, die Mk 15,7 mit ihm in Verbindung brachte, wegließ. Er ist einfach ein Gefangener, und offenbar ein schuldiger, der V.16 als Ersatz für die ausgelassene mk Beschreibung nur die einführende, suggestive adj. Wertkennzeichnung *berühmt-berüchtigt* erhält (sensu malo wie JosAnt 5,234; PlutFabMax 14,2 EWNT 2,59 mit BAUER WB 590; TRILLING 1964:73; WALKER 1967:46 "deftig plakatierend ... suggeriert so den Gedanken an einen üblen Verbrecher; gg. LOHMEYER 382f):
ἐπίσημος (NT nur noch Röm 16,7 positiv; LXX 7mal)
Βαραχίας →γραφή
βαρ- (GUNDRY 642)
    Mt 6 : Mk 1 : Lk 2 + 4 : Joh 0
βαρέομαι 26,43(gg. Mk Komp.)
    Mt 1 : Mk 0 : Lk 2 + 0 (NT nur 2Kor 1,8; 5,4; 1Tim 5,16; LXX 2mal)
vom *Schwerwerden der Augenlider* (BALZ EWNT 1,475; Lk 9,32; 21,34).
βαρέως
    Mt 1 : Mk 0 : Lk 0 + 1 (NT sonst nie; LXX 6mal)
13,15(+Mk Zitat LXX-Jes 6,10 = Apg 28,27, was auf evtl. Q-Ursprung hinweisen könnte) in dem verwerfenden Vorwurf, daß die jüd. Gegner ihre *Ohren schwerhörig* gemacht haben.
βάρος
    Mt 1 : Mk 0 : Lk 0 + 1 (Apg 15,28; + pl 3mal; Apk 2,24; LXX 5mal)
20,12 in der red. Jünger-Allegorie von der "*Last des ganzen Tages*" (BALZ EWNT 1,478).
βαρύς
    Mt 2 : Mk 0 : Lk 0 + 2 (Apg 20,29; 25,7; + 2Kor 10,10; 1Joh 5,3)
Der doppelte Q-Zusatz 23,4.23 steht in bewußter antithetischer Entsprechung zueinander: Während sie das *Wichtigste* (Komparativ für Superlativ) und *Wesentlichste* des Mosegesetzes vernachlässigen, legen diese jüd. Gesetzeslehrer dem Volk *unnötige* Lasten auf; dieses Sem dürfte stärker als bloßes *schwer* durch die Antithese gefordert sein, da der Bürde-Charakter schon durch das Q-Subst. 23,4(=Lk 11,46a.b)
φορτίον
    Mt 2 : Mk 0 : Lk 2 + 1 (Apg 27,10; NT nur noch Gal 6,5)
vorgegeben war, das red. 11,30(+Q) bewußt antithetisch dazu permutiert hat, da er für die Tätigkeit der jüd. Lehrer dort das betr. Vb.

φορτίζω
    Mt 1 : Mk 0 : Lk 1 (NT sonst nie; LXX nur Ez 16,33)
11,28 red. Q–Lk 11,46 permutiert hatte. Darum erscheint dort auch 11,30 als
Antonym
ἐλαφρός
    Mt 1 (NT nur noch 2Kor 4,17; LXX 5mal),
das im Wortfeldzusammenhang mit dem favorisierten Stamm seines Antonyms
ebenfalls als mt red. gelten muß. Der favorisierte Stamm auch im Komp.
βαρύτιμος
    Mt 1 (NT und LXX sonst nie)
27,7(+ Mk) ist ein gesteigertes *sündhaft teuer* als – zugleich mit einem weiteren von Mt bevorzugten Stamm verbunden (→τιμ-) – urspr. LA anzusehen.
Βαρθολομαῖος →μαθητής
Βαριωνᾶ →γράφω
βασανίζω, βασανιστής, βάσανος →μαλακία
βασιλε-
    Mt 79 : Mk 32 : Lk 62 + 31 : Joh 23
βασιλεύς (GUNDRY 642)
    Mt 23 : Mk 12 : Lk 11 + 20 : Joh 16
        =(Mk 12 – 2 + 1) + (Q 1 + 5) + (A–Mt 5)
Während Mk 6,14-27 mit der 5maligen, inkorrekten Bezeichnung für Antipas
einsetzte, hat Mt 14,1 es hier durch das korrektere
τετράρχης
    Mt 1 : Mk 0 : Lk 2 + 1 (Lk 3,19; 9,7; Apg 13,1; NT und LXX sonst nie)
ersetzt und nur 14,9 als nachgeordnetes Kontextsynonym übernommen. Die 3
Auslassungen kann man 2,1.3.9 auf seinen Vater *Herodes* versetzt und übertragen ansehen, so daß sich für A–Mt nur 5 Stellen und insgesamt nur 2
Mk-Auslassungen ergäben. An konkreten Personen wird sonst nur – und
zwar 1,6 zuerst – *David* damit prädiziert, so daß damit sofort eine Spannung
und Konkurrenz zu den Herodianern makrosyntaktisch eingeleitet ist. Diese
Gefährlichkeit wird nochmals dadurch unterstrichen, daß 2,22 einmalig für
Archelaos das Vb.
βασιλεύω
    Mt 1 : Mk 0 : Lk 3 + 0 : Joh 0
verwendet – und zwar mit Obj.-Gen. (B–D–R 177,1 – während Lk immer ἐπί +
Akk. hat) wie bei den Hyponymen 16,18; 20,25(=Mk) sowie bei dem Synonym
→ἄρχων. Das Fem.
βασιλίσσα
    Mt 1 : Mk 0 : Lk 1 + 1 (Lk 11,38; Apg 8,27; NT nur noch Apk 18,7)
ist 12,42(=Q) für eine konkrete Person, "die Königin des Südreiches", in
Korrepondenz zu Salomo übernommen.
    Im *Plur.*. erscheint das mask. Subst. 10,18(=Mk) für die Verfolger der
Gemeinde, 11,8(=Q – Lk 7,25 red. terminologisch präzisiert) für den Luxus
der Häuser im Kontrast zur Wüste V.7 (red. V.1 Gefängnis einschließend),
17,25 als Abgaben von Fremden Nehmende
Christol. ist es gesteigert verwendet (→βασιλεία τοῦ θεοῦ):
    Mt 8 : Mk 6 : Lk 5
6mal für die königl. Messianologie des *Irdischen*: 2,2(=Mk 15,9 versetzt) im
betonten Anschluß an David 1,6 und im Kontrast zu Herodes 2,1.3.9; damit
ist eine autorspezifische *Rahmung* A : A' gebildet mit den Verwendungen im
Buchschluß mit dem für Mt sachidentischen *König der Juden* 27,11.29.37
(=Mk) bzw. *Israels* V.42(=Mk) und vorbereitend dazu 21,5(+Mk; Zitat Sach
9,9) *dein König*.
    Von der Bezeichnung des irdischen Messiaskönigs Israels abgehoben sind
die Stellen 25,34.40, die sich auf den *Menschensohn* als universalen Weltenrichter beziehen, was eine typ. mt Verbindung darstellt (BRANDENBURGER

1980:43f). Typ. mt ist hier ebenso die Verwendung in erzählter Rede – und zwar am Ende und Höhepunkt der letzten Rede (>υἱός; >χριστός). Μεσσίας ist wie in seinen Vorlagen nie verwendet.

Für *Gott* ist β. 6mal verwendet: A-Mt 5,35 sowie red. 18,23 (wegen V.35 auf Gott zu beziehen) in der Schalksknecht-Allegorie wiederum am *Ende* und als Höhepunkt der *Rede* von Kap.18. Auch im End- und Höhepunkt der Allegorie-Trias ist in den Q-Zusätzen 22,2.7.11.13 Gott gemeint (GUNDRY 433; wegen der Relation zu "Sohn").

Die Kategorie von spezifisch mt "Königsgleichnissen" kann man nur als vorläufige Beschreibung benutzen, obwohl der Unterschied zur Verwendung in der Beispielgeschichte Lk 14,31 (König gg. König) deutlich auf der Hand liegt. Will man die theol. Verwendung in den Kap. 18 und 22 mit der christol. in Kap.25 zusammenfassend klassifizieren, so ist besser nicht von einer red. "Verwendung von König in Parabeln" zu reden (gg. GUNDRY 642). Die beschreibungsadäquatere Kategorie ist: *allegor.* Verwendung in *erzählter Erzählung* am *Ende* einer längeren *Rede* als deren *Höhepunkt.* Unter diesem klassifikatorischen Aspekt der "maximal specifity" ergibt sich als red. Besonderheit
Mt 7 : Mk 0 : Lk 0.
In allen drei Fällen geht es dabei um das dualistische Belohnungs/Vernichtungs-Gericht in seiner vollen Schärfe und Grausamkeit (>βασιλεία τοῦ πατρός/τῶν οὐρανῶν). Auch der Kern des platonischen Konzepts vom Sieg des Besseren und der Niederlage des Schlechten wurde programmatisch schon Plat Nom 904A mit der Königstitulatur (in ausdrücklicher Differenzierung von den "staatlich anerkannten Göttern") eingeführt (SANDVOSS 1971:76f).
Δαυίδ
Mt 17 : Mk 7 : Lk 13 + 11 : Joh 2
=(Mk 7 – 0 + 2) + (Q 0 + 1) + (A-Mt 7)
Mt hat nicht nur alle mk Stellen übernommen, sd. ist in seiner Verwendung auch allein von Mk inspiriert, da Q keinen Beleg vorgab. Mt 12,3(=Mk) übernahm er die Erwähnung in dem paradigmatischen, antijüd. Schriftbeweis. 22,43(=Mk).45(=Mk) ist er ein- und ausleitend als der prophetisch inspirierte Autor (ἐν πνεύματι an den Namen herangerückt; GUNDRY 451) des Psalmzitats genannt; als König ist er zugleich Prophet. Mt 1,6a(mit betontem Zusatz "König")b.17a.b hat Mt ihn in und nach seinem red. konzipierten Stammbaum an der wichtigen Schaltstelle der vorsehungsgeschichtlichen Epochengliederung erwähnt. "Die Apokalyptik schweigt über David" (MERKEL EWNT 1,664), wie in der apk. Pseudepigraphie (im Unterschied zur weisheitlichen) Königsnamen vermieden sind. Hat Mt damit die direkten David-Erwähnungen von 3 auf 7 erhöht, so haben alle weiteren Stellen das Syntagma
υἱός (τοῦ) Δαυίδ (GUNDRY 648)
Mt 10 : Mk 3 : Lk 3 + 0 : Joh 0
Mt 20,30f wird die Anrede im Hilferuf der Blinden zwar von Mk übernommen, jedoch der Bitte nachgestellt und zusätzlich die Kyrie-Anrede vorgeordnet, wobei das Syntagma aus dem Vok. in dem Nom. versetzt wird, so daß es nur als zusätzliches Attr. fungiert, dessen Funktion als kausales Asyndeton aufgefaßt werden dürfte: "weil du der heilende davididische Messiaskönig Israels bist". Dieselbe Verwendung in Nachstellungsposition und Nom. findet sich auch in der Dubl. dieser Blindenheilung 9,27, wo die Kyrie-Anrede erst im 2. Gesprächsgang folgt, jedoch die Nachfolge-Erwähnung als positive Anerkennung schon vorangestellt ist. Dasselbe Muster ist bei der Kanaanitin 15,22(+Mk) zu erkennen: Kyrie-Anrede als Ausdruck der Anerkennung seiner gottgegebenen Autorität und nachgeordnetes Davidsohn-Attr. (HUMMEL 1966:116-22).

Neben diese 4 Stellen in Bittrufen treten 3 in Akklamationen nach erfolgten Heilungen: 12,23(+Q) in Frageform und Kontrast zur Verteufelung der Führer (vgl. 9,33f), was mindestens "ahnendes Begreifen" signailisert (LOHSE ThWNT 8,490); 21,9 beim Einzug in Jerusalem durch Umformung aus Mk gebildet und 21,15 dupl. als akklamatorisches Lob im Anschluß an summarisches Heilen, wobei wieder die Gegner-Einspruch antithetisch steht. Alle diese 7 Anreden an Jesus sind somit unmittelbar auf seine Heilungstaten bezogen, so daß das Prädikat nicht das ganze Wirken Jesu umgreift (z.B. nie sein Reden), sd. streng auf ihn als den barmherzigen Heiler begrenzt ist (BURGER 1970:79.90). Es findet sich auch nicht im Bereich der Passionsgeschichte und nie im Munde der engsten Schüler (KINGSBURY 1975:102).

Nicht unwichtig ist in diesem Zusammenhang, daß der Engel 1,20 das gleiche Attr. schon im Nom. an die Anrede des Josef anschloß: nach dem vorangestellten, apokalyptischen Generationen-Schema ist er der letzte direkte Davidsnachkomme (13. Generation), der Jesus dahinein adoptiert; dadurch wird dieser als primär geistgezeugter Gottessohn zugleich zum "davididischen Messiaskönig für diese (letzte) Israel-Generation" installiert. Wenn Mt 1,1 das Prädikat schon programmatisch in der Überschrift verwendete, so ist das nicht so grundsätzlich und umfassend, wie es scheinen mag, zumal es auch dort der ↗"Gotteszeugung" nur nachgeordnet ist: "der auch davididischer Messiaskönig war".

Auf keinen Fall ist *Davidssohn* allein auf Grund seiner Häufigkeit als der von Mt umfassende Titel für seinen irdischen Jesus favorisiert (KINGSBURY 1975:41,99f; 1976:591f gg. STRECKER 1971:118-20; HUMMEL 1966:121f; SUHL 1968:68f,75f,81; BURGER 1970:82,88f; FRANKEMÖLLE 1974:162-7). Er ist schon sehr viel eingegrenzter als der Israel-Messias-Titel und erst recht als der beiden übergeordnete Gottessohn-Titel. So wird weder 1,22 beim Jungfrau-Erfüllungszitat noch beim Bethlehem-Erfüllungszitat 2,6 (ganz im Unterschied zu Lk 2,4.11) der Gedanke der Davidität reaktiviert, sd. nur der Aspekt der Gottessohnschaft, während die Davidität auf die Josef-Adoption begrenzt bleibt: Der gottgehorsame letzte Davidsnachkomme bringt den heilkräftigen Messiaskönig auf den Weg. So ist auch die Davidsohnschaft nie Gegenstand von Erfüllungszitaten, so daß man hier den Aspekt der "Erfüllung" und der "Kontinuität der Verheißungen" favorisieren dürfte (gg. LOHSE ebd.490f; FRANKEMÖLLE ebd.167-9) - Mt 22,24 ist eher ein Anti-Davidsohn-Zitat!

Wichtig ist, daß man sieht, daß dieses letzte, direkt an die Gegner gerichtete polemische Wort Mt 22,41-46, das das Verhör Jesu durch die Gegner umkehrt, bei Mt nicht eigentlich als "Davidsohn-Frage" gelten kann, sd. nur als "Messias-Frage", die nur letztmalig die christol. Ignoranz der Gegner beweisen soll. Darum hat Mt V.42 gg. Mk das Davidsohn-Syntagma aufgelöst und zu einer absoluten Sohn-Frage Jesu gemacht, auf die die Gegner mit *ihrem* Konzept von David-Sohn, wie es seit PsSal 17,21 besteht, antworten. Es geht hier also nicht um die Relation der *mt* Titel "Sohn (Davids)" zu "Herr (Davids)" - weder im Sinne eines Nacheinander (so LOHSE ebd.448f; HUMMEL ebd.121f) oder "paradoxen Mit-" (so BORNKAMM 1970:30; BARTH ebd.122), theologischen Neben- (so STRECKER ebd.120) oder "theologisch-literarischen Ineinanders (so FRANKEMÖLLE ebd.169), sd. darum, daß das pharisäische (und d.h. für Mt allgemein-jüd.) Konzept vom Messias als Davidsohn überhaupt durch die von Mt gegebene Jesus-Darstellung (als des tatsächlich jungfrauengeborenen und so die Vorhersagen erfüllenden Gottessohnes) als eine erwiesenermaßen unhaltbare Simplifizierung und Verkennung, die durch das Psalmzitat nochmals schlagend bestätigt ist, dargestellt werden soll. Diese abschließende Darstellung ist nicht nur "Warnung" oder "Apologetik" (so KINGSBURY 1975:103), sd. harte antijüd. Polemik zur Selbstbestätigung des Autors und seiner Leser, die die Komplementarität von Jesulogie und Gegnerbild nochmals deutlich macht. Die beiden, sich entsprechenden Jesusfragen 22,42.45 gehen auf die Gottessohnschaft aus (GIBBS 1964:460f; KINGSBURY 1976:596f), und V.45 zielt nicht auf einen Vergleich, sd. auf ein: er ist *unmöglich* Davids Sohn nach ihrem Konzept (dgg. haben BURGER ebd.87-9 wie GUNDRY 451 verkannt, daß Mt πῶς hier nicht modal verwendet; SCHENK EWNT 3,489-92). Nicht mt Davidsohn wird also hier mit mt Kyrios verglichen, sd. das mt Gottessohn- dem jüd. Davidsohn-Konzept entgegengesetzt. Insofern hat das Syntagma "Sohn Davids" hier nichts mit den vorherigen 8 jesuanischen Sohn-Davids-Stellen des Buches zu tun.

Σολομών
   Mt 5 : Mk 0 : Lk 3 + 3 : Joh 1 (NT sonst nie)
        =(Mk 0) + (Q 3) + (A-Mt 2)
Die synopt. Verwendung ist ganz von Q inauguriert: Q-Mt 6,29 war "Pracht" (2Chron 9,13ff) der Vergleichspunkt, Q-Mt 12,42b daneben die "Weisheit" (2Chron 9,1-12). An beiden Stellen ist der Namen – im Unterschied zum Normalgebrauch der LXX – wie bei Josephus in den ersten beiden Vokalen verändert geschrieben (LOHSE ThWNT 7,459-65; SCHNEIDER EWNT 3,614f). Da Mt dies auch red. in der Genealogie 1,6f aufgenommen hat, so liegt dort eine Q-Dupl. vor. In der mt Textsequenz wird so dieser erste "Sohn Davids" über Josef zum "Stammvater Jesu" (LOHSE ebd.464). Damit erhält die Q-Mt 12,42c übernommene Wertung "mehr als Salomo" zugleich einen neuen Akzent im Rahmen der David-Sohn-Stellen im Sinne einer Über-Davidsohn-Sohnschaft, die apokalyptisch durch die "letzte Generation" ausgezeichnet ist. Da dies mt an die Gegner adressiert ist, ist damit 22,42-46 für den mt Leser schon vorwegbeantwortet. Salomo ist (ähnlich wie Jona als "Prophet") Typ wie Antityp zum mt Jesus (GREEN 1982:227; 1984:168f).

δόξα
   Mt 7 : Mk 3 : Lk 13 + 4 : Joh 18
        =(Mk 3 - 1 + 1) + (Q 2 + 2)
4,8(=Q); 6,29(=Q) gab es nur in der Bedeutung *"Machtglanz von Königen und Königreichen"* (HEGERMANN EWNT 1,833f) vor. Durch die Q-Vorgabe bei Salomo und der Notiz Q-Mt 12,39-42, daß der Menschensohn größer als Salomo sei, hat Mk 8,38 die Wendung von Q-Mt 6,29 auf den kommenden Menschensohn permutiert und diese Bezeichnung auch an den kommenden Stellen beibehalten. Wenn Mt 16,27(=Mk) die 1. mk Stelle übernahm, so war in seiner Textsequenz die Wortfeldrelation zum Königtum schon doppelt explizit vorgegeben. Darum ist es 16,28 sogleich ein Metonym für βασιλεία; das wird dadurch bestätigt, daß Mt 20,21 die Vorgabe von δόξα bei Mk 10,37 direkt in βασιλεία geändert und damit die mk eschatol. Aussage in eine mt ekklesiol. umwandelte. Mt bleibt aber auch an seinen 5 Stellen von 16,29 an strikt bei den Zuordnungen zum eschatol. In-Erscheinung-Treten des Menschensohns: mit ἔρχομαι wird es 24,30(=Mk) wiederholt und 25,31a dupl.; als anschließenden Akt nennt 19,28(+Q) das Sitzen auf dem *Thron seiner Herrschergewalt,* was 25,31b dupl.; in diesem Syntagma, das beidemale red. ist (JEREMIAS 1979:252) ist δόξα wiederum untrügliches Metonym für βασιλεία. Damit gehören die 5 eschatol. δόξα-Belege des Mt zum Wortfeld seiner Verköniglichung des Menschensohns. Das Syntagma θρόνος θεοῦ ist in LXX 1Sam 2,8; Jes 22,23; Jer 14,2; 17.12; Dan 3,54; Sir 47,11; Sap 9,10 sowie TestLev 5,1 und 1Hen 9,4 (vgl. Thronvision 14,18-20) vorgeprägt. Die Kombination mit *Sitzen auf dem Thron der/seiner Herrschergewalt* und *Gericht* in 1Hen(Sim) 45,3; 47,3; (51,3 *meinen*); 55,4; 60,2; 61,8; 62,2f.5; 69,27.29 (vgl. TestHi 32-33) ließ eine direkte Abhängigkeit der mt Red. von 1Hen(Sim) annehmen (THEISOHN 1975:152-82; KNIPP 1979:356f sieht diese einzigartige Übereinstimmung als einzige aber nicht als ausreichend dafür an, eine literar. Abhängigkeit der mt Red. zu begründen). Die deutsche Wiedergabe mit *Herrlichkeit* steht heute zu sehr in der Gefahr, ästhetisch verengt verstanden zu werden; man wird darum die LXX-Prägung besser durch *Herrschergewalt* wiedergeben.

θρόνος (GUNDRY 644)
   Mt 5 : Mk 0 : Lk 3 + 4 : Joh 0
      =(Mk 0) + (Q 1 + 4)
war im Q-Schlußwort 19,28c für die Schüler vorgegeben und wurde V.28b
auf den Menschensohn dupl.; der Vorgabestelle analog ist der Anhang 1Hen
108,12: "und ich werde jeden einzelnen auf den Thron seiner Herrlichkeit
setzen"; daneben hat Mt 5,34 und 23,22 θ. θεοῦ in Beziehung zum Schwur.
Auch hier liegt ein Metonym für βασιλεία vor.
βασιλεία (GUNDRY 642)
   Mt 55 : Mk 20 : Lk 46 + 8 : Joh 5
      =(Mk 20 - 7 + 9) + (Q 12 + 8) + (A-Mt 13)
In der Häufigkeitsliste des Mt ist es das 8.häufigste Subst. (nach Vater und
vor Gott).
a) Im Sinne soziologischer Herrschaftsgefüge hat es Mt nie selbst gebildet
   Mt 4 : Mk 5 : Lk 4
4,8(=Q) alle Königreiche der Menschenwelt setzt eine zeit- und raumgebun-
dene Vorstellung von der mutmaßlichen Universalität dieser Ordnungsgefüge
auf Grund der ihm bekannten Welt voraus, 12,25(=Mk) das In-sich-Zerstrit-
tensein eines solchen Ordnungsgefüges als argumentative Wertkategorie;
24,7.7(=Mk) den Kampf gegeneinander in Parallele zu ⟩ἔθνος, so daß die β.
als normales Ordnungsgefüge eines Ethnos vorgestellt ist. Im Zuge der allegor. Übertragungen von sozio-juridischen Kategorien auf theol. Sachverhalte ist auch hier dann die mt Tendenz zur Erweiterung zu bewerten.
b) Einmalig übernommen ist 12,26(=Q) der Ausdruck vom Herrschaftsbereich
des Satans, wobei der Name als solcher schon im Vordersatz klar als
Metonym für seine Herrschaft steht (MARSHALL 1978:474).
c) Mt red. ist - entsprechend der Verwendung des Nom. agentis - die
christol. Verwendung mit anaphor. Poss. in der Beziehung auf die Selbst-
prädikation Menschensohn:
   Mt 3 : Mk 0 : Lk 0
(Lk 1,33; 22,29f; 23,43 sind semant. anders strukturiert und haben andere
Wortfeldbezüge). 13,41 ist die ganze Zeitepoche vor der Parusie (gg.
SCHWEIZER 201) als sein Herrschaftsbereich bezeichnet - und das ist nach
V.28 der Kosmos als Menschheit (vgl. 28.18 "alle Völker") und darf darum
nicht auf die Kirche eingegrenzt werden (FRANKEMÖLLE 1974:244f mit LOH-
MEYER 224; GRUNDMANN 349-51; TRILLING 1964:153; WALKER 1967:94f,99-101;
STRECKER 1971:218f; VÖGTLE 1971:266-71; RADEMAKERS 1972:38; FIEDLER
1976:93 gg. KLOSTERMANN 125; SCHMID 225; JEREMIAS 1965:80; SCHNACKEN-
BURG 1965:115,188f; BORNKAMM 1970:41; GOPPELT 1980:565f): der weltweite
nachösterliche Aktionsraum, der zugleich noch der des Satans ist. In 16,28
(gg. Mk christol. variiert) ist der Bezug weniger lokal als funktional als
König, da hier die Präp. vom Vb. abhängig ist (GAECHTER 561; TRILLING
1964:153; JEREMIAS 1971:101; VÖGTLE 1971:267f; KRETZER 1971:142; NÜTZEL
1973:286f; FIEDLER 1976:93), wobei aber auch an seine nachösterliche Königs-
macht gedacht ist und somit nicht ein "Parusiespruch" vorliegt (gg. FRAN-
KEMÖLLE 1974:244; SCHWEIZER 226), sd. eine Weissagung, die sich unmittelbar anschließend sofort erfüllt (von GUNDRY 341 zu Unrecht bestritten, da
er V.28 zu Unrecht mit V.27 identifizierend parallelisiert): Jesus erscheint
vorübergehend als auferweckter Gerechter zur Bestätigung seiner Jüngerbelehrung (NÜTZEL 1973:287). Da auch Mt Ostern als Legitimation versteht, ist
β. hier identisch mit der Exousia von 28,18 als legitimierter Herrscherstel-
lung. Auch 20,21(+Mk) ist von V.18 her Bezugssubj. der Menschensohn und
Zeitbezug von V.19 her die Auferweckung, da Mt V.20 mit daraufhin das Ge-
spräch engstens daran bindet: Infrage stehen im übrigen die Zebedäus-Söh-
ne als gerade diejenigen, die an der vorangehenden Oster-Vorwegnahme
17,1 beteiligt waren, was betont zu nehmen ist, da sie sonst bei Mt ge-

strichen werden: Die abgewiesene Fürbitte ihrer Mutter richtet sich bei Mt
auf nachösterliche Führungspositionen und wird somit als ein Mißverständnis
von Ostern zurückgewiesen; V.25ff stellt dem darum den Gegensatz von un-
terjochenden Herrschern der Weltmächte einerseits und dem gegenseitigen
Dienst in der Schülerschaft des mt Jesus untereinander andererseits entgegen. Auch hier ist nicht an die eschatol. Festtafel von 8,11 gedacht
(gg.SCHWEIZER 259 – oder aber die eschatol. gemeinte Bitte ihrer Mutter
"stillschweigend korrigiert" FIEDLER 1976:93). Mt hat also weder "zukünftige
Basileia Gottes und Basileia des Menschensohns identifiziert" (gg. STRECKER
1971:166f; PAMMENT 1981:220f mit ALLEN, MCNEILL, SCHWEIZER – dgg. m.R.
FENTON, HILL, GREEN z.St. für die Unterscheidung zweier verschiedener
Entitäten) noch ist rein formal von einer generellen "christol. Neukonstru-
ierung des Basileia-Begriffs durch Mt" zu reden (gg. FRANKEMÖLLE 1974:
244, weil semant. Fehlkategorien wie "christol. Verständnis", "Transformation" oder "Interpretation" das entscheidende Zeichenproblem der Kode-
Analyse verkennen). Mt hat vielmehr eine eingegrenzte und sehr spezifische
Auffassung von dem, was er mit *β. des Menschensohns* bezeichnet: das "gemeinsame Operationsfeld des Menschensohns und des Satans" vor der Parusie (VÖGTLE 1971:268). Das Konzept des Menschensohn-Menschheitskönigs ist
mt von dem des Messias-Israelskönig zu unterscheiden. Auch das Verhältnis
der Menschensohn-β. zur künftigen Vater-β. (13,41. 43) ist deutlich sukk-
zessiv und nicht nur funktional bestimmt (gg. FRANKEMÖLLE 1974:271 n.31
nach 243-6, was selbst TRILLING 1964:154 n.43 zugibt bei aller vorherigen
Tendenz 151-4, holistisch von der "gegenwärtigen Gestalt[!] der[= einzigen]
Basileia" zu reden, 152). Es liegt vielmehr eine klare Periodisierung vor: Die
Menschensohn-Basileia ist die Menschheit, in der er durch seine Boten den
"guten Samen" aussäen, also alle Nichtjuden zu Jüngern machen will. 13,41
ist mit 28,18 zu identifizieren; FIEDLER 1976:94f). Mt umschreibt damit die
Wichtigkeit seiner Gegenwart mit dem direkten kommunikativen Ziel, den Lesern sein Buch und allein dieses Konzept als gegenwartsverbindlich und
endgerichtsheilsam in der Vergangenheit Jesu proklamiert sein zu lassen.

Haben die restlichen 47 Wortverwendungen ein einziges und einheitliches
Konzept? Weithin wird eine holistische Kodierung angenommen, also "daß β.
mit verschiedenen Verbindungen ein Sammelbegriff und eine theol. Kurzfor-
mel für Mt war" (FRANKEMÖLLE 1974:253 n.29); man spricht darum von einem
einzigen "mt β.-Begriff". Daß darin noch Probleme stecken, mag man an der
Behauptung ablesen, er habe "eine komplexe β.-Vorstellung" (TRILLING 1964:
62.151), die nichtsdestoweniger als Einheit behauptet wird, wenn man für
ihn behauptet, "der β.-Begriff wird ausgedehnt" (ebd.145; bzw. "erheblich
erweitert" 151), so daß es zu der Kernthese kommt: "Die βασιλεία τοῦ θεοῦ
ist eine das Alte und Neue Testament(?) übergreifende Größe" (ebd.65 vgl.
59,85); deren referenz-semant. gedachte Vorbestimmtheit wird an der folgenden Formulierung deutlich: "die Altes und Neues Testament übergreifende Tatsache(!) des Königtums Gottes" (ebd.148) – also von vornherein als
von einem außersprachlichen Sachverhalt her semant. definiert; wird auch
noch der Zukunftsaspekt dazu genommen, dann ergibt sich bei TRILLING
die zusammenfassende Definition: "Die βασιλεία τῶν οὐρανῶν ist die gegenwärtige und zukünftige Größe, Gegenstand des Glaubensbesitzes und der
Hoffnung, Prinzip und Ziel der Sittlichkeit, der Sammelbegriff und Inbegriff
der neuen Heilswirklichkeit schlechthin" (ebd.151 bzw. 150 in Kurzfassung:
"Die alle drei Phasen übergreifende Größe ist *Gottes Königtum* in je verschiedener Verwirklichung"). An ein solches holistisches Konzept ist die
Frage zu stellen, ob die verwendeten Kategorien eines potentiellen Prinzips,
das sich je verschieden "verwirklicht", als beschreibungsadäquat gelten
kann.

Die infragestehenden 47 Belege verteilen sich morphologisch auf folgende

Verwendungsarten. Das häufigste Syntagma ist die red. mt Bildung
βασιλεία τῶν οὐρανῶν (ALLEN LXXI; HAWKINS 1909:4,30; GUNDRY 642)
　　Mt 32 (NT und LXX sonst nie; von Mt abhängig sind EvNaz 16; EvThom
　　　　　　　　　　　　　　　　　20.54.114; EvPhil 81.87.96f)
　　= (Mk 7 + 3) + (6 + 7) + (A-Mt 9) (was das erste Element betrifft)
(Gg. JEREMIAS 1971:100 nicht 31mal bzw. FRANKEMÖLLE 1974:266 34mal).
　　Zu beachten ist, "daß der Terminus *Himmelsherrschaft* in der jüd. Litera-
tur erstmals ein halbes Jh. nach Jesu Wirksamkeit auftaucht, nämlich bei
Johanan ben Zakkai, um 80 n.Chr." (JEREMIAS ebd.: jQidd 59d 28 in der
Antithese "das Joch von Fleisch und Blut" vs. "das Joch des Himmelreiches"
– und das auch nur unter der sehr vagen Voraussetzung, daß eine Zuweisung im paläst. Talmud aus dem 4.Jh., die sich auf einen Tannaiten der
1.Generation bezieht – und noch dazu wie hier auf den Begründer des
Lehrhauses von Jabne, nicht unter das Verdikt der Fraglichkeit von "Rab-
binennamen als Datierungshilfe" fällt, man also auch hier "nur in Ausnah-
mefällen mit ipsissima verba" rechnen darf; STRACK-STEMBERGER 1982:66-8).
"Das völlige Schweigen der intertestamentarischen Literatur des Judentums
macht es, wenn auch nicht völlig undenkbar, so doch sehr unwahrscheinlich, daß der Ausdruck *Himmelsherrschaft* bereits in Jesu Tagen gängige
Redeweise gewesen und von Jesus aufgegriffen worden sein sollte" (JERE-
MIAS ebd. gg. die von DALMAN [1898] 1930:75ff inaugurierte Vorstellung).
　　Die 7 abgeänderten Mk-Vorgaben (Mt 4,17; 13,11.24.31; 18,3; 19,14.23), die
3 Mk-Zusätze (3,2; 18,1.4) als Dupl. wie die 6 abgeänderten Q-Vorgaben (5,3;
8,11; 10,7; 11,11f; 13,33) zeigen, daß eine mt Neubildung vorliegt. Auch die 7
Q-Erweiterungen (5,10.19a.b.20; 7,21; 22,2; 23,13) wie die 9 A-Mt-Stellen
(13,44f.47.52; 16,19; 18,23; 19,12; 20,1; 25,1) dürften darum red. sein, da sie
sich außer in Dubletten vor allem in 10 Allegorieeinleitungen finden, die in
der Textsequenz allesamt erst *nach* und *im Anschluß an* die 3 aufeinanderfolgenden Vorgaben 13,24.31(=Mk).33(=Q) stehen: 13,44f.47; 18,23; 20,1;
22,2(+Q); 25,1:
　　Mt 10 = (Mk 2) + (Q 1 + 1) + (A-Mt 6).
Von den 15 verbleibenden Belegen entfallen auf das herkömmliche Syntagma
βασιλεία τοῦ θεοῦ
　　Mt 4 : Mk 14 : Lk 32 + 6
　　　　=(Mk 14 – 13 + 1) + (Q 7 – 6 + 1)
Die quantitative Reduktion wäre verfehlt beurteilt, wenn man das Syntagma
zu einem für Mt "unsympathischen Ausdruck" (so LARFELD 1925:229) erklären wollte, weil damit der semant. Analyse eine pragmatische Erklärungsbe-
hauptung vorgeschaltet würde. Dgg. spricht schon, daß es an der ersten
Stelle Q-Mt 12,28 in der Zurückweisung des wiederholten Beelzebul-Vorwurfs
betont christol. aufgenommen wird: Mt fügt hier den Nom. des Pers.-Pron.
(⊁ἐγώ) redundant betonend hinzu und verbindet so die weiterhin von ihm
eingeführte Geist-Wendung (vgl. in der Textsequenz nach V.18) enger mit
dem Subj. (wie 22,43 red.) als in Q mit dem Präd.: *Ich* als geisterzeugter
(1,18), geistausgewiesener (3,16) Geistträger (12,18) manifestiere und
repräsentiere die gegenwärtige Herrschaft Gottes für Israel (⊁βασιλεύς). Also
nicht die bloße Äquivokation von *Geist Gottes* und *Herrschaft Gottes* hat
hier die Beibehaltung des Ausdrucks nahegelegt (gg. GREEN z.St., so gewiß
daran richtig ist, daß beide hier im mt Sinne austauschbar wären – also
synonym sind); ebensowenig ist sie primär dadurch bedingt, daß hier von
V.25 her *Satansherrschaft* und *Gottesherrschaft* direkt gegenübergestellt
werden (so FENTON z.St.). Wesentlicher ist die mt Christol. und damit die
Gegenwartsaussage in dem Aor. des Vb. (=Lk 11,20):
φθάνω
　　Mt 1 : Mk 0 : Lk 1 + 0 (NT nur noch pl 5mal),
das von ⊁ἐγγίζω strikt zu unterscheiden ist (KÜMMEL 1956:99f; s.u.) und

nicht nur *Nähe* oder *Anbruch* meint, also ohne das Sem des *Zuvorkommens* (wie etwa 1Thess 4,15) *wäre* (KLOSTERMANN 109; mt aber auch nicht das Sem des unvorhersehbar Überraschenden hat – gg. SCHLATTER 405), zumal Mt für *Antizipation* das Komp. kennt und als ntl. Hap.leg. verwendet: προφθάνω A-Mt 17,25.

Also: Nicht etwa *die β*. überhaupt, sd. speziell *diese* "ist nicht nur zeichenhaft, sd. real gegenwärtig" (STRECKER 1971:169, was er aber von einem holistisch gedachten Gesamtbegriff her sofort wieder einschränkt, wenn er im Anschluß daran sich genötigt sieht, zu formulieren, "daß der Evangelist das[!] eschatol. Heilsgut der[!] Basileia schon[!] in der Zeit Jesu realisiert sieht"; dabei ist die herrschende inkohärente Abstraktion "Heilsgut" auch hier eine zu weit definierte und darum irreführende Kategorie, die leider auch bei LUZ EWNT 1,487-9 herrschend bleibt. Da sie aber semant. nicht beschreibungsadäquat ist, führt sie auch nicht zu erklärungsadäquaten Analysen).

Da Mt nach Ausweis des red. Wechsels in die vb. Form V.22(= 9,32 gg. Lk 11,34) auf Krankheiten überhaupt als →dämonisch verursacht verallgemeinert, so ist im mt Konzept damit auch an 11,20 erinnert: Heilungen geschehen zur Verursachung von →μετάνοια. Was "gegenwärtig" ist, ist also der mt begründete Ruf zur μετάνοια (=Nachfolge) als der Eintrittsbedingung in die dem kommenden neuen Äon gewisse Gehorsamsgemeinschaft. Genau so wie die mt Verwendung von →εἰσέρχομαι für die Eintrittsbedingung einerseits und den Eingangslohn andererseits semant. zweigeteilt ist, so ist es auch die mt Verwendung von *β*. in beiden Sinnbezirken, und eben darauf dürfte die red. Differenzierung in den verschiedenen Gen.beziehungen hinweisen wollen. Darum dürfte *β*. hier auch mt synonym mit →ἐξουσία (7,29; 9,6) sein (vgl. Dan 4,30; Apk 17,12). Die mt Kodierungszusammenhänge deuten darauf hin, daß bei ihm unser Gen.-Syntagma nicht als ein Nom. actionis *Gottes Herrschaft* meint, sd.: das Abstraktum *β*., das mit dem pers. Nom. *agentis* identisch ist, wurde mit einem *Gen. auctoris* versehen: er *als König, den Gott gerade ihnen sandte*; der direkte Adressatenbezug an die Person ἐπ' ὑμᾶς (für Mt nach V.24 die führenden Lehrer Israels!) unterstreicht dies: das *Jesus von Gott gegebene Messias-Königtum* ist den Gegnern hier doch unübersehbar präsent. Sollte man sich dieser grammatischen Aufschlüsselung nicht anschließen mögen, so bleibt der Sachbezug im Sinne der mt programmatischen Deutung des Jesus-Namens als der Gottesgegenwart für sein Volk 1,21-3 immer noch bestimmend. Doch ist seit Dan 2,44 die Vorstellung geläufig, daß Gott die *β*. jemandem übergibt (auch im Abstraktausdruck und nicht nur im personalen Nomen), bzw. korrelativ dazu PhilVitMos 1,148 Μωυσῆς τὴν ἀρχὴν καὶ βασιλείαν λαβών.

An der 2. Stelle 19,24(=Mk - so die urspr. LA mit N-A, H-G 181, STRECKER 1971:17 n.5; GUNDRY 289f gg. TRILLING 1964:58; FRANKEMÖLLE 174: 266, da die weniger gut bezeugte Abweichung eher eine sek. Angleichung an den voranstehenden Vers ist, als daß umgekehrt eine Mt-Angleichung an den kirchlich weniger bestimmenden Mk vorläge) wird auch in der Sache nicht etwa eine synonyme, parallelisierende Präzisierung zu V.23 gegeben, sd. eine mt notwendige Ergänzung hinsichtlich der *gegenwärtigen Bedingungen* für den zukünftigen Lohn genannt (PAMMENT 1981:232), wobei der Tempuswechsel beim Vb. →εἰσέρχομαι deutlich dessen doppelte Bedeutung von *Anteil erhalten* einerseits und *bejahen* andererseits differenzierend wortspielerisch verwendet. Beide Sätze stehen als Lohnverheißung und Eintrittsbedingung zueinander in Beziehung: Weil kaum ein jüd. Reicher (= Führer) die Jesus von Gott gegebene Autorität des Messias-Königtums für sein Volk *bejaht*, wird er auch unmöglich *Anteil* am künftigen Äon und der individuellen Unsterblichkeit *erhalten*. Damit bestätigt die 2. Stelle nicht nur die Analyse der mt Kodierung der ersten, sd. stellt zugleich eine Relation zu dem von Mt davon unterschiedenen Syntagma der *Himmels-β.* her.

Red. mt ist die Setzung an der 3. Stelle 21,31(+Q) im 1. Teil der 2. Verwerfungsrede gg. die Lehrer Israels wegen der Verwerfung des Täufers. Das präs. Vb. bestätigt die *Bejahung* (hier im Synonym) der Jesus von Gott gegebenen *Messias-Autorität* in der Person des Täufers (synonym mit ⟩*Wille des Vaters* davor und *Weg der Gerechtigkeit* V.32 danach) durch *Zöllner und Huren* (Rückblick auf 9,11-3; 11,18f); im Blick steht also "the present relationship of Israel to God" (PAMMENT 1981:231f mit ALLEN 227 "condition of preparedness for the coming kingdom" vgl. GREEN z.St. gg. HILL 298, SCHWEIZER 269 u.a). Auch hier signalisieren Vb. wie Obj. zusammenstimmend, daß es um die Eintrittsbedingungen geht. "Die gläubigen Sünder dienen Mt als positives Kontrastelement zu seiner negativen Israel-Darstellung" (WALKER 1967:104f).

Im gleichen Sachzusammenhang und im gleichen Sinne wird das Syntagma funktionsgleich im 2. Teil der Verwerfungsrede 21,43(+Mk) sofort wiederholt als die 4. und letzte Stelle. Dies ist ein zusätzlicher Grund dafür, daß hier eine red. mt Prägung vorliegt (von TRILLING 1964:58 überzeugend dokumentiert, von STRECKER 1971:169f zu Unrecht bestritten, während in der Sache umgekehrt gerade STRECKERs Interpretation gg. TRILLING im Recht sein dürfte: "Was die Voraussage von V.43 anlangt, so konkretisiert sie sich im Abschluß des Evangeliums im Missionsauftrag. Danach erfolgt also die Übertragung der" - besser: dieser - "Basileia an das andere Volk dadurch, daß den Heiden *alles, was ich euch befohlen habe,* verkündigt wird 28,20" ebd.170). Das Weggenommenwerden des *Königs* Jesus ist mit dem Verlassen von 23,38 referenzgleich: Sie verwerfen ihn zwar - doch ohne seine königliche Souveränität, in der er diesen Weg in den Tod aktiv handelnd geht, wäre ihnen das gar nicht möglich.

Wenn TRILLING dgg. in dem Syntagma auch hier eine "Kontinuität der Heilsökonomie" als "eine das Alte und Neue Testament übergreifende Größe" sehen wollte (ebd.65 - und das dann auch noch ebd.59.85.148 auf mt Stellen ausweitete und FRANKEMÖLLE 1974:264f ihm darin beipflichtete), so hat WALKER (1967:80f) m.R. daran kritisiert, daß hierbei zu Unrecht der sogen. mt "Gottesherrschafts-Begriff" auch von einem vorgefaßten, un-mt und ebenso holistischen Israel-Begriff her interpretiert wurde, während der mt Kode eher umgekehrt vorgeht: Er blickt "nicht auf das alttestamentliche (und bis zur Gegenwart reichende) Gottesvolk mit seinen heilsgeschichtlichen Privilegien, sd. nur auf *dieses Geschlecht* der Basileia-Verkündigung ... Mt denkt an das Israel der Messiaszeit (mit der *Vorzeit* des Täufers und der *Nachzeit* der Jünger" (ebd.80); also: "die Gegenwart des Messias und der Basileia-Berufung (das primäre Motiv!) macht Israel zum *wahren* Gottesvolk" (ebd.81 - nicht aber umgekehrt, wie TRILLING vorschlug und wofür FRANKEMÖLLE ausgerechnet WALKER als Kronzeugen meinte zuziehen zu können).

Von dieser Gruppe strikt abzuheben und nicht unter der Formalkategorie "Personalisierung" falsch zusammenzubinden (gg. FRANKEMÖLLE 1974: 254.266) ist das im Gegensatz dazu rein futurische Syntagma

βασιλεία τοῦ πατρός

Mt 5 : Mk 0 : Lk 4 + 0

=(Mk 0 + 1) + (Q 2 + 0) + (A-Mt 2)

Gg. GUNDRY 642 sind nicht nur 3 mt Belege zu zählen, da das direkte Gen.- Syntagma selbst ja nur 13,43 und 26,29(+Mk) vorliegt, während es im Gebet 6,10(=Q) durch Pronominalisierung im Anschluß an V.9 gegeben ist. Darum ist diese Stelle auch nicht zum voranstehenden Komplex der βασιλεία τοῦ θεοῦ Stellen zu schlagen (GUNDRY 274 gg. PAMMENT 1981:229). Dies ist aber nicht die einzige Q-Stelle, die so zu beurteilen ist, vielmehr ist auch die unmittelbar darauffolgende 6,33)=Q) als gleiche Anaphora (die schon im Art.

gegeben ist) makrosyntaktisch ebenso zu bestimmen, da V.32 *euer Vater*
wieder unmittelbar voransteht (STRECKER 1971:155). Zur vorigen Gruppe ist
diese Stelle nicht zu zählen (gg. PAMMENT 1981:232 n.57), da der Zusatz τοῦ
θεοῦ als sek. Erweiterung anzusehen ist (KLOSTERMANN 64; GUNDRY 119
gg. N-A, H-G 39f)) und das Argument nicht stimmt, daß Mt einen "abs.
Gebrauch" nicht kenne, wobei neben der nächsten Par. 25,34 - da man beide Stellen auch zu einem Komplex "abs. Gebrauch" zählen müßte - zusammen
mit den Gen.-Verbindungen bei Mt immerhin eine Gruppe von 8 Belegen
vorläge. Wichtiger aber ist hier auf jeden Fall der immer wieder
hervorgehobene Sachzusammenhang mit 5,20, der ja die red. Erweiterung
der Formulierung bestimmt, so daß sogar die Wortfolge von 02 urspr. sein
dürfte, "nach der Rechtsforderung und seiner Herrschaft" (also der des
Vater) zu trachten (wobei man darauf achten muß, wie Mt auch 13,43 die
Vater-Basileia mit seinem Vorzugswort *Gerechte* zusammen einbringt). Doch
selbst wenn man eine Entscheidung für eine B-Sonderlesart bezweifeln und
sich eher an den von Kopten und Altlateinern flankierten 01 halten sollte,
so entspräche diese Abfolge in V.33 in ihrer red. mt Gestalt der Abfolge der
2.-4. Unservater-Bitten von V.10f als genaue und beabsichtigte Sequenzwie-
derholung von Reich + Rechtswille + Brot (und mit dem red. Verfolgungs-
hinweis in der mt Ergänzung durch V.34 auch noch den Schlußbitten). Doch
es kann wohl nicht ausgeschlossen werden, daß die Zuerstnennung der β.
hier eine herrschend gewordene Reihenfolge unter dem Übergewicht des
synopt. Leitwortes (unterstützt durch eine Sekundärangleichung an Lk) entstanden ist. Auf jeden Fall aber wird man bei der Quantifizierung der zu
klassifizierenden Gruppen hier wie auch 25,34 den makrosyntaktischen
Vater-Bezug von der Textsequenz her ebenso veranschlagen müssen und 5
mt Belege zählen, zumal dann, wenn man (wie GUNDRY 642 inkonsequent)
diese makrosyntaktischen Bezüge in den red. anders getönten Par. Lk 12,32
und 22,29 als Vergleichspunkt heranzieht.

In den beiden augenfälligsten Stellen dieser Gruppe 13,43; 26,29 ist das
Reich des Vaters zugleich künftig und räumlich beschrieben: der *neue Äon*
der individuellen Unsterblichkeit. Der dabei vorliegende Gebrauch von ἐν +
Dat. verbindet sie mit einer ganzen Gruppe von mt *Himmelreich*-Stellen:
5,19a.b(+Q); 8,11(=Q); 18,1.4(+Mk) - während diese Präp. 16,28 beim Men-
schensohn-Reich wegen des Vb. der Bewegung davon abgehoben werden
muß. Somit ergibt sich für die *lokale Wendung*
ἐν τῷ βασιλείᾳ + Gen.
  Mt 8 : Mk 1 : Lk 6 + 0
    =(Mk 1- 1 + 3) + (Q 2 + 2) + (A-Mt 1)
Mt definiert also sein Himmelreich/Vaterreich "as a place from which men
are excluded or which men can enter" und zugleich als "that place where
God's sovereign rule will be established" (PAMMENT 1981:213). Der in dem
genannten Syntagma bezeichneten lokalen Anwesenheit darin entspricht als
komplenyme Voraussetzung dazu natürlich das ᾿εἰσέρχομαι εἰς, das 5mal damit verbunden ist: 5,20; 7,21; 18,3; 19,23; 23,13 - ergänzt durch 4 Stellen
mit Synonymen dazu: 5,3.10; 19,14 (ἐστίν + Gen.poss.); 25,34 (κληρονομέω).

Der Charakter der Belohnungszusage ist an den beiden direkten Vater-
reich-Stellen deutlich gegeben - 13,43 durch den Bezug auf die *Gerechten*,
während der Charakter der Lohnzusage in 26,29 darin liegt, daß Mt das
Herrenmahl in 26,27 voranstehend konsequent imp. stilisierte und es damit
nicht nur als einen Bestandteil seines Kirchengesetzes auswies, sd. es damit
eben auch zugleich zu einem Teil der Eintrittsbedingungen in den neuen
Äon machte, was zwangsläufig seine folgenreiche Vergesetzlichung des Mahls
inaugurierte. Diese Belohnungszusage unter dem Bild der Mahlgemeinschaft
in 26,29 ist bei Mt eine unmittelbare Wiederaufnahme und Fortführung von
8,11(=Q) und dürfte schon bei Mk aus dieser Q-Stelle heraus entstanden

sein. Immerhin bleibt es ein etwas makabres Freudenmahl angesichts der gleichzeitig par., ewigen Feuerpein der Ausgeschlossenen. Bei 13,43 ist der Sachzusammenhang mit der Parusie sowie mit der eines definitiven Endes der Satansherrschaft (ebenso bei dem Parallelismus 25,34:41) unverkennbar.

Da die Bitte 6,10(=Q) zu den Vater-Basileia-Stellen gehört, so ist auch hier das mt Grundschema von Belohnungserwartung und Eintrittsbedingung red. präsent gemacht worden. Die red. zugefügte Willens-Bitte ist also nicht etwa eine erklärende Erläuterung zur Vaterreich-Bitte, obwohl sie oft als deren "Interpretament" ausgegeben wird, so etwa von TRILLING: "Wenn das Kommen des *Reiches* erbeten wird, dann bedeutet das, daß Gottes Wille auf Erden verwirklicht werden möge, so wie er bereits verwirklicht ist(?!) in der himmlischen Welt. Nicht(!) das machtvolle Erscheinen am Ende der Zeit, sd. die allmähliche Durchsetzung auf Erden steht im Vordergrund. Wenn alle Menschen sich unter *das Joch* der Herrschaft Gottes, d.h.(!) seinen Willen gebeugt haben, dann(!) ist sein Königtum ganz und vollkommen da" (1964: 146; ebenso PAMMENT 1981:229 und schon HOLTZMANN 1911: I 249f). Dgg., eine solche "allmähliche Durchsetzung" als Konzept des Mt anzunehmen, spricht aber schon die Tatsache der von Mt immer wieder betonten (wenn auch und gerade wegen der überzeichneten) Verfolgungserfahrungen (HARE 1967) und der aus ihr resultierenden Auflösungserscheinungen der Gemeinde (24,12 red.) zusammen mit seiner Naherwartung als einer baldigen großen Scheidung und der Vernichtung der Vielen, die den breiten Weg ins Verderben gehen. Zusammen mit der beabsichtigten universalen Ausbreitung seines Buches rechnet er ebenso mit einer weitgehenden Ablehnung: wenige sind auserwählt (22,14). Daß mit *β*. gerade das *negierte →Eingehen* als Warnung verbunden ist, ist eine deutlicher Ausdruck der mt Skepsis eben gerade an diesem Punkt. So sind auch die von HARE 1967 herausgearbeiteten übertriebenen Verfolgungsaussagen letztlich als ein Indikator mt Skepsis und eines tiefen mangelnden Selbstvertrauens des Autors zu werten. Sein schroffer Gerichtsdualismus dürfte in seiner mt Verstärkung seinen Vorlagen Q und Mk gegenüber in eben dieser mt Skepsis seinen hauptursächlichen Grund haben. Alle 8 Basileia-Belege der Bergrede meinen also doch "das unmittelbar am Ende sich offenbarende Reich" (STRECKER 1971:155). Auf jeden Fall wird dieses Zuordnungsverhältnis der beiden Bitten von 6,10 in 7,21 unmißverständlich bestätigt.

Dasselbe Problem der semant. Analyse des mt Wortfeldes wiederholt sich auf mikrosyntaktischer Ebene 6,33. Auch hier geben als Kriterien die beobachteten Kategorien des Vater-Bezugs der *β*. und das Grundschema von Eintrittsbedingung und Belohnungsverheißung den entscheidenden Interpretationsschlüssel als die grundlegend an Mt selbst entwickelten Interpretationsbedingungen. So richtig die Teilbestimmung ist: "Gottes Wille in 6,10 nennt allgemein und formal das Ziel, Gottes Gerechtigkeit in 6,33 konkret und inhaltlich" (TRILLING 1964:164 n.22), so wenig ist der epexegetischen Bestimmung des verbindenden "und" dieses red. Zusatzes zuzustimmen: "Suchet also zuerst das Reich Gottes(?!), nämlich(!) Gottes Gerechtigkeit" (ebd.146; GRUNDMANN 217; LUZ EWNT 1,488). Durch den mt Zusatz wird nicht die hier gemeinte *β*. "im gegenwärtigen Sinn qualifiziert" (ebd.147 n.22), sd. diese ist hier (und zwar nicht nur "primär") "eine zukünftige, δικαιοσύνη dgg. eine gegenwärtige Größe; so ist beides inhaltlich nicht neben-, sd. nachgeordnet und verhält sich wie Bedingung (δικαιοσύνη) und Folge (*β*.) zueinander. Das entspricht 5,20 und auch dem näheren paränetischen Kontext" (STRECKER 1971:155) sowie nicht minder der voranstehenden Stelle 6,10, zumal sich diese Entsprechung in der Erweiterung noch fortsetzt: V.33b folgt wie V.11 und V.34 wie V.13 (gg. GUNDRY 118f, der alle drei Bestimmungen von V.33 eschatol. fassen will).

25,34 sind die drei im Wortfeld zusammenfallenden semant. Aspekte

Vater-Bezug, Parusie-Bezug und Belohnungs-Bezug unverkennbar vorhanden. Was Mt indessen in dieser abschließenden Zusammenfassung aller seiner Jesusreden besonders hervorhebt, ist dies, daß diese bei der Parusie in Erscheinung tretende β. (ebenso wie das Komplement des ewigen Feuers V.41) schon "seit Beginn der Menschheit geschaffen" ist (≻ἑτοιμάζω). Von dieser grundlegenden Aussage her fällt Licht auf Sinn und Bedeutung der 3 grundlegenden ἤγγικεν-Stellen, mit denen 3,2(+Mk) und 4,17(=Mk) – mt Täufer und mt Jesus engstens verbindend – überhaupt einsetzte und die er Q-Mt 10,7 im Interesse der kontinuierlichen Fortsetzung durch die Schüler wiederholte: Vater-Basileia und Himmels-Basileia bezeichnen kontinuierlich und synonym den gleichen Sachverhalt des schon geschaffenen und zum baldigen Erscheinen bereitstehenden eschatol. Lohns der individuellen Unsterblichkeit nach dem Weltbild des Mt.

Diese semant. Kodierung dürfte als mt Synonym auch das Subst.
μυστήριον
    Mt 1 : Mk 1 : Lk 1 + 0 : Joh 0
haben, das 13,11(=Mk Sing.) nämlich im Plur. (wie Lk – sollte es schon Q entstammen?) verwendet und mit seinem Ausdruck Himmelherrschaft verbindet: Die Seinen dürfen wissen, was der kommende Äon nach der positiven wie nach der negativen Seite bringt. Die Verwendung entspricht dem Geschichtsplanterminus bei VergAen 1,157ff; 7,123 arcana fatorum.

Mt meint enthüllte, "offenkundige Lehren" (BARTH 1970:100) entsprechend dem apokalypt. t.t. Diese mt Synonymität ist durch den überbrückenden Gebrauch des neutr.Plur. der Pro-Formen V.17 (doppeltes Relat.) und V.34 (Demonstr. vgl. auch noch V.51) in der makrosyntaktischen Struktur klar gegeben. Der Plur. bezeichnet dabei die Bälde wie die jetzigen Bedingungen des Eintritts des belohnenden neuen Äons (= Himmelsherrschaft; PAMMENT 1981:222), die den meisten nach 11,25 verborgen bleiben und mit der Ablehnung auch die Abweisung und Verfolgung konnotieren.
ἐγγ-
    Mt 10 : Mk 5 : Lk 21 + 9 : Joh 11
ἐγγίζω (GUNDRY 643)
    Mt 7 : Mk 3 : Lk 18 + 6 : Joh 0
      =(Mk 3 + 3) + (Q 1)
Beim Vergleich der 3 programmatischen Himmelreichstellen (3,2; 4,17; 10,7) mit den 4 anderen, nicht-eschatol. Verwendungen 21,1(=Mk lokal).34(+Mk immerhin allegor. auf die Zeit der Früchte bezogen); 26,45(+Mk die Stunde der Auslieferung dupl.).46(=Mk), die alle entscheidende Etappen in der Verwirklichung des Geschichtsplans Gottes bei Mt markieren (DORMEYER EWNT 1, 895f), wird die semant. Einheitlichkeit deutlich: "The Verb ἤγγικεν indicates nearness right up to, but not including, the point of arrival" (GUNDRY 43, wobei wohl Pf. statt Aor. steht: B-D-R 343; auch 26,45f ist das Prädikat dem Subj. vorangestellt). Das wird bestätigt durch die Verwendung des Adj.
ἐγγύς
    Mt 3 : Mk 2 : Lk 3 + 3 : Joh 11,
das 24,32f(=Mk an der Wiederholungsstelle definiert durch ἐπὶ θύραις) auf die Tempelzerstörung als (für Autor und Leser nun vorliegendes) Indiz für die angesagte Nähe von Völkergericht, Parusie und Belohnung der Endauswahl mit Unsterblichkeit ist. Diese Doppelstelle ist rahmend auf die verbale Anfangsdoppelung 3,2; 4,17 rückbezogen, so daß man auch Himmels-β. im mt Sinne als Filler in den Slot von 24,33 (als Auflösung der Metapher Ernte von V.32) einzufügen angeleitet ist (DORMEYER ebd.898). 26,18(+Mk) als Weissagung Jesu ist ein betont red. Vorweiser auf das Vb. in V.45f und verstärkt den Hinweis auf die Auslieferung Jesu als den für Mt zentralen Vorgang des Todesweges als Verwirklichung des Geschichtsplanes Gottes, den Jesus vorherkennt (SENIOR 1982:60f.117f).

Für Mt gilt also nicht, daß diese Himmels-β. "einerseits" oder "schon" im Auftreten Jesu "anbreche", mit ihm also in diesem Sinne "nahegekommen" sei (gg. LIMBECK 1977:13), vielmehr ist des Täufers, Jesu und seiner Schülerschaft mt Evangelium "Hinweis auf die zukünftige β." (STRECKER 1971: 166). Dies ist nun der "Punkt, von dem her sinnvoll der "absolute Gebrauch" des Mt im soteriol. Sinne in den Blick genommen werden kann:

Mt 8 : Mk 0 : Lk 2 + 2

    =(Mk 0 + 4) + (Q 0 + 2) + (A-Mt 2)

Mit den vergleichbaren Stellen Lk 12,32; 22,29 gibt es keine Berührung, was aber deutlich macht, daß späte Autoren unabhängig voneinander in ihrer Textsequenz rückweisend auf Näherkennzeichnungen verzichten konnten. Mt 6,33 und 25,34 sind als makrosyntaktisch zur Gruppe der Vater-β.-Stellen gehörig schon in ihrer Besonderheit analysiert. Die übrigen 6 mt Belege haben an sich, daß sie *alle* im *Gen.* stehen - und zwar als red. Näherbestimmung von *Evangelium* 4,34(+Mk); 9,35(+Mk); 24,14(+Mk) bzw. λόγος 13,19(+Mk) einerseits und zu *Söhne* 8,12(+Q); 13,38 andererseits. Da der abs. Gebrauch im jüd. Schrifttum immer eine weltliche - vornehmlich die röm. - Regierung bezeichnete und nicht determiniert für Gottes Königtum verwendet wurde, so zeigt der red. mt Sprachgebrauch die Distanz zum jüd. Bereich und seine Verankerung in stärker nicht-jüd.-hell. Bereichen (WEISS 1900:44f; DALMAN 1930:78f; BILL 1,183f; TRILLING 1964:144). Für die inner-mt Klassifizierung gilt klar die Zuordnungsthese: "Der abs. Gebrauch von *Herrschaft* ist offensichtlich eine verkürzte Wiedergabe von *Himmelsherrschaft*" (TRILLING ebd.).

Man muß diese These nur textsemant. erhärten: Es geht immer um eine anaphor. Renominalisierung in der Textsequenz: Weist schon die erste metakommunikativ erzählende Verwendung *Evangelium der* β. 4,34 auf die beiden Basisstellen 3,2 und 4,17 zurück, so gilt das ebenso für seine rahmende Wiederholung in 9,35 (wo zusätzlich 8,11 vorausgeht) und auch für 13,19 (wo zusätzlich das doppelte Gen.-Syntagma 13,11 *Geheimnisse der Himmels-β.* vorangeht) sowie für 24.14 (wo 23,13 einen zusätzlichen, näheren und antithetischen Rückbezugspunkt bietet). Semant. bedeutet das für diese Stellen: Überall wird oder soll das mt Konzept von der Nähe der eschatol. Belohnung für die Gehorsamen bekanntgemacht werden.

Der schon bei deWETTE vertretene und 1898 durch DALMAN (1930:75) zur *Herrschaft* erhobene Interpretationsgrundsatz behauptet eine semant. Synonymie wie eine sigmatische Äquivalenz der mt Ausdrücke Gottes-Basileia und Himmels-Basileia: "Mt verwendet beide Ausdrücke in völlig gleichem Sinn für die gleiche Sache" (TRILLING 1964:59,143; WEISS 1900:43; HOLTZMANN 1911: I 249-51; BILL 1,172f; BOUSSET-GRESSMANN 1966:314f; BAUER WB 268; JEREMIAS 1971:100; STRECKER 1971:17,166; GOULDER 1974:63; LUZ EWNT 1,487; SCHOENBORN EWNT 2,1328f; KINGSBURY 1975:134 "Metonym für Gott").

Widersprüche gg. diese Zuordnung in Form von Konkurrenzmodellen sind nicht verstummt: Dabei ist die Zuordnung von ZAHN (633 n.36), daß Himmels-β. der engere Begriff (Hyponym) sei, der nur die von Jesus begründete β. meine, während Gottes β. das umfassende Supernym - als die Altes und Neues Testament übergreifende - sei, sicher abzuweisen (TRILLING ebd.59 - wiewohl er diesen Ansatz insofern zu Unrecht übernimmt, als er daraus Synonyme macht).

Der Sache näher kommt die Umkehrung dieser Bestimmung von KRETZER (1971:21-31), in der Himmels-β. die umfassende und in dem Syntagma die Universalität und Transzendentalität betonende Bestimmung zu sehen ("alles, was vom Himmel zur Erde kommt"), während Gottes-β. an den 4 betr. Stellen einen engeren Begriff darstelle (ebd.167-71; dgg. bleibt die Bestreitung einer sachl. Differenz durch SCHWEIZER 1974:35 n.111; KINGSBURY 1975:134 n.19; FIEDLER 1975:92 n.4 unbegründet). Zu beanstanden ist daran eher das gewählte holistische Kategoriengefüge in seinem naiven Platonismus.

Während KRETZER sonst weitgehend TRILLINGs Einlinigkeit eines einzigen mt β.-Begriffs noch verpflichtet bleibt, ist das Wortfeld konsequenter red.-analytisch schon in dem Konzept von ALLEN bestimmt (LXVII.135.226f. 232, das jetzt PAMMENT 1981 – unbeschadet einiger Fehlzuweisungen – m.R. aufgriff und weiter ausarbeitete), daß nämlich Himmels-β. die immer zukünftige, räumliche Realität bezeichne, für die die immer jesuanisch gegenwärtige Gottes-β. die Eintrittsbedingung formuliere. Damit zu verbinden ist die synonyme und dazu *analoge* Periodisierung von vorhandener Menschensohn-β. und zukünftiger Vater-β. (wie sie FIEDLER 1975 gg. PAMMENT 1981:220f herausgearbeitet hat).

Das aber hat auch noch weiterreichende semant. Konsequenzen: Unter der Voraussetzung der von DALMAN favorisierten Synonymie wurde ein subj. und qual. Gen. angenommen, der "in den Gen. originis übergeht" HOLTZMANN 1911: I 251 vgl. 249: "Es bedeutet mithin die himmlische Herkunft(!) und Art(!), welche das erwartete Gottesreich an sich hat, wenn ihm der Name Himmelreich gegeben wird"; auch TRAUB ThWNT 5,521 sieht so noch die "Art" von der "Herkunft" bestimmt). Geradezu triumphierend erklärte J.WEISS (1900:43): "Durch die Ausführungen DALMANs ist die locale Auffassung des Gen. τῶν οὐρανῶν wohl für immer beseitigt." "Locale Auffassung" aber meint: das zukünftige, "jetzt noch im Himmel befindliche Reich" (ebd.44).

Was aber wird, wenn alle 3 Voraussetzungen DALMANs (1898:75ff) nicht zutreffen, daß (a) genau dieser Ausdruck "Himmels-β. schon jüd. zur Zeit Jesu gebraucht worden sei, (b) Jesus selbst einen solchen "volkstümlichen(!) Ausdruck vorgezogen" habe und (c) Mt der älteste Evangelist sei? Schon J.WEISS versuchte wenigstens für den letzten Punkt eine Beklemmung loszuwerden: "Aber(!) einem Vertreter der Zweiquellentheorie ist dies Verfahren nicht ohne weiteres gestattet" (ebd.43f). Er half sich mit der Notlösung der Annahme von "Archaismen des Mt: Er kann – vermöge einer bisher unaufgeklärten directen Fühlung mit ältester Überlieferung – hier etwas Ursprüngliches wieder eingesetzt haben" (ebd.44). Aber selbst das ist nicht mehr möglich, wenn auch die anderen Präsuppositionen fallen, weil der Ausdruck eine mt Neubildung ist (BAMMEL 1964:18) und ein "volkstümlicher" jüd. Sprachgebrauch für das Syntagma faktisch noch nicht gegeben war.

Nimmt man als primäre Textgegebenheiten die zentralen mt Näherbestimmungen ernst, daß diese β. eine schon geschaffene Größe bezeichnet (25,34), deren Manifestation nahe bevorsteht (3,2; 4,14; 10,9; 24,32f) und um deren In-Erscheinung-Treten man betet (6,10.33), in die *einzutreten* das höchste Lebensziel ist und *in der* künftig zu sein die einzige Bestimmung des menschlichen Lebens vor dem Eintritt dieses *neuen Äon* ist, dann kann das Gen.-Syntagma mt *nur lokal* verstanden werden als *der jetzt noch im Himmel verborgene, aber bald hervortretende eschatol. Lohn für die Gehorsamen.*

So wird ja auch das Gen.-Syntagma von 5,2.10 in 5,12 mit dem präp. Dat.-Syntagma ⇥*Lohn in den Himmeln* synonym aufgenommen bzw. 6,20 mit ⇥*Schätze im Himmel* (bzw. 19,21 *Schatz in den Himmeln*). Von diesen beiden Synonymen kann in der semant. Bestimmung des mt Gehalts nicht abgesehen werden. Die Bestreitung der herrschenden Ansicht, daß "die Himmel" in diesem Syntagma nur eine Umschreibung für "Gott" sei, wird somit erst vollendet, wenn man nicht mehr – so wie es in der Diskussion von den letzten Bestreitern leider geschehen ist – dieses semant. Problem umgeht und ungelöst läßt, sd. die lokale Interpretation als notwendige Konsequenz und als für Mt beschreibungsadäquater auf den Schild hebt.

Die Vertreter des holistischen Konzepts von einem einzigen, ausgedehnten mt β.-Begriff und der damit verbundenen Metonym-These von "Himmel" für "Gott" könnten dgg. noch immer einige Einwände geltend machen:

Da sind zunächst noch die beiden undeterminierten, "abs." Stellen in dem Syntagma "Söhne der β." 8,12(+Q) und 13,38. In 8,12 weist der *anaphor. Art.* klar auf die Verwendung der Himmels-Basileia V.11 zurück. Da außerdem der Ausdruck der Gottes-β. für den Buchleser *noch gar nicht eingeführt* ist, darf diese Stelle nicht von 21,43 her gedeutet und mit ihr zusammengenommen werden (gg. PAMMENT 1981:220 n.25; der Fehler liegt m.E. darin, daß sie hier den gleichen sigmatischen Referenzbezug auf die Juden auch semant. maßgebend sein läßt - diese mangelnde Unterscheidung ist eine leider häufig auftretende method. Fallgrube. Inkonsequent - aber sachlich zu Recht - faßt PAMMENT ebd. jedoch die zweite Stelle eschatol. auf: "Söhne der β." sind 13,38 die, die die Basileia *erben werden*). Die Lösung besteht darin, daß man für beide Stellen das Vorliegen eines *finalen Gen.* veranschlagt: "die für den neuen Äon Bestimmten, zu ihm Eingeladenen".

Diese semant. Identität beider Stellen ist für die Sem-Bestimmung die Hauptsache, hinter der die meist diskutierte sigmatische Differenz (Israel-Generation hier und Jünger dort) zurücktritt. Im Potentialis als *Anwärter* erscheint das Synonym *Kinder* auch 21,28 und noch deutlicher tritt der *finale* Sinn in dem direkten Antonym 23,15 hervor: "*Sohn der Hölle*" = *Anwärter auf die Hölle*. Schließlich ist die Fehldeutung von 8,12 auf die Gottes-β. auch dadurch ausgeschlossen, daß hier nicht etwa eine par. Abfolge wie 19,23f (Belohnung vs. Eintrittsbedingung) vorliegt, da schon 8,10 die Eintrittsbedingung nannte und darauf 8,11 die Belohnung nannte, was 8,12 nur durch den Hinweis auf die Bestrafung ergänzte.

Nun hatte von dem präsent. Mißverständnis der beiden eben genannten Stellen her JÜLICHER ein eben solches Verständnis auch für die red. Wendung *μαθητευθεὶς τῇ βασιλείᾳ τῶν οὐρανῶν* 13,52 als "in die Schule gegangen beim Himmelreich" (mit Dat. beim Pass.) entwickelt (1910: I 130f, das bei BAUER WB 959f; ZAHN 449; LOHMEYER 229; MANSON 1949:198; GNILKA 1961:95f akzeptiert ist). Doch macht ein solches: "der ein Jünger der Himmelsherrschaft geworden ist" (was auch TRILLING 1964:145 noch als "für Mt passend" ausgeben zu können meinte, ohne sich dafür zu entscheiden) die Himmels-β. zum personifizierten Subj. (=ὑπό): "Durch" das als personifiziert gedachte Himmelreich Zum-Jünger-gemacht-worden-Sein. Doch ist dabei der Kontext nicht textlinguistisch zureichend bedacht, sofern das Obj. zuletzt 13,47 die Gerichtsereignisse bezeichnend erschien, das Vb. im direkt einleitenden Kontext das *Verstehen* von V.51 komplenym aufnehmend renominalisiert und so auch die Obj. der beiden Vb. synonym sind. Nun ist weiter vor allem auch das Neutr.Plur. in V.15 die anaphor. Pronominalisierung von *Geheimnisse der Himmels-β.* in V.11, deren *Verstehen* ja auch dort schon den Schülern bescheinigt worden ist. Darum liegt hier ein Dat. der Beziehung vor: "über das Himmelreich unterwiesen" (TRILLING 1964:145; STRECKER 1971:192; SCHMID 229; GRUNDMANN 257) - und zwar mit Erfolg unterwiesen: *verstehend*. Dann aber steht die Wendung als metonymisches Kürzel für die volle Wendung von V.11, wobei der Plur. der enthüllten "Geheimnisse" sowohl die "Nähe" als auch die darauf hinführenden "Eintrittsbedingungen" umgreifen mag. Dies wird für V.52 auch von daher nahegelegt, daß das Syntagma ein Komplenym zum metonymischen "Wort von der β." V.19 darstellt. Es geht also in jedem Falle um den künftigen neuen Äon (PAMMENT 1981:221f; diese Lösung ist darum auch der seit alters verbreitetsten vorzuziehen, die ein Dat.commodi "Jünger für die Himmelsherrschaft" annahm, weil durch ihn das präsentische Mißverständnis nicht klar genug ausgeschlossen wird - gg. ALLEN 154; BILL 1,676; SCHNIEWIND 174; SCHWEIZER 204f; FRANKEMÖLLE 1974:144-6; FIEDLER 1975:91).

Als entscheidende Gegeninstanz gg. eine konsequent futurische Interpretation der Himmels-β. wird die red. Änderung 11,11f angeführt (TRILLING

1964:59). Doch für 11,11 ist das präsent. Verständnis schon durch die Zugehörigkeit der Stelle zu der red. Gruppe der ἐν-Stellen ausgeschlossen, das hier nicht ausnahmsweise kausale Bedeutung hat (gg. SCHLATTER 366). Auch der Zusammenhang mit anderen mt, scheinbaren Quantifizierungen des eschatol. Lohns, wie sie 5,19; 10,41f vorausgehen, zeigt, daß die "Belohnung im Jenseits" im Blick ist (STRECKER 1971:162). Da außerdem der Vordersatz nicht mit μέν eingeleitet ist, so leitet δέ einen begründend erläuternden (B-D-R 447,1c), nicht aber einen "das Urteil Jesu über den Täufer einschränkenden Nachsatz" ein (gg. GRUNDMANN 307).

Das gemeinte Verhältnis ist für den mt Text eher temporal und steigernd zu bestimmen: Doch selbst der denkbar Kleinste ist im neuen Äon besser dran als der Täufer es jetzt ist. Denn einmal kann der mt Täufer, der nach 3,2 red. selbst die Himmels-β. ansagte, keineswegs als daraus ausgeschlossen bezeichnet sein. Der mt Zusatz ⊁Täufer erinnert hier ausdrücklich an Kap.3 zurück. Der entscheidende Differenzpunkt zwischen der Gegenwart und der Zukunft liegt hier vielmehr in der Tatsache der Verfolgung. Die Abweisung und Verwerfung ist der eigentliche Gegenstand des mit 11,2 einsetzenden Buchteils. Die Tatsache der Verfolgung war schon mit dem Stichwort ⊁Prophet 11,9 (vgl. 10,41) für ihn konnotiert, wurde von Mt in 11,2 auch durch die red. Erwähnung seines Gefängnisses verstärkt und wird vor allem 11,14 red. durch die Identifizierung mit Elija als Verfolgtem (vgl. 17,12f) unterstrichen. Darum kann μικρότερος hier nicht einfach von 10,42 her als Jüngerbezeichnung für die Gegenwart verstanden werden (gg. GRUNDMANN 307; SCHWEIZER 170; BEARE 259; MEYER 122).

Wenn man nicht übersieht, daß der Gedanke der Verfolgung schon in V.11 maßgebend ist, so ist die weiterführende Erläuterung (wiederum mit δέ) 11,12 nicht überraschend. Durch die Homonym-Verschränkung mit

βιασταί (NT und LXX sonst nie)

sind die beiden Sätzchen nicht synthetisch, sd. synonym verschränkt parallelisiert: Das von Q vorgegebene, im NT sonst nicht verwendete Vb.

βιάζομαι

kann nicht metaphorisch für ἤγγικεν stehen (gg. PAMMENT 1981:228), sd. "muß wegen der Parallelisierung zu ἁρπάζουσιν ebenfalls in malam partem interpretiert werden": wird gewaltsam bekämpft (STRECKER 1971:167f mit SCHRENK ThWNT 1,608-12; vgl. HIERS 1970:37-41; SCHWEIZER 170; KINGSBURY 1975:142f; GUNDRY 209f gg. den von GRUNDMANN 308f wieder bevorzugten medialen Sinn "dringt mit Gewalt herein" - so dgg. Lk).

In der Sache ist die Aussage dieselbe wie 23,13: Die Gegner verhindern letztlich den künftigen Zugang in die Himmels-Basileia, indem sie die gegenwärtige Schaffung der Voraussetzungen dafür verhindern. An beiden Stellen steht der Ausdruck metonymisch perspektivisch vom letztendlichen Ziel als der Voraussetzung her auch für die Bekanntmachung in der Gegenwart, so daß daraus nicht einfach gefolgert werden kann, daß die Himmels-β. darum gegenwärtig gedacht werden müsse. Wenn an einem Text die häufigsten Komponenten eines semant. Konzepts erst einmal in ihrer Struktur deutlich genug analysiert sind, so sind dazu in Spannung stehende Aussagen viel öfter, als es gemeinhin geschieht, daraufhin zu befragen, ob und inwiefern hier das textlinguistische Phänomen der Metonymie zu veranschlagen ist.

Auch 13,19 bestätigt dies, wo ⊁rauben wie Wort von der β. von Mt red. zugesetzt sind und die Behinderung als Werk des Teufels erscheint (vgl. 13,38f). Vorbereitet ist das Lexem in diesem Sachzusammenhang schon durch die Räuber-Erwähnung von 7,15, was 10,16 über die Metapher ⊁Wölfe wiederholte. Zu veranschlagen ist außerdem, daß das Nomen Gewalttätige aus 11,12 im Kontext V.16 durch das Syntagma ⊁diese Israel-Generation (als die Spielverhinderer metaphorisch für Behinderer und Verhinderer der β.-Boten) synonym wieder aufgenommen und neu renominalisiert wird. Damit bestätigt sich von den verschiedensten Strukturbeziehungen des semant. Paradigmas her die klare Beziehung auf die Gegner Jesu: Sie verhindern wo und wie immer möglich die künftige Belohnung mit individueller Unsterblichkeit, indem sie Menschen zu "Anwärtern der Hölle" machen (23,15).

Eine analoge Synonymik ist auch in den Allegorie-Einleitungen in Kap.13 zu veranschlagen, zumal diese alle erst nach der Grundsatzaussage mit der Wendung "Geheimnisse der Himmels-Basileia" in 13,11 stehen und sich darum anaphor. immer darauf zurückbeziehen: Das Senfkorn 13,31 (als Wiederholung von V.3-9 in der Sache) meint darum den Sachverhalt der Bekanntmachung (PAMMENT 1981:219f), der Sauerteig 13,33 (= V.10-13 in der Sache mit *verbergen* als Schlüsselwort vgl. auch V.35) allegor. Gott als Schöpfer, Verberger und demnächstigen Erscheinenlasser des bevorstehenden neuen Äons. Acker-Schatz und Perle 13,44-6 thematisieren als Verkürzungsbildungen von 19,16-22 die darauf ausgerichteten Eintrittsbedingungen, da sie V.36ff und 47ff von Gerichtseintritts-Allegorien gerahmt sind (A : B : A'). In allen Fällen geht es um einen direkten oder metonymischen Zielbezug, aus dem nicht ein auch die Phase der Gegenwart übergreifender holistischer Einheits-"Begriff" von *β*. abgeleitet werden darf.

Die Erhebung der mt Semantik darf nicht vorschnell mit der traditionsgeschichtlichen Frage nach möglichen Vorformen und deren Sinngehalt verquickt werden, wie das auch immer noch in neueren Kommentaren (etwa GRUNDMANN 308f; SCHWEIZER 270) geschieht. Die primäre Aufgabe besteht immer darin, "den Sprachgebrauch und die selbständig herzugebrachten Anschauungen der einzelnen Evangelisten ins Auge zu fassen, um nicht in die Gefahr zu geraten, Ausdrücke und Ideen dieser Männer ohne weiteres mit denen Jesu gleichzusetzen. Es ist nicht zu verwundern, daß die große Bevorzugung des Mt zu allen Zeiten der Kirche auch auf die Vorstellung vom Reiche Gottes stark eingewirkt hat. Und zwar sind gerade diejenigen Züge, welche heute von den meisten Kritikern für secundär gehalten werden, hier von Einfluß gewesen" (WEISS 1900:40 - wenn man nur an die Verwendung einer Kategorie wie einer Reich-Gottes-Verkündigung Jesu oder an die Verbindung von Reich Gottes und Evangelium denkt sowie an die Redewendung von einem "Evangelium Jesu" überhaupt?)

Dafür ist sicher der Zusammenhang des mt Konzepts mit zeitgenössischen, nicht apostolisch von Ostern her denkenden Konzepten ein wesentlicher Stabilisierungsfaktor für solche Internalisierungen gewesen. So steht Mt auch nahe bei Josephus: "Vom Himmel aus ist Gott Richter, und ihm ist von dort her alles sichtbar" (Bell 1,630). "Die reinen und folgsamen Seelen erlangen ... den heiligsten Ort des Himmels" (Bell 3,374). Solche Aussagen dürften den red. Sprachgebrauch des Mt mitbedingt haben, wenngleich Josephus immer den Sing. hat (TRAUB ThWNT 5,501 n.37). Man vergleiche aber auch CicRep 6,13: "Allen, die ihr Vaterland bewahrt, ihm geholfen, es gefördert haben, ist im Himmel ein fester Platz bestimmt, an dem sie glückselig ein ewiges Leben genießen" (vgl. OGLIVIE 1982:149). Bei der Intensität, in der dieser Autor sein eigenes Werk zu seiner Selbstdurchsetzung mit kirchlicher Basisfunktion kanonisierte, läßt sich wissenssoziologisch auch eine solche zentrale Neubildung wie Himmels-*β*. verstehen: Ein spezieller Idolekt prägt den Soziolekt der Leser und macht die Buchgemeinde zu einer selbsterkennbaren und selbstidentifizierbaren Gruppe von Insidern, in der man sich an der Sprache erkennt. Daß Mt darüber reflektiert hat und sich solcher sprachsoziologischer Gegebenheiten bewußt war, zeigt sein red. Diktum 27,73: ἡ λαλία σου δῆλον σε ποιεῖ.

Eine ecclesia semper reformanda, die sich ihrer Aufgabe nicht entzieht, ist darum immer zur Sachkritik am mt Konzept verpflichtet. Dabei ist die komparativische Formel, daß sich "Gerechtigkeit bei Paulus und Reich Gottes bei Mt entsprechen" (CONZELMANN 1967:169) als für beide Seiten nicht beschreibungsadäquate Bestimmung kein hermeneut. möglicher Ausgangspunkt, sd. im Gegenteil eher ein Hindernis. Was man für die lk Red. festgestellt hat, gilt in entsprechender Weise auch für Mt: Diese red. "Form der Reichsverkündigung geht ... weit über den Charakter einer bloßen Rezeption der Verkündigung Jesu selbst hinaus ... Sie dürfte für eine Frage nach der Struktur der Reichsverkündigung Jesu selbst damit praktisch nicht mehr verwertbar sein" (VÖLKEL 1974:70; zustimmend TAEGER 1982: 169).

βαστάζω ↗χείρ

βατταλογέω 7,6(+Q - NT und LXX sonst nie) onomapoetisch *schwatzen*
(überhaupt selten; DELLING ThWNT 1,597f; BALZ EWNT 1,502).

βδέλυγμα 24,15(=Mk LXX-Dan 12,11; ntl. noch Lk 16,15; Apk 17,4f;21,27)
Da Mt ausdrücklich die Lokalisierung des Tempels ergänzt, denkt er wohl nicht nur an eine *Abscheulichkeit*, die durch den nachfolgenden epexeget. Gen. als *Zerstörung* bezeichnet wäre, sd. bildet evtl. auch die Vorstellung ein, es habe dort - analog zur Aktion Hadrians von 130 mit der Aufstellung des Jupiter Capitoninus - auch schon zu seiner Zeit eine röm. Statue oder einen Altar gegeben; er kann sich aber einfach auf die Siegesfeiern beziehen: Als der Tempel in Flammen stand, "trugen die Römer ihre Feldzeichen in den heiligen Bezirk und stellten sie dem östl. Tor gegenüber auf. Eben an dieser Stelle brachten sie ihnen dann Opfer dar" (JosBell 6,316 und die Wiederholung der Siegesopfer 7,16). BURNETT 1981:300-38 sieht in der mt Red. eine Synonymie mit ↗ἀνομία und von daher die Kirche seiner Zeit gemeint. (Nicht gemeint ist "der Antichrist"; ZMIJEWSKI EWNT 1,503 gg. FOERSTER ThWNT 1,600).

βεβηλόω 12,5(+Mk; NT nur noch Apg 24,6) den Sabbat *schänden*

Βεελζεβούλ ↗δαιμον-

Βηθανία 21,17(=Mk); 26,2(=Mk)
Mt 2 : Mk 4 : Lk 2 + 0 : Joh 4 (NT und LXX sonst nie)
"Haus des Hannas"(?) als Dorf am Ostabhang des Ölbergs, 3km von Jerusalem entfernt (DALMAN 1924:265-8; SCHNEIDER EWNT 1,511f; SCHENK 1974: 166f).

Βηθλέεμ
Mt 5 : Mκ 0 : Lk 2 + 0 : Joh 1 (NT sonst nie)
Aus der Mt 2,6 im Erfüllungszitat aufgenommenen Stelle LXX-Mich 5,1 als dem Stammort der davididischen Sippe erwähnten Ort 8 km südl. von Jerusalem wurde V.1.5.8.16 multipl. der Geburtsort Jesu postuliert, während Mk und Q ihn noch nicht als solchen nennen (STROBEL EWNT 1,515: im 14.Jh.v. Ch. "Haus der Göttin Lahama", später wohl als "Brothausen" hebraisierend verstanden; DALMAN 1924:18-60).

Βηθσαιδά 11,21(=Q als dem Gericht verfallen)
Mt 1 : Mk 2 : Lk 2 + 0 : Joh 2 (NT und LXX sonst nie)
"Fischhausen", nordöstlich der Mündung des Jordans in den See Gennesaret, war als "B. Julias" die Residenz des milden Tetrarchen Philippus (JosAnt 18,28; DALMAN 1924:173-80; FUCHS EWNT 1,515f). Mk 6,45; 8,22 wurden von Mt zugunsten der Konzentration auf Galiläa als jüd. Gebiet ausgelassen.
Χοραζίν 11,21(=Q - NT und LXX sonst nie) als Ort neben Bethsaida

Βηθφαγή 21,1(=Mk)
Mt 1 : Mk 1 : Lk 1 (NT und LXX sonst nie)
"Feigenhausen"(? - falls latinisierend *pagi*: "Haus der Dörfler") mk als Dorf zwischen Jerusalem und Bethanien vorgestellt, doch lag es am Westabhang des Ölbergs (SCHENK 1974:166f; vgl. DALMAN 1924:267-72); "Mt spricht logisch und topographisch am klarsten" (RADL EWNT 1,516f), doch rührt das einfach daher, daß er wie sonst auch die mk Doppelung auflöste.

βῆμα 27,19(+Mk) *Amtssessel* (SCHALLER EWNT 1,517f)
  Mt 1 : Mk 0 : Lk 0 + 8 : Joh 1 (NT noch Pl 2mal; LXX 6mal)
βιάζομαι, βιαστής →βασιλεία
βιβλίον →γαμέω
βίβλος → 'Ιησοῦς (γένεσις)
βλαστάνω →δένδρον
βλασφημέω, βλασφημία →ἀφίημι I
βλέβω →ὀφθαλμός
βοάω 3,3(=Mk Zitat LXX-Jes 40,3) Stimme eines *laut Rufenden*
  Mt 1 : Mk 2 : Lk 4 + 3 : Joh 1
Βόες 1,5a.b (Sohn der Rahab, Mann der Ruth; Ruth 4,21; 1Chr 2,11ff)
βοηθέω →ἐλεέω
βόθυνος 12,11(+Q) dupl. von 15,14(=Q) *Graben, in den man* →fällt
  Mt 2 : Mk 0 : Lk 1 (NT sonst nie)
βόσκω →χοῖρος
βούλομαι →θελ-
βρέχω 5,45(+Q Gott *läßt regnen*; red. im Zshg. mit Subst.)
  Mt 1 : Mk 0 : Lk 3 (Lk 17,29 Feuer; anders 7,38.44 trans. *benetzen*, so
daß nur eine lk Stelle vergleichbar ist und im Zshg. mit dem Subst. der
red. Charakter der mt Stellen noch augenfälliger wird; im NT nur noch Jak
5,17; Apk 11,6)
βροχή 7,25.27(+Q red. Zusatz – NT sonst nie) *Platzregen*
  Der red. Zusatz von Vb. und Subst. dürfte ein Hinweis für den klimatischen Ort des Autors darstellen: Winterliche Platzregen bzw. Wolkenbrüche
sind eine bekannte Gefahr wie der normale als Argument für die Feindesliebe Gottes eingeführt werden konnte. Die Abfolge der red. Zusätze innerhalb
der Bergpredigt läßt sogar die Annahme zu, daß diese vom Beginn einer als
wohltuend empfundenen Regenzeit an geschrieben wurde bis zum Einsetzen
von nicht mehr so freundlich beurteilten Wolkenbrüchen.
βρυγμός →κλαίω
βρῶμα, βρῶσις →ἄρτος
Γαδαρηνός 8,28 (+Mk – NT und LXX sonst nie)
  Mt ersetzte die ihm von Mk vorgegebene Ortsangabe, weil er "die mk
Dekapolis auf das Gebiet *rund um den See* reduzierte" und "vor Ostern
noch keine Mission außerhalb Israels" vorstellt (SCHILLE EWNT 1,589; wiewohl 15 km südöst. des Sees Genesaret gelegen, ist nicht sicher, daß ihr
Gebiet bis an den See reichte; JosBell 3,37; Vit 42; BAUER WB 295). Außerdem war die Stadt südl. des unteren Jarmuk (PlinNat 5,74) bekannter als
"einer der Mittelpunkte griech. Kultur im Ostjordanland, Heimat des Melea-
gros, Menippos, Philodemos (Strabo 16,759)"; aus "jüd. Herrschaft 63 v.Chr.
durch Pompejus *befreit* (JosAnt 14,75), wurde es Glied der Dekapolis und
besaß unter röm. Oberhoheit (Provinz Syria) kommunale Selbständigkeit
(Münzrecht); 30-4 v.Chr. gelangte es nochmals in jüd. Hand (Herodes d.Gr.;
JosAnt 15,217; 17,320), nicht hingegen während des jüd. Aufstandes 66-70
n.Chr. (JosBell 2,459)" (SCHALLER KP 2,564). Sollte der Autor hiermit seine
Heimat zu erkennen geben wollen? *Schweine* weisen auf nicht-jüd. Hirten.
Δεκάπολις 4,25(=Mk 5,20 permutiert, während 7,31 ausgelassen wurde)
  Mt 1 : Mk 2 (NT und LXX sonst nie)
Der Städtebund der syrischen *Zehnstadt* im Ostjordanland (mit Skythopolis
westl. des Jordan zwischen Galiläa und Samaria) war als Bestandteil der
Provinz Syria von Pompeius organisiert worden (JosAnt 14,74ff; Bell 1,
155ff,164f); die Zusammensetzung wechselte ebenso wie die Führungsrolle
urspr. Gadara, dann Damaskus (JosBell 1,446 Skythopolis); JosBell und Mk
sind die ältesten Nennungen (VOLKMANN KP 1,1436f; SCHILLE EWNT 1,681f;
BIETENHARD ANRW II/8 220-61). Obwohl es dort nur eine jüd. Minderheit
gab, fügt Mt die Nennung in seinen bombastischen ersten Sammelbericht zur

Nennung *aller* Teile Palästinas (bewußt ohne Samaria) ein.
γαλήνη 8,26(=Mk) *Wind-, Meeresstille* (BAUER WB 297f)
   Mt 1 = Mk 1 = Lk 1 (NT und LXX sonst nie; metaph. JosBell 3,195)
Γαλιλαία (GUNDRY 642)
   Mt 16 : Mk 12 : Lk 13 + 3 : Joh 17 (NT sonst nie)
      =(Mk 12 - 1 + 5)
Da Mt in seiner Verwendung der Landschaftsbezeichnung (FREYNE 1980:
360-4), die das hauptsächliche Herrschaftsgebiet des Tetrarchen Herodes
Antipas bezeichnete, ganz von Mk abhängig ist und Q keine Vorgabe bot, so
ist auch schon die erste auf Jesus bezogene Stelle 2,22 (mit εἰς und im
Gen.) als Permutation von Mk 1,28 anzusehen. Zugleich hat Mt ja diese
Stelle konsequent mit 4,12(=Mk) parallelisiert als jeweiligen 4. Teil und
Abschluß seiner Bucheinleitung: Es ist der dem Vorsehungsplan gemäße Ort
des durch Flucht erreichten Wohnens (verbunden mit ≯Nazareth). Damit ist
schon die typ. "histor.-biograph." Tendenz der mt Verwendung deutlich
(STRECKER 1971:93-9), der durch die Setzung des wie immer nachgestellten
Erfüllungszitats 4,15(+Mk Zitat LXX-Jes 8,23) mit geograph. Bezug auf
≯Kafarnaum eingebracht wird. Dieser ist auch bestimmend in der doppelten
Übernahme im Gen.Attr. in der anschließenden Wendung παρὰ τὴν θάλασσαν
τῆς Γαλιλαίας 4,18(=Mk als Ort der Gewinnung der ersten Dauerbegleiter)
und 15,29(=Mk mit red. Angleichung der Präp. an die erste Stelle zur
Vorbereitung der "Berg"-Heilungen). Die konsequente Ausrichtung auf Jesus
erklärt auch die Auslassung der Erwähnung Mk 6,21, wo das Gen.-Attr. sich
auf die Beamten des Herodes bezog. Zweimal steht es auch betont mit der
Präp. ἐν (beidemale gg. Mk) bei Jesu erstem lehrenden und heilenden
Ringsumzug in Galiläa 4,23(=Mk 1,39 - und in der semant. Tiefenstruktur
auch gemeint beim zweiten 9,35, ohne verbalisiert zu sein) und von daher
ist wohl auch 17,22(=Mk 9,30) synonym verkürzt ein solcher letzter ins Auge
gefaßt (KLOSTERMANN 125 gg. ZAHN 569 nicht ein dichtes Zusammendrängen,
das die Berührung mit anderen meidet):
περιάγω (intrans.)
   Mt 3 : Mk 1 : Lk 0 + 1 (Apg 13,11; NT nur noch trans. 1Kor 9,5)
9,35(=Mk 6,6) wurde im Interesse der Rahmung der beiden ersten "Rund-
reisen" Jesu 4,23(+Mk) dupl. und ein weiteres Mal 23,15(+Q) betont kontrastierend für die entsprechenden Weltreisen der Gegner und deren Propa-
gandafeldzüge multipl.; mit KLOSTERMANN als synonymes Syntagma zu *als
sie umherzogen* (gg. EWNT 3,752 nicht nur *beisammen waren*):
συστρέφομαι 17,22(+Mk; NT nur noch Akt. Apg. 28,3).
   Γ. als Zielort erscheint nach εἰς 6mal (: Mk 5 : Lk 5) in einer speziellen
Funktion (VÖLKEL EWNT 1,560): Wie es durch die Dupl. von 4,12 in die Vorgeschichte nach 2,22 vorgetragen wurde, so ebenfalls durch solche Dupl.
der vorhersagenden Aufforderungen von 26,32(=Mk) und 28,7 (=Mk) im Munde Jesu selbst 28,10(+Mk) erscheint 28,10(+Mk als weitere Dubl.) in typ. mt
Korrespondenz als Ausführung dieses Befehls, wodurch die mt Galiläa-Er-
scheinung als von den Vorhersagen iniziiertes red. Konstrukt erscheint.
Von der ersten bis zur letzten Stelle ist damit immer der Bedeutungsgehalt
"Γ. als Ort der Erfüllung des Vorsehungsplanes" präsent und mitzuhören.
   Komplementär zu diesen Syntagmen ist bei Mt auch die ensprechende Be-
tonung Γ. als des Herkunfts- oder Ausgangsortes mit ἀπό kennzeichnend:
3,13(=Mk für Jesus erstes Verlassen zur Taufe - doch durch Auslassung von
Nazaret mit Γ. direkt verbunden) und darum in strengerer Korrespondenz
dazu 19,1(+Mk für Jesu zweites Verlassen zur Verwerfung in Jerusalem; zur
Bezeichnung der Nachfolgenden 4,25(= Mk 3,17 permutiert als Herkunftsbe-
zeichnung) und rahmend dazu 27,55(=Mk - doch mit betonendem Wechsel der
Präp.) die Nachfolge der Frauen; 21,11(+Mk) schließlich die Bekanntmachung
Jesu (Gen.-Attr. zu Nazaret):

Mt 5 : Mk 2 : Lk 3

Wenngleich der primär historisierend-biographische Charakter der mt Γ.-Topologie unverkennbar ist, so erscheint es nach der Einführung des finalen Gen.-Syntagmas im Erfüllungszitat 4,15 "Galiläa für die Heiden", die ja gerade jesuanisch gemeint ist, immerhin möglich, der Bezeichnung eine Konnotation auf die künftige Kirche in der Heidenwelt hin zuzuerkennen (GREEN 1968:51-53; 1982:230; 1984:169; NOLAN 1979:139-42).

Anschaulich ist auch die Jesuanisierung in der Permutierung von der direkten mk Beziehung auf Petrus zu einer indirekten mittels der mt Schöpfung "Jesus der Galiläer" Mt 26,69(=Mk 14,70 permutiert), die in ihrer Selbstverständlichkeit anzeigt, wie fern Mt einem früher möglichen Mißverständnis der Äquivokation dieses Ausdrucks mit "Zelot" gerückt ist; sie ist vielmehr mt ganz buchintern vom Erfüllungszitat 4,15 her semantisch gefüllt:
Γαλιλαίος = der, der in Galiläa den Vorsehungsplan erfüllte

Mt 1 : Mk 1 : Lk 5 + 3 : Joh 1

Dasselbe gilt funktionsgleich und fast synonym für die damit verbundenen analogen Verwendungen von
Ναζαρά, Ναζαρέθ, Ναζαρέτ

Mt 3 : Mk 1 : Lk 5 + 1 : Joh 2 (NT und LXX sonst nie)

Mt ist in der Verwendung des indeklinablen Ortsnamens *Bewachung* für die Herkunft Jesu, den er an jeder seiner 3 Stellen in einer anderen Form verwendet, ganz von Mk 1,9 abhängig, obwohl er dort den Ausgangsort zur Taufe ausließ, ihn aber in gleicher Form und mit gleicher Präp. 21,11 als Prädikat Jesu hat. Dupl. vorgezogen ist er nach 2,23 (als Ναζαρέτ mit 01, 03, 04, 032, 0233, 33, 892, 1241, 1424 pm) als Wohnort des Vaters Jesu in Galiläa, wo er auch einleitend red. als Ϟπόλις bezeichnet ist, obwohl es sich um "einen gänzlich unbedeutenden Flecken" handelt (inschriftlich erst im 3.Jh. IEJ 12 [1962] 137ff belegt), "dem alle Charakteristika auch einer antiken palästinensischen Stadt fehlten" (KUHLI EWNT 2,1115f). Es lag 6 km südsüdöstl. von Sephoris, der ersten Hauptstadt des Antipas, auf das man hinabsehen kann. Wesentlich ist Mt allein die Zuordnung zur Schrifterfüllung, weshalb auch 4,13 das Wort (als Ναζαρά mit 01¹, 03, 035, 33 al) erneut für das red. Wegziehen von dort dupl. Auf den Ortsnamen bezieht sich auch das Adj.
Ναζωραῖος

Mt 2 : Mk 0 : Lk 1 + 7 : Joh 3,

das Mt statt des 4maligen mk Ναζαρηνός hat, wie die klare Substitution Mt 26,71 für Mk 14,67 zeigt, die in der Koppelung mit dem Jesusnamen der analogen mt Bildung in V.69 als subst. Apposition zum Namen völlig analog ist. Daß es sich um eine Herkunftsbezeichnung handelt, ist nicht nur von der red. vorhergehenden, synonymem Stelle 21,11 ("Jesus aus Nazareth) deutlich, sd. vor allem auch aus dem rahmenden Rückbezug auf die einleitende Schrifterfüllung 2,23, wo die Herkunftsbezeichnung die Schrifterfüllung in der Nennung des Wohnortes begründet (hier ist Mk 1,34 permutiert als Verursacher anzusehen, während Mk 10,47; 16,6 nicht übernommen wurden). Die Schwierigkeiten dieses Erfüllungszitates, die sich aus dem wohl gewollt unpräzisen Plur. *Propheten* und dem Fehlen eines tatsächlichen Zitats ergeben, ist weder als Zusammenfassung der bisherigen Zitate zu erklären (gg. ROTHFUCHS 1969:65-7) noch als Glosse auszuscheiden (gg. ALLEN 17f), sd. eine offenbar bewußt vage gehaltene (Fehlen des Pt. der Redeeinleitung), bloße Assonanz an die Nasiraths-Stellen LXX-Ri 13,5.7 (Ναζιραῖος; vielleicht zusätzlich auch die "Wurzel"-Weissagungen von Jes 11,1 etc.), wobei die sowohl morphologischen wie semantischen Gewaltsamkeiten Mt durchaus zuzutrauen sind (KUHLI ebd. 1119 mit KLOSTERMANN 19; SCHLATTER 49; STREKKER 1971:59-63 gg. GUNDRY 31-41). Es ist offenbar, daß der schein-theol. Historismus des Mt mehr suggerieren und imponieren will als er auf einen zu überzeugenden, sorgfältig prüfenden Leser ausgerichtet ist. Verkündigung ist für ihn, daß er die vermeintliche Jesusgeschichte auch noch mit vermeintlichen Schriftweissagungen "als Gottesgeschichte interpretiert" (ROTHFUCHS 1969:67 - und darum nicht den selbstkritischen Maßstäben von 1Kor 15,15 entspricht, sd. unter das vernichtende apostolische Urteil fällt).

Synonym renominalisiert ist der Herkunftsort sicher mit *Vaterstadt*:
πατρίς 13,54.57(=Mk)

Mt 2 : Mk 2 : Lk 2 + 0 : Joh 2 (NT nur noch Hebr 11,14),
"womit nach 2,23 nur Nazareth gemeint sein kann" (STRECKER 1971:96 mit ZAHN, WEISS, LOHMEYER gg. WELLHAUSEN z.St. - unbeschadet der Frage, was Mk damit bezeichnete; SCHENK 1979).

Καφαρναούμ

Mt 4 : Mk 3 : Lk 4 + 0 : Joh 5 (NT und LXX sonst nie)
Mt ist je zur Hälfte seiner Verwendung von Mk und Q abhängig. Eröffnend ist Mt 4,13 Mk 1,21 (gleiches Präp.-Syntagma) permutiert, um einen regelrechten Umzug Jesu zu beschreiben und der Schrifterfüllung Genüge zu tun. Indem es zugleich die Apposition *das am Meer liegende* erhält:
παραθαλάσσιος (zum Fem. B-D-R 59,1; 123,1 - sonst nie im NT; LXX 7mal),
wird nicht nur auf die Schrifterfüllung vorverwiesen, sd. zugleich auch mit dem Komp. präziser auf die kommenden See-Stellen (vor allem mit gleicher Präp., die hier schon von V.18 her dupl. ist) verwiesen. Das am Nordufer des galiläischen Sees, 4 km westlich der Jordanmündung gelegene Fischerdorf wird mit der Q-Vorgabe 8,5(=Lk) erneut zum Ort der Handlung gemacht und bis 9,34 (abgesehen von dem Abstecher 8,23-34) beibehalten, wobei die Ortsnennung von Mk 2,1 in Mt 9,1 unter Rückerinnerung an 4,18 als *seine Stadt* ersetzt ist (wiewohl es sich ebensowenig um eine solche handelt wie bei Nazareth). Mt hat "die Kapernaum-Lokalisierung konsequenter durchgeführt" (STRECKER 1971:94f; "hier geschieht auch das Wunder am stummen Dämonischen 9,32f; denn nur von den Geheilten wird gesagt, daß sie *herauskamen* V.32 vgl. V.31" ebd.96). Vom letzten Zug durch Galiläa (17,22) her wird 17,24(=Mk 9,33) wieder Kafarnaum der letzte Ort der Instruktionen, der auch Kap. 18 umfaßt und sich nur noch auf die Schüler bezieht, da Q-Mt 11,23(=Lk) die Gerichtsverfallenheit der Stadt ausgesagt hatte.

Γεννησαρέτ 14,34(=Mk) fruchtbare Landschaft an der Nordwestseite des Sees
Mt 1 : Mk 1 : Lk 1 (NT und LXX sonst nie)
θάλασσα (GUNDRY 644)
Mt 16 : Mk 19 : Lk 3 + 10 : Joh 9
    =(Mk 19 - 7 + 3) + (Q 0 + 1)
Im einführenden Erfüllungszitat 4,15(+Mk, wobei LXX-Jes 8,23 vom Gebiet am Mittelmeer auf den galiläischen See umkodiert wurde; ROTHFUCHS 1969:67-70; STRECKER 1971:63-6) ist der Bezug zu Kafarnaum eingebracht, der mit 4,18a (=Mk) und dem Galiläa-Bezug fortgeführt wird, wie 13,1(=Mk) dieses Syntagma mit Präp. wiederholt, womit auch für Kap.13 die Lokalisierung im Raum von Kafarnaum erinnert ist (STECKER 1971:96), was auch für die red. Allegorie-Verwendung V.47 maßgebend ist, die ohnehin den Menschenfischerauftrag mit der Wurf-Wendung von 4,18b(=Mk) dupl. wiederholt; analog 15,29 (=Mk) mit der Galiläa-Apposition und red. wieder die gleiche Präp. wie 4,18a; 13,1, um deutlicher an Kafarnaum zu erinnern. 17,27 dupl. im deutlichen Zshg. mit Kafarnaum V.24 ein weiteres Mal 4,18b. Darum ist auch die 18,6 (=Mk) folgende Anweisung zur Hinrichtung durch Ertränken (wiewohl sie unjüd. ist: JEREMIAS 1965:179), auf diesen See bezogen. Wiewohl schon *Meer* für diesen See eine Übertreibung ist, so scheut sich Mt doch auch hier nicht vor einer weiteren steigernden red. Erweiterung, indem er noch πέλαγος (außer Apg 27,5 nicht in NT und LXX - zählt zu den "gewählteren griech. Wörtern" des Mt; GRUNDMANN 49).) *Meerestiefe* (was an ein

größere Gewässer denken läßt) zusetzte – zusammen mit:
καταποντίζομαι 14,30(+Mk) *versinken*; 18,6(+Mk) *ersäuft werden*
   Mt 2 (GUNDRY 645 – NT sonst nie; LXX 10mal).
Insofern steigert er damit das Bild von Jesu Verfügungsgewalt über diesen
See, der schon darin zum Ausdruck kam, daß er in dem Rettungswunder
8,24.26.27(=Mk) ein *Meerbeben* (mt Verstärkung) stillt und dieser galiläische
See *ihm gehorcht*, er in ihm 8,32(=Mk) die Dämonen *tötet* (mt Steigerung)
und er epiphaniehaft 14,25f(=Mk) auf ihm geht (V.24 ist das Wort gg. H-G
119 sek. LA).
   Nicht konkret darauf bezogen sind die beiden letzten Stellen in Worten
Jesu in Jerusalem: 21,21(=Mk), diesem Berg (welchem?) zu befehlen, sich ins
θ. (welches?) zu stürzen; red. ist Q–Mt 23,15(+Q) die Klage über die jüd.
Lehrer, ihre Propagandafahrten *weltweit* auszuüben (wobei *Meer* sicher das
Mittelmeer im Blick hat), wofür der Doppelausdruck mit *das Trockene* (=
Land) eine geläufige Zusammenstellung ist (BAUER WB 1086: Jon 1,9; Hag
2,21; 1Makk 8,23.32; 1Hen 97,7). Kennzeichnend für Mt ist so auch die erweiternde Verwendung in Worten Jesu an die Schüler (13,47; 17,27; 23,15)
die Mk 9,42; 11,23 nur an den letzten beiden Stellen vorgab:
   Mt 5 : Mk 2 : Lk 3.
Q dürfte keinen Beleg vorgegeben haben (Lk 17,6 ist von Mk 11,23 abhängig), so daß Mt in seiner Verwendung ganz von Mk abhängig ist.
αἰγιαλός *Strand*
   Mt 2 : Mk 0 : Lk 0 + 3 (NT nur noch Joh 21,4)
13,2(+Mk) hat in mt Erzählung dieselbe Präp.-Wendung, die V.48(+Mk) anschließend assoziativ in der Allegorierede dupl.
γῆ (MORGENTHALER 1973:181; GUNDRY 642)
   Mt 43 : Mk 19 : Lk 25 + 33 : Joh 11
      =(Mk 19 – 9 + 5) + (Q 6 + 9) + (A–Mt 13)
Das mt Häufigkeitswort (12. Subst.) wird von Mt favorisiert
γῆ I 21mal
zur Bezeichnung der *bewohnten Erde* und damit der *Menschheit* (KRETZER
EWNT 1,592f; synonym ‣generisches ἄνθρωπος, ‣ἔθνη, ‣κόσμος; antonym
‣οὐρανός): 5,5(+Q in der Belohnungszusage, die V.3.10 von *Himmel* eingeschlossen wird).13(+Q vgl. V:14 Kosmos).18(=Q Vergehen von Himmel und
Erde) = 24,35(=Mk); 5,35 (definiert als Schemel der Füße Gottes als unmögliches Schwurpfand); 10,34(=Q keinen Frieden); 11,25(=Q Herr des Himmels
und der Erde); 12,42(=Q vom Ende der Erde); 17,25(Könige der Erde); 24,30
(+Mk Völker der Erde); dazu zählt auch das Syntagma
ἐπί (τῆς) γῆς
   Mt 11 : Mk 10 : Lk 5 + 2 : Joh 2,
das Mt 9,8 einmalig von Mk übernommen, jedoch durch Voranstellung besonders betont und stärker an sich als Menschensohn gebunden hat. Von daher hat Mt es multipl.: 6,10(+Q einmalig ohne Art.).19(+Q).23.35(+Q) sowie
A–Mt 16,19a.b; 18,18a.b.19; 23,9 und 28,18 als abschließend bewußte Rahmung
zu 9,6 wie als Voraussetzung der Realisierung der Voraussagen von 16,19
und 18,18f. Von Mk sind die meisten Stellen nicht übernommen, wo er es in
einem engeren Sinn setzte oder unexakt (Mk 4,26; 8,6; 9,20; 14,35) im finalen
Sinn da verwendete, wo Mt exakter den Akk. setzt:
ἐπὶ τὴν γῆν
   Mt 7 : Mk 3 : Lk 6 + 3 : Joh 0
10,29(+Q).34(=Q); 13,8(=Mk – aber Substitution der Präp.).23(=Mk); 14,34(=Mk);
15,35(=Mk – aber Substitution des Gen. durch Akk.); 27,45(=Mk). Im Unterschied zum voranstehenden Syntagma ist aber der semant. Gehalt des
Subst. hier nicht homogen. Neben der aus der ersten Gruppe der universalen Stellen stammenden einmaligen Verwendung 10,34 bedeutet
γῆ II (4mal)

hier in 10,29; 15,35 *zu Boden*, was Mt auch 25,18(+Q).25(+Q) hat.

γῆ III (4mal)

Auch 13,8.23 liegt im Syntagma im Gefolge von 13,5a(=Mk).b(=Mk) mit *Erdreich, Humus* eine engere Bedeutung vor.

γῆ IV (2mal)

14,34 liegt im Syntagma im Anschluß an das korrespondierend-trennende von V.24(=Mk mit N-A und GNTCom 37 *gg.* H-G 117 urspr. LA) als Antonym zu *See* die eingeschränktere Bedeutung *Ufer* vor.

γῆ V (11mal)

ist kennzeichnender für Mt in der eingeschränkten Bedeutung *Gebiet, Landschaft.* So wird vor allem durch einen nachfolgenden, präzisierenden Gen. das Subst. als partiell gekennzeichnet:

Mt 7 : Mk 0 : Lk 0 + 6

Dieser vor allem von der LXX getragene territoriale Sinn (BAUER WB 312; KRETZER EWNT 1,592f) ist bei Mt immer red.: A-Mt 2,6.20.21; im Erfüllungszitat 4,15.15(+Mk) hat Mt den Ausdruck selbständig verdoppelt wie 10,15(+Q) in 11,24 dupliziert wurde.

Auf andere Weise, nämlich durch anaphor. Demonstr. (≯ἐκείνη vgl. 14,35; 15,22) wurde die partiell territoriale Bedeutung in 9,26(+Mk) erreicht und 9,31(+Mk) dupl.

Der abs. Gebrauch Mt 27,45(=Mk) dürfte im mt Kontext nicht universal, sd. partial gemeint sein (BAUER WB 312) – und zwar nicht nur, weil Mt mit πᾶσαν (vgl. 2,16; 3,5) an Ex 10,22 angeglichen hat (das Syntagma in Gen/Ex 57mal SENIOR 1982:29f), sd. weil die mt Finsternis das spezielle Gerichtszeichen über Israel ist, dessen Schuld am Tode Jesu Mt so extremierend behauptete; γ. ist im mt Kontext territorial kodiert (unbeschadet einer anderen semantischen Füllung bei Mk bzw. Prä-Mk). Dasselbe gilt von der 27,51 (+Mk) unmittelbar angeschlossenen, red. dupl. Stelle, da die durch das bebende *Gebiet* Auferweckten ja die gerecht verstorbenen Israeliten sind, die dann in Jerusalem erscheinen. Im Zusammenhang damit ist auch die singuläre Verwendung

γῆ VI

in der red. Rehabilitations-Auferweckungs-Aussage 12,40(+Q) mit der Wendung καρδία τῆς γῆς zu sehen, da sie nicht das *Grab*, sd. das *Totenreich* bezeichnet (GUNDRY 244). Gg. eine reine Wortsemantik hat man nicht die isolierten Textelemente gefüllt zu sehen, so daß man hier konkordant formalistisch *Innerstes der Erde* übersetzen könnte, weil dann das spezifische Sem unberücksichtigt bliebe.

Synonyme für den partiell-territorialen Gebrauch von γῆ sind:

μέρος (GUNDRY 645)

Mt 4 : Mk 1 : Lk 4 + 7 : Joh 4

Während Q-Mt 24,51 den Sing. im Sinne von *Anteil* hat, steht sonst immer der Plur. als für mt kennzeichnend:

Mt 3 : Mk 1 : Lk 0 + 2 : Joh 2

Alle 3 Stellen 2,22; 15,21(+Mk); 16,3(+Mk) haben übereinstimmend das Syntagma: Handlungs-Vb. des Weggehens + εἰς τὰ μέρη + konkreten Gen. des Ortes. Weiter ist in den makrosyntaktischen Funktionen gemeinsam, daß sie alle im Kontrast zum Vorhergehenden stehen (Ägypten-Flucht, Unrein-Beschuldigung, Pharisäer-Sauerteig) und als Wichtigkeitssignal für das davon kontrastierend abgehobene Folgende stehen: Nazaret-Wohnung als Schrifterfüllung, Anerkennung durch eine Nichtjüdin, Bestätigung des Petrus als Offenbarungsmittler. Von dieser Funktion her dürfte sich der sonst befremdlich erscheinende Sachverhalt erklären, daß dadurch Mt 15,21 das mk ὅρια ersetzt wurde, während 15,39 das Umgekehrte passierte, so daß Mt vielmehr bewußt eine auswechselnde Permutation vorgenommen hat.

ὅριον (GUNDRY 646 – immer Plur. *Gebiet*)
    Mt 6 : Mk 5 : Lk 0 + 1 (NT sonst nie)
Es steht an allen mt Stellen in Präp.-Wendungen und zwar im paarweisen Nacheinander: ἐν 2,16; 4,13(+Mk); ἀπό 8,34(=Mκ); 15,22(=Mκ 7,31 permutiert) und εἰς 15,39(=Mk 7,24 permutiert); 19,1(=Mk). An allen Stellen folgt eine Näherbestimmung im lokalen Gen. Dessen Pronominalisierung in den Fällen klarer Anaphora erlaubt es nicht, in 2,16; 8,34; 15,22 einen davon unterschiedenen "undeterminierten" Gebrauch (so EWNT 2,1299) zu sehen. Dabei ist 15,22 (mit →ἐκείνων) mit 9,26.31 zu vergleichen und 2,16 (mit →πᾶσι) mit 27,45 und dem jeweiligen Bezug auf γῆ.

χώρα
    Mt 3 : Mk 4 : Lk 9 + 8 : Joh 3
steht analog 2,12 *in ihr Land* (nächste Synonymanalogie V.22); 1,16(+Mk – Erfüllungszitat als unmittelbare Renominalisierung der Synonyme von V.13 und 15); 8,28(=Mk – vgl. Synonyme V.34 anaphor. renominalisiert). *Deminutiv* χωρίον 26,36(=Mk) *Stück Land, Grundstück*
    Mt 1 : Mk 1 : Lk 0 + 7 : Joh 1 (NT sonst nie, LXX 6mal)

περίχωρος
    Mt 2 : Mk 1 : Lk 5 + 1 (NT sonst nie)
dürfte ebenso hierher zu zählen sein, da nicht nur Q-Mt 3,5 das Subst. für die ganze *Bewohnerschaft* um den Jordan herum (=Peräa), die auch zum Täufer zieht (vgl. 4,25), gebraucht (EWNT 3,189), sd. dies auch in dem Heilungssummarium 13,35 der Fall sein dürfte, wo das mk Simpl. durch das aus Mk 1,28 permutierte Komp. ersetzt wurde. Diese Totalitätswendung ist damit 9,25 (vgl. 9,31; 15,22) angeglichen.

πέραν
    Mt 7 : Mk 7 : Lk 1 + 0 : Joh 8 (NT sonst nie)
Rahmend beginnt das Erfüllungszitat Mt 4,15 mit dem Syntagma πέραν τοῦ 'Ιορδάνου, das er sogleich in dem Summarium 4,25(=Mk 3,8 permutiert) wiederholt und darin in Angleichung an 3,5 (Täufer-Jesus-Parallelität) dieselbe Bewohnerschaft meint, womit er 19,1(=Mk) dann auch rahmend schließt. Doch während 4,15 für Galiläa und 19,1 für Judäa attributiver Gebrauch vorliegt und damit klar "westlich" des Jordan meint, ist es 4,25 als Abschluß selbständig koordiniert, wobei die Nennung der Anhänger von Galiläa (NW) über Dekapolis (NO), Jerusalem (SW), Judäa (SW) entweder nach Peräa (SO) weist, oder aber wenn auch hier die westliche Lage semantisiert sein sollte, nach Idumäa (wie Jdt 1,9). Das Syntagma, das das Adv. als uneigentliche Präp. verwendet (B-D-R 184), "wirkt wie ein indeklinabler Eigenname" (BAUER WB 1276: Peräa; EWNT 3,167). Mt 4,15 hat durch die Zufügung des Art. bewußt an die anderen beiden Stellen angeglichen. Die 4 dazwischen liegenden Stellen haben die subst. Abkürzungswendung εἰς τό πέραν (+ nicht verbalisierter Gen.): 8,18(=Mk 4,35 permutiert).28(=Mk); 14,22(=Mk); 16,5(=Mk) Mt dürfte auch hier den Art. anaphorisch verwenden und damit jeweils auf die volle Gesamtwendung von 4,15.25 zurückweisen. Dann wäre bei ihm unter der von BAUER gemachten Voraussetzung weniger aus dem engeren Kontext *das jenseitige Ufer* oder *die gegenüberliegende Landschaft* rein relational gemeint, sd. konkret abkürzend das bezeichnet, was Mt sich unter "Peräa" vorstellt. Dann müßte er sich auch das 8,28 red. Gadara nicht als Bestandteil der Dekapolis, sd. von Peräa vorstellen. Doch die Rahmenstellen 4,15 wie 19,1 weisen so unmißverständlich auf ein "Westjordanien" als "Transjordanien", daß man vielleicht für den Autor daraus schließen kann, daß er Palästina aus einer Perspektive östlich davon sieht (SLINGERLAND 1979; THEISSEN 1985:492f). Bezeichnet Mt damit seinen Standort etwa in Damaskus oder in dem von ihm eingebrachten Gadara?

γαμ-
    Mt 17 : Mk 5 : Lk 10 + 2 : Joh 2

γαμέω
    Mt 7 : Mk 4 : Lk 6 + 0 : Joh 0
        =(Mk 4 – 1 + 2) + (Q 1 + 1)
Veranschlagt man jedoch, daß die Verwendung Mk 10,12 mit einer Frau als
Subj. ausgelassen wurde, so hebt sich der mt Gebrauch, der immer das Akt.
und einen Mann als Subj. hat, noch deutlicher von Mk ab:
    Mt 7 : Mk 3 : Lk 6
In der Bestimmung des semant. Gehalts ist außer der Festgelegtheit auf das
mask. Subj. ebenso zu veranschlagen, daß das Obj. immer Akk. Fem. ist: Mt
19,19a(=Mk) wie Q-Mt 5,32(=Lk), was 19,9b dupl. ist (wegen der Bezeugung
mit LAGRANGE 368-70; H-G 177 als urspr. anzusehen, da die Kurzfassung,
für die N-A; GNTCom 48 sich entscheiden, nur durch die wertvolleren Zeugen O1, 04[3], 019 sowie durch die weniger wertvollen 05, 1241 pc bezeugt ist
und eine sek. Auslassung durch Homoioteleuton doch eher anzunehmen ist
als eine nachträgliche Auffüllung vieler wertvoller Zeugen von 5,32 her; vor
allem setzt die von Mt anschließend zugefügte Rückschlußfrage der Schüler
eine stärkere Negation voraus als nur die von V.9a; diskussionslos selbstverständlich ist die Entscheidung für den Kurztext bei den Kommentaren
ALLEN 216f; KLOSTERMANN 154f; GRUNDMANN 428; SCHWEIZER 248f; BEARE
389f; GUNDRY 381). Angesichts dieser unumkehrbaren Mask. vs. Fem. Gerichtetheit wie der Tatsache, daß es sich um einen privat- und nicht zi-
vilstaatsrechtlichen Akt handelt, ist die unreflektierte Übersetzung mit
"heiraten, eine Ehe eingehen, sich verheiraten" semantisch irreführend und
als anachronistische "cultural transcodation" nicht zu rechtfertigen; kommu-
nikativ-äquivalent ist vielmehr: *sich eine Frau nehmen* (antonym ≻*sie entlassen*). Das gilt auch für die restl. Stellen: 19,10(+Mk) ist V.9a dupl. und das
Obj. steht in der Erweiterung unmittelbar voran, so daß es in der semant.
Tiefenstruktur als solches präsent ist; dasselbe gilt für 22,25, wo es genau
das entsprechende Funktionsverbgefüge bei Mk(=Lk) direkt ersetzt, das
fem. Obj. wieder direkt voraussteht und von daher auch in der Wiederholung V.30(=Mk) so zu nehmen ist, was dort wiederum dadurch bestätigt
wird, als dort das entsprechende Komplenym im Pass.(=Mk) folgt:
γαμίζω
    Mt 2 : Mk 1 : Lk 2 (außer 1Kor 7,38 sonst nie in NT und LXX)
"weder werden Männer sich Frauen nehmen noch werden Frauen von Männern zur Ehe genommen werden" (B-D-R 314,1). Derselbe Doppelausdruck ist
Q-Mt 24,18 vorgegeben, wo Mt allerdings (gg. Lk) das komplenyme Pt. im
Akt. hat (03 von γαμίσκω BAUER WB 299f), was wohl wegen des Rückblicks
auf die Noahzeit betont paternalisch sein kann: "zur Frau geben" (B-D-R
101 n.16; NIEDERWIMMER EWNT 1,566; während KLOSTERMANN 197 als singuläre Möglichkeit auch   Heiraten von der Frau erwägt, denn Verwendungs-
überschneidungen sind zu beobachten, wenn es 1Kor 7,38 =γαμέω verwendet
bzw. dieses dort V.9f auf beide Geschlechter bezieht). Aber auf keinen Fall
ist die semant. Bestimmung gerechtfertigt, die für Mt formuliert, γαμέω
"bedeute, absolut gebraucht, eine Ehe eingehen, sich verheiraten" (so
NIEDERWIMMER ebd.).
γάμος (HAWKINS 1909:4 als schwaches mt Kennzeichen)
    Mt 8 : Mk 0 : Lk 2 + 2 : Joh 2
        =(Mk 0 + 0) + (Q 2 + 5) + (A-Mt 1)
Auch hierfür ist die vorschnelle Übersetzung "Hochzeitsfeier" eine Verkürzung, da die Ausrichtung auf den eine Frau zu eigen nehmenden Mann
schon in der Einführung der Q-Allegorie 22,2 darin deutlich wird, daß der
König das Festmahl für seinen Sohn veranstaltet und die Geladenen durchweg mask. erscheinen. Die Wendung "zum Festmahl geladen" V.3 ist Lk 14,8
(ohne Art.) vorgezogen worden und auch der Plur. Lk 12,36 (in antonymer
Präp.-Wendung) dürfte eine permutierte Dubl. der Wiederholung Mk 22,3

sein; Mt 22,9 wiederholt die Präp.-Wendung ein 3. Mal, wobei Lk 14,20 durch
den in die Ablehnung permutierten Vb.-Gebrauch weiterhin zeigt, daß er
das Lexem hier vorfand. Zwischen den 4 Plur.stellen steht V.8 ohne Bedeu-
tungswechel (gut griech. BAUER WB 200; B-D-R 141,3) der Sing. (vgl. auch
schon V.4 das Synonym ≯ἄριστον im Sing.), der V.11f in dem Syntagma
"Festgewand" dupl. wurde. Der Plur. wurde in dem vorgegebenen Q-Syn-
tagma "zur Fraunahmefeier" 22,10 erneut dupl., so daß nicht angenommen
werden kann, daß die Wendung hier evtl. vor-mt verankert gewesen und
von hier aus nach 22,2ff übertragen worden wäre:
εἰς τοὺς γάμους
     Mt 4 : Mk 0 : Lk 0.
συνέρχομαι 1,18 koitieren (XenMem 2,2.4; in Eheverträgen heiraten BAUER WB
     Mt 1 : Mk 2 : Lk 2 + 16 : Joh 2   1560)
ἐπιγαμβρεύω 22,24(+Mk) Witwenpflichtheirat des Schwagers (NT sonst nie)
     Im Zusammenhang des γάμος-Wortfeldes ist mt kennzeichnend auch, daß
νύμφη 10,35(=Q Lk 12,35.35)
     Mt 1 : Mk 0 : Lk 2 + 0 : Joh 1
mt nur in der Bedeutung Schwiegertochter in Relation zur -mutter auftritt
πενθερά - außer hier im Zitat LXX-Mich 7,6 noch 8,14(=Mk von Petrus)
     Mt 2 : Mk 1 : Lk 3 (NT sonst nie), häufiger dgg. das mask.
νυμφίος
     Mt 6 : Mk 3 : Lk 2, was Mk (=Lk) nur in dem ersten Komplex der Anti-
Fasten-Allegorie 9,15b.c(=Mk) hat. Die christol. Allegorie wird 25,1 (unter
Verwendung von Tob 11,16 S).5.6.10 multipl. Von daher auch
νυμφών
     Mt 2 : Mk 1 : Lk 1 (NT und LXX sonst nie),
9,15a(=Mk) ist die Wendung Söhne des Hochzeitssaals (=Teilnehmer am Fraunahmefest) übernommen und Fraunahmefestsaal wohl auch 22,10 (01, 03, 019,
0138, 892, 1010 pc mit H-G 205) die ursp. LA (gg. N-A γάμος), die dort wie
das Fraunahmefest insgesamt als Metapher noch nicht für die Himmelsherrschaft, sd. erst für die Völkerkirche des Mt steht. Dem zugeordnet sind
darum statt der "Braut" auch 25,1.7.11 die erwartend sich Vorbereitenden
als Plur. von
παρθένος
     Mt 4 : Mk 0 : Lk 2 + 1 : Joh 0,
was nur noch im Erfüllungszitat Mt 1,23 (=LXX-Jes 7,14) für Maria steht und
1,18 definiert ist durch
μνηστεύομαι
     Mt 1 : Mk 0 : Lk 2 (NT sonst nie; LXX 10mal),
was, da es im Pass. von einer Frau steht und die rechtliche Begründung
der Ehe war, das paternalische Versprechen war und nicht eine gegenseitige Verlobung. Das mt Ideal ist darum bezeichnet mit
εὐνουχ-
     Mt 5 : Mk 0 : Lk 0 + 5 (NT sonst nie),
das sich in beiderlei Verwendung auf Mt 19,12(+Mk) konzentriert:
εὐνουχίζω Mt 2 (NT und LXX sonst nie)
εὐνοῦχος Mt 3 (außer Apg 8,27.24.26.28f nie im NT);
     von der Frage V.10 nach der Ehelosigkeit ausgehend und auf sie in der
dritten Kategorie hinzielend ist damit keine Selbstentmannung bezeichnet
(SCHRAGE 1982:93f mit MOLONEY 1977 u.a.), sd. auch in den ersten beiden
Beispielen die - freiwillige oder unfreiwillige - Ehelosigkeit (wie Philostr
VitAp 6,42), zumal Mt in der Sphäre des Verbots der Kastration durch Domitian und seine Nachfolger (SuetCaes 3,84; DioCass 47,2) schreibt. Vor allem
hat Mt von hier aus dann V.29 das Verlassen der Frau um des Lohnes mit
himml. Unsterblichkeit willen ausdrücklich zugefügt und damit einen engen
Sachzusammenhang hergestellt. Er entspricht damit ganz der dualisti-

schen Weisheit, die im Makarismus des Eunuchen Sap 3,14 ihn zusammen mit
der Unfruchtbaren als ein Ideal des leidenden Gerechten und Weisen als
Anwärter auf den künftigen Unsterblichkeitslohn – im Kontrast zu den ver-
fluchten Weisheitsverächtern – im Zentrum einer Ringkomposition darstellt
(A 3,10–12; B 3,13–15; A' 3,16–19 – gg. GEORGI 1980:411f ist das Urteil eines
Mangels an Struktur einzuschränken). Das mt Kirchen-Ideal ist eine mt
Buchgemeinde von Zölibatären (die Modeideen "eines äußerst konsequenten
Wanderradikalismus" und einer "Solidarität mit den völlig Entrechteten" sind
beide im mt Kontext in keiner Hinsicht nahegelegt und darum auch nicht für
eine Selbstkastration zu veranschlagen; gg. PETZKE, EWNT 2,203f). Das wird
auch daran deutlich, daß in seiner Vorgeschichte die Mutter Jesu nur eine
passive Statistenrolle spielt, während der mt Josef (1,16 "Mann Marias".24
"seine Ehefrau") exemplarisch im Mittelpunkt steht, wofür 19,12 die Erklärung liefert:
Ἰωσήφ I 1,16.18–20.24; 2,13.19 (anders als Lk hier konzentriert)
    Mt 7 : Mk 0 : Lk 5 + 0 : Joh 2 (NT sonst nie), nach Mt 13,55 ein
τέκτων (=Mk – NT sonst nie – doch von Jesus selbst permutiert, da der
mt Jesus als König Israels nicht mehr den Beruf des Bauhandwerkers
haben kannund von daher nicht histor. durch generelle soziologische
Deduktion auswertbar ist; SCHNEIDER EWNT,528 gg. 3,820f).
Ἰωσήφ II 13,55 (hebraisierend statt Mk 6,3 Joses als Bruder Jesu)
Ἰωσήφ III 27,57.59(=Mk, der nur diesen Namensträger kennt) aus
ˋΑριμαθαία 27,57(=Mk)
    Mt 1 : Mk 1 : Lk 1 + 0 : Joh 1 (NT und LXX sonst nie)
wie bei den anderen Seitenreferenten als Herkunftsort des Josef, der die
Leiche Jesu erbittet. Es wird meist mit Ramathajim (1Sam 1,1) identifiziert
(heute: Rentis, östl. von Jaffa; BLINZLER 1969:392; PESCH II 512).
Ἰωσήφ IV 26,56 (wie II gg. SCHNEIDER EWNT 2,530 evtl. doch bewußt
    identifiziert, da Mt die Reihenfolge der Nennungen angeglichen hat).
Μαρία I 1,16.18.20; 2,11; 13,55(=Mk als einzige Vorgabe)
    Mt 5 : Mk 1 : Lk 12 + 1 (NT sonst nie; auch nicht in Q; SCHNEIDER
EWNT 2,951–4) zur Unterscheidung wird die 2. lokal durch ihre Herkunft
aus einem Dorf am Nordwestufer des galiläischen Sees näherbezeichnet (ebd.
913):
Μαρία ἡ Μαγδαληνή 27,56.61(=Mk); 28,1(=Mk) aus Magdala (Westufer des Sees)
    Mt 3 : Mk 3 : Lk 2 + 0 : Joh 5 (NT sonst nie)
μοιχ- (als Lexemgruppe bei Mt am häufigsten):
    Mt 10 : Mk 5 : Lk 4 + 0 : Joh 0
μοιχεύω
    Mt 4 : Mk 1 : Lk 3 + 0
ist mit ehebrechen nicht kommunikativ äquivalent wiedergegeben, sd. meint
im Akt. paternalisch zur Ehebrecherin machen: "Der Mann, der die Frau
eines anderen verführt, zerstört ihre Ehe, nicht seine eigene" (STRECKER
1984:73; und zwar nicht nur wegen der Dt 21,15ff möglichen Polygamie, sd.
auch darin, daß die unverheiratete Frau nicht Obj. dieses Vb. sein kann,
wie die klassische Definition Dt 22,22 zeigt, weshalb man "nicht, wie es
weithin geschieht, dieses Gebot als Norm hinsichtlich der Unauflöslichkeit
der Ehe ansehen darf": SCHÜNGEL–STRAUMANN 1980:47–53). Das Dekaloggebot
LXX-Ex 20,13; Dt 5,17 ist Mt 19,19 an der letzten Stelle von der einmaligen
mk Verwendung übernommen und von daher an der ersten Mt 5,27 dupl.
(und an beiden Stellen in das schärfere Verbot des urspr. Fut. versetzt)
worden. 5,28 dupl. das weiter in der grundsätzlichen red. Definition, daß
schon beim begehrenden Blick der Fall vorliegt, daß man "sie zur Ehebrecherin macht" (mit Akk.-Obj.). Diese Bestimmung hat Mt wiederum aus
dem mk Plur. des Nom. actionis Mt 15,19(=Mk – wobei Mt in der Reihenfolge
wiederum strenger an den Dekalog anglich) übernommen, wo es für Herzens-

gedanken schon vorgegeben war, und zur grundsätzlichen Anfangsstelle dupl.:

μοιχεία

Mt 1 : Mk 1 (NT sonst nie; LXX 4mal)

Da der an 5,28 angeschlossene Gerichtsschluß das ewige Feuerverderben als Strafe androht, so ist klar, daß nicht ein halachisches Gesetzeswort vorliegt, sd. eine weisheitliche Paränese. Q-Mt 5,32a stellt Mt anhangsweise zur grundsätzlichen Definition fest, daß dieser Fall dann natürlich auch bei einer legalen "Entlassung" vorliegt (red. A.c.I., in dem die Frau Subj. wird und darum Pass. verwendet wird). 5,32b ergänzt das durch den weiter vorgegebenen Q-Fall, daß dieser Sachverhalt auch bei der Heirat einer Entlassenen vorliegt (vor Generalisierung auf Ehetrennung überhaupt hin steht nicht nur die hier bezeichnete red. Einschränkung, sd. auch die 19,29 vorausgesetzte Trennung "um meines Namens willen"). Da es sich in 5,31f um einen verkürzten Anhang handelt, so ist die Höllenstrafe nicht wieder verbalisiert, sie ist aber von V.28f her klar gemeint und insofern in der semant. Tiefenstruktur vorhanden und als Filler zu ergänzen. Auch daß hier das Vb. objektlos, in der dorischen Form (Mk 10,12 dupl.; XenHist 1,6.15) und im Med. steht, gibt ihm nicht als solche schon die allgemeinere Bedeutung "Ehebruch treiben" (gg. PLÜMACHER EWNT 2,1074), sd. ist ein bewußt synonymisierender red. Wechsel, der das personale Obj. in der semant. Tiefenstruktur wiederholt denkt:

μοιχάομαι

Mt 3 : Mk 2 (NT sonst nie; LXX 9mal)

Mt 19,9a(=Mk) wiederholt es in antithetischer Direktanrede an die führenden Lehrer Israels (gg.Mk), daß sich entgegen der auf sie personal und lokal begrenzten Ausnahmeregelung durch Mose jetzt, da Jesus das volle Gesetz Gottes ganz repräsentiert, eben die 5,32a gegebene Bestimmung wie V.9b (=Mk) die von 5,32b (von woher sich die Vb.-Dupl. dort erklärt). Daß der Fall gegenüber Mk (Frau Subj., was dieser wohl von 1Kor 7,10f übernahm) geändert ist, erklärt sich hinreichend dadurch, daß Mt die männlichen Pharisäer angeredet sein läßt zum Zwecke der Aufdeckung ihres teuflischen Widerspruchs zu Jesus. Das kommt auch in der Anwendung des davon abgeleiteten, erst hell. Adj. auf sie in den red. direkten Anreden 16,4(=Mk 8,38 permutiert und zur Anrede gemacht) und deren Dupl. in 12,39(+Q), wo wiederum eine Anrede vorliegt, zum Ausdruck:

μοιχαλίς

Mt 2 : Mk 1 (NT nur noch Röm 7,3, Jak 4,4; 2Petr 2,14; LXX 6mal)

Dabei sind auch schon bei der ersten Verwendung des Adj. sachlich die 5,27-32 gegebenen semantischen Bestimmungen renominalisiert - also nicht *ehebrecherisch* im allgemeinen oder übertragenen Sinne gemeint, sd. der Vorwurf ist konkret bezogen auf sie als jüd. Männer, *die Frauen zu Ehebrecherinnen machen*, womit offenbar ihr Gesamtverhalten zu Frauen beschrieben und denunziert sein soll, wie 19,8f dann bestätigt. Außerdem ergibt sich die einheitliche semant. Kodierung nicht nur aus der Textsequenz, sd. auch hier wieder durch die chiastische Anordnung:

A Mose-Gebot in Jesu Bestimmung:	5,27f		19,18
B Jesu Anwendung auf Entlassung:	5,32		19,9
C Direkte Schelte der jüd. Führer:	12,39	16,4	
D Zentrum in ihrem Denken:	15,19		

Eine entsprechende mt Häufung zeigt sich auch bei

πορν-

Mt 5 : Mk 1 : Lk 1 + 3 : Joh 1

πορνεία

Mt 3 : Mk 1 : Lk 0 + 3 : Joh 1

Da das Nom. actionis für *jede Art von ungebundenem Geschlechtsverkehr* im

Plur. für aus dem Herzen kommende Handlungen Mt 15,19(=Mk) im Zusammenhang mit dem voranstehenden nicht nur übernommen, sd. sogar auf die mt
Einführungspassage hin dupl. wurde, so wundert es kaum, daß gleiches
auch in der Duplizierung 5,32a - und deren Wiederholung in 19,9a - geschah, wo sie aber speziell die *sexuelle Untreue* der Ehefrau beschreibt. Da
an beiden Stellen reine Feststellungurteile (in der Wiederholung 19,9
darüber hinaus eine verurteilende Anrede an Pharisäer vorliegt), so kann
man in diese Stellen nicht "die eherechtliche Position" des Mt bzw. seiner
Kirche beschrieben sehen (vgl. zuletzt STRECKER 1984:77 - diese besteht
vielmehr darin, josef-gemäß zu sein, Frauen nicht anzusehen, Eheverzicht
zu üben und sich trennende Ehefrauen gehen zu lassen; die Konsequenz
aus Mt ist eine Zölibatär-Diktatur) und schon gar nicht eine Anlehnung des
Mt "an den Streit der Schulen Hillel und Schammaj" (so zuletzt FITZER
EWNT 3,329f, der ohnehin eine spätere, künstliche mischnische Schematisie-
rung darstellt). Es geht also nicht um eine "Unzuchtsklausel" im Sinne
einer Erlaubnis, sd. um nicht mehr als um die redundante Feststellung, daß
im Falle *sexueller Untreue* der Ehefrau natürlich nicht erst die Entlasssung
durch den Ehemann sie *zur Ehebrecherin macht*. Auch hier dürfte das
Grundanliegen der "Feststellung" eher in die entgegengesetzte Richtung als
die einer "Erlaubnis" gehen, nämlich wie auf der männl. Seite, so auch auf
der weibl., dahin, alle jüd. Frauen in die Nähe von "Prostituierten" zu bringen, denn von daher erklärt sich auch die red. Einbringung des Nom. personale im Plur. Mt 21,31f (Huren = jüd. Frauen), das weder Mk noch Q vorgab:
πόρνη
   Mt 2 : Mk 0 : Lk 1 + 0 : Joh 0,
doch wovon der mt Täufer sie - wenigstens teilweise - bekehrte.
γυνή (mt Subst. 18.Rang wie "Pharisäer"; GUNDRY 642)
   Mt 29 : Mk 16 : Lk 41 : Joh 17
        =(Mk 16 - 2 + 9) + (Q 3 + 0) + (A-Mt 3)
Die Bestimmtheit der vorzugsweise damit bezeichneten *Ehefrau* durch den
Ehemann ist bei Mt besonders akzentuiert, vor allem durch einen poss. Gen.
   Mt 12 : Mk 4 : Lk 6 + 3 : Joh 0
wie den Eigennamen 13,3(=Mk des Philippus) oder meist das Pron. neben
der eröffnenden Anrede in der 2.Per. 1,10 (Mk 6,18 permutiert) meist in der
3. konkret ab 1,24; 27,19(+Mk des Pilatus); bzw. allgemein 19,5(+Mk LXX-Gen
2,24 Zitat von Mt erweitert *anhangen*
κολλάομαι bei Mt nur hier
   Mt 1 : Mk 0 : Lk 2 + 5 : Joh 0);
im Sadduzäer-Gleichnis 22,24(=Mk - doch Syntagma durch Permutation auch
gg. LXX-Zitat hergestellt).25(=Mk - doch ebenso ergänzt) und V.27f(=Mk)
nur mit Art. wiederholt, aber in der Frage V.28 typisch, wem sie "gehören"
soll; vom "Entlassen" 5,31(red. Mk 10,11 dupl.).32(=Q); 19,2(=Mk + red.
Poss.).8(+Mk *unsere*).9(=Mk).
   So auch sonst 12mal klar nach dem Kontext: 5,28 (Ehefrau eines anderen); 19,10(+Mk generell); Ehefrauen + Kinder nach Männern als Familien-
häuptern ergänzend genannt 14,21(+Mk); 15,38(+Mk) bzw. im Sing. 18,25;
wohl auch 9,20.22(=Mk - dessen beiden ersten Stellen - wo die Gebärmutter-
blutung evtl. noch im Zusammenhang mit der Tochter gesehen werden, sie
also als Frau des Vaters vorgestellt werden soll); auch die adj. red. als
"Kananäerin" (NT sonst nie) 15,22.28(=Mk) vorgestellte Frau ist durch ihre
Tochter so gesehen wie überhaupt Q-Mt 11,11 Menschen als "die von Frauen
Geborenen" benannt sind (s.u.). So ist in der Bestimmung durch die Man-
nesbeziehung nicht mt *Frau* der Oberbegriff von *Hochzeit*, sd. umgekehrt
ist die mt γ. ein Unterbegriff dazu.

Außerhalb dieser Beziehung stehen höchstens 5 Stellen 13,33(=Q - Sauerteig; doch auch hier ergänzt eine Frauen-Allegorie die eines Mannes V.31f); 26,7(=Mk).10(+Mk - salbend, doch auch hier ist einleitend der Hausherr genannt); so bleiben nur die 27,55(=Mk) genannten Nachfolgerinnen, die 28,5 (+Mk) dupl. sind.

γαστήρ

Mt 3 : Mk 1 : Lk 2 + 0

steht bei Mt immer in der seit Herod 3,23 und seit Hippokr medizinisch verwendeten Wendung *schwanger sein* (BAUER WB 302 auch LXX, Papyri) ἐν γαστρὶ ἔχειν

Mt 3 : Mk 1 : Lk 1 (NT nur noch 1Thess 5,3; Apk 12,2),

die Mt 24,19(=Mk) übernahm und 1,18 dupl. im Hinblick auf die Erfüllung V.23, wo sie aus LXX-Jes 7,14 übernommen ist (GUNDRY 21 - evtl. in Abänderung des Vb,. da B dort das das LXX-übliche λαμβάνω hat; STENDAHL 1968:97f; ROTHFUCHS 1969:57 gg. die Ed. von RAHLFS und ZIEGLER). Synonym zum Subst. ist 19,12(+Mk)

κοιλία

Mt 3 : Mk 1 : Lk 8 + 2 : Joh 2,

das Mt 15,17(=Mk) für den ganzen Verdauungsapparat des Menschen zwischen "Mund" und "After" steht und 12,40(+Q mit LXX-Jon 2,1) für den des "Meerungetüms".

τίκτω 1,21.23.25; 2,2 *gebären* (nur von der Mutter Jesu)

Mt 4 : Mk 0 : Lk 5 + 0 : Joh 1

γεννάω (HAWKINS 1908:4 "schwach")

Mt 45 : Mk 1 : Lk 4 + 7 : Joh 18

    =(Mk 1 + 1) + (Q 0 + 0) + (A-Mt 43)

Die Tatsache, daß sich 39 Belege auf die Genealogie Mt 1,2-16a konzentrieren, bedeutet nicht , daß das Vb. für Mt nicht signifikant sei (gg. MORGENTHALER 1973:56), da Lk 3,23ff zeigt, daß man dies auch ohne das Vb. formulieren konnte und zumal das ganze Kap.1 auch aus anderen Gründen vollständig als Produkt der mt Red. anzusehen ist (VÖGTLE 1971 mit PESCH, RÄISÄNEN, JOHNSON 1969).

In der Genealogie steht es gut griech. für Zeugung (Vater-Sohn-Beziehung), seltener für das Gebären, wofür es aber umgekehrt in LXX meist steht (BÜCHSEL-RENGSTORF ThWNT 1,663-74, KRETZER EWNT 1,584-6). In diesem Sinne steht es in der aus Mk übernommenen Stelle Mt 26,64 im Pass. sowie dupl. 19,12(+Mk) sowie in der Geburtsgeschichte 1,16b.20; 2,1.4.

Mt kennzeichnend ist dafür die Verbindung mit ἐκ, die immer auf die Frauen (und damit auf die Geburt) bezogen ist

Mt 7 : Mk 0 : Lk 0 + 0 : Joh 8 (noch Gal 4,23; Hebr 11,12 und 1Joh 9mal) Das setzt 4mal 1,3a(+ Θαμάρ - NT sonst nie).5a(+ Ραχάβ - NT sonst nie).5b (+'Ρούθ - NT sonst nie).6b(+ Οὐρίας - NT sonst nie) in der ersten Epoche ein, die königslos ist, und steht noch beim ersten Königssohn auf den entscheidenden Wechsel in das Pass. 1,16b hin. Wie 1,20 dann endgültig klärt, ist dieses Kontrast-ἐκ auf die Geistzeugung Jesu hin ausgerichtet. Diese Konnotation ist dann an den beiden darauffolgenden Slot-Stellen 2,1.4 als Filler mitzuhören. Daß diese Verwendungsweise gut mt ist, ergibt sich daraus, daß der Präp.-Zusatz auch 19,12(+Mk mit einer volleren Wendung) in einem anderen Zusammenhang wieder verwendet ist. Er fehlt auch in den vergleichbaren und teilweise literarisch zugrundeliegenden Stammtafeln Gen 5,3-32 und 1Chron 2,10-49; ἐκ fehlt auch in dem Gen.-Syntagma Q-Mt 11,11 (=Lk) mit

γεννητός

Mt 1 = Lk 1 (NT sonst nie; LXX 5mal),

wo der Täufer mit der geläufigen jüd. Umschreibung für *Mensch* (BILL 1, 597f; BÜCHSEL ThWNT 1,671) als größter aller (sterblichen) Menschen im

Hinblick auf seinen Tod prädiziert ist (ἐν γεννητοῖς γυναικῶν). Für Tiere (Sir 10,18 dgg. für Menschen) verwendet ist dgg. der Plur. des neutr.
γέννημα (GUNDRY 642)
  Mt 3 : Mk 0 : Lk 1 (NT sonst nie)
in der jüd. nie belegten (BÜCHSEL ThWNT 1,671) Wendung γεννήματα ἐχιδνῶν (das Leitwort Otter = Giftschlange außer Apg 28,3 sonst nie im NT und LXX), die 3,7(=Q) im Munde des Täufers übernahm (wiewohl sie "weder in der LXX noch bei Jos und im Rabbinischen" vorkommt EWNT 1,586, aber in der Syntipas-Sammlung der Aesopfabeln 57,549P in Schlangenbrut eine Analogie hat; BAUER WB 309), red. aber an die führende Lehrerschaft Israels (V.7) adressierte und sie in diesem Gegnerbezug im Munde Jesu 12,34(+Q vgl. V.24) und 23,33(+Q vgl. V.29) dupl. Mt ist also nicht nur das Syntagma als solches, sd. makrosyntaktisch auch sein spezieller Adressatenbezug:
  Mt 3 : Mk 0 : Lk 0.
Damit entspricht bei Mt red. die bildliche Näherbestimmung Giftschlangenbrut der adj. Näherbestimmung bei →Generation.
γονεῖς 10,21(=Mk) Eltern
  Mt 1 : Mk 1 : Lk 6 + 0 : Joh 6 – Komplenym:
τέκνον (GUNDRY 648)
  Mt 14 : Mk 9 : Lk 14 + 5 : Joh 3
      =(Mk 9 – 3 + 1) + (Q 4 + 2) + (A–Mt 1)
Neben der Entzweiung 10,21a.b(=Mk) und 19,29(=Mk) in der positiven Relation der Ernährung 7,11(=Q); 15,26(=Mk), Zeugung 22,24(=Mk), Nachkommenschaft als solcher: 2,18 (Rahel; Zusatz zum Zitat); 3,9(=Q Abraham); 23,37(=Q Jerusalem metaphor.); 27,25(+Mk). In Allegorien ist wohl 21,28b(=Q–Lk 15,31) als Anrede vorgegeben und von daher auch in der Einleitung V.28a dupl., so daß auch 18,25(+Q) als red. erscheint. Als Anrede Jesu an den Gelähmten ist 9,2(=Mk) übernommen.
παιδίον (GUNDRY 647)
  Mt 18 : Mk 12 : Lk 13 + 0 : Joh 3
      =(Mk 12 – 7 + 3) + (Q 1) + (A–Mt 9)
Mt hat das Deminutiv π. aus den Heilungsgeschichten konsequent gestrichen und die Hälfte seiner Belege Mt 2,8–21 für →Jesus mit messianologischer Konnotation. Der Komplex zweitgrößter Dichte findet sich dazu rahmend am Schluß (par. zur mt Verwendung mein/euer Vater, Sohn/Söhne) ekklesiol. 18,2(=Mk).3 (+Mk Plur. Dubl. zum Vergleich).4(=Mk 10,15 permutiert).5(=Mk) und als Nachspiel dazu 19,13f(=Mk). Der Ausgangspunkt ist gg. Mk nicht mehr ein Rangstreit, sd. die Lehrfrage nach dem Anteil am kommenden neuen Äon (vgl. 5,19; 11,11). Das Kind ist im Hause als dem Ort der Lehre und damit als Katechumene vorgestellt, was die red. synonyme Charakteristik in der antithet. Antwort V.3f (στρέφω, ταπεινόω) deutlich als handlungsbestimmt deutlich macht und das qualitative Relativum τοιοῦτο V.5 unterstreicht. Als synonyme Fortführung erscheint in klarem anaphor. Anschluß der weiteren Regel V.6.10.14 (auch hier Neutr. urspr.) ἓν τῶν μικρῶν τούτων als eine deutliche Kennzeichnung für "Anfänger" in der Lehrausbildung, denen gegenüber die Verantwortung des Zwölferkreises als der Lehrer des mt Konzepts eingeschärft wird: Mt bestimmt sein Buch als auch von Kindern aufzunehmende Lehre.
  Red. daraufhin ist der Zusatz bei den Speisungen 14,21; 15,38 ohne Frauen und Kinder bei den Zahlenangaben beachtlich, womit auf deren Anwesenheit ausdrücklich Wert gelegt wird. In dem Bild der spielenden Kinder 11,16(=Q) wurde dgg. "die jetzige Generation" allegorisiert.
παῖς (GUNDRY 647)
  Mt 8 : Mk 0 : Lk 9 + 6 : Joh 1 (NT sonst nie)
      =(Mk 0 + 4) + (Q 1 + 2) + (A–Mt 1)
Mt hat den Plur. am Anfang rahmend A 2,16 für Knaben eingeführt (im Hin-

blick auf das Erfüllungszitat V.18 τέκνα und das jesulogische Deminutiv des Kontextes) wie A' am Schluß 21,15(+Mk im Anschluß an das Deminutiv 19,13f als Akklamierende im Hinblick auf das Erfüllungszitat V.16); den inneren Rahmen bilden die beiden heilungsbezogenen Verwendungen B 8,6(+Q).8(=Q). 13(+Q – alle 3 dürften hier vorgegeben sein, während Lk in *Sklave* änderte) und B' 17,18(+Mk – sehr eng an 8,13 angeglichen) als Wiederaufnahme von *Sohn* V.15, so daß Mt auch 8,6–13 wegen der Rahmungsentsprechung wie der Textsequenz nach 2,16 klar *Sohn* (und nicht *Sklave*) kodiert haben dürfte. Im Zentrum steht C 12,18(+Mk Erfüllungszitat) klar die messianologische Verwendung im Sinne von *Gottessohn* (=Mitherrscher), so daß klar ist, warum der Red. C' im Kontrast dazu 14,2(+Mk) es analog funktional für die *Hofleute* des Antipas zufügte.

υἱός (GUNDRY 648)

    Mt 89 : Mk 34 : Lk 77 + 21 : Joh 55
        =(Mk 34 – 3 + 22) + (Q 16 + 11) + (A–Mt 9)

Neben der 66maligen →*jesulogischen* Verwendung von *v.* →Δαυίδ (10mal seit 1,1 mit *v.* 'Αβραάμ dazu antonym 13,55[=Mk] *Sohn des Zimmermanns*), *v.* θεοῦ (25mal seit 1,21) sowie der Selbstbezeichnung *v.* ἀνθρώπου (30mal seit 8,20) ist mt kennzeichnend auch die Übertragung auf die *Schülerschaft* als eschatol. Lohnzusage 5,9(+Q) dupl. von V.45(=Q – doch gg. FRANKEMÖLLE 1974: 171f; HAHN EWNT 3,925 auch hier eschtol.: SCHMID 112) her wie auch im Allegorieschlüssel 13,38(+Mk, wo der Gen. βασιλεία durch den anaphor. Art. auf V.33 β. τ. οὐρανῶν und damit auf die Zukunft zurückweist; das gleiche finale Syntagma in 8,12[+Q] hat wohl auch die Zukunftsstruktur der Anwartschaft auf den Lohn der individuellen Unsterblichkeit, ist aber in seinem Referenzbezug auf die Israelgeneration des Messias Jesu gg. FRANKE-MÖLLE ebd.173f nicht etwa ein Hinweis auf "die Kontinuität im Bundesvolk", sd. ein Signal der Ganzzuwendung des mt Messiaskönigs zu seinem Volk im Hinblick auf dessen teuflische Verstocktheit und Verwerfung). 9,15(=Mk) ist die allegor. Bezeichnung *Söhne der Hochzeitssaals* zur Bezeichnung der gehorsamen Schülerschaft übernommen. Hingegen dürfte in den genuin mt geprägten Sätzen (KILPATRICK 1946:41; THOMPSON 1970:54–59); STRECKER 1971: 200f) 17,25f nicht die Gottessohnschaft der Schüler im Blick sein (gg. FRANKEMÖLLE ebd.174–6 – es sei denn, man nimmt das ganze Argument als allegor.), da von den *Söhnen der Könige* die Rede ist und da Mt mit dem Lehnwort *census* eine spezifisch röm. Abgabe benennt; da weiter zu seiner Zeit nach der Zerstörung des Tempels nicht nur keine Tempelsteuer mehr bestand (und in der mt Gemeinde wohl auch kaum Kenntnis davon), sd. eben diese durch die röm. Jupitersteuer abgelöst war, so geht es nicht um ein Verhältnis der mt Jesusgemeinde zur jüd. Tempelgemeinde (gg. SCHWEIZER ThWNT 8,365; HUMMEL 1966:32.103–6 "Ausdruck der bewußten Zugehörigkeit zum jüd. Verband"), sd. kennzeichnet eher Autor und Leser als Träger des röm. Bürgerrechts. Mt hat also ekklesiol.

υἱοί als Kennzeichnung der Schüler (FRANKEMÖLLE ebd. 170–6; GUNDRY 648)

    Mt 6 : Mk 0 : Lk 2,

ohne daß damit automatisch überall zugleich die Gottessohnschaft intendiert ist. Zugleich zeigt die 13,38 vorliegende Dualismus *Söhne des Bösen* (wie der paradoxe Zusammenhang mit 8,12), daß Mt auch am Kontrast interessiert ist; weitere Oppositionsbezeichnungen sind 23,15(+Q final) *Sohn der Hölle* in Korrespondenz zu 23,31(+Q) *der Prophetenmörder* und von daher 27,9(+Mk als red. Ergänzung des Erfüllungszitats) *Israels* und 12,27(=Q) *eure* red. auf die Pharisäer von V.27 bezogen (und in Opposition zu *Davidssohn* V.23 und *Menschensohn* V.32):

    Mt 6.

In beiden Kategorien findet sich die Verwendung von

υἱός + Gen. der näheren Beschreibung (GUNDRY 648; neben *Menschensohn*)

Mt 5 : Mk 1 : Lk 5.

An den übrigen Stellen ist die Verwendung rein biologisch genealogisch neben der Tierstelle 21,5(+Mk red. Zusatz zum Erfüllungszitat LXX-Sach 9,9) *Sohn des Zugtiers* immer anthropologisch: allgemein 7,9(=Q) und 10,37(+Q); konkret: 17,15(=Mk); 20,20a(=Mk *des Zebedäus*) dupl. V.20b.21(+Mk); 26,37 (+Mk) und 27,56(+Mk); 23,35(+Q), wo der an sich redundante Zusatz zu *Bar-Achia* zeigt, daß dessen Gehalt nicht mehr lebendig ist. Es bleibt auch sonst immer unübersetzt wie beim 5maligen ≯Bar-Abbas, Bar-Tholomäus 10,3(=Mk), Bar-Jona 16,17(+Mk - nur Bar-Timäus Mk 10,46 wurde bei der red. Doppelung ausgelassen):

Bar + Vatername (FRANKEMÖLLE 1974:237)

Mt 8 : Mk 5 : Lk 2 + 27.

πατήρ (GUNDRY 647)

Mt 64 : Mk 18 : Lk 56 + 35 : Joh 137

(=Mk 18 - 5 + 15) + (Q 16 + 19) + (A-Mt 1)

zur theol. Verwendung 46mal (=Mk 4 + 14) + (Q 10 + 18) ≯θεός. Die restl. 18 Belege verteilen sich 7mal auf *konkrete* Personen wie 2,22 Herodes, 3,9 (=Q) Abraham bzw. Vorfahren (Propheten) 23,30.32(=Q), 4,22(=Mk) dupl. V.21 (+Mk) Zebedäus, auf den nach der mt Stilisierung auch 8,21(=Q) zurückweisen soll; 11mal *generisch* verwendet: heiratendes Verlassen 19,5(=Mk), überboten von endzeitlichen Trennungen und Entzweiungen 10,21(=Mk).35.37 (=Q); 19,29 (=Mk), der Absage an den Status eines philosophischen Schulhaupts 23,9 (+Q), von der Fürsorgepflicht 15,4a.b.5a.b(=Mk); 19,19(=Mk).

μήτηρ (GUNDRY 464, der aber mit MORGENTHALER 1973:121 27 Belege zählt)

Mt 25 : Mk 17 : Lk 17 + 4 : Joh 11

=(Mk 17 - 4 + 4) . (Q 2 + 0) + (A-Mt 6)

Mt bezeichnet eine bestimmte Person mit

μητήρ + Gen.

Mt 14 : Mk 7 : Lk 12 + 4

=(Mk 7 - 2 + 3) + (Q O) + (A-Mt 6)

2mal Herodias 14,8.11(=Mk); 2mal die Mutter der Zebedaiden 20,20(+Mk); 27,57(+Mk); bei den 10 Stellen für die Mutter Jesu wurde es von Mk 12,46.48 übernommen (12,47 muß gg. H-G 85 als textkritisch sek. gelten) und anschließend 13,55(+Mk) dupl. sowie 1,18; 2,11.13f.20f multipl., wobei von dem red. betonenden Zusatz 13,55 und der identischen Nennung der Geschwister her (s.o. ≯Maria) auch 27,56(=Mk) von Mt red. auf die Mutter Jesu kodiert gesehen werden muß. Aus der Heilungsgeschichte wurde Mk 5,40 ausgelassen.

Weniger typ. ist es an den restl. 11 Stellen, an denen es generisch steht, wozu schon 12,49f(=Mk) die metaphor. Verwendung in der Umdefinition auf die Schülerschaft hin zu rechnen ist. Dies ist mt vorbereitet durch die Voranstellung der Familientrennung als Bedingung der Nachfolge 10,35. 37(=Q), die 19,29(=Mk) wiederholt genannt ist, wobei *Mutter* neben dem Komplenym *Vater* steht. Dasselbe ist der Fall bei dem anderen *Verlassen* zur Heirat 19,5(=Mk), das Mt verstärkt als direktes Gebot Gottes einführt. Ein dritter, davon zu unterscheidender Fall ist die umgekehrte Betonung der Verpflichtung ihnen gegenüber im Dekaloggebot 15,4a(=Mk) und 19,19(=Mk), woran sich 15,4b(=Mk) die Bestrafungsbedingung aus Ex 21,26 anschließt, V.5(=Mk) beschuldigend ihre gegensätzliche Bestimmung nennt (während es V.6 gg. Mk nicht wiederholt wurde, in der Tiefenstruktur jedoch vorhanden und darum von vielen HS verbalisiert ist, gg. H-G 121 jedoch nicht urspr. sein dürfte). Red. ist es in diesem Komplex nur 19,12(+Mk) zur Bezeichnung der Geburt (s.o.). Als typische Muttertätigkeit erscheint

θηλάζω das *Stillen* 24,19(=Mk Pt.)

Mt 2 : Mk 1 : Lk 2 (NT sonst nie)

21,16(+Mk nimmt man mit BAUER WB 712; EWNT 2,365) trotz des gleichen Pt.

act. die pass. Bedeutung *Säuglinge* an, was aber trotz der Übernahme von
LXX-Ps 8,3 angesichts der Formengleichheit mit 24,19 für diesen Autor nicht
wahrscheinlich gemacht werden kann, obwohl es selten vorkommt (L-S-J 797
nennt nur OrphFr 47 und 87).
θῆλυς 19,4(=Mk Zitat LXX-Gen 1,27) *säugendes = weibliches Wesen*
    Mt 1 : Mk 1 (NT noch Röm 1,26f und Gal 3,28 dgg. Mk 10,6 mit Kol 3,11)
θυγάτηρ
    Mt 8 : Mk 5 : Lk 9 + 3 : Joh 1 (NT nur noch 2Kor 6,18; Hebr 11,24)
Das Erweckungsbegehren für die Tochter Mt 9,18(=Mk 5,35 permutiert) wie
das Heilungsbegehren 15,22.28(=Mk) läßt ebensowenig etwas von dem verbreiteten Paternalismus, dem Töchter nur Objekte (oder kostbare Lasten wie
Sir 42,9-14) waren (RITZ EWNT 2,393), erkennen, wie die Trennungslogien
10,35(=Q Zitat Mi 7,6) und 10,37(+Q *mehr lieben als mich*) ein positives
Verhältnis als vorgegeben voraussetzen und ebenso die anekdotische Herodiastochter 14,6(=Mk). Auch die "freundliche Anrede" (BAUER WB 721) 9,22
(=Mk; vgl. Rt 2,8; 3,10; LXX-Ps 44,11) mit der ermunternden Aufforderung
an die Heilungssuchende entspricht dem männlichen Pendant V.2. Mt 21,5
(+Mk Zitat Sach 9,9) meint *Tochter Zion* die Zions-Stadt:
Σίων Mt 1 : Mk 0 : Lk 0 : Joh 1 (NT noch 2mal Röm; je einmal Hebr 1Pt Apk)
κοράσιον 9,24(=Mk permutiert).25(=Mk); 14,11(=Mk) Deminutiv *Mädchen*
    Mt 3 : Mk 5 (NT sonst nie)
ἀπολύω (GUNDRY 642)
    Mt 19 : Mk 12 : Lk 14 + 15 : Joh 5
       =(Mk 12 – 0 + 2) + (Q 2 + 1) + (A-Mt 2)
Mt hat drei klar abgegrenzte Verwendungsweisen, die er noch dazu in vier
geschlossenen Komplexen darbietet:
    Die häufigste Verwendungsweise ist die für die privatrechtliche und
patriarchalische Entlassung der Ehefrau in der Wendung *die Ehefrau entlassen* (3Esr 9,36 vgl. Dt 24,1-4; SCHNEIDER EWNT 1,326f)
    Mt 9 : Mk 3 : Lk 2 + 0
       =(Mk 3 + 2) + (Q 2 + 2)
Diese Verwendungsweise macht den ersten und dritten Block aus: 1,19 (aus
den nachfolgenden Stellen red. dupl.); 5,31(+Q).32a.32b(=Q) einerseits und
andererseits 19,3.7(=Mk).8(+Mk).9a.b(=Mk). Dabei ist 7mal das feminine Subst.
bzw. das Pron. Obj., während 5,32a aus Q das feminine Pt.Pass. *Entlassene*
übernommen ist, an das Mt auch 19,9b entgegen der Mk-Vorlage an Q rück-
angeglichen hat. Darum ist diese Mk-Kontext-Stelle nicht als Vergleichsziffer
für diese besondere Verwendungsgruppe heranzuziehen. Mt spricht nie von
der reziproken Entlassung auch des Mannes. Wichtig ist für die mt Semantik
die red. Stelle 19,8 wegen des Plur.-Obj. auch die Nennung des eingeschränkten Geltungsbereichs ⊁*Mose* und der Zusatz *eure.* Dieser zeigt, daß
Mt nur von der patriarchalischen Entlassung *jüd. Ehefrauen* in der begrenzten Periode vor Jesus und nach Mose spricht im Hinblick darauf, daß
jetzt im mt Jesus das verkörperte Gottesgesetz erschienen ist. Synonym ist
χωρίζω 19,6(=Mk) was Gott verbunden hat, nicht *trennen!*
    Mt 1 : Mk 1 : Lk 0 + 3 : Joh 0. Antonym
συζεύγνυμι 19,6(=Mk) *verbinden* (Ehe seit Eurip BAUER WB 1536; mit νόμος
als Gott analogem Subj.: XenOec 7,30)
    Mt 1 : Mk 1 (NT sonst nie; LXX 2mal).
ἀποστάσιον
    Mt 2 : Mk 1 (NT sonst nie; LXX 4mal)
Die Dt 24,1.3 (vgl. Jes 50,1; Jer 3,8) geforderte *Eheentlassungsurkunde des
Ehemannes* ist 19,7(=Mk) in dem Syntagma bezeichnet, das in dieser Spezial-
bedeutung "nur in jüd. griech. Texten begegnet" (BAUER EWNT 1,339f); 5,31
(+Q) hat die ellipt. Kurzform dupl.

βιβλίον 19,7(=Mk) *Eheentlassungsdokument* (Deminutivum; BALZ EWNT 1,521f)
   Mt 1 : Mk 1 : Lk 3 + 0 : Joh 2)
Zwischen den beiden d.-Blöcken steht der Komplex mit der Bedeutung *verabschieden*. Bei beiden Speisungen steht wie bei Mk der je voreiligen *Bitte* der Schüler, die Menge zu *entlassen* 14,15(=Mk) bzw. 15,32(=Mk), der *Vollzug* der Entlassung erst nach der vollzogenen Speisung 14,22(=Mk) bzw. 15,39 (=Mk) gegenüber. Dieses *Verabschieden* ist also für Mt keine prinzipielle Handlung Jesu, sd. markiert nur den richtigen Ort der Erfüllung der Schüler-Bitte und damit die Wichtigkeit der Speisungshandlung. Die renominalisierenden Folge-Stellen meinen also in der Textsequenz "jetzt erst erfüllte er die Bitte nach der Verabschiedung". 15,23(+Mk) hat kompositorisch symmetrisch in der Mitte zwischen beiden Komplexen diese Schülerbitte in Bezug auf die Kanaanäerin nochmals red. dupl., um auf einen analogen Vorgang aufmerksam zu machen, wie auch die *Brot*-Analogie wiederholt: Die Beseitigung des Krankheitsschadens entspricht der Beseitigung des Hungers.
ἐκλύομαι 15,32(=Mk – NT nur noch Gal 6,9; Hebr 12,3.5) *ermatten* ist im mk Wortspiel der Komp. damit übernommen.
Der vierte d.-Komplex ist die Verwendung in der Bedeutung *Haft-Freilassung* als Leitwort für die Unschuldserklärung Jesu in der Barabbas-Perikope, das die 4 Mk-Verwendungen aufnimmt Mt 27,15.17.21.26. In dieser Bedeutung hat es 18,27(+Q) red. in einer Schuldhaft-Allegorie dupl. Wie das Komp. hat Mt auch das ≻Simpl. favorisiert.
γάρ (MORGENTHALER 1973:181 Vorzugswort; GUNDRY 642)
   Mt 124 : Mk 64 : Lk 96 + 80 : Joh 64
      =(Mk 64 – 33 + 20) : (Q 15 + 43) + (A-Mt 15)
Die aus den Bestandteilen der Verstärkung (γε) und der Folgerung (ἄρα) kontrahierte (PRIDIK EWMT 1,573), kausale Konj. (B-D-R 452) dürfte bei Mt als die häufigere gelten, da bei ὅτι als Homograph die rezitativen Verwendungen zum Vergleich abgezogen werden müssen. Von der häufigen mk kommentierenden Verwendung in erzählenden Partien zur nachträglichen Erklärung und Begründung in der direkten Kommunikationsorientierung auf den Leser hin hat es Mt nur 11mal übernommen: 4,18(ἦσαν); 7,29(ἦν); 9,21 (ἔλεγεν); 14,3(ὁ).4(ἔλεγεν).24(ἦν); 18,22(ἦν); 21,26(πάντες); 26,43(ἦσαν); 27,18 (ᾔδει); 28,2(ἄγγελος +Mk 16,4 permutiert); Mt selbst hat es in dieser Funktion nur bei den Einleitungen zu den Zitaten 2,5(οὕτως) und 3,3(οὗτος) eingesetzt.
   Die übrigen 111 Belege stehen in *dir. Rede*. Dabei ist die 3malige Verwendung von καὶ γάρ immer vorgegeben und findet sich nur im Munde von heidnischen Bittstellern Q-Mt 8,9 und von daher parallelisiert 15,27(durch Permutation von Mk 7,27 hergestellt) eine Bitte begründend bzw. 27,73(=Mk) im Munde der Priesterpalastwachen eine These. Im Munde Jesu singulär hat Mt sein 4maliges ἀμὴν γὰρ λέγω wegen eines vorangehenden Imp. 5,18(+Q); 10,23(+Q) bzw. funktionsgleich einem bedingten Makarismus 13,17(=Q mit red. Zusatz des 1.Elements) bzw. 17,20(+Q) wegen der anschließend genannten Bedingung (diese Zusammenhänge sprechen dafür, es mit FIEDLER 1969:30; BERGER 1970:30 als begründend aufzufassen und gg. PRIDIK EWNT 1,572 nicht nur als redundante Verstärkung von ἀμήν).
   Gesteigert ist mt auch die 5malige Verwendung in Fragen τί (ς) γάρ, die damit immer zu sogen."rhetorischen" – besser: argumentativen – Fragen werden, da sie immer eine eindeutige Beantwortung voraussetzen: übernommen 16,26(=Mk als 2. Begründung des Imp. von V.25) und 27,23(=Mk als tadelnde Abweisung des Imp. der Kreuzigung) und 9,5(+Mk zur Begründung des zurückgewiesenen Tadels: weder – noch, es ist gleichbedeutend) wie antigegnerisch auch 23,17.19(+Q), wo geradezu eine kausale Definition für "blind und dumm" gegeben wird. Argumentativ ist auch die Frage mit ἐάν 5,46(+Q).

Die voranstehende Präp. ist 5mal ἐκ γάρ: Q–Mt 12,34 übernommen und
V.33.37(+Q) dupl. wie 15,19(=Mk - doch Verbindung durch Permutation red.);
2,6 (ἐκ σου γάρ mt Zusatz zum Zitat) - daneben mit 2mal mit ἐν 22,30(=Mk
doch Syntagma durch Permutation hergestellt) und 7,2(Q ἐν τῷ γάρ durch
Zusatz der Präp.). Das Q–Mt 5,12 vorangestellte οὕτως wurde 3,15(=Mk) wie
2,5 dupliziert (3mal); daneben 5mal die komplenyme Verbindung mit ⊁ὡς(περ);
analog ist auch die red. Allegorieeinleitung mit ὁμοία 20,1(+Mκ).

Die voranstehende Negation οὐ im Munde der Gegner 15,2 (Mk 7,3 permutiert) wie 22,16(=Mk) wie 10,20(=Mk) im Munde Jesu wurde 9,13(+Mk).24(+Mk)
und 10,26(+Q mit οὐδέν) multipl. (6mal); antonym dazu steht eine All-Form
voran Q–Mt 6,32a(gg. Lk permutiert); 7,8(=Lk); 22,28(=Mk); 26,52(+Mk) bzw.
πάντοτε Mk 26,11(=Mk).

Charakteristisch für die mt Paränese ist die über 50malige Verwendung im
Anschluß an einen Imp. (oft negiert: Verbot) zu dessen Begründung, wobei
oft das Vb. voransteht; dieses makrosyntaktische Gefüge wurde an vielen
Stellen erst red. hergestellt: im Munde des Engels 1,20.21; 2,13(Vb.).20(Vb.).
28,5(Vb. Mk 16,8b permutiert), des Teufels Q–Mt 4,6(=Lk Vb.), des Täufers
3,2 (+Mk Vb. vom Munde Jesu 4,17 her permutiert) und Q–Mt 3,9(λέγω), des
Centurio Q–Mt 8,9 - und sonst im Munde Jesu: 3,15(+Mk); 4,10(+Q Vb. in
antithetischer Korrespondenz zum Teufel V.6 hergestellt); 4,17(+Mk Vb. als
Grundformel); Q–Mt 5,12(als 2. Begründung nach ὅτι); 5,18 (+Q auf Imp.
V.17); 5,29f(+Mk Vb.) als Dubl. von 18,7(+Mk); 6,7(Vb.).8(+Q Vb.).14(+Mk im
Konditionalsatz zur Begründung der Bitte von V.12).16(Vb.).21(=Q ὅπου).23(+Q
makrosyntaktisch hergestellt).32a(=Q).b(Vb. +Q als steigernde Doppelbegrün-
dung).34(ἡ +Q); 7,2(=Q).8(=Q).12(+Q οὗτος wie 3,3); 9,13(+Mk).24(+Mk); 10,10(=Q
ἄξιος durch Umstellung hergestellt).17(+Mk Vb.).19(+Mk Vb.). 20(=Mk als
Doppelbegründung).26(+Q).35(=Q +ἦλθον); 11,30(+Q ὁ); 12,33(+Q makrosyntaktisch hergestellt); 13,17(Q); 17,20(+); 16,25(=Mk ὅς); 18,10(+Mk λέγω); 19,14
(=Mk τῶν); 23,3(+Q λέγουσιν).8f(+Q εἷς); 24,5(+Mk πολλοί).6(+Mk δεῖ). 21(=Mk
Vb.).24(+Mk Vb.).27(=Q); 25,14(+Q).25(Vb.).42(Vb.); 26,28+Mk τοῦτο).52(+Mk);
27,19(+Mk πολλά).

An über 40 Stellen in der direkten Rede zur Begründung (oder Erläute-
rung BAUER WB 302) einer Aussage: 2,2(nach Frage).6; 5,18.20(+Q λέγω); 6,24
(=Q ἢ einmalig für Zweitbegründung); 7,25(+Q Vb.); 9,16(+Mk Vb.); 11,13(+Q).18
(=Q ἦλθεν vom Täufer), was 21,32 dupl.; 12,8(+Mk).34(=Q nach Frage).37(+Q).
50(=Mk Konditionalsatz wie) 13,12(=Mk).15(+Mk Vb. Zitat LXX–Jes 6,10); 15,2
(=Mk).4(+Mk).19(=Mk).27(=Mk); 16,27(=Mk μέλλει als 2. Begründung); 17,15(+Mk
πολλάκις); 18,7(+Q ἀνάγκη).20(+Q οὗ); 19,12(+Mk εἰσιν); 20,1(+Mk); 22,14(+Q).16
(=Mk).28(=Mk).30(=Mk); 23,5(+Q Vb.).13(+Q ὑμεῖς).39(+Q λέγω); 24,37f(+Q); 25,3
(αἱ).29(+Q τῷ); 26,9(=Mk Vb. Jüngereinwand).10(+Mk Rückweisung).11(=Mk 2.
Begründung).12(+Mk 3. Begründung).31(+Mk γέγραπται).73(=Mk);   27,43(+Mk
εἶπεν); 28,6(Vb. Mk 16,8a permutiert).
(Ein "nur weiterführender Gebrauch", wie ihn LUZ 1978:412,421 für 3,3; 5,20;
9,5.13; 16,27; 19,12; 20,1; 25,14; 26,12 bestimmen wollte, wird als Kategorie
nicht der wirklichen funktionalen Charakterisierung dieser Stellen gerecht).
γαστήρ ⊁γάμος
γε
    Mt 4 : Mk 0 : Lk 8 + 4 : Joh 1
Die enklitische Partikel zur Hervorhebung hat Mt immer red. und zwar je
2mal in der erstarrten Wendung εἰ δὲ μή γε andernfalls, zu der ein Vb. zu
ergänzen ist, im Anschluß an eine negierte Aussage (B-D-R 376,2; 439,1;
480,6, BALZ EWNT 1,574) 6,1(+Q); 9,17(+Mk), sowie folgerndes ⊁ἄρα γε in
7,20(+Q) und 17,26.
γέεννα (GUNDRY 642)
    Mt 7 : Mk 3 : Lk 1 (außer Jak 3,6 nicht in NT und LXX)
        =(Mk 3 - 1 + 1) + (Q 1 + 1) + (A-Mt 2)

Mt 18,9 ist dieses Ziel des Geworfenwerdens aus Mk 9,47 als Antonym zu "ewigem Leben" übernommen und dabei das Syntagma γ. τοῦ πυρός aus den mk Synonymen (Mk 9,43.48) kontrahiert. Während Mk schon an ein postmortales Geschick denken kann, ist bei Mt der Parusiebezug eindeutig. Mk 9,43. 45 ist schon Mt 5,30 versetzt vorweggenommen (vgl. ⊁ἀπέρχομαι), wobei zuvor 5,29 die erstgenannte Stelle duplizierte. In Entsprechung zu Q-Mt 10,28(=Lk 12,5) hat Mt auch 5,29f ⊁σῶμα als Obj. eingefügt und so eine stärkere Einheitlichkeit der Konzeption markiert. Mt 10,28 hat er das Vb. zu ⊁ἀπόλλυμι verstärkt, um den Vernichtungscharakter des Ortes verstärkt zum Ausdruck zu bringen (vgl. 7,13). Die letzte Stelle 23,33 ist Q-Dubl. zu 3,7: Wiederum wiederholt der mt Jesus ein Täuferwort im Zuge der weitgehenden Angleichung beider. Dabei ist das dort vorgegebene ⊁ὀργή hier nun synonym definiert als "das zum feurigen Strafabgrund des neuen Äon führende Völkergericht" (⊁κρίσις τῆς γεέννης). Wie an der dupl. Bezugsstelle so sind auch hier bei Mt 3,7 red. die Lehrer Israels ("Pharisäer" im mt Sinn) das Obj. der Verwerfung (Mt 23 sogar, indem über sie geredet wird). Übertroffen werden sie nur noch durch die Proselyten jenseits von Meer und Land (womit wohl Mt seinen eigenen Standort außerhalb Syriens durchblicken lassen könnte), von denen jeder als ein doppelt so schlimmer "Anwärter auf den Strafabgrund" (υἱὸν γεέννης) bezeichnet ist. Seine qualitative Näherbestimmung vom *feurigen Strafabgrund* hatte Mt auch schon an der ersten red. Stelle 5,22 eingeführt, so daß er an allen folgenden Stellen auch bei nicht vollständiger Nennung mitzuhören ist.

Da LXX den Ausdruck nie vorgab, ist Mt von je einem Beleg aus Q, Mk und Jak abhängig. Neben Mt ist es in diesem apokalyptischen Sinn auch 4Esr 7,36 in einer Endgerichtsschilderung belegt. Ungerechtfertigt ist dabei eine apologetisch-parteiische Bewertung, die den Gegensatz aufstellt: "Freilich verzichtet das(!) NT auf detaillierte Ausmalung der Höllenqualen; der Hinweis auf die Hölle und ihr Feuer dient dem Nachdruck der ethischen Paränese, nicht frommem Sinnenkitzel (vgl. dgg. 1Hen 27,3f)" (so BÖCHER EWNT 1,576 unter Wiederholung dessen, was BEER in KAUTZSCH 2,255 zu 1Hen 27,1 in der Fülle seiner antijüdischen Anm. notierte). "Das NT" ist in solcher Gegenüberstellung eine unsachliche Zusammenfassung, und "der Paränese dient" auch die jüd.-apokalyptische Literatur (MÜNCHOW 1981). Mt verdient eher einen strengeren sachkritischen Tadel - schon wenn er bloß an manchen seiner eigenen Maßstäbe gemessen würde, erst recht aber vom apostolischen Konzept eines "Gerichts der Werke" (1Kor 3-4 statt eines "Gerichts der Person nach den Werken") her.

ᾅδης

Mt 2 : Mk 0 : Lk 2 + 2 : Joh 0
     =(Mk 0 + 0) + (Q 1 + 1)

11,23(=Q) ist mit Worten aus Jes 14,15 das Vernichtungsgericht an Kafarnaum ausgesprochen. Mt markiert in V.24 ausdrücklich anschließend den Bezug zum Völkergericht. Das *Hinabsteigen* in die Tiefe markiert (als Antonym zu *Himmel*) den Abgrundcharakter, wodurch *Hades* für Mt mit ⊁*Genna* synonym ist (BÖCHER EWNT 1,72f).

Von dieser Stelle her dürfte auch die zweite 16,18 dupl. gebildet sein, die sich ohnehin durchgehend als red. Gewebe aus Q-Reminiszenzen erweist (SCHENK 1983c). Auf die Synonymität ist auch klar durch die Wiederaufnahme des red. Stichworts ⊁*Tore* aus 7,13f verwiesen: Es sind die Tore zum Feuerqualverderben des neuen Äon. Da Mt sein Buch mit dieser Stelle zentral selbst legitimiert, so sind die *Tore* wie schon 7,13f auf die rivalisierenden Konzepte, die als Heilsangebote auf dem Markt sind, zu beziehen - und zwar abweisend direkt auf die jüd. Lehrer. Sie sind hier wie mit den Synonymen in 23,15.33 in engste Beziehung zur Geenna gesetzt. Für Mt gilt (ebenso wie für Lk) nicht, daß "der Hades als nur befristeter Aufenthalt der Toten" gelte (gg. BÖCHER ebd.73). Was Lk aber direkt postmortal an allen entsprechenden Stellen umdeutet, bezieht Mt klar auf das Völkergericht und den dualistisch geteilten neuen Äon, der damit einsetzt. Mt, der öfter Spezialberührungen mit 3Makk hat, die auf eine eingehende Kenntnis und Benutzung weisen, hat dasselbe Syntagma wie 3Makk 5,51. Dort gehört es zum Wortfeld der Verfolgung und Rehabilitierung der leidenden Gerechten und beschreibt die "Vernichtung der Gerechten" durch die Verfolger. Ähnlich dramatisch erwartet Mt die Rezeption seines Buches und die entsprechenden Reaktionen.

ἀπώλεια
     Mt 2 : Mk 1 : Lk 0 + 1 : Joh 1
Was 26,8 aus Mk 14,4 im normalen Sinne von *Verlust* übernahm, hat er in dem Q-Spruch 7,13 (vgl. Antonym *Leben* 7,14 und Synonym ≻*Feuer* V.19) deutlich als weiteres Synonym zu *Geenna* verwendet: der feurige Verderbensabgrund des neuen Äon.
Γεθσημανί 26,36(=Mk – NT und LXX sonst nie; wohl: *Ölkelter*; DALMAN
     1924:340-6; SCHENK EWNT 1,576f).
γέμω ≻καθαρίζω
γενεά
     Mt 13 : Mk 5 : Lk 15 + 5 : Joh 0
          =(Mk 5 – 2) + (Q 5 + 1) + (A-Mt 4)
Mt 1,17 setzt red. mit dem 4maligen Plur. ein, der in dieser Zusammenfassung der Genealogie deutlich in dem LXX-Sinn als *Generation* verstanden wird (BÜCHSEL ThWNT 1,681-3; HASLER EWNT 1,579-81). Da in der letzten Periode der Trias statt der erwähnten 14 jedoch mit Jesus nur 13 Generationen gezählt sind, so ist deutlich eine kataphorische Lücke (Slot) gelassen, die eine Vorweiserfunktion auf die dann aus Q und Mk übernommenen weiteren Sing.-Belege hat: *Diese Generation* ist dann immer die 42. und letzte Generation der mit Abraham anhebenden Zyklen Israels auf das Ende mit der Zerstörung Jerusalems hin.
     Wenn Mt 11,16 erstmalig in der Einleitung der Q-Allegorie das Lexem im Sing. mit nachgestelltem Demonstrativum übernimmt, so ist diese verstärkte Anaphora konkret auf 1,17 zurückbezogen: Das ablehnende Gegenüber Jesu, das sich schon auf den mt Täufer bezieht, der 11,12 mit inklusivem ἀπό einbezogen war und 3,2 nicht nur red. die gleiche Botschaft wie der mt Jesus 4,7, sondern auch 3,7 red. dieselbe ablehnende Doppelgruppe zugeordnet bekam.
     In der Zurückweisung der ersten Zeichenforderung Q-Mt 12,39 wird die aus Q übernommene adj. Kennzeichnung dieser 42. und letzten Generation als ≻*böse* übernommen und durch das 2. Adj. ≻*zur Eheentlassung führend* (aus Mk 8,38 permutierend vorgezogen) verstärkt. Wenn daraufhin 12,41f wieder nur das Demonstrativum aus Q übernommen ist, so ist das ein klarer Rückweiser auf die Qualifizierung, die V.39 gegeben hatte – also in der semantischen Tiefenstruktur auch hier vorhanden (der Gegensatz zu den Nichtjuden an beiden Stellen erfordert gg. LÜHRMANN 1969:31 nicht, daß hier "Volk" und nicht "Generation" gemeint sei: BÜCHSEL ebd.661; GRÄSSER 1960:128f). Abschließend steht 12,45 der aus Elementen von V.39.40.41f. gebildete red. Definitionssatz, der zusammenfassend die gegnerischen Lehrer Israels durch die Rückfall-Allegorie als nachjesuanisch redämonisiert definiert und das Prädikat ≻"böse" (= teuflischen Ursprungs) renominalisiert.
     In der verkürzenden Wiederholung der 2. Zeichenforderung 16,4(=Mk) wird – was gerade gegenüber den sonstigen Verkürzungen im Wiederholungsfalle auch hier auffallend ist – die negative Doppelcharakterisierung von 12,39 betont erinnernd wiederholt. Auch Mt 17,17(=Mk) wird die einfache Adj.-Qualifikation der Vorlage durch einen sprichwörtlichen Anklang

an Dt 32,5 zu einer Doppelwendung verstärkt, die den bisherigen Doppelqualifikationen entspricht und mit ihnen synonym zu nehmen ist. Durch die zeitlich betonte Explikation "wie lange" ist das temporale Sem auch hier bestimmend (also: *Generation*) und durch die weitere red. Umformulierung in das typische ≻"Mit-Sein" dürfte auch hier primär Israel als Zeitgenossenschaft Jesu gemeint sein (FRANKEMÖLLE 1974:21-7 gg. HELD 1970:181; STRECKER 1971:102,233 u.ö.).

In Q-Mt 23,36 wird deutlich (vgl. V.34), daß (in klarstellender Ergänzung zu 17,17) auch die Boten Jesu ebenso in dieses Gegenüber einbezogen sind wie 11,16 am Anfang der Täufer: "Diese jüd. Generation" des irdischen davididischen Königs Israels, die durch die Ablehnung des Umkehrrufes Jesu und der Seinen (Täufer wie Jesusschüler) konstituiert ist (WALKER 1967: 35-8.130). Mt hat hier die zeitliche Komponente noch dadurch verstärkt, daß er mit "dies alles" (vgl. 24,8.33f) konkret auf die Tempelzerstörung verweist als dem Ziel- und Endpunkt dieser 42. und letzten Generation. Mt 24,34 (=Mk) hat diese letzte Stelle mit seiner vorletzten durch eben diesen Hinweis fest verklammert: "dies alles" meint auch hier 24,33 (über 24,8 auf 23,36 zurückweisend) konkret die Tempelzerstörung und ist damit deutlich von dem umgekehrt formulierten "alles dies" (=Parusie) in V.34 (bewußt red. die Mk-Vorlage umstellend) abgehoben. Darum ist auch diese letzte Stelle keine Ausnahme in der mt Verwendung, an der etwa die Bedeutung *Menschheit* anzunehmen wäre (FRANKEMÖLLE 1974:24 n.71 m.R. gg. TRILLING 1964: 79; WALKER 1967:37; STRECKER 1971:43). Das wird auch gg. den ersten Augenschein daran deutlich, daß Q-Mt 23,35 gg. Q-Lk 11,50 das Syntagma durch die Direktanrede an die führende Lehrerschaft ersetzt hat.

Synonym zu der mt Wendung *diese Generation* ist zwischen den beiden Zeichenforderungen auch die beidemale als Erfüllungszitat aus Jes übernommene Wendung "dieses Volk" Mt 13,15 und 15,8 (hier gg. Mk das Demonstrativum zur Angleichung an die par. Wendung nachgestellt, wie es außerdem LXX-Jes 29,13 vorgab: WALKER 1967:36). Die Erfüllungszitate haben die gleiche erfüllungsgeschichtliche Funktion wie die periodisierende Vorgabe der "Generationen" in der Genealogie, von der 1,17 ausging. Somit bestätigen sich die funktionsgleichen Textelemente und präzisieren sie auch die von Mt intendierte und kodierte Synonymie. Als weiteres Synonym mit allegor. abqualifizierender Wertbestimmung ist auch das Syntagma ≻*Giftschlangenbrut* 3,7; 12,32; 23,33 zu berücksichtigen.

Insgesamt besteht sowohl in den Bezugnahmen auf die Lebensdauer (Geburtsbezug), Katastrophen als Indikator einer grundsätzlichen Änderung aller Systembeziehungen als auch in der damit verbundenen Frage nach dem oder den Zeichen überhaupt eine starke Analogie zur italischen Lehre von den "Epochen" (saecula), die etruskischen Ursprungs ist und die bei VergAen 278f auf das "imperium sine fine", das als Negation der Negation die Weltenwende bringt, hinzielt (GLADIGOW 1983:262-5; CANCIK 1983:556-60). Solche Geschichtstheologie ist wie bei Vergil so auch bei Mk und seinen Nachfolgern als wesentlicher Verstehenshintergrund der Autoren wie ihrer intendierten Leser zu veranschlagen, wenngleich es die Jesus-Epen historistisch in ein jüd. Kolorit kleiden.

λαός (GUNDRY 645)
    Mt 14 : Mk 2 : Lk 36 + 48 : Joh 2
        =(Mk 2 + 7) + (Q 0 + 0) + (A-Mt 5)
Da das Lexem Mk 11.32 nicht die urspr. LA sein dürfte (N-A gg. H-G 200), hat Mt alle mk Belege übernommen. Da er bei seiner starken Steigerung nie mit Lk zusammentrifft, so sind die von beiden vollzogenen Erweiterungen unabhängig red. und zeigen außerdem, daß das Lexem in Q fehlte. Mt verwendet das Lexem immer im Sing. - und zwar zur Bezeichnung des Israel der Jesuszeit. Die Determinierung durch das nachgestellte Demonstrativum

zeigte schon, daß es mit ↗γενεά und dann auch mit mt "Israel" synonym ist: Mt 15,8 übernahm aus Mk 7,6 das Zitat Jes 29,13, stellte aber in Angleichung an die Synonymwendung (wie an die LXX) das Demonstrativum nach. Auf Grund dieser mk Anregung hat er das Lexem weiterhin aus der LXX bezogen und und primär in Zitaten verwendet: Schon Mt 13,15 hat es Jes 6,9f vollständiger aufgenommen einschließlich der mit Mt 15,8 analogen Wendung. Da diese beiden Verstockungsbeweise als Erfüllungszitate im Munde Jesu selbst erscheinen, haben sie nicht die stereotype Einleitung, die sie haben, wenn sie als direkt adressatenbezogen im Munde des Autors selbst erscheinen, wie 4,14, wo das Lexem 4,16 im Zitat erscheint. Auch der erste Beleg 2,6 erscheint als Zitat im Munde der Erzählfiguren.

Diese 4 Erfüllungszitate sind die Basis des mt Wortgebrauchs: Als Erfüllungen in der Gegenwart Jesu beziehen sie sich alle auf die "gegenwärtige" Generation und besagen nichts über die Vergangenheit bezüglich der früheren und vorhergehenden Generationen als "Gottesvolk" oder "erwähltes Volk". Wegen des so eingegrenzten mt Gebrauchs ist die Übersetzung "jüd. Nation" (so STRECKER 1971:115f) der mt Kodierung nicht beschreibungsadäquat. Auch bei der Anwendung auf die Gegner in den beiden Verstockungsbeweiszitaten sollte man nicht behaupten, daß da ein "nationalreligiöser" Begriff vorläge (so FRANKEMÖLLE 1974:201f).

Mt 1,21 führt das Lexem sofort als festen Begriff ein, indem in engster Beziehung auf das 2,6 folgende Zitat in der Erklärung des Jesus-Namens sofort von *seinem Volk* gesprochen wird: das, wozu er durch seine göttliche Zeugung seit Geburt gehört und das zugleich ihm gehört – als Herr und König dieses *Volkes* von Anbeginn; *Volk* ist also das durch diesen Jesus-Bezug definierte Israel (FILSON 54; STRECKER 1971:99,115). Diese Stelle führt nun nicht etwa einen zweiten mt Volksbegriff ein, durch den hier ein "neues Gottesvolk" definiert wäre (gg. BORNKAMM 1970:308; VÖGTLE 1971:85); FRANKEMÖLLE 1974:16-9,211; KINGSBURY 1975:44 n.20) und der mit dem anderen Begriff nur "dialektisch" vermittelt sei (gg. FRANKEMÖLLE EWNT 2,845f), vielmehr ist das 2,6 ausdrücklich als Volk "Gottes" apostrophierte und expressis verbis bezeichnete ↗"Israel" das Volk, für das Jesus als König (mit der Hirten-Metapher bezeichnet) endgültig da ist. Darum springt auch die dazwischenliegende Stelle nicht etwa auf einen anderen Volks-Begriff um – im Gegenteil: wenn Mt hier seine red. Kennzeichnung ↗"Oberpriester und Gesetzeslehrer des Volkes" einbringt (und noch dazu in der typ. mt Totalitätsbestimmung "alle"), dann ist der Art. bei λαός anaphor. auf 1,21 orientiert und besagt: dieses "sein" Volk hat solche Obere. Dieser Jesus-Bezug ist dadurch verstärkt zu sehen, daß die Magierfrage 2,2 ja explizit nach dem "König der Juden" fragte. In der Opposition dieser Syntagmen hat Mt dann in Erweiterung der Mk-Vorlage in der Schilderung der Jerusalem-Verwerfung noch 4mal mit der analogen Doppelgruppe *Oberpriester und Ältesten* (21,23; 26,3.47; 27,1) wiederholt, um die zugespitzte Antonymie zu betonen: solche falschen "Hirten" hat "sein"(!) Volk.

Darum ist dieser Gen.-Zusatz modernistisch verzeichnet, wenn man sie als "Repräsentanten des Volks" klassifiziert (gg. FRANKEMÖLLE EWNT 2,845; SENIOR 1982:125 u.ö.). Der moderne Gedanke der "Repräsentation" mit seinem klar gefüllten Sinn ist nicht beschreibungsadäquat für die mt intendierte Verhältnisbestimmung. Makrosyntaktisch ist nämlich dieser jesuanisierende Gen.-Zusatz auch dort semantisch als Filler für den Slot präsent, wo die Nennung von *Volk* gerade im Munde der so näherbestimmten *Herrscher des Volkes* in wörtlicher Rede erscheint, nämlich in der 2. aus Mk 14,2 übernommenen Stelle Mt 26,5 (nach V.3!) sowie an der letzten Stelle des Buches Mt 27,64 (in eben derselben wörtlichen Rede der uniform bestimmten Gegner als den Redenden). Außerdem steht hier wie schon 13,15:16f der Schüler-Begriff dem Volk-Begriff gegenüber, so daß es mehrere klare Gründe dgg gibt, für die beiden Stellen Mt 26,5 und 27,64 (zusammen mit 4,23) auch noch einen 3. mt λαός-Begriff mit einer "theolog. unqualifizierten Bedeutung" im allgemeinen Sinne von "Leute, Menge" anzunehmen (gg. FRANKEMÖLLE 1974:195 und EWNT 2,839 m.R. SENIOR 1982:259). Abgesehen von der inflationären Verwendung der Kennzeichnung "theol." geht es phänomenologisch zunächst schlicht um das Beschreibungsproblem eines semant. Sachverhalts, ob eine definierte kollektive Größe vorliegt (die aber eben als "Nation" oder "Repräsentanten" aus anderen Gründen nicht beschreibungsadäquat erfaßt wäre) – oder aber eine mehr indefinite kollektive Größe wie "Menge, Leute".

Die Gegengründe für die letzten beiden Stellen sind klar benannt. Für 4,23 ist weiterhin darauf zu verweisen, daß im Textverlauf das Erfüllungszitat 4,16 mit dem Lexem unmittelbar vorausgeht, so daß auch hier mit dem anaphor. Art. "in diesem seinem Volk" klar zurückverwiesen ist. Der Blick auf die semant. Bedeutung der Textsequenz ist natürlich getrübt, wenn man in 4,16 für λαός die Bedeutung "Heidenwelt" annehmen will. Dgg. spricht schon die Tatsache, daß ein Erfüllungszitat vorliegt, dessen Fut. von Mt red. bewußt in Aor. verwandelt sind: Es geht um die Erfüllung in der gegenwärtigen Generation Jesu (WALKER 1978:75f m.R. gg. FRANKEMÖLLE 1974: 201). Auch hier macht das, was nach V.13 konkret erfüllt wird, den Jesus-Bezug wiederum unübersehbar: Es ist dieses "sein" Volk, das der anaphor. Art. bezeichnet.

Von diesem durch und durch einheitlichen Konzept her ist nun auch die Höhepunkt-Stelle des Buches in dem Mk-Zusatz Mt 27,5 mit der Totalitätswendung "das ganze Volk" in der Jesus-Verwerfung zu verstehen: Es ist "sein" ganzes Volk und nicht nur ein "zusammengeströmter Volkshaufen" (gg. STRATHMANN ThWNT 4,20 – da man nicht vorschnell historisierend fragen darf, sd. streng literarisch nach dem mt Aussagegehalt zu fahnden hat). Erhellend für die Bestimmung ist dafür hier auch weiter in ihrer wörtl. Rede der temporale Zusatz "und über unsere Kinder", der sich im Zuge der mt Naherwartung wie der Israel-Verwerfung im Untergang des Tempels nur auf die nächste Generation beziehen kann (ALBRIGHT-MANN 345). Damit aber markiert und bestätigt diese Stelle nochmals den klar generationsbegrenzten Gebrauch des mt λαός: die Israel-Generation der Zeit des Messias Jesus. Man hat auf jeden Fall (gg. FRANKEMÖLLE 1974:193-220) nicht mit drei verschiedenen mt λαός-Begriffen zu rechnen, sd. mit einem durch und durch einheitlichen semant. Konzept dieses Autors. Analog zum Gen.-Zusatz des Volkes macht Mt auch den funktionsgleichen pron. Zusatz "ihre" (zu: Synagogen, Gesetzeslehrer, Stadt) zu einem "Sammelbegriff für Israel" (WALKER 1967:77 n.5).

Der Eindruck, daß sich Jesus an die Totalität seines Volkes gewandt habe, ist im wesentlichen ein Ergebnis der red. mt Verwendung von Volk und Israel, während schon die vermutliche Kürze einer Wirksamkeit Jesu wie seine lokale Begrenzung ein solches Bild als nachträgliche expansive Konstruktion erscheinen läßt – auch abgesehen davon, daß man selbst bei einer apologetisch großzügigeren Annahme immer noch übersieht, daß 90% der Juden zu dieser Zeit schon außerhalbs Palästinas lebten.

'Ισραήλ (GUNDRY 644)

Mt 12 : Mk 2 : Lk 12 + 15 : Joh 4
=(Mk 2 - 1 + 2) + (Q 2 + 1) + (A-Mt 6)

Bestimmend für Mt ist die Tatsache, daß er den Namen 2,6 im Erfüllungszitat in engster Koppelung mit dem λαός-Begriff in sein Buch einführt: Die Jesus von seinem Vater anvertraute Israel-Generation. Auch weiterhin haben alle mt Israel-Erwähnungen immer einen expliziten Bezug zum Israel-Messias Jesu; abgesehen davon steht dieses Wort nie. Als Name ist es in seinem semant. Status ohnehin verstärkt kontextabhängig. Weil dieses Ethnikon wie

seine Synonyme hier primär mt–jesuanisch definiert ist, so wundert es auch
nicht mehr, daß Mt das Zitat des Grundbekenntnisses Israels (und damit die
Mk 12,29 vorgegebene Nennung *Israels*) ausgelassen hat. Der königlichen
Einführung am Anfang entspricht die letzte spottende Ausleitung Mt 27,42
(=Mk) mit "König Israels" als letzte Absage eben dieses seines Volkes an
seinen Messiaskönig. In diesem Konzept hat *Israel* als *diese letzte Generation*
weder eine Vorgeschichte noch eine Nachgeschichte: "Mt betrachtet Israel
auch nicht als atl. Größe" (WALKER 1967:121).

Synonym mit dem mt Volks–Begriff von 2,6 steht in den red. Selbstaussagen Jesu über seine Sendung 10,6 und dupl. 15,24(+Mk) *Familie* (οἶκος)
Israel, wobei die Begrenzung der Sendung und ihre Explikation auf die
"verlorenen ≻Schafe" nicht etwa nur einen Teil davon meint, sd. sie insgesamt als durch Umkehr zu rettende Gesamtheit kennzeichnet und zwar als
Gegenüber zum "Endzeit–König Israels" und durch ihn definiert als "letzte,
dem nahen Untergang entgegengehende Generation". Neben den Syntagmen
mit *Volk, Haus, 12 Stämme* kann 27,9 red. in das Erfüllungszitat eingetragen
auch die analoge LXX–traditionelle Näherbestimmung *Söhne* (=Angehörige)
Israels stehen, ohne daß damit mehr augesagt wäre als in den anderen
Wendungen.

Auch in den beiden aus Q übernommenen Logien findet sich *Israel* nur
als ein schon negativ qualifiziertes Gegenüber: Mt 8,10 wird in der 3.Pers.
über es im Gegensatz zum Zutrauen des nicht–jüd. Centurio gesprochen (vgl.
synonym 8,12 "Söhne der [=meiner] Basileia" als Messias–Generation) und
Q–Mt 19,28 sind sie Gegenstand des Endgerichts im Gegenüber zu den An-
hängern Jesu als Richtern bzw. Gerichtsnorm: die 12 Stämme als Generation
des Messiaskönigs Israels. Dieser Jesus–Bezug ist in den Akklamationen 9,33
(wo dupl. *in Israel* – und zwar mit anaphor. Art. – das Syntagma der voranstehenden Q–Stelle 8,10 wiederholend erinnert) schon mit dem Hinweis auf
die Einmaligkeit (vgl. 7,28f) gegeben, und analog dazu ist in der summarischen Akklamation 15,31(+Mk) mit der die Sprecher als Nichtjuden kennzeichnenden (KLOSTERMANN 135; GUNDRY 319) Prädikation *Gott Israels*
(schon von 2,6 her) der Jesus–Bezug präsent; dies wird dadurch unterstrichen, daß im weiteren Kontext auch beidemale betont eine David–Sohn–
Anrede mit einer Bitte vorausgeht (9,27 bzw.15,22).

Einmalig im NT ist bei Mt die topographische Verwendung des indeklinablen Ethnikons in 2,20.21 *Land Israels*, das V.22 mit *Judäa* identifiziert
und von *Galiläa* abgehoben ist, doch ist die topologische Präzisierung wohl
weniger bewußt ausgeprägt als der hier gegebene unmittelbare Rückverweis
auf 2,6 und dessen jesuanische Konnotation, denn 10,23 meint mit der wiederum lokal gefüllten Bestimmung *Städte Israels* die Gesamtheit, wie schon
10,6 durch den voranstehenden antithetischen V.5 (Samaria und Nichtjuden)
lokal präzisiert war. Darum wird man auch hier die Konnotation zum Messias
als entscheidend ansehen und übersetzen "zum Messias–Volk", zur "Jesus–
Generation". Mt hat die Verwendung dieses Lexems also entscheidend historisierend kodiert. Dgg. ist die Kennzeichnung des red. Spezifikums des Mt
als "unmittelbar auf die Kirche bezogen" (KUHLI EWNT 2,498 mit GOPPELT
1976:561) eine Fehlleistung eines ungerechtfertigten Kerygmatismus.

'Ιουδαῖος
    Mt 5 : Mk 7 : Lk 5 + 79 : Joh 71
        (=Mk 7 – 2)
Der mt Gebrauch, der nur den Plur. übernimmt, dürfte in allen Fällen von
Mk abhängig sein. Er findet sich bei Mt nur im Munde von Nichtjuden
(STRECKER 1971:116f), wie das etwa auch 1Makk 10,23; 11,50 der Fall ist,
und obwohl das nicht selbstverständlich ist, da es in der Diaspora durch-
aus Selbstbezeichnung war (KUHLI EWNT 2,472–82,475: Elephantine, Philo,
Josephus, Inschriften):

Mt 5 : Mk 5
Par. zur letzten Spottwendung *König Israels* Mt 27,42 heißt es im Munde der
mt Nichtjuden Mt 27,11.29.37(=Mk) *König der Juden.* Mt hat darum auch zur
Vereindeutigung Mk 15,9 und vor allem V.12 ausgelassen bzw. die ganze
Wendung der ersten Stelle von dort nach 2,2 versetzt vorgezogen und in
den Mund der nichtjüd. Magier verlegt. Hier hat er durchaus einen positi-
ven Sinn, da er anerkennend gemeint ist. Damit hat Mt einen vorlaufenden
Kontrast zur späteren Verwendung bei der Hinrichtung geschaffen.

An der letzten Stelle hat Mt 28,15 red. die erste Stelle von Mk 7,3 als
Eigenaussage versetzt übernommen; wie bei Mk ist es Autorenkommentar mit
Direktbezug zu den intendierten Adressaten, der wie bei Mk distanzierend
verwendet ist: Der Autor zählt sich und seine Leser nicht zu ihnen und
markiert damit sich wie seine Leser als Heidenchristen. Zugleich hat diese
Schlußwendung auf dem Hintergrund des mt Gebrauchs von →λαός und *Isra-
el* als der Jesus-Generation noch eine besondere Zuspitzung: "Israel als
λαός existiert von nun an nicht mehr; es gibt nur noch (wie im gesamten
Joh - anders bei Lk) *die Juden bis auf den heutigen Tag* (28,15)" (FRANKE-
MÖLLE EWNT 2,845).

Der einzige adj. Sing der Synoptiker Mk 1,5 (KUHLI ebd.474.476 vgl. Joh
3,22) wird durch die red. Auslassung des Nomen regens zu dem subst. Adj.
'Ιουδαία
   Mt 8 : Mk 3 : Lk 10 + 12 : Joh 6
      =(Mk 3 + 2) + (Q 0) + (A–Mt 3)
in der semant. Tiefenstruktur Mt 3,5 umgeformt, wenngleich morphologisch
kein Unterschied sichtbar ist. Es steht für die Bewohnerschaft des Gebiets.
Zu Mk zugesetzt wurde schon Mt 3,1 als Präzisierung für "Wüste" als Ort
der Wirksamkeit des Täufers. Mt 4,25 hat Mk 3,7 vorgezogen, um schon am
Anfang den Zustrom zu Jesus partiell deckungsgleich mit dem zum Täufer in
3,5 verbindend zu zeichnen. Danach ist es erst 19,1(=Mk) ein Ort, den Jesus
selbst seit seiner Taufe wieder betritt. 24,16(=Mk) erscheint es einzig im
Munde Jesu als der Ort, der künftig zu fliehen ist: Einen gehorsamen
Christen kann es dort nicht mehr geben. Die Nennung neben anderen Land-
schaften in 3,5 wie 4,25 als auch der Ortswechsel 19,1 machen deutlich, daß
es um eine Landschaft neben anderen geht. Das wird bestätigt durch den
red. Zusatz 2,22, wo es konkret das Herrschaftsgebiet des Archelaos im
Unterschied zu *Galiläa* näherhin bezeichnet. Das gilt auch schon für die
beiden Stellen 2,1.5, wo das Nomen rectum *Bethlehem* als Geburtsort näher
bestimmt. Es ist dort um der Schrifterfüllung willen dazugesetzt, denn 2,6
identifiziert es als erfüllt mit dem Mi 5,1 erwähnten
'Ιούδα(ς)
   Mt 4 : Mk 0 : Lk 2 + 0 (NT nur noch Hebr 7,14; 8,8; Apk 5,5; 7,5),
wozu noch in das Zitat ein weiteres γῆ 'Ιούδα eingetragen wird. Im Anschluß
an die Nennung des Stammvaters Mt 1,2f (vgl. Lk 3,33) selbst bezeichnet es
hier "das Gebiet des Stammvaters Juda" (vgl. Lk 1,39; LIMBECK EWNT 2,
483). Durch diese identifizierende Synonymik ist dies in der mt Textsequenz
zugleich auch der semant. Gehalt für alle seine *Judäa*-Stellen. Diese meinen
also nicht die so benannte röm. Provinz, die sich von Idumäa über Judäa
und Samarien bis Galiläa erstreckte (BETZ EWNT 2,4688-70), die 70 gebildet
worden war. Mt bleibt also mit seinem Sprachgebrauch auch hier historisierend und gleicht nicht an seine Gegenwart an. Mt meint immer *Judäa* im
engeren Sinne und unter Ausschluß Galiläas (BACHMANN 1980:86).
γενέσια 14,6(=Mk - NT und LXX sonst nie) *Geburtstagsfeier* (Dat.temp.)
γένεσις →'Ιησοῦς
γένημα →ἄρτος
γεννάω, γέννημα, γεννητός →γάμος
Γεννησαρέτ →Γαλιλαία

γένος 13,47(=Mk 7,26 od. 9,29 permutiert) *Sorten* (HASLER EWNT 1,587f)
    Mt 1 : Mk 2 : Lk 0 + 9 : Joh 0
γεύομαι ⇥ἄρτος
γεωργός
    Mt 6 : Mk 5 : Lk 5 + 0 : Joh 1 (NT nur noch Jak 5,7; 2Tim 2,6)
Landarbeiter (γῆ + ἐργάζω) ist synopt. beschränkt auf die Allegorie von den
Pächtern Mt 21,33.34f.38.40(=Mk).41(+Mk der verstärkte Hinweis in der Renominalisierung auf *andere Landarbeiter* ist red.).
γῆ ⇥Γαλιλαία
γίνομαι
    Mt 75 : Mk 53 : Lk 128 + 124 : Joh 51
        =(Mk 53 – 28 + 19) + (Q 7 + 16) + (A–Mt 8)
Es ist bei Mt das 6.-7. häufigste Vb. (gleich häufig wie ἔχω; MORGENTHALER
1973:167). Es gibt eine Reihe von autorspezifischen Verwendungen:
γίνομαι ὡς + Nom. oder Adj. (GUNDRY 642)
    Mt 6 : Mk 0 : Lk 1 + 0 : Joh 0
A–Mt 6,16 (Verbot, wie die Heuchler zu werden); Q–Mt 10,25a(gg. Lk 6,44
ἔσται; Gebot, wie der Lehrer zu sein; im Slot auch V.25b); als unmittelbare
Vorgängerstelle ist auch der wiederum red. zusammenfassende Anschluß-Imp.
10,16(+Q "klug wie die Schlangen zu sein"), hierher zu zählen; 18,3(gg. Mk
10,15; Gebot, wie die Kinder zu sein, als Erklärung zu ⇥στρέφω und V.4
synonymisiert mit "sich erniedrigen wie dieses Kind"); während der ersten 3
Stellen im Munde des mt Jesus erscheinen, steht es an der letzten Stelle
28,4(= Mk 9,26 "wie tot", wo ὡσεί verwendet war) berichtend im Munde des
Autors, wie eine vergleichbare Verbindung mit zwischengeschaltetem Adj.
und dem red. Zusatz von ὡς auch bei der vergleichbaren Epiphanie
17,2(=Mk "weiß wie Schnee") hergestellt wurde.
ἐγένετο ὅτε ἐτέλεσεν ὁ Ἰησοῦς τ(οὺς λόγου)ς τ(ούτου)ς
    Mt 5 : Mk 0 : Lk 0 + 0
Der Konjunktionalsatz wird in der festen Autorwendung, mit der er weniger
die Rede abschließt als das Folgende verbindend angeschlossen einleitend
markiert, bei Mt mit ὅτε angeschlossen, wo Lk in vergleichbaren Konstruk-
tionen immer ὡς verwendet (SELLIN 1978:102f n.7): 7,28(+Q); 11,1(+Q);
13,53(+Mk); 19,1(+Mk); 26,1(+Mk). Die Verwendung ist wohl nicht allzu
unbetont anzusehen, sd. signalisiert –im Zusammenhang mit den Erfüllungszitaten dieses Autors – "die anschließenden vorsehungsplangemäßen Ereignisse".
γενηθήτω (HAWKINS 1909:4,30; GUNDRY 642)
    Mt 5 : Mk 0 : Lk 0 + 1 (NT nur noch in LXX-Zitaten Apg 1,20; Röm 11,9)
Der Imp.Aor.3.Sing. steht red. rahmend in den beiden Gebetsstellen 6,10(+Q,
wo ὡς als Vergleichspunkt verbunden ist) am Anfang und 26,42(+Mk) am
Schluß) mit dem Subj. "dein Wille". Darum sind auch die 3 davon eingeschlossenen Verwendungen in der mt Heilungsabschlußformel, bei denen
weiterhin immer ein Dat. in der anredenden 2.Person folgt
    Mt 3 : Mk 0 : Lk 0 + 0:
8,13(+Q Dat.Sing. mit ὡς); 9,29(+Mk Dat.Plur. mit κατά); 15,28(+Mk Dat.Sing.
mit ὡς) als konditionierte Fürbitte Jesu für Anwesende zu verstehen ("Gott
gebe euch, ..."), da nicht etwa der Ind.Fut. als Erhörungszusage verwendet
ist. Auf jeden Fall sind die betr. "Ereignisse" damit als "dem Vorsehungsplan gemäß" akzentuiert. Die Anordnung ist konzentrisch:
A Gebetsvollzug (Willen Gottes):   6,10   26,42
B Fürbitte für zwei fürbittende Heiden: 8,13   15,28
C Plur. Fürbitte für zwei Blinde: 9,29
    Von der *Verwirklichung* durch Gott hat Mt 18,19 das red. Fut. in der
konditionierten Gebetserhörungszusage gesetzt (+Dat. – statt des "Geben" in
der ihm vorgegebenen Dubl. 7,11). Der Gebetszusammenhang ist auch ent-

scheidend dafür, daß Mt 21(+Mk) das Vb. im Konj.Aor. zufügte, so daß dafür nicht nur die Präp.-Verbindung mit ἐκ maßgebend ist (*hervorgebracht werden*; XenMem 3,6.13: BAUER WB 313), sd. die an Gott gerichtete Bitte (*Gott lasse* – zumal Mt "Furcht" hier bewußt im Sing. beläßt) damit hervorgehoben ist, wie sich sowohl aus der Erhörung der red. sofortigen Wirkung V.19b.20 wie aus der anschließenden exemplarischen Verwendung zur Illustration des Gebetsglaubens V.21 ergibt, wo Mt wiederum red. das Fut. in Relation zum Komplenym αἰτέω wie 18,19 einführt. Vorgegeben war der Gebetsinhalt auch schon 24,20(=Mk *daß Gott eure Flucht nicht im Winter geschehen lasse*).

Man wird also nicht weiter davon reden dürfen, daß die Verwendung des Vb. "insgesamt" "ohne ein theol. Interesse" geschehe (gg. HACKENBERG EWNT 1,594f). Schließlich war schon von der Vorlage her das strukturbestimmende Verwerfungs/Rehabilitierungs-Schema 21,42a(=Mk) mit ἐγενήθη εἰς κεφαλὴν γωνίας beschrieben worden, was die gleiche Schriftweissagung V.42b direkt mit παρὰ κυρίου ἐγένετο αὕτη explizierte (von daher hat Mt die Verbindung von γίνομαι mit παρά in 18,19 dupl.). Deutlich ausgesprochen ist auch der Vorsehungsplanbezug in δεῖ γενέσθαι 24,6(=Mk), was 26,54(+Mk) dupl. (vgl. dort gerahmt von V.42 und 56). 24,34(=Mk) ist es auf die Tempelzerstörung bezogen wie V.6 schon den Bezug auf den jüd. Krieg meinte. Selbst der unscheinbare Zusatz Mt 26,2(+Mk), der einfach das *Stattfinden* des Festes zu meinen scheint (BAUER WB 315), hat bei Mt die Konnotation des Gottesplanes, da er in der red. präzisierten Todesweissagung steht. Selbst der unscheinbaren Einfügung 26,6(+Mk) im Gen.abs. (aber auffallend gemacht mit renominalisiertem "Jesus" als Subj.) der Salbungseinleitung ist diese Funktion zuzusprechen im Hinblick darauf, daß hier dann eine nicht geweissagte Handlung gewissermaßen im letzten Verwerfungs/Rehabilitations-Orakel dann ein nachträglich angehängtes Orakel erhält. Auch die Todesfinsternis 27,45(=Mk) wird Mt demnach als gottgewirkt charakterisieren wollen. Auf dem Hintergrund dieser Stellen wird man diese mt Kodierung dann selbst für das gottgewirkte Eintreten des Seebebens Mt 8,24(=Mk) und im Kontrast dazu der Stille V.26(=Mk – zumal Mt sie beide als →*groß* kennzeichnet) annehmen, was 28,2(+Mk) durch die Dupl. des *großen Bebens* als Epiphaniekennzeichen wiederholt. Eine unbetonte Setzung wäre in den Berichtskontexten dann nur 9,10(=Mk) anzunehmen, doch auch hier ist die überladene Konstruktion mit nachfolgendem Gen.abs., der Jesus betont, und der Haus-Lokalität auffallend und im Zusammenhang mit der geweissagten Wohnung Jesu in Kafarnaum zu sehen, und darum liegt ebenfalls ein Erfüllungssignal vor, das einen anstehenden Akt der Realisierung des Vorsehungsplans mindestens konnotiert.

Auch Q-Mt 11,21b.c(=Lk) gab diesen Gottesbezug schon vor, da der Folge-Bezug auf die "Umkehr" klar macht, daß nicht nur auf das Geschehen-Sein der δυνάμεις geblickt ist, sd. auf den "von Gott gewirkten" Charakter, was Mt V.20(+Q) wie 23a.b(+Q) dupl. Nicht minder deutlich ist das Funktionsverbgefüge εὐδοκία ἐγένετο Q-Mt 11,26 "denn genau so hast du deinen Vorsehungsratschluß verwirklicht".

τὰ γενόμενα (SENIOR 1982:325)

    Mt 4 : Mk 0 : Lk 4 + 0

Das subst. Ptzp.Neutr.Plur. steht als red. Zusammenfassung des Voranstehenden, sofern es zunächst Gegenstand des Sehens A–Mt 18,31a; 27,54 (+Mk) und danach der Mitteilung A–Mt 18,31b; 28,11 ist in einer doppelten parallelen Aufeinanderfolge, die als solche auf red. Gestaltung weist (Mk 13,29 wurde charakteristischerweise ausgelassen, da es dort um die künftigen Zeichen der Endzeit geht und nicht um berichtete geschehene "Ereignisse"). Die "Vorsehungsplangemäßheit" ist hier nicht nur bei den beiden letzten Ereignissen intendiert, sd. auch bei den erzählten negativen in 18,31 (wie dort voranstehend V.7 zeigt).

γέγονεν (ROTHFUCHS 1969:35; SCHALLER 1970:230 n.10)
Mt 6 : Mk 3
Der "späte erzählende Gebrauch des Pf." statt des Aor. (B-D-R 343,3) liegt
klar 24,21a(=Mk gg. LXX-Dan 12,1 "nie passiert" - doch mit deutlichem Bezug auf Gott, da V.21b es auch auf die Zukunft ausweitet wie V.20 der Gebetsbezug und V.6 der Vorsehungsplanbezug überhaupt vorausging) und in
der Allegorieerzählung A-Mt 25,6 vor, wie auch 3mal im Vordersatz der Ein-
leitungsformel zu den Erfüllungszitaten 1,22; 21,4(+Mk vgl. den Aor. Joh
19,36) dieses Geschehen und wohl auch in der Generalisierung 26,56(+Mk),
wo das Pf. aber weniger auffallend ist. Nicht erzählend ist der Zusatz 19,8
(+Mk), wo es mit Adv. sich verhalten meint (B-D-R 434,2), doch dürfte auch
hier, wo es um den Schöpferwillen geht, die Wortwahl von Mt auch im Hinblick auf den Gottesbezug getroffen sein: Gott hat das nicht so geschehen
lassen.
ὀψίας δὲ γενομένης
Mt 6 : Mk 5: Lk 0 + 0 : Joh 1
Den Gen.abs. hat Mt immer in der gleichen dreiteiligen Gestalt und immer an
der Satzspitze, so daß er unbeschadet der Abhängigkeit von Mk zwar 5mal
das Vb. übernommen hat, voll allerdings nur an der ersten Stelle 8,16(=Mk
1,32) übereinstimmt und danach konsequent die Ausdrucksweise stereotypisiert hat: 14,15(=Mk - doch das Nomen regens von Mk 4,35 permutiert bzw.
von der unmittelbar nachfolgenden Stelle und auf diese hin hier dupl.:)
14,23(=Mk); 26,20(=Mk); 27,57(=Mk). Red. zugesetzt ist es 20,8 einmalig in
einem Wort Jesu (16,2 dürfte textkritisch sek. sein):
ὀψία (Adj. "spät" sc. ὥρα; B-D-R 241,3; BAUER WB 1192f)
Mt 6 : Mk 6 : Lk 0 + 0 : Joh 2 (NT sonst nie; LXX nur Jdt 13,1)
wobei 11,11 ὀψίας οὔσης als urspr. LA anzusehen ist, während das variante
ὀψέ
Mt 1 : Mk 2 (Mk 11,19; 13,35 Adv. "spät"- NT sonst nie; LXX 4mal)
Mt 28,1 von Mk permutiert und als uneigentliche Präp. nach übernommen
sein dürfte (B-D-R 164,4; BAUER WB 1192).
Mt ist die Abfolge zwischen seinen beiden letzten Stellen so wichtig, daß
er 27,1 zur temporalen Gliederung einmalig die Analogiebildung πρωίας δὲ
γενομένης (mit Permutation des Ptzp. von Mk 15,33) geschaffen hat;
πρωία (Adj. "morgens" erg. ὥρα; BAUER WB 1437)
Mt 1 : Mk 0 : Lk 0 : Joh 1 (Joh 21,4 - NT sonst nie; LXX 15mal)
steht an der Stelle statt des mk Adv. "frühe, frühmorgens":
πρωί
Mt 2 : Mk 5 : Lk 0 + 1 : Joh 2 (NT sonst nie; BAUER WB 1437),
das Mt 21,18 zur Kennzeichnung und Einleitung des 2. Tages in Jerusalem
von Mk 11,20 permutierte, während in der direkten Rede A-Mt 20,1 (in Korrespondenz zu V.8) die einzige bei Mk 1,35 voranstehende Stelle (zusammen
mit dem Vb.) permutiert ist (Mt 16,3 muß als textkritisch sek. gelten).
Imp. + ἵνα/ὅπως + Aor.Konj. γέν-
Mt 5 : Mk 1 : Lk 2 (Lk 4,3; 20,14)
Das Verwirklichungsziel nach einem Imp. war Q-Mt 4,3 (Brot werden) im
Satansmund als erster Stelle vorgegeben, woraufhin es Mt 26,5(+Mk nicht
Aufruhr werden) im Gegnermund auch an der letzten Stelle als satanisch
markiert, und bezeichnend ist, daß im Bericht 27,24(+Mk) Mt genau das
eintreten läßt, was sie vermeiden wollten, um die Wirkungslosigkeit auch
ihrer Absichten darzutun. Zwischen beiden Stellen steht es im Munde Jesu,
wobei es 24,20(=Mk Flucht nicht im Winter geschehe) übernommen wurde und
23,26(+Q damit auch sein Äußeres rein werde) wohl im Hinblick auf das damit
konnotierte Handeln Gottes red. gesetzt wurde. In der finalen Begründung
der Aufforderung zur Feindesliebe 5,45(+Q) hat Mt die Präp. wohl wegen
der 2.Pers. gewechselt, während das Vb. auch stärker auf das belohnende

Handeln Gottes abhebt.

Das Verwirklichungsziel bzw. die Folge ist auch betont in 24,34(=Mk ἕως ἄν), was 5,18 dupl. wurde, wobei ebenso an Gottes Plan-Verwirklichung gedacht ist wie allegorisch Q-Mt 13,32(=Lk *zum Baum werden*) und 24,32(=Mk *wenn sie zart werden* als Umschreibung des Pass. BAUER WB 316). Wie stark das Sem der Verwirklichung bestimmend ist, zeigt sich in der Verwendung 18,13(+Q *wenn es sich ereignet, daß er findet* = *wenn er wirklich findet*; BAUER WB 316); von daher erklärt sich auch die red. analoge Abwandlung schon in V.12(+Q Mt will betonen *wenn sie ihm wirklich gehören*). Übernommen sind ethisch als Ziel mit Adj. 20,26(=Mk *groß sein*); 24,44(=Q *bereit sein*). Um negative Folgen geht es warnend 9,16(=Mk *schlimmerer Riß*) wie 12,45(=Q *am Ende schlimmer*) und verurteilend 13,22(=Mk *fruchtlos sein*) bzw. von den Gegnern 23,15(+Q *wenn es gelingt* als Komplenym zu ποιέω).

γινώσκω (GUNDRY 642, doch ohne Mt 16,3 gg. GUNDRY 323)

    Mt 19 : Mk 12 : Lk 28 + 16 : Joh 56
       =(Mk 12 - 8 + 5) + (Q 5 + 3) + (A-Mt 2)

Das gnoseologische Vb. wird von Mt nie für Gott, sd. nur für menschl. Subj. verwendet.

In Erzählzusammenhängen steht es nur 6mal: 1,25 (LXX wie Plutarch) für Geschlechtsverkehr (Synonym V.18); 21,45(=Mk) für die Folge des ↗Hörens der Gegner: Sie *vollziehen jetzt die richtige semant. Substitution* - also die *Dekodierung* - in den vorgenannten Verwerfungs-Allegorien, wobei deutlich nicht das Sem der *Anerkennung* eingeschlossen ist, da die Folge bei ihnen ja die Verhaftungsabsicht ist, die sich aber im Bereich der Verwirklichung des Vorsehungsplanes vollzieht. Kennzeichnend mt ist der Red.-Indikator des Ptzp.Aor. (analog zu ἀκούσας, ἰδῶν, εἰδώς 9,4; 12,15) γνούς ὁ Ἰησοῦς

    Mt 4 : Mk 1 : Lk 0,

den Mt nur für Jesus (gg.über 14,35 Komp.) vom *Durchschauen* fremder Gedanken verwendet: 16,8(=mK) als erste von Mk übernommenen Stelle und multipliziert zuvor 12,15(+Mk) wie danach 22,18 (statt mk εἰδώς, was Mt aber 9,4 red. einsetzte) und 26,10(+Mk).

Die restl. 13 Stellen stehen in Worten Jesu: Nach einer sprichwörtlichen Maxime 6,3 soll die Linke (=der nächste Vertraute; WELLHAUSEN 25) nicht *erfahren*, was die Rechte tut, wenn es um Hilfstaten geht. Wenn 9,30(+Mk , aus 5,53 verstzt vgl. 9,30) eben diesen Imp. im Schweigegebot an die beiden Blinden wiederholt, so wollte Mt damit wohl nicht erst auf die Deutung vorweisen, die er 12,17-21 einer analogen Handlung Jesu von 12,16 gibt (so GUNDRY 178), sd. eher durch die Wiederaufnahme von 6,3 Jesu eigene Erfüllung der Bergrede markieren, was schon darin angelegt ist, daß Mt diese Heilung in das Haus verlegt hat. Ihre Reaktion ist nur scheinbar "Ungehorsam" (gg. KLOSTERMAN 84), da sie nicht die Tat und ihren Nutzen bekanntmachen, sd. "ihn". Sie nehmen den Auftrag zur *Bekanntmachung* des Verborgenen voraus, den Q-Mt 10,26 dann den "Zwölf" gibt.

Die folgenden beiden Stellen hängen darin zusammen, daß sie an die Jesus abweisenden Gegner adressiert sind: 12,7(=Mk) begründet ihre falsche Beschuldigung mit ihrem *Nichtverstehen* dessen, was die Schrift sagt (in Wiederaufnahme des Komp. ↗lesen von V.3.5 und als negatives Ergebnis der Aufforderung zum ↗Lernen von 9,13). Im nächsten Ablehnungssegment dient Q-Mt 12,33 die Maxime, daß durch Beobachtung ein Baum an seiner Frucht erkannt wird, dazu, den Beelzebulvorwurf als Dokumentation ihres rettungslos teuflischen Charakters zu bewerten (Jesu eigene Anwendung der Komp.-Dupl. der Bergrede 7,16.20).

Alle weiteren Stellen sind an die Jünger adressiert: Q-Mt 13,11(zugleich +Mk) wird in der Abwendungsrede von den ablehnenden Gegnern grundsätzlich antithetisch begründet, daß sie - in sachlicher Wiederaufnahme von

11,25.27c - die Erkenntnis der Eintrittsbedingungen und der Belohnungszusagen sowie der Nähe ihrer Verwirklichung haben, von denen die Gegner beweisen, daß sie sie nicht haben.; das Vb. ist in der Antithese V.11b delitiert; ebenso ist es V.12 dann noch als Filler zu verbalisieren. Ab V.13 werden dann Synonyme substituiert.

Die größte Dichte des Gebrauchs liegt in den Aufforderungen zur Beachtung der Nähe der Parusie vor: Wie man am Austrieb der Feige die Nähe der Ernte erkennt 24,32(=Mk), so soll man V.33(=Mk) am beobachtenden *Sehen* der Tempelzerstörung die Nähe des Völkergerichts *erkennen* (=V.32 *lernen*). Komplenymes Warnbeispiel sind 24,39(+Q) die Zeitgenossen Noahs, die ihr Vernichtungs-/Rettungsgericht nicht rechtzeitig zur Kenntnis nahmen im Kontrast zum klugen und gehorsamen Bejahen Noahs. Q-Mt 24,43 wiederholt verstärkend den Imp. von V.33 als perlokutionäre Redeeinleitung mit dem Vergleich vom nahen Dieb. Q-Mt 24,50 wiederholt die Negation von V.39: Der Herr kommt schon zu einer Stunde, in der man es noch nicht *annimmt* (Synonyme V.36.42.44).

In 25,24(+Q) dürfte es nicht nur in bloßer Synonymangleichung an V.26 (so GUNDRY 507) zugefügt, sd. als Scheinwissen bewußt ein red. Mittel sein, um die Antithese von *töricht* vs. *klug* der beiden voranstehenden Allegorien auch hier zum Ausdruck zu bringen. Der mt Zusatz dürfte primär auf V.29 zielen, wo 13,12 (mit dem von V.11 einzusetzenden Vb.) wiederholt ist, und darum sinngleich die analoge Insertion erhalten soll.

Als Äußerung des Endzeitrichters meint 7,23(+Q) *nicht kennen = verwerfen* (vgl. das Synonym 25,12).

ἐπιγινώσκω (GUNDRY 644)
   Mt 6 : Mk 4 : Lk 7 + 13 : Joh 0
      =(Mk 4 – 3 + 1) + (Q 0 + 4)

Das Komp. meint bei Mt immer *Erkenntnis der wahren Identität* (GUNDRY 301). Darum wurde Mt 14,35 als einzige Erzählstelle aus Mk übernommen und als Chorschluß enger an den Seewandel angeschlossen: Es bezieht sich auf die Erkenntnis der einzigartigen Sohn-Funktion V.33. Die Männer von Gennezaret sind mt *Verstehende* (es ist nicht etwa an *wiedererkennen* zu denken). Dgg. haben die Gegner nach dem Wort Jesu 17,12(+Mk) die wahre Elija-Identität des Täufers nicht erkannt (Synonyme sind 11,14 *annehmen* und 21,25.32f *glauben*). Um die Erkenntis der wahren Identität der pharisäischen Gegner geht es 7,16.20 (Dubl. zum Q-Simpl. 12,7). Das Moment der Identität ist auch das zentrale Sem, wenn Mt 11,27b.c das Komp. statt des Simpl. in Q setzte. Die strenge Exklusivität und Reziprozität ist nicht zu einer bloß formalen aufzulösen, so daß das Vb. im ersten Falle V.27b als *Erwählung*, in V.27c dgg. *Anerkennung* meine (CHRIST 1970:87-90 m.R. gg. SCHWEIZER ThWNT 8,374f; HACKENBERG EWNT 2,61f); vielmehr weist der Gesamtzusammenhang auf den Hintergrund der dualistischen Weisheit: Allein der Vater gibt authentische Auskunft über den Sohn - wie er es mt in Geburt, Taufe und Verklärung tut; allein der Sohn ist zur authentischen Auskunft über den Vater befähigt, wie er es in allen ➤*Vater*-Stellen des Buches bis dahin tat und weiter tun wird. Das bei Mt entscheidende Sem ist also nicht "genau, vollständig erkennen" (gg. HACKENBERG ebd.), da auch dem mt *Sohn* nach 24,36 durchaus noch mit den Engeln zusammen eine letzte Vollständigkeit mangelt. Mt setzt das Komp. also immer bewußt und betont ein, wie auch seine einmalige Mk-Übernahme semantisch konkret zu verstehen ist. Es kann keine Rede davon sein, daß er es "ohne ein theol. Interesse verwende" (gg. HACKENBERG ebd.).

οἶδα (GUNDRY 646)
   Mt 25 : Mk 22 : Lk 25 + 19 : Joh 85
      =(Mk 22 – 12 + 7) + (Q 6 + 2)
HORSTMANN EWNT 2,1206 zählt (mit N-A und GNTCom 24) nur 24 Belege, doch

ist es 9,4 als urspr. LA anzusehen, da die abweichende LA eine wiederholende Angleichung an V.2 vollzieht und Mt red. 9,4(+Mk) und 12,25(=Q)
bewußt aneinander angeglichen hat und weiterhin 27,18(+Mk) dieselbe Substitution vorkommt wie 9,4. Diese 3 Stellen gehören in doppelter Weise auch
dadurch eng zusammen, daß sie die einzigen sind, in der der Erzähler
selbst redet, und sie sich immer auf die bösen Motive der Gegner beziehen:
Jesus wie Pilatus *durchschauen* sie (also kann sie jeder Leser ebenso
durchschauen!). Dabei ist nur für Jesus an den ersten beiden Stellen das
Pt. verwendet, was dem Gebrauch des häufigeren, 12,15 einsetzenden Synonyms entspricht.

Alle übrigen Belege stehen in wörtl. Rede, davon 8 nicht im Munde Jesu:
15,12(+Mk) ist Jüngerinformation an Jesus; 21,27(=Mk) ist die Unwissen-
heitsbehauptung der Gegner Ausrede wie 26,70(=Mk) die analoge Unver-
ständnisbehauptung des Petrus bzw. 26.74(=Mk) und V.72(+Mk) seine Un-
kenntnisbehauptung; die Pilatus-Aufforderung 27,65(+Mk), das Grab *fach-
männisch* zu sichern (*so gut ihr könnt* BAUER WB 1101), ist nicht ohne
einen Anflug von Ironie; red. ist auch das 28,5(+Mk) ausgesagte Wissen des
Engels.

Auch für die 14 Verwendungen in dir. *Rede Jesu* kann im allgemeinen
gelten, daß das Vb. synonym mit γινώσκω verwendet ist (SEESEMANN ThWNT
5,120f) in seinen verschiedenen semant. Schattierungen, wenn man 25,13(=Q)
mit 7,23 (*keine Beziehung haben* als Verwerfungsaussage) oder 25,26(=Q) mit
V.24 vergleicht. Dennoch gibt es eine mt Besonderheit der Verwendung:
Während das Synonym im Simpl. nicht für Gott verwendet wurde, beginnt Mt
unser Vb. so, daß die ersten beiden Stellen vom Wissen Gottes reden (Q-Mt
6,32 und dupl. vorangestellt in 6,8) und die letzte Stelle 28,5(+Mk) vom
Wissen des Engels. Der Zusammenhang dieser 3 Stellen ist auch noch dadurch unterstrichen, daß sie alle in der rein mt red. Verbindung
οἶδα γάρ
        Mt 4 : Mk 0 : Lk 0 + 1 (vgl. Apg 16,3)
stehen, wobei die Auffälligkeit der Verteilung noch dadurch unterstrichen
ist, daß die 4. Stelle in 27,18 (+Mk von Pilatus) faktisch die vorletzte ist
(wenn man von 27,65 als mehr adv. Ausdruck absieht); beide Stellen gehen
über die mk Verwendung hinaus, die Mk 14,71 mit Petrus abschloß. Da diese
Pilatus-Stelle als Erzählstelle auch im engsten Zusammenhang mit den beiden
erzählten Jesus-Stellen stand, so dürfte die mt Verteilung und Zuordnung
als bewußt gewollt anzusehen sein; außerdem steckt ja das kausale Bedeutungselement, das 4mal in der Konjuktion verbalisiert ist, an den beiden
zugeordneten Jesus-Stellen faktisch schon in dem nur hier verwendeten Pt.
- also in der semant. Tiefenstruktur. Vom alleinigen Wissen des Vaters -
was den Vollendungstermin betrifft - spricht 24,36(=Mk) in Differenz zum
Wissen der Engel wie des Sohnes und erst recht aller anderen, deren
Nichtwissen anschließend 24,42(=Mk).43(=Q; vgl. das Synonym V.50) und
25,13(+Q als Dubl.) betont wiederholt wird.

Als bekanntes Wissen erinnert Jesus 3mal Q-Mt 7,11 (*sich verstehen auf
= können*); 20,25(=Mk - die landläufigen Herrschaftsstrukturen) und an der
letzten Stelle im Munde Jesu 26,2(+Mk - den Ostertermin). Ein 2mal über-
nommener Unverständnisvorwurf richtet sich 20,22(=Mk) auf eine Bitte von
Schülern und 22,29(=Mk) an die Sadduzäer (vgl. das Synonym 12,7). Nicht
nur episodenhaften, sd. programmatischen Charakter für das ganze Buch
hat die metakommunikative Einleitung 9,6(=Mk *damit ihr von jetzt an wißt*),
die das folgende erste Menschsohnwort als Offenbarungswort klassifiziert
(vgl. 1Hen 98,8); es ist nämlich die perlokutionäre Fassung des sonst illokutionären *ich sage euch*; beide sind funktionsgleich. Wegen der hier in Wort
und Tat erteilten Lektion als Verstehenshilfe wiegt das ablehnende Unver-

ständnis um so schwerer. Von daher erhält das 9,4 voranstehend erzählte Wissen Jesu nochmals verstärktes Gewicht, zumal es im Zusammenhang mit dem für Mt 6,8.32 betont einleitend gesetzen Wissen Gottes steht, von dem das Wissen des "Sohnes" abgeleitet ist. Wie bewußt Mt in seiner kompositorischen Gestaltung hier vorgegangen ist, erhellt sich auch aus der komplementären Beobachtung einer wesentlichen Auslassung: Mk 1,24.34 setzte an den Anfang der Wortverwendung das Wissen der Dämonen. Beide Eingangsstellen hat Mt ausgelassen und statt dessen mit dem doppelten Hinweis auf das Wissen des "Vaters" eingesetzt. Damit hat Mt seinen Lesern eine unmißverständlich klärende Vorbereitung für das Verständnis von 11,27 vorgegeben.

Morphologisch ist schließlich auch noch zu beachten, daß Mt ein Übergewicht im Vergleich mit den Seitenreferenten hinsichtlich der Verwendung des Syntagmas mit der zugesetzten rezitativen Partikel hat:

οἶδα ὅτι

Mt 8 : Mk 3 : Lk 6 + 7

Mt 6,32(=Q); 9,6(=Mk); 15,12(+Mk); 20,25(=Mk); 22,16(=Mk); 25,26(=Q); 26,2(+Mk); 27,18(=Mk - doch Substitution des Vb.); 28,7(+Mk).

συνε-

Mt 11 : Mk 6 : Lk 5 + 5 : Joh 0

συνίημι (GUNDRY 648)

Mt 9 : Mk 5 : Lk 4 + 4 : Joh 0

=(Mk 5 - 2 + 6)

Das Vb. ist Mt einzig durch Mk zugewachsen (Mk 6,62; 8,17 wurden ausgelassen) und wurden von ihm multipl. (BARTH 1970:99-104,102). Es ist immer auf Worte des mt Jesus bezogen und meint so "Verständnis des mt Jesus-Konzepts" (CONZELMANN ThWNT 7,891-3; KRETZER 1971:90-3) als "Chiffre des wahren christlichen Seins" (STRECKER 1971:228-30,229) mitsamt seiner ethischen Akzentuierung (Hören und Tun). Die Verwendung entspricht der mt Antithese *klug* vs. *töricht*.

Erst Mt 13,13 führt mit der ersten mk Stelle das Vb. negiert von LXX-Jes 6,9f her ein und ergänzt es V.14f durch das explizite Erfüllungszitat. Komplenyme sind hier *Sehen* und *Hören*. Zugleich ist es bei Mt erst eine synonyme Wiederaufnahme des V.11 vorausgehenden ⇗γινώσκω, wodurch auch das konkrete Obj. (⇗Basileia-Geheimnisse) unmißverständlich vorgegeben ist, das also bei den angeschlossenen "absoluten" Synonymen textsemantisch mitzudenken ist. Dies wird durch die wiederholte explizite Setzung dieses Obj. zur Eröffnung der anaphorischen Allegorese V.19(+Mk als der 4. Negativ-Stelle) ausdrücklich bestätigt. Diesem negativen Anfang korreliert V.23(+Mk) antithetisch der positive Abschluß: Mt hat also diese Allegorese auf das Leitwort *Verstehen* ausgerichtet. Dies unterstreicht der positive Gesamtabschluß V.51(+Mk), wo Frage und positive Antwort eine ausdrückliche Bejahung konstatieren und auch auf das urspr. Obj. pronominal zurückgegriffen wird (als Synonym erscheint hier noch ⇗μαθητευθεῖς).

Nach dieser Clusterbildung in Kap.13 dienen die restl. 3 Stellen nur noch der Verstärkung: Der Erfolg, den 13,51 in wörtl. Rede darstellte, wird red. als Bericht des Autors 16,12(=Mk 8,21 versetzt) wie 17,13(+Mk) wiederholend konstatiert. Dabei ist der fundamentale Gegensatz an beiden Stellen präsent: 16,12 wird die Aufforderung zur Trennung von jüd. Gesetzeslehre verstanden (Synonyme V.9.11); auch 17,13 ist dem red. Nichtverstehen der Juden (V.12 Synonym) kontrastiert. In 15,10 steht der Imp. (=Mk - jedoch vom Aor. ins Präs. transponiert, d.h. vom Einzelfall ins Allgemeingültige ausgeweitet), und V.12-14 wird wiederum die Gegnerantithese direkt eingeschaltet.

An allen Stellen geht es um die Fähigkeit allegor. Identifikation, also darum, die richtige semant. Substitution zu vollziehen. Die Feststellung, daß dem Verstehen nach 13,11 (vgl. 11,25.27; 16,17) Gottes offenbarendes Handeln vorgängig ist (BARTH 1970:103), wird sogleich zur Halbwahrheit, wenn man nicht sofort hinzufügt, daß auch das Nichtverstehen für Mt ebenso determiniert ist; ja – nach 15,13f (vgl. 3,7; 12,34; 23,23) gelten die jüd. Lehrer ausdrücklich als vom Teufel determiniert. Darum darf auch der Gen.abs. 13,19 nicht konditional aufgelöst werden (gg. GUNDRY 259; BAUMBACH 1963: 57: Der Satan "kann erst dann" das Wort rauben, "wenn" sich der Hörer als unverständig erweist); vielmehr muß die logische Relation im Sinne des Mt modal oder koinzident aufgefaßt ("indem") und nicht vorschnell ethisiert werden. Weiter ist die Behauptung der Vorgängigkeit des offenbarenden Handelns Gottes auch noch dadurch einzuschränken, daß es sich dabei letztlich nur um ein solches des allmächtigen Autors Mt selbst handelt: Verstehen als Ergebnis eines Lernprozesses ist immer das Akzeptieren seines Buchkonzepts, also das Ergebnis, das er mit seiner erzählten Jesus-Figur beim intendierten Leser erreichen will. Von daher erklärt sich auch der einmalige Gebrauch des Adj.

ἀσύνετος

Mt 1 : Mk 1 (NT nur noch Röm 1,21.32; 10,19)
in Mt 15,16(=Mk), das durch die Frageform und den red. Zusatz des ntl. Hap.leg. ἀκμήν (noch) als ein vorübergehendes abgeschwächt dargestellt wird und damit den Weg signalisiert, den auf der direkten Kommunikationsebene der Leser selbst gehen soll. Dabei ist vor allem zu beachten, daß es nicht in Gestalt einer Aussage vorliegt, die eine Feststellung treffen würde, sd. wohl auch nicht nur als eine etwas humorvolle Argumentsationsfrage, sd. es sich um eine Aufforderungsfrage handelt. Synonym dazu steht 15,17(=Mk) unmittelbar angeschlossen

νοέω

Mt 4 : Mk 3 : Lk 0 + 0 : Joh 1,
das 19,6(=Mk).11(+Mk dupl.) sowie 24,15(=Mk – aber von Mt auf das Daniel-buch bezogen) ebenso die Aufforderung zum Vollzug einer semant. Substitution steht (also zum Nachvollzug der substituierenden Identifikation, die der mt Jesus vollzogen hat; darin liegt auch ein gemeinsames mt Bedeutungselement mit dem Komp. >μετανοέω). Dabei betont an der ersten Stelle 16,9 wiederum das einmalig übernommene und zu 15,16 synonyme, einschränkend-abschwächende Adv.

οὔπω

Mt 1 : Mk 5 : Lk 1 + 0 : Joh 12
den Lernprozeß, weshalb es V.11 zugunsten der Aufforderungsfrage und der Konstatierung des Erfolgs V.12 ausgelasssen wurde (15,17 ist es mit N-A gg. H-G 122 als sek. abschwächende LA anzusehen).

συνετός

Mt 1 : Mk 0 : Lk 1 + 1 (Apg 13,7 – NT nur noch 1Kor 1,19)
steht 11,25(=Q) im Hendiadyoin mit "Weisen" als subst. Adj. ironisch dualistisch: sie sind es nur "bisher" und "angeblich" (in ihrem eignen Selbstverständnis, das Selbstverblendung ist, denn in Wahrheit kommt ihnen das Hendiadyoin von 23,17 dumm und blind zu, da sie eben keine Einsicht in den Zusammenhang des mt Konzepts von Eintrittsbedingung und Lohnzusage haben). Als Antonym dazu erscheint hier von Q vorgegeben

νήπιος

Mt 2 : Mk 0 : Lk 1 + 0 : Joh 0
Das sind hier die bisher und in den Augen der anderen Unwissenden (also: angeblich – denn sie sind nach dem mt Kontext identisch mit den bekehrten "Zöllnern und Sündern" von V.19, den "Armen" von V.5, denen ja gerade etwas ausgerichtet wird, den "Schafen ohne Hirten", denen nach 9,36; 10,6 ja die Schüler gesandt wurden; und 11,28 wird den Ausdruck aufnehmen als die von den jüd. Lehrern Geschundenen und Versklavten).

Das subst.Adj. bezeichnet sie in Q-Mt 11,25 also weder als "die kindlich Unverbildeten" (so BAUER WB 1064) noch als die einfältig Naiven, sd. mt gerade als die vor dem mt Lernprozeß Stehenden und in ihn Eintretenden – also tatsächlich nur: "bisher Unwissende"; CHRIST 1970:84f bzw. "Kinder" sc. "der Weisheit" als die Anwärter darauf).

Auch die red. Wiederholung Mt 21,16 (Zitat LXX-Ps 8,3) meint Mt keineswegs "den klar-sehenden Glauben der Nicht-Unterwiesenen" (so LEGASSE EWNT 2,1142f – der Chorschluß der "Kinder" ist im mt Kontext nach 19,13f nicht ohne Unterweisung gedacht!). Schon die Tatsache, daß Mt immer konkret auf das Geschehene bezogene Chorschlüsse geformt hat, verdeutlicht sein Lehr-Konzept: Es geht ihm immer um semant. Gehalte. Auch die Einsprüche Mt 25,37-39.44f meinen ja keineswegs, wie die idealistische Wertpsychologie seit F.C.BAUR meinte, daß der Gute "sich keiner guten Werke bewußt" sei (so zuletzt SCHWEIZER 312), sd. in der Gattung der Offenbarungsrede wie im kommunikativen Autor/Leser-Bezug gerade: "Wer den Geringsten die Diakonia versagt, weiß von jetzt an, mit wem er es dabei zu tun bekommt" (BRANDENBURGER 1980:86-97,89 mit GRUNDAMNN 527; CHRISTIAN 1975:19; FRIEDRICH 1977:105).

καρδία (GUNDRY 645)

Mt 16 : Mk 11 : Lk 22 + 20 : Joh 7

=(Mk 11 – 6 + 3) + (Q 3 + 3) + (A-Mt 2)

Nicht übernommen sind Mk 2,6; 3,5; 6,53; 8,17; 11,23; 12,33. Unpersonal ist Q-Mt 12,40 das red. Syntagma vom *Totenreich* (=*Innern* der ⋗*Erde*). An den restl. Stellen meint es nie ein körperliches Organ direkt (seit Aristoteles als geistiges Zentrum des Menschen bestimmt), sd. wie in LXX und Stoa (BEHM ThWNT 3,609-16) die Gesinnung, Überzeugung als psychologisches Vermögen von Verstand, Erkenntnis, Willen (SAND EWNT 2,615-9 spricht statt vom "Vermögen von" vom "Sitz von...", was die Bedeutung eines körperlichen Organs noch assoziiert, doch dürfte bei Mt überall ein schon abstrahierter Gebrauch vorliegen). Die vorwiegend ethische Verwendung läßt das Subst. an einem Teil der Stellen als Äquivalent für "Gewissen" erscheinen. Aber es hat nie von vornherein die Konnotation des *Guten* und ist auch darum nicht mit *Herz* wiederzugeben.

Den beiden aus Mk übernommenen LXX-Zitaten Mt 15,8 und 22,37 hat Mt red. 13,15a.b(+Mk) das ausführliche Zitat von Jes 6,9f hinzugefügt und 5,8(+Q) die Anspielung auf LXX-Ps 23,4. 2mal steht der Plur. – und zwar bei Direktanrede an ein Kollektivum in Verbindung mit ⋗*ὑμῶν* – Mt 9,4(=Mk) und red. A-Mt 18,35(PS), während der abstrakte Charakter der Wortbedeutung in zwei LXX-Zitaten dadurch deutlich wird, daß 15,8(=Mk mit LXX-Jes 29,13) ein plur. Poss.pron. beim sing. Subst. und 13,15a einen kollektiven Träger beim Sing. gerade im Unterschied zu den folgenden vier Plur. hat.

Für Mt typisch ist die dat. LXX-Wendung (BERGER 1972:181)

(ἐν) τῇ καρδίᾳ

Mt 9 : Mk 3 : Lk 10 + 4,

davon 7mal mit der Präp.: A-Mt 5,28 (ehewidrig schon in der *Gesinnung* als Voraussetzung der Handlung des Anblickens mit dem Ziel

ἐπιθυμέω

Mt 2 : Mk 0 : Lk 4 + 1,

was nur noch Q-Mt 13,17 neutral (statt lk *wollen*) hat, während Mt das Subst. bei Mk 4,19 ausließ und es nie hat, so daß darin nicht das seit Augustin damit bezeichnete Kardinallaster der Erbsündenlehre, die *Begierde*, darin gesehen werden darf, sd. bei Mt einfach das "Erstreben" damit bezeichnet ist; BERGER 1977:109f).

Die Wendung steht weiter Mt 9,4(=Mk im Plur. von – red. – *bösen* Absichten); vom instrumentalen bloßen Dat. des Zitats 13,15b (mit dem *Verstand* verstehen) wurden Subst. wie Vb. 13,19(+Mk) wieder aufgenommen (das mt

Jesus-Konzept, das dem *Verstand* anheimgegeben ist); in das Zitat des 1. Gebots aus Dt 6,5 hat Mt 22,37 diese Präp. gg. Mk wie LXX red. eingetragen, wobei die weitgehende Synonymie der psychologischen Termini (BERGER 1972:179) ein differenzierendes Verständnis erschwert, im mt Kontext nach den voranstehenden Stellen am ehesten *mit ungeteiltem Willen* gemeint (gg. GRUNDAMNN nicht einfach "Herz"), da er seine Trias mit dem von Mk übernommenen

διάνοια

    Mt 1 : Mk 1 : Lk 2 + 0 : Joh 0
mit ganzer Verstandeskraft (s.o. νοέω) abschließt.

    Neben der lokalen Verwendung in der unpersonalen Stelle 12,40(+Q) findet sich die Präp. noch 24,48(=Q) in der Wendung *sich sagen = denken*, wofür im analogen Selbstgespräch der Toren/Frevler einfach stärker gräz. sonst das Reflexiv-Pron. steht: 3,9(=Q); 9,3(=Mk); 21,38(+Mk vgl. auch 21,25 und 16,7f mit Vb.-Variante).

    Die Wendung mit bloßem Dat. hat Mt neben 13,15b, wo es LXX-Zitat ist, noch in der LXX-Anspielung 5,8(+Q - dort in Analogie zu dem Dat.-Zusatz 5,3 πνεύματι, der wohl in diesem Zuammenhang als *freiwillig* - auf jeden Fall *willentlich* - zu verstehen ist) sowie 11,29(+Q) - in beiden Fällen auf ein Adj. bezogen - im instrumentalen Sinne *aus Überzeugung*. Dieser Dat. beim Adj. ist funktionsgleich mit dem kausalen ≯ἀπό beim Vb. in Mt 18,35, wo es in diesem red. Abschlußvers als zusammenfassendes Synonym V.30 eingeführt ist (ein Antonym zu bloßem "Reden" darf gg. GUNDRY 379f entgegen dem Kontext nicht ethisierend eingetragen werden); das wird verstärkt durch das weitere, doppelte Kontextsynonym 18,26.29(+Q) ≯μαρκοθυμέω und 18,27 ≯σπλαγχνίζομαι, wodurch sie die mt Wortfeldbeziehung bestätigen. Als Antonym tritt 18,34 noch ≯*zürnen* hinzu; damit legt das Abschlußsyntagma der red. mt Komposition der monetär-psychologischen Darlehens-Allegorie 18,35 den Ton eindeutig auf die *Gutwilligkeit* der innergemeindlichen Vergebung.

    Das voluntative Element ist auch an den restl. mt καρδία-Stellen nicht zu übersehen: 6,21(=Q) begründet das eingebrachte eth. Prinzip des größtmöglichen Nutzens: Denn wo dein Schatz ist, da ist auch dein *Interesse*. Einen analogen Dualismus bringt die 2. Q-Stelle Mt 12,34 ein, wo auf das Verhältnis Gesinnung/Reden abgezielt ist: *aus dem Schwerpunkt der Gesinnung heraus* - wobei in dem dualist. (gut/böse) anschließenden V.35 das Subst. als Filler in der semant. Tiefenstruktur noch vorhanden ist. Da die mt Rede immer noch an die Gegner nach dem Beelzebulvorwurf gerichtet ist, so geht die positive Seite auf die Davidsohn-Prädikation von V.23, während sich die negative Seite eindeutig auf die V.25 synonym von Jesus durchschauten *bösen Absichten* bezieht.

    Die grundsätzliche Aussage von 12,34 wird 15,18 aufgenommen und wiederholt (Mk 7,19 versetzt übernehmend), woran sich V.19(=Mk) die Begründung mit der stärker an den Dekalog angeglichenen Reihenfolge der Laster anschließt. Nach den voranstehenden mt Stellen ist deutlich, daß damit nicht etwa erbsündenhaft die *Gesinnung* (das *Herz*) als solche nur böse sein kann, denn der Dualismus ist durch den Gegnerbezug der Rede ebenso deutlich, wie klar ist, daß das Subst. hier V. 8 durch das Zitat aus Jes 29,13 eingebracht und damit durch die explizite Aussage von einer Gesinnung die Rede ist, sofern sie sich von Gott *weit entfernt*. Das wird bestätigt durch das unmittelbare Resultat, das V.19(=Mk) mit dem übernommenen

διαλογισμός

    Mt 1 : Mk 1 : Lk 6 + 0 : Joh 0
bezeichnet ist, das noch durch Umstellung mit dem Adj. an das Gegnersyntagma von 9,4 angeglichen wurde: *böse Absichten*; und 5,29 erscheint im Rückblick mit einem anderen Synonym als eine Teilbebilderung und nicht als

Gesamtbeschreibung. Der Ton liegt nicht auf dem speziell berechnenden (gg. PETZKE EWNT 1,790f) als vielmehr auf dem überhaupt voluntativ vorsätzlichen Charakter. Das entsprechende Vb.

διαλογίζομαι

Mt 3 : Mk 7 : Lk 6 (NT sonst nie; LXX ebenso 16mal)
stammt 16,7f; 21,25 immer aus Mk, wurde jedoch mt stereotyp mit ἐν ἑαυτοῖς verbunden und damit an die entsprechenden Torheitsfragen (s.o. zu 24,48) angeglichen und ist immer auf Jesusworte bezogen.

σκληροκαρδία

Mt 1 : Mk 1 (NT sonst nie; LXX 3mal)
Diese LXX-Neubildung (BEHM ThWNT 3,616; SCHMIDT ebd. 5,1030f; FIEDLER EWNT 3,607f) hat 19,8(=Mk) übernommen, wo sie schon antijüd. für die Entlassung der Ehefrau red. eingeführt war. Nach dem bisherigen mt Sprachgebrauch des Simpl. geht es um *Böswilligkeit*, so daß die Wiedergabe mit "Herzenshärte" als emotional-moralische Abschwächung erscheint; vielmehr zeigt der Zusammenhang mit dem Schriftbeweis, daß Mt damit den Abfall von der Schöpfungsordnung bezeichnet (BERGER 1972:537f) - und zwar als entlarvende Konzession, während bei Mk das Gottesgebot durch das Mosegebot selbst aufgehoben ist. Von dieser Stelle her ist auch der nachfolgende Gebrauch des Adj.

σκληρός

Mt 1 : Mk 0 : Lk 0 + 1 : Joh 1 (NT nur noch Jak 3,4; Jud 15)
in Mt 25,24(+Q), wo es einzig im NT von einem Menschen gebraucht ist, nicht wie an den sächlichen Stellen mit "hart, rauh" wiederzugeben, sd. mit *böswillig*, wie auch die ausdrücklich anschließende Begründung dieses Vorwurfs beweist. Mt kommt damit einem möglichen Leservorwurf gg. sein Konzept zuvor, indem er ihn von vornherein ins Unrecht setzt.

Der antijüd. Dualismus ist 19,1-12 noch insofern noetisch gesteigert, als V.4 der Vorwurf zugesetzt ist, daß die jüd. Lehrer die Schrift nicht gelesen haben, sie also nicht kennen oder jedenfalls nicht verstehen, während umgekehrt die Perikope insgesamt durch den Zusatz der neuen Jüngerbelehrung V.10-12 einen neuen Zielpunkt erhält, der sie dann als Verstehende den Gegnern gegenüberstellt:

χωρέω (GUNDRY 649)

Mt 4 : Mk 1 : Lk 0 + 0 : Joh 3
wird 19,11.12a.b im modernen, hell. popularphilosoph. Sinn des *Begreifens* anthropol.-psychol. gebraucht (BAUER WB 1759 "geistiges Aufnehmen"). Die *Schüler* als die von Mt intendierten idealen Leser begreifen das Offenbarungswort, daß der Basileia-Eintritt am besten durch Eheverzicht erworben wird, da es ihnen (=13,11) gegeben ist. Der dem Weckruf strukturgleiche Schluß-Imp. "ist keineswegs eine Einschränkung im Sinne von 1Kor 7,7, vielmehr handelt es sich um einen in der Apokalyptik gebräuchlichen Aufruf zur Kennzeichnung von Sätzen mit besonderem Offenbarungscharakter" (BERGER 1972:570): "Akzeptiert es, da euch ja das Verstehen gegeben ist!" Die mt Jünger haben es nach 19,27.29 verstanden, da sie ja red. auch die Ehefrauen verlassen haben. Das Vb. steht anthropol. auch (jedoch physiol.) 15,17(+Mk *in den Bauch gelangen* statt mk εἰσπορεύομαι, das mt auch sonst zurückdrängt und nur hier voranstehend reziprok dazu einmalig beibehalten hat), wohl als bewußte Antithese zu den Herz/Verstehens-Aussagen, während es in der nicht-anthropol. Bedeutung des Raum-Fassens in dem übertreibenden Erzählstück Mk 2,2 demnach bewußt ausgelassen wurde.

φρόνιμος (HAWKINS 1909:8; GUNDRY 649)

Mt 7 : Mk 0 : Lk 2 + 0 : Joh 0
=(Mk 0) + (Q 1 + 2) + (A-Mt 4)
Übernommen wurde es nur 24,45(=Q), wo es zusammen mit *treu* den einen Sklaven seines Herrn charakterisierte, während *böse* das dualist. Antonym

dazu ist. Von daher hat Mt es red. im dualist. Wertungssinne multipl. - und zwar sofort anschließend 25,2.5.8.9 als abschließende Darstellung der *ver-stehenden Treue* zum mt Buchkonzept für die guten Taten im Blick auf den Lohn im neuen Äon (SCHENK 1978). In Korrespondenz zu den allegor. Weib-lichkeiten steht es in der analogen Mann-Allegorie 7,24(+Q) für den, der die Bergrede hört und tut, weil er "sein" (red. Zusatz: Nützlichkeitstheorie des eth. Egoismus) Haus auf den Felsen baut - also richtig *vorkalkuliert.* Die Fähigkeit zu richtiger (also nützlicher) Entscheidung ist auch in der Schlangen-Metapher 10,15(+Q) im Blick.

Es steht also immer in Worten Jesu und gehört zu dem Wortfeld der idealen mt Schülerschaft, Verstehende zu sein. Immer geht es um die intel-lektuelle Fähigkeit, Sachverhalte - vor allem die Grund/Folge-Beziehung - richtig zu verbinden. Die sachgemäße Übers. ist daher eher *klar denkend* als *klug*(= "mit großer Verstandesschärfe ausgestattet sein"; GÖRNER-KEMPCKE 1977 s.v.), da die "Größe" von Mt nicht als das wesentliche Sem quantifizierend eingebracht ist, sd. es ihm vielmehr dualist. um die Fä-higkeit der "Belehrbarkeit" und "Lernfähigkeit" überhaupt geht. Gegenüber diesem immer positiv valutativen Adj. ist das Vb.

φρονέω
    Mt 1 : Mk 1 : Lk 0 + 1
in 16,23(=Mk) neutral verwendet, da das Obj. dualist. angegeben ist (*wollen,* was Gott will, bzw. was die Außenstehenden wollen). Obwohl der Hinter-grund der mt Bewertung die dualist. Weisheit ist, so hat er als Antonym nie den LXX-Ausdruck ἀφρον- (KRETZER 1971:113-5, 191-206), sd. verwendet das Vorzugswort des Sir
μωρός (HAWKINS 1909:6; GUNDRY 646)
    Mt 6 : Mk 0 : Lk 0 : Joh 0 (im NT nur noch pl und dt-pl)
    =(Mk 0) + (Q 0 + 2) + (A-Mt 4),
das somit nur in Worten des mt Jesus erscheint: 7,26(+Q) wie 25,2.3.8 in direkter Opposition zum Antonym als *unvernünftig, unbelehrbar.* Neben die-ser Korrespondenz der Verwendung in der ersten und der letzten Rede hat Mt auch noch innerhalb der ersten Rede eine Korrespondenz von Einleitung und Abschluß gebildet: Dem Adj. des Nichthörenden und -tuenden in 7,26 entspricht schon das red. Vb. in Q-Mt 5,13 (FIEDLER EWNT 2,1107)
μωραίνω
    Mt 1 : Mk 0 : Lk 1 + 0 (NT nur noch 1Kor 1,20; Röm 1,22; LXX 6mal)
Im rhetor. Bildbruch überbietet die Sache die Salzmetapher: "närrisch, verrückt werden" (SCHLATTER 147). Die Warnung vor einem Abfall vom Auf-trag (als Rück-Fall in ein Gesetzesverständnis, das vor dem des mt Jesus liegt V.17-20) ist als Eintrittsbedingung formuliert. Dieser Bedingungs-charakter zwingt dazu, die Pass. Vb.-Form hier medial zu verstehen. Auch darin ist sie synonym zu dem Aor.Pass.
παχύνομαι
    Mt 1 : Mk 0 : Lk 0 +1 (NT sonst nie; LXX 5mal)
in Mt 13,15 (=Apg 28,27 Zitat Jes 6,10): Nicht Gott ist Subj., sd. das Denken hat "*sich* stumpf (=unvernünftig) gemacht".

So benutzt der mt Jesus auch das subst. Adj. *Unbelehrbare* 23,17(+Q) in der Gegneranrede (der fiktiven Adressaten als Zweitpublikum; LAUSBERG 1976 § 762) im Hendiadyoin (= größerer Nachdruck) mit *Blinde.* Damit ver-stößt der mt Jesus nicht etwa gg. seine eigene Maxime von 5,22, nach der das volkstümliche Schimpfwort die Hölle verdient, denn es ist dort ja auf den *Bruder* bezogen, und damit auf ein Glied der mt Buchgemeinde einge-grenzt. Wer dgg. das mt Buchkonzept ablehnt, verdient nach diesem Autor durchaus dieses Prädikat *Unbelehrbarer* zu Recht, wie die übrigen 5 Stellen dies ja auch faktisch praktizieren. Es geht also nie um das naive, angebo-rene Unwissen, sd. um die sozial erworbene Dummheit, um das verneinende, sich verweigernde Unwissen, also wesentlich um die *Unbelehrbarkeit*, die wissenssoziologisch häufig das Kennzeichen einer in sich mächtigen und stabilen Gruppe ist.

ῥακά 5,22(synonym →μωρός) Hohlkopf (aram. *rêqā' leer, leichtfertig* – aber als Spottname schon in einem Zenonpapyrus 257 v.Ch. als griech. Lehnwort; BAUER WB 1454; EWNT 3,497f).

γογγύζω 20,11(+Mk) *murren* (gg. HESS EWNT 1,618 doch theol. relevant)
    Mt 1 : Mk 0 : Lk 1 + 0 : Joh 4

Γολγοθά →κεφαλή
Γόμορρα →ἔθνος
γονεῖς →γαμέω
γονυπετέω →προσκυνέω
γραμματεύς →ἀρχιερεύς
γράφω
    Mt 10 : Mk 10 : Lk 20 + 12 : Joh 21
    =(Mk 10 – 6 + 1) + (Q 4 + 1)
Mt hat die Verwendung stark vereinheitlicht: Außer für die Kreuzesinschrift 27,37(+Mk statt des Pt.pf.pass. des Komp.) ist es immer positiv auf LXX-Schriftstellen bezogen und meint somit "geweissagt". Daher wurde es bei Mk 10,4 vom Ausstellen der Trennungsurkunde ebenso weggelassen wie anschließend V.5 und bei Mk 12,19 im Gegnerbezug auf Mose. Die mt Verwendung für Weissagungen hat immer

γέγραπται
    Mt 9 : Mk 7 : Lk 9 + 5 : Joh 2
Dabei folgt – außer 26,24(=Mk), das sich aber auf 21,42 zurückbezieht – immer ein direktes Zitat: 2,5 ist Mk 1,2 vorgezogen verwendet und mt *durch die Propheten* als der ersten und leitenden Stelle betont zugesetzt. Q-Mt 4,4,6,10 wie V.7(+Q) sowie 11,10 ist Q-Redaktion übernommen, wobei 11,13 ἐπροφήτευσαν synonyme Wiederaufnahme ist. Aus Mk stammen wieder 21,13; 26,31. In dieser Zitateinleitung ist die Verbindung mit γάρ für Mt kennzeichnend, die Q-Mt 4,6 vorgegeben ist, doch V.10 gg. Lk steht wie 2,5 und 26,31 (also der ersten wie der letzte Stelle) gg. Mk:

γέγραπται γάρ
    Mt 4 : Mk 0 : Lk 1.
Dies bindet diese Stelle wie diese Einleitung überhaupt mit den expliziten Erfüllungszitaten funktional zusammen, so daß zwischen ihnen kein prinzipieller Unterschied besteht, auch wenn die *Erfüllung* nicht explizit genannt ist. Mt ist wesentlicher, daß auf die *Weissagung* verwiesen ist. Funktionsgleich mit diesem γάρ ist das kausale Asyndeton in 4,4 und 21,13, das in der Übers. verbalisiert werden muß.
    Erst *nachdem* das Vb. in diesem Sinne 7mal verwendet ist, führt Mt 21,42 (ebenso wie Mk 12,10) das Subst.

γραφή
    Mt 4 : Mk 3 : Lk 4 + 7 : Joh 12
ein, um es aber sofort in den Plur. *Bücher*, den er allein konsequent hat, umzuformulieren

γραφαί
    Mt 4 : Mk 2 : Lk 3 + 4 : Joh 1
Das entscheidende, das Verwerfungs/Rehabilitierungs-Schema begründende Psalm-Zitat wird so als "*in den Weissagungsschriften* (global gemeint und nicht partial nur die *Ketubim*) gegeben" eingefügt zur deutlichen Betonung der Weissagungsfunktion. 22,29(=Mk) steht es in dem Ignoranzvorwurf zur Beantwortung der Auferweckungsfrage mit einem Sachbezug zu 21,42. 26,56 (=Mk) hat Mt die Näherbestimmung *der Propheten* (vgl. 2,5; 24,15) als Obj. der *Erfüllung* = *Verwirklichung* zugefügt, wobei, da kein Zitat folgt, ein deutlicher Rückweis auf die expliziten Stellen 21,42 und 26,31 vorliegt. Diese

werden ebenso in der 26,54 kurz vorher gesetzten Dubl. erinnert (SENIOR 1982:142f mit ALLEN, MCNEILE, KLOSTERMANN, LOHMEYER z.St. gg. HUMMEL 1966:132; ROTHFUCHS 1969:28). Wie beim Vb. so ist auch hier immer die *schriftlich gegebene Weissagung* im Blick (HÜBNER EWNT 1,635). Dies ist das entscheidende Sem, so daß man das semant. Problem zu sehr formalisiert, wenn man den mt Plur. als "Bezeichnung für das AT" bestimmt, um dann Kongruenz mit der "typisch rabbinischen Bezeichnung des atl. Kanons" festzustellen (so SCHRENK ThWNT 1,750; HUMMEL 1966:132). Der spätere christlich-dogmatische Ausdruck "AT" ist als exegetische Kategorie ohnehin zu meiden. Vielmehr ist auch zu veranschlagen, daß im graecus-ritus-Teil-system der röm. Religion *libri* die geschichtsphilosophisch wichtigen Weis-sagungsbücher bezeichnete, denen man den Geschichtsplan entnahm (CANCIK 1983:562f): *unser schriftlich überliefertes Weissagungsmaterial.*

Wie mt *geschrieben = geweissagt* ist, so hat auch das Komplenym immer einen Bezug zur Weissagung:
ἀναγινώσκω (GUNDRY 641)
  Mt 7 : Mk 4 : Lk 3 + 8 : Joh 1
    =(Mk 4 + 3)
Davon stehen alle Stellen – bis auf die letzte – immer in dem Ignoranz-Vorwurf an die führenden Lehrer Israels
οὐ(δέποτε) ἀνέγνωτε
  Mt 6 : Mk 3 : Lk 1 + 0
    =(Mk 3 + 3)
Mt hat also auch hier eine Wendung der mk Vorlage multipl. Immer folgt eine Schriftanspielung, so daß der Vorwurf immer auch ein Blindheitsbeleg ist: *Ignoranz aus Blindheit.* 12,3(=Mk) setzt in der Sabbatkontroverse mit dem korrigierten(!) David-Beispiel ein und dupl. sofort 12,5 (+Mk vgl. Synonym V.7) mit der Ergänzung *Gesetz* (=LXX-Pentateuch) das Priesterbei-spiel. Beidemale ist ein Handeln als *prophetische Weissagung* aufgeschrie-ben, die in Jesus Erfüllung findet. 19,4(=Mk) führt den Beweis des teufli-schen Widerspruchs der Gegner gegen Jesu Gesetzeslehre mit dem Verweis auf Gen 1–2. Wie hier mit rezitativem ὅτι wird auch an der nächsten Stelle 21,16 das die Vorgänge rechtfertigende Widerspruchszitat Ps 8,3 eingeleitet. 21,24(=Mk) erhält die Einleitungswendung zum Zitat aus Ps 118 den 12,5 analogen, jedoch globalen Zusatz *in* (von Mk 12,26 vorgezogen) *den Schrif-ten = Weissagungsbüchern* und das steigernde Adv. *noch nie* (Mk 2,25 ver-setzt) wie an der vorangehenden Stelle auch. Die letzte Gegner-Stelle 22,31 (+Mk vgl. Synonym V.29) erhält zusätzlich den mt t.t. für *Weissagung* (τὸ ῥηθέν). Da dieser auch an der letzten und einzigen nicht an Gegner, sd. an die Anhänger gerichteten Stelle 24,15 red. vorangestellt ist, so geht diese Aufforderung nicht auf das Verstehen des vorliegenden Buches wie Mk 13,14, sd. ist auf den LXX-Propheten Daniel zu beziehen (SCHWEIZER 215; GUNDRY 481 gg. BALZ EWNT 1,184). Wegen des Adressatenwechsels fehlt die Negation. Jedoch hat Mt damit alle Stellen auf den griech. Tenach bezogen und zu seiner Rezeption in seinem Sinne angeleitet.
νόμος (GUNDRY 646)
  Mt 8 : Mk 0 : Lk 9 + 17 : Joh 14
    =(Mk 0 + 3) + (Q 2 + 3)
(Mit N-A, H-G, GNTCom 39 ist es Mt 15,6 nicht als urspr. LA zu nehmen, und zwar nicht nur wegen der schwächeren Bezeugung, sd. auch weil Mt das Subst. nur abs., nicht aber in dem Syntagma *Gesetz Gottes* verwendet). Da Mk das Lexem nie vorgab, so ist die mt Verwendung als red. Multipl. der Q-Vorgaben zu erkennen. Das gilt vor allem für die mit γραφαί syno-nyme Doppelwendung

ὁ νόμος (καὶ) οἱ προφῆται
    Mt 4 : Mk 0 : Lk 1 + 3
       =(Mk 0 + 1) + (Q 1 + 2)
(Lk 24,44 ist wegen der dreiteiligen Wendung kein direkter Vergleichspunkt). Q-Mt 11,13 sind die Prophetenbücher vorangestellt und mit *alle*
gekennzeichnet, weil die ganze Wendung hier als Subj. der Tätigkeit des
Weissagens erscheint, wie es der mt Verwendung von *Schriften* und *ge-*
schrieben entspricht. Selbst wenn die Doppelwendung urspr. primär die
Gesamtheit des Willens Gottes bezeichnet hat (BERGER 1972:207-27), so gilt
das offenkundig nicht mehr für die Semantik der mt Red. (gg. ebd.223f): Mt
versteht diese Stelle im Sinne seiner Erfüllungszitate, wie der hier unmittelbar voranstehende Text 11,10.14 beispielhaft beweist. Unabhängig
davon, daß der Referenzbezug auf die Bücher "Pentateuch + Jos und die
Folgenden" schon 2Makk 15,9; 4 Makk 18,10 und CD 7,15-17 belegt ist, so
ist schon bei der ersten Dubl. Mt 5,17(+Q) der mt Bücherbezug deutlich: Der
mt Jesus reduziert und minimalisiert sie nicht – wie das nach dem mt Bild
die jüd. Lehrer tun (23,23), sd. vervollständigt und verwirklicht. Die
unmittelbare Wiederaufnahme von *Gesetz* Q-Mt 5,18 als pars-pro-toto-Meto-
nym für die Vollwendung beweist mit dem Hinweis auf die Buchstaben den
Bezug zur Schriftlichkeit:
ἰῶτα (+Q; NT und LXX nur hier) seit AenTact 1506 (4Jh.v.Chr.) Bezeichnung
    der kleinsten griech. Letter (da mt Zusatz nicht unbedingt für hebr./
    aram. *Jot* (BAUER WB 762) als red. Ergänzung zu
κεραία (=Q; NT und LXX nur hier) *Häkchen, Strichlein* am Buchstaben (auch
    für griech. Akzente und Spiritus und von daher metaphor. für etwas *Ge-*
    ringfügiges wie PlutMor 1100A; DioChrys 14 *κ. νόμου*; BAUER WB 847).
    Rahmend weist die red. Wiederaufnahme der Doppelwendung 7,12(+Q) in
der ersten Schlußklammer der Bergrede auf 5,17 zurück, wenn der "eth.
Egoismus" der Goldenen Regel (= Liebesgebot) zugleich als Sachgehalt des
Pentateuch und der Prophetenbücher angegeben wird. In diesem Sinn der
Unterordnung unter das Doppelgebot wird die Doppelwendung auch 22,40
(+Mk) red. verwendet, wobei der Buch-Bezug noch durch den Zusatz *der*
ganze Pentateuch verstärkt ist: "Das Gesetz muß insgesamt, in allen seinen
Geboten, als Weisung der Liebe verstanden werden" (LIMBECK 1977:17).
Dabei ist in der einleitenden, teuflischen Verhöhnungsfrage 22,36(+Mk) –
schon auf die Doppelwendung kataphorisch hinleitend – deren erstes Glied
wieder pars pro toto metonymisch eingefügt. Die Präp. *innerhalb* weist klar
auf das Buch, wie sie dem Red. für die bewußte Umkehrung dieser Relationen in der Entgegnung V.40 wichtig ist. Für Mt gibt es klar eine "Mitte"
seiner LXX als hermeneut. Prinzip: Es ist das außerhalb dieses Textkom-
plexes selbst liegende Vernunftprinzip der Goldenen Regel.
    23,23(+Q) wird im unmittelbaren Anschluß daran das Subst. in der letzten
Verwerfungsrede über die führenden Lehrer Israels nochmals aufgegriffen.
Auch hier dürfte es metonymisch für die Doppelwendung stehen, wenn als
Verwerfungsgrund ihre ⊁*blinde* und falsche Minimierung und Reduktion angegeben wird. Diese Stelle ist grundlegend für die wesentliche, aber leider
oft übersehene Tatsache, daß Mt die jüd. Halacha nicht quantitativ als
Zusatz, sd. qualitativ als ein Weglassen und Abstriche-Machen versteht
(MARTIN 1983:58-60). Schließlich ist auch 12,5(+Mk) deutlich (wie die Präp.
ebenso wie 22,36 ausweist) das Buch gemeint (vgl. auch 21,42), was auch
der Zusammenhang mit *lesen* beweist. Hier dürfte es nun eingegrenzt auf
den Pentateuch zu beziehen sein, da V.3 ein entsprechender Beleg aus dem
prophetischen Schrifttum vorausging und also kein metonymischer Gebrauch
vorliegt.

Μωυσῆς

Mt 7 : Mk 8 : Lk 10 + 19 : Joh 12
=(Mk 8 – 1)

Der Name ist von Mt nicht favorisiert worden – im Gegenteil: Mt ist ganz und nur von Mk abhängig; Q bot offenbar keinen Beleg. Der Name wird auch *nicht* unmittelbar mit *Gesetz* zusammengebracht. Es ist also kein Synonym dafür, eher ein Hyponym – und noch dazu ein sehr eingeschränktes. 8,4(=Mk) wird zwar der Mose-Befehl übernommen, jedoch zugleich zum ↗"Belastungszeugnis" umfunktioniert. Typischerweise wird 15,7 bei dem dem Liebesgebot entsprechenden Dekaloggebot der Elternfürsorge das mk *Mose sagte* (7,10) durch *Gott befahl* ersetzt. Entsprechend interessant ist die Vertauschung in 19,7f, wo die Gegner zwar noch sagen *Mose befahl*, während der mt Jesus entgegnet: *Mose erlaubte euch nur* (Mk 10,3f umgekehrt, was FITZER EWNT 2,1110 leider glatt unterschlägt). In der Sadduzäerkontroverse wird einleitend 22,24(=Mk) das mk "Mose schrieb(!)" im Gegnermund durch *sagte* ersetzt, und in der Entgegnung V.31 hat Gott nicht zu *Mose* (so Mk 12,26), sd. zu *euch* geredet. Der hier ausgelassene Gen. ist nach 23,2 versetzt zur Erstellung der red. Aussage, daß bisher die Gesetzeslehrer den Lehrstuhl des Mose *besetzt* hatten (Aor. einer abgeschlossenen Periode und nicht ein präs. Semitismus; MARTIN 1983:58f mit HAHN 1966:402 gg. ZAHN, KLOSTERMANN, GRUNDMANN z. St.). Bei der Verklärung 17,3f(=Mk) ist die Voranstellung des Mose im ersten Falle keine Betonung, sd. nur eine Angleichung an die zweite Stelle und nennt die beiden wohl nur konsequent in histor. Reihenfolge; Jesus ist als *Gottessohn* klar übergeordnet (schon Vorhersage in 16,28). Die Typologie eines "neuen Mose" hat Mt auch an anderen Stellen nicht beabsichtigt; alle dafür herangezogenen Stellen prädizieren ihn klar als *Gottessohn*, der als direkter Bringer des Willen Gottes Mose weit überlegen ist (GIBBS 1968:44; KINGSBURY 1975: 89–92 gg. BLAIR 1960:133; BORNKAMM 1970:32; HAHN 1966:400–2; MCKENZIE 1968:62–4).

προφήτης (GUNDRY 647)

Mt 37 : Mk 6 : Lk 29 + 30 : Joh 14
=(Mk 6 – 1 + 11) + (Q 9 + 7) + (A–Mt 5)

steht in der Häufigkeit der mt Subst. an 14. Stelle (nach *Bruder* und vor *Wort*). Neben der 4maligen Doppelwendung wird auch 26,56 zur mk Vorgabe *Schriften* red. *der Propheten* ergänzt (vgl. in der Nullform V.54 als Filler zu renominalisieren). In den metakommunikativen Erfüllungskommentaren des Autors ist red. kennzeichnend die Wendung

διὰ (...) τοῦ/τῶν προφήτου/-ῶν

Mt 13 : Mk 0 : Lk 1 + 3

(wobei Lk 1,70 nur im weiteren Sinne eine vergleichbare Analogie ist): 1,22; 2,5.15.17; 3,3(=Mk); 4,14(+Mk); 8,17(+Mk); 12,17(+Mk); 13,35(+Mk); 21,4(+Mk); 24,15(+Mk); 27,9(+Mk) im Sing. wie 2,23 im Plur. (wohl wegen der Vagheit der bloßen Assonanz an LXX-Ri 3,5).

Signifikant ist dabei weiterhin die Setzung des Subst als Attr. zum *Namen* des Autors eines Prophetenbuches des LXX:

Mt 9 : Mk 1 : Lk 2 + 3,

nämlich *Jesaja* 3,3(=Mk); 4,14(+Mk); 8,12(+Mk); 12,17(+Mk); 13,35(+Mk vgl. auch V.17), *Jeremia* 2,17; 27,9(+Mk),

Δανιήλ 24,15(+Mk – was nur für die Klassifikation der LXX, nicht aber für die Hebr. Bibel gilt!) als ntl. Hap. leg., sowie auch *Jona* 12,39(+Q) im Hinblick auf das red. angeschlossene Zitat als paradigmatischen Weissagungsvorgang. Makrosyntaktisch ist dieser Bezug auch 23,35 auf *Sacharja* gegeben: Durch den Zusatz *Sohn des*

Βαραχίας (+Q; NT sonst nie)

aus Sach 1,1.7 wurde red. der Q-Erwähnung des letzten atl. Märtyrers

von 2Chron 24,20f eine Neubestimmung gegeben, um ihn so mit dem namens-
gleichen Schriftpropheten

Ζαχαρίας (=Q)

zu identifizieren (BALZ EWNT 1,472f mit BILL. 1,90–3; 4,422 gg. STECK
1967:33–40 nicht mit dem JosBell 4,334ff von den Zeloten im Tempel 67/8
n.Chr. getöteten Secharja ben Bariskäus). Die bevorzugten Nennung von
Prophetenbuchautoren entspricht der von Mitgliedern des Zwölferkreises bei
den Schülern.

Die Schriftpropheten sind auch im Blick, wenn Q-Mt 13,17 die Zeitdiffe-
renz von Weissagung und Erfüllung markiert. Dabei kommt es zu der typ.
mt Koppelung von Propheten und >Gerechten, die auch 10,41(+Q) wie 23,29
(=Q).30(Q-Lk 11,50 versetzt).31(+Q)+35(+Q) vorliegt. Hier erscheinen die
Propheten als Verfolgte, so daß man schon für Q die Gleichung Propheten =
Märtyrer aufstellen könnte. Schon Q-Mt 5,12 wurden sie als solche als Prototypen der verfolgten Jesus-Schüler eingeführt. Wie 10,41 erscheinen darum
auch Q-Mt 23,24 von Jesus gesandte Propheten in einem Atemzug mit den
alten als Gegenstand der Verfolgung (vgl. 22,34–36 allegor. δοῦλοι). Das
Gerichtswort über Jerusalem Q-Mt 23,29 faßt darum inklusiv die vorjesuan.
wie die christl. von V.31–35 in dem Tötungsvorwurf zusammen (GUNDRY
472f).

Auch der Täufer und Jesus dürften an dieser Stelle eingeschlossen zu
denken sein: Johannes wurde 14,5 (=Mk 6,15 versetzt und von Jesus auf
den Täufer übertragen) so prädiziert, um eine Vorbereitung und Angleichung an 21,26(=Mk) zu schaffen. Schon Q-Mt 11,9a gab das als voraussetzte Volksmeinung vor; wenn V.9b das mit mehr als überbietet, so liegt
darin kein kontradiktorischer Gegensatz, sd. eine partielle Bejahung, die
die richtige Richtung markiert: einer der verfolgten Vorhersager, die man
als von Gott gesandte anerkennt. Das wird durch den Kontrast der jeweiligen Gegner-Urteile im unmittelbaren Kontext noch bestätigt.

Dasselbe gilt dann auch von den Stellen, die die Prophetenbezeichnung
auf Jesus selbst anwenden: Man muß beachten, daß schon die allererste
13,57(=Mk) – unbeschadet ihrer weisheitlich-allgemeinen Fassung – diesen
Bezug als eine Selbstaussage Jesu einbringt. Von daher und in Analogie zu
den Täuferstellen sind dann auch die nachfolgenden ὄχλοι-Bezeichnungen –
gerade im Kontrast zu den jeweiligen Gegner-Urteilen – in 16,14(=Mk); 21,11
(+Mk).46(+Mk) dann auch im Sinne des Mt positiv zu werten (SAND 1974:141
gg. KINGSBURY 1975:88f).

Zur Konkretion des Verständnisses des personalen Subst. dient auch das
Vb.

προφητεύω

Mt 4 : Mk 2 : Lk 2 + 4 : Joh 1

Programmatisch beschreibt es 11,3(+Q) die Tätigkeit aller Schriftvorhersager
wie des Pentateuch; so konnte es auch 15,7(=Mk Jesaja über euch) übernommen werden. 7,22(+Q) sind christl. Vorhersager (wie im Subst. 10,41; 23,34)
angesprochen. In 26,68(=Mk) ist Jesus als Vorhersager Spott-Obj. Statt des
Vb. erscheint 13,14(+Mk) als Einleitung zum Erfüllungszitat das Nom. actionis

προφητεία

Mt 1 : Mk 0 : Lk 0 + 0 : Joh 0

Zur mt Favorisierung der gesamten Wortgruppe ist auch

ψευδοπροφήτης (REILING 1971)

Mt 3 : Mk 1 : Lk 1 + 1 : Joh 0

zu zählen: 24,24(=Mk) als Täter von σημεῖα sind nichtchristl. Vertreter (wohl
jüd. Provenienz) gemeint; von daher sind dann wohl auch die in der vorbereitenden Dubl. 24,11(+Mk) Genannten nicht innergemeindlich gedacht. Schon in
der Schlußklammer der Bergrede 7,15(+Q) dürfte primär eine Warnung vor
jüd. Gestalten vorliegen: Die Vertreter der pharisäisch-rabb. Halacha er-

scheinen als falsche Propheten (vgl. 12,33-37), weil ihnen die Authentizität der mt Gesetzeskomplettierung Jesu fehlt, und darum ihre Lohnvorhersagen ins Leere gehen. Die Vorsilbe charakterisiert sie bei Mt klar als Lügen-Vorhersager und damit als teuflisch.

Auch das mt Gemeindeideal ist offenbar das eines allgemeinen Propheten-tums aller Schüler, das er aber präzis auf das Vertreten seines eigenen Buchkonzepts eingrenzt. Da alle Zukunftsheils- bzw. Unheilsansagen kondi-tioniert erscheinen, so ist auch 7,22 nicht die Prophetie der Jünger als solche zurückgewiesen, sd. nur der Fall im Blick, daß Lehre und Tun, die nach 5,19f eine untrennbare Einheit bilden müssen, auseinanderfallen. Diese Einheit wird auch darin deutlich, daß nicht nur 11,13 auch dem Pentateuch ein Prophezeien zuerkannt ist, sd. umgekehrt die Doppelformel in 7,12; 22,40 auch die Propheten in die normative Funktion einbezieht. Nicht umsonst er-scheint das zentrierende Liebesgebot in 9,13 wie 12,7 in der Formulierung des Propheten Hosea 6,6. So sind auch sie für Mt "Lehrer des Gesetzes" (HUMMEL 1966:133f). Doch fällt auf, daß der Wortstamm dabei offenbar ver-mieden ist. Seine ausdrückliche Setzung markiert also bei Mt mehr den As-pekt der Weissagung von Heils- wie Unheilsereignissen. Mt hat weiter für die Weissagung einen ausdrücklichen t.t. gebildet (STRECKER 1971:50; ROTHFUCHS 1969:40f):

τὸ ῥηθὲν (ὑπὸ κυρίου) (HAWKINS 1909:7 "most distinctive and important")
    Mt 12 : Mk 0 : Lk 0 + 0
        =(Mk 0 + 8) + (Q 0) + (A-Mt 4)

Dieses Pt.aor.pass. in den Einleitungen der Erfüllungszitate setzt mit dem expliziten Hinweis auf die göttl. Urheberschaft 1,22 und 2,15 ein, die damit text-semant. auch bei allen folgenden ellipt. Stellen ausdrücklich als Filler in dem betr. Slot zur Vereindeutigung der Pass.-Form mitzudenken ist (Mt verkürzt hier wie sonst im Wiederholungsfalle): 2,17.23; 4,14(+Mk); 8,17(+Mk); 12,17(+Mk); 13,35(+Mk); 21,4(+Mk); 27,9(+Mk) - ferner ebenfalls zitatbezogen analog und funktionsgleich außerhalb der Erfüllungsformel 22,31(+Mk mit ὑπὸ θεοῦ!) und 24,15(+Mk). Hinzu kommt funktionsgleich einmal die auf den Täu-fer als dem Geweissagten bezogene in 3,3(+Mk) mask. Form, die der neutr. summiert werden kann

ὁ ῥηθείς
    Mt 1 : Mk 0 : Lk 0 + 0.

Strukturgleich steht adäquat synonym substituiert dafür in 2,6 und 11,10(Q) γέγραπται bzw. 26,54.56 γραφαί.

Da die Weissagungen immer zugleich Handlungsvorhersagen sind und da-mit auch Anweisungen sein können, überrascht es nicht, daß Mt diesen Aor. pass. auch in den fälschlich "Antithesen" genannten Erfüllungsformeln als theolog. Pass. verwendet (vgl. Gen 15,13; 1Esr 1,45; vgl. MEIER 1976:132; BROER 1980:75-81): 5,21.27.31(+Q)33.38(+Q).43(+Q):

ἐρρέθη (HAWKINS 1909:5.31)
    Mt 6 : Mk 0 : Lk 0 + 0
        =(Mk 0) + (Q 0 + 3) + (A-Mt 3)

Dabei muß auch in Betracht gezogen werden, daß im Zitat meist ein Ind.Fut. folgt: Erfüllung der Forderungen und Erfüllung der Weissagungen sind teils synthetisiert, teils parallelisiert und durchkreuzen sich bei Mt unaufhörlich, so daß eine strenge Abgrenzung gegeneinander nicht möglich und tunlich ist (HAHN 1983:42-54). Als Adressaten fungieren bei der Eröffnung beider Reihen V.21 und 33 die in Relation zu Jesu (präziser: der jetzigen Genera-tion gegenüber) Früheren (so wohl adäquater als Alten übersetzt)

ἀρχαῖος
    Mt 2 : Mk 0 : Lk 2 + 3 : Joh 0.

σημεῖον
    Mt 12 : Mk 5 : Lk 11 + 13 : Joh 17
        =(Mk 5 + 3) + (Q 3 + 1)
(Gg. MORGENTHALER 1973:140; BETZ EWNT 3,570; GUNDRY 648 nicht 13 Belege
zu zählen, da 16,2b-3 nicht als ursp. LA gelten kann; von der Bezeugung
her ist dieser Zusatz sek., da er schon nach Hieronymus in den meisten ihm
bekannten HS fehlte: GNTCom 41; ALAND 1982:309; SCHWEIZER 217; BEARE
348; wenn dgg. H-G wie GUNDRY 323 nach SCRIVENER und LAGRANGE wieder
die Erklärung einer sek. Streichung aus territorial-klimatischen Gründen für
wahrscheinlich erklären, so ist dieser Vorschlag nicht erklärungsstark genug, da er strikt von Ägypten aus argumentiert, aber nicht andere Bereiche
abdeckt und entsprechende kulturelle Delitionen so sonst nicht in diesem
Textbereich vorkommen).
    Die Verwendung setzt mit Q-Mt 12,39a.b.c ein, wozu die Einleitung 12,38
(+Q) aus der Mk-Dubl. Mt 16,1 dupl. wurde, während dort umgekehrt bei
16,4a.b.c(+Mk) das letzte Vorkommen von Q her ergänzt wurde. Wesentlich
ist ferner, daß Mt bei der ersten Antwort Mt 12,39c ergänzt: der *Beweis*
Jonas – *des Propheten*. Damit wird die Formulierung in Parallele zur Wendung *Prophetie Jesajas* in 13,17 gesetzt, zumal dort ein Erfüllungszitat wie
hier eine atl. Erweiterung aus Jon 2,1 folgt: Das Subst. dürfte für Mt vom
Vb. her noch das Sem des Vorhersagecharakters gehabt haben bzw. reaktiviert worden sein. Die meist unbegründete, verallgemeinernde Wiedergabe
mit *Zeichen* läßt ohnehin die Komplexität des semant. Gehalts von vornherein
nur unzureichend in den Blick kommen. Der Ausdruck bezeichnete seit der
aristotel. Logik auch in der stoischen Rhetorik einen bestimmten, wenn auch
wechselnden Typ von Beweissätzen: "Ein σημεῖον beansprucht ein beweisen-
der, notwendiger oder wahrscheinlicher Satz zu sein" (AristotAnalPriora
27,70a; Quint V,9 unterscheidet *unwiderlegliche* von nur *einleuchtenden*).
    Diese erste mt Auferweckungsweissagung wird, da es sich um einen pa-
radigmatischen Vorgang handelt, in der So/Wie-Entsprechung einer Voraus-
Darstellung dargeboten. Zugleich ist der von Q vorgegebene terminol. Zusammenhang mit *Menschensohn = Vorsehungsplanerfüller* zu bedenken. Von
daher dürfte 24,30(+Mk) das Subst. auch zur vorgegebenen Menschensohn-
Selbstaussage hinzugesetzt haben: V.27 geht wieder eine So/Wie-Menschen-
sohn-Entsprechung voraus: "Gemeint ist die jedermann sichtbare Verwirklichung der von Daniel visionär geschauten Ankunft und Inthronisation des
Endzeitrichters (Dan 7,13f; Sach 12,10-14)" (BETZ ebd.570f).
    Auch 24,3(=Mk) hat im neuen Mt-Kontext einen betonten Bezug zur vor-
anstehenden Propheten-Erwähnung. Die "sichtbaren Verwirklichungen" in
der Doppelwendung σ. μεγάλα καὶ
τέρατα 24,24(=Mk) *Unbegreifliches, Wunder*
    Mt 1 : Mk 1 : Lk 0 + 9 : Joh 1
ausgerechnet der Pseudo-*Propheten*(!) dürfte dann an analoge So/Wie-Ver-
wirklichungen von Vorhersagen bzw. Vorausdarstellungen denken lassen.
Selbst die Substitution 26,48 für das mk Komp. dürfte nicht nur das vorher
vereinbarte Erkennungszeichen des Judas meinen, sd. bewußt auch noch
Judas als Prototyp des *Falschpropheten* konnotieren wollen: Gruß und Kuß
als Symbole der Vertrautheit werden in einen bösen Vorhersage-Verwirkli-
chungs-Kode eingebracht. Der Identifikationssatz *der ist es* hier entspricht
den analogen Verwirklichungsformeln *ebenso ist es* funktional sehr genau.
Mt gebrauchtes σ. meint *Vorhersage-Erfüllung* und gehört bei ihm zum Wortfeld der Prophetie als Weissagung.
'Ησαίας (GUNDRY 644)
    Mt 7 : Mk 2 : Lk 2 + 3 : Joh 4 (NT nur noch Röm 5mal)
        =(Mk 2 + 5)
Die erste 3,3 wie die letzte 15,7 Stelle sind rahmend von Mk übernommen, so

daß die anderen von daher red. gebildet sind. Alle Stellen stehen zur Einleitung von Erfüllungszitaten. Während 15,7 von Mk dazu das entsprechende Vb. übernommen hat, hat er analog dazu 13,14 das Nom. actionis eingeführt, da beidemale die Zitation im Munde der Erzählfigur Jesus erfolgt. Die übrigen dir. Autorzitate selbst sind seit der Umänderung an der 1.Stelle (3,3) mit διά + Gen. eingeleitet und durch das Attribut *des Propheten* ergänzt, wobei durch den Zitateinleitungsbezug immer *Schriftprophet* bzw. *Weissagungbuch* gemeint ist: 4,14; 8,12; 12,17; 13,35.

    Auch an der letztgenannten Stelle dürfte der Name urspr. zu lesen sein (ROTHFUCHS 1969:32 n.28 mit ZAHN, LAGRANGE, KLOSTERMANN), da alle Erfüllungszitate seit 4,14 auf Summarien bezogene Stellen sind und ausnahmslos auf Jesaja bezogen wurden. Die gegenteilige Entscheidung (N-A, H-G, GNT-Com 33, STRECKER 1971:72 n.2; KINGSBURY 1969:157 n.230) beschränkt sich leider auf den methodisch ersten Schritt der "äußeren Gründe", wobei allerdings unberücksichtigt bleibt, daß schon PsClemHom 18,15 ein zusätzlicher Zeuge ist. Vor allem aber ist der "innere Grund" dafür, daß eine Korrektur bei der sek. Weglassung vorliegt (eben weil faktisch ein Psalmzitat folgt), am stärksten zu veranschlagen, jedenfalls noch stärker, als daß ein mechanischer Abschreiberzusatz in mehreren Zweigen erfolgte. Die red. geführte Argumentation, daß Mt nur "glückliche" Prophetien auf Jesaja zurückführe (GUNDRY 270 wie 1967:119), stimmt nicht, wie klar die 13,14 voranstehende wie 15,7 nachfolgende Stelle beweist. Man hat im Gegenteil mit einem Block von 3 negativen Jes-Beweisen zu rechnen, der auf einen Block von 4 positiven folgt. Da Mt auch 27,9 eine analoge Fehlzuweisung vornimmt, so ist sie ihm auch hier zuzutrauen. Schon Porphyrius zitierte (nach Hieronymus) unsere Stelle als Beleg für die Ignoranz des Mt. Eine Auslassung auf breiter Front ist darum als diskrete Korrektur eher anzunehmen. Auch die starke, bis in die Gegenwart reichende Tendenz zur textkritischen Entscheidung für die Kurz-LA dürfte nicht immer frei von solchen unterschwelligen apologetischen Motiven sein. Mt intendiert einen unkritisch affirmativen Leser, der sich beeindrucken läßt, nicht aber einen zu überzeugenden und gegebenenfalls nachschlagenden Leser.

'Ιερεμίας

    Mt 3 (NT sonst nie; JEREMIAS ThWNT 3,218f)
    =(Mk 0 + 1) + (Q 0) + (A-Mt 2)

Da der Namen dieser Prophetenschrift nur bei Mt genannt ist, dürften alle Stellen red. sein: 2,17 und 27,9 steht der Namen in der Einleitungswendung der Erfüllungszitate, wobei es sich um die erste und die letzte mit namentlicher Nennung handelt, während davon eingeschlossen nur Jesaja genannt wird. Außerdem beziehen sich die Jes-Stellen immer auf ein Handeln Jesu, während sich die beiden Jer-Stellen (im letzten Falle noch dazu unzutreffend durch Zusatzassoziation auf das Töpferorakel von Jer 32; WOLFF 1976: 157-60) auf das Handeln von Feinden Gottes und seines Messias' beziehen. Die Feindschaft gegen Gott ist es, in der sich für den Autor das von Gott durch Jer Geweissagte erfüllt. Wenn er die Leute deshalb dann auch seinen Jesus nach Mt 16,14 im red. Zusatz zu Mk 8,28 für Jer halten läßt, so liegt deren Unverständnis nicht nur darin, daß sie die Generation der Erfüllung mit der der Vorhersage verwechseln, sd. auch darin, daß jene in Jesus nur den sehen, der die Gottesfeindschaft und das darauf folgende Unheil enthüllt (GNILKA 1961:104f; ROTHFUCHS 1969:38f,43f gg. JEREMIAS ebd.220f nicht nur "mechanisch" genannt). Da 2Makk 2 und 15 noch nicht von einer Wiederkehrerwartung reden, so ist auch die daher abgeleitete Erwartung einer Bundeserneuerung (FRANKEMÖLLE 1974:233f) als überzogen abzulehnen (eine Erwartung ergab sich eher aus einer Parallelisierung des Jer mit Mose - WOLFF ebd.26-9 - doch ist sie für Mt nicht vorauszusetzen, sd. anzunehmen, daß er ad hoc im Zusammenhang seiner beiden anderen Stellen konstruierte).

'Ιωνᾶς

Mt 5 : Mk 0 : Lk 4 + 0 (NT sonst nie)

12,39.40.41b.c(=Q) ist bei seiner Übernahme nicht nur durch die Kenn-zeichnung *Prophet* erweitert und durch das Zitat LXX-Jon 2,1 auf die Re-habilitierung des verworfenen Gerechten hin umgedeutet worden, sd. hat damit auch das Hauptmotiv der paradigmatischen Jona-Verwendung von 3Makk 6,8 aufgenommen (Mt kennt und benutzt 3Makk offenbar ausgiebig). Wenn Mt 16,4 zur Mk-Dubl. den Q-Bestandteil ausdrücklich red. wieder renominalisiert, so will er genau an diese Form der Auferweckungsweissa-gung nochmals erinnern. Im Zusammenhang damit ist auch die unmittelbar nachfolgende Renominalisierung im Komp. zu sehen. Wenn 27,15ff schon Bar-Abbas den Namen Jesus gibt und damit den einen Sohn des Vaters mit einem anderen – dezidiert falschen – literarisch stärker charakterisiert, so ist analoges auch bei der red. Simon-Benennung

Βαριωνᾶ (NT und LXX sonst nie)

Mt 16,17 im Anschluß an V.4 anzunehmen (GOULDER 1974:387; als weiter-führende Interpretation des Jona-Zeichens; GREEN 1984:170). Bei dieser Stelle zur Selbstlegitimation des Buches durch den vermeintlichen Offenba-rungsmittler (also als "Petrusevangelium"; SCHENK 1983b) soll Simon als "Nachkomme des Jona" und damit als *Prophet* im mt Sinne gekennzeichnet werden und damit verstärkt auf die Gültigkeit des Verwerfungs/Rehabilita-tions-Schemas verwiesen werden. Dies gilt um so mehr, als weiter auch V.18 aus 3Makk 5,21 ein wesentliches Syntagma des dortigen Verwerfungsschemas verwendet.

'Ηλία

Mt 9 : Mk 9 : Lk 7 + 0 : Joh 7 (NT nur noch Röm 11,2; Jak 5,17)

=(Mk 9)

Mt ist in seiner Verwendung ganz von Mk abhängig und hat die erste Stelle Mk 6,15 aus dem Mund anderer in die einleitende Schlüsselstelle im Munde Jesu 11,14 zur Identifikation mit dem Täufer permutiert. Damit ist die 16,14(=Mk) referierte Meinung, daß Jesus Elijah sei, von vornherein als Fehlmeinung erkennbar gemacht, wenngleich daran richtig ist, daß Jesus ein analoges Geschick von seinem Volk einerseits und von Gott andererseits erfahren wird: Mt hat dabei das mk Konzept vom verfolgten und durch Entrückung rehabilitierten Elijah voll übernommen; er läßt ihn nach dem Täufertod 17,3f(=Mk) als erhöhten Elijah wieder erscheinen und erklärt 17,10.11.12(=Mk) sogleich diese Identifikation. So ist auch die letzte Übernahme im Gegnermund beim Tode Jesu 27,47.49(=Mk) von vornherein ironisch abgetan und soll den Leser nur nochmals durch Stichwortnennung an das grundlegende Gesamtkonzept erinnern.

γρηγορέω

Mt 6 : Mk 6 : Lk 1 + 1 : Joh 0

(=Mk 6)

Mt hat die beiden Blöcke mit je 3 Verwendungen in der Endzeitrede und unmittelbar anschließend beim Gethsemanegebet übernommen. Dabei ist der Imp. 24,42(=Mk 13,35) zur Schlußmahnung der eschatol. Jona-Entsprechung gemacht worden; das Obj. ist zum Kommen *eures Herrn* präzisiert wie der Tag durch die Nähe qualifiziert (ποίᾳ); V.43 hat allegor. das Vb. von Mk 13,34 permutiert, um den gleichen Zusammenhang mit der qualifizierten Nähe wiederholend zu unterstreichen. Diese Einsetzung in den Q- Zusammenhang wird zugleich V.44 in einen Synonymzusammenhang mit ≻ἕτοιμοι γίνεσθε gesetzt. Ehe 25,13 die Schlußmahnung mit dem Mk 13,36 permutierenden Imp. wiederholt, hatte er V.10 auch ἕτοιμοι von V.44 dupl., womit er also eine chiastische Verwendung (A V.42f : B V.44 – B' V.10 : A' V.13) herstellt. Diese text-semant. Beobachtungen belegen, daß Mt *Wachen* metaphor. für

Bereitsein verwendet (WELLHAUSEN 127; KLOSTERMANN 201; JÜLICHER 1910: 455 "gerüstet sein"). Das entscheidende Sem ist auch in der Jungfrauenallegorie die Vorbereitung und das Vorbereitetsein. Darum ist eine Differenzierung von Tradition und Redaktion hier verkehrt angesetzt, wenn sie von einer isolierten Wortsemantik ausgeht und behauptet: "Diese abschließende Mahnung zum Wachbleiben verfehlt den Sinn des Gleichnisses. Sie schlafen ja alle, die klugen ebenso wie die Törichten (V.5). Das Schlafen wird auch nicht getadelt, sd. das Fehlen des Öls in den Gefäßen der törichten Jungfrauen" (JEREMIAS 1966:48f; KÜMMEL 1967:33,50; VIA 1970:120 – aus der isolierenden Wortsemantik werden dann falsche traditionsgeschichtliche Folgerungen abgeleitet). Diese Alternative ist so nicht aufrecht zu erhalten; denn die Mahnung zur Bereitschaft, die V.13 in metaphor. Gestalt mit *Wachen* gibt, verfehlt nicht den Sinn der vorliegenden Allegorie, sd. entspricht ihm: Das nicht Gerüstetsein im Fehlen des Öls (= gute Werke) und nicht das (ebenfalls allegor.) Schlafen ist in der Tat der mt Skopos (SCHENK 1978:282f). Die Gerichtsbereitschaft im Tun des Willens des Vaters entspricht dem im verbindlichen Gebetsformular 6,10 artikulierten mt Grundkonzept. So wundert es auch nicht, daß die exemplarische Verstärkung des Imp. 26,38 mt unterstreichend "mit mir" zufügt und damit "Beten" von V.36 synonym renominalisiert, wie V.40 dasselbe Präp.-Syntagma wiederholend anschließt und V.41 die beiden Vb. im Hendiadyoin wiederholt. Mt hat also auch hier noch die voranstehend geschaffene semant. Kodierung der Bereitschaft im Sinn. Auch mt *Beten* ist wie *Wachen* ein mt Metonym dieser *Bereitschaft*. Dieses Beten ist ein Teil des mt Religionsgesetzes, das man zur Erlangung der Belohnung mit individueller Unsterblichkeit erfüllen muß.

Schlafen ist nie direktes Antonym, sd. nur noch assoziativ damit verbunden (gg. NÜTZEL EWNT 1,638f ist "fließend" eine meta-semant. nicht brauchbare Kategorie):
καθεύδω
    Mt 7 : Mk 8 : Lk 2 + 0 : Joh 0
        =(Mk 8 – 1)
Nicht zufällig hat Mt 8,24 wohl Jesus als ersten Schlafenden eingeführt und die abschließenden, auf die Jünger bezogenen Stellen 26,40.43.45 sind mehr Feststellungen als Tadel; die Schlußstelle gibt eine inhaltliche Füllung mit "Ausruhen"(=Mk). Solches selbstverständliches menschl. Schlafen erscheint auch unbetont in der Zeitangabe der Allegorie 13,25 (Mk 4,27 permutiert). Mt 9,24(=Mk) liegt im Wort Jesu nicht ein unbetonter Euphemismus für "Tod" vor, vielmehr wird er hier im Blick auf das Erweckungswunder betont "vorläufig charakterisiert" (VÖLKEL EWNT 2,545; HOFFMANN 1966:203). Mt 25,5 (=Mk 13,36 permutiert) ist der natürliche Schlaf von vornherein Allegorie für den – auf das Endgericht hin vorläufigen – Tod, während das natürliche Element direkter in dem voranstehenden
νυστάζω *Einnicken* (NT nur noch 2Pt 2,3) liegt. Synonym ist red.
κοιμάομαι 28,13(+Mk) *schlafen* wie 27,52(+Mk) Pt. *verstorben*.
    Mt 2 : Mk 0 : Lk 1 + 3 : Joh 2 (NT sonst Pl 9mal; 2Pt 3,4)
ὕπνος
    Mt 1 : Mk 0 : Lk 1 + 1 : Joh 1 (NT nur noch Röm 13,11)
als Nom. actionis hat 1,24 mit dem gleichen Komplenym ἐγείρω.
γυμνός
    Mt 4 : Mk 2 : Lk 0 + 1 : Joh 1
        =(Mk 2) + (Q 0) + (Λ-Mt 2)
Bekleidungsmangel als "Schutzlosigkeit der Armen" (BALZ EWNT 1,641) ist Mt 25,36.38.43.44 durch Vorziehung von Mk 14,51f genannt und dupl., wobei Jak 2,15 die Verbindung mit "Bruder" V.40 inspiriert haben dürfte, während neben Mk 14,51f auch noch 1Kor 4,11 und Röm 8,35 den Verfolgungszusammenhang nahelegten. Den Beraubungszusammenhang hatte schon Q-Mt 5,40

beispielhaft in Blick genommen, wenn der Pfandnehmer das weniger wertvolle sackartige *Untergewand* nehmen will (REBELL EWNT 3,1121f; STRECKER
1984:87):
χιτῶν
  Mt 2 : Mk 2 : Lk 3 + 1 : Joh 2 (NT nur noch Jud 23)
      =(Mk 2 – 1) + (Q 1)
Das seit Homer im Griech. verwendete semit. Lehnwort hat Mt noch 10,10
(=Mk 6,9) in der Anweisung, nicht 2 Untergewänder mitzunehmen, während
er es 26,65 von den Hohenpriestergewändern Mk 14,63 wohl als inadäquat
empfand und durch *Obergwänder* ersetzte:
ἱμάτιον
  Mt 13 : Mk 12 : Lk 10 + 8 : Joh 6
      =(Mk 12 – 2 + 2) + (Q 1)
Metaphor.-beispielhaft steht es vom "alten Gewand" Mt 9,16a(=Mk).b(+Mk
dupl.), im Plur. von der Kleidung überhaupt, die man auf die Reittiere wie
auf den Weg legt 21,7f(=Mk), aus dem Haus holt 24,18(=Mk Sing.), 27,31(=Mk)
Jesus wieder anzieht, 29,35(=Mk) aber verteilt (RADL EWNT 2,458f). Jesu
Kleidung (Plur.) ist 17,2(=Mk) Gegenstand himmlischer Verwandlung wie sein
Überwurf 9,20f(=Mk) im Einzelfalle und 14,36(=Mk) summarisch Gegenstand
bittender, heilungsuchender Berührung (vgl. als Zaubermaßnahme PGM 7,
371), wobei Mt 14,36(=Mk) und 9,20(+Mk) nur den "Saum" als äußersten
"Rand" (Sing.) hervorhebt (Sach 8,23 gg. SCHLATTER 317), während er den
Plur. 23,5(+Q) abs. für die blau-weißen Schaufäden der 4 Ecken des Oberge-
wands der "Pharisäer" geißelt, die sie nach Num 15,38f; Dt 22,12 zur stän-
digen Erinnerung an alle Gebote trugen (SCHNEIDER ThWNT 3,904; BILL 4,
276–92), wovon Mt seinen Jesus sicher abhebt:
κράσπεδον
  Mt 3 : Mk 1 : Lk 1 (NT sonst nie; LXX 5mal). Voran steht dabei
φυλακτήριον (NT sonst nie) *Schutzmittel, Amulett*
    (JosAnt 15,249; PlutMor 275a, 377b), womit Mt die jüd. Gebetsriemen
(Tephillin nach Ex 13,9.16; Dt 6,8; 11,18: BILL 4, 250–76) an Stirn und Hand
(Arist 159; JosAnt 4,213; Kapseln mit Pergamentröllchen, die Ex 13,1–10.11–16;
Dt 6,4–9; 11,13–21 enthielten und 4Q gefunden wurden) wohl bewußt abwer-
tend bezeichnet (gg. KLOSTERMANN 182 wohl nicht nur die Größe kritisie-
rend).
σής 6,19(+Q).20(=Q) *Motte* (bzw. deren Raupe als kleiderzerfressend)
  Mt 2 : Mk 0 : Lk 1 (NT sonst nie; LXX 12mal)
ἐντυλίσσω 27,59(+Mk wie Lk zur Vermeidung von mk ἐνειλέω) *einwickeln*
  Mt 1 : Mk 0 : Lk 1 : Joh 1 (NT und LXX sonst nie; BAUER WB 535) mit
σίνδων *Leinwand*
  Mt 1 : Mk 4 : Lk 1 (NT sonst nie; LXX 4mal), was Mt (wie Lk) nur hier
einmal übernimmt, hingegen für ein Kleidungsstück (Mk 14,41f) ausläßt.
ἐπίβλημα *Flicken, (Flick-)lappen*
  Mt 1 : Mk 1 : Lk 2 (NT sonst nie; LXX nur Jes 3,22).
ῥάκος 9,16(=Mk – NT sonst nie; LXX 3mal) *Stoffstück* (BAUER WB 1455)
ἄγναφος 9,21(=Mk – NT und LXX sonst nie) *ungewalkt*
ῥαφίς 19,24(=Mk – NT und LXX sonst nie) *(Näh)nadel* zusammen mit
τρῆμα (01 B bzw. LA N-A τρύπημα) *Loch, Öffnung*. Die Häufigkeit der singulä
ren Schneiderei-Metaphorik, die Mk vorgab, scheint auf dessen soziale
Identität oder Herkunft zu weisen.
ἔνδυμα (HAWKINS 1909:5; BARTH 1970 55; GUNDRY 643)
  Mt 7 : Mk 0 : Lk 1 + 0 (NT sonst nie; LXX 15mal)
      =(Mk 0 + 2) + (Q 1 + 4)
Das Abstr. *Kleidung* ist 6,25(=Lk 12,23) abs. in Relation zu "Körper" und als
Komplenym zu "Nahrung" von Q übernommen und wohl auch zur Einleitung
der Entfaltung V.28 vorgegeben gewesen und von Lk verallgemeinernd ab-

geändert worden. Es ist in Relation zu Gottes Handeln "weniger", weil es durch die menschl. Arbeit *spinnen*
νήθω V.28(=Q; NT sonst nie; LXX 10mal)
    entstanden ist. Alle übrigen red. Stellen stehen mit Gen. Attr.: 7,15 (+Q) "Schafskleidung", 22,11f(+Q) "Hochzeitskleidung"; "seine Kleidung" mit qualitativer Näherbestimmung steht einleitend an der ersten Stelle 3,4(+Mk) statt des mk Vb. für den Täufer und abschließend an der letzten 28,3(+Mk statt στολή, was Mt auch bei Mk 12,38 ausließ und durch "Schaufäden" und "Amulette" ersetzte). Die Einleitungsstelle hat Mt augenfällig in paradig-matischer Absicht auf die nachfolgende Q-Stelle hingeordnet, da er auch das Komplenym dort einfügte, um mit der doppelten Angleichung dann in der Warnung vor sorgendem Luxusstreben schon an den Täufer als Beispiel rückerinnern zu können: das Täufergewand ist aus Kamelhaaren. Selbstver-ständlich akzeptiertes Beispiel ist die Täuferkleidung auch in der eine selbstverständliche Bejahung voraussetzenden Argumentationsfrage Q-Mt 11,8 mit dem antithet. Adj. *weichen* (ellipt. sc. ἱμάτια, was Lk 7,25 noch hat) der Königshäuser (wie 6,29 die Pracht Salomos das Antonym bildete, was an beiden Stellen erinnernd zusammengebunden ist durch
ἀμφιέννυμι 6,30[=Q Lk hell. -άζω; B-D-R 29,2; 73 n.1]; 11,8[=Q] *(be)kleiden*
    Mt 2 : Mk 0 : Lk 1 [NT und LXX sonst nie] synonym dazu
φορέω 11,8[+Q] *fortwährend, gewohnheitsmäßig tragen*
    Mt 1 : Mk 0 : Lk 0 : Joh 1 [NT epistolisch 4mal; LXX 6mal]):
μαλακός
    Mt 2 : Mk 0 : Lk 1 (NT nur noch 1Kor 6,9 für Personen; LXX 3mal)
Für Jesus ist eine analoge Antonymie in der Verspottung eingebracht, wo Mt 27,28.31 das mk πρφύρα (was nach Appian BellCiv 2,150 ebenfalls den roten Soldatenumhang der Römer bezeichnen konnte) durch
χλαμύς (Appian BellCiv 2,90; PhilFacc 37)
    Mt 2 (NT und LXX sonst nie)
ersetzte; im ersten Falle ist das röm. *paludamentum* durch die Kriegsfarbe näher gekennzeichnet (MICHEL ThWNT 3,813f)
κόκκινος
    Mt 1 (NT nur noch Hebr 9,19; Apk 17,3f; 18,12.16). Prinzipielles Antonym:
σάκκος 11,21(=Q – NT noch Apk 2mal) *Sack/Trauergewand* (semit. Lehnwort)
ἐκδύω
    Mt 2 : Mk 1 : Lk 1 (NT nur noch 2Kor 5,4)
hat Mt 27,28 (gg. das mk Antonym wohl gg. 01^2 B D 1424 pc it sy^s urspr.) für das vorbereitenden Ausziehen und V.31(=Mk) für das Ausziehen des *paludamentum* (biograph. Topos des sterbenden Königs wie DioChrys 4,67; ROBBINS 1984:188–91) in Relation zum Antonym
ἐνδύω
    Mt 3 : Mk 3 : Lk 4 + 1 : Joh 0,
das noch 6,25(=Q) und 22,11(+Q) im Sachzusammenhang steht, während Mk 1,6 abgeändert und 6,9 ausgelassen wurde. Synonym ist
περιβάλλω (GUNDRY 647)
    Mt 5 : Mk 2 : Lk 2 + 1 : Joh 1 (NT nur noch Apk 12mal)
        =(Mk 2 + 0) + (Q 1 + 1) + (A-Mt 1),
das Q-Mt 6,29 übernommen und wohl auch V.31 vorgegeben ist; 25,36.38.43 ist es im Zusammenhang mit dem Antonym γυμνός von Mk 14,51 permutiert und multipl., so daß auch einer der Belege als Permutation von Mk 16,5 ge-wertet werden darf. Synonym verwendete 27,28(=Mk – mit wechselndem Obj.)
περιτίθημι
    Mt 3 = Mk 3 : Lk 0 + 0 : Joh 1,
das noch 21,33(=Mk) vom Zaun wie 27,48(=Mk) vom Schwamm um das Rohr übernommen wurde.
γυνή ⊅γάμος

γωνία
Mt 2 : Mk 1 : Lk 1 + 2 : Joh 0
Während A-Mt 6,5 *Straßenecken* als Ort der Öffentlichkeit (*Kreuzung* – ein
Hinweis auf das Milieu des Mt in einer größeren Stadt; Antonym ≯κρυπτόν)
bezeichnet sind, hat 21,42(=Mk) das Begründungszitat LXX-Ps 117,22 für die
Rehabilitation des Gerechten als Wandlungswunder "den *Grundstein* an der
äußersten (vordersten) Ecke, mit dem ein Bau begonnen, in seiner Lage
festgelegt und in seiner Richtung bestimmt wird" (KRÄMER EWNT 1,647 gg.
JEREMIAS nicht *Schlußstein*), im Blick.

δαιμονίζομαι (Pass.; GUNDRY 642)
Mt 7 : Mk 4 : Lk 1 + 0 : Joh 1 (NT und LXX sonst nie)
    =(Mk 4 – 1 + 2) + (Q 0 + 2)
Die mt Verwendung ist allein von Mk verursacht. Das Pt. des ersten, bei Mk
1,32 nachgeordneten Summariums ist in dem mt Eröffnungssummarium Mt
4,24 – bzw. der Anordnung nach eher in seinem 2. Summarium 8,16 – übernommen und an der jeweils anderen Stelle dupl. worden. Der zu den beiden
Besessenen von Gadara verdoppelte Besessene von Gerasa wird mit dem Pt.
schon einleitend Mt 8,28 (Mk 5,15 permutierend) und dann bei der Beschreibung der Wirkung des Handelns Jesu 8,33 (Mk 5,16 permutierend) benannt.
Aus der 3. Stelle dieser Perikope, dem einzigen Pt.Aor. Mk 5,18 (das Lk 8,36
"der ehemalige Besessene" als seine einzige Stelle übernimmt), hat Mt 8,31
permutierend das ntl. Hap.leg.

δαίμων
    gebildet, das ihm hier darum wichtig war, weil er V.32 nicht etwa die
Schweine, sd. die "Dämonen" selbst sterben läßt und so den vorzeitigen Tod
der Dämonen durch den König Israels zur zentralen Aussage der chiast.
Komposition von Mt 8-9 überhaupt gemacht hat. Die red. Einleitung zu dem
dupl. Beelzebul-Vorwurf Q-Mt 9,32; 12,22 benutzt den Sing. des Pt.Praes.,
womit die beiden Summarien vom Anfang weiter konkretisiert werden. Mit
diesen Summarien sind diese beiden Stellen auch dadurch verbunden, daß
das Pt. Obj. von ≯προσφέρω ist. Aus den 3 Pt.Praes. des Mk hat Mt also 6
gemacht, wobei aus der einen Plur.- Form bei Mk 4 geworden sind. Die
letzte Stelle Mt 15,22 verwendet das finite Vb. in der Begründung der
Heilungsbitte (kausales Asyndeton), das dort aus dem Subst. δαιμόνιον von
Mk 7,26 entstanden ist. Dabei ist es noch mit dem Vorzugswort ≯κακῶς red.
verbunden, das auch in den Summarien 4,24; 8,16 eng mit dem Pt. verbunden und zuletzt in dem Summarium 14,35 verwendet war, so daß dieser Zusammenhang wieder betont nachfolgend als Beispiel erinnert ist: "Sie wird
von einem Dämon gequält und krank gemacht". Daher dürfte Mt mit der bevorzugten Verwendung des Vb. auch im Pt. das Moment hervorheben, daß
diese Menschen von Dämonen "Geschädigte" sind. Das stimmt zu der mt Tendenz, die direkten Exorzismen zu reduzieren (BAUMBACH 1963:118-20) und
wesentlich nur von "dämonisch verursachten" Krankheitsbildern zu reden
(vgl. die Verwendung von ≯θεραπεύω und Synonymen im Kontext der jeweiligen Perikopen). Deutlich ist das Zurücktreten des subst. Neutr. des Adj.
(BÖCHER EWNT 1,649), das Mk wie Q vorgaben:

δαιμόνιον
Mt 11 : Mk 11 : Lk 23 + 1 (LXX 19mal)
    =(Mk 11 – 8) + (Q 5 + 3)
Mt 7,22 übernahm für das Schülerhandeln versetzt Mk 9,38, den Auftrag Mt
10,8 entsprechend Mk 3,15 (bzw. 6,13) und die letzte Stelle 17,18 versetzt
aus der letzten mk Stelle, wo es den Erfolg einer Therapie Jesu bezeichnete
(Mk 7,29f – in Verbindung mit ≯ἐξέρχομαι). Aus Q übernommen sind Mt 11,18
der referierte, disqualifizierende Vorwurf über den Täufer einerseits und
die Beelzebulkontroverse 12,24a.b.27.28 (dupl. 9,33.34a.b). Noch stärker
reduzierte Mt das synonyme, dämonologische

πνεῦμα
  Mt 4 : Mk 14 : Lk 12
      =(Mk 14 - 12) + (Q 2)
Im 2. Summarium Mt 8,16 wird das Subst. ein einziges Mal abs. gebraucht
(und konnte da als Renominalisierung des voranstehenden Pt.Pass. so eingeführt werden) als das versetzte Relikt der ausgelassenen, bei Mk 1,27
voranstehenden Perikope. Das seit Jub 10,1f synonyme Syntagma "unreiner
Geist" ist nur Mt 10,1 als einzige der 11 mk Stellen aus Mk 6,7 für die
Schülerbevollmächtigung übernommen. Dasselbe Syntagma geht 12,43 und in
der synonymen Wiederholung "bösere Geister" 12,45 auf das "dämonologische
Summarium" (BÖCHER EWNT 1,652) von Q zurück, wo sich diese Terminologie
einmalig findet. Mt hat sie als eine Gesamtcharakteristik der "Führer Israels" (V.38) und zu einer weissagenden Definition "dieser letzten Generation" überhaupt V.45 gemacht. Damit sind sie von Mt ebenso wie die gadare-
nischen Besessenen 8,28 stärker ethisiert als Träger gefährdender Macht
(BAUMBACH 1963:86-88; 119f). Auch Jesu vorbildliches Handeln ist ethisiert
als Ausdruck seines dienenden Gehorsams und erscheint nicht als ein sich
durchsetzender Kampf. In der ethisierten Dämonologie des Mt sind Dämonenaustreibung und Sündenvergebung zwei Varianten der Bekehrung von der
Teufelsherrschaft zum in Jesu präsenten Gottkönigtum, wie Mt 12,22ff (inklusive der kollektiv gewendeten Allegorie vom Rückfall V.43-45 in Relation
zu V.28).

Βεελζεβούλ
  Mt 3 : Mk 1 : Lk 3 + 0 (NT und LXX sonst nie)
Noch ehe Mt diese von Q und Mk überkommene Ablehnungsbezeichnung als
solche bringt, hat er 9,34 den Vorwurf als Fürst der Dämonen die Dämonen
austreibend dupl. (bzw. die Q-Fassung versetzt konservierend) eingeführt,
um einerseits Zusammenhang und Überbietung gegenüber dem Täufervorwurf
11,18 schon einleitend herauszustellen und andererseits das Zentrum der
Aussendungsrede 10,25(+Q) vorzubereiten, wo er die Gleichheit des Verfol-
gungsschicksals der Schüler mit dem Lehrer red. ergänzend damit verdeutlicht, daß beide mit diesem Wort als direkt bezeichnendem Schimpfwort
belegt werden, wobei er offenkundig die so gewendete Variante von Mk 3,22
permutiert hat. Mt kennt den Vorwurf offenbar nicht aus der direkten Erfahrung, sondern nur literarisch vermittelt. Auch für seine Leser setzt er
die Kenntnis von Mk und Q voraus, da er 9,34 nur die Erklärung und 10,25
nur die Bezeichnung anführen konnte. Für den unkundigen Leser wird die
Identifikation beider dann Q-Mt 12,24 direkt hergestellt und auch die Bezeichnung direkt wiederholt. Die Q-Vorlage macht aber auch klar, daß ihr
Jesus - anders als der mt nach 10,25 - noch nicht damit identifiziert war.
Mt hat das instrumentale ἐν, das Q und Mk vorgaben, in ein modales umgewandelt.
  Die Ursprünge der Bezeichnung bleiben dunkel. Die in Ol B immer durch
Elimination von λ in der Wortmitte auftauchende Namensform ist sicher eine
nachträgliche Hell. durch Vermeidung der ungriech. Konsonantenfolge λζ
(GASTON 1962:647). Die Identifizierung in der Wortform "Beelzebub" mit dem
verballhornten Namen des Stadtgottes von Ekron aus 2Kön 1 ist erst von
der Vulgata (im Anschluß an Altlateiner) und syr. Übers. nachträglich hergestellt worden. Für Mt ist klar, daß er die von Mk wie Q vorgegebene
Identifikation mit dem Satan übernommen hat. Die Wendung "Fürst der Dämonen" hat zwar auch Jub 17,16(griech.), doch läßt sich einerseits kein einziger Engelname nachweisen,(der mit b'l gebildet wurde wie andererseits im
Frühjudentum eine Identifikation von Mensch und Satan oder einem Dämo-
nenfürsten ebenso unbelegt ist wie die Vorstellung, einen Besessenen mit
Hilfe eines Dämons zu heilen: "Herr der Wohnung" war offenbar keine Größe
der frühjüd. Dämonologie; da es nur christl. belegt ist, so ist wohl der

Ursprung hier zu suchen. Doch überzeugt weder der Vorschlag, von red. Mt 12,6 auszugehen und es als verketzernde Fremdbezeichnung eines Anspruchs Jesu, "Herr des Tempels" zu sein, anzusehen (GASTON 1962), noch der andere, als "Herr der Wohnung(= des Himmels)" eine direkte Jesus-Bezeichnung zu sehen, mit der jesuanische wie rabb. Schüler gleichermaßen gewirkt hätten (LIMBECK 1973; 1974:294–303), da die entsprechende Argumentationsfrage 11,27 ja auf eine Abweisung und positiv auf Gottes Geist/Kraft in beiden Fällen ausgerichtet ist. Für eine Ableitung aus dem altugaritischen ba'al z^{e}bul "Herr der Erhabenheit" (BÖCHER EWNT 1,507 mit MACLAURIN 1978) fehlen die Brückenglieder. Für Mt ist es klar eine weitere Teufelsbezeichnung. Darum muß man seine "Teufelsengel" auch mit den "Dämonen" gleichsetzen.

σατάν(ᾶς)

   Mt 4 : Mk 6 : Lk 5 + 2 : Joh 1
      =(Mk 6 – 2)

Mt verwendet diese semit. Bezeichnung *Widersacher* (LXX 3mal) reduziert und nur in Abhängigkeit von Mk (BAUMBACH 1963:105): Doppelt in der Argumentationsfrage 12,26 (Mk 3,23 permutiert und mit einem Beleg auf Q zurückgehend) und rahmend dazu in den red. betont gleichlautenden Befehlen zum Aufgeben 4,10 (von Mk 1,13 permutiert) und 16,23(=Mk) Petrus gegenüber, doch mit dem Unterschied, daß dieser darüber hinaus zurück in die Nachfolge (ὀπίσω μου) verwiesen wird. Zugleich wird hier im Anschluß an das Verwerfungs/Rehabilitationsorakel eine von Mk übernommene Gleichsetzung mit einem Denken τὰ τῶν ἀνθρώπων hergestellt, die für die dualist. Anthropologie des Mt als grundlegende Wertungskategorie typ. ist.

διάβολος (GUNDRY 643)

   Mt 6 : Mk 0 : Lk 5 + 2 : Joh 3
      =(Mk 0) : (Q 4 + 2)

Q–Mt 4,1.5.8.11(=Lk 4,2.3.6.13) führt Mt das subst. Adj., in dem jeder griech. Sprechende den Sinngehalt *verleumderisch* heraushörte (nicht aber den Etymologismus "durcheinanderwerfen"; über das "latinisierte *diabolus* entstand das dt. Lehnwort *Teufel*"; BÖCHER EWNT 1,715) in der Funktion des falschen Gesetzeslehrers schlechthin ein. Die Funktion in seinem Buch ist indessen durch "Versuchung Jesu" nicht beschreibungsadäquat wiedergegeben, da er es in der doppelteiligen Vorstellung seines Jesus in Strukturparallele zu 2,1–21 anordnet und gerade auf die Nicht-Gefährdbarkeit der endzeitlich in der Welt erschienenen Weltschöpfungsordnung (= Weisheit = Gesetz = Sohn Gottes) abhebt. Der antijüd. Zug wird dadurch betont, daß mt als zweiten Ort der Handlung "heilige Stadt" V.5 betonend substituiert, wie er den universalen Wirkaspekt V.6 durch den Zusatz *Menschheit* (κόσμος) zu "alle Königreiche" hervorhebt. Der Wirkungsradius des *Verleumders* umfaßt sowohl das Zentrum des Judentums wie alle Weltreiche.

   Multipl. hat Mt die Q-Bezeichnung in seinem Allegorie-Kode 13,39 als dem bösen Sämann, der seine "Söhne" säte, sowie 25,41 als der, für den (und seine "Engel") das "ewige Feuer" schon immer vorbereitet ist. Durch die Allegorie 13,39 wird zugleich auch das Substitut

ἐχθρός (GUNDRY 644)

   Mt 7 : Mk 1 : Lk 8 + 2 : Joh 0
      =(Mk 1 + 3) + (Q 1 + 2)

in 13,25(αὐτοῦ).28(auch wenn typ. mt nachgestellt ἀνθρώπου folgt) als eine daraufhin entworfene 4. Kennzeichnung bestimmt (die Allegorie ist eine mt Umdichtung der "selbstwachsenden Saat" Mk 4,26–29 zur Rivalität zweier Vegetationen, wobei weiter die "Spreu" von Q-Mt 3,12 in Erzählung umgesetzt wurde): Er ist der Feind des Menschensohns (BAUMBACH 1963:105); es handelt sich um eine mt ad-hoc-Bildung, da es "überaus unwahrscheinlich ist, daß ἐχθρός eine geläufige frühjüd. Teufelsbezeichnung war" (LIMBECK

1974:279f; ApkMos 2,7.15.25.28 liegt eine analoge ad-hoc-Bildung vor, wobei es aber um zwischenmenschliche Feindschaft überhaupt geht, die Mt dualistischer sieht).

Der einzige Mt 22,44 (LXX-Ps 109,1) aus Mk übernommene Plur. "deine Feinde" steht im mt Sachzusammenhang als letzte Äußerung an die Lehrer Israels in einem Sachbezug dazu und ist semantisch gefüllt als auf diese Teufelssöhne bezogen zu verstehen. Diese Stelle dürfte dann Mt 13,25 überhaupt erst durch Dupl. inspiriert haben. In der red. Vervollständigung des Zitats Mi 7,6 in Q-Mt 10,36 geht es klar um christol. begründete Verfolgung, so daß das Element des Teuflischen auch hier mitzuhören ist; auch hier geht es um Dupl. der "Feindesliebe" Q-Mt 5,44 (und antithetisch V.43 nochmals dupl.), wo Mt ausdrücklich "Verfolgung" parallel setzt; das Ethos ist auch hier dualist. stark davon bestimmt, daß man sich damit nicht auf die Seite der "Teufelssöhne" stellt, die ins ewige Feuer unterwegs sind. "Feindesliebe" ist primär Nichtangleichung an die Verfolger. Bei Mt ist keine seiner "Feind"-Aussagen ohne den Teufelsbezug.

πειράζω
      Mt 6 : Mk 4 : Lk 2 + 5 : Joh 1
         =(Mk 4 + 1) + (Q 0 + 1)
Das Vb. ist bei Mt immer auf den mt Jesus als Obj. bezogen und unterscheidet sich darin vom Subst.

πειρασμός
      Mt 2 : Mk 1 : Lk 6 + 1 : Joh 0,
das 6,13(=Q) und 26,41(=Mk - bei Mt aber zugleich im stärker betonten Gebetskontext makrosyntaktisch als bewußte Erinnerung und Wiederaufnahme der ersten Stelle) nur auf die Schüler bezogen ist. Der damit beschriebene Zustand besteht in der Verzweiflung und der daraus resultierenden Gefährdung zum Ungehorsam dem Willen Gottes (Supernym) gegenüber. Daher ist sowohl von der Häufigkeit wie von der Verteilung und Verbindung her Vorsicht geboten, das Vb. einfach vom Subst. semant. gefüllt zu sehen. D.h., daß schon die geläufige Überschrift von 4,1-11 als Versuchung Jesu für Mt semant. nicht so sicher ist, wie es heute noch selbstverständlich erscheint.

4,1(=Mk - und wohl auch zugleich Q) ist als Überschrift dem Inhalt nach zuerst nur auf den ersten der 3 Akte bezogen. Diese metakommunikative Bezeichnung wird darum auch beim 1. Akt 4,3(+Q) red. im Pt. wiederholt, womit eine 5. Teufelsbezeichnung entsteht. Sie läßt sich aber auch auf die beiden folgenden Akte überhaupt anwenden, weil 4,6 = 4,3 dieselbe Protasis objektsprachlich typisierend wiederholt. Sie ist aber von Mt indikativisch gemeint: "Da du Gottes Sohn bist", weil nicht nur die Taufe (als schon geschehene himmlische Bestätigung), sd. auch schon die Gotteszeugung 1,18ff wie das Erfüllungszitat 2,15 als Vorgabe veranschlagt werden müssen. Von daher ist die ethisierende, geläufige Übersetzung "Wenn du Gottes Sohn bist", für Mt als semant. inadäquat abzuweisen. Es geht um keine echte Gefährdung als ein "Verleiten zum Fall", sd. (eher leserpragmatisch orientiert) um die antithetische Unterstreichung der schon feststehenden Tatsache, daß Jesu Bestallung wirklich von Gott und nicht vom Teufel ist, dieser nur als "sein" Feind eingeführt werden soll. Diese antithetische "amplificatio" ist Aussagefunktion dieses Segments, das bei Mt kompositorisch noch zum Prolog seiner Buches gehört.

Diese Einsicht wird durch die Beobachtung verstärkt, daß Mt 27,40.43 in die Hohnworte am Kreuz in deutlicher Entsprechung zu 4,3.6 dieselbe Protasis red. wiederholend einsetzt und damit eine ausdrückliche Beziehung herstellt (HUMMEL 1966:115f; SCHENK 1974:68; SENIOR 1982:284 mit LOHMEYER, GRUNDMANN u.a). Damit aber erweisen sich die 3 dort von Mk übernommenen, synonymen metakommunikativen Bezeichnungen des Verhöhnens (27,39 βλασφημέω, 27,41 ἐμπαίζω, 27,44 ὀνειδίζω) als nicht nur untereinander, sd. auch mit dem mt πειράζω synonym, und der analoge triadische Aufbau beider Komplexe muß ebenfalls als eine bewußt komponierte Entsprechung angesehen werden. Diese auf den ersten Blick im Gefälle reiner Wortsemantik unwahrscheinlich erscheinende Synonymie wird aber nicht nur durch die weitgefächerte Bedeutungsbreite von πειράζω überhaupt ermöglicht, sd. sie läßt sich stützen durch die bewußte Entsprechung des Komp.

ἐκπειράζω

Mt 1 : Mk 0 : Lk 2 + 0 (NT nur noch 1Kor 10,9)
im 2. Akt Mt 4,7 (Obj. "Gott") zu dem Simpl. im 1. Akt dort (wie 1Kor 10,9 auch das Simpl. das Komp. aufnimmt). Sie ist hier ohnehin nicht mit *versuchen* semant. gefüllt, sd. mit "Blasphemie", "Provokation" mit dem Kern-Sem *Verhöhnung* Gottes. Diese Bedeutung hat das Komp. wie das Simpl. auch Lk 10,25; Apg 5,9; 15,10 (POPKES EWNT 3,153) wie 1Kor 10,9; Hebr. 3,8f.

Sie wird durch eine weitere Beobachtung gefestigt: Zwischen den beiden triadischen Klammerkomplexen 4,1ff und 27,39ff hat Mt das Vb. weiterhin 4mal zur Bezeichnung eines Verhaltens der *Gegner* Jesus gegenüber. Das bedeutet primär als Renominalisierung, daß er diese Handlungen von 4,1ff her als entsprechende Folgehandlungen, also text-semant. als ebenfalls teuflische Aktionen (durch seine "Söhne"/"Engel"), charakterisiert. In dieser Gleichartigkeit liegt aber darüber hinaus zugleich auch eine notwendige Präzisierung der semant. Inhaltsgleichheit. Eine gewisse formale Angleichung an 4,1 liegt in Mt 16,1(=Mk 8,11 Zeichenforderung) wie 19,3(=Mk 10,2 Ehefrauentlassung) noch darin, daß Mt dieses Vb. in der Redeeinleitung red. betonend bewußt nach vorn gezogen und damit die Mk-Vorlage variiert hat. Einzig Mt 22,18 (=Mk 12,15) steht es in der Zensusfrage im Munde Jesu selbst. D.h. aber, was bisher 4mal im Munde des Autors selbst als seine eigene metakommunikative Bewertung auftauchte, wird jetzt eine Kommunikationsschicht tiefer in den Mund der tragenden Erzählfigur selbst gelegt. Jedoch ist auch bei diesem Segment eine funktionsgleiche Wertung in der Überschrift durch den Erzähler selbst vorhanden:

παγιδεύω

Mt 1 (NT sonst nie; LXX 2mal)
ist red. Mt 22,15(+Mk) als ntl. Hap.leg. der Vorlage zugesetzt. das Moment der negativ getönten *Provokation* ist synonym zu πειράζω auch hier vorhanden (EWNT 3,1 vgl. das Hendiadyoin der Subst. in 1Tim 6,9 als Bestätigung wie die weitere Synonymie-Entsprechung in 1Tim 3,7 mit dem entsprechenden Stamm von Mt 27,44 als Bestätigung der Wortfeldzusammenhänge).

Mt 22,35(+Mk 12,28) ist das Vb. red. Zusatz in der dortigen 3. und letzten Einleitung der Gegnerrede (größtes Gebot) in Entsprechung zu den vorhergehenden Stellen und von ihnen her dupl. gesetzt. Das aber bedeutet zugleich noch text-semant., daß es auch in der Leerstelle der dazwischen stehenden Sadduzäer-Perikope Mt 22,23f bei λέγοντες als dem Archilexem, das als Kontextsynonym fungiert, vom Autor für den Leser vorausgesetzt und als Filler in diesen Slot zu ergänzen ist. Damit liegt also wieder eine analoge Trias vor, die ohnehin schon mit der vereinheitlichenden Makrostruktur dieses Komplexes gegeben ist, die nicht nur darin liegt, daß Mt "Phari- und Sadduzäer" einander angleicht, sd. diese Trias hier als endgültigen Beweis dafür verwendet, daß die Lehrer Israels den Messias Israels verworfen haben (WALKER 1967:65-7). In keinem dieser 3 Fälle aber liegt so etwas wie eine "Versuchung" als Verleitung zum Abfall vor, sd. klar eine *Verspottung* in hinterhältiger Absicht. Da nun schließlich weiter der Abgang der abgeschlagenen Gegner 22,22 wiederum in deutlicher Anlehnung an 4,11 stilisiert ist, so hat auch diese Angleichung Rückwirkungen auf das Verständnis des allerersten Komplexes: Schon dort geht es primär um Verhöhnung und Verspottung und dessen Scheitern.

Das mt Konzept zeigt nicht etwa in seinem Buchaufbau eine dramatische

Steigerung der Art, daß man es richtig beschrieben hätte, wenn man sagt: "Am Anfang des Evangeliums ist das für die Führer Israels noch eine wirkliche Frage, am Ende hat sich die Frage in das Gewand des Spotts gekleidet" (WILKENS 1982:483); im Gegenteil: Der, der objektiv der "Sohn" ist ("da" statt "wenn"), wird nicht "versucht", sd. soll zum Gespött gemacht (und wenn vor sich selbst) und "hereingelegt" werden. Da das aber von vornherein aussichtslos ist, so ist das Intentionsgefälle des Autors ein anderes: Beweist die aussichtslose "Schmähung" und das vergebliche "Auf-den-Arm-nehmen-Wollen" Jesu in Mt 4,1ff als ein verstärkender Test dem Leser, daß Jesu Bestallung nun wirklich nicht vom Teufel ist, so erweitern das die folgenden Gegnerauftritte dahingehend, daß ebenso auch Verhöhnungen teuflischen Ursprungs sind.

Nicht umsonst wird das Leitwort in Mt 16,1 gerade bei der Zeichenforderung erstmalig wieder aufgenommen, die damit als verhöhnend und teuflisch zugleich gekennzeichnet wird (V.4 redet sich auch darum in Entsprechung dazu sogleich mit mt πονερά an!). Da dies aber bei Mt schon die 2. Zeichenforderung ist, so hat man Analoges auch wieder in die entsprechende Leerstelle Mt 12,38 (in λέγοντες mitgedacht) einzusetzen und ebenso im Zusammenhang dort in den voranstehenden Beelzebul-Vorwurf 12,24 bei εῖπον, was durch die Verwendung des Synonyms βλασφημία in 12,31 wie den Teufels-Zusammenhang überhaupt bestätigt wird: Nicht Jesu Autorität ist vom Teufel, sd. die seiner Gegner. Da dies dort die 3. Gegnerabweisung nach 11,16ff und 12,1ff ist, so ist auch in dem Slot dort dieser Bedeutungsakzent mitzuhören. Analoges gilt nach 19,1f dann auch erst recht für den Reichen in 19,16, dessen Abgang ohnehin 19,22 dem der Pharisäer von 22,22 (und damit auch dem des Teufels von 4,11) entspricht.

Semant. bedeutet das insgesamt, daß das metakommunikative Vb., bei dem man meist mit "versuchen" stärker das adressaten-bezogene, perlokutionäre Konzept betont sehen möchte, bei Mt offenbar eher sender-bezogen (also: illokutionär) gemeint ist: "Spotten, verhöhnen". Man muß sich vor gut gemeinten Ethisierungen in Aktualisierungsabsicht hüten. Die Darstellung des Mt ist stärker historistisch gedacht als es einem Kerygmatismus, der vorschnell auf "Anreden" aus ist, lieb sein kann. Die 5. mt Teufelsbezeichnung meint mit den Versucher, sd. den Verhöhner.

πονηρός (HAWKINS 1909:7.32; MORGENTHALER 1973:181; GUNDRY 647)

  Mt 26 : Mk 2 : Lk 13 + 8 : Joh 3
      =(Mk 2 + 3) + (Q 10 + 8) + (A-Mt 3)

Mt Kennzeichen ist die Kontext-Antonymie

πονηρός vs. ἀγαθός (GUNDRY 647)

  Mt 10 : Mk 0 : Lk 4,

die Q-Mt 7,11(=Lk) einerseits als Paradox vorgegeben, andererseits im Widerspruch dazu klar in der dualist. Anthropologie in der Trias Q-Mt 12,35 (=Lk) im einander ausschließenden Entweder-Oder erscheint (im mt Zusammenhang auf Jesus vs. Gegner bezogen), was 7,17.18 wie 12,34 red. dupl. ist: Sie können gar nicht "Gutes" reden, da sie "böse sind"; da hiermit aber gerade das πονηροὶ ὄντες von 7,11 in der Anrede dupl. ist, so löst sich der Widerspruch nur, wenn man 7,7-11 in mt Verwendung so bestimmt, daß hier die historisierende Situation der mt Grundsatzrede ganz präzis verstanden wird, daß an die Angeredeten die Aufforderung ergeht, "zu Gott Bittenden zu werden" (BAUMBACH 1963:80) - und zwar ganz konkret mt nicht durch das Beten als Akt überhaupt (das 6,5-8 ja als jüd. wie heidnisch überhaupt voraussetzt), sd. in dem 6,9 als konkretes "Was" vorgeschriebenen Gebetstext des "Unservaters" 6,9-13; als "Böse" im mt Sinne (teufelsbeherrscht) gelten sie vor der Proklamation der Grundsatzrede, durch die sie aber zum "guten Menschen" werden, wenn sie anfangen, das hier vorgelegte jesuanische Bittgebet zu sprechen, das in der mt Ergänzung sowohl das Tun des

Willens Gottes wie die Befreiung von der Teufelsherrschaft erbittet. In diesem Sinne ist schon die red. Doppelung 5,45(+Q) semant. vorgeprägt, die Mt gerade im Zusammenhang der Feindesliebe geschaffen hat: Gott läßt jetzt noch (bis zur Parusie) seine Sonne über den "Guten" (Kontextsynoyme sind "Gerechte" wie "Brüder") wie über den verfolgenden Feinden (die vom Teufel sind) aufgehen (gg. BAUMBACH ebd.71f nicht innergemeindlich). Mt 22,10 (+Q) wiederholt diese Doppelnennung zur Vorbereitung der warnenden Allegorie vom Hochzeitskleid, wo deutlich wird, daß es um einen solchen handelt, der auch in der Gemeinde in dem Stadium der Teufelsbestimmtheit, in dem er vor der Berufung war, geblieben ist.

Bei der red. Antithese 20,15, die Q-Mt 6,23 red. dupl. (und zugleich Mk 7,22 permutiert), ist zu veranschlagen, daß Mt diese Allegorie an die 19,27 als gehorsam gezeichneten Jünger gerichtet sein läßt und Gottes Güte nach 19,29 in der Gleichbelohnung mit ewigem Leben besteht; außerdem liegt eine rhetor. Frage vor, die ein selbstverständliches Einverständnis dieser Angeredeten voraussetzt: Ihre "Einsicht" (metonymisch "Auge") kann gar nicht mehr so "teuflisch-unverständig" sein, daß sie Gottes Güte in der Gleichbelohnung aller "Gerechten" nicht verstünden, wie das die Unbekehrten tun (also weder gg. JEREMIAS 1966:132; GRUNDMANN 441 "Neid" noch gg. LINNEMANN 1969:91 "Mißbilligung"); die entscheidenden mt Seme sind die Unbelehrbarkeit (Zusammenhang mit μώρος "unbelehrbar und böswillig"), Vorchristlichkeit und Teuflischkeit. Die Frage geht in selbstverständlich verneinender Absicht daraufhin, ob die Schüler etwa "noch" so sind. Von der vorherrschenden mt Antithese des gottorientierten Guten zum teufelorientierten Bösen her ist dann auch der Weisheitsdualismus bei Q-Mt 6,23 zu verstehen, wo die Antithese mit

ἁπλοῦς 6,22(=Q - NT sonst nie; gg. SCHRAMM EWNT 1,297 nicht *neidlos*) vorgegeben ist, zumal 6,13 unmittelbar vorausgeht: Auch hier ist der Bezug des "bösen Auges" auf Besitzstreben (SCHLATTER 222f; HARDER ThWNT 6,556; JEREMIAS 1966:162; STRECKER 1984:137f) zu eng; Mt dürfte in diesem Begründungsgang, wo "Auge als Organ des Sehens, Aufnehmens und damit Verstehens" synonym zu καρδία V.21 steht, positiv das Verstehen des mt Zusammenhangs von mt Ethos und eschatol. Lohn meinen (BAUMBACH 1963:77-9), während die "teuflische Blindheit" die ganze Person in die ewige "Finsternis" führt.

Kennzeichnend für Mt ist weiter der *subst.* Gebrauch (BAUMBACH 1963: 56-77; davon 6mal mit Art.):

Mt 10 : Mk 1 (7,23 Plur.Neutr.) : Lk 1 (=Q 6,45 Plur.Mask.)
So durchgehend an den ersten 5 Stellen und damit einleitend bestimmend überhaupt: Mt 5,11 (=Q Sing.Neutr. doch statt Lk adj.).37 (Sing. + Art.). 39(+Q Sing. + Art.).45 (=Q Plur.Mask.); 6,13(+Q Sing. + Art.); dann weiter 9,4(+Mk Neutr.Plur.); 13,19(+Mk Sing.Mask. + Art.).38 (Sing.Mask. + Art.).49 (Plur.Mask. + Art.); 22,10(+Q Plur.Mask.). Davon sind vor allem die mask. Sing.-Stellen mit Art. kennzeichnend: "Während in der vergleichbaren jüd. Literatur *der Böse* niemals als Bezeichnung für den Satan erscheint, nennt Mt (und nur er unter den Synoptikern" LIMBECK 1974:281f; vergleichbar ist nur Eph 6,16 und von Mt 6,14 abhängig Joh 17,15 und von daher 1Joh) ihn

Mt 5 : Mk 0 : Lk 0 : Joh 1
klar so: Mt 13,19 (statt mk Satan) als den, der die Annahme der mt "Reichs-Botschaft" (also das mt Verständnis des Willens Gottes und dessen heilsame Folgen) verhindert (gg. BAUMBACH 1963:56-8 aber nicht "Gemeindeglieder", da es in der Klimax der Allegorie-Entschlüsselung ja hier auf der ersten Stufe genau um die geht, die zwar hören aber nicht verstehen - mithin sich gar nicht erst anschließen), und von daher auch im Substitutionskatalog 13,38, wo die Gegner als das feindliche Unkraut erscheinen, denen gegenüber Vergeltungsverzicht zu üben ist, so daß auch hier in der

Allegorie V.24ff wieder der Zusammenhang der Feindesliebe wiederholt ist (LOHMEYER 224; STRECKER 1971:166f,215 gg. WELLHAUSEN 69; KLOSTERMANN 123; SCHMID 225ff; TRILLING 1964f:128f; BAUMBACH 1963:58–62 nicht innergemeindlich). Inhaltlich gibt V.41 die Bestimmung τὰ σκάνδαλα, die epexegetisch mit τοὺς ποιοῦντας τὴν ἀνομίαν weiter präzisiert wird. Als "Söhnen des Teufels" wird ihnen "die Gottgeschaffenheit abgesprochen" (was gg. BAUMBACH ebd.63 nicht einfach "auf das Konto der Polemik zu setzen" und damit pragmatisch abzuwerten ist, da diese Pragmatik ja auf der ausgesprochenen Semantik beruht, die darum keine "Überbewertung" oder "Verabsolutierung" darstellt), was 15,10–12 ebenso tut und in botanischen Metaphern ebenso wie in der zoologischen von der "Giftschlangenbrut" ausgesprochen ist. 13,49 nennt darum dieselben abkürzend synonym nur noch "die Teuflischen", und derselbe Sinn ist auch 5,45 wie 22,10 anzusetzen.

Im red. Zusatz zum "Unservater" 6,13(+Q von 5,45 her dupl.) ist klar mask. "der Teufel" gemeint und auf keinen Fall neutr. das physische Übel bezeichnet (LOHMEYER 1952:151f; BAUMBACH 1963:75f; STRECKER 1984:128f gg. KLOSTERMANN 59; HARDER ThWNT 6,561; Mt dürfte die Wendung red. von Kol 1,13 her gebildet haben).

Dem mt Dualismus entspricht auch der Abschluß des Schwurverbots 5,37 (von Q-Mt 5,11 oder 5,45 her dupl.) nur, wenn es den subst. Sing. mask. (gg. HARDER ThWNT 6:561 nicht neutr.) faßt: "Alles, was die Eindeutigkeit des Ja oder Nein nicht hat, hat nichts mit dem Gottesgesetz als dem wahrhaft Guten zu tun, und ist darum vom Bösen" (BAUMBACH ebd.68f; Mt denkt vom ὅλως V.34 her, dem Abfall-Beispiel Petrus 26,72.74 wie dem Gegenbeispiel der Erfüllung Jesu selbst 26,64, wohl doch an ein absolutes Schwurverbot und faßt die Doppelung von 2Kor 1,17 her wie sonst auch als metakommunikative Verstärkung und nicht als zitierte Bekräftigungsformel; BAUMBACH ebd.67f gg. STRECKER 1971:134 und 1984:84; DAUTZENBERG 1981 und TRE 9,381). Für Mt ist die in den 4 Beispielen konkretisierte, verdrehende Pharisäerlehre "teuflischen Ursprungs". Dabei geht der mt Kode nicht vom neutr. "alles Böse" aus und stellt den Satan als "den Bösen" als dessen Zusammenfassung dar (gg.BAUMBACH ebd.69), sd. er geht in seiner Semantik von ihm als verdrehendem Verleumder als dem Oberbegriff des Wortfeldes aus.

Wegen der unmittelbaren Abfolge und dem subst. Sing. muß wohl auch 5,39 nicht neutr. zu fassen (gg. LOHMEYER 137; HARDER ThWNT 6,561f; gg. BAUMBACH 1963:70f aber auch nicht "zugleich mask. und neutr.") noch auf den einzelnen "bösen Menschen" (SCHLATTER 187; KLOSTERMANN 48; SCHMID 108) einzuengen sein, denn das Obj. ist vom Vb. her nicht auf den individuellen Prozeßgegner einzuengen, sd. muß wie 1Makk 11,38; 14,29.32 vom "aktiven Widerstand" überhaupt gebraucht sein, denn die inhaltliche Entfaltung der Beispielreihe nennt als Konkretisationen des "Bösen": Schlagen, Prozessieren, Erpressen, Abfordern. Darin dürften Individualisierungen bezeichnet sein, die Mt den Feinden der Gemeinde als solchen zuschreibt, so daß übergreifend deren satanischer Ursprung im Blick ist. "Der Teufelsmacht aktiven, machtanwendenden Widerstand leisten" würde ja heißen, sich auf dessen Seite zu begeben, die doch unweigerlich in den Untergang des ewigen Feuers führt; dies ist der springende Punkt in der mt Argumentation an allen betr. Stellen. Jede Verallgemeinerung kürzt dieses für Mt entscheidende dualistische Element. Die entsprechenden menschlichen Gegner der Gemeinde sind immer nur die Werkzeuge der Teufelsmacht.

Klar neutr. substantiviert sind nur 2 Stellen, weshalb das mt Wortfeld nicht vom neutr. Gebrauch her bestimmt werden kann. Schon die allererste Stelle Q-Mt 5,11 ist von Mt gegenüber der adj. Form bei Lk red. substantiviert worden. Nach der mt Strukturierung in der 2. Person, die sich red. unmittelbar fortsetzt, liegt nicht mehr ein anwendender Zusatz zu den

Makarismen wie bei Q vor, sd. Mt 5,11-16 ist eine eigene Einheit, die die Einsetzung zu wahren Weisheitslehrern ("Propheten") vollzieht, wozu von vornherein die Versetzung in die Verfolgungssituation gehört. Von der mt Wortfüllung her meint Mt 5,11 nicht allgemein "üble Nachrede", sd. von vornherein "Verteufelung", wie sie dann auch im Beelzebulvorwurf 10,25 red. unmißverständlich konkretisiert wird; diese Verteufelung wird durch den zum Wortfeld gehörigen Zusatz ψευδόμενοι (synonym mit διάβολος) noch unterstrichen: "Alles Böse, das gegen die Gemeinde geredet wird, steht *selbstverständlich* mit der Lüge in Verbindung" (BAUMBACH 1963:67), ist also nicht einschränkend zu fassen (gg. STRECKER 1971:154 "Das Erleiden von Schmähungen ist *nur dann* verdienstvoll, *wenn* die Gegner die Unwahrheit reden"; eine solche paränetische Funktion hat der Satz nach der von Mt geschaffenen Struktur nicht); daß Analoges auch den "Propheten vor euch" widerfuhr, hat Mt 11,18 mit der Dämonen-Beschimpfung des Täufers ebenso konkretisiert, wie es Jesus einschließt und im Beelzebulvorwurf konkret wird, jedoch nicht darauf beschränkt bleibt.

Der Zusatz des subst. Neutr. 9,4(+Mk) läßt den mt Jesus die gegnerische Unterstellung, daß sein Vergebungswort "Lästerung" sei, sogleich als "teuflisch" diagnostizieren, was es als "ausgesprochen böswillig und unehrlich mit verleumderischer und lügnerischer Tendenz" kennzeichnet (BAUMBACH ebd.76f). Auf der Linie dieser Verdächtigung liegt dann auch die kognitive Verwendung des Adj. in der Katalogüberschrift 15,19 (red. Ersatz des mk κακοί durch Permutation aus Mk 7,21), wo man sich ebenfalls vor einer zu großen Verallgemeinerung hüten muß, sd. es - vor allem im Anschluß an die Mt 12-13 zentrierten und gehäuften Gegnerkenzeichnungen - konkret als "teuflisch-verleumderische" Gedanken zu denken hat (zumal die dualistische Absage an Gegner V.12-14 von Mt zum Höhepunkt stilisiert war). Auf der gleichen Linie liegt, daß in Analogie zu 9,4 auch im letzten Durchgang der Tatfeststellung der Verwerfung Jesu Mt 22,18(+Mk, wobei Mk 7,22 permutiert ist), Jesus schon in der Einleitung der Zensusfrage ihren "teuflisch-verleumderischen" Charakter erkennt (synonym mit πειράζω):

πονηρία

Mt 1 : Mk 1 : Lk 1 + 1 (NT nur noch Röm 1,29; 1Kor 5,8; Eph 6,12).
Von daher verwundert es nicht, daß die Gegnerbezeichnung *böse Generation* nicht nur Q-Mt 12,29(=Lk) übernommen, sd. auch noch 12,45b(+Q) und 16,4 (+Mk) dupl. wurde. Sie ist im vollen mt Gewicht des Teuflischen gemeint, wie der Anschluß an die Q-Trias von 12,35 zeigt, die red. durch V.34(+Q) mit der Beelzebul-Kontroverse engstens verbunden ist und durch die kollektive Allegorisierung des Rückfallspruches mit dem Komparativ V.45a(=Lk) noch zu einer potenzierten Teuflischkeit führt (was nach 12,28 wie 11,20-24 und 10,14f immer für das ganze Kollektiv galt, in dem ein Exorzismus oder anderes Bekehrungswunder geschehen war). Synonym steht dazu als Höhepunktaussage Mt 27,18(=Mk) das höchst gefüllte

φθόνος *Mißgunst* als entscheidendes Vernichtungsmotiv
Mt 1 (=Mk 1 - NT nur noch 7mal im pl Bereich; LXX nur hell. 4mal)
Es ist seit der in der Antike vielzitierten Stelle PlatTim 29E das Antonym zu *ἀγαθός* als Eigenschaft Gottes und als solches geläufig, wie die Übersetzung SenEp 65,10 (*invidia*) zeigt (vgl. zum grundlegenden Charakter dieser Kategorie MILOBENSKI 1964; SPICQ 1078:II 919-21): "φ. muß ebenso wie *i.* als *Feindseligkeit*, als *Mißgunst*, als *schädliche Gesinnung* verstanden werden; hier wäre *Neid* als Übersetzung irreführend" (DÖRRIE 1971:294f gg. EWNT 3,1013). Was der Autorenkommentar Pilatus durchschauen läßt, ist das Autorenurteil: lediglich *Mißgunst* - "wohl der schwerste Vorwurf, den man gegen ein Gericht erheben kann" (LÜHRMANN 1981:461).

In der ethisierten Dämonologie des Mt sind darum auch die "bösen Knechte" von 25,26(=Lk - mit den synonymen ὀκνηρός und V.30 ἀχρεῖος) und dupl. 18,32 keine primären Indikatoren eines innergemeindlichen Dualismus, sd. mt eher im Sinne seines Rückfall-Theorems zu verstehen: Auch bei innergemeindlichen Phänomenen des Ungehorsams liegt primär eine Einwirkung des umfassenden Satanismus aus der Zeit vor der Bekehrung vor.

"Mt sieht überall dort den Satan am Werk, wo sich eine andere als die von" seinem "Jesus" - also letztlich von Mt selbst - "vorgetragene Auslegung des göttl. Willens durchsetzen will" (LIMBECK 1974:334). "Der Rückgriff auf das Wirken Satans ist an keiner Stelle theol. zwingend... In der Rede vom Satan äußert sich sehr oft theol. Hilf- und Ratlosigkeit, ja unter Umständen sogar Angst vor der Gefährdung des Glaubens und Feindseligkeit gegen die, die den [sogen.] Glauben bedrohen" (ebd.387).

δάκτυλος →χείρ
δάνειον, δανίζω →ἀργύριον
Δανιήλ →γράφω
Δαυίδ →βασιλεύς
δέ

Mt 491 : Mk 154: Lk 548 + 558 : Joh 196

Die 2.häufigste koordinierende Konj. (nach καί) ist bei Mt das 4.häufigste Wort (bei Mk 7.Rang, Lk-Apg 4., Joh 14.; MORGENTHALER 1973:167). Das "urspr. Adv. andererseits" (PRIDIK EWNT 1,468-8) "wird sowohl adversativ als auch kopulativ gebraucht" (B-D-R 447,1). Kopulativ ist schon die 38malige, einleitende Verwendung in der Aufzählung der Genealogie Mt 1,2-16 ("im Deutschen partikellose Reihung" PRIDIK ebd.668), wo immer der Wechsel vom gleichen Obj. zum Subj. bei gleichbleibenden Präd. signalsiert wird und damit die Partikel eine anaphor. Funktion (jener) erhält. Kennzeichnend für Mt ist auch die Verwendung zur Wiederaufnahme des Erzählfadens (im Wechsel mit τότε) nach Erfüllungszitaten 1,24; 2,19; 3,4(+Mk); 8,18(+Mk); 21,4(+Mk).

48mal hat Mt mit Lk zusammen δέ anstelle des mk καί: 3,7; 4,18; 5,1; 8,18.24.27.32.33; 10,19.21; 12,2.11.14.24(dupl. 9,34).25.47.48; 13,11.20.22.23.57; 14,15.17; 16,2.14.26; 17,22.24; 19,23; 20,25; 21,6.8.9.15.25; 22,34.41; 24,3; 26,17.18.57.58.69; 27,26.44; 28,1.4 (NEIRYNCK 1974:203); Mt allein substituiert 60 mal(KLOSTERMANN 19f + 3mal οὐδέ) gegenüber Mk: 3,4.16; 4,20.22; 8,31; 9,12.22; 12,1.3.15; 13,5.6.7.8.21.32; 14,6.13.21.23.24.25.33; 15,15.16.26; 16,6.7.8.(9 οὐδέ).13; 17,2.4.8; 18,6.8; 19,11; 20,31.34; 21,3.18.21.34; 22,34.(46 οὐδέ); 24,2.3.(21 οὐδ'); 26,6.20.26.29.59.70.71.73; 27,1.32.29.45.46.47.57 (NEIRYNCK ebd.204; ältere Auflistungen sind unvollständig). Der Gebrauch geschieht "überwiegend zur Anzeige eines Subj.-Wechsels in dem nun beginnenden Satz gegenüber dem vorhergehenden, nur selten jedoch so, daß ein deutsches aber angebracht wäre" (RAIBLE 1972:15).

Immer folgt bei Mt δέ auf ein konzessives (obgleich; B-D-R 447,2)

μέν (MORGENTHALER 1973:181 Vorzugswort; GUNDRY 645)

Mt 19 : Mk 5 (korrelativ 3) : Lk 10 (korrelativ 8) + 47 : Joh 8
     =(Mk 5 + 5) + (Q 2 + 6) + (A-Mt 1)

(wobei 16,3 aus textkritischen Gründen nicht mitgerechnet ist). Aus Q übernommen sind die ersten beiden Stellen 3,11 im Munde des Täufers und 9,37 im Munde Jesu, wonach es dann immer in Worten des mt Jesus vorkommt, was außer der festen Verbindung als Argument für die Bestimmung des red. Charakters (vor allem A-Mt 25,33) noch hinzugenommen werden muß. Von Mk sind alle μέν-Stellen übernommen und an den ersten beiden typischerweise durch Herstellung der korrelativen Entsprechung stereotypisiert worden (LARFELD 1925:21): 13,4f; 17,11f; 21,35; 26,24.41; die 5 red. Mk-Zusätze sind 13,8.23.32; 16,14; 20,23; die 6 Q-Stellen nur bei Mt, die darum auch als red. wahrscheinlich sind, sind 10,13; 22,5.8; 23,27.28; 25,15.

ὁ δέ (ἡ δέ, οἱ δέ – Nom. abs.)

Mt 73 : Mk 44 : Lk 72 + 29 : Joh 12 (vgl. M-G 674f; B-D-R 251)

    =(Mk 44 – 23 + 26) : (Q 2 + 8) + (A-Mt 16)

Das Syntagma ist eines der wenigen, in denen sich der urspr. Charakter des Art. als Demonstr.-Pron. erhalten hat (B-D-R 249); es findet sich zur Fortsetzung der Erzählung nur in berichtenden Partien (mt red. 11mal in Parabeln 13,28f;18,30; 20,5.13; 21,29f;22,5.12; 25,12) und hat immer anaphor. Funktion (*dieser also*); das 35mal angeschlossene Pt. ist immer ein Pt. conj. und nie ein subst. Pt. (vgl. zum Unterschied 3,11 in wörtl. Rede).

46 Stellen entfallen auf Redeeinleitungen; das sind außer den 18 Stellen der Vorzugswendung ὁ δὲ ᛐἀποκριθεὶς εἶπεν noch: 2,5; 9,12(+Mk Pt.); 12,3 (+Mk).11(+Q); 13,28a.b(LA B 1434 co).29.52; 14,8(=Mk Pt. fem.).17(+Mk).18(=Mk 6,38 permutiert.29(+Mk); 15,27(=Mk fem.).34(=Mk); 16,14(=Mk).23(=Mk Pt.); 17,20(=Mk 9,21 permutiert); 19,11(+Mk).17(=Mk durch Auslassung des Subst.); 20,21(=Mk).31(=Mk); 26,18(+Mk).70(=Mk); 27,4(+Mk).21(+Mk).23a(=Mk).b(=Mk).

Eine Handlung, die keine Worthandlung ist, folgt 27mal. Im Übergang stehen 4 Stellen, an denen primär ein anderes Handlungs-Vb. folgt und dann sek. eine wörtl. Rede angeschlossen sein kann 15,23(+Mk).25(+Mk fem.); 16,7 (+Mk); 21,25(+Mk); ferner: 2,9(Pt.).14(Pt.).21(Pt.); 4,20(+Mk Pt.).22(+Mk Pt.); 8,32(+Mk Pt.); 9,31(+Mk Pt.); 16,7(+Mk); 18,30; 20,5; 22,5(+Q Pt.).12(+Q).19 (=Mk); 26,15(=Mk).57(=Mk Pt.); 27,66(Pt.); 28,9(fem. Pt.).15(Pt.). Auffallend sind die beiden Plur.-Stellen 26,67(+Mk); 28,17, an denen keine volle Anaphora vorzuliegen, sd. eine Einschränkung vorgenommen zu sein scheint (WEISS 496; LOHMEYER 415 n.3 – als eine gebrochene Form, der ein οἱ μέν fehlt); da Mt aber die Teilung einer Anzahl sonst so nicht darstellt, dürfte wohl doch eine Anaphora vorliegen, die nur eine ergänzende Handlung zufügt.

δεῖ

Mt 8 : Mk 6 : Lk 18 + 22 : Joh 10

    =(Mk 6 – 2 + 1) + (Q 1 + 2)

Der deterministische "Ausdruck der Normgebung und ganz bes. der Planung Gottes" (POPKES EWNT 1,669) setzt wie bei Mk so auch im Anschluß an ihn Mt 16,21(=Mk) mit dem ersten Verwerfungs-Rehabilitations-Orakel ein (mt metakommunikativ durch alliteratives ᛐδείκνυμι verstärkt), wird 17,10(=Mk) mit dem vorgeblichen, auf Elijah bezogenen Gegnerzitat fortgesetzt und durch den erklärenden Hinweis auf den verworfenen Täufer, der eben in der Verklärungsepiphanie rehabilitiert erschien, in das gleiche Schema einbezogen, um red. grundsätzlich 26,54(+Mk δεῖ γενέσθαι von Mk 13,7 dupl.) mit der Schrifterfüllung bei der Gefangennahme (zur Begründung der verbotenen Gegenwehr) zusammengebracht zu werden. Diese Koinzidenz zeigt die Funktionsgleichheit mit dem weissagenden ᛐγέγραπται (PATSCH 1972:187–97) sowie den Amen-Vorhersagen (BERGER 1970:71ff). Auch die 26,35 (=Mk) voranstehende Begründung der Todesbereitschaft des Petrus ist auf diesen Vorsehungsplan Gottes bezogen. Für Mt, der seit 1,17 das ganze Geschehen in der "letzten Generation" angesiedelt sieht, sind diese Passionsaussagen ebenso "eschatol. Notwendigkeit" wie die Verführungs- und Verfolgungsereignisse, die 24,6(=Mk – vgl. die Dupl. 26,54) als der nahen Parusie vorhergehend weissagt. (Die Nichtübernahmen von Mk 13,10.14 sind im ersten Falle Mt 24,14 funktionsgleich durch das bloße Fut. der Weissagung und im zweiten V.15 durch den direkten Hinweis auf die Schriftweissagung zum Ausdruck gebracht.

Göttl. determinierte Notwendigkeit liegt gleicherweise auch in den für Mt spezifischen eth. Aussagen, zumal 18,33(+Q) das vorangehende Erbarmen Gottes die Grundlage dafür ist, 23,23(=Q) die gleiche Essenz des Mose-Gesetzes (red. Zusatz *Erbarmen*) im Blick ist und in der Allegorie vom

Bekennen und Versagen in den Taten 25,27(+Q) die Auftragstreue gemeint ist.

ἀνάγκη 18,7(+Q als Vorsehungsplanterminus, wofür es Lk ausläßt) *notwendig*
    Mt 1 : Mk 0 : Lk 2 + 0 : Joh 0
διαθήκη 26,28(=Mk)
    Mt 1 = Mk 1 : Lk 2 + 2 : Joh 0
findet sich nur in dem von Mk übernommenen und stärker als Begründung stilisierten Becherwort, wobei das Gen.-Syntagma in seinem semant. Gehalt nicht zu direkt von der Wendung LXX-Ex 24,8 her gefüllt werden darf, da hier keine Besprengung des Volkes erfolgt und die weitere Assoziation mit dem jüd. Entsühnungstag Mt ebenso fern liegt wie erst recht das Konzept von der Sühne als Restitution des zerbrochenen Bundesverhältnisses (gg. HEGERMANN EWNT 1,721f). Für Mt ist διαθήκη die *Gottesordnung*, also der *Vorsehungsplan*, der gemäß er den gewaltsamen Verwerfungstod stirbt. Die um die Übersetzung *Bund* kreisende semant. Analyse (*Heilsbund* vs. *Verpflichtungsbund*) ist fehlgeleitet, da sie weitgehend die frühjüd. Kodierung übersieht, nach der weisheitlich δ. nicht *Bund* oder einmalige, erstmalige oder letztwillige Verfügung meint, sd. die *universale Weltordnung Gottes* – etwa LXX-Sir 11,20; 14,12.17; 16,22; 42,2; 44,12.20; 45,5.7.17.24; 47,11 (für hebr. ḥwq/ḥqh; LIMBECK 1971:80). Diese weisheitliche Kodierung ist für Mt unbedingt zu veranschlagen. Selbst beim Vorliegen einer Anspielung auf Ex 24,8 wäre diese für Mt umkodiert.

μέλλω (GASTON 1973:61; GUNDRY 645)
    Mt 10 : Mk 2 : Lk 12 +34 : Joh 12
        =(Mk 2 + 4) + (Q 1 + 2) + (A-Mt 1)
Die 7malige Verwendung als finit. Vb. mit angeschlossenem Inf.Präs. steht nicht einfach als Hilfs-Vb. für das Fut., sd. hebt "die im göttlichen Ratschluß begründete Notwendigkeit eines Geschehens und damit dessen sicheres Eintreten" hervor (RADL EWNT 2,994); es ist damit analog zu δεῖ Vorsehungsplanterminus wie auch an den 3 aufeinanderfolgenden Stellen mit Pt. 3,7(=Q Zorn attributiv); 11,14(+Q Elijah prädikativ); 12,32(+Q attributiv). Rahmend stehen die fut. eschatol. Stellen 16,27(+Mk begründend μ. γάρ) und 24,6(=Mk 13,4 permutiert μ. δέ, gefolgt von δεῖ γάρ) um die beiden Paare mit Verwerfungsorakeln 17,12(+Mk als Wiederaufnahme von δεῖ 16,21).22(+Mk) und 20,17(=Mk 10,32 permutiert mit B pc gg. N-A, H-G, was nach Analogie des Vorgehens bei 24,6 und der betonenden mt Versetzung in die Überschrift als urspr. LA wahrscheinlicher erscheint, wogegen die Auslassung als sek. Vereinfachung erklärbar wäre).22(+Mk als deutliche Wiederaufnahme des 3. Verwerfungsorakels). Mt 2,13 hat man meist als bloße Erklärung der *Absicht* des Herodes verstehen wollen (RADL ebd. mit BAUER WB 991); da es sich aber um ein Tötungsorakel im Munde der Beauftragungsepiphanie des Engels handelt und μ. γάρ wie 16,27 steht, so ist es näher an die Verwerfungsorakel heranzurücken und Funktionsgleich mit den Erfüllungszitaten der Vorgeschichte (vor allem 2,17f) ebenfalls als Ausdruck des Vorsehungsplanes zu sehen wie an allen anderen mt Stellen: Herodes *wird* es nicht nur suchen, sd. *muß* ihm nach Gottes Plan nachspüren.

δειγματίζω 1,19 *bloßstellen, der Schande preisgeben* (NT noch Kol 2,15; LXX nie)
δείκνυμι
    Mt 3 : Mk 2 : Lk 4 + 2 : Joh 7
        =(Mk 2 - 1 + 1) + (Q 1)
meint 4,8(=Q) das *Zeigen, Sehenlassen* (aller Königreiche) durch den *Verleumder* schlechthin und ist offenbar in dir. Kontrast dazu betont 16,21 (+Mk) zur Eröffnung des 2. Buchteils für das grundlegende Orakel der Verwerfung und Rehabilitation im Sinne von *Offenbarung* dupl. So dürfte auch die betonte Verwendung in der 1. Einzelheilung 8,4(=Mk) bei Mt weniger auf

die Erfüllung der Bestimmung von Lev 13,49 abheben, sd. auf ein eröffnendes *Offenbarungshandeln* vor den Gegnern (→ἱερεύς), zumal Mt auf ein *Belastungszeugnis* (→μαρτύριον) ausgerichtet ist.

ἐπιδείκνυμι (GUNDRY 644)

Mt 3 : Mk 0 : Lk 1 + 2 (NT nur noch Hebr 6,17; LXX 19mal)
Das Intensivum, das betonend bei der mt wiederholten Zeichenforderung 16,1(+Mk) eingesetzt wurde, meint *beweisendes Vorzeigen, Vorführen* wie umgekehrt in der damit verstärkten Aufforderung im Munde des mt Jesus bei der verlogenen Zensusfrage 22,19(+Mk), die damit klar als Selbstentlarvung stilisiert ist. Als Reaktionshandlung der Schüler 24,1(+Mk) im Anschluß an die Ansage der Tempeluntergangs meinte es *demonstrativ beweisend hinweisen,* um die anschließende Lehre im Sinne der Chrie wirkungsvoll kontrastierend vorzubereiten. Das Sem des *Beweisenden* (BAUER WB 577) ist bei Mt immer impliziert.

δειλός   →(ὀλιγό)πιστος
δεῖνα 26,18(+Mk - NT und LXX sonst nie) *dem und dem* (B-D-R 64,5att.)
δεινῶς 8,6(+Q - NT nur noch Lk 11,52 permutiert?) *furchtbar, gefährlich)*
δεῖπνον →ἄρτος
δέκα →δύο
Δεκάπολις →Γαδαρηνός
δεκατέσσαρες →δύο
δένδρον

Mt 12 : Mk 1 : Lk 7 + 0 (NT nur noch Jud 12; Apk 7,1.3; 8,7; 9,4)
=(Mk 1) + (Q 6 + 5)
Der neben dem 3,10a(=Q) eröffnenden, bei Mt singuläre Plur. dürfte an der Schlußstelle 21,8(+Mk) die einzige mk Stelle (8,24) permutiert haben. Durch den Sachzusammenhang mit den alliterativ von κόπτω her eingeführten *Zweigen* dürfte Mt hier *Baum* assoziiert haben:
κλάδος 13,32(=Mk); 24,32(=Mk einmalig mit dem biol. beliebten
ἀπαλός [=Mk - NT sonst nie] *saftig = junge Triebe ansetzen*; BAUER WB 159)

Mt 3 : Mk 2 : Lk 1 (NT nur noch Röm 11,16.17.18.19.21)
steht im Zusammenhang mit δένδρον 13,32(=Q und ist von daher wohl von Mk gebildet worden); da der Senfbaum (*salvadora persica*) keineswegs andere Bäume an Größe überragt und Vergleichspunkt
λάχανον *Gartengemüse* (Plur.) ist

Mt 1 = Mk 1 : Lk 1 (11,42 permutiert; NT nur noch Röm 14,2),
so ist wohl an die *Senfstaude* (*sinapis nigra*, 3-4 m hoch; TheophrHistPl 7,1.1f dem γένος λαχανῶδες zugehörig) gedacht, die aber in Palästina als Kulturpflanze wohl nicht vorkam (DALMAN 1928:I/2,368f) und darum kaum auf Jesus rückführbar ist (die urspr. Q-Form, die Lk erhalten hat, betont ohnehin den seltenen Gedanken des Wachstums, den erst Mk zu einem Kontrast umformte, und kann nur für das Lokalkolorit der Q-Red. etwas aussagen; PALZKILL EWNT 3,585f):
σίνναπι noch 17,20(=Q als Vergleichswort für Gebetsglauben)

Mt 2 : Mk 1 : Lk 2 (NT und LXX sonst nie) im Syntagma mit
κόκκος 13,32(=Q); 17,20(=Q)

Mt 2 : Mk 1 : Lk 2 + 0 : Joh 1 (NT nur noch 1Kor 15,37),
dessen Baumwerdung sich durch αὐξάνω vollzieht. Im exemplarischen Vergleichsargument 6,28(=Q; gg. LEROY EWNT 1,426 nicht "direkt auf die Gottesherrschaft bezogen") ist dieses Obj. des Wachsens
κρίνον (Plur. - NT sonst nie) *Ackerlilien* (DALMAN 1928:I/2 357-66),
die ihrerseits *Pracht* auszeichnet, die aber andererseits auch bald nur Brennmaterial sind, unter dem Supernym *Gras*
χόρτος 6,30(=Q); 13,26(=Mk 4,28 permutiert); 14,19(=Mk 6,39)

Mt 3 : Mk 2 : Lk 1 + 0 : Joh 1,
das 13,26(=Mk 4,27 permutiert) als Vb. intrans. *sprossen*

βλαστάνω (NT nur noch Hebr 9,4 und trans. Jak 5,18) hat, synonym zu
αὐξάνω 6,28(=Q); 13,32(=Q)
     Mt 2 : Mk 1 : Lk 4 + 4 : Joh 1
Das Vb. wurde aus Mk 4,8 wohl wegen der seltsamen Reihenfolge (=Kol 1,6)
nicht übernommen.
συναυξάνομαι 13,30(+Mk – NT und LXX sonst nie) *miteinander wachsen*
ξύλον 26,47.55(=Mk) Plur. *Knüppel* als Hyponym
     Mt 2 : Mk 2 : Lk 2 + 4 : Joh 0
ἐκφύω 24,32(=Mk – NT sonst nie) *hervortreiben* mit Nom. resultandum
φύλλον 21,19(=Mk); 24,32(=Mk) Plur. *Blätter, Laub*
     Mt 2 : Mk 3 (NT nur noch Apk 22,2) in beiden Fällen verbunden mit
συκῆ 21,19a.b.20(=Mk).21(+Mk dupl.); 24,32(=Mk) *Feigenbaum*
     Mt 5 : Mk 4 : Lk 3 + 0 : Joh 2 (NT nur noch Jak 3,12)
σῦκον 7,16(=Q) Plur. *Feigen*
     Mt 1 : Mk 1 : Lk 1 (NT nur noch Jak 3,12 im gleichen Zusammenhang)
Alle übrigen *Baum*-Stellen sind Mt von Q her zugewachsen und von der eth.
Gerichts-Metaphorik bestimmt: In der täuferischen Naherwartung 3,10a(=Q)
ist "schon die Axt an die *Wurzel* der *Bäume* angelegt"
ἀξίνη 3,10(=Q – NT sonst nie) *Axt*
ῥίζα nur noch 13,6.21(=Mk) als noch nicht ausgebildete
     Mt 3 : Mk 3 : Lk 2 + 0 : Joh 0
ἐκκόπτω
     Mt 4 : Mk 0 : Lk 3 (NT nur noch Röm 11,22.24; 2Kor 11,12) *abhauen*
ist 3,10(=Q) metaphor. vom *Fällen des Baumes* mit Gott als logischem Subj.
übernommen und 7,19 dupl. und von daher im Imp. mit menschlichem Subj.
18,8 (statt mk ἀπο–); 5,30 dupl. – an beiden Stellen synonym mit
ἐξαιρέω 5,29; 18,9
     Mt 2 : Mk 0 : Lk 0 + 5 (NT nur noch Gal 1,4)
zur Verhinderung der göttlichen Strafe gesetzt. Das Simpl.
κόπτω
     Mt 3 : Mk 1 : Lk 2 (NT nur noch Apk 1,7; 18,9),
das 21,8(=Mk) *Zweige* zum Obj. hat, steht im Med. Q-Mt 11,17(gg. Lk wohl
urspr.; SCHULZ 1972:379 n.8) für *sich (an die Brust) schlagen* = *heftig trauern* und wurde von daher 24,30(+Mk) dupl. (Lk 8,52 permutiert, 23,27 dupl.
und an beiden Stellen durch das dort substituierte *Weinen* erklärt – also
nicht "für seine Leser zu palästinensisch" gg. SCHÜRMANN Lk 424 n.115).
ἐκριζόω
     Mt 2 : Mk 0 : Lk 1 (17,6 – NT noch Jud 12) *mit der Wurzel ausreißen*
ist 13,29(+Mk) den Schülern dem Unkraut gegenüber verboten und dem Endgericht vorbehalten, was 15,13(+Mk) wiederholend erinnert; da es hier wie
Q-Lk 17,6 im Zusammenhang mit dem Antonym φυτεύω erscheint, dürfte es
von dort permutiert und an der ersten Stelle dupl. sein.
     Die Fortsetzung 3,10b(=Q), daß jeder Baum ohne Nutzfrucht ins Feuer
geworfen wird, ist 7,19(+Q) im Munde Jesu (zum Zweck der Übereinstimmung
beider – also zur Verstärkung des mt Konzepts) wiederholt. Der verallgemeinernde, determinist. Schluß von den Nutzfrüchten auf den *guten Baum*
(V.17a = 18a) bzw. auf den *nutzlosen* (V.17b = 18b):
σαπρός (HAWKINS 1909:7 schwach)
     Mt 5 : Mk 0 : Lk 2 (NT nur noch Eph 4,29; LXX nie)
       =(Mk 0) + (Q 2 + 2) + (A–Mt 1)
12,33 hat die antithetische Verwendung von Q-Lk 6,43 (Antonym καλός je
einmal auf den Baum bzw. die Frucht bezogen) in dir. Entsprechung übernommen und in der Dubl. 7,17(mt vorangestellt).18 ganz dem Baum zugeordnet, womit der Determinismus in beiden Fällen verstärkt und im Interesse
der Allegorie auf die Gegner (und deren Verteufelung) an beiden Stellen
red. πονηρός als Synonym eingebracht wurde. A–Mt 13,48 hat diese Antithese

red. nochmals durch die Bildung einer Fisch-Allegorie wiederholt, um mittels des restringierten Kodes seinen Determinismus verstärkt einzubilden.

Ziel der Antithese ist die Klassifikation der Gegner, daß der Baum durch Rückschluß an der Frucht erkannt wird: 12,33c(=Q) als dir. Gegneranrede auf Worthandlungen bezogen und 7,16.20 rahmend in dir. Schüleranrede und auf alle Handlungsformen verallgemeinert dupl. Wegen des eth. Entscheidungsdualismus hat Mt 12,33a.b die Aussage in setzt (ποιήσατε) einen nützlichen bzw. nutzlosen Baum umformuliert (was in der Sache von V.30 mit Jesus vs. nicht mit Jesus bestimmt ist). Bildl. konkretisiert durch

ἄκανθα

Mt 5 : Mk 3 : Lk 4 + 0 : Joh 1 (NT nur noch Hebr 6,8)
=(Mk 3 + 1) + Q (1 + 0)

Die immer im Plur. vorkommende Bezeichnung für Dorngestrüpp bezeichnet in der Argumentationsfrage Q-Mt 7,16 die Unmöglichkeit von Nutzfrüchten, in der Allegorie 13,7.7.22(=Mk) das Überwuchern von Nutzsamen. 27,29 hat aus dem bei Mk vorgegebenen Adj. eine entsprechende Präp.-Wendung gebildet.

τρίβολος 7,16(+Q) Plur. stachliges Unkraut wie Disteln (BAUER WB 1634)

Mt 1 (NT nur noch Hebr 6,8 neben Dornen wie Gen 3,18; LXX-Hos 10,8)
Mt dürfte das Wort aus der LXX-Doppelung literar. eingebracht haben, da Lk den LXXismus kaum aufgelöst hätte (SCHULZ 1972:317 bleibt mit JÜLICHER 1900:II 120 unentschieden; doch dürfte Lk mit Q zwei Klasseme nebeneinander haben, während Mt ein Konkretum neben ein Klassem stellt) und bleibt so histor. für Palästina unauswertbar. Da τ. jedes Dreispitzige (Häufung mt Drei-Verwendungen!) bezeichnet und auch lat. tribulus(= Burzeldorn) leicht verstanden werden konnte (PASSOW 2,1960; AristophLys 576 was man den Schafen aus der Wolle abliest), ist es nur für den kulturellen Kontext des Mt auswertbar.

καρπός (GUNDRY 645)

Mt 19 : Mk 5 : Lk 12 + 1 : Joh 10
=(Mk 5 – 1 + 3) + (Q 5 + 7)

Favorisiert hat Mt vor allem die Q-Wendung

καρπὸ(ν/ὺς) ποιεῖν

Mt 9(11) : Mk 0 : Lk 6 + 0,

mit der schon der Täufer-Imp. Q-Mt 3,8(=Lk, dessen Plur. aber red. ist) einsetzt: Frucht, die in der Umkehr besteht (Gen.epex. – wohl direkt die Jordantaufe bezeichnend), was V.10(=Lk) als Nutzfruchtbringen begründend wiederholt und die Dubl. 7,19 verstärkend in den Mund Jesu versetzt, davor schon in mt Plur.-Bevorzugung (in dieser Schlußklammer der Bergrede auf die dort voranstehend gegebenen Befehle bezogen) V.17a(+Q).18a(=Q) ebenso wieder aufnahm und durch den Gegensatz der abgewiesenen Falschlehrer (=pharisäische Halacha) V.17b(+Q).18b(=Q) kontrastierte. In der dir. Gegneranrede als Antwort auf die Beelzebulbeschuldigung wird das Vb. 12,33a.b(+Q), den Determinismus des Rückschlusses noch verstärkend, nicht erst der Frucht (der Q-Sing. blieb hier erhalten), sd. schon dem Baum (Setzt = pflanzt = sät!) zugesetzt, so daß er in der Nullstelle der Folgerung als Filler renominalisiert werden kann. Mit dieser Umsetzung des Vb. ist schon die Dupl. vorbereitet, die in der dualistischen Umerzählung der mk Saatallegorien von den rivalisierenden Vegetationen 13,36(+Mk) erfolgt: Fruchtbringen als Ertrag des guten Samens (vs. Unkraut).

In der dazwischen stehenden Saatallegorie 13,8(=Mk διδόναι synonym für ποιεῖν; Obj.Sing. – der Plur. H-G 87 ohne Apparat ist wohl Druckfehler) ist jedoch der Gegensatz nicht kontradiktorisch, sd. privativ, da nicht Teufels- vs. Jesus-Ertrag steht, sd. Nicht-Ertrag vs. Jesus-Ertrag – verbalisiert in ἄκαρπος 13,22(=Mk wohl von 1Kor 14,14 übernommen; NT 7mal; LXX 3mal)

Mt 1 = Mk 1

καρποφορέω 13,23(=Mk wohl von Röm 7,4f mit Kol 1,6.10 übernommen)
Mt 1 : Mk 2 (noch Mk 3,28) : Lk 1 (NT sonst nie)
Der Samen ist es, der auf der *guten* Erde gibt (13,8), nicht aber "gibt die gute Erde" als solche (gg. WREGE EWNT 2,621); das Adj. meint mt im Anschluß an 12,33 wieder das Bestimmtsein vom mt Jesus her.

Derselbe privative Gebrauch liegt auch in der Winzerallegorie von: *Zur Zeit der Früchte*" 21,34a(+Mk - also in dieser letzten Generation) erwartet Gott *seine*(! red.) *Früchte* V.34b(=Mk λαμβάνειν); das Gegnerurteil, Gott betraut andere, die die Früchte in diesem ihrem letzten Abschnitt der Endzeit bringen (ἀποδιδόναι) V.41(+Mk), wiederholt der mt Jesus V.43(+Mk) bestätigend mit der seit 3,8.10 her geläufigen Wendung (ποιεῖν). Mt wiederholt das Leitwort hier 4mal, spricht in drei par. Syntagmen von der Ablieferung und betont in zwei Syntagmen deren Zeitpunkt: "Die Appellfunktion an die Hörer ist bei diesem Wortgebrauch nicht zu übersehen" (BERGER 1977:212). Die Verwerfung Israels ist auch in sich sofort erfüllenden Orakel über den Feigenbaum 21,19(=Mk) vorabgebildet, wobei das Vb. der Weissagung (red. γίνεσθαι) betont an Mt 13,22 angeglichen wurde. Der Sing. *Ertrag* wie der Plur. *Früchte* meint bei ihm immer *Werke*, so daß bei ihm ebensowenig wie bei Pl ein "Fruchtmotiv" idealtypisch von einem "Werkmotiv" abgehoben werden kann.
καλός (GUNRDY 645)
Mt 21 : Mk 11 : Lk 9 + 0 : Joh 7
    =(Mk 11 - 3) + (Q 4 + 9)
Das von vornherein 3,10(=Q); dupl. 7,19(+Q); 12,33b(=Q) in Relation zum entsprechend qualifizierten Baum V.33a(=Q); antithetisch dupl. 7,18(+Q).17 (+Q) im Sinne des eth. Nützlichen eingeführte Adj. wird durch den red. Plur. 7,17f die Bergrede rahmend mit den red. "guten Werken" vom Anfang 5,16 (das Adj. hier ist vom voranstehend verwendeten Salz-Logion Q-Lk 14,34 her permutiert) gleichgesetzt.

In diesem Sinne sind dann auch die ersten von Mk übernommenen allegor. Stellen vom eth. *guten Land* 13,8(=Mk).23(=Mk - doch mt vorangestellt) vorgeprägt. In dieser mt Voranstellung haben es die 5 unmittelbar folgenden Stellen vom *nützlichen Samen* 13,24.27.37(+Mk = *vom Menschensohn ge-sät*).38(+Mk als βασιλεία-*Söhne* definiert) bzw. *Perlen* V.45, um 13,45 in abs. Verwendung (Filler: *Fische*) wieder in die Antithese zu σαπρός von 7,17f; 12,33 zu münden, womit erinnert ist, daß alle red. Stellen hier von dieser Q-Verwendung aus mit wechselnden Attributen multipl. sind.

Bei der Salbung 26,16(=Mk) ist die Wendung *gute Tat* übernommen. Die Verbindung der Seme des *Nützlichen* und *Guten* liegt auch an den 5 restl. Stellen vor, an denen Mt von den 7 mk Stellen den weisheitlichen "Tob-Spruch" (SNYDER 1976/7) übernommen hat: 15,26(=Mk negiert, was die Zustimmung der Kanaanäerin findet); 17,4(=Mk vom Ort der Vorausdarstellung der österlichen Rehabilitierung); 18,8f(=Mk Nutzen der Verluste für den künftigen Lohn); 26,24(=Mk bezüglich der ewigen Strafe des Judas).
καλῶς
Mt 2 : Mk 5 : Lk 4 + 3 : Joh 4
12,12 (statt mk ἀγαθόν aber wegen des Zusammenhangs mit ποιεῖν von Mk 7,37 permutiert und im Hinblick auf V.33ff gesetzt); 15,7(=Mk) von der Prophezeiung Jesajas wohl auch im Sinne des *Nützlichen* (= damit man sich danach richten kann - und nicht nur im Sinne von *richtig*).
συμφέρει (GUNDRY 648) intr. *förderlich sein, nützen*
Mt 4 : Mk 0 : Lk 0 + (2 als Vollverb) : Joh 3 (NT Kor 5mal; Hebr 12,10)
    =(Mk 0 + 4)
5,29f(+Mk) hat den (klass. wie in Pap. häufigen; M-M 598; WEISS ThWNT 9, 71ff) unpersönl. Ausdruck bei der Dupl. von 19,8f anstelle von καλόν ἐστιν gesetzt wie er ihn dann auch 18,6(+Mk) direkt dafür substituierte und er

durch die Textsequenz der utilitaristischen Gerichtsbegründungen dort die semant. Funktionsgleichheit unterstreicht. An allen 3 Stellen steht das Syntagma σ. + Dat. + ἵνα, während in der Jüngerfrage 19,10(+Mk *nützlicher, nicht zu heiraten*) der Inf. folgt (gg. KRETZER EWNT 3,693 geht es auch hier nicht um einen nur "irdisch menschlichen Nutzen", sd. um den gleichen gerichtseschatol. Utilitarismus des größeren Vorteils).

ἐλαία 21,1(=Mk); 24,3(=Mk); 26,30(=Mk) *Ölbaum* im Syntagma *Ölbaumberg*
Mt 3 : Mk 3 : Lk 4 + 1 (NT nur noch Röm 11,17.24; Jak 3,12; Apk 11,4)
Mt ist (wie Lk) ganz von Mk abhängig (so daß gg. BROER EWNT 1,1035 nicht suggestiv vom "Zeugnis der Evv." geredet werden darf), wenn der 800 m hohe Berg bezeichnet ist, der sich vom Osten nach dem Norden Jerusalems erstreckt (DALMAN 1924:277–85). Der Ölbaum selbst als "Symbol seßhafter Lebensweise" (FINLEY 1980:25) spielt keine Rolle, wohl aber

ἔλαιον 25,3.4.8 *Olivenöl* als Brennstoff
Mt 3 : Mk 1 : Lk 3 (NT nur noch Hebr 1,9; Jak 5,14; Apk 6,6; 18,13)
Die Verwendung zur Krankensalbung Mk 6,13 wurde von Mt nicht übernommen, weil er alles Gewicht auf das Worthandeln bei Heilungen legt. 25,3f.8 kann der Ausdruck von da permutiert sein, doch "dieser Gebrauch des Öls ist in der gesamten Antike belegt" (BROER ebd.1037), was sich aber nicht ausschließt. Die Verwendung in Mt 25 findet sich ausnahmslos in red. Sätzen (SCHENK 1978), so daß man ihn von Mk 6,13 verursacht ansehen kann.

φυτεία 15,13 (NT sonst nie) *Pflanze*
φυτεύω
Mt 2 : Mk 1 : Lk 4 (NT nur noch 1Kor 3,6.7.8; 9,7)
wurde 12,33(=Mk von 1Kor 9,7 her auf Jes 5,2 erweitert) zusammen mit dem generalisierenden Metonym ἀμπελῶνα im Zusammenhang mit καρπός übernommen; die dualisierende Verwendung 15,13 unter Zusatz des stammgleichen Obj., das durch den Zusatz von πᾶσα sich klar als verallgemeinernde Wiederholung und synonyme Erinnerung des Baum-Wortes von 3,10; 7,19 zu erkennen gibt, ist wohl nicht Dubl. von Mk 12,1, sd. von Q-Lk 17,6 her permutiert, da es dort mit dem gleichen Antonym *mit der Wurzel ausreißen* steht.

θεριζ– (GUNDRY 644)
Mt 11 : Mk 1 : Lk 6 + 0 : Joh 6
θερίζω
Mt 3 : Mk 0 : Lk 3 + 0 : Joh 4
       (=Mk 0) + (Q 3)
6,26(=Q) ist *Ernten* im wörtl. Sinne zusammen mit seinem Komplenym *Säen* in einer Sentenz übernommen, die nicht nur auf menschl. – genauer männl. – Arbeit als solche abhebt, sd. weisheitlich im Argumentationsgang auch dies impliziert, daß diese ihnen (im Vergleich zu den Vögeln) als Gaben Gottes gegeben sind. Dasselbe gilt auch für die komplenyme, metaphor. Verwendung in der Vorwurfssentenz 25,24.26(=Q). Gesteigert verwendet sind die Derivate
θερισμός
Mt 6 : Mk 1 : Lk 3 + 0 : Joh 2 (NT nur noch Apk 14,15)
       =(Mk 1 + 2) + (Q 3)
13,30a ist Mk 4,29 in der von Mt umgeformten Allegorie im Sinne von *Erntezeit* übernommen und anschließend V.30b sogleich durch dieses Syntagma dupl. worden. Auch die 13,39 explizit vollzogene red. Dekodierung *Endgericht* ist darum als Dubl. zu Mk zu verrechnen. Die 3 weiteren Stellen in der Einleitung zur Aussendungsrede 9,37.38a.b(=Q) sind umkodiert: Selbst wenn bei Q der temporale Aspekt vorherrschen sollte (SAND EWNT 2,360), so scheint doch Mt hier mehr lokal das *große Erntefeld* (den *Acker*), also angesichts der strikt begrenzten Sendung *Israel* (im mt restringierten Begriff) im Blick zu haben, was auch dadurch bestätigt wird, daß er das Syntagma *Herr des Erntefeldes* in 21,40 als *Herr der Weinplantage* dupl. hat (vgl.

sachlich analog auch 20,1f). Daß 6 von 13 ntl. Stellen mt sind, wird noch verstärkt durch die singuläre Verwendung des Nom. agentis
θεριστής
   Mt 2 (NT und LXX sonst nie)
      =(Mk 0 + 2),
das in der Allegorie 13,30 neben das Nom. actionis tritt und insofern auch dupl. von der Mk-Vorgabe her entstanden ist; entsprechend wird es in der Entschlüsselung 13,39 als *Engel des Menschensohns* dekodiert.
(ἐπι)σπείρω
   Mt 18 : Mk 12 : Lk 6 + 0 : Joh 2
      =(Mk 12 + 3) + (Q 3)
Neben den aus Q übernommenen und rahmend als Ein- und Ausleitung gesetzten Komplenymbezügen *Säen* vs. *Ernten* 6,26; 25,24.26 ist die Verwendung auf die 3 Allegorien in Mt 13 begrenzt. Darin ist er von der Begrenzung des Gebrauchs der Vorlage auf Mk 4,3-32 abhängig und die gelegentlichen direkten Nichtübernahmen sind durch Permutationen ausgeglichen. Dabei ist im Argument in Q-Mt 25 "unmöglich ernten, wo nicht gesät" der rhetor. Schultopos des unwiderlegbaren Indizienbeweises der Vergangenheit (τεκμήριον) verwendet (Quint 5,9,5) wie von Mk 4 her die nicht mögliche Umkehrung: "Es kann gesät worden sein, wo keine Ernte stattfindet" (ebd.§ 7).
   Dabei ist bei Mt vor allem die 4malige Verwendung des *subst. Pt.* kennzeichnend, die er einleitend 13,3.18(=Mk) übernahm und in den Dekodierungen V.37.39 (hier antithet.) dupl.; die Handlung steht beim subst. Inf. V.3.4(=Mk) bzw. prädikativen Pt. V.24 und beim finiten Vb. V.27(+Mk).31 (=Mk) im Blick; für die gegnerische Gegenhandlung wird 13,25 das Intensivum *daraufsäen* (t.t. seit Pindar BAUER WB 593) eingeführt:
ἐπισπείρω (NT und LXX sonst nie).
   Das Obj. ist V.19a(=Mk) mit dem Pt.Pass. als die mt Basileia-Botschaft bezeichnet bzw. dann im Pt.Pass.Aor. V.19b.20.22.23(=Mk) konsequent red. im Sing. wie in der Vergangenheitsform wiederholt, um zu unterstreichen, daß es historisierend konsequent um die Botschaft des mt Jesus und dessen Ablehnung bzw. Annahme bei den Zeitgenossen geht. Diese engführende Betonung führt Mt dann dadurch weiter, daß er V.24.27.37 das nur bei ihm vorkommende Syntagma
σπείρω καλὸν σπέρμα
   Mt 3 : Mk 0 : Lk 0 : Joh 0
einfügte, um damit die Selbstreferenz der Bezeichnung der mt Basileia-Botschaft von V.19 weiter zu renominalisieren.
σπέρμα
   Mt 7 : Mk 5 : Lk 2 + 4 : Joh 3
      =(Mk 5 - 2 + 4)
war in dieser Verwendung nur 13,31(=Mk) vorgegeben. Mt hat den Gebrauch vereinheitlicht, indem er das nicht verwendete σπόρος von Mk 4,26f in seinen Einleitungsstellen 13,24.27 durch σπέρμα ersetzte und V.37f dupl. wiederholte. Die vier Verwendungsstellen im Sinne von *Nachkommenschaft* von Mk 12,19-22 wurden auf zwei in Mt 22,24f reduziert.
σπόριμος 12,1(=Mk) *besät* als subst. Adj.neutr. *Felder* (BAUER WB 1512)
   Mt 1 : Mk 1 : Lk 1 (NT sonst nie; LXX 4mal)
δεξιός (GUNDRY 642)
   Mt 12 : Mk 6 : Lk 6 + 7 : Joh 2
      =(Mk 6 + 2) + (Q 0 + 1) + (A-Mt 3)
Für Mt kennzeichnend ist der adj. Gebrauch (Lk nur 6,6 Hand; 22,50 Ohr), mit dem er in der Bergrede einsetzt
   Mt 5 : Mk 0 : Lk 2
Die *rechte Hand* 5,30(+Mk-Dubl. und mt vorangestellt) möchte als primärer

Handlungsträger noch eine verständliche red. Spezifizierung darstellen, doch das voranstehende *rechte Auge* V.29(+Mk-Dubl.) macht deutlich, daß das Adj. hier stärker durch das Antonym des *ganzen Körpers* definiert ist in der Wertabwägung des größten Nutzens; aus dieser Antonymie ergibt sich als zentrales Sem *auch nur ein einziges Auge(=Blick* Metonym*)*, auch nur eine einzige Hand(=Handlung* Metonym*)*; das dürfte dann auch noch 5,39(+Q mt vorangestellt) das bestimmende Sem sein, so daß alle eingetragenen Spekulationen auf einen semitisierend besonders entehrenden Schlag (BILL I 342; OSTEN–SACKEN EWNT 1,685) zurückzustellen sind: Mt betont *auch nur eine einzige*; das wird auch bestätigt durch die unmittelbar nächste Stelle der Textsequenz A-Mt 6,3, wo im Sprichwort *Hand* ausgelassen und *deine Rechte* ellipt. für den Handlungsträger steht, während das Antonym (evtl. von Mk 10,37 permutiert) als Träger der Wissens deutlich als Metonym "zur Bezeichnung der engsten und vertrautesten Gemeinschaft" steht (WELLHAUSEN 25 von arab. Belegen her):

ἀριστερός

Mt 1 = Mk 1 = Lk 1 (23,33 permutiert; NT nur noch 2Kor 6,7)
Der letzt adj. und wieder ellipt. Gebrauch (Filler: *Hand*) liegt 27,29(+Mk) vor, wo die einzige ἐν-Wendung von Mk 16,5 permutiert und in den Sing. transformiert wurde zur Verspottung der handlungstragenden Hand Jesu.
An den restl. Stellen hat Mt den abs. Plur. für die Seitenbezeichnung in dem von Mk übernommenen Syntagma

ἐκ δεξιῶν

Mt 7 : Mk 5 : Lk 4 + 4
A: Die ersten beiden mk Stellen sind in der Bitte der Zebedaidenmutter um Führungspositionen ihrer Söhne (=Schriften) in der nachösterlichen Kirche 20,21(=Mk) und die Abweisung der Bitte durch Jesus V.23(=Mk) übernommen. In Korrespondenz dazu steht A' die Schlußstelle 27,38(=Mk) mit der Verspottungshandlung der Verbrecherkreuze. Alle 3 Stellen sind durch die Ergänzung durch das Antonym (an der ersten red.) bestimmt *zu beiden Seiten.*

εὐώνυμος (GUNDRY 644)

Mt 5 : Mk 2 : Lk 0 + 1 (Apg 21,3; NT nur noch Apk 10,2)
C: Nicht additiv, sd. alternativ hat Mt die Entsprechung 25,33 und entfaltet V.34 + 41 multipl., um den positiven Weg in die belohnende individuelle Unsterblichkeit vom negativen in das ewige Straffeuer kontrastierend voneinander abzuheben; wegen dieser Antonymie ist sicher nicht 3Regn 22,19 die Schlüsselstelle hierfür (gg. COURT 1985:226.229), sd. die antithetische Wertung, wie sie seit PlatResp 614c geläufig war (OSTEN-SACKEN EWNT 1,686); vgl. vor allem VergAen 6,539-43: "Dies ist Aeneas der Ort, wo zwei Wege sich trennen, zur *Rechten* der Pfad zur Burg des gewaltigen Zeus, wo nach Elysium wir uns wenden - doch der *linke* den Bösen Strafe verhängt und in Tartarus Nacht die Verdammten entsendet"; diese Positivwertung ist hier in der Textsequenz jesuanisch vorbereitet durch
B: In der mit 21,42 rahmenden Rehabilitationsvorhersage mittels zweier Psalmzitate hat 22,44(=Mk LXX-Ps 109) die positive Bestimmtheit Jesu *zur Rechten Gottes* eingeführt, um sie B' 26,64(=Mk) vor dem Priesterfürsten wiederholend zu bekräftigen. Damit hat Mt eine ringkompositorische Verwendung geschaffen und die Belohnung der treuen Schüler als die Fortsetzung der Belohnung/Rehabilitierung Jesu eingebildet:

A (zu beiden Seite):   20,21.23   27,(29).38
B (zur Rechten Gottes):   22,44   26,44
C (Eschat. Alternative):   25,33.34.41

δέομαι ⊁αἰτέω

δερμάτινος 3,4(=Mk von 4Regn 1,8 her - NT sonst nie) *ledern* vom ζώνη 3,4(=Mk); 10,9(=Mk zu Aufbewahrung von Münzen) *Gürtel*
Mt 2 : Mk 2 : Lk 0 + 2 (NT nur noch Apk 1,13; 15,6)

δέρω →χείρ

δε- (GUNDRY 642)
   Mt 15 : Mk 10 : Lk 5 + 32 : Joh 4
(Das Subst. "Fessel der Zunge" Mk 7,35 ist nicht übernommen).

δέω
   Mt 10 : Mk 8 : Lk 2 + 12 : Joh 4
        =(Mk 8 - 4 + 1) + (Q 0 + 1) + (A-Mt 4)
Mk 5,3f; 11,4 sind der Kürzung zum Opfer gefallen; 15,7 wurde in ein Subst. umformuliert. Mt 12,29(=Mk) ist der Satan in der Allegorie das Obj. des Fesselns Jesu im Rückblick auf die fälschlich sogen. "Versuchungsgeschichte", die für Mt(=Mk) hier als Überwindungsepisode erklärt ist. 14,3(=Mk) ist umgekehrt der Täufer das Obj. der Verfolgung; von da aus hatte schon 11,2 (+Q) das Subst.

δεσμωτήριον
   Mt 1 : Mk 0 : Lk 0 + 3 (NT sonst nie; LXX 8mal)
eingeführt (Synonym 14,3 →φυλακή), weil er das von Mk geschaffene Bild des schon zu Wirkzeiten Jesu gefangenen Täufers (SCHENK 1983c zur histor. Fraglichkeit) wie die Parallelität beider unterstreicht.
   27,2(=Mk) wird Jesus *gefesselt* an Pilatus überstellt, so daß er anschließend 27,15(=Mk) als

δέσμιος
   Mt 2 : Mk 1 : Lk 0 + 6 : Joh 0
bezeichnet werden kann, was V.16 (statt des mk Vb.) für Bar-Abbas wiederholt. 21,2(=Mk) ist der *angebundene* Esel Obj. zusammen mit dem Antonym
λύω
   Mt 6 : Mk 5 : Lk 7 + 6 : Joh 6,
das außer red. 5,19 in der je doppelten Entsprechung von Mt 16,19 und 18,18 in der Sprache der Synagoge für *Erlauben* vs. *Verbieten* (immer mit *sachl., nie person.* Obj., daher nicht *Bann!*) erscheint: Jesu Gesetzeslehre, wie sie das mt Buch darbietet, ist total - auch für den kommenden Äon - verbindlich (STAUDINGER EWNT 1,704-6); damit ist es insgesamt
   Mt 5 : Mk 0 : Lk 0 + 0
auf die Eintrittsbedingung zur eschatol. Himmelsherrschaft bezogen (GUNDRY 645). In bewußt antithetischem Rückbezug darauf ist 23,4(+Q) mit

δεσμεύω
   Mt 1 : Mk 0 : Lk 1 + 1 (NT sonst; LXX 10mal)
nicht so sehr bildhaft das "Zusammenschnüren" (STAUDINGER ebd.696) im Blick, sd. allegor. das "Fesseln mit unnötigen (der Liebe nicht entsprechenden) Verboten" der jüd. Gesetzeslehrer.
   2mal erscheint das Stamm-Vb. in Endgerichtsallegorien; 13,30(+Mk) für das Unkraut zusammen mit dem Subst. resultandum *Bündel*

δέσμη (NT sonst nie; LXX nur Ex 12,22),
wobei auch hier schon das Bild in die Sache schlägt: "macht sie zu *Gefesselten*", da das Vb. analog auch 22,13(+Q) allegor.verwendet ist: *gefesselt* in die Hölle! In beiden Fällen dürften die Vergeltungswünsche (Rachegedanken) gegenüber der von Abgefallenen verfolgten mt Gemeinde sich in der erwarteten Umkehr der eigenen Lage herauskristallisiert haben - falls man nicht einfach von der vorgegebenen Jesuserzählung aus weiter dachte (vgl. →κρατέω, παραδίδωμι).

δεῦρο 19,21(=Mk) Adv. + Imp. *hierher*
   Mt 1 : Mk 1 : Lk 1 + 2 : Joh 1 (NT nur noch Röm 1,13; Apk 17,1; 21,19)

δεῦτε (HAWKINS 1909:4; GUNDRY 643)
   Mt 6 : Mk 3 : Lk 0 + 0 : Joh 2 (NT sonst nie)
        =(Mk 3 + 1) + (Q 0 + 1) + (A-Mt 1)
28,6(+Mk) im Engelsmund als Ermunterungspartikel + Imp. wie 21,38(=Mk) beim Kohortativ der Pächter 1.Plur.Konj. (B-D-R 364). An den 4 weiteren

Stellen steht es abs. immer im Munde Jesu und fungiert als ermunternder, mutmachender Imp. 4,19(=Mk mit Präp. ὀπίσω μου) und funktionsgleich 11,28 (+Q πρός με konditional mit parataktisch nachfolgender fut. Verheißung, wie sie auch Mk 6,31 vorgegeben war, wovon hier auch noch weitere Elemente permutiert sind); 22,4(+Q mit εἰς Mk 6,41 dupl. permutiert); nach den 3 Stellen seiner berufenden Zuwendung steht es 25,34 (von der Funktion her auf die positive Seite beschränkt) von der belohnenden Zuwendung im Endgericht.

δεύτερος ⇾δύο
δέχομαι (GUNDRY 643)
    Mt 10 : Mk 6 : Lk 16 + 8 : Joh 1
        =(Mk 6 – 1 + 4) + (Q 0 + 1)
18,8a.b(=Mk) endet mit der *Akzeptanz*-Regel (in positiver Formulierung V.3 umkehrend formuliert), womit er offenbar sein Buch als Kinderbuch und darum auch durch Kinder vermittelt als Akzeptanz Jesu selbst reklamiert, wie er in der Aussendungsrede damit begann: 10,14(=Mk) begann mit der empfangenden Aufnahme die Annahme ihrer Worte; 10,40 führt die Lohnzusage für die, die sich mit den Boten Jesu identifizieren, zunächst im Sinne von 18,8b in der Q-Dubl. Lk 10,16 fort, um dann mit ihr wie mit Mk im Sinne der Boten-Formel zu steigern, daß damit Gott selbst als der ihn Sendende aufgenommen wird (=Mk 9,37c.d permutiert). Die red. von 10,41a(Prophet).b (Gerechter) zugefügte Exemplifizierung geschieht in steigernder Absicht, um selbst das Minimum an Akzeptanz V.42 (Tränkung) in Vorbereitung auf 25,36 hervorzuheben. Im Q-Zusatz 11,14 der dir. Anrede (*wenn ihr den Sachverhalt akzeptieren wollt*) ist sachlich dasselbe gemeint wie in den beiden flankierenden Blöcken mit der personalen Formulierung: die Akzeptanz des Mt Konzeptes – also des Buches insgesamt.

δέω ⇾δεσ-
δή 13,23(+Mk) bei Aussage: *klar, natürlich*
    Mt 1 : Mk 0 : Lk 1 + 2 (aber bei Imp.: Dringlichkeit)
δῆλος 26,73(+Mk – NT nur noch Gal 3,11; 1Kor 6,20) *klar, offenkundig*
δηνάριον ⇾ἀργύριον
διά + Gen.
    Mt 26 : Mk 10 : Lk 13 + 54 : Joh 14
        =(Mk 10 – 6 + 10) + (Q 4 + 2) + (A–Mt 6)
2mal temporal *während*: 18,10(+Mk *immer*); 26,61(=Mk *während 3 Tagen*).
    8mal lokal: 2,12(*auf einem anderen Weg*); 4,4(=Lk *aus Gottes Mund*; BAUER WB 356); 7,13a(=Q *durch die enge Pforte*).b(+Lk); 8,28(+Mk *auf jenem Weg*); 12,1(=Mk *durch die Felder*).43(=Lk *durch wasserlose Gegenden*); 19,24(=Mk *durchs Nadelöhr*).
    3mal personal den Vermittler: 11,2(+Q *durch seine Schüler*); 18,7(=Lk *durch den es zum Abfallen kommt*); 26,24(=Mk *durch den er verraten wird*).
    Von daher hat es Mt 13mal red. mit *Gott* als Subj. in der Einleitung zu Erfüllungszitaten: 1,22; 2,5.15.17.23; 3,3(+Mk); 4,14(+Mk); 8,17(+Mk); 12,17 (+Mk); 13,35(+Mk); 21,4(+Mk); 24,15(+Mk); 27,9(+Mk).
διά + Akk.
    Mt 33 : Mk 21 : Lk 26 + 20 : Joh 45
        =(Mk 21 – 6 + 12) + (Q 3 + 2) + (A–Mt 1)
διὰ τί in Fragen *warum, weshalb?* (GUNDRY 643)
    Mt 7 : Mk 3 : Lk 5 + 1
        =(Mk 3 + 4)
In der Torheitsfrage der Gegner 9,11(+Mk).44(=Mk); 15,2(=Mk).3(+Mk umkehrende Entgegnung Jesu mit nachfolgender διά-Begründung); Gegenfrage Jesu auch 21,25(=Mk διά τί οὖν); Belehrungsfrage der Schüler 13,10(+Mk vgl. das ὅτι der Antwort V.11 und διὰ τοῦτο V.13); 17,19(+Mk mit V.20 nachfolgender διά-Anwort; funktionsgleich auch τί οὖν V.10). Gg. HESS EWNT 1,713

liegt nicht unbedingt ein "Hebraismus" vor, da es zwar in LXX häufig ist,
doch auch hell. überhaupt erscheint (Hyperid 3,17; DioChrys 20,28; AelArist
31[597D]; BAUER WB 360).

διὰ τοῦτο (KLOSTERMANN 9; SCHMID 1930:341 n.1; GUNDRY 643)
    Mt 10 : Mk 3 : Lk 4 + 1
         (=Mk 3 - 1 + 2) + (3 + 2) + (A-Mt 1)
"In wirklichen und supponierten Antworten und Folgerungen *deshalb* (Xen
An 1,7,3.7,19; oft LXX" BAUER WB 360) außer 14,2(=Mk) im Munde des Anti-
pas immer im Munde Jesu Q-Mt 6,25(=Lk + λέγω ὑμῖν) als Anschluß an das
Vorhergehende den nachfolgende Imp. als Folgerung daraus ausgebend. Wie
an der ersten so folgt auch an der letzten Stelle 24,44(+Q) ein Imp. als
Anwendung der Diebesallegorie, so daß λέγω ὑμῖν als Filler in der Leerstelle
zugedacht werden kann. Die volle Wendung für die Veröffentlichung von
Teilen des Vorsehungsplans steht 12,31 (statt mk ἀμήν) zur Enthüllung der
Vergebbarkeits- und Nichtvergebbarkeits-Regel als Folgerung aus der Ant-
wort auf den Beelzebulvorwurf wie 21,43(=Mk 11,24 permutiert) zur Enthüllung der bevorstehenden βασιλεία-Wegnahme als Folgerung aus der Allego-
rie-Trias. Eine Anschlußwendung zur Schlußfolgerung liegt auch bei den
Vorhersagen 12,27(=Q *sie werden euer Gerichtsmaßstab sein*) und 23,34(=Q
jetzt sende ich...) vor. Funktionsgleich sind die an die Schüler gerichteten
Allegorieeinleitungen 13,52(+ ὅμοιός ἐστιν) und 18,23(+Q + ὡμοιώθη). 13,13
(+Mk) ist es Antwort auf das fragende διά τί von V.10 (als Wiederaufnahme
des ὅτι von V.11 und wird seinerseits V.13b mit ὅτι fortgesetzt). Die
Wendung ist funktionsgleich mit dem ebenfalls für Mt typ. folgernden ⇸οῦν.
(Mt 23,14 ist als sek. Zusatz aus textkritischen Gründen gg. KLOSTERMANN 9
nicht einzubeziehen).

διά + (A.c.)Inf. *weil*, "einen Kausalsatz vertretend" (BAUER WB 360)
    Mt 3 : Mk 3 : Lk 8 + 8 : Joh 1
hat Mt immer für teuflische, gemeindeschädigende Sachverhalte 13,5(=Mk *weil
es nicht tiefgründig war*).6(=Mk *weil es keine Wurzel hatte*) - beidemale διά
τὸ μή + Inf. wie XenMem 1,3,5; HeroAlex 1,348,7; 3,279,19; LucHermot 31
(BAUER ebd.). Während er Mk 5,4 nicht übernahm, hat er es 24,12(+Mk *weil
der Ungehorsam überhandnimmt*) permutiert.
    In den restl. Verwendungen zur Angabe des *Grundes* hat Mt zwei eng
begrenzte Komplexe
    6mal steht es für synonyme Angaben des Grundes im Zusammenhang mit
Verfolgungen und *Beeinträchtigungen* 24,9(=Mk) und dupl. 10,22 (*gehaßt
wegen meines Namens*); 13,21(=Mk *Verfolgung wegen der Botschaft*); 27,19
(+Mk *seinetwegen gelitten*); umgekehrt mit Gott als Subj. von Verkürzungen
der Endzeitleiden 24,22(=Mk *wegen der Erwählten*); 19,20(+Mk *Eheverzicht
um der künftigen βασιλεία willen* ist stärker final).
    7mal gibt es *moralische Verwerflichkeiten* als Grund an: 13,58(=Mk *wegen
ihres Unglaubens*); 14,3(=Mk *wegen Herodias*).9(=Mk *wegen seiner Schwüre*);
15,3(+Mk)=6(+Mk *wegen eurer Tradition*); 17,20(+Mk *wegen eures Schwach-
glaubens*); 27,18(=Mk *aus Mißgunst*).

διαβλέπω ⇸ὀφθαλμός
διάβολος ⇸δαιμονίζομαι
διαθήκη ⇸δεῖ
διακαθαρίζω ⇸καθαρ- (1. genuin mt διά-Kompositum)
διακονέω
    Mt 6 : Mk 5 : Lk 8 + 2 : Joh 3
         =(Mk 5 + 1)
Mt ist in seiner Verwendung dieses von LXX noch nicht verwendeten Vb.
ganz von Mk (wie dieser seinerseits offenbar von Paulus) abhängig, sofern
er die mit nachfolgendem Dat. auf Jesus als Obj. bezogenen Anfangsstellen
4,11(=Mk Engel); 8,15(=Mk Petrus-Schwiegermutter) und die rahmende Ab-

schlußstelle 27,55(=Mk Frauen als Inhaltsbestimmung der Nachfolge) übernommen und 25,44 in direkter Anrede dupl. hat. Während an den übernommenen Stellen zunächst die Grundbedeutung *bei Tisch aufwarten* deutlich ist, deren letzte aber schon zum "erweiterten Sinn" *für den Lebensunterhalt sorgen* überging (WEISER EWNT 1,726), so ist dieser in der Dubl. (daher gg. WEISER ebd. 729 keine "Sondertradition") deutlich als zusammenfassendes Archilexem durch die voranstehenden Entfaltungen (speisen, tränken, beherbergen, kleiden, im Gefängnis aufsuchen) präzisiert. Diese Doppelungen rahmen bei Mt die beiden abs. Stellen 20,28(=Mk):
A Jesus Obj.:   4,11; 8,15;   25,44; 27,55
B Jesus nicht Obj.:   20,28a.b
Diese beiden Verwendungen im Zentralglied erklären im Kontrast zu den Rahmen-Stellen, daß Jesus nicht gekommen sei, *bedient zu werden* (Pass.), sd. *zu dienen;* dieser Widerspruch ist nur auflösbar, wenn man in der abs. Verwendung noch eine weitere Verallgemeinerung (über *für den Lebensunterhalt sorgen* hinaus) zu *Dienen überhaupt* veranschlagt; da aber das Akt. sofort durch epexegetisches καί in der *Lebenshingabe* präzisiert ist, so liegt ein metonymer Gebrauch vor, dessen Passiv eine Hyperbel (Übertreibung) und dessen Wortspiel als solches ein Oxymoron (scharfsinniger Unsinn) darstellt (B-D-R 495). Die *Hingabe des Lebens* ist dann das entscheidende Sem schon im Pass.: = *daß man sein Leben für ihn hingebe* (wie das im Verlauf der Verwerfung Jesu dann auch 26,31-35.51-54 exemplifiziert wird). Da Jesus aber dennoch im Anschluß an das erste Verwerfungs/Rehabilitierungs-Orakel 16,25f die *Lebenshingabe* um seinetwillen gefordert hatte und diese Formulierung hier in der Epexegese bewußt erinnert ist sowie der ganze Vers 20,28 bei Mt als Begründung durch Beispiel für das entsprechende Handeln der Schüler fungiert (ὥσπερ), also hypotaktisch nach dem dritten Orakel verbindet, was er nach dem ersten parataktisch schon anordnete, so wird der Charakter der hyperbolischen Metonymie im Oxymoron nochmals bestätigt. Als solche rhetorische Bildung kann sie kaum als ein urspr. isoliertes Logion angesehen oder gar auf Jesus selbst zurückgeführt werden, sd. erweist sich als mk Bildung. Da diese Wortgruppe nicht nur in LXX, sd. auch in Q völlig fehlt, darf man die Rhetorik dieses Spruches nicht dahingehend überziehen, daß man behauptet: "Die Wurzel der ntl. Sinngehalte von διακονέω, -ια, -ος liegt im Wort und Verhalten Jesu selbst (gg. WEISER ebd.728); erst Mk dürfte den von Paulus aufgegriffenen, profanen und ekklesiol. dienstbar gemachten griech. Sprachgebauch jesuanisch christologisiert haben. Mt verwendet im Anschluß an Mk einen geläufigen biographischen Topos, daß der wahre König den Seinen dient und für sie sein Leben hingibt (DioChrys 4,43f.66f, worauf 1Clem 55,1 gerade als viele heidn. Beispiele verweist; ROBBINS 1984:188-91).

λύτρον

Mt 1 = Mk 1 (NT sonst nie; LXX 19mal - aber nie für hebr. *ascham*)
Eine isolierte Wortsemantik behauptet hier: "λύτρον bezeichnet stets(!) eine gleichwertige Ersatzgabe und hat streng jurist. Sinn" (THYEN 1970:159 mit Verweis auf JosAnt 14,107, wofür es zweifellos zutrifft); doch belegt der Verweis auf L-S-J und PROCKSCH-BÜCHSEL ThWNT 4,329-59 diese Generalisierung eben gerade nicht: Es ist allgemein ein Mittel zur Lösung und Befreiung bezeichnet (PASSOW II 98) und meint etwa LXX-Ri 1,15 3mal (Wasser-)*Quelle* (vgl. L-S-J 1067). Es entspricht nun weder der paradigmatischen Semantik des Mt, nach der Gott der Empfänger eines solchen *Lösegelds* sein müßte, noch der mt Syntagmatik im Zusammenhang mit den Verwerfungs/Rehabilitierungs-Orakeln Mt 16-20, hier im Gefolge der röm.-lat. Salutalogie an *Ersatzgabe* zu denken. Es geht hier allgemeiner um das "befreiende, lösende Mittel" überhaupt. Die Präp. ist vom vergleichenden Rahmen des Vordersatzes her final gemeint (L-S-J 153 identisch mit πρός +

Gen.); Jesus ist (nach dem schon von Mk her vorgegebenen Kode-Zusammenhang) das vom Kleben an der Sorge für das eigene Leben *ablösende, befreiende Mittel und Quelle* für viele (=alle), sofern sie seinem Vorbild auf dem Weg durch die Verwerfung hindurch zum Lohn der individuellen Unsterblichkeit folgen; λύτρον ἀντί meint bei Mt wie schon bei Mk: *befreiendes Vorbild für.*

διάκονος

Mt 3 : Mk 2 : Lk 0 + 0 : Joh 3
=(Mk 2 + 1)

Da Mt 20,26(=Mk) das Subst. als Antonym zu μέγας und als Synonym zu δοῦλος (für den mt Kode besteht also - gg. WEISER EWNT 1,726f - kein Bedeutungsunterschied) innergemeindlich eingeführt und 23,11(=Mk 9,35 permutiert; gg. WEISER ebd. darum keine "Sondertradition") wiederholt hatte, konnte er es von daher dupl. allegorisch 22,13(+Q) im Plur. (Komplenym βασιλεύς; Synonym δοῦλοι) für die mit individueller Unsterblichkeit belohnten, rehabilitierten leidenden Gerechten (wie 19,28 am Gerichtsvollzug beteiligt) verwenden.

διακρίνομαι ⟩πιστ-

διακωλύω ⟩κωλύω (2. genuin mt διά-Kompositum)

διαλλάσσομαι Q-Mt 5,24 (NT sonst nie; LXX 10mal) *unbedingt versöhnen;* der Stamm ist von Q-Lk 12,58 her permutiert; das Intensivum durch das Präfix διά- gehört als 3. zur Gruppe der Mt eigenen διά-Komposita (GUNDRY 643).

διαλογίζομαι, διαλογισμός ⟩γινώσκω

διαμερίζω ⟩μερίζω

διάνοια ⟩γινώσκω

διαπεράω ⟩πλοῖον

διαρπάζω ⟩ἁρπάζω

διαρήσσω 26,65(=Mk) *zerreißen*

Mt 1 = Mk 1 : Lk 2 + 1 (NT sonst nie); διά-Intensivum von ῥή(-γνυμι/-σσω) 7,6(=Mk 9,18 permutiert); 9,17(=Mk)

Mt 2 : Mk 2 : Lk 2 (NT nur noch Gal 4,27 Zitat)

Am Kranken, dämonenbewirkt, wurde es Mk 9,18 nicht direkt übernommen; während es an der permutierten Stelle 7,6 negativ allegor. als mögliche und zu vermeidende Gefährdung der Schüler par. zu ⟩ἁρπάζω erscheint, ist es 9,17(=mk doch ins Pass. versetzt) umgekehrt das Schicksal der alten Schläuche angesichts des neuen Weins.

διασαφέω 13,36 *erklären;* 18,31 *genau schildern* (NT sonst nie; LXX 11mal); das Intensivum durch das Präfix διά- gehört als 4. zur Gruppe der Mt eigenen διά-Komposita (GUNDRY 643).

διασκορπίζω 25,24.26(+Q) *austeilen;* 26,31(=Mk) *zerstreuen*

Mt 3 : Mk 1 : Lk 3 + 1 : Joh 1 (NT sonst nie); διά-Intensivum von σκορπίζω 12,30(=Q) *zerstreuen* (⟩ἀπόλλυμι *verlieren, zugrunderichten*)

Mt 1 : Mk 0 : Lk 1 : Joh 2 (NT nur noch 2Kor 9,9 Zitat)

Der Spruch definiert es durch das Antonym: *nicht - mit mir(!) - sammeln.*

συνάγω (HAWKINS 1909:7; MORGENTHALER 1973:181 Vorzugswort; GUNDRY 648)

Mt 24 : Mk 5 : Lk 6 + 11 : Joh 7 (NT nur noch 1Kor 5,4; Apk 5mal)
(=Mk 5 - 1 + 6) : (Q 4 + 6) + (A-Mt 4)

Im Erzähltext des Autors, wo es Mk allein med. für das *Sich-Versammeln* bei Jesus hat, ist Mt die erzählende Verwendung bei Mk vorgegeben

Mt 10 : Mk 5 : Lk 1 + 9 : Joh 3.

Obwohl das nur 13,2(=Mk) direkt übernommen ist, so erweist sich doch 22,34 wegen der Präp. ἐπί als Permutation von Mk 5,21 und die Wiederholung des Syntagmas 27,27(+Mk) für die Königs-Verspottung der Soldaten als Dubl.; in der 22,41 vorhandenen Wiederaufnahme von V.34 (Gen.abs. als noch bestehend erinnert) liegt wegen der Verbindung mit den *Pharisäern* eine Permutation von Mk 7,1 vor. Die damit angesetzte Linie einer Verwendung im feindl., gg. Jesus gerichteten Sinne wird 26,3(+Mk – eine erneute Versammlung als Erfüllung der red. Vorhersage Jesu von V.2) fortgeführt und V.57(+Mk) wie 27,17(+Mk) als noch bestehende (gewissermaßen ambulante) Versammlung erinnert. Wenn Mt 27,62 eine dritte Gegnerversammlung in Jerusalem zufügt, so erweist die Präp. πρός (wie 13,2) seine Abhängigkeit von Mk 6,30, was hier permutiert und schließlich 28,12 in Korrespondenz dazu dupl. ist. Mit dieser 8fachen Häufung im feindlichen Sinne in der Jerusalem-Verwerfung/Rehabilitierung hat Mt eine spezifische Verwendung geschaffen, wo sie Mk noch nicht hatte (GNILKA 1961:57; BORNKAMM 1968:44; Lk nur 22,66 durch Permutation von Mk 5,21). In rahmender Entsprechung dazu steht die von Mt 2,4 dupl. geschaffene Eingangsstelle mit dem trans. Vb., daß Herodes alle Gegner zur Erkundung *versammelte*. Die erzählende Verwendung geschieht bei Mt also immer im feindlichen Sinne:

Mt 10 : Mk 1 : Lk 1.

Dabei ist die Anordnung ringkompositorisch:
A über Jesus: 2,4;   26,3.57; 27,17.27.62; 28,12
B bei Jesus: 13,2; 22,34.41;

Die Häufung des Vb. ist im Zusammenhang mit der mt Verwendung des Subst. zu sehen:

συναγωγή

Mt 9 : Mk 8 : Lk 15 + 19 : Joh 2 (NT nur noch Jak 2,2; Apk 2,9; 3,9)
    =(Mk 8 – 3 + 2) + (Q 1 + 1)

Während bei Mk der Sing. vorherrschte (Mk 1,21.23.29; 3,1 mit anphor. πάλιν meint ein Sabbat-Versammlungsgebäude in Kafarnaum und 6,2 – nach 1,9 – in Nazareth, was aber red. sein dürfte; SCHENK 1979:150f) und der Plur. nur 3mal – im Summarium Mk 1,39 sowie in den abschließenden Logien 12,39; 13,9 – erschien, so verändert Mt das Bild in der Umkehrung der Relationen, indem er den verallgemeinernden Plur. 7mal verwendet und den davon gerahmten Sing. nur 12,9(=Mk – streicht aber mit πάλιν den konkreten lokalen Referenzbezug, wie er schon Mk 1,21-29 ganz ausgelassen hatte, und setzt statt dessen sein typ. αὐτῶν hinzu, das nach der voranstehenden 3maligen Verwendung beim Plur. bewußt distanzierend gemeint ist, zumal diese Sabbatheilung angeblich den Todesbeschluß auslöst und von Mt exemplarisch noch stärker als Kontroverse stilisiert ist; HELD 1970:224.232) und 13,54(=Mk und mit Mt 2,23; 4,13 Nazareth meinend – doch wiederum mit dem gleichen, den Leser von vornherein distanzierenden Zusatz αὐτῶν sogar und gerade in der *Vaterstadt!*):

A Plur.: 4,23; 6,2.5; 9,35; 10,17;   23,6.34
B Sing.:   12,9; 13,54;

Der Zusatz αὐτῶν hatte schon Mk 1,23 vorgegeben. Auch da dürfte er nicht eine lokale Referenz auf Kafarnaum darstellen, sd. konkret im Anschluß an V.22 auf die γραμματεῖς bezogen und damit distanzierend gemeint sein. Mt 7,29 hat ihn jedenfalls von daher dir. permutiert und damit seinen distanzierenden Gebrauch unterstrichen: *ihre Lehrer*. Mk 1,39 hat Mk den Plur. für seine einzige erzählende Plur.-Stelle. Dennoch ist nicht anzunehmen, daß er ihn an den anderen "abs." Stellen nicht mitgedacht hat, da ja in der anaphor. Kraft des Art. steckte. Mt hat durch seine multipl. stereotype Setzung dieses Element der Distanz nur durch (eine im Grunde redundante) Explikation betonend verstärkt und unübersehbar gemacht. So ist nicht nur die determinierende Setzung des Gen. subj. als solche kennzeichnend, sd. schon der Zusammenhang mit dem Plur. des Summariums und dessen Setzung am Anfang aller Stellen 4,23(=Mk). Die rahmende Dupl. dazu 9,35 hat ihn entsprechend wiederholt; bei 10,17(=Mk) ist es für die Verfolgung der Schüler ebenso zur Mk-Vorlage zugesetzt wie bei der Dupl. dieser Aussage 23,34(+Q – hier durch das Zweitpublikum der fiktiven Adressaten ὑμῶν KILPATRICK 1946:110) und den beiden von daher zu verstehenden Sing.-Stellen. Typ. und vergleichbar ist auch, daß 11,1 in rahmender Klammer zu 9,35 (und im unmittelbaren Gefolge von 10,17) statt dessen *ihre Städte* (sowie 22,7 analog von Jerusalem *ihre Stadt*) sagen kann (STRECKER 1971:30); "für die Kirche des Mt sind die Synagogen als solche Synagogen des pharisäischen Judentums. Sie nimmt am Synagogengottesdienst nicht teil" (HUMMEL 1966:29; SCHRAGE ThWNT 7,832f Mt hat "die wohl schärfste Distanzierung von der Synagoge"):

συναγωγαὶ(-ῇ) αὐτ-(ὑμ-)ῶν (GUNDRY 648)
    Mt 7 : Mk 2 : Lk 1.

Die 3 restlichen Stellen in Reden Jesu 6,2.5; 23,6(=Mk), "wo er die Synagogen nicht ausdrücklich *ihre Synoygogen* nennt, qualifiziert er sie doch als Stätten der Heuchelei und Ehrsucht. Christl. Synagogen wird er daher wohl nicht gemeint haben" (ebd. gg. KILPATRICK). Wie für Mk so ist auch für Mt die anaphor. Kraft des griech. Art. hier stärker zu veranschlagen: Die bloße anaphor. Renominalisierung genügte; gemeint ist die gleiche Distanzierung, die sich sowohl aus den jeweiligen Antithesen des Kotextes unmittelbar wie aus der Rahmung von 6,2.5 durch 4,23 und 7,29 und der Wiederaufnahme von 23,6 durch die Schlußstelle 23,34 klar ergibt. Darum ist auch aus dieser morphologischen Differenz nicht vorschnell literarkritisches Kapital zu schlagen; denn zwar ist 23,6 unverändert aus der Mk-Vorlage übernommen, doch hat Mt an anderen Stellen wie gerade an dieser auch verändert. Darum ist das Fehlen des Gen.subj. 6,2.5 noch kein Indikator für eine gesonderte Vorlage ebenso wie der stereotyp par. Aufbau dort angesichts der mt Tendenz zu sek. Stereotypisierungen (etwa in den Heilungsgeschichten) entgegen dem deduktivistischen Prinzip der synopt. Formgeschichte nicht als tragendes Argument weiterhelfen kann. Vielmehr ist von der Beobachtung auszugehen, daß Mt 23,6 zwar wie Lk 20,46 als unmittelbare Par. von Mk 12,39 bedingt sind, doch Mt zugleich in Einzelheiten enger mit der Dubl. Q-Lk 11,43 übereinstimmt; so erweist sich gerade die Doppelung der Ortsangaben in 6,2.5 als eine von der Q-Fassung und ihren übernommenen Elementen her inspirierte Bildung und Dupl. (gg. FRANKEMÖLLE EWNT 3,703 ist also für Q kein "völliges Fehlen" zu behaupten). Signifikant ist dgg. das völlige Fehlen bei Paulus (im *Unterschied* zur lk Darstellung).

Der bei Mt (wie bei Q und Mk) einhellige Gebrauch belegt, daß sich der anfänglich bei PhiloLib 81; JosBell 2,285.289 (Caesarea und 15 km NO Narbata); 7,44 (Antiochia); Ant 19,300 und der Jerusalemer Theodotos-Inschrift (CIJ II 1404; DEISSMANN 1923:378–80) findende Sprachgebrauch, der metonymisch von *Versammlung, Gemeinschaft* auf *Versammlungshaus* (SCHRAGE ThWNT 7,806–10) überging, offenbar schon durchgesetzt hat. Die Bezeichnung des Vereinsvorsitzenden, der die Versammlungen einberief und leitete, ἀρχισυνάγωγος, die stärker von der Bedeutung *Versammlung* abgeleitet ist (SCHRAGE ebd. 843f), wurde darum durch Mt an allen 4 Stellen von Mk nicht übernommen. Das Gebäude erscheint mt als Ort des Gebets (6,5 vgl. JosAp 1,209 und die urspr. Bezeichnung προσευχή sogar JuvSat 1,3.296)) mit Ehrensitzen (23,6), der Armenfürsorge (6,2), der Lehre Jesu (13,34 und summarisch 4,23; 9,35), einer Sabbatheilung (12,9 vgl. die Bezeichnung σαββατεῖον JosAnt 16,164; Kranke waren vom Besuch nicht ausgeschlossen SCHRAGE ebd. 829, 831) und der Geißelstrafe an den von Jesus ausgesandten Schülern (10,17; 23,34; jüd. nicht belegt: SCHRAGE ebd.829f).

Dennoch ist Vorsicht geboten: "All references in the Gospels to *Synagogue*, indicating worship, are those of the Diaspora and Galilee, and benefit only the latter days..., when the Gospels were written" (HOENIG 1979:453); der primäre Platz des örtl., regelmäßigen gemeindl. Laiengebets (*maamadot*) außerhalb des Jerusalemer Tempels war der Marktplatz; auch er hieß darum *Gebetsplatz* (προσευχή 1Makk 3,46) oder *Versammlungsplatz* (σ.);

diese Bezeichnungen besagen als solche zunächst nicht unbedingt etwas über ein Haus: "During the Temple aera lay worship was only in the city square for fast days, prayer for rain and for the *maamadot* observances" (ebd.452). Ebenso ist weiterhin zu bedenken, daß alle kommunalen Angelegenheiten mit dem allgem. Ausdruck *kenesset/σ.* bezeichnet wurden ("designated all communal activities of the city" ebd.451 – einschließlich der davon abgeleiteten Bezeichnung der Funktionsträger). Man hat also nicht eo ipso mit σ. die Assoziation "Gottesdienst" zu verbinden. Selbst wo es in der Diaspora und dann auch in Galiläa ein *bet ha-kenesset* gab, war es primär "the place of the communal assembly ... for all communal needs", in die dann auch die regelmäßigen Laien-Gebete vom Marktplatz als ihrem angestammten Ort her einzogen: "We cannot speak of the *bet ha-kenesset* as referring to early places of formal worship in Judea, because only after the destruction of the Temple in 70 C.E. do we find such a designation of formal synagogue service" (ebd. in Übereinstimmung mit GUTMANN 1975; selbst die Zuweisung der ausgegrabenen Räume in Herodium und Massada zu definitiven Gottesdienstzwecken müssen als Wunschdenken bezeichnet werden; ebd. 453).
Die mt Häufigkeit des Vb. in *dir. Rede* ist noch signifikanter:
    Mt 14 : Mk 0 : Lk 5 + 2 : Joh 4.
Hier ist Mt ganz von Q inspiriert und der *trans.* Gebrauch des Akt. überwiegt; außer der gerichtseschatol. positiven Verwendung 3,12(=Q metaphor. *das Getreide in die Scheune einsammeln)* im Munde des Täufers, die 13,30 im Munde Jesu dupl., ist dieselbe Wendung uneschatol. auch 6,26(=Q-Lk 12,18 permutierend vorweggenommen) vorgegeben. Wegen des Gerichtsbezugs dürfte von 3,16 her *einsammeln* auch in die Gerichtsallegorie 25,24.26(+Q zusammen mit dem Antonym) eingebracht sein, um Ironie zu verstärken. Noch neutral gerichtsmetaphor. ist das *Med.* 25,32 vom *Sich-Versammeln aller Völker vor ihm*; rein operational dürfte das Sprichwort vom Aas Q-Mt 24,28(=Lk 17,37, der ein Doppelkomp. hat, weil er es auf den negativen Gerichtsausgang umkodiert: "die Zurückgelassenen sind also das Aas, auf das sich die Geier stürzen"; SCHULZ 1972:280) verwendet sein, um die Unübersehbarkeit der noch künftigen Parusie auszudrücken; als Bildwort verweist es auf den Erkenntnisgrund: "So sicher wie das Aas die Geier anlockt, so sicher wird die Parusie des Menschensohns allen Menschen sichtbar sein" (ebd.).
    Neben diesen 6 gerichtseschatol. Stellen erscheint es 4mal missionarisch-ekklesiol. von der Definition des Antonyms Q-Mt 12,30 her (*mit ihm einsammeln*), was 13,47 im Pt.Pass. in der Menschenfischer-Allegorie wie 22,10(+Q) von der Arbeit der Königssklaven dupl. wurde. Unter Aufnahme der beiden konstitutiven Elemente von 12,30 ist auch der Begründungssatz 18,20 vom *Versammeln seinetwegen* (= mt Jesus - und damit mt Buch!) gebildet (Pt.Perf.Med. in der Textsequenz Renominalisierung von ἐκκλησία V.17). Von den jesus-zentrierten Definitionen her gewinnt das distanzierende *ihre Synagogen* noch einen neuen Akzent: Wenn das *Nicht-mit-ihm-Sammeln* per definitionem *Zerstreuen* ist, dann ist das Nom. resultandum faktisch nicht das Resultat des *Versammelns*, sd. des *Zerstreuens. Synagogen* sind mt damit eo ipso als Orte und Instrumente der *Zerstreuung* (unter dem Deckmantel der *Versammlung*) disqualifiziert. Mt dürfte das makrosyntaktisch auch damit ausdrücken, daß 12,30 als Ziel im *Zentrum der Ringkomposition* des Subst. im Plur. und Sing. (s.o.) steht. Das Doppelkomp.
ἐπισυνάγω
    Mt 3 : Mk 2 : Lk 3 (NT sonst nie)
hat Mt ebenso nur in *Logien* (Mk 3,1 wurde daher ausgelassen) und nur für ein Handeln *Jesu* verwendet: 23,37b(=Q) dient das Intensivum abschließend zusammenfassend zum beschreibenden Rückblick für das Wirken Jesu als des

geborenen Messiaskönigs Israels, was die Wiederholung V.37(+Lk) im Bild der *Glucke* mit den *Küken* (NT nur hier) verstärkt. 24,31(=Mk) wird es dann im Anschluß daran zur Beschreibung für den soteriolog. Endgerichtsaspekt wiederholt.

Eine spezifisch mt Bildung zieht sich wohl beabsichtigt durch alle drei wesentlichen Verwendungsgruppen: Schon die feindliche Einführungsstelle 2,4 spricht vom Versammeln *aller;* 22,10 sammeln die Königssklaven – nach dem Vernichtungsgericht über Israel als dessen Endgericht – *alle (Böse wie Gute)* und analog in der Menschenfischerallegorie 13,47 (ἐκ παντὸς γένους); weil Mt so eine weltweite Verbreitung seines Buches als Gerichtsmaßstab beabsichtigt und voraussetzt (24,14; 28,18f), können sich 25,32 beim Endgericht dann auch *alle nichtjüdischen Völker* versammeln, die sich nur noch in Verfolger und Verfolgte (und deren Unterstützer) aufteilen:

συνάγω παντ-
    Mt 4 : Mk 0 : Lk 2 (red. anders Lk 12,18; 15,13 *alles zusammenraffen*).
Ein singulärer Verwendungskomplex des trans. Vb. ist A-Mt 25,35.38.43 *gastlich aufnehmen* von *Obdachlosen,* der LXX-Sprachgebrauch red. nachahmt (FRANKEMÖLLE EWNT 3,701f). Das antonyme Obj. noch V.44 (zum Hausverlust bzw. -verlassen vgl. 19,29); 27,7(+Mk für Arme):

ξένος (GUNDRY 646)
    Mt 5 : Mk 0 : Lk 0 + 2 : Joh 0
διαστρέφω 17,17(+Mk) Pt.Pf.Pass. *verdreht*
    Mt 1 : Mk 0 : Lk 2 + 3 (NT nur noch Phil 2,15)
Da Mt hier gleichzeitig mit Lk "unabhängig voneinander in Richtung auf Dt 32,5" ergänzt hat (BUSSE EWNT 1,752), so ist dieses Intensivum das 5. der red. mt διά-Komposita wie

διασῴζω ⊁σῴζω das sechste.
διατάσσω ⊁διδάσκω (7. red. mt διά-Komp.)
διαφέρω 6,25(=Q); 10,31(=Q); dupl. 12,12 intr. + Gen. *sich unterscheiden*
    Mt 3 : Mk 0 : Lk 2 + 0 : Joh 0
διαφημίζω
    Mt 2 : Mk 1 (NT und LXX sonst nie)
Das Intensivum ist vom Hautkranken des Anfangs Mk 1,45 auf die (von Mt ohnehin betonten) *Blinden* Ende des Zyklus Mt 9,31 permutiert und besonders akzentuiert: Nach dem Verbot des Heilungsberichts machen sie nicht ihren Nutzen, sd. *ihn bekannt,* werden noch vor der Aussendung zu *Zeugen des mt Jesus.* Im Kontrast dazu steht die Dubl. auf der dir. Kommunikationsebene Autor/Leser 28,15: bis heute wurde bei den Juden die Lüge vom Leichenraub der Schüler Jesu *verbreitet* (eine Reaktion, die aber erst nach der literar. Erfindung des leeren Grabes durch Mk datierbar und insofern literar. verursacht ist; SCHENK 1974:259-71; 1983: 59-61).
διδάσκω
    Mt 14 : Mk 17 : Lk 16 + 16 : Joh 9
      =(Mk 17 - 9) + (Q 0 + 1) + (A-Mt 5)
Mt hat gegenüber Mk zwar reduziert, läßt aber durch Verteilung und Verbindung eine vereinheitlichend-konzentrierende Umbildung auf den Bedeutungsgehalt *Anleitung zum Handeln* (Paränese) oder schlicht *befehlen* erkennen (Synonym ἐντέλλομαι, διατάσσω). Dies war etwa klar bei Mk 7,7 in dem Zitat LXX-Jes 29,13 für die Gegner mit dem in den Evv. nur hier vorkommenden Bezugsnomen vorgegeben
διδασκαλία
    Mt 1 = Mk 1 (im pl Bereich 19mal; LXX 4mal)
und durch das Hyponym näher präzisiert
ἔνταλμα
    Mt 1 = Mk 1 (NT nur noch Kol 2,22 verbunden; LXX 4mal)
Mt hat das Vb. nicht nur 15,9 so übernommen, sd. für die Gegner auch noch

28,15 dupl.; dabei ergibt sich dort mit der Koppelung durch das Komplenym der Ausführungsformel ποιέω für διδάσκω eindeutig die Bedeutung *befehlen*. Ebenso signifikant sind für diese eth. getönte semant. Vereinheitlichung des Mt auch die beiden, für seine Schüler in dir. Anrede an hervorragender Stelle gegebenen Anweisungen zur *Befehlsweitergabe*: 28,20 red. in der Selbstkanonisierung des Buchschlusses komplenym zu τηρέω und inhaltlich synonym wie sachidentisch mt ἐντέλλομαι: *Leitet sie an, alles zu halten, was ich euch (laut diesem Buch) befohlen habe*; ganz analog dazu steht δ. red. auch doppelt zur antithetischen Verstärkung in der Propositio der Grundsatzrede 5,19a.b für das *anleitende Weitergeben* der Schüler auf die dort V.21 folgenden Anweisungen bezogen. Mit diesem strengen Bezug auf das mt Buchkonzept selbst erklärt es sich, daß das einmalige mk Lehren der Schüler Jesu zu seinen Lebzeiten von Mk 6,30 ausgelassen wurde. Im Unterschied zu anderen Redeverben hat Mt (abgesehen von den Gegnern) — bei aller Angleichung der Einheitsfront in der Aussage — weder dem Täufer noch den vorösterlichen Schülern, sd. nur *Jesus* allein diese Lehr-(=Weisungs-)Aktivität zugeschrieben (KINGSBURY 1977:46).

War es bei Mk 15mal auf das Subj. Jesus bezogen, so ist dies bei Mt nur 9mal der Fall. Unter Aufnahme der eth. Ansätze bei Mk sind aber kennzeichnenderweise nicht-eth. Bezugspunkte (wie Mk 4,2 Parabelrede oder 8,31; 9,31 Vorhersagen) weggefallen (BORNKAMM 1970:35). 4,23 beginnt bezeichnend vor der Grundsatzrede mit einem Summarium, wobei Mk 1,21 versetzt übernommen ist, so wie im Rückblick auf die Grundsatzrede 7,29 dann die bei Mk 1,22 unmittelbar folgende Angabe übernommen ist. Im Kontakt zu beiden Stellen ist es dann 5,2 dupl. in die Q-Einleitung zur grundsätzlichen Instruktionsrede als Überschrift hineingetragen worden. Danach ist es 9,35 wiederum ein Summarium, wo Mk 6,6b versetzt übernommen ist, und dies ist wiederum im Summarium 11,1 red. dupl.; Mt 11,54 ist Mk 6,2 wie Mt 21,23 Mk 11,17 versetzt, Mt 26,55 schließlich die Schlußstelle Mk 14,49 übernommen — ferner Mt 22,16 das Gegnerreferat aus Mk 12,14 (hier mit *Weg Gottes* deutlich ethisch).

Der Bergrede-Einleitung 5,2 kommt so deutlich eine Schlüsselstellung zu, worauf das vorlaufende Summarium 4,23 kataphorisch vorweist wie die folgenden 7 Jesus-Stellen anaphor. rückweisend bezogen sind: Mt suggeriert damit eine jeweilige *Wiederholung der Bergrede als Instruktionsrede*. Verstärkt wird dieser Sachzusammenhang in der rückblickenden letzten Stelle noch dadurch erinnert, daß Mt 26,55 red. das zugeordnete *Sitzen* von 5,1 als Umstandsbestimmung des Lehrens red. wiederholt. In den 3 Summarien 4,23; 9,35; 11,1 folgt regelmäßig als Anschluß καὶ κηρύσσων, so daß in diesem nur mt Doppelausdruck eindeutig das erste Vb. als *ethisch bestimmte Kundgabe des Willens Gottes* (WEISS EWNT 1,767) die Führung hat. Hinsichtlich der 7 Stellen der ersten Buchhälfte kann man eine bewußt chiastisch gestaffelte Anordnung erkennen:

A 4,23 Summarium (Doppelausdruck) — Kataphora zur Bergpredigt
  B 5,2 Bergpredigt-Einleitung
    C 5,19a.b Weitergabe-Befehl der Bergpredigt an die Schüler
  B' 7,29 Bergpredigt-Ausleitung
A' 9,35; 11,1 Summarium (Doppelausdruck) — Anaphora zur Bergpredigt.
  Die Verwendung des Nom. resultantum

διδαχή
  Mt 3 : Mk 5 : Lk 1 + 4 : Joh 3 (NT noch 14mal; LXX nur Ψ 59 Tit.) bei Mt fügt sich in dieses Konzept ein, sofern der Gebrauch 7,28(=Mk 1,22 permutiert) direkt auf die Bergrede zurückbezogen ist, 22,33 eine Dubl. gerade dazu darstellt und antonym dazu 16,12 auf die Gegner bezogen ist. Somit hat das Subst. (immer im Sing. verwendet; SCHRAGE 1982:243) stets die Bedeutung *Ethik, Gesetzesauslegung*. Auch die Sadduzäer-Zurückweisung

22,23-33 ist damit für Mt ein Stück seiner eth. Lehre, sofern es hier um einen wesentlichen Bestandteil, um die Zurückweisung der Bestreitung der eschatol. Belohnung geht (gg. SCHRAGE ebd. 244f im mt Konzept also keine Ausnahme).

Der Zusammenhang wird auch dadurch deutlich, daß Mt als Reaktion ἐκπλήσσομαι

Mt 4 : Mk 5 : Lk 3 + 1 (NT sonst nie; LXX nur 5mal)

nur in diesem Wortfeld von Mk übernimmt und die auf die Heilung bezogene Stelle Mk 7,27 ausgelassen hat, während die auf die eth. Lehre bezogenen Stellen von Mk übernommen wurden: 7,28 entspricht 22,33 im Zusammenhang mit dem *Lehren* ebenso wie wie 13,54 (vgl. die anschließende Verbalisierung); sachlich konform ist auch die Schüler-Reaktion 19,25 (vgl. die anschließende Verbalisierung). Dieses *Betroffensein* (L-S-J 517) als *Außersich-sein* hat nach der ersten Stelle 7,28 deutlich die Funktion (Differenz zu *ihren! Gesetzeslehrern)* die Besonderheit und Einmaligkeit der göttl. Autorität des mt Jesus als authentischem Verkünder des Willens Gottes herauszustellen. Es ist weniger der Ausdruck ihrer eigenen Sündhaftigkeit (expressive Sprachfunktion, worauf man durch 7,28 einen ganzen Deutetyp der Bergrede als usus elenchticus aufbaute) als die Erkenntnis und Anerkennung der einmaligen eth. Lehrautoriät Jesu als göttl., bezeichnet also eher das *Ergriffensein.*

In der rhetor. Terminologie des Hell. ist διδάσκω definiert als "die vom Redner intendierte intellektuelle Einwirkung auf den Situationsmächtigen" (LAUSBERG 1976:67); in diesem Wortfeld beschreibt die starke Affektstufe ἐκπλήσσω die intellektuelle und affektive Realisierung der Überzeugungshandlung mt-jesuanischer *persuasio.*

ἐντέλλομαι (GUNDRY 644)

Mt 5 : Mk 2 : Lk 1 + 2 : Joh 3 (NT nur noch Hebr 9,20; 11,22)

=(Mk 2 – 1 + 2) + (Q 1) + (A-Mt 1)

Das im Griech. fast rein soziologisch verwendete Vb. für das *Erteilen von Anordnungen und Befehlen* wurde in LXX zum Vorzugswort für *göttl. Befehlen* (SCHRENK ThWNT 2,541f). Mt ist von diesem Sprachgebrauch bestimmt, da er die un-theol. vorgegebene Verwendung Mk 13,34 ausließ. Übernommen wurde das theol. qualifizierte Befehlen 4,6(=Q Zitat ψ 90,11) im Munde des *Verleumders,* dessen Gültigkeit in anderer als der vom Teufel gemeinten Weise Mt allerdings durch die tatsächliche Realisierung in der V.11 genannten Ausführung unterstreicht. Obwohl aus textkritischen Gründen das Vorkommen 15,7(+Mk) meist (undiskutiert bei ALLEN, GRUNDMANN, SCHWEIZER, GUNDRY) negiert wird, dürfte es doch (mit H-G 120 gg. N-A; GNTCom 38) aus "inneren Gründen" vom mt Sprachgebrauch als urspr. anzusehen und εἶπεν bei B D θ al als Rückangleichung an Mk zu beurteilen sein. Mt dürfte im Gefolge von ἐντολὴ τοῦ θεοῦ V.3 (KLOSTERMANN 132) weiterhin verstärkend umformuliert haben, zumal er V.4 *Gott* als Subj. statt *Mose* als Subj. des Dekaloggebots der Elternfürsorge einsetzte und damit auch die Renominalisierung *Wort Gottes* V.6 stärker gewichtet sowie V.7 in der Zitateinleitung eine analog verstärkende (und ebenso λέγων nachfolgen lassende) Umformulierung eingebracht hat.

Man bedenke dazu auch, daß 19,7(=Mk) mit Bedacht das *Mose hat die Anordnung gegeben* aus dem Munde Jesu in den Mund der Gegner verlegt und damit wiederum dem dir. Schöpfungsbefehl Gottes entgegengesetzt hat. Ein konkreter Befehl Jesu (für den weder Mk noch Q das Vb. vorgaben) ist 17,9(+Mk) in dem die Schüler zu Offenbarungszeugen qualifizierenden, vorläufigen Schweigegebot gegeben über die vorübergehende, vorwegnehmende Erscheinung Jesu in der Herrlichkeit des durch Auferweckung rehabilitierten Gerechten. Abschließend wird 28,20 das gesamte mt Jesus-Konzept zusammenfassend damit bezeichnet. Die jesuanische Verwendung ist spezifisch

mt. Bei der Übers. ist zur Kennzeichnung der Stärke des Vb. überall die Verwendung des Funktionsverbgefüges *Anordnung geben, Befehl erteilen* angebracht. Das Nomen
ἐντολή
    Mt 6 : Mk 6 : Lk 4 + 1
    =(Mk 6 – 2 + 1) + (Q 0 + 1)
ist im Sing. (mit explizitem Gottesbezug eingeführt, der auch sonst immer mitgedacht werden muß) 15,3(=Mk) auf ein fürsorgendes Dekaloggebot bezogen wie 22,36.38(=Mk) auf das Hauptprinzip des Mosegesetzes (ausgelassen wurden Mk 7,8; 10,5). Der Plur. 19,17(=Mk) wird V.18f wieder auf den durch das Gebot des Nächstenfürsorge ergänzten zweiten Teil des Dekalogs bezogen. In der Schlußstelle 22,40(+Mk dupl.) ist der Plur. (Doppelgebot) red. wie an der Anfangsstelle 5,19(+Q), wo das Demonstr. kataphorisch auf V.21ff vorweist und die grundlegende Verbindung mit διδάσκω hergestellt wie mit V.18 der Bezug zum (von Mt in seinem Sinne inkraftgesetzten) Pentateuch erhalten ist: "Mk und Mt verwenden ε. ausschließlich für die Gebote der Tora" (LIMBECK EWNT 1,1123). Damit ist besonders der Plur. für Mt typisch:
    Mt 3 : Mk 1 : Lk 2 + 0
Zugleich erscheint die Verteilung der Verwendung ringkompositorisch:
A Plur.: 5,19;   19,17;   22,40.
B Sing.:   15,3;   22,36.38;
ἐπιτρέπω 8,21(=Q); 19,8(=Mk) *erlauben* (Konzession einer Autorität)
    Mt 2 : Mk 2 : Lk 4 + 5 : Joh 1 (NT noch 4mal, LXX 8mal)
ἐπιτρόπος 20,8 *Verwalter, Aufseher*
    Mt 1 : Mk 0 : Lk 1 (NT und LXX nur noch Gal 4,2)
διατάσσω 11,1(+Mk/Q) *unbedingte Verpflichtung*
    Mt 1 : Mk 0 : Lk 4 + 5
Da Mt hier unabhängig von Lk rückblickend die Sendung der Zwölf von Kap. 10 hier als *unbedingte Verpflichtung* der Zwölf charakterisiert, ist sie von dem anschließend genannten und sonstigen Lehren besonders abgehoben (OBERLINNER EWNT 1,755 – aber wohl weniger "zugleich Bekräftigung der bleibenden, die Gemeinde als die Nachfolger der Zwölf verpflichtenden Weisungen", da sie 28,18–20 ja teilweise aufgehoben werden; Mt denkt eher historistisch an eine Unterstreichung der ausschließlichen, vorösterlichen Verstockungs-Sendung an Israel); es ist damit das 7. red. διά-Kompositum.
συντάσσω (GUNDRY 648)
    Mt 3 (NT sonst nie)
das ausgesprochene LXX-Wort hat Mt immer in der LXX-Wendung (Ex 12,35; 36,8.12.14.29.34; 37,20; 39,11; 40,19; Num 27,11.23 u.ö. BAUER WB 1567) *wie befohlen* zur Ausführung einer Anordnung des Vorsehungsplans 27,10(+Mk) im Erfüllungszitat selbst aus Ex 9,12 eingebracht (ROTHFUCHS 1969:88) wie er es vom Handeln die Schüler auf einen Auftrag Jesu im Anschluß an ein Sach-Zitat schon 21,6(+Mk) einbrachte und in der par. strukturierten Erzählung 26,19(+Mk) wiederholte, um aus beiden urspr. Vorhersage/Erfüllungs- klar Befehl/Ausführungs–Erzählungen zu gestalten. Dabei ist 21,6 als Einsatzstelle (mit N-A gg. H-G 193) dieses Komp. zu lesen, denn die Abänderung erklärt sich als Anpassung an das vorher verwendete synonyme
προστάσσω
    Mt 2 : Mk 1 : Lk 1 + 3 (NT sonst nie),
das 1,24 analog in der ersten Ausführungsformel verwendete, wo das Subj. des Befehls der "Engel des Herrn" war. 8,4(=Mk) ist Mose Subj. mit dem Verweis auf die Opferüberbringung von Lev 13,49 zum ersten Belastungszeugnis gg. Israel. Das Simpl.
τάσσω
    Mt 1 : Mk 0 : Lk 1 + 4 (NT nur noch 1Kor 16,15; Röm 13,1)
ist in 8,9 bei 01 B pc it vg^[cl] als sek. Par.-Angleichung an Lk zu beurtei-

len, die sich nach der Verwendung des Komp. V.4 leicht nahelegte. Es steht in der Abschlußstelle 28,16 für einen Befehl Jesu im Sinne der voranstehenden Verwendung der Komp. zur Markierung der Befehlsausführung der Schüler (Rückverweis auf V.10 und die Vorhersage V.7 wie 26,32 als nachtragende Näherbestimmung; KLOSTERMANN 231; STRECKER 1971:98). Diese Verwendung ist ebenfalls red. und die rahmende Verteilung A B A' um das Hauptkomp. dürfte den beabsichtigten Zusammenhang unterstreichen wollen. Mt verwendet nicht das Komplenym ὑποτάσσω.

παραγγέλλω 10,5(=Mk 6,8 permutiert); 15,35(=Mk) Jesu *Gebieten*

  Mt 2 : Mk 2 : Lk 4 + 10 : Joh 0

κελεύω + Inf. (HAWKINS 1909:5; GASTON 1973:62; GUNDRY 645)

  Mt 7 : Mk 0 : Lk 1 + 17 (NT sonst nie)

    =(Mk 0 + 6) + (Q 0) + (A-Mt 1)

Jesus ist 8,18(+Mk) und 14,19(+Mk).28(+Mk Bitte des Petrus) Subj. wie 18,25 allegor. Gott und 14,9(+Mk) Antipas bzw. 27,58.64(+Mk) Pilatus, um Jesu herrscherliche *Befehlsgewalt* zu unterstreichen. Während in den 3 mittleren Stellen (B von Gott und Jesus) auch die Adressaten genannt sind, fehlen sie in den je 2 rahmenden Anfangs- und Schlußstellen (A : A'), wobei die Kurzfassung der ersten beiden wie der vorletzten Stelle noch besonders durch das Fehlen jedes Akk.Obj. mit reinem Inf. auffallen.

ἔξεστιν (GUNDRY 644)

  Mt 9 : Mk 6 : Lk 5 + 4 : Joh 2 (NT nur noch Kor 5mal; LXX 10mal)

    =(Mk 6 + 3)

Während die Frage nach dem *Erlaubten/Verbotenen* in Q nicht vorgegeben war, übernahm Mt alle mk Stellen, beginnend mit dem Sabbat-Bezug Mt 12,2 (+Inf. ergänzt).4(in Pt.neutr. abgewandelt).12, wobei er sie V.10(+Mk) erstmalig dupl. ergänzte, um den Gegnervorwurf (+ Inf.) in dir. Rede an das voranstehende Beispiel anzugleichen. Die nächsten beiden Stellen 14,4 (=Mk vom Täufer im Autorenkommentar) und 19,3(=Mk Gegnerfrage) beziehen sich auf die Heirat Entlassener bzw. auf die Entlassung überhaupt. Auch in der Zensusfrage 22,17(=Mk) ist sie im Gegnermund vorgegeben. Die Gegnerfrage nach der Verwendung des Judas-Honorars 27,6(+Mk) ist eine von daher gebildete red. Dubl.

In der Kontinuität des hell. Frühjudentums steht es also immer in Abhängigkeit von Mk in der Frage nach dem *von Gott Erlaubten*: Die LXX gebraucht es als verneintes "von allg. Verboten (2Esr 4,14; Est 4,2; 1Makk 14,44) und bes. zur Bez. des vom jüd. Gesetz Verbotenen (3Makk 1,11; 4Makk 5,18; vgl. JosAnt 20,268)" (BALZ EWNT 2,11-14 vgl. FOERSTER ThWNT 2,557-9). Da Mt es auch in der Allegorie 20,15 in einer argumentativen Frage im betonten Ich-Bezug verwendet, so ist der christol. Bezug zum Gottesrecht nochmals wie 5,21ff; 12,1ff besonders unterstrichen: Der, dem nach 11,27 schon alles von seinem Vater übergeben ist, kann auch den Seinen die für alle gleiche individuelle Unsterblichkeit belohnend geben.

Der Dat. der betr. Person steht 4mal ausdrücklich: 12,4 (eröffnend red. Zusatz); 14,4; 20,15; 22,17, kann aber auch sonst sinngemäß ergänzt werden (19,3 red. ausgelassen). Der Inf. der betr. Handlung steht bei Mt in allen Fällen (12,2 als red. Zusatz). Der Akk. des betr. Obj. fehlt nur bei der Wiederholung 12,10.12. Die Negation geht 5mal voraus: 12,2.4; 14,4; 20,15; 27,6 (*es ist von Gott verboten*) bzw. wird 22,17 komplementär nachgestellt. Zwei gegnerische Fangfragen 12,10 und 19,3 werden mit der unklass. Fragepartikel εἰ' eingeleitet (BAUER WB 435; B-D-R 440,3). Synonymentsprechung liegt bei καλόν ἐστιν (vgl. 15,26 v.l.) vor. Supernym ist Gottes Wille.

ἐξουσία (GUNDRY 644)

  Mt 10 : Mk 10 : Lk 16 + 7 : Joh 8

    =(Mk 10 - 2 + 1) + (Q 1)

Aus Mk sind alle 6 christol. Stellen übernommen: 7,29(=Mk 1,22 versetzt);

9,6; 21,23a.b.24.27, während die 3 ekklesiol. auf 10,1(=Mk) verkürzt und Mk 3,15 und 13,34 ausgelassen wurden. Das zeigt eine deutlich gegensätzliche Gewichtung nach diesen beiden Seiten hin, die noch weiter zu verdeutlichen ist: Auch die aus Q übernommene militärische Analogie des Machtwortes 8,9 ist christol. orientiert. Schließlich macht der red. Buchschluß 28,18, wo wegen der Vb.-Verbindung die letzte mk Stelle (Mk 13,34) permutiert sein dürfte, deutlich, daß es sich um ein Leitwort der mt Christologie handelt. Weil diese Stelle in Analogie zu 9,6 konstruiert ist, liegt hier nicht etwa eine Erhöhungsaussage vor, sd. nur eine lokale Erweiterung der dem mt Jesus schon seit seiner Geburt eignenden Hoheit (BORNKAMM 1970:293; STREK-KER 1971:211f). Typischerweise erreicht 9,6 aus dem mk "Sündenvergebung auf Erden" durch Umstellung das betontere *Befehlsgewalt/Weisungsbefugnis auf Erden*. Gegeben ist sie auch schon dem mt Irdischen, wie das gleiche Vb. in 21,23b wie 9,8(+Mk V.6 dupl.) beweist, wo es das komplenyme *Haben* von V.6 (ebenso schon an der ersten Stelle 7,29) aufnimmt. Ohne explizite Verwendung des Subst., aber in der Textsequenz deutlich an das, was voransteht, angeschlossen, sagt 11,27 daß ihm *alles gegeben* sei. Der Inhalt der dort genannten Offenbarung ist die hoheitliche Würde und Autorität des mt Jesus, die in seiner Lehre seit der Hörerreaktion im Redenschluß 7,29 erkennbar zum Ausdruck kommt und damit in seiner *Regierungs- und Befehlsgewalt* besteht (HAHN 1965:55). Das Orakel des mt Jesus 16,28, daß einige ihn in seiner von Gott gegebenen *Königsgewalt* sehen werden, wird sofort in der Verwandlung 17,1ff erfüllt. Damit ist mt ἐξουσία mit der mt Jesus gegebenen βασιλεία θεοῦ in engste Beziehung gesetzt und letztlich so synonym, daß bei ἐ. immer diese βασιλεία bezeichnet oder konnotativ angespielt sein soll. Mt kennt weder eine Erhöhungs- noch eine Inthronisationschristologie. Sein Jesus ist der geborene König Isarels und seine ἐ. ist darum immer seine Königs-ἐ.; angesichts der Reduktion der ekklesiol. und der Expansion der christol. Belege ist auch der Mk-Zusatz 9,8 nicht ekklesiol. (wie von SCHLATTER promoviert und jetzt wieder von FRANKEMÖLLE 1974:217 wie BROER EWNT 2,25), sd. christol. zu verstehen (SCHENK 1963 als Dat. commodi im Zusammenhang der spezif. Verwendung von ⟩ἄνθρωποι bei mt ohne ekklesiol. Bezug). Die christol. Zentrierung des Mt macht auch ein Seitenblick auf Lk deutlich, bei dem nur die Hälfte seiner Belege christol. orientiert ist (Mt 9 : Mk 7 : Lk 8). Daß Mt 10,1 auch einmal die ekklesiol. Verwendung beibehalten kann, ist kein Widerspruch, da die Schüler mt die gleiche Botschaft wie der mt Jesus haben, das, was Mt 10 befohlen wird, ja 11,1.19 zu den "Werken Christi" dazugehört und es hier nicht unmittelbar um die von *Gott* erteilte ἐ. geht, sd. um eine von *Jesu* erteilte, der Ausdruck also nur funktionsanalog ist. Die Sem-Aspekte *Macht* und *Recht* fallen in dem Supernym *Zuständigkeitsbereich* zusammen. Das Präfix im abgeleiteten Komp.

κατεξουσιάζω 20,25(=Mk – NT und LXX sonst nie) + Gen. gibt dem Vb. den negativen Akzent des *Unterjochens*.

ὑπακούω 8,27(=Mk) Winde und See *gehorchen*
   Mt 1 : Mk 2 : Lk 2 + 2 : Joh 0

τηρέω (HAWKINS 1909:8; KLOSTERMANN 9; GUNDRY 648)
   Mt 6 : Mk 1 : Lk 0 + 8 : Joh 18
     =(Mk 1 + 4) + (Q 0) + (A-Mt 1)

Die 3malige red. Einführung der *Bewachung* des Gekreuzigten 27,36(+Mk).54 (+Mk) wie des Begrabenen 28,4(+Mk) ist weniger "polemisch" noch werden damit "Tod und Auferstehung als Theo(!)phanie apostrophiert" (gg. eine überzogene Gattungsgeschichte bei KRATZ EWNT 3,849; 1973:65f; 1979 passim bleibt die mt Christologie streng unitarisch-subordinatianisch, wie Mt auch betont von *Auferweckung* und nicht von *Auferstehung* spricht), sd. soll durch das Machtaufgebot der Feinde deren Ohnmacht und damit die machtvolle Hoheit des mt Jesus auf allen Stadien seines Weges zeigen.

Die 3malige eth. Verwendung in Worten Jesu ist von Mk 7,9 vorgegeben, wo es (gg. KRATZ ebd.; N-A; GNTCom 94 ist *Aufrichten* sek. Verstärkung) urspr. sein dürfte (H-G 121), von Mt aber ausgelassen wurde, da es sich dort auf die Überlieferung der jüd. Gesetzeslehrer bezog; Mt hat es nach 23,3 permutiert. Mt setzte 19,7(+Mk) im ingressiven Imp.Aor. (*fange an...*; B-D-R 337,1) mit dem Obj. *Gottesgebote* ein als Antwort auf die Frage nach dem ποιεῖν. Diese eth. Verwendung ist stärker weisheitlich vorgeprägt (LXX Prov 3,1.21; Sir 29,1; Dan 9,4; RIESENFELD ThWNT 8,140 – gehört also ins mt Wortfeld der Jesus-Sophia), während die LXX das Synonym vorzieht:

φυλάσσω

Mt 1 = Mk 1 : Lk 6 + 8 : Joh 3,

was Mt 19,20(=Mk) nur hier in der protestierend abwehrenden Antwort des jungen Gegners (als vermeintlich schon geleistet) verwendet. Die mt Schlüsselstelle ist die Schlußstelle 28,20 (in Entsprechung zum Komplenym), die das ganze mt Buch als die Aufrichtung des Gotteswillens unter das Ziel der Befolgung stellt. Da der Verweis auf den Dekalog und Pentateuch nur im Rahmen dieser Aufrichtung geschieht, ist von dieser Stelle auch 19,17 bestimmt und ebenso die permutierte Verwendung 23,3 (im Hendiadyoin mit ποιεῖν). Die Diskussion der Bedeutung an dieser Stelle litt an der falschen Alternative, ob Mt hier "AT + schriftgelehrte Überlieferung" (SCHLATTER 665) oder "nur AT" (HAENCHEN 1965;31; BARTH 1970:66, 80) meine. Autorspezifisch gefragt ist diese rein quantitative, aufs Additive ausgerichtete Fragestellung aber falsch, da die Schlüsselstelle Mt 23,23 (und von daher auch 5,17f mit Bezug auf V.20; 5,21ff; 6,1ff; 7,13-20; 19,3-9) die jüd. Überlieferung klar als faktische und qualitative *Minimierung* darstellt (vergleichbar der Kritik der Qumranessener an den Pharisäern); ihr scheinbares Mehr ist ein faktisches Weniger. Innerhalb der dir. Warnfunktion der mt Buchgemeinde vor dem Judentum in Kap.23 wird gesagt: Selbst das Maximum dessen (πάντα ὅσα), was sie an Verhaltensnormierung anbieten, ist nur ein Minimum, das für den himml. Lohn im Endgericht keinesfalls ausreicht - ganz abgesehen von ihrer Verhaltenspraxis.

ἐντρέπομαι 21,37(=Mk) med. + Akk. *Respekt haben* (BAUER WB 534)

Mt 1 : Mk 1 : Lk 3 (med. im NT nur noch Hebr 12,9)

διδάσκαλος

Mt 12 : Mk 12 : Lk 17 + 1 : Joh 7
    =(Mk 12 - 8 + 2) + (Q 2 + 2) + (A-Mt 2)

Das für Mt Typische ergibt sich nicht aus der Häufigkeit, sd. aus der Distribution (Verteilung + Verbindung). Da der ersten Verwendung des Subst. 8,19 vier prägnante, *jesusbezogene* Vb.-Stellen voranstehen, so ist es inhaltl. von daher gefüllt: *Verhaltensregulierer*, also faktisch: *Bergprediger*. Eindeutig *christol.* ist durch den Zusatz Mt 10,25b die aus Q übernommene Sprichwortweisheit V.24.25a akzentuiert, wo die Relation zum Komplenym μαθητής (par. synonym *Herr/Sklave*) von Mt über die rein funktionale Verwendung hinaus die konkrete Relation mt *Christologie/Ekklesiologie* zum Ausdruck gebracht wird. Dies wird noch durch die Tatsache verstärkt, daß dieses Logion als Zentrum eines Chiasmus der Höhepunkt der mt Sendungsrede ist. Dasselbe (nicht rein operational begrenzte, sd. präzis die Relation mt Christologie/Ekklesiologie aussprechende) Verständnis liegt auch in der red. Bildung 23,8 vor, wo mit *euer* der Gruppenbezug ebenso klar gegeben ist wie die Betonung der Einzigkeit (die natürlich letztlich die des mt Buches selbst ist): "the one who delivers authoritative instruction to the disciples or church" (KINGSBURY 1977:44; vgl. HAHN 1966:78f einem Hoheitstitel angenähert; BACHMANN 1980:267); Komplenym ist hier *Brüder*. Dieser Stelle A ist als A' 23,10 (die Gottesprädikation B V.9 rahmend) das doppelte Synonym

καθηγητής Mt 2 (NT und LXX sonst nie) hinzugesetzt;
die hell. Bezeichnung "der Autorität von Lehrern und Vorbildern" (EWNT 2,545; z.B. für Aristoteles als maßgebenden Lehrer Alexanders PlutMor 4,327F [=FortAlex 4] u.ö. SPICQ 1978:I 389–91) wird als Außenbezeichnung *Lehrmeister* Mt 23,10a.b(+Q) abgewehrt, weil der mt Gottkönig Jesus als Verkörperung der Weisheit die einzige Lehrautorität ist. Damit wird in der letzten Rede nochmals eine Selbstkanonisierung des Buches ausgesprochen. Alle anderen Lehrformen in der Gemeinde (7,15f Propheten, Lehrer 13,52) werden hier wiederum durch das vorliegende Buch ersetzt.

Als 4. und letzte Stelle ist zu diesem Komplex auch die letzte δ.-Stelle des Buches 26,18(=Mk) zu zählen, da auch sie mit den vorherigen dadurch verbunden ist, daß sie im Munde des mt Jesus selbst erscheint; außerdem folgt ein jesuanischer Befehl, während – typ. mt – eine mk vorgegebene Frage im Munde Jesu ausgelassen ist. Da diese Stelle in der Buchsequenz schließlich auf 23,8 als der voranstehenden Stelle folgt, so meint der anaphor. Art. hier konkret das Poss.-Pron.: *unsere Lehrautorität* als souverän im Namen Gottes *befehlender Gesetzesausleger*. Das: "*Unsere einzige Lehrautorität spricht*" ist als funktional äquivalent zu den bisherigen metakommunikativen Sätzen des Buches vom Typ *Amen ich sage euch* für Mt durchaus "herrscherlich", so daß die Stelle diesem ersten Verwendungskomplex unbedingt zuzurechnen ist und nicht zu dem folgenden, wie man fälschlicherweise erklärte, wenn man das Subst. hier deswegen verwendet sah, weil die Schüler hier zu einem angeblich "Fremden" (bzw. Juden) gesendet seien (gg. BORNKAMM 1970:38; KINGSBURY 1977:44; SENIOR 1982:71).

Die übrigen 8 Belege gehören nicht in das Wortfeld christol. Titel, sd. zum Wortfeld des *dualisierten Feindbildes*. 2mal setzt Mt red. in Gegnerfragen an die Schüler die Bezeichnung διδάσκαλος ὑμῶν in einer Mischung von Distanz und Respekt: 9,11(+Mk) und A-Mt 17,24; wider Willen sagen sie damit (wie *Sohn* oder *König* im Gegnermund) auch etwas teilweise Richtiges, was die Leser des ganzen Buches natürlich noch besser kennen: *euer Chefideologe;* dazu gehört auch die Anredeform
διδάσκαλε
Mt 6 : Mk 10 : Lk 12,
die Mt strikt für Gegner und Fremde reserviert, während die Schüler und Anhänger hier konsequent κύριε verwenden. Schon die allererste mt Stelle 8,19(+Q) schärft das unübersehbar damit ein, daß mit diesem Zusatz zugleich noch hinzugesetzt ist, daß der so Redende ein γραμματεύς – und d.h. eben nach 5,20; 7,29 einer von der feindl. Seite, und damit nach 6,2.5.16 ein *Verlogener* – ist, wie dadurch, daß 8,21 die analoge, doppelgestaltige Antonym-Entsprechung direkt zufügt: Ein unvollkommener Christ ist für Mt immer noch besser als ein respektabler Elite-Jude.

12,38(+Q) ist ebenso als Wiederaufnahme von Angehörigen der jüd. gegnerischen Doppelgruppe als eine solche *Heuchleranrede* gekennzeichnet. Wenn Mt 19,16 aus Mk 10,17 diese Anrede übernimmt, so ist doch im Gefolge von 17,24 von vornherein für jeden Buchleser klar, auf welche Seite der fragende "junge" Mann gehört, was noch dadurch unterstrichen wird, daß das mk Anrede-Attribut *gut* hier natürlich entfallen mußte. In 22,16(=Mk) ist der Charakter dieser Heuchler-Anrede durch die entsprechende Entgegnung V.18 wie schon durch die voranstehende Angabe der hinterhältigen Absicht V.15 nochmals präzisierend unterstrichen, und sie bleibt auch bei der folgenden Szene 22,24(=Mk) erhalten, da Mt ja die "Sadduzäer" als Kollegen der Pharisäer zeichnet. Wenn 22,36(+Mk) es stereotypisierend auch noch bei dem analogen 3. Fall des endgültigen Aufweises ihrer Verworfenheit hinzusetzt, so ist klar, daß der Fragende (wieder wie an der ersten Stelle 8,11 und also damit rahmend *ein Gesetzeslehrer*) mit der Frage nach dem wichtigsten Gebot von vornherein nur einen *heuchlerischen Scheingehorsam* zum

Ausdruck bringt.

Derselbe Gebrauch findet sich ergänzend bei dem synonymen semit. Äquivalent (SCHNEIDER EWNT 3,493f)

ῥαββ(ουν)ί

Mt 4 : Mk 4 : Lk 0 + 0 : Joh 9
=(Mk 4 – 3 + 1) + (Q 0) + (A–Mt 2)

Diese Anrede verwendet nur Judas 26,49(=Mk 14,45 gg. H–G nicht gedoppelt) und red. 26,25(+Mk im Kontrast zur κύριε-Anrede der Übrigen V.22); sie ist red. 23,7 Kennzeichen eben der "Pharisäer" (gg. H–G 213 nicht gedoppelt), die den Jesus-Schülern 23,8 im Kontrast dazu untersagt wird mit dem Hinweis auf den einzigen διδάσκαλος-Befehlshaber Jesus: Die Gemeinde des mt Buches ist keine jüd. Synagoge. Dementsprechend wurde umgekehrt die Petrusanrede in den Torheitsfragen bei Mk 9,2; 11,21 ebenso ausgelassen bzw. ersetzt wie die aram. Langfassung des Blinden von Mk 10,51.

Entsprechend dem Vb.-Gebrauch ist an allen mt Subst.-Stellen das Sem *Lehrautoriät* als *maßgeblicher Gesetzesausleger = Ethiker* präsent. Auch die Gegner sagen wider Willen oder in schein-unterwürfiger Höflichkeit wahres: διδάσκαλος ist der *Herrscher (= Sohn)* als *Instrukteur des Rechtswillen Gottes*, der die zuverlässige Lohnverheißung hat.

δίδραχμον ↦ ἀργύριον (gg. GUNDRY 643 kein mt διά-Kompositum, sd. Zusammenhang mit mt δύο-Häufung)

δίδωμι (GUNDRY 643)

Mt 56 : Mk 38 : Lk 60 + 34 : Joh 74
=(Mk 38 – 10 + 11) (Q 10 + 4) + (A–Mt 3)

Das bei Mt (wie Lk) zehnthäufigste Vb. (MORGENTHALER 1973:167) "ist der allgemeinste Ausdruck für den Vorgang, daß ein Subj. willentlich etwas an jemand oder etwas überträgt, so daß es zur Verfügung des Empfängers gelangt" (POPKES EWNT 1,772). Ausnahmen sind Semitismen wie *Frucht brinen* 13,8(=Mk); *Wunder tun* 24,24(=Mk urspr. LA gg. H–G 223 ποιεῖν); *Eheentlassungsurkunde geben* 19,7(LXX-Wendung gg. Mk) und 5,31 dupl.

Im berichtenden Text des Autors ist es 13mal verwendet: 9,8(+Mk ind. Rede; Gott Subj. Jesus Obj.); 10,1(=Mk Jesus Subj.); am dichtesten bei Herodes 14,7.8(=Mk dir. Rede).9(=Mk 6,28 permutiert).11(=Mk); 14,19(=Mk Jesus Subj.); 15,36(=Mk Jesus Subj.); 26,25f(=Mk Jesus Subj.).48(=Mk Judas Subj.); 27,10(+Mk Erfüllungszitat).34(=Mk Tränkung Jesus Obj.); 28,12(+Mk). Alle weiteren 43 Belege befinden sich in eingebetteten Redehandlungen. Dabei ist *Jesus* Subj. in der hoheitlichen Selbstaussage 16,19(+Q an Petrus), die mit dem dupl. δώσω σοι von der Eingangsstelle 4,9(=Q) das Scheinversprechen des Teufels hier am höhepunktlichen Ende des ersten Buchteils bewußt kontrastiert; 20,28(=Mk Lebenshingabe als Auftrag des Gottesplans im Unterschied zu dem V.20 genannten Nicht-Auftrag) – also mit den fünf erzählten Stellen 7mal.

Gott als Subj. (häufig seit Homer; BAUER WB 383, ohne daß der Charakter des Geschenkweisen besonders betont ist) erscheint dgg. mt 19mal – außer in der einen berichtenden Doxologie als Geber der Verfügungsgewalt Jesu 9,8(+Mk) und in Korrespondenz dazu in der Gegnerfrage 21,18(=Mk) vor allem in Worten Jesu bei Mt besonders oft: 6,11(=Q als Adressat der Bitte); 7,11b(=Q als Gebetener); 20,23(=Mk als Vorsehungsplaner in der Negation der Verfügungsgewalt Jesu in Relation zu V.28); allegor. 20,4 (δώσω).14(δοῦναι vom Endgerichtslohn der individuellen Unsterblichkeit) und im ἔδωκεν 25,15(+Q dupl. vom Komp. V.14 – Talente im Hinblick auf V.28f); häufig vor allem in Pass. *divinum* (POPKES EWNT 1,723)

Mt 11 : Mk 5 : Lk 8:
ἐδόθη 28,18(+Q als Dubl. des Komp. von 11,27 für die Verfügungsgewalt Jesu); δέδοται 13,11a(=Mk + red. Inf. Erkennen).b(+Mk dupl. Negation) dupl. 19,11(+Mk); δοθήσεται 7,7(=Q vgl. V.11 das Tun des im Unservater erbetenen

Guten); 10,19(=Mk das Wort der Verfolgten); 12,39(=Q) und dupl. 16,4(=Mk kein Beweis außer der rehabilitierenden Auferweckung); im paradoxen Bereicherungssprichwort 13,12(=Mk nach V.11 auf Erkenntnis bezogen) dupl. 25,29(=Q auf eschatol. Lohn bezogen) und von daher auch in dem auf helfende Mittler bezogenen Imp. δότε V.28(=Q); 21,43(+Mk von der Ertrag fordernden Königherrschaft Jesu).

In der syntaktischen Verbindung mit nachfolgendem *Inf.*:

Mt 4 : Mk 3 : Lk 5 + 5 : Joh 5

13,11a(+Mk/=Lk γνῶναι); φαγεῖν 14,16(=Mk) wie 25,35(=Mk 5,43 permutiert). 42(=Mk 6,37b permutiert) und in Korrespondenz dazu πιεῖν(+Mk) 27,34.

In den semant. Verbindungen der Wortfelder sind expliziert:

↗αἰτέω 5,42(=Q); 7,7.11b(=Q); 14,7(=Mk); dabei 7,9.10(=Q) noch

ἐπιδίδωμι

Mt 2 : Mk 0 : Lk 5 + 2 (NT sonst nie; LXX 16mal);

↗λαμβάνω 10,8(+Mk); 17,27(+Mk); 27,10(+Mk Geld) und vor allem bei Speisungen 14,19(=Mk); 15,36(=Mk); 26,26.27(=Mk) - wobei Mt mit Mk das letzte Mahl mit den Speisungen verbindet und besonders in der Übernahme des doppelten mk red. ἔδωκεν αὐτοῖς (gg. 1Kor 11,24f) das Herrenmahl als Speisung Jesu akzentuiert.

Auffallend ist die mt besonders gehäufte Beziehung zum *Geld* als Obj.: 10,8(+Mk in Überschriftrelation zu V.9); 20,4.14; 22,17(=Mk) und von daher dupl. 17,27; 25,15(+Q).28f(=Q); 26,9.15(=Mk) und von daher dann dupl. 27,10; 28,12; diese kann wegen der Konkretionen der Beispielreihe auch beim abs. Gebrauch 5,42(=Q) angenommen werden.

Singuläre Obj. sind bei Mt 7,6 (das Heilige); 16,26(=Mk Gegenwert); 19,21 (=Mk den Besitz den Armen); 24,45(=Q Speise); 25,8 (Leuchtöl); 24,29(=Mk Zitat der Mond den Schein) sowie 7,11a(=Lk) das inner Obj.

δόμα *Gabe*

Mt 1 = Lk 1 (NT nur noch Phil 4,17; Eph 4,8).

ἐκδίδομαι 21,33(=Mk).41(+Mk dupl.) med. *verpachten* (allegor.)

διέξοδος ↗ὁδός (8. red. mt διά-Kompositum)

διέρχομαι ↗ἔρχομαι

διετής ↗δύο

δικ- (GUNDRY 643)

Mt 30 : Mk 2 : Lk 30 + 27 : Joh 6

δίκαιος

Mt 17 : Mk 2 : Lk 11 + 6 : Joh 3

=(Mk 2 - 0 + 1) + (Q 0 + 5) + (A-Mt 9)

Aus Mk dürfte nicht nur Mt 9,13 übernommen sein, sd. auch Mt 1,19 (Josef) aus Mk 6,20 (Täufer) versetzt wegen der Koppelung mit ἀνήρ. Bei den Belegen in Q-Zusammenhängen hat Lk nie eine Par.: 5,45 (+Q synonym ↗ἀγαθός für die Zielgruppe der mt Buchgemeinde) ist es komplenym ergänzt entsprechend einer geläufigen Zweiteilung der Menschheit in der dualisierten Weisheit (LXX-Prov 10,30-32; PhiloSpecLeg 4,77; TestJud 21,6; JosBell 2,139), veranlaßt durch das bei Mt singuläre und hier wohl (synonym mit πονηρός) vorgegebene (von Lk in ἁμαρτωλός geänderte)

ἄδικος

Mt 1 : Mk 0 : Lk 4 + 1 : Joh 0

Q-Mt 13,17 dürfte Mt red. sein Vorzugswort statt der bei Lk belegten *Könige* zugefügt haben, weil er aus V.16 red. einen bedingten Makarismus gemacht und damit ethisiert hat und da die Nennung von *Gerechten* nach *Propheten* sich auch sonst als eine besondere Verwendungsweise des Mt erweist wie 23,29(+Q).35b(+Q zu *Abel* neben *Sacharja* als Propheten, was diese Doppelung insgesamt konkretisiert); weiter ist dort V.35a(+Q) das Adj. im Sinne von *unschuldig* zu αἷμα ergänzt. Diese Doppelung mit *Propheten* liegt schon bei den 3 Belegen A-Mt 10,41b (in Relation zu V.41a) vor. Auf diese Kontextver-

bindung entfallen also 6 – etwa ein Drittel – der mt Belege, die darum
insgesamt als red. anzusehen sind.

Diese rein mt Zusammenstellung ist nicht als Hendiadyoin zu nehmen, sd.
ordnet nach dem auch sonst bei Mt geläufigen Abfolgeschema von ⊁Lehren
und ⊁Tun die Propheten als Lehrer des Gotteswillens (Vorsehungsplans) den
Gerechten als Täter des Gotteswillens (Vorsehungsplans) zu. Da 10,41 durch
das kausale Asyndeton ein steigernder Begründungssatz für V.40 ist, der
mit einem als bekannt vorausgesetzten Wissenszusammenhang auf die V.42
folgende präzisierte und minimierend zugespitzte Erläuterung von V.40 hinzielt, so sind V.41b weder bewährte Christen (gg. GRUNDMANN 302) noch
(die derzeit modischen) wandernden Gerechten (gg. SCHWEIZER 164) noch
Christen überhaupt (gg. SCHNEIDER EWNT 1,782, der diese Bedeutung auch
13,43.49 annehmen will) gemeint, sd. im umfassenden Sinne die, die seit
Bestehen der Menschheit und des damit gegebenen Schöpferwillens (19,4f)
von Abel über Abraham, Isaak, Jakob, David bis zum Adoptivvater Josef den
Willen Gottes getan haben und tun werden. Das Archilexem dieses mt Wortfeldes ist Wille Gottes, dessen Supernym seinerseits der geweissagte Vorsehungsplan ist, der Taten der Liebe (9,13 ἔλεός) wie deren endgültigen
Lohn in der individuellen Unsterblichkeit umfaßt. Darum kann dabei in der
Bezeichnung, die die Rehabilitierung der leidenden Gerechten einschließt,
darüber hinaus immer auch ihre Verwandlung zu Engeln (vgl. 17,3; 18,10;
22,30.32) konnotiert sein (CHARLESWORTH 1980).

In den Zusammenhang der Mk-Passion hinein erweitert Mt 27,19(+Mk) die
Aussage der Frau des Pilatus mit dem einzigen (neben dem Nom. actionis
3,15) direkt auf Jesus bezogenen Beleg, der red. mt wohl nicht nur im
moralischen und juristischen Sinne als unschuldig verstanden werden will
(gg. SCHNEIDER EWNT 1,783), sd. – da es sich um eine der von Mt favorisierten Traumoffenbarungen von Gott her handelt – ihn als Täter des Gotteswillens und also des Vorsehungsplans meint, wie der mt Verwerfungsweg
Jesu insgesamt auch als Tun der Bergrede gezeichnet ist. (Die v.l. 27,24
wird wohl von V.19 her wie unter dem Einfluß von Lk 23,47 – H-G 262 –
gebildet und mit GNTCom 68 gg. STRECKER 1971:177 n.5 leider doch nicht
als urspr. anzusehen sein, wiewohl sie der mt Sprache gut entsprechen
würde – doch hat auch V.4 eine entsprechende Variante.)

Als weiteres semant. Spezifikum ist erkennbar: "mit Bezug auf das Endgericht und unter Anspielung auf Dan 12,2f nur bei Mt" (JEREMIAS 1965:83
n.3): so klar red. in den beiden Allegorie-Entschlüsselungen 13,43 (synonym
V.38 Söhne der βασιλεία; Antonyme: Teufelssöhne und V.41 Täter der Lieblosigkeit); red. Ursprungs ist von daher auch 25,37.46 (Synonym V.34 das
von Mt nur hier mit Gott als Subj. verwendete von meinem Vater Gesegnete
= die als Täter des von Jesus offenbarten Gotteswillens Anerkannten; Antonym V.41 die (von Gott) Verfluchten = die als Nichttäter des vom mt Jesus
offenbarten Gotteswillen Verurteilten:
καταράομαι hier von Mk 11,20 permutiert
Mt 1 : Mk 1 : Lk 1 – NT nur noch Röm 12,14; Jak 3,9).
Nach dem mt Konzept findet also nicht eine eschatol. Gerechtsprechung als
Freispruch statt, sd. ein determiniertes Zuerkennungsgericht der Person
nach den Werken. Als Täter des Gotteswillens, wie er im mt Buch offenbart
ist, sind die δίκαιοι also auch hier semant. für die Zeit ihres Handelns vor
dem Endgericht bestimmt.

Zu dieser gerichts-eschatol. Verwendungsgruppe gehört auch das Adj.
neutr. in dem (irreführend als Gleichnis von den Arbeitern im Weinberg be-
nannten) Textsegment der Allegorie vom Menschensohn als gütigem Boten-
Entsender: 20,4 nimmt zwar vordergründig den jurist. t.t. das Vereinbarte
auf, doch für den Leser meint die Allegorie was dem Jünger als Täter des
Gotteswillens zukommt – also die zuvor genannte individuelle Unsterblich-

keit; dem korrespondiert V.14 das bei Mt einmalige
ἀδικέω
  Mt 1 : Mk 0 : Lk 1 + 5 : Joh 0,
was zwar vordergründig *finanziell schädigen* meint (LIMBECK EWNT 1,75),
doch allegor. für den Leser *nicht weniger als den Tätern des Gotteswillens
zukommt.* Als negierte Negation hat es faktisch Gott zum Subj. und bezeichnet die Gleichbelohnung im Endgericht, sofern die ganze red. Bildgeschichte
von vornherein als Begründung (V.1 γάρ) für die grundsätzliche Gleichheit
des eschatol. Lohnes für alle Boten Jesu von 19,29 (vgl. 25,21.23) gebildet
ist. Zu dieser Verwendungsgruppe spezifisch mt Eschatol. gehört auch die
einmalige red. Verwendung des Vb.
δικαιόομαι
  Mt 2 : Mk 0 : Lk 1 + 4
     =(Mk 0) + (Q 1 +1)
Mit Gott als Subj. gibt 12,37(+Q) in einem red. Endgerichtsmaßstab an, daß
die Redehandlungen Grund und Gegenstand des *als Täter des Gotteswillens
Anerkannten* sind – bzw. das Gegenteil des *als Nichttäter des Gotteswillens
Verurteilten* mit dem Antonym
καταδικάζω
  Mt 2 : Mk 0 : Lk 2 (NT nur noch Jak 5,6; LXX 10mal)
– hier wohl im Pass. von Q-Lk 6,37 her permutiert (wie Mt 12,7 von ebenda
das negierte Akt. mit auf die Gegner umgepoltem Referenzbezug); das Antonym belegt wieder, daß δικαιοῦσθαι bei Mt *nicht* ein kausatives *Gerechtma-
chen* bezeichnet.
  In 11,19(=Q) mag der Aor. in Q (durch τέκνα) zunächst pass. verstanden
worden sein; in der mt Red. liegt im Hinblick auf den schon durch den So-
phia-Jesus geleisteten Akt *in ihren Werken* (=V.2 *Werke des Christus*) die
reflexive Bedeutung vor, sofern "die göttliche Weisheit alle menschliche
Einrede durch das widerlegt, was sie schafft" (SCHLATTER 376) – "d.h. diese Weisheit rechtfertigt *sich selbst*" und hat das schon getan, diese Selbst-
rechtfertigung "ist bereits geschehen" (CHRIST 1970:75-7; SUGGS 1970:55-8;
BURNETT 1981:88–92 gg. die pass. Übersetzung bei GRUNDMANN 310; GUNDRY
213; KERTELGE EWNT 1,604f): Der mt Jesus hat *sich* durch seine bisherigen
Werke (Kap.5-7; 8-9; 10; HELD 1970:239f) zweifelsfrei und über jede Verteufelung durch die Gegner erhaben *als Täter des Gotteswillens erwiesen* (wie
auch die Fortsetzung V.20ff zeigt, weshalb für Mt auch kein gnomischer
Aor. anzunehmen ist – gg. JEREMIAS 1965:162 n.4). Damit ist hier grundsätzlich auch auf das erste mt Jesuswort überhaupt zurückverwiesen, in dem
er das Subst. programmatisch einführte:
δικαιοσύνη (HAWKINS 1909:4)
  Mt 7 : Mk 0 : Lk 1 + 4 : Joh 2
3,15(+Mk; STRECKER 1971:150) wird red. die Aufgabe proklamiert, dem von
der Vorsehung bestimmten *Rechtswillen Gottes konsequent und vorbehaltlos
in jeder Lage zu entsprechen.* Das Schlüsselwort πληρόω weist dabei auf das
übergeordnete Konzept: die vom Vorsehungsplan bestimmte Handlungsrolle in
jedem Fall zu spielen – hier konkret, daß der Täufer Jesus tauft und Jesus
sich der Jordantaufe unterzieht. Durch den Täufer-Bezug steht in Korrespondenz dazu auch die letzte red. Stelle 21,32(+Q; STRECKER 1971:153) in
der Allegorieanwendung mit anklagender Direktanrede an die Gegner, wo
das Subst. von dem nach Q-Lk 7,29 vorgegebenen Vb. veranlaßt wurde
(GUNDRY 423). Das weisheitlich vorgeprägte Syntagma *Weg (=Lehre) der Gerechtigkeit* (Prov. 8,20; 12,28; 16,31; 1Hen 82,4; 91,18f; 92,3; 99,10; Jub 23,26;
25,15; SCHRENK ThWNT 2,201) besagt bei Mt nicht nur *er trat euch als Gerechter entgegen* (MICHAELIS ThWNT 5,91 mit ZAHN z.St.), sd. ist von 7,13f
her durch den Dualismus der Zwei-Wege-Antithese bestimmt (GUNDRY 422)
und besagt, daß "der Täufer *die Forderung der Gerechtigkeit erhebt*"

(STRECKER 1971:187 mit WEISS, KLOSTERMANN, SCHNIEWIND z.St.; BILL 1, 866f; SCHRENK ThWNT 2,201; BORNKAMM 1970:25 n.2). Es bezeichnet die Eintrittsbedingung zur individuellen Unsterblichkeit wie 1Hen 99,10: "In jenen Tagen werden alle die glücklich sein, die diese Weisheitsrede annehmen und verstehen, also die Wege des Höchsten befolgen, auf dem Weg seiner Gerechtigkeit wandeln und nicht mit den Frevlern frevelhaft werden, denn sie sind es, die gerettet werden."

Die übrigen 5 Belege sind bezeichnenderweise auf die Bergrede konzentriert (STRECKER 1971:150-8). Sie sind auch da immer red. und stehen an Schlüsselstellen mit der Funktion, die Hauptteile der Bergrede red. zu verklammern (HUMMEL 1966:67): Schon 5,6.10(+Q) werden mit Hilfe dieses Lexems die bedingten Makarismen als Eintrittsbedingungen (WINDISCH 1929: 9.45.63; DIBELIUS 1953:120; STRECKER 1971:157; KÄHLER 1974) in 2 Strophen mit je 4 Sprüchen gegliedert, an deren Ende jeweils diese Erwähnung steht (BARTH 1070:135 – die Direktanrede V.11-16 hat dann eine andere, einsetzende Funktion); 5,20(+Q) und 6,1(+Q) – beidemale durch das Poss.-Pron. ὑμῶν als *Tun des Gotteswillens* ausgewiesen – stehen deutlich als Überschriften (STRECKER 1971:151f); 6,33(+Q) ist der red. Zusatz eindeutig als *Rechtsforderung des Vaters* (αὐτοῦ auf V.32 bezogen) bestimmt (synonym dazu in der Relation der Vater-βασιλεία ist schon 6,10 θέλημα σου als 3. Unservater-Bitte zugefügt).

Mt dürfte seine 7 red. Belege chiastisch angeordnet haben: Durch den Täuferbezug stehen A 3,15 : A' 21,32 miteinander in Beziehung; durch die synonymen Vb. ist B 5,6 (πεινῶντες καὶ διψῶντες) wie B' 6,33 (ζητεῖτε) klar die Gerechtigkeitsforderung Gottes gemeint; C 5,10 : C' 6,1 (durch die Vb. bei B' ist das Poss.-Pron. auch an der korrespondierenden Stelle als Filler anzusetzen: *Tun des Gotteswillens*); im Zentrum steht dann die Antithese D 5,20: *Euer Tun des Gotteswillens* soll sich als Befolgung des mt Jesus klar von dem der Feinde unterscheiden.

Die antithetische Bezogenheit des *Tuns des Gotteswillens* auf die führenden jüd. Kreise in 5,20 und 6,1 erlaubte es Mt 9,13(=Mk), auch das Adj. als beanspruchende Selbstbezeichnung der anderen, *Täter des Gotteswillens* zu sein, zu übernehmen, da dies an beiden Stellen ja schon klar antipharisäisch als *alte und verlogene Gerechtigkeit* bestimmt war. Damit stimmt auch die antipharisäische Stelle 23,28(+Q *äußerlich* = *nur scheinbare Befehlsausführung*) klar überein. Schon 5,20 und 6,1 verstehen sich nur auf dem Hintergrund eines Referenzbezugs zur jüd. Selbstbezeichnung; doch diese wurde 6,2ff dreifach klar als ὑπόκρισις bestimmt. Damit ist semant. klargestellt, daß die abgelehnte *äußere Gerechtigkeit* im mt Wortfeld nicht vorschnell von dem anderen, lk Wortfeld her als *Selbstgerechtigkeit* (so FIEDLER 1977; KERTELGE EWNT 1,794 in typisch individualethischer Verengung) zu verstehen ist, sd. eher als eine *Erstattungs-Gerechtigkeit* vom Ruhm der Bewunderer-Seite her (MAGASS 1977:11.15) soziologisch geprägt verstanden werden muß. Ihr stellt Mt die ἐλεός-Gerechtigkeit der großherzig-teilenden Solidarität in der Bergrede gegenüber. Dabei bleibt festzuhalten, daß Mt das Adj. nur von *Menschen* und nie als Attribut Gottes verwendet. Das Subst. mit Gott als Subj. meint *seinen Rechtswillen, wie ihn der mt Jesus lehrt und tut als den engen Weg, der ins Leben führt*. Das steht nicht mit der gerichtseschatol. Verwendung in Spannung, da eine solche Verwendung nie einen soteriol. Aspekt hat, sd. gemäß der Vb.-Verwendung in 12,37 als erläuternder Schlüsselstelle nur Feststellungs- und Entgeltungscharakter hat – nur daß eben diese endgerichtliche Erstattung für alle gleichmäßig eine gleichartig-positive und nicht eine unterschiedlich quantifizierte Größe ist.

ἀντίδικος 5,25a(=Q).b(+Q dupl. – NT nur noch Lk 18,3; 1Petr 5,8; LXX 8mal)
Prozeßgegner

αἰτία 27,37(=Mk) dupl. 19,3.10(+Mk) *(Schuld-)Grund, -Ursache*
   Mt 3 : Mk 1 : Lk 1 + 8 : Joh 3 wie Antonym
ἀναίτιος 12,5.7(+Mk − NT sonst nie) *unschuldig* Antonym:
ἔνοχος (HAWKINS 1909:5 schwaches Kennzeichen)
   Mt 5 : Mk 2 (NT nur noch 1Kor 11,27; Hebr 2,15; Jak 2,10; LXX 17mal)
   =(Mk 2 + 3)
26,66(=Mk) hat die Schuldfeststellung *dem Tode verfallen* (die Mk offenbar
aus 1Kor 11,26f heraus gebildet hatte) übernommen, während er sie aus der
mk Endgerichts-Apodosis Mk 3,29 wieder herausnahm und daraus durch
Permutation Mt 5,21 bildete und V.22 3mal multipl.; dabei wird der Dat.
entweder als loserer Dat. modi schließlich durch das εἰς (gerade weil eine
"Brachylogie" vorliegt; BAUER WB 531) in seiner Funktion bestimmt: *der
ewige Strafe verfallen* − oder aber ist direkt "Angabe des zuständigen
Gerichtshofs" (KRATZ EWNT 1,1117f gg. ihn aber nicht "gegenüber der atl.
Gesetzesethik eine radikal verschärfte Ethik der uneingeschränkten Nächstenliebe", da es hier nur um den "Bruder" geht, noch gar ein "sicherlich
authentisches" Jesuswort − noch dazu in Antitheseform); dann dürfte an
συνέδριον/κρίσις als Gerichtsfunktion der mt Gemeindeversammlung gedacht
und das Verhältnis im Sinne der endgerichtlichen Verbindlichkeit von 16,19;
18,18 gemeint sein.
δίκτυον →βάλλω
διό 27,8 (+Mk zitatbedingt) *deswegen* (B-D-R 451,5)
   Mt 1 : Mk 0 : Lk 2 + 8 : Joh 0
διορύσσω 6,19f(+Q); 24,43(=Lk) *einbrechen* (→κλέπτω)
   Mt 3 : Mk 0 : Lk 1 (NT sonst nie; LXX 4mal); διά-Intensivum von
ὀρύσσω 21,33(=Mk); 25,18(+Q) *graben, eine Grube ausheben*
   Mt 2 : Mk 1 (NT sonst nie)
διπλοῦς →δύο
διστάζω →(ὀλιγό)πιστος
διυλίζω →ἄρτος
διχάζω, διχοτομέω →δύο
διψάω →ἄρτος
διωγμός 13,21(=Mk) *Vertreibung*
   Mt 1 : Mk 2 : Lk 0 + 2 : Joh 0 (NT noch 5mal im pl Bereich; LXX 3mal)
Das seit Aeschylos "nur von Glaubensverfolgungen" gebrauchte Subst. hatte
Mk in seiner Allegorieentschlüsselung zusammen mit dem zum gleichen Wortfeld gehörenden θλίψις wohl von Röm 8,35 (vgl. auch gleiche Konj.) übernommen und als Jesuswort Mk 10,30 dupl., wo es Mt nicht übernahm.
διώκω (HAWKINS 1909:4 schwaches Kennzeichen; GUNDRY 643)
   Mt 6 : Mk 0 : Lk 3 + 9 : Joh 3 (dabei Lk 17,23 als *nachlaufen*)
Im Sinne von *vertreiben, verfolgen* ist es 23,34(=Q) für die Gesandten der
Weisheit vorgegeben (aber nie von Mk; HUMMEL 1966:30) und von Mt stärker auf die Schüler Jesu bezogen. Nie ist Jesus selbst als Obj. genannt (so
erst Apg 9,4f; 22,7f; 26,14f und von daher Joh 5,16; 15,20). Vergleichbar
sind daher
   Mt 6 : Mk 0 : Lk 2 + 3 : Joh 1
   =(Mk 0) + (Q 1 + 5)
10,23(+Mk) ist durch den Bezugspunkt πόλις als unmittelbare Dubl. von
23,34(=Q) stilisiert, so daß in der mt Textsequenz die zweite in sek. Gegneranrede als Erinnerung der ersten in dir. Schüleranrede erscheint. Mas-
siert ist die einführende Setzung 5,10.11.12.44; dabei ist 5,11(+Q) − zwischen
Verhöhnen und *Verteufeln* gesetzt − von den Stellen 10,23 und 23,34 konkret als *Vertreiben* zu verstehen; 5,12(+Q) parallelisiert es metonymisch für
alle 3 Prädikate von V.11 wiederum mit dem Prophetenschicksal (wobei der
Täufer nach 11,18 eingeschlossen zu denken ist); 5,10 ist eine vorwegnehmende Dubl., wobei auch die Kausalpartikel ἕνεκα von V.11 dupl. ist und so

die Begründungsangaben ἕνεκα δικαιοσύνης, ἕνεκα ἐμοῦ und 13,21 διά τὸν λόγον synonym sind. Die weitere Dupl. 5,44 im Pt. stellt die Synonymität mit ⊁ἐχθρος her. Ein verfolgter Gerechter zu sein ist eine Grundbedingung der mt Ekklesiol., Ethik und Lohneschatol. Das 13,21(=Mk) eingeführte Synonym θλῖψις Bedrückung

    Mt 4 : Mk 3 : Lk 0 + 5 : Joh 2
        =(Mk 3 + 1)

hat 24,21.29 für die Schlußverfolgungen vor der nahen Parusie ebenfalls von Mk übernommen und 24,9 dupl. als Ziel des παραδιδόναι als Verallgemeinerung der 10,17 permutierten Gerichte. Von daher ist in der Textsequenz klar, daß auch die beiden nachfolgenden Stellen immer die Verfolgung der mt Buchgemeinde renominalisieren. Den Sinn trägt dann auch das Vb. im Pass. 7,14(+Q) als synonyme Renominalisierung des Pass. von 5,10; der durch Bedrängnis gekennzeichnete "enge Weg":
θλίβω

    Mt 1 = Mk 1 (NT nur noch 7mal im pl Bereich und Hebr 11,37)

Mt dürfte die Mk 3,9 mit Jesus als Obj. vorgegebene, erzählende Stelle in ein Wort Jesu permutiert haben. Die Weglassung von Mk 3,9 wie des Komp. Mk 5,24.31 erklärt sich nicht nur aus der Straffung der Wundergeschichten, sd. zeigt zugleich eine Vereinheitlichung des Gebrauchs des Lexemstamms im Wortfeld der Verfolgung.
δοκέω (GUNDRY 643)

    Mt 10 : Mk 2 : Lk 10 + 8 : Joh 8
        =(Mk 2 - 2 + 4) + (Q 1 + 3) + (A-Mt 2)

24,44(=Q) bezeichnet das negierte Vb. die unerwartete Stunde (ellipt. BAUER WB 400). Kritisch abweisendes sich einbilden fügt 3,9(+Q - einzige mt Stelle mit folgendem Inf., was bei Lk vorzugsweise verwendet, hier jedoch nicht, weshalb er es nicht ausgelassen haben würde) dem Täuferwort ein. Die beiden Vorgaben in diesem Sinne bei Mk 6,49; 10,42 sind im Interesse einer verstärkenden Aussage an beiden Stellen nicht übernommen. Typ. mt ist die red., metakommunikative Redeeinleitung
τί ὑμῖν/σοι δοκεῖ (HAWKINS 1909:8.33; LARFELD 1925:295; SCHMID 1930:308)

    Mt 6 : Mk 0 : Lk 0 + 0 : Joh 1 (Joh 11,56),

"bei Fragen verwendet, die nicht bloß Meinung, sd. verbindliches Urteil fordern" (SCHUNACK EWNT 1,822-4); so klar juridisch in der Frage des Priesterfürsten 26,66(+Mk) und ebenso schon die Feinde in der Zensusfrage 22,17(+Mk mit περί τινος wie LucDialDeor 6,4; BAUER WB 400). Die Wiederholung für die Messiasfrage im Munde Jesu 22,42(+Mk) steht dazu bewußt als Umkehrung der Verhörsituation am Ende dieser Verwerfungsnachweise. Dieselbe Funktion des richterlich überführenden mt Jesus kommt schon 21,28 (+Q) am Beginn der Israel verwerfenden Allegorie-Trilogie 21,28(+Q) wiederum in betont antithetischer Gliederungsfunktion zum Einsatz: Sie müssen sich selbst das Urteil sprechen. Als eine Aufforderungsfrage, Position zu beziehen, ist die Wendung auch 17,25 Petrus gegenüber und 18,12(+Q) den Jüngern gegenüber verwendet, was auch daraus deutlich wird, daß hier bei Mt nicht mehr ein Gleichnis vorliegt, sd. Rechtsbedingungssätze das grundlegende Gattungsmerkmal geworden sind (LÜHRMANN 1969:114f "eine halachische Form"). Dies aber hat zur Konsequenz, daß man an allen 6 Stellen nicht mit einer bloßen Frage zu rechnen hat (Mt kürzt im Munde Jesu ohnehin Fragen), sd. präzis mit der Kategorie der Aufforderungsfrage, die einem Imp. funktionsgleich ist: Fällt eine Entscheidung, beziehe Position! Die Übersetzung wird sie darum am besten auch direkt in dieser pragmatischen Funktion als Imp. wiedergeben.
δοκός ⊁ὀφθαλμός
δόλος 26,4(=Mk) List (Mk 7,22 im Lasterkatalog nicht übernommen)
    Mt 1 : Mk 2 : Lk 0 + 1 : Joh 1

als typ. Kennzeichen der Feinde des Gerechten im Wortfeld dualist. Weisheit
(OBERLINNER EWNT 1,830f).
δόμα ≯δίδωμι
δοξ- (GUNDRY 643)
    Mt 11 : Mk 4 : Lk 22 + 9 : Joh 41
δόξα ≯βασιλεία
δοξάζω
    Mt 4 : Mk 1 : Lk 9 + 5 : Joh 23
        =(Mk 1 + 3)
Das 9,8(=Mk) für den Chorschluß mit Gott als Obj. übernommene Vb. ist im
Zusammenhang des mt βασιλεία-Konzepts als Funktionsverbgefüge aufzulösen: sie erkannten preisend die Jesus von Gott verliehene βασιλεία an. Es
wurde 15,31 beim Heilungssummarium nicht-jüd. Kranker im gleichen Sinne
des wohltätigen, Jesus gegebenen Königtums dupl.; 5,16 hatte es schon als
Ziel der "guten(= vom mt Jesus befohlenen) Taten" der Schüler dupl. (evtl.
von 1Pt 3,9.12 abhängig), wobei bei der Obj.-Bezeichnung πατήρ ihr jetzt
noch als neuer Äon verborgener himmlischer Lohn im Blick ist. Als Kontrast
dazu ist das 6,2 den Gegnern unterstellte Ziel nicht nur funktional als
gerühmt, geehrt, verherrlicht werden zu verstehen, sd. in strikter Antithese zu 5,20 und den nachfolgenden Stellen als ein gegen das Hauptgebot
der Gottesliebe verstoßendes, raubendes Aneignen der Anerkennung Gottes,
die nur der Jesus verliehenen βασιλεία zukommen dürfte. Synonym dazu ist
doxolog.
εὐλογέω (SCHENK 1967:32-5.107ff.116f)
    Mt 4 : Mk 5 : Lk 10 + 0 : Joh 1
        =(Mk 5 - 2) + (Q 1),
dessen Obj. Jesus 21,9(=Mk) in seiner jetzigen wie 23,39(=Q) seiner künftigen Erscheinung ist. In der Verwendung für die Mahlgebete Jesu selbst
14,19(=Mk) und 26,26(=Mk) ist darum im mt Konzept immer der Dank für die
ihm gegebene βασιλεία mitgedacht.
εὐχαριστέω 15,36(=Mk); 26,27(=Mk) das Dankgebet sprechen
    Mt 2 = Mk 2 : Lk 4 + 2 : Joh 3 (nie in LXX)
steht als stärker hell. Synonym par. nur für Mahlhandlungen Jesu und ist
mt ebenso inhaltlich mit seinem βασιλεία-Konzept gefüllt anzusehen. Während
beim Bittgebet konkret das Unservater als Formular gemeint sein dürfte, so
ist beim Dankgebet wohl direkt Mt 11,25-30 als gedachte Wiederholung bezeichnet.
δουλεύω 6,24a.d(Q) dienstabhängig sein ≯διακονέω, ἀγαπάω
    Mt 2 : Mk 0 : Lk 3 + 1 (NT nur noch 17mal im pl Bereich)
Es ist hier antithetisch auf Gott vs. Geld, Gewinnstreben bezogen:
μαμωνᾶς (aram., unsicherer Herkunft; BALZ EWNT 2,941f)
    Mt 1 : Lk 3 (NT sonst nie; LXX nur Sir 31,8; ferner CD 14,20; 1QS 6,2)
δοῦλος (GUNDRY 643) Dienstabhängiger, Bediensteter
    Mt 30 : Mk 5 : Lk 26 + 3 : Joh 11
        =(Mk 5 - 1 + 3) + (Q 14 + 9)
Um sich ein rechtes Bild von der Semantik zu machen, muß man sich von
manchen Vorurteilen unsere Wortfeldes trennen: "Von vornherein ist der
Terminus Sklave ein rein jurist. Begriff. Er stellt fest, daß ein Mensch
Eigentum eines anderen Menschen oder einer jurist. Person ist, nicht weniger, aber auch nicht mehr. Er sagt nichts aus über seine Stellung im
Rahmen der Produktionsverhältnisse, nichts über seine soziale Position,
seine Bildung, seinen Einfluß, sein Vermögen. Wir finden Sklaven als land-
wirtschaftliche Arbeiter, als verurteilte Verbrecher in Bergwerken, als
Vertreter in Handwerksbetrieben mit Geschäften auf eigene Rechnung, als
geschniegelte Hausdiener bei reichen Bürgern, als Aufseher über freie Lohnarbeiter, als Polizisten, als Schildträger der Legionäre, als Prostituierte und

einflußreiche Hetären, als Lehrer, Ärzte, kaiserliche Räte und Schreiber, als Bankiers, Großgrundbesitzer, als *Eigentümer von Sklaven*. Niemand wird ernstlich behaupten wollen, daß alle diese *Sklaven* zu einer Gruppe von Menschen mit dem gleichen Platz in der gesellschaftlichen Produktion, mit dem gleichen Verhältnis zu den Produktionsmitteln, mit der gleichen Rolle in der gesellschaftlichen Ordnung der Arbeit, mit dem gleichen Anteil am gesellschaftlichen Reichtum gehören, folglich eine Klasse bilden. Das gleiche gilt umgekehrt von dem Begriff *Sklavenhalter. Eigentümer von Sklaven* können Kaiser, Würdenträger, Bürger, Bauern, Soldaten, können Großgrundeigentümer, Kleineigentümer, abhängige Bodenbesitzer, können Bankiers, Ergasterienbesitzer, Kleinhandwerker, können *sogar Sklaven* sein. Niemand wird ernstlich behaupten können, daß alle diese *Sklavenhalter* eine Klasse bilden würden" (KREISSIG 1978:8).

"Bei unserem Begriff von *Sklaverei* steht das Eigentum am Menschen im Vordergrund. Den Zeitgenossen war zumeist der Aspekt des Dienstes wichtiger. Wenn der Akzent auf dem Dienen liegt, ist es einleuchtend, daß dasselbe Wort, das für den Sklaven gebraucht wird, einen Minister bezeichnen kann; das lat. Wort. *minister* bezeichnet ja auch *Diener* oder *Sklave*" (nicht anders im Griech. od. das hebr. *'ebed)...* Sie waren gewissermaßen Gehaltsempfänger, Beamte und somit *Sklaven*, während in Griechenland und Rom die höchsten Staatsfunktionäre ehrenamtlich tätig, also *finanziell unabhängig* waren. So ist es verständlich, wenn dem Griechen, wenn er nach Persien schaute, alle Untertanen eines Königs, auch und gerade die mächtigen Beamten, wie Sklaven erschienen. Es wäre verkehrt, wenn wir in unserem anderen Begriffssystem in solchen Fällen von Sklaven redeten und den bibl. Sprachgebrauch, soweit er die Stellung eines Menschen zu Gott mit dem Wort *'ebed* bezeichnet, ausschließlich von der untersten Stufe der Bedeutungsskala her interpretierten" (LOTZE 1963:132).

"Der entscheidende Unterschied zwischen Freien und Sklaven blieb der politische: Der Sklave stand außerhalb der politischen und rechtlichen Gemeinschaft des jeweiligen Gemeinwesens, während die Teilnahme an der Staats- und Rechtsordnung den Bürger auch dann auszeichnete, wenn er der Gewalt des Familienoberhauptes unterstand... Der *Sklave* im griech.-röm. Altertum kann also nicht durch ein einziges Charakteristikum definiert werden. Er ist durch mindestens zwei Kennzeichen bestimmt: das *Unterworfensein unter fremde Gewalt* und das *Ausgeschlossensein aus der Gemeinde*... Der Gegenpol zur antiken Sklaverei ist dementsprechend nicht irgendeine Freiheit, sd. das *Bürgerrecht*: das griech. Wort ἐλεύθερος drückt urspr. die *Zugehörigkeit zum Volk*, also das *Bürgerrecht* aus" (ebd.136f).

"Es ist durchaus nicht so, wie häufig behauptet wird, daß die Griechen grundsätzlich die körperliche Arbeit als *sklavisch* verachtet hätten... Sicher hat von den freien Bürgern ein größerer Prozentsatz körperlich gearbeitet als in der modernen Gesellschaft. *Sklavisch* erschien nur die *abhängige Arbeit*, die Arbeit *im Dienste eines anderen*... Diese Vorstellungswelt ist uns fremd. Wir sind es in der modernen Gesellschaft gewöhnt, daß die meisten Menschen abhängig sind als Lohnarbeiter oder Angestellte... Ein System wechselseitiger Abhängigkeiten hat das mehr oder weniger scharf ausgeprägte Gegenüber von *selbständigen Vollbürgern* und unselbständigen Minderberechtigten abgelöst... Denn mag auch die Form der Abhängigkeit relativ größer gewesen sein als die meisten unserer Abhängigkeiten, absolut war sie nie" (ebd.137f).

Außer der rahmenden ersten (A) 8,9(=Q) und letzten (A') Stelle 26,31 (=Mk) kommt es immer im Munde Jesu vor; spricht die einzige erzählende Stelle 26,31 vom *Dienstbeauftragten des Priesterfürsten*, so erwähnt der Centurio 8,9 *meinen Dienstabhängigen* als Beispiel von unbedingtem Befehlsgehorsam (im Stil des Offizierskasinos vom *Burschen des Hauptmanns* zu reden, ist unangebracht, da Centurio kein Offiziers-, sd. der höchste Mannschaftsgrad war - also höchstens einem Feldwebel vergleichbar; gg. WEISER EWNT 1,850).

In den Logien des mt Jesus ist 20,27(=Mk) der innergemeindl. Bezug durch den Imp. *euer Dienstbeauftragter* zu sein vorgegeben, was Mt durch die gehäufte Verwendung des Komp. unterstreicht:

συνδοῦλος (GUNDRY 648)

Mt 5 (NT nur noch Kol 1,7; 4,7; Apk 6,11; 19,10; 22,9; LXX 5mal) Es dürfte von der Q-Spätschicht der ersten Endzeitrede 24,49 (SCHENK 1981:95f) vorgegeben und von Lk abgeändert worden sein (SCHULZ 1972: 272), von woher Mt es dann in der Allegorie 18,28.29.31.33 multipl. hat (immer als Synonym zu dem ebenfalls gehäuften mt ≻ἀδελφός.

Auch da steht es zuammen mit dem Simpl. und in Korrelation zum Komplenym κύριος; seit der red. Einführung dieser Entsprechung (par. zur synonymen von christol. ≻διδάσκαλος/μαθητής) 10,14f(+Q bezüglich der Gleichartigkeit der sie treffenden Verteufelung) bezeichnet Mt in der Regel in dieser Korrespondenzbeziehung κύριος den mt Jesus und δοῦλοι (=μαθηταί) die Christen (WEISER ebd.849f) als mt Buchgemeinde. Von daher wird es auch verständlich, daß er den Gebrauch des Subst. red. favorisierte, während er den Vb.-Gebrauch, den er mit der Gottesbeziehung aufnahm, nicht dupl.; diese Korrelationsbeziehung ist nicht selbstverständlich, denn es ist auffallend, daß zunächst apostolisch "Bezeichnungen wie δοῦλος und διάκονος, die den Gegenbegriff κύριος geradezu zu rufen scheinen, trotzdem durchgehend mit χριστός verbunden sind. Ausdrücke wie δοῦλος κυρίου und κυρίου Ἰησοῦ Χριστοῦ δοῦλος finden sich typischerweise erst im deutero- und späteren außer-pl Schrifttum und repräsentieren hier das Stadium größerer Verschleifung im Gebrauch der christologischen Bezeichnungen (KRAMER 1963:134). Gott als Komplenym ist in der Winzerallegorie 21,34 (=Mk).35(+Mk dupl.).36(=Mk) vorgegeben, wo Mt immer in seinen Plur. ändert und seinerseits ganz betont auf die Schriftpropheten abhebt (durch die V.35 von 23,37 her dupl. "Steinigung" wohl wie dort V.35 bewußt an Sacharja erinnern will; WEISER ebd.849).

13,27f(+Mk) sind sie der Allegorie im Jesusbezug ebenso im Plur. zugefügt wie sie in der, den geschichtl. Endpunkt bezeichnenden, dritten Allegorie 22,2.4.6.8.10(=Q - doch red. immer Plur.) die von Jesus Gesandten bezeichnen. Durch den Bezug zur Parusie sind sie auch 24,45(+Q - von Lk abgeändert; SCHULZ 1972:271).46.48.50(=Lk) im innergemeindl. Bezug (συνδοῦλοι) jesuanisiert wie in der Talenten-Allegorie 25,14.19.21(=Q).23(+Lk).26 (=Q).30(=Lk 17,10 permutiert - das Adj. sonst nie im NT); da die red. Allegorie 18,23ff wie 22,1ff als Königs-Allegorie stilisiert ist, so ist auch hier der Jesus-Bezug von Mt intendiert: 18,23(dupl. 25,19).26(25,21 dupl.).27(dupl. die ganze Wendung von 24,50).28(dupl. die Wendung 24,46 sowie das Komp.). 32(dupl. die Wendung 25,26). Kennzeichnend für die ekklesiol. betonte Verwendung ist bei Mt auch die Plur.-Häufung:

Mt 13 : Mk 1 : Lk 6.

Die in den Q-Allegorien vorgegebene dualist. Antinomie von δοῦλε ἀγαθέ 25,21 (verstärkt durch Dupl. von καί πιστέ von 24,45 her und dupl. 25,23) vs. πονηρέ δοῦλε 25,26 (verstärkt durch καί ὀκνηρέ *faul, träge* - im NT nur noch Röm 12,11 und im Sprichwort Phil 3,1 - und renominalisiert durch mt vorangestelltes ἀχρεῖον δοῦλον 25,30 *untauglich*) und ὁ πιστὸς δοῦλος καί φρόνιμος 24,45 vs. red. κακός V.48 (typ. mt vorangestellt zur vorlaufend explizierenden Kennzeichnung des folgenden Selbstgespräch des Frevlers) wurde im negativen Teil 18,32 δοῦλε πονηρέ dupl.; damit ist auch die dualist., adj. Wertkennzeichnung für Mt typ.:

Mt 7 : Mk 0 : Lk 3.

Im mt Wortfeld ist δοῦλος (synonym διάκονος, μαθητής) Komplenym zu κύριος (synonym διδάσκαλος, βασιλεύς, οἰκοδεσπότης) und Supernym zu συνδοῦλος (synonym ἀδελφός).

δύναμαι (GUNDRY 643 – doch ohne Mt 16,3 nur 26 Belege)
  Mt 26 : Mk 33 : Lk 26 + 21 : Joh 36
      =(Mk 33 – 22 + 5) + (Q 4 + 5) + (A–Mt 1 gg. FRIEDRICH EWNT
                                                                    1,859)
4mal für die *Handlungskompetenz Gottes*; zunächst 3,9(=Q) als Täuferantwort (Abraham aus diesen Steinen Nachkommen erzeugen) auf das Selbstgespräch des Frevlers und 10,28b(gg. Lk, der hier sein red. ἐξουσίαν ἔχειν einsetzt; SCHULZ 1972:158)) für Gottes Seele-und-Leib-in-die-Hölle-verderbende Macht – im Kontrast zu den den Leib tötenden Verfolgern, denen die Kompetenz über die Seele der Gerechten entzogen ist V.28a(+Q). Auch der bedeutendste Neupythagoräer des 1.Jh., Apollonios von Tyana hat in der ihn charakterisierenden Seelenlehre dem Kaiser Domitian gegenüber bekannt, daß er nur Macht über seinen Körper habe (PhilostrVitApoll 8,5; PETZKE 1970:219). Diese platonische Sicht der Trennung von Seele und Leib im Augenblick des Todes ist im Frühchristentum völlig singulär (BOISMARD 1976:410f); jüd. modifiziert erscheint es auch in der Weisheitstradition Sap 3,1-5; 4,7-14: Die Seelen sind nicht von Natur unsterblich, sd. nur die Seelen der Gerechten werden aufbewahrt; die Ungerechten gehen nach Sap 2,1-5 im Tode total, nach "Leib und Seele" unter. Die offenbar von der Q-Red. übernommene Anthropol. ist auch für Mt kennzeichnend und damit auch für sein Gottesbild. Dies wird durch das auf Gott bezogene Pass. der Schülerfrage 19,25(=Mk), die eine selbstverständliche Antwort erwartet, durch die bejahende Antwort Jesu auch nur bestätigt: ja, *menschen-(=gegner-)unmöglich*.
ἀδύνατος
  Mt 1 = Mk 1 : Lk 1 + 1 : Joh 0, doch *Gott ist alles möglich*:
δυνατός
  Mt 3 : Mk 5 : Lk 4 + 6 : Joh 0
ist auch an den beiden folgenden Stellen 24,24(=Mk) und 26,39(=Mk) für Gott übernommen, während die auf die Glaubenden bezogene Stelle Mk 9,23 ausgelassen wurde, womit Mt eine Konzentration des Adj. auf Gott als Subj. vollzog. Die doppelte Einschränkungswendung εἰ δυνατόν (ZMIJEWSKI EWNT 1,868) meint an beiden Stellen *wenn Gott es will* (die Verführung der Erwählten bzw. den Verwerfungstod Jesu); die letzte theol. Stelle hat Mt 26,42(=Mk 14,36 permutiert) im Wiederholungsfalle vom Adj. ins Vb. versetzt und wegen der Negierung den Todesbecher zum dir. Subj. gemacht. Wegen der Wortfeldverwandtschaft von *Wollen* und *Können* steht an den 3 letzten Stellen *Können* metonymisch für Gottes *Wollen*, wie die anschließenden Renominalisierungen an den beiden letzten Stellen zeigen.
  6mal für die *Handlungskompetenz Jesu*; zunächst rahmend in der Zuversichtsaussage der Heilungsbitte 8,2(=Mk – wieder mit *Wollen* gekoppelt) und rahmend dazu dupl. 9,28(+Mk) als Ermunterungsfrage Jesu an die Blinden. Vom mt bevorzugten Gebrauch des Subst. für Heilungswunder ist δ. hier wohl nicht als bloßes Hilfsverb verwendet, sd. in der gefüllten Bedeutung eines Funktionsverbgefüges: *das Heilungswunder tun*. Diese Heilungskompetenz bestätigt Jesu selbst durch die Selbstaussage 12,29(=Mk) in der selbstverständliche Bejahung voraussetzenden Argumentationsfrage, daß er zuvor den Teufel gebunden hat. Mt hat von dieser hoheitlichen Selbstaussage her weitere solcher Selbstaussagen der *Kompetenz* geschaffen: 26,53(+Mk) – wiederum in einer Bejahung voraussetzenden Argumentationsfrage –*kann er natürlich* seinen Vater um bewaffneten Engelschutz bitten; ebenso wie er 26,61(+Mk) natürlich den Tempel *durch ein Wunder* zerstören *kann* (als red. Vorhersage aus dem Rückblick des Autors auf die Tempelzerstörung wie schon 22,7); um so illusorischer nimmt sich Spott 27,42(=Mk) aus, daß er sich nicht *durch ein Wunder* retten *könne*, von woher die beiden

voranstehenden Stellen kontrastierend dupl. sind. Kennzeichnend für Mt ist, daß er 3mal für Jesus die 1.Pers. Sing. in den red. Selbstaussagen geschaffen hat. Sie sind – wie die gehäuften Selbstaussagen überhaupt – ein wesentlicher Teil der mt Hoheits-Jesulogie. Dem korrespondiert, daß Mt negativ auf Jesus bezogenen Stellen wie Mk 1,45; 2,7; 3,20; 6,5; 7,27; 8,4; 9,22f ausgelassen hat.

Die übrigen 16 Stellen sind – mit Ausnahme der gewichtigen Schlußbemerkung der *Unfähigkeit* der Gegner zur Antwort 22,49(+Mk) – schülerbezogen. Dabei ist die semant. gefüllte Konnotation *Wunder tun* auch für das entsprechende und *ἰσχύω* ersetzende Unvermögen der Schüler 17,17(+Mk 9,22 permutiert).20(=Mk) anzusetzen; dasselbe gilt für das dort 17,20(+Q aus dem positiven Vb. des Mk) negiert zugesetzte privative Vb.

ἀδυνατέω kein Wunder wird euch unmöglich sein
  Mt 1 : Mk 0 : Lk 1 (1,37 von Gott; NT sonst nie; LXX 12mal).
Die Schüler argumentieren 26,9(=Mk) damit, daß die Myrrhe teuer verkauft werden *könne*; die Zebedaiden antworten auf die Jesusfrage 20,22a(=Mk) nach der Todesbereitschaft V.22b(=Mk) positiv, wobei wieder eine Metonymie von *können* für *wollen* vorliegt. Die voluntative Metonymie sollte man auch 19,12(+Mk) wegen des für Mt wichtigen kognitven Bezugs *veranschlagen* (*wer es begreifen kann und will* – in Relation zum vorangestellten *δέδοται* steht das *Können* weniger zur Debatte als das Ausschöpfen der durch den mt Jesus bereitgestellten zölibatären Möglichkeit).

In den Worten an die Schüler bezeichnet das negierte δ. oft einfach *unmöglich*: 5,14(+Q das Verborgenbleiben der Bergstadt).36(das *Wunder* des Haarfarbenwechsels); 6,24a.c(=Q der Doppeldienst); 6,27(+Q teuflische Frucht von guten Baum); 9,15(=Mk das Trauern der Hochzeitsgäste); insgesamt erscheint bei Mt das Vb. 11mal negiert (so noch 10,28; 17,16.19; 22,49; 26,42). Funktionsgleich damit ist das vom Leser erwartete *unmöglich* nach der argumentativen Frage: 6,27(=Lk wer kann durch Sorgen sein Leben als *durch ein Wunder verlängern?*); 12,34(+Q *wie sollte das Wunder möglich sein, daß Ihr Teuflisches Hilfreiches redet?* – vgl. sachlich 6,27 und formal 12,29); vgl. ferner 19,25; 26,53 – also insgesamt 5 rhetor. Fragen.

ἰσχύω
  Mt 4 : Mk 4 : Lk 8 + 6 : Joh 1
       =(Mk 4 – 1 + 1)
Mit A.c.I. negiert für das *Nichtkönnen, nicht die Kraft haben* 8,28(=Mk 5,4 permutiert); 26,40(=Mk); das subst. Pt. 9,12(=Mk) *die, die Lebenskraft haben = die Gesunden*; mit bloßem Akk. *nützen* 5,13(+Mk/Q Salzwort) wie Gal 5,6; Phil 4,13; Jak 5,16. Das Subst. *ἰσχύς* aus Mk 12,30.33 wird von Mt im Gebot der Gottesliebe in LXX-Angleichung nicht übernommen.
κατισχύω 16,18(+Mk) *überwältigen* + Gen.
  Mt 1 : Mk 0 : Lk 2 (NT sonst nie)
ἰσχυρός 3,27a.b *Starker* (Teufel); 3,11 Komp. *Stärkerer* (Jesus)
  Mt 3 = Mk 3 : Lk 4 + 0 : Joh 0
δύναμις (GUNDRY 643)
  Mt 12 : Mk 10 : Lk 15 + 10 : Joh 0
       =(Mk 10 –2) + (Q 1 + 3)
25,15(+Q) werden die (von Mt gestuften Talente) *der jeweiligen Fähigkeit/ Möglichkeit entsprechend* verteilt (κατὰ τὴν ἰδίαν δύναμιν geläufige Wendung 2Kor 8,3; Sir 29,20; JosAnt 3,102; FRIEDRICH EWNT 1,862); die Nennung der *Himmelskräfte* 24,29(=Mk) als erschütterter geschieht im Hinblick auf die V.30(=Mk) anschließende, sie überbietende Nennung der *Macht* (+Machtglanz) des Menschensohns (als *Rehabilitierungsmacht der verfolgten Seinen* wie der *Belohnungsmacht für seine Gerechten*), dessen Überlegenheit über die offenbar größten Kräfte der Welt damit ebenso zum Ausdruck gebracht wird wie in seinen *Wundern* zu Lebzeiten; vom Vb.-Gebrauch für Gott her wurde

das Subst. 26,64(=Mk) als Metonym für Gott beibehalten und dürfte in der Vorhersage Jesu, zur ≯Rechten der (Vorsehungs-)macht zu sitzen, speziell seine Rehabilitierung vor den Verwerfern meinen. Auch bei der theol. Verwendung in dem Vorwurf 22,29(=Mk) ist gemeint, daß sie Gottes Auferwekkungs-(=Rehabilitierung-/Belohnungs)macht nicht erkannt haben.

Von dieser polysemen Verwendung gg. Buchende hebt sich die monoseme im ersten Buchteil ab; hier steht immer der Plur. als die übliche hell. Bezeichnung für Wunder:

Mt 7 : Mk 2 : Lk 2 (GUNDRY 643)

7,22(=Mk 9,30 Sing. permutiert und auf die Schüler Jesu übertragen) mit ποιεῖν wie 13,58(=Mk Sing. nicht viele statt keinem!).58(=Mk); im Munde des Antipas 14,2(=Mk) wiederholt mit dem Synonym

ἐνεργέω (=Mk – NT nur noch 19mal im pl Bereich; LXX 7mal).

11,21(=Q) war es mit γίνεσθαι verbunden (bei Q sogar ohne expliziten Personenbezug!), was V.20 und 23 dupl. und durch Renominalisierung von ἔργα V.20 klar jesuanisieren. Die ständige Plur.-Verwendung bei Mt ist signifikant und zeigt ebenso wie den Erzähleinsatz mit dem Wundersummarium 4,23-25, daß 7,22 nicht im Sinne einer angeblich wunderkritischen Haltung des Mt ausgewertet werden darf.

δύο (GUNDRY 643 – doch Mk 10,35 B C pc co mit N-A, H-G wohl sek.)

Mt 40 : Mk 17 : Lk 28 + 14 : Joh 13

    =(Mk 17 – 5 + 11) + (Q 5 + 8)

Für die 5 von Q vorgegebene Stellen ist immer die einheitliche Separierung 2 ≯ 1 in derselben Gegenstandsklasse kennzeichnend: 6,24(=Q Dienstherren); 10,29(=Q Sperlinge – auf dasselbe Obj. bezogen aber Lk auf geändertes Obj. permutiert, also gg. SCHMID 1930:275 sek.; dieses Argument ist noch zu dem korrekteren Sing. πωλεῖται beim Neutr.Plur. B-D-R 133; SCHULZ 1972:159 zuzufügen); 21,28(=Q-Lk 15,11 2 Kinder), was V.31 dupl.; 24,40f(=Q 2 mask. bzw. fem. Alltagsbeschäftigungen); von daher ist auch deutlich, daß 5,41(+Q 2 Meilen) wie 25,15.17a.b.22a.b.c(+Q 2 Talente) red. mt Zusätze vorliegen, da die Verwendung hier nicht separativ, sd. umgekehrt additiv expandierend ist.

Von Mk vorgegeben sind 12 Stellen: 10,10(=Mk und wohl auch Q Untergewänder); 14,17.19(=Mk Fische); 18,8a.b.9(=Mk Hände, Füße, Augen); 19,5.6(=Mk Heiratende); 21,1(=Mk Schüler); 26,2(=Mk Tage); 27,38(=Mk Mitgekreuzigte).51(=Mk ellipt. in 2 Stücke).

Red. sind vor allem die je 4 bei Mk (trotz der Auslassung von Mk 6,7.7; 14,13) und Q vorgegebenen personbezogenen Stellen erhöht worden (sachlich nur noch 22,40[+Mk] 2 Hauptgebote):

Mt 22 : Mk 7 : Lk 17

Das beginnt schon mit der Betonung bei der Berufung der beiden ersten Schülerpaare 4,18.21(+Mk), die durch die Setzung der Numeralia den Leser zum Zählen anleiten im Hinblick auf die 12 von 10,1; in rahmender Entsprechung dazu hat Mt es 8,28(+Mk 2 Gadarener); 9,27(+Mk 2 Blinde) zugesetzt, wobei der Zusammenhang dadurch betont ist, daß im letzten Falle das Stichwort Nachfolgen an 4,18.21 zurückerinnert, daß 8,28 die Episode bei Mt nicht mehr mit ihrem Weggehen schließt und Mt den Komplex Mt 8-9 auch durch die Erinnerung des Petrus 8,14 wie durch die Einbringung des Namens Matthäus 9,9(+ Nachfolgen) klar als Vorbereitung auf die Zwölferliste hin orientiert hat. Für die Zebedaiden wird diese Kennzeichnung noch 20,21. 24(+Mk); 26,37(+Mk) wiederholt wie für ein blindes Paar 20,30(+Mk, wobei wiederum die Ausrichtung auf Nachfolgen betont ist, nicht aber die Intention "um das Wunder bezeugen zu können" für die Heilungen angedeutet ist; gg. DORMEYER EWNT 1,872); red. sind 26,60(+Mk 2 Lügenzeugen); 27,21(+Mk 2 Freilassungskandidaten). Innergemeindl. ist die Häufung im Brudergewinnungskatalog 18,16a.b(+Q) in der Begründung mit Dt 19,15; 17,6 sowie der anschließenden Dupl. V.19(+Q Gebet).20(+Q Versammlung). Neben der Kardinalzahl hat Mt auch die Ordinalzahl

δεύτερος

Mt 4 : Mk 3 : Lk 3 + 5 : Joh 4

21,30(+Q Brüder) dupl. von 22,26(=Mk Brüder).39(=Mk Gebot); 26,42(=Mk 14,72 permutiert *ἐκ δευτέρου zum zweiten Mal* in einer Reihe OBERLINNER EWNT 1,700). Vgl. noch

διπλοῦς 23,15(+Q) Komp. *doppelt schlimmer* (NT nur noch Apk 18,6; 1Tim 5,17; gg. GUNDRY 643 kein διά-Kompositum, sd. mt δύο-Häufung), während Mt das Adv. δίς von Mk 14,30.72 nicht aufnahm.

διετής 2,16 (NT sonst nie) *von Zweijährigen an abwärts* (BAUER WB 386 mask.; gg. GUNDRY643 kein mt διά-Kompositum, sd. mt δύο-Häufung; LXX nur 2Makk 10,3 vgl. JosAnt 2,74).

διχάζω Q-Mt 12,35(gg. Lk, der ein Vorzugswort hat, in Q vorgegeben; SCHULZ 1972:259) *entzweien* (sonst nie in NT und LXX - gehört zu den mehr griech.-literar. Wörtern des Mt: PlatPol 264D vgl. BAUER WB 397; gg. GUNDRY 643 wohl kein Intensivum als διά-Komp., sd. mt δύο-Häufung).

διχοτομέω 24,51(=Q) *entzweischneiden (= mit dem Schwert vierteilen)*

Mt 1 : Mk 0 : Lk 1 (außer Ex 29,17 nie in NT und LXX; BAUER 397)

ἀμφότεροι (GUNDRY 641)

Mt 3 : Mk 0 : Lk 5 + 3 (NT nur noch Eph 2,14.16.18)
=(Mk 0 + 2) + (Q 1 + 0)

Das Pron.-Adj. der Zweiheit (B-D-R 64,6; 274,3) *beide zusammen* im Gegensatz zum einzelnen ist an der letzten Stelle 15,14(=Q) im Blick auf eine negative Folge übernommen und im positiven Sinne 9,17(+Mk) wie 13,30(+Mk - jeweils im allegor. Sinne und im syntagmatischen Zusammenhang mit συν-Komposita (so nie bei Lk) redundant - red. gesetzt (GUNDRY 171.265).

τρεῖς, τρία

Mt 12 : Mk 7 : Lk 10 + 12 : Joh 4
=(Mk 7 - 2) + (Q 1 + 6)

Vorgegeben ist die Maßangabe 13,33(=Q), die Zahl der Zelte 17,4(=Mk - red. mt vorangestellt), die dtn Zeugenformel 18,16(+Q).20 dupl.; die restl. 8 Belege sind Zeitangaben: 15,32(=Mk *3 Tage ausgeharrt*); der Lügenvorwurf 26,61(=Mk *in 3 Tagen aufbauen*), den der Spott 27,40(=Mk) wiederholt; die von den Gegnern wiederholte Auferweckungsvorhersage 27,63(=Mk 8,31 oder eine ihrer Wiederholungen permutiert) weist zurück auf die von Mt red. als erste Rehabilitationsvorhersage 12,40a.a(+Q) zugefügte Wendung von LXX-Jon 2,1 *3 Tage und 3 Nächte*, die V.40b.b(+Q) anwendend wiederholte. Dafür gebraucht mt auch die Ordinalzahl

τρίτος

Mt 7 : Mk 2 : Lk 9 + 4 : Joh 1
=(Mk 2 + 5)

wie apostolisch 1Kor 15,4, aber mt immer vorangestellt *am 3.Tage* 16,21(+Mk); 17,23(+Mk); 20,19(+Mk) und dupl. 27,64; daneben *3.Stunde* 20,3(=Mk 15,25 permutiert und mt vorangestellt); *3.Bruder* 22,26(=Mk); ἐκ τρίτου 26,44(+Mk nach Analogie von V.42 vom Adv. Mk 14,41 her gebildet).

τρίς *dreimal* für Vorhersage und Eintreffen Mt 26,34.75(=Mk)

Mt 2 : Mk 2 : Lk 2 + 2 : Joh 1 (NT nur noch 2Kor 11,25.25; 12,8)

τριάκοντα *30* 13,8.23(=Mk); 26,16(+Mk von 14,5: *300*) dupl. 27,3.9

Mt 5 : Mk 2 : Lk 1 + 0 : Joh 1 (NT nur noch Gal 3,17)

τρίβολος ↗δένδρον

τέσσαρες 24,31(=Mk *vier Winde*; dgg. Mk 2,3 nicht übernommen)

Mt 1 : Mk 2 : Lk 1 + 6 : Joh 2 (NT nur noch Apk 29mal)

τέταρτος 14,25(=Mk *vierte Nachtwache* - röm. Zählung)

Mt 1 : Mk 1 : Lk 0 + 2 (NT nur noch Apk 7mal)

τεσσαράκοντα 4,2(=Mk/Q *40Tage*).2(+Mk/Q *40 Nächte*)
    Mt 2 : Mk 1 : Lk 1 + 8 : Joh 1
τετρακισχίλιοι *4 000* 15,38(=Mk); 16,10(=Mk)
    Mt 2 : Mk 2 : Lk 0 + 1 (Apg 21,38 – NT sonst nie)
πέντε
    Mt 12 : Mk 3 : Lk 9 + 5 : Joh 5
          (=Mk 3) + (Q 2 + 7)
Von Mk war *5* nur für Brote 14,17.19; 16,9 vorgegeben, von Q 25,20c.d(=Lk
19,18f) für Geld, von woher es Mt in der Allegorie V.15.16a.b.20a.b multipliz.
und auch in die voranstehende Allegorie 25,2a.b für Personen eintrug.
πεντακισχίλιοι *5 000* 14,21(=Mk); 16,9(=Mk)
    Mt 2 : Mk 2 : Lk 1 + 0 : Joh 1 (NT sonst nie)
ἕξ 17,1(=Mk *6 Tage*)
    Mt 1 : Mk 1 : Lk 2 + 3 : Joh 3
ἕκτος 27,45(=Mk *6.Stunde* mt vorangestellt) und von daher 20,5 dupl.
ἑπτά
    Mt 9 : Mk 8 : Lk 6 + 8 (Ps-Mk 16,9 ist nicht mitzuzählen)
          =(Mk 8 – 1) + (Q 1 + 1) (NT nur noch Hebr 11,30 und Apk 55mal)
Außer 12,45(=Q) von Dämonen und 18,22(+Q) red. vom Adv. her für das innergemeindliche Vergeben immer von Mk übernommen: 15,34.36.37; 16,10 für
Brote und 22,25,26.28 für Brüder (an den beiden letzten Stellen mit Art.
(=Mk).
ἑπτάκις 18,21.22(=Q) *siebenmal* (NT sonst nie)
ἑβδομηκοντάκις 18,22(+Q red. vom Sing. her) *siebzigmal*
ἐνενήκοντα ἐννέα *99* 18,12.13(=Q)
    Mt 2 : : Mk 0 : Lk 2 bzw. 3 (NT sonst nie)
ἑκατόν
    Mt 4 : Mk 3 : Lk 3 + 1 : Joh 2
          =(Mk 3 – 1) + (Q 1 + 1)
13,8.23(=Mk) wurde *100* für den höchstmöglichen Ertrag der Steigerung im
Fruchtbringen des Samens übernommen wie 18,12(=Q) für die Vollzahl der
Herde, von woher er V.28 für die Geringfügigkeit einer Schuldsumme dupl.
wurde.
ἑκατοντάρχο(/η)ς
    Mt 4 : Mk 0 : Lk 3 + 13 (NT sonst nie)
in der Vermeidung das mk Latinismus κεντυρίων hat 27,54(+Mk) die att.-
griech. Übersetzung (-ος) eingesetzt, die er auch Q–Mt 8,5.8(=Lk, der aber
die von ihm bevorzugte hell.-griech. Form auf -ης hat) hat, während er
V.13(+Q) auch ohne Bedenken zu dieser hell.-griech. Form wechseln kann.
Die übliche Wiedergabe mit *Hauptmann* (UNTERGASSMAIR EWNT 1,983f) ist irreführend, da der Soldatengrad des Leiters 1/60 einer röm. Legion keinen
Offizier, sd. einen Mannschaftsgrad (etwa: *Feldwebel*) bezeichnete.
μίλιον 5,41(+Q – NT und LXX sonst nie) röm. Längenmaß *mille* (1000 Schritte)
μύριοι 18,24(+Q) *10 000* (NT nur noch 1Kor 4,15; 14,19; LXX 15mal)
ἔνατος *9.Stunde* 27,45.46(=Mk) und 20,5 dupl.
    Mt 3 : Mk 2 : Lk 1 + 3 (NT nur noch Apk 21,20)
δέκα *10* 20,24(=Mk *12-2*); 25,28(+Q Summe *5+5*) und ebenso dupl. V.1
    Mt 3 : Mk 1 : Lk 11 + 1 (NT nur noch Apk. 8mal)
ἀποδεκατόω 23,23(=Q – NT nur noch Hebr 7,5) *verzehnten* – Obj.:
ἡδύοσμον 23,23(=Lk) *Gartenminze* (angebl. verzehntet dgg. BILL 1,932f)
    Mt 1 : Mk 0 : Lk 1 (NT und LXX sonst nie)
ἄνηθον Q-Mt 23,23(gg. Lk – NT und LXX sonst nie) *Dill*
κύμινον Q-Mt 23,23(urspr. gg. Lk; SCHULZ 1972:100; LXX 3mal) *Kümmel*
δεκατέσσαρες *14 Generationen* 1,17a.b.c
    Mt 3 : Mk 0 : Lk 0 (NT nur noch *Jahre* Gal 2,1; 2Kor 12,2)

ἔνδεκα *11* 28,16 (reduzierter Zwölferkreis)
    Mt 1 : Mk 0 : Lk 2 + 2 (NT sonst nie; sek. Ps-Mk 16,14)
ἐνδέκατος *11.Stunde* 20,6.9(+Mk red. erzählend zu den Vorgaben ergänzt)
    Mt 2 :Mk 0 : Lk 0 (NT nur noch Apk 21,20)
δώδεκα
    Mt 13 : Mk 15 : Lk 12 + 4 : Joh 6
    =(Mk 15 – 4) + (Q 1 + 1)
Rahmend zur Anfangsstelle A gemacht, hat 9,20(=Mk) die *12 Jahre* der Krankheit zur Darstellung der Größe der Macht Jesu übernommen und damit seine Schlußstelle 26,53(+Mk, wo Mt die vorgegebene Korrespondenzbeziehung von Mk 5,42 permutiert und transkodiert haben dürfte) mit den *mehr als 12 Legionen Engel* in gleicher Funktion als A' in Beziehung gesetzt; ἔτος nur 9,20(=Mk) Plur. *Jahre*
    Mt 1 : Mk 2 : Lk 15 + 11 : Joh 3;
14,20(=Mk) hat er die *12 Körbe* (in Relation zu dem Auftrag für die mt als *12* gedachten Jünger) offenkundig als C in Beziehung zu Israel gesehen und damit die Aussage von der künftigen Rechtsgeberfunktion für die *12 Stämme Israels* 19,28b(=Q) in rahmender Funktionsentsprechung als C' angeordnet.
    Als Zentrum D hat er 19,28a(+Q) vom Nachsatz her die Zahl dupl. und damit die Aussage von den *12 Thronen* für die *12 Schüler* zur Zentralaussage gemacht (gg. SCHÜRMANN Lk 318f; HOLTZ EWNT 1,879 ist diese Schlußstelle gerade kein Beleg dafür, daß Q ein Zeuge für eine vorösterliche Existenz der Zwölfergruppe sei – im Gegenteil). Eine solche bewußte makrosyntaktische Verteilung ist auch darum anzunehmen, weil sich die 8 restlichen Stellen als betonte *Jünger*-Stellen nicht nur gleichmäßig als B und B' auf je 4 auf die Aussendungsrede zusammengezogene Belege in 10,1. 2.5(=Mk); 11,1(=Mk 4,10 Dat. permutiert) und sowie die 20,17(=Mk); 26,14.20. 47(=Mk) auf die Jerusalem-Verwerfung reduzierten Belege verteilen, sd. diesen beiden Vierer-Blöcken auch jeweils nicht direkt personbezogene Stellen voranstehen und folgen:

A:	9,20;			26,53
B:	10,1.2.5; 11,1;			20,17; 26,14.20.47;
C:		14,20;	19,28b;	
D:			19,28a;	

In mt Weise ist das Zahladj. immer einem nachfolgenden Subst. vorangestellt. Genuin mt ist das Syntagma
οἱ δώδεκα μαθηταί (STRECKER 1971:191-3; GUNDRY 643)
    Mt 4 : Mk 0 : Lk 0
Dabei ist wichtig, daß dieses Syntagma nicht nur immer mit anaphor. Art. steht, sd. sogar an der ersten Stelle 10,1 auch schon so einsetzt unter Ausschaltung der von Mk 3,14.16 doppelt betonten Notiz einer jetzt erst erfolgenden *Schaffung* der Gruppe (mit N-A und GNTCom 80f ist es an beiden Stellen zu lesen und gg. H-G keine sek. Interpolation von Lk her anzunehmen, da der mk Stil beabsichtigt redundant ist und die jeweiligen Satzanschlüsse es als konstitutiv voraussetzen): Nach dem von Mt neu entworfenen Bild sind sie geschaffen durch 4 Nachfolgeberufungen in 4,18ff und 8 weitere in Kap. 8-9 und werden darum mit dem Art. 10,1 als herbeirufbare Vorhandene vorausgesetzt, was bei Mk 6,17 erst in einem späteren, nachfolgenden Akt und Zeitpunkt erfolgte. Rahmend dazu ist das Syntagma 11,1 wiederholt. Die 10,2 sofortige synonyme Renominalisierung der Wendung mit οἱ δώδεκα ἀπόστολοι weist auf eine beabsichtigte Substituierbarkeit hin. 20,17 ist das volle Syntagma bewußt zur Hervorhebung der erinnernden Feststellung des jetzt beginnenden Eintritts der Verwerfungs/Rehabilitirungs-Vorhersagen zugesetzt (mit N-A und H-G ist die teilweise Streichung als sek. Angleichung an Mk wie Lk und an die seit dem Ursprung in 1Kor 15,5 häufige Kurzform überhaupt zu betrachten). Die volle Wendung dürfte

auch 16,20 als mt urspr. anzusehen sein (STRECKER 1971:191 n.2; H-G 237 gg. N-A; GNTCom 64, da außer Mk-Angleichung noch stärker Wiederangleichung an die Kurzfassungen der Umgebung V.14.47 durch verschiedene unabhängige Kopisten zu veranschlagen ist; hinzu kommt, daß Mt die Kurzfassung nur 2mal, und zwar immer in der (red. von Mk geschaffenen; SCHENK 1974:185) Wendung *einer der Zwölf* V.14.47 verwendet und sonst nie; 10,5 ist nicht zu den sogen. "abs." Verwendungen zu zählen, sd. zu den weiter determinierten, da dort als Rückweise auf V.1f betont das Demonstr. zugesetzt ist τούτους τοὺς δώδεκα, das den Leser zur Renominalisierung der unmittelbar voranstehenden Vollformel auffordert).

δυσκόλως *schwerlich* 19,23(=Mk im βασιλεία-Eingangs-Spruch)
    Mt 1 : Mk 1 : Lk 1 (NT und LXX sonst nie)
δυσμή →φῶς
δώδεκα →δύο
δῶμα *auf dem Dach* 10,27(=Q); 24,17(=Mk – d.h. *verkündigend*)
    Mt 2 : Mk 1 : Lk 3 + 1 (NT sonst nie)
δωρεάν *geschenkweise* 10,8a.b(+Q von 2Kor 11,7 her zugesetzt – als
    Antithese zum *Silber* im bewußten Gegensatz zu Judas 26,14-16 und den
Wächtern am Grabe 28,12-15; BARTH 1970:136)
    Mt 2 : Mk 0 : Lk 0 : Joh 1)
δῶρον (HAWKINS 1909:5; GUNDRY 643)
    Mt 9 : Mk 1 : Lk 2 + 0 : Joh 0 (von 19 ntl. Stellen)
    =(Mk 1 + 1) + (Q 0 + 3) + (A–Mt 4)
Mt 15,5 ist die Mk 7,11 exakt gegebene Erläuterung, daß das Subst. die regelmäßige LXX-Übersetzung für Qorban (*für den Tempel bestimmte Gabe*) ist, nur mit dem griech. Ausdruck
κορβανᾶς 27,6(von Mk 7,11 *Opfergabe* her permutiert) *Tempelschatz*
    transkrip. aram. *qorbānā'* JosBell 2,175; NT und LXX sonst nie)
aufgenommen, da Mt (anders als Mk) δ. ja schon im bisherigen Verlauf seiner Darstellung 5mal verwendet hatte. An der voranstehenden Stelle 8,4 ist es zur mk Vorlage zugesetzt, wodurch Mt nach seinem Prinzip der assoziativen Gleichbehandlung anschließender Stellen ein 4. und letztes Mal das Syntagma mit →προσφέρω (2,11; 5,23.24) bildete.
προσφέρω τὸ δῶρον
    Mt 4 : Mk 0 : Lk 0
Bei den A-Mt-Stellen fällt die doppelte Häufung 5,23.24a.b und 23,18.19a.b auf. Während es 8mal durchgehend im Sing. die *Opfergabe für Gott* in Bezug auf die jüd. Tempelpraxis meint, scheint die einzige und voranstehende Plur.-Stelle 2,11 semant. einen Sonderfall zu bilden, sofern es sich dort allgemeiner um *Huldigungsgschenke* handelte. Dennoch wäre es dem Sinn des Mt nicht adäquat zu sagen, daß es hier "um Gaben von Menschen untereinander" geht (gg. SCHNEIDER EWNT 1,884-6), da Jesus als deren Empfänger für Mt dem Kreis der Menschen von Anfang an insofern entnommen ist, als er seit seiner göttl. Erzeugung die dir. Verkörperung der Gottesgegenwart (1,23) ist und das Leitverb ihn auch hier als den Herrn des Jerusalemer Tempels (wo die Magier ihn auch zuerst suchen!) ausweist.
    Als durchgehender Opferterminus im Sing. erscheint δ. als zusammenfassende und verallgemeinernde Bezeichnung der *für den Tempel und die Priester bestimmten Gaben*, womit Mt als Autor Jahrzehnte nach der Jerusalemer Tempelzerstörung und abseits von Palästina keine konkreten und differenzierten Vorstellungen mehr verbindet. Die Erwägungen von JEREMIAS 1966:103f hätten nur für die Semantik einer evtl. Vorlage von 5,23d Bedeutung, nicht aber für Mt selbst. Eine solche ist aber kaum anzunehmen, da Mt hier das Darbringungsbeispiel mit Q-Elementen verschränkt und aus Anklängen seiner Vorlagen bildet. Für einen möglichen judenchristl. Bezug des Mt ist dieses Beispiel nicht auzuwerten, da es von Mt bewußt histori-

stisch für die Zeit Jesu und dessen exklusive Ausrichtung auf Israel hin entworfen ist. Selbst eine judenchristl. Vorlage läßt sich hier nicht als kohärenter Text rekonstruieren. Man wird darum sagen müssen, daß Mt semant. von der ersten Stelle an überall die Bedeutung *Huldigungsgabe* durchhält.

ἐάν →ἄν

ἑαυτοῦ

Mt 32 : Mk 23 : Lk 57 + 22 : Joh 28
=(Mk 23 - 9 + 3) + (Q 6 + 4) + (A-Mt 4)

Da dieses griech. Reflexivum im Plur. auch die 1. und 2. Pers. abdeckt (B-D-R 283 - "das Semit. umschreibt das Reflexivverhältnis durch *näfäsch Seele;* daher in der Übers. aus dem Semit. bisweilen τὴν ψυχὴν αὐτοῦ" ebd. n.8), so findet sich die Verwendung für die 2.Pers.Plur. in der dir. Anrede

Mt 5 : Mk 3 : Lk 11+ 4
3,9(=Q von Täufer); 16,8(+Mk Jesus an Schüler); 23,3(+Q an Gegner); 25,9 (Allegoriepersonen unter dupl. von Mk 6,36); 26,11(=Mk an Schüler). Nicht übernommen wurden Mk 9,50; 13,9. Abweichend vom geläufigen Sprachgebrauch hat Mt 6,19f ὑμῖν (statt ἑαυτοῖς; ebd.n.3). Der Sing.

σεαυτοῦ

Mt 5 : Mk 3 : Lk 6 + 3 : Joh 9
ist in den Imp. 4,6(=Q); 8,4(=Mk) 27,40(=Mk) immer übernommen wie im Vergleich des Liebesgebots 22,30(=Mk) und dupl. 19,19; dgg. dürfte die einzige präp. Verwendung im Imp. 18,16 als un-mt nicht urspr. sein (N-A 50 gg. H-G 146). Die 1.Pers. verwendet nur 8,9(=Q mit Präp. Centurio) auch:

ἐμαυτοῦ

Mt 1 : Mk 0 : Lk 2 + 4 : Joh 16.

Im Sing. der Unperson verwendet Mt ἑαυτοῦ 13mal, und zwar "als direkte Ergänzung des Vb. auf das Subj. bezogen", wo "(fast) nur das Reflexivum" verwendet wird (B-D-R 283,1), 6mal: 6,34(+Q Tag); 16,24(=Mk *sich lossagen*); 23,12a(=Q *sich erhöhen*).b(=Q *erniedrigen*) und dupl. 18,4; 27,42(=Mk *sich retten*). Daneben mit verstärkender (SCHOENBORN EWNT 1,889) Präp. ἐν 9,21 (=Mk 5,30 permutiert) und 13,21(=Mk doch red. Sing. in der Allegorieentschlüsselung zur Verstärkung des Mahnaspekts); mit κατά 12,25a(=Q).b(=Mk) bzw. ἐπί V.26 und μετά V.45a(+Q; V.45b(=Q) bloßer Gen. beim Kompar.

Im Plur. der Unperson verwendet es Mt 15mal: In dir. Vb.-Ergänzung 14,15(=Mk) und 19,12(+Mk - red. von Sing. 16,42; 18,4; 23,12 her gebildet als Hyponym dieser Synonyme); 6mal im attributiven Gen. 8,22(=Q); 18,31; 21,8 (=Mk permutiert von 11,7 in 01² 02 038 892 pc gg. N-A und H-G urspr.); 25,1.4.7; mit Präp. μετά 15,30(=Mk 8,14 im ganzen Syntagma mit ἔχειν permutiert) und 25,3 dupl.; 26,11(=Mk); mit Präp. ἐν 9,3(=Mk 2,8 permutiert); 16,7(=Mk 8,14 mit geänderter Präp. permutiert).8(+Mk dupl.); 21,25(=Mk mit geänderter Präp.).38(=Mk). Insgesamt

ἐν ἑαυτ- (GUNDRY 644)

Mt 8 : Mk 5 : Lk 6 + 3.

Für das negative Selbstgespräch der Toren rahmend am Anfang A 3,9; 9,3 und Schluß A' 21,25.38 und positiv B von der furchtüberwindenden Heilungsbitte 9,21 wie der vorübergehenden Schülertorheit B' 16,7f, wodurch sich als Zentrum des Chiasmus die Warnung 13,21 vor προσκαιρός und σκανδαλίζεται ergibt:

A: 3,9; 9,3;   21,25.38
B: 9,21;   16,7.8;
C: 9,21;

Außerdem ist zu beachten, daß in der Allegorie Mt 25,1.3.4.7.9 die größt Verwendungsdichte vorliegt und diese Kulmination auf die Betonung der individuellen Verantwortung ausgerichtet ist.

ἐάω Q–Mt 24,43(gg. Lk Synonym ἀφίημι; SCHULZ 1972:268) *erlauben*
  Mt 1 : Mk 0 : Lk 2 + 7 (NT nur noch 1Kor 10,13)
ἐβδομηκοντάκις →δύο
ἐγγίζω, ἐγγύς →βασιλεία
ἐγείρω, ἔγερσις (MORGENTHALER 1973:181 Vorzugswort; GUNDRY 643)
  Mt 37 : Mk 18 : Lk 18 + 12 : Joh 13
     (=Mk 18 – 6 + 8) + (Q 3 + 2) + (A–Mt 12)

Die Zahl der aus Mk übernommenen Belege erhöht sich auf 12, weil Mt 8,26 das einzige Komp. des Mk als Simpl. übernommen hat. Bei der Quantifizierung der red. Veränderungen an der Mk-Vorlage ist über die dir. Belege (9,19; 16,21; 17,7.9.23; 20.19) hinaus zu berücksichtigen, daß 24,11 eine Dubl. zu V.24 gebildet wurde und 27,63; 28,7 Referate der übernommenen Vorhersagen vorliegen. Kennzeichnend für Mt ist das Pt.Aor.Pass.

ἐγερθείς (HAWKINS 1909:5.30; GUNDRY 643)
  Mt 9 (NT nur noch Lk 11,8; Joh 21,8; 2Kor 5,15; Röm 6,9; 7,4; 8,34), mit dem 1,24(mit ἀπό); 2,13.14(subst.).20.21(subst.) mit Subj. Josef einsetzt, 8,25(=Mk vom Komp. her verkürzt als Verursacher aller Stellen) mit Subj. Jesus fortführt, dann mit dem Gelähmten 9,6(=Mk Pt. mt als Imp.).7(=Mk doch Pt. als Befehlsausführungsentsprechung), um schließlich 9,19(+Mk) mit Jesus als Subj. zu schließen. Für alle diese Stellen gilt die Regel: "Der Aor.Pass. ist bei der allg. Verwendung von ἐ. immer medial aufzufassen (im Hell. steht er oft anstelle des Mediums" (KREMER EWNT 1,901; B-D-R 78; PREVOT 1935: 200–8).

Das gilt auch für den finiten Aor.Pass. bei den weiteren Heilungen um 9,6f herum: 8,15(=Mk statt des trans. Akt.); 9,25(=Mk statt des intr. Akt.) wie in der Allegorie 25,7; analog vom *Auftreten in amtlicher Funktion* 11,11 (+Q) im Pf.Pass. (ZAHN 426 n.16; KLOSTERMANN 97: Semitismus) und mit der gleichen Präp. ἐν (und darum wohl auch an der ersten Stelle urspr.; SCHULZ 1972:2.29f gg. SCHÜRMANN LK 419) 12,42(=Q vgl. Syn. V.41) im Fut. Pass. wie 24,7.24 (=Mk) und dupl. V.11(+Mk); ebenso im Imp.Aor.Pass. in der red. Ermunterungsformel 17,7(+Mk) wie der Imp.Pass. 26,46(=Mk im verblaßten Sinne: *auf!*; KREMER ebd.). Ihm entspricht der intrans. Imp. im Akt. 9,5 (=Mk), wie hier der Fortgang V.6f beweist.

Die trans. Verwendung wird im Täuferwort 3,9(=Q) für Gottes schöpferisches Handeln in der Geschichte (τέκνα τῷ ᾽Αβραάμ *erstehen lassen*) eingeführt; 8,25(=Mk) *wecken* die Schüler Jesus; der trans. Imp. zum *Erwecken von Toten* 10,8(+Q) im Sendungsauftrag an die Zwölf ist von 11,5(=Q) her und auf diese Stelle hin dupl. (und darum gg. HAENCHEN 1968:228 nicht zu spiritualisieren; KREMER ebd,902); Q–Mt 12,11(gg. Lk der hier mit *Brunnen* und *herausziehen* stärker literarisiert; BUSSE 1977:309f) ist trans. das *Herausholen* bezeichnet (ein anderer Wortfeldzusammenhang, der im Kontext der red. Jona-Analogie 12,40 wie im Zusammenhang des Kodes der Rehabilitierung des gemordeten Gerechten auch für das mt Oster-Konzept stärker in den Blick zu nehmen ist als das zu stereotyp am *Schlafen* orientierte *Auferwecken*). Das spiegelt sich auch in einem anderen wichtigen mt Kennzeichen; er allein hat im NT das Syntagma

ἠγέρθη ἀπό
  Mt 4 (NT sonst nie)
1,24 (vom Schlaf); 14,2(=Mk im Munde des Herodes – doch von Mt red. aus dem Pf.Pass. in den von ihm bevorzugtes Aor. versetzt und damit medial verstanden sowie in der Änderung der Präp. betont); auch beim Jesus-Zitat im Gegnermund 27,64 bedeutet die geänderte Präp. keine Abschwächung, da sie 28,7(+Mk) im Engelmund erscheint. Mit der bevorzugten Präp. rekurriert Mt stärker auf den Ausgangspunkt und dürfte die Trennung kräftiger betonen wollen. Kraft der ihm schon als Irdischem verliehenen Autorität dürfte Mt auch die Auferweckung Jesu medial als sein Auferstehen verstanden ha-

ben. Die trad. Verbindung des Vb. mit ἐκ ist nur 17,9(+Mk – das Vb. aber
typ. mt aus ἀναστῇ geändert und in seinen medialen Aor.Pass. ἐγερθῇ [B D
pc] versetzt mit N-A als urspr. anzusehen, während H-G 137 der Mehrzahl
der HS folgt, die offenbar an Mk rückangleichen) übernommen und in der mt
gegebenen Rahmung von ἀπό her zu verstehen; ebenso ist ἐκ an der trans.
Stelle 3,8 (=Q ἐκ τῶν λίθων) von Gott übernommen, was aber für das mt
Gottesbild weniger austrägt als es scheinen mag, da diese Tätigkeit mt ja
nicht nur von Jesus, sd. ebenso auch 10,8 trans. von den Schülern ausgesagt ist. Im Zusammenhang mit den voraufgehenden akt. Vb. ist auch das
Pass. 11,3(=Q) medial zu verstehen (KREMER ebd.902 gg. FASCHER 1941:196,
der den Bezug zum nachfolgenden Pass. überbetonte).

Im mt Kode ist die Synonymie von intrans. ἀνίστημι und ἐγείρω total
entflochten und beide bezeichnen je etwas für sich. Der mt Sprachgebrauch
hat konsequent ἀνίστημι aus dem Jesus-Zusammenhang gestrichen und in
den Vorhersagen aus Mk 8,31; 9,9.10.31; 10,34 konsequent nicht übernommen.
Dem entspricht umgekehrt, daß er das ἐγείρονται in Mk 12,26 aus dem Zusammenhang mit ἀνάστασις herausgenommen hat. Geht es bei der mt ἀνάστασις um die Gerichtszubringung, so in der ἔγερσις (typ., daß Mt 27,53 dieses
Nom. actionis als ntl. Hap.leg. einführte!) um eine heilsame Lebensverlängerung auf die nahe Parusie und das Lohngericht hin (damit ist für Mt die
Auskunft überholt: "Warum Mt und Pls den Formen ἐγήρθη u.ä. den Vorzug
gegenüber ἀνέστη gaben, ist nicht zu klären" – so KREMER EWNT 1,908). In
diesem Gesamtkonzept ist auch die singuläre Auferweckung der Heiligen
27,53(+Mk), für die auch das Subst. verwendet ist, weniger auffallend als es
im allgemeinen scheint. Wahrscheinlich liegt doch eine im wesentlichen red.
Bildung vor (SENIOR 1976 gg. SCHENK 1974).

Die mt Kodierung von ἐγείρειν ist in ihrer Anwendung auf Jesus auch
ein Mittel, das Leben des mt Jesus als eine Einheit von seiner Geburt bis
zur nahen Parusie einzubilden: Mt verwendet das Vb. red in den 5 Vorhersagen 16,21(+Mk); 17,9.23(+Mk); 20,19(+Mk); 26,32(=Mk) und dem 4fachen
Rückblick darauf 27,63.64(+Mk); 28,6.7(+Mk) für Jesus. Noch ehe er damit
einsetzt, hatte er es 4mal mit Beziehung auf andere Personen vorbereitet,
um Jesus dahin einzuzeichnen: Es ist ein Wunder in einer Reihe mit diesen
Wundern und hat nach 12,40 Beweischarakter. Für die ἔγερσις des mt Jesu
gilt: So wenig wie seine Geburt Erniedrigungscharakter hat, so wenig ist
seine Auferweckung Erhöhung, sd. wunderbare Lebensverlängerung auf den
nahen Eintritt des neuen Äon hin. Wie die mt Zeitaussagen (diese Generation, in diesen Tagen) so belegt auch die mt Kodierung von ἐγείρειν seine
spezifische Jesulogie, "the pre-Easter-post-Easter continuity of the person
of Jesus": "The time of Jesus as extending from his birth to his parousia"
(KINGSBURY 1976:31f). Der Modus dieser Anwesenheit ist für Mt das Herrenmahl, wie er den von Mk (durch Zusatz von ἔδοκεν αὐτοῖς und λάβετε) konkret vollzogenen Bezug auf die Präsenz des σῶμα Jesu Mt 26,26 verstärkend
übernommen hat.

ἐγκαταλείπω 27,46(=Mk Zitat LXX-Ps 21,2) verlassen

Mt 1 : Mk 1 : Lk 0 + 2 (NT noch Röm 9,29; 2Tim 4,10.16; Hebr 10,25; 13,5)
σαβαχθάνι ebd.(=Mk – NT sonst nie) als hebr. Äquivalent.

Es ist synonym mit Gottes παραδιδόναι (LXX-2Chron 32,31 Gott übergab
König Hiskia, um ihn zu prüfen) und bezeichnet im Wortfeld der Rehabilitierung des verworfenen Gerechten "die zeitweilige Gottverlassenheit des Gerechten" (GERHARDSSON 1981:282f,284f; BRAUMANN 1973 gg. PESCH Mk II
495f). Dennoch ist eine solche gg. 2Kor 4,9 im diametralem Widerspruch stehende Formulierung in apostolischer Zeit noch nicht möglich, muß als bei
Paulus unbekannt gelten und wird erst später entstanden sein wie die
Übertragung des gesamten Konzepts auf Jesu Tod.

καταλείπω (STRECKER 1971:64 n.3; GUNDRY 645)
    Mt 4 : Mk 4 : Lk 4 + 5
        =(Mk 4 - 3 + 3)
Nur 19,5(=Mk) wurde das Zitat Gen 2,24 mit Fut. im Redekontext übernommen; mit der Auslassung der bei Mk 12,19.21 (hinterlassen); 14,52 (Sachobj.)
nachfolgenden Stellen wurde der Sprachgebrauch bei Mt nicht nur auf das
aktive, trennende Verlassen von Personen hin vereinheitlicht, sd. auch dadurch, daß in den 3 im Erzählkontext zugesetzten Belegen immer Jesus
Subj. eines Pt.Aor. ist, immer eine Form von ἔρχομαι unmittelbar und im
weiteren Kontext eine Zeitangabe folgen, sowie diese Stellen immer am Ende
eines wichtigen Teils stehen und damit signalisieren, daß etwas wesentlich
Neues folgt:
(Jesus) + κατελιπών + (-ἔρχομαι) + (Zeitangabe)
    Mt 3 : Mk 0 : Lk 0
4,13 (+Mk Jesus verläßt trennend Nazareth, um für Dauer nach Kafarnaum zu
gehen – zum Zwecke der stereotypen Markierung folgt auch hier das redundante ἐλθών) beschließt den Prolog und steht vorbereitend zum ἀπὸ
τότε, das V.17 den ersten Hauptteil eröffnet. 16,4(+Mk statt ἀφίημι: Jesus
läßt trennend die jüd. Lehrer nach der Zurückweisung der teuflischen Zeichenforderung zurück) beschließt den ersten Hauptteil und steht vorbereitend für das ἀπὸ τότε, das V.21 den zweiten Hauptteil eröffnet. 21,17(+Mk
Jesus verläßt trennend die jüd. Lehrer im Jerusalemer Tempel; renominalisiert im Synonym ἀφίημι 23,38), um zu signalisieren, daß 21,18 der bis 26,5
reichende 2.Tag beginnt, dessen umfängliches Redepensum die dreifache
Verwerfung Israels umfaßt. Für Mt ist das ganze Syntagma mit καταλιπών im
Erzähltext also ein wesentliches makrosyntaktisches Gliederungssignal und
erklärt seine konkrete Verwendung an den red. Stellen durch den Funk-
tionsunterschied zu den Synonymen ἀναχωρέω und ἀφίημι II.
ἐγκρύπτω ⇒κρυπτός
ἐγώ

    Mt 210 : Mk 103 : 215 + 183 : 465
ἐγώ (Nom.)
    Mt 28 : Mk 16 : Lk 22 + 44 : Joh 132
        =(Mk 16 - 7 + 1) + (Q 3 + 12) + (A-Mt 3)
In der dir. Rede werden starke Affirmationen durch Emphase-Ausdrücke repräsentiert. Dies ist oft der Fall im Rahmen der paradigmatischen Relation
Kontradiktion/Affirmation ich dgg., ich und kein anderer, ich selbst. Nicht
von Jesus 10mal: im Munde des Täufers 3,11(=Lk ἐγὼ μέν sonst nie in den
Evv.) und dupl. V.14(+Mk), des Centurio 8,9(=Lk), des Sohnes 21,29(+Q als
Ja wie Ri 13,11; Epikt 2,12.18; BAUER WB 430), der Lügenmessiasse 24,5(=Mk),
der Schüler 26,22.25(=Mk permutiert).33(=Mk), von Gott nur in den Zitaten
11,10(+Q Mal 3,1) und 22,32(=Mk Ex 3,6). Dabei zeigt sich den Vorlagen gegenüber die mt Tendenz, die unmittelbare Verbindung mit einem Vb. herzustellen.

    Im Munde des mt Jesus setzte es mit dem genuin mt Syntagma ein
ἐγὼ δὲ λέγω ὑμῖν (GUNDRY 643)
    Mt 6 : Mk 0 : Lk 0 (zu einem 7.Beleg 18,33 s.u. κἀγώ)
5,22(+Q).28(+Mk).32(+Q).34.39(+Q).44(+Q) "können im Kontext des Mt keine
Abrogation des Gesetzes meinen" (SCHOTTROFF EWNT 1,919f), da sie auf die
Gottesrede selbst in den Protasis-Sätzen bezogen sind (gg. BULTMANN
1979:142 nicht "der gegnerische Standpunkt"). Die 6 "Exemplifikationsgrup-
pen" sind nach dem Überbietungs- und Vorverlagerungsschema "Nicht erst
– sd. schon" vom Doppelgebot als dem zentralen Prinzip her gebildet
(HOLTZMANN 1911:503f; BROER 1975; 1980:75-84,102-13; darum ist die antithetische Argumentationsweise tannaitischer Rabbinen untereinander in
juristisch-kommentierender Weise hier nicht beweisend, da es hier über-

haupt nicht im Sinne der Halacha um jurid. justiziable Handlungsfestle-
gungen geht, sd. um allein vom Endgericht bestimmten Lohn oder Strafe;
gg. LOHSE 1970; STRECKER 1984:65). Diese metakommunikative Redeeinleitung
ist das Komplement zur Erfüllungsformel in den Erzählzusammenhängen. Hier
spricht die *Weisheit Gottes*, die die *maßgebliche* Sinnfeststellung und
Erläuterung gibt: *Aus meiner direkten Einsicht in Gottes Willen sage ich
euch.* Da es um maßgebliche Erläuterung und Sinnfestsetzung geht, sollte
man die überstrapazierte Kategorie *Auslegung* dafür in diesem Zusammenhang
lieber vermeiden. Auf jeden Fall aber ist die Bezeichnung dieser Exemplifi-
kationsgruppen als *Antithesen* eine irreführende Klassifikation (und damit
auch die von WEINEL 1928:78f favorisierte liberale Differenzierung in
primäre, toraverschärfende und sekundäre, toraaufhebende; DUPONT 1969: I
156-9; HOWARD 1975:195f). Alle Versuche eines Nachweises vor-mt Herkunft
der Redeeinleitung sind gescheitert; mt Bildung ist anzunehmen (LOISY I
88.123.233; J.WEISS 269; PFLEIDERER 1902: I 566; HOLTZMANN ebd.; HASLER
1969:79.127f; SUGGS 1970:109ff; 1975; LÜHRMANN 1972:413; BROER ebd. gg.
STRECKER 1968; 1984:64-7).

Die weiteren 12 Jesus-Stellen finden sich 8,7(+Q von V.9 her vorwegnehmend dupl. Heilungszusage, die auch wegen der Einleitung im mt Präs.
hist. als Höhepunktsmarkierer positiv zu verstehen ist; SCHENK 1976);
10,16(+Q) als Überschrift wie 23,34(+Q) als Zusammenfassung in dem Jesus
als verfolgte Weisheit kennzeichnenden Syntagma ἰδοὺ ἐγώ (28,20; 11,10 von
Gott - in den Evv. nur noch Lk 24,49 v.l.) ἀποστέλλω, wobei beidemale der
Sendungszweck nicht etwa in der Rettung, sd. nur im Beweis der unabän-
derlichen Heillosigkeit besteht. Auf das Referat des Gegnervorwurfs 12,27
(=Q) folgt V.28(+Q) der dupl. Zusatz in der positiven Aussage, um Jesu
antiteuflische Dämonenbannung von der der Gegner abzugrenzen; 14,27(=Mk)
in der Recognitionsformel der See-Epiphanie zur Begründung der Beruhi-
gungsformel; 20,22(=Mk doch mit vorsehungsplan-bezogenem μέλλω) wie 26,39
(=Mk mit vorsehungsplan-bezogenem θέλω) im Hinblick auf den Todesbecher;
die Antwortverweigerung an die Gegner 21,27(=Mk) erscheint mit οὐδέ als
eine Umkehrung der positiven Formel der Bergpredigt (vielleicht wurde
jene überhaupt von hier aus inspiriert). Die Verwendung in den Allegorien
25,27 (+Q) und dupl. 20,15 ist parusie-bezogen.

κἀγώ (GUNDRY 644)
   Mt 9 : Mk 0 : Lk 5 + 2 : Joh 30 (Lk/Apg 3mal Dat., Joh 1mal+2mal Akk.)
   =(Mk 0 + 4) + (Q 0 + 3) + (A-Mt 2)
Diese Krasis (B-D-R 18) hat Mt rahmend A 2,8 final für Herodes und A' 26,15
(+Mk Parataxe, die ebenfalls final aufzulösen ist) für Judas zugesetzt und
damit die 6 Lohn- bzw. Strafzusagen im Munde des mt Jesus gerahmt:
10,32f(+Q) antithetisch zum Bekennerspruch; 11,28 in der Q-Erweiterung der
rufenden Weisheit; 16,18(+Q) in der Redeeinleitung mit δέ (s.o.); 21,24b(+Mk
- gg. H-G 200 bei Mk sek. Rückangleichung an Mt und Lk).24c hat Mt durch
die Zusätze und Umstellungen einen Chiasmus zur Verstärkung der Antithese hergestellt:

A: ἐρωτήσω
B: ὑμᾶς
C: κἀγώ
Z: λόγον ἕνα,
Z':   ὃν ἐὰν εἴπετέ μοι
C':   κἀγὼ
B':   ὑμῖν
A': ἐρῶ

In der Erbarmen-Allegorie ist 18,33 (*wie auch ich* vgl. 5,48 und die Umkehrung 6,12) Gott bezeichnet (vgl. V.35). Damit entsteht auch in der
makrosyntaktischen Verteilung ein Chiasmus:

A Gegner: 2,8;   26,15
B Jesus: 10,32f; 11,28; 16,18;   21,24.b.c;
C Gott: 18,33;
μου (Gen.)

   Mt 83 : Mk 38 : Lk 88 + 49 : Joh 102
   =(Mk 38 - 10 + 11) (Q 12 + 28) + (A-Mt 4)
Der 5malige *selbständige* Gebrauch konzentriert sich auf die Verwendung
nach dem LXXismus der uneigentlichen Präp. (SCHNEIDER EWNT 2,1279f)
ὀπίσω (nur Mt 24,18 als Adv. *zurück*)
   Mt 6 : Mk 6 : Lk 7 + 2 : Joh 7
im Munde des Täufers im temporalen Sinne 3,11(=Mk red. zur Q-Vorlage eingefügt, um das wohl unhistorische Konzept einer Wirksamkeit Jesu nach dem
Täufer zu festigen; SCHENK 1983c), sonst im Munde Jesu im lokalen Sinne
der Nachfolge 4,19(=Mk); 10,38(=Q); 16,23(=Mk *zurück in meine Nachfolge*;
wohl schon bei Mk nicht mehr als Aramismus *mir aus den Augen* kodiert;
SCHENK 1974a:12f gg. BLACK 1954:218, wie der Anschlußvers zeigt).24(=Mk).
Indem Mt den Gebrauch mit der 3.Person Mk 1,20 abänderte und ausließ, hat
er die Verwendung auf die 1.Person hin vereinheitlicht und die Nicht-Nach-
folge-Stelle 24,18(=Mk) mit dem adv. Gebrauch ohne Pron. gelassen.
   In allen übrigen Fällen ersetzte der Gen. des Pers.-Pron. das *Poss.-
Pron.* in dir. Rede. 13mal erscheinen *andere menschliche* Träger der Redehandlung als Jesus; es sind zuerst vor allem für ihre Kinder Heilung su-
chende Eltern: Eine einleitende Häufung fällt A beim Centurio auf, der es
8,6(+Q παῖς dupl. von V.)8c(=Lk) auch vom Dach V.8b(=Lk) wie vom Bedien-
steten V.9(=Lk) verwendet und A' in rahmender Entsprechung dazu 17,15
(=Mk υἱός); die beiden mask. Obj. rahmen zwei fem. B 9,18(=Mk θυγάτηρ) und
dupl. B' 15,22(+Mk). Dabei stehen die beiden ersten Stellen noch in einer
Rahmenbeziehung innerhalb der Kap. 8-9. 12,44(=Q) nennt der Dämon allegorisiert die jüd. Gegner *mein Haus* und umgekehrt 22,44a(=Mk) David Jesus
meinen Herrn bzw. 24,28(=Lk) ein Bediensteter. Verwandtschaftsbeziehungen
sind auch 20,21(+Mk *meine Söhne*) bezeichnet wie 8,21(=Q *meinen Vater*, wobei Mt es von einem Schüler sagen läßt und damit implizit den Gegensatz
besonders akzentuiert, daß doch nach dem Gebet 6,9 Gott sein Vater ist);
18,21(+Q) *mein Bruder* im Munde des Petrus ist innergemeindlich verwendet.
   Auf 14 Belege gehäuft ist die mt Verwendung für *Gott* als Subj., wobei es
oft in Zitaten erscheint und Mt mit dieser Verwendungsart überhaupt einsetzt: 2,6(Zitat *mein Volk*).15(Zitat *mein Sohn*); 3,17(=Mk Zitat *mein Sohn*);
11,10(=Lk Zitat *meinen Boten*); gehäuft im Erfüllungszitat 12,18a(+Mk *mein
Sohn*).b(+Mk *mein Geliebter*).c(+Mk *meine Seele = ich* 3,17).d(+Mk *meinen
Geist*); 17,5(=Mk Zitat *mein Sohn*); 21,13(=Mk Zitat *mein Haus*); 21,28(+Q
allegor. *mein Weingarten* ist mit B C² W Z 0138 28 1010 1241 1424 pm lat sa
mae bo^pt gg. N-A 60 wie H-G 201 wohl doch von der mt Häufigkeit her als
urspr. mt Allegorisierung anzusehen, und zwar vor allem als dupl. Folge-
stelle von den beiden vorgegebenen, unmittelbar rahmenden V.13 und V.37
her und nicht als eine erst sek. alexandrinische Allegorisierung, die von
Origenes inspiriert wäre; gg. JÜLICHER 1910: II 366); 21,37(=Mk allegor.
meinen Sohn); 22,44b(=Mk Zitat *meiner Rechten*). Eschatol. allegor. ist wohl
meine Scheune 13,30(+Q als Dupl. von 3,12) dir. auf Gott zu beziehen (V.43
auf Vater-Basileia enkodiert).
   In Korrespondenz dazu steht das spezifische Syntagma des mt *Jesus*
πατήρ μου (STRECKER 1971:124; FRANKEMÖLLE 1974:160; GUNDRY 647)
   Mt 17 : : Mk 0 : Lk 4 (Lk 2,49; 22,29; 24,49 seinerseits red. dupl.),
das nur 11,27(=Q) vorgegeben (SCHRENK ThWNT 5,987,993f; CHRIST 1970:
81-99) war und an allen weiteren Stellen mt multipl. wurde (HAHN 1966:321
gg. GRUNDMANN 236; ein funktionales Äquivalent ist mk nur Mt 16,27 mit der
3.Pers. αὐτοῦ vorgegeben). Das Korrespondenzverhältnis wird schon daran

deutlich, daß Mt mit dem Syntagma 7,21(+Q); 10,32f(+Q) einsetzt, nachdem er
einleitend 2mal von Gott als *mein Sohn* (2,15; 3,17) prädiziert worden war.
Damit ist das Syntagma im mt Kode konkret als *mein wirklicher himmlischer
Erzeuger* bestimmt; analog dazu folgt es an der Ursprungsstelle 11,27 auf
ein μου Gottes V.10, wieder stärker im dir. Sohn-Bezug 12,50(+Mk); 15,13
(+Mk) auf V.18 wie 18,10(+Mk).14(+Q).19(+Q).35; 20,23(+Mk) nach 17,5(=Mk);
schließlich folgt auch der letzte Block 25,34; 26,29(+Mk).39(+Mk).42(+Mk
dupl.).53(+Mk) auf den letzten Block der entsprechenden Gottesaussagen
von 21,13–22,44. Da die 3 letzten Stellen gebetsbezogen sind, so sind auch
die beiden abschließenden, einmaligen Renominalisierungen in Gebetsstellen
mit *mein Gott* synonym mit den bisherigen zu verstehen: 27,46.46(=Mk –
bzw. red. dupl., wenn es mit B 565 bo^ms Mk 15,34 nur einmal urspr. und
unter mt Einfluß sek. gedoppelt sein sollte, da keine der spezifisch mk
Doppelungen vorliegt). Also liegen insgesamt 19 Stellen mit spezifisch theol.
Gebrauch vor. Dabei ist (gg. N-A 50 wie H-G 146) die Entscheidung getroffen, daß μου auch Mt 18,14 mit B pm als urspr. anzusehen ist, weil Mt in
der Verbindung mit θέλημα immer μου hat, wie 7,21; 12,50a zeigt. Dabei fällt
weiter auf, daß an den 10 red. Stellen bis Kap. 18 immer eine Näherbestimmung mit *Himmel* steht, die nur in der Ursprungsstelle fehlt und dann auch
ab 20,23 nicht mehr renominalisiert wird (aber als Filler in den Slot zu
ergänzen ist). Diese Unterscheidung fällt auch nicht mit der Verwendung in
Bedingungstexten zusammen, da 16,17 kein bedingter Makarismus voransteht
(SCHENK 1983c).

Die Stellen 11,27 und 16,17 wären überbewertet, wenn man sie zu Schlüsselstellen machen und das Syntagma zum "Stichwort einer Offenbarer-Chri-
stol." erklären wollte (gg. SCHRENK ThWNT 5,989; FRANKEMÖLLE 1974:160);
die primäre mt Kodierung besteht klar in der göttl. Erzeugung Jesu. Diese
Gotteskennzeichnungen des mt Jesus werden nur Gott selbst oder den An-
hängern gegenüber verwendet. Sie sind aber nicht in der Weise exklusiv,
daß sie den Schülerbezug ausschlösse, wie nicht nur das analoge Syntagma
mit der 2.Pers.Plur. zeigt, sd. auch die Tatsache, daß Mt hier weder die
akzentuierte Form noch das Poss.Pron. verwendet noch je eine Voranstellung vornimmt. Denn in anderen Gebrauchsweisen zeigt sich eine red. Tendenz zur betonenden *Voranstellung*, wenn es dem Autor geboten erschien:
Mt 10 : Mk 3 : Lk 14 + 4 : Joh 15
So 7mal im Munde *Jesu* 7,24(=Q *diese meine maßgebenden Worte*).26(+Q
dupl.); prädikativ *meiner nicht wert* 10,37a(+Q).b(+Q).38b(=Lk); 12,50b(=Mk
mir Bruder – doch Stellung red. als abschließende Definition und damit
entsprechend einem indogermanischen Dat. sympatheticus B-D-R 473,1); 16,18
(+Mk auch für Dat. sympath. *mir eine Gemeinde*); im Munde anderer 8,8b(=Q
mein Dach – doch Stellung red. für Dat. sympath. *mir*); 17,15(=Mk *mein
eigener Sohn* – doch Stellung red.); 24,48(=Q *mein eigener Herr* – doch
Stellung red.). Mt stimmt darin nie Mk zusammen: 5,30f wurden wegen der
Verbindung mit einem Vb. so nicht übernommen; Mk 9,24 entfiel der ganze
Spruch; in Mk 14,8 ist die Voranstellung wohl textkritisch sekundär (N-A
137 gg. H-G 234).

Neben den 30 Jesus-Stellen in den 3 Verwendungsgruppen findet es sich
noch 25mal jesusbezogen: 4mal trad. *mein Name* 10,22(=Mk *mir*); 18,5(=Mk);
24,5.9(=Mk); daneben 26,38(=Mk *meine Seele = ich*).12.26(=Mk) *mein Leib* bzw.
V.28(=Mk) *mein Blut*; 26,18(+Mk) *meine Zeit*; 20,23a(+Mk) *mein Kelch* dupl. von
V.23b(=Mk) *zu meiner Rechten*; für seine Lehre 24,35(=Mk) *meine Worte* bzw.
metaphor. 11,29.30a(+Q) *mein Joch* bzw. V.30b *meine Last*; 13,35(+Mk Zitat)
mein Mund; 22,4.4(+Q) *mein Mahl, meine Ochsen*; 25,27(=Q) *mein Geld*; dann
26,18b(=Mk) *meine Schüler* und im Anschluß an die dichteste theol. Verwendung 12,18 in der dichtesten, 6maligen ekklesiol. Verwendung 12,48–50 *meine
Mutter* V.48(=Mk) bzw. *Brüder* V.48(+Mk).49(=Mk).49(=Mk) und dupl. 25,40.

ἐμοῦ

   Mt 18 : Mk 8 : Lk 19 + 6 : Joh 24
        =(Mk 8 + 3) + (Q 4 + 2) + (A–Mt 1)
Nie steht es in Verbindung mit einem Nomen, sd. an allen Stellen – mit Ausnahme vom prädikativen Gebrauch 16,23(+Mk du fällst von mir ab!) von V.25
her dupl. – nach Präp.: 5mal mit ἀπ' die Tennung betonend 7,23(=Q) und
dupl. 25,41 vom Endgericht; in 15,8(=Mk Zitat) die Ferne feststellend, ist es
evtl. durch die verkürzte Zitateinleitung mt auch als Prophetie auf Jesus zu
beziehen und nicht als Gottesrede, denn alle Stellen außer der 15,5(=Mk mit
ἐξ) zitierten Frevlerrede beziehen sich auf Jesus; 26,39(=Mk) bittet Jesus
um die Wegnahme des Todesbechers, während 11,29(+Q) lernt von mir die
Präp. im kausalen Sinne positiv verwendet; gleichfalls 5mal erscheint die
Verwendung mit μετ' in der Schlüsselstelle 12,30a.c(=Q).30b(+Q) dazwischen
die Opposition κατ'; 26,23(=Mk essen) und V.38(=Mk) wachen ist wohl Mk
14,18 permutiert und V.40(+Mk) dupl.; nur 17,27 hat ἀντί für mich und dich.
Mit der uneigentl. Präp. wegen, um willen: 5,11(+Q); 10,18(=Mk) und rahmend
V.39(+Mk) dupl. (synonym zu dem V.22 eingerahmten διὰ τὸ ὄνομά μου!);
16,25(=Mk). Mt zeigt hier im Gegensatz zu Lk eine Tendenz zur Steigerung:

ἕνεκεν ἐμοῦ

   Mt 4 : Mk 3 : Lk 1 + 0.

ἕνεκ-εν/-α

   Mt 7 : Mk 5 : Lk 5 + 3 (NT nur noch 6mal 2Kor, Röm)
        =(Mk 5 – 1 + 1) + (Q 1 + 1)
hat Mt noch 5,10(+Q) von V.11(=Q) her dupl. (mit δικαιοσύνη als Synonym).
Davon abgehoben hat Mt die uneigentl. Präp. noch (gg. Mk) in der att.
Form (B–D–R 30,3) 19,5(=Mk Zitat Gen 2,24 deswegen). Mit dem einem, red.
redundanten ὀνόματος (synonym V.27 Nachfolge) wurde 19,29(=Mk) aus dem
mk akzentuierten Pers.-Pron. ein vorangestelltes Poss.-Pron. (mit 01 02 038
pc gg. N–A 54 und H–G 183); hier schließt ἕνεκεν betont die verfolgungsbe-
zogenen Stellen ab:

ἐμός

   Mt 5 : Mk 2 : Lk 3 + 0 : Joh 41
ist 20,23(=Mk ist meiner Verfügung entzogen) prädikativ übernommen, während die attributive Stelle Mk 8,38 (meine Worte) ausgelassen wurde. Statt
dessen hat Mt – analog zu dem Zusatz von ὄνομα in 19,29 – auch 18,20 diese
red. Verbindung. Neben dieser red. adj. Doppelung findet sich ebenfalls
2mal red. in Allegorien die subst. Verwendung mein Eigentum 20,15 (im Anschluß an die adj. Verwendung in der gleichen Rede 19,29 und in Opposition zum Antonym V.24) und 25,27(+Q vgl. wiederum Antonym V.25 – red.
betont für lk bloßes αὐτό; gg. SCHULZ 1972:292), das im NT auch Lk 15,31
(in gleicher Gegenüberstellung, die also geläufig ist); Joh 16,14f; 17,10 red.
verwenden (B–D–R 285; PLÜMACHER EWNT 1,1084). Die Verwendung der poss.
Adj. (vgl. auch Komplenym σός – der Plur. wird bei Mt wie Mk nicht verwendet) ist Zeichen einer "gewissen literarischen Bildung und stilistischen
Gewandtheit" (MAYSER 1970:II 267).

μοι

   Mt 29 : Mk 9 : Lk 28 + 34 : Joh 40
        =(Mk 9 – 2 + 7) +(Q 5 + 4) + (A–Mt 6)
9 Stellen sind nicht von Jesus verwendet, so die Bitten im Munde des Herodes 2,8, der Teufels 4,9(=Q), der Herodes-Tochter 14,8(=Mk), der Kanaanäerin
15,25(+Mk), des Judas 26,15(+Mk), des Schülers Q-Mt 8,21(=Lk) sowie referierend allegor. von den Schülern 25,20.22(+Q) und im Erfüllungszitat 27,10(+Q).
   20mal ist es in Worten Jesu auf ihn selbst bezogen (nicht übernommen
sind Mk 5,9; 11,30): imperat. in den Nachfolgeaufforderungen 8,22(=Q); 9,9
(=Mk); 16,24(=Mk); 19,21(=Mk) bzw. berichtend 19,28(Q-Lk 22,39 permutiert);
auffordernd auch 14,18(+Mk); 17,17(+Mk); 21,2(+Mk).24(=Mk); 22,19(=Mk); be-

richtend 11,27(=Q) in Relation zu Gott, was 26,53(+Mk) wie 28,18 dupl.; auf
Menschen bezogen positiv 15,32(=Mk – oder aber Zusatz, falls das Fehlen Mk
8,2 B als urspr. und die verbreitete LA Zusatz nach Mt sein sollte); 25,35.42
(vom Essen, doch auffallend, daß im Unterschied zu den rahmenden Stellen
25,20.22; 26,15 gerade nicht betonend vorangestellt ist) eschatol. berichtend
wie 7,21.22(+Q); allegor. schülerbezogen in den argumentativen Fragen 20,13.
15.
Kennzeichnend für Mt ist die verstärkende Voranstellung vor das Vb.:
    Mt 4 : Mk 0 : Lk 7 + 1 : Joh 6
berichtend in 11,27(=Q) von Jesus und analog gleichlautend vom Schüler
25,20.22(+Q), in der Aufforderungsfrage von Judas 26,15(+Mk).
    Noch stärker mt kennzeichnend ist das verstärkende Syntagma
Imp. + μοι + ὧδε
    Mt 3 : Mk 0 : Lk 0,
was 14,8 für die Herodestochter einführte und 14,18; 17,17 für Jesus
wiederholte.
ἐμοί
    Mt 7 : Mk 2 : Lk 6 + 5 : Joh 26
       =(Mk 2 – 2 + 1) + (Q 2) + (A–Mt 4)
Während die abweisende Frage Mk 5,7 nicht übernommen und 14,6 in den
Akk. verändert wurde, hat 10,32(=Q); 11,6(=Q) die antithet. Verwendung mit
ἐν nahe zusammengerückt und damit die Entsprechung von Treue- und Ab-
fallmahnung makrosyntaktisch stärker akzentuiert; dem entspricht, daß die
Abfall-Vorhersage 26,31(+Mk vgl. Komplenym V.33) erweiternd an 11,6 angeglichen wurde. In der Urteilsbegründung des Endgerichts ist die akzentuierte Form 25,40.45 (vgl. die Differenz zur enklitischen Form V.35.42) in den
Höhepunktsaussagen auch noch betonend dem Vb. vorangestellt. In den beiden Verschonungs-Bitten der Allegorie 18.26.29 mit ἐπ' bezeichnet es die
Schüler und nicht Jesus.
με
    Mt 37 : Mk 26 : Lk 43 + 34 : Joh 101
       =(Mk 26 – 9 + 7) + (Q 2 + 1) + (A–Mt 10)
Die quantitative Verwendung des Akk. ist im Vergleich mit den anderen
Fällen am wenigsten gehäuft. 9mal ist er nicht von Jesus verwendet, davon
3mal für Gott gebetsbezogen im Zitat 15,8f(=Mk) und allegor. red.18,32; vom
Täufer 3,14(+Mk); in Rettungsbitten 8,2(=Mk); 14,30(+Mk); 15,22(+Mk); im
Munde des Petrus noch 14,28(+Mk vgl. V.30); 26,35(=Mk).
    28mal von Jesus: in Relation zu Gott, der ihn sandte 10,40(=Mk), zeitwei-
lig auslieferte 27,46(=Mk), rehabilitierend auferweckte 26,32(=Mk); in Relation
zu Menschen, die zu ihm kommen sollen (πρός με wie 3,14 Täufer) 19,14(=Mk)
dupl. 11,28(+Q) wie 25,36c, die ihn tränken, aufnehmen, bekleiden, besuchen
25,35b.c.36a.b.42.43a.b.c (mit 8 Belegen die größte Dichte), die vor Lossagung
gewarnt werden 10,33(=Q); 26,34.75(=Mk), die ihn titulieren 16,15(=Mk), gg.
deren Fragen er sich verwahrt 19,17(=Mk); 22,18(=Mk), die ihn ausliefern
26,21(=Mk).23(+Mk dupl.).46(=Mk), gefangennehmen V.55a.b(=Mk), begraben
V.12(+Mk), ihn nicht sehen 23,29(=Q) bzw. sehen 28,10(+Mk antithet. dupl.).
Dabei bezeichnen die Verwendungen in Kap. 26–28 deutlich die einzelnen
Stadien der Verwerfung/Rehabilitierung und sind daraufhin erweitert.
    Die betonende Voranstellung ist zwar reduziert, doch an einigen Stellen
klar red.:
    Mt 9 : Mk 11 : Lk 11 + 8 : Joh 15
8,2(=Mk) in der Heilungsbitte wie 15,8(=Mk) von Gott, red. aber 14,28 von
Petrus; daneben 6mal von Jesus 16,5(=Mk); 22,18(=Mk); 23,39(+Q vorangestellt) und ebenso in der antithet. Dubl. 28,10; analog im Unterschied zu
26,21.46(=Mk) in der Dubl. 26,23; 27,46(gg. Mk vorangestellt).

ἐμέ

   Mt 9 : Mk 5 : Lk 9 + 11 : Joh 40

     =(Mk 5 + 1) + (Q 0 + 3)

Die akzentuierte Form ist 4mal von Jesu Aufnahme verwendet dem Vb. vo-rangestellt 10,40a.b(=Mk 9,37b permutiert); 18,5(=Mk) ebenso wie analog 26,11(=Mk); 5mal steht es nach Präp., 3mal mit εἰς 18,6(=Mk) übernommen und 26,10(+Mk statt Dat. von V.11 her angleichend) ebenso dupl. wie 18,15 (+Q 2.Pers.) in der einmaligen nichtjesuanischen Verwendung für Petrus; mit der Präp. ὑπέρ 10,37a.b(+Q) wohl von V.39 wie 40 her red. gesetzt.

Ἐζωκίας 1,9.10 (NT sonst nie) König von Juda (2Kön 18,1)

ἐθν- (GUNDRY 643)

   Mt 18 : Mk 6 : Lk 13 + 43 : Joh 5

ἔθνος

   Mt 15 : Mk 6 : Lk 13 + 43 : Joh 5

     =(Mk 6 + 6) + (Q 1) + (A-Mt 2)

Von den 3 Sing.-Stellen sind die beiden in 24,7(=Mk) nach der mt Gliede-rung der Rede konkret auf den jüd. Krieg bezogen und bezeichnen damit das röm. vs. jüd. Volk. Rein funktional ist ist auch der Zusatz 21,43(+Mk) als Kirchendefinition für die Christenheit im Sinne des mt Gehorsams: *Das Volk, das seine Früchte bringt,* ist das "3. Geschlecht" im Unterschied zu Juden und Nichtjuden (STECKER 1971:33); dabei liegt kein theol. Gottesvolkbegriff vor (WALKER 1967:79-83).

Unter den Plur.-Stellen

   Mt 12 : Mk 4 : Lk 9 + 35 : Joh 2

ragt vor allem die Gruppe der 4 letzten Totalitätswendungen gegen Ende des Buches hervor:

πάντα τὰ ἔθνη (GUNDRY 647)

   Mt 4 : Mk 2 : Lk 2

Mt 21,17 hat diese Wendung aus Mk 11,17 zwar weggelassen, jedoch nicht ersatzlos gestrichen, sd. an das Buchende nach 28,19 versetzt: Das Mt-Buch ist an die Stelle des Tempels getreten; allen soll das darin enthaltene Recht des Weltenrichters bekannt gemacht werden. Die referenz-semant. Streitfra-ge, ob damit universal die Völkerwelt oder partikular nur die Nichtjuden bezeichnet sind (so WALTER EWNT 1,928 mit LOHMEYER 1951:36; JEREMIAS 1965:204.207; WALKER 1967:108-11; LANGE 1973: 295-301,377-9; HARE 1975; FRIEDRICH 1983:179f gg. SCHMID, SCHNIEWIND, GRUNDMANN, SCHWEIZER z.St.; TRILLING 1963:26-8; HUMMEL 1966:140; BORNKAMM 1970:21; STRECKER 1971: 117f.236; FRANKEMÖLLE 1974:121f; FRIEDRICH 1977:253-5; MEIER 1977; SCHULZ 1982:233), ist eine Scheinfrage, sofern das mt Israel ja ohnehin als Jesus-Generation eingegrenzt definiert war, diese Frage sich für Mt so gar nicht mehr stellt und jede jüd. Prärogative (ungeachtet des natürlich nicht zu übersehenden Sachverhalts, daß auch nach dem jüd. Krieg wohl 90% der Ju-den in der Diaspora lebten) für ihn mit dem Tode Jesu als einer globalen jüd. Verwerfung Jesu (und der Zerstörung Jerusalems als der endgerichtli-chen Strafe dafür) gegenstandslos ist (FRANKEMÖLLE 1974:119-23). Außerdem hat man die mt Naherwartung zu veranschlagen: 10,23 rechnet mit synago-galer Verfolgung und Jüngerflucht bis zur nahen Parusie. Darum wird das Totalitäts-Syntagma 24,9(+Mk) betont für das Subj. der universalen Verfol-ger eingeführt und 24,14(=Mk versetzt modifiziert) gerade in dieser Relation (als Belastungszeugnis *gegen* die Unterdrücker) wiederholt. Als Obj. des endgültigen Universalgerichts erscheinen sie darum 25,32 dupl.: Es ist das eschatol. Pendant zur universalen Mission; Obj. sind *alle, nachdem* ihnen das verpflichtende Gottesrecht des Buches gebracht ist (BRANDENBURGER 1980:102-19). Für die semant. Bestimmung des Syntagmas muß die Textse-quenz veranschlagt werden: "Immer ist hier *Israel* als Kontrastgröße vor-ausgesetzt" (auch 28,15 vor V.19! WALKER 1967:112). Synonyme für die universalen Adressaten liegen 26,13 (*die ganze Menschheit* im Synonym ⊁κόσμος vgl. 5,14 und von daher auch 5,13 ⊁γῆ) und 24,14 mit dem mt Hap.leg.

οἰκουμένη

   Mt 1 : Lk 3 + 5 (NT und LXX nur noch Röm 10,18; Hebr 2mal; Apk 3mal) vor. Synonym für die universalen Bedrücker ist 24,30(+Mk) das analoge Syntagma πᾶσαι αἱ φυλαὶ τῆς γῆς:

φυλή

   Mt 2 : Mk 0 : Lk 2 + 1,

während das Lexem 19,28(=Q) auf die *12 Stämme Israels* eingeschränkt verwendet ist.

   Die restl. 8, in Kap. 4-20 voranstehenden Plur.-Stellen dürften konstant die *nichtjüdischen Völker* meinen (was in der engl. Unterscheidung von *gentile* und *pagan* deutlicher aussagbar ist; vgl. M.WALSER 1984; die Eindeutschung mit *Heiden* ist als mißverständlich zu meiden, da dieser Term heute durch die Seme *Nichtchristen* und *Rückständigkeit* denotiert ist: DABELSTEIN 1981). In der red. mt Israel-Begrenzung der Aussendung (wie in der Zielstellung, daß diese Sendung letztlich nur den Beweis der teuflischen Heillosigkeit Israel erbringen soll) ist die exklusive Bedeutung 10,5(+Mk) vom Kontext her eindeutig, ebenso in 10,18(+Mk) als dem ausdrücklichen ersten red. Hinweis auf die Verfolgung auch durch *Nichtjuden* (wie auch 4,24 schon die Nachricht weiter reicht als die Ausbreitung in 4,23!); gleiches gilt für die 20,19(=Mk) übernommene dritte Todesvorhersage, und in derem unmittelbaren Gefolge ist auch die Aussage über das versklavende Herrschen der Regierenden über ihre Völker 20,25(=Mk) ebenso zu fassen. Deutlich ist es in den dem Mk-Kontext zugefügten Erfüllungszitaten 12,18.21 so, und von dieser 2. und deutlicheren Erfüllungszitation her ist wohl auch das erste Vorkommen überhaupt in dem Erfüllungszitat 4,15(+Mk) mit dem Gen.-Syntagma *Galiläa der Nichtjuden* nicht als qualitativer oder epexeget. Gen. zu verstehen, da ja ⊁λαός angeschlossen ist. Könnte man an einen subj. Gen. (da nach V.25 Galiläa zu Israel gehört wie 11,20 Kafarnaum) statt eines obj. denken: *das von Nichtjuden beherrschte* und daher (nach der Fortsetzung) *in Finsternis sitzende*? Eher ist anzunehmen, daß Mt hier vorweisend auf 28,19 und Galiläs als künftigen Ausgangspunkt der Völkerweltmission zielt (MEIER 33); dann läge ein finaler Gen. vor wie 5,13f bei den Synonymen. Damit würden in beiden Erfüllungszitaten schon Elemente der Gegenwart des Autors mit einbezogen, was unterstreicht, daß er die Geschichte Jesu als Einheit von der Taufe Jesu bis zur nahen Parusie sieht; das ist auch darum möglich, weil schon 4,24 das Resultat *Syrien* über den Ausgangspunkt Galiläa von 4,23 hinausreicht und analog ebenso 10,18 eine Verfolgung durch Nichtjuden bei einer begrenzten Wirksamkeit auf Israel entsteht. Die einzige aus Q übernommenen Stelle 6,32 läßt als Bestandteil der Grundsatzrede, die sich an die Nachfolger richtet, in dieser Antithese des Sorgens am ehesten an Nichtjuden denken. Das wird dadurch bestätigt daß Mt hier red. in der Textsequenz 5,47(gg. Lk); 6,7(+Q) sein hell. Adj. subst. vorangestellt hat:

ἐθνικός (ohne Art. *zum Volk gehörig* seit Polyb 30,13.6; BAUER WB 432)

   Mt 3 : Mk 0 : Lk 0 + 0 (außer 3Joh 7 nie in NT und LXX)

Er wiederholt es 18,17(+Q) wie 5,46f neben τελῶνης ebenfalls substantiviert; hiermit bezeichnet er mehr die Einzelpersonen der Kollektive: *Nichtjuden* als konkrete einzelne im Unterschied zum Volk. Dabei macht der Kontext von 6,7 wiederum deutlich, daß sie samt den Juden von V.5f den mt Nachfolgern als dem "3. Geschlecht" gegenüberstehen. Es sind also konkret die im Gegensatz zur Buchgemeinde des Mt stehenden *"außenstehenden Nichtjuden"* (FRANKEMÖLLE 1974:121.229). Der Ausdruck kann nicht darum als vor-mt übernommen angesehen werden, weil Mt doch "heidenfreundlich" sei (gg. TRILLING 1963:95), denn neben den neutralen Verwendungsstellen sind die meisten Nennungen, die nicht eine bloße Adressatenbezeichnung darstellen, ausgesprochen kritisch (6,32) – vor allem da, wo es um Verfolgung durch Nichtjuden als negatives Resultat auf die Ausrichtung der mt Botschaft geht (10,18; 24,9.14 vgl. 20,19). Damit ist überall die Kodierung durch ein doppeltes Sem wesentlich: *Nichtjuden außerhalb der mt Jüngerschaftskirche* – also weder Heiden als Nichtjuden per se noch schon Heiden als Nichtchristen (so wohl auch noch nicht 1Pt 2,12; 4,3, sd. erst 3Joh 7; HermS 1,10; HermM 10,1.4).

Hyponyme sind *Westen* + *Osten* 8,11 sowie dupl. 2,1ff, und damit Magier wie Centurio; ferner

νότος 12,42(=Q) *Süden*
     Mt 1 : Mk 0 : Lk 3 + 2 (NT sonst nie)
Νινευίτης 12,41(=Q)
     Mt 1 : Mk 0 : Lk 2 (NT und LXX sonst nie)
Σόδομα 11,23f(=Q) dupl. 10,15
     Mt 3 : Mk 0 : Lk 3 (NT nur noch Röm 9,29; Jud 7; 2Pt 2,6; Apk 11,8) mit
Γόμορρα 10,15(+Q red.; NT nur noch Röm 9,29; Jud 7; 2Petr 2,6)
Τύρος καὶ Σιδών 11,21f(=Q); 15,21(=Mk)
     Mt 3 : Mk 3/2 : Lk 3 + 2/1 (NT sonst nie) zusammenfassend:
Χαναναῖος 15,22(+Mk – NT sonst nie); Supernym ist
κόσμος (GUNDRY 645)
     Mt 9 : Mk 2 : Lk 3 + 1 : Joh 78
        =(Mk 2 + 3) + (Q 0 + 3) + (A–Mt 1)
Das Konzept des mt Vorzugswortes dürfte einheitlich sein: nie meint es das Universum (Himmel + Erde); auch da, wo es mit →*Erde* synonym steht (5,13f), meint es die *Menschheit* (SASSE ThWNT 3,890) als Völkerwelt (πάντα τὰ →ἔθνη): 26,13(=Mk) als universalem Adressaten der Bekanntmachung dieses Evangelienbuches (synonym 24,14; 28,19). Von daher hat Mt diese Bestimmung red. schon 5,14(+Q) in die fundamentale Beauftragung der Grundsatzrede eingetragen (finaler Gen. synonym V.13 →*Erde* wie V.16 generisch →*Menschen*). In der red. Kode-Tabelle 13,28(+Mk) heißt es darum entsprechend: Der "Acker" bezeichnet die *Menschheit.* Wenn Mt 24,21 das mk Lexem *Schöpfung* durch κ. ersetzt ist, dann bedeutet das nicht als solches schon, daß eine diachronische semant. Identität vorliegt (gg. BALZ EWNT 2,768), sd. ist im Gegenteil eine spezifizierende Prädikation für *Menschheit,* da es ja um Bedrängnisse als eine nur auf Menschen bezogene Erfahrung geht. Wenn im gleichen Makro-Segment dieser Endzeitrede red. 25,34 das synonyme Syntagma mit dem Nom. regens

καταβολή
     Mt 2 : Mk 0 : Lk 1 + 0 : Joh 1 (NT noch 8mal; LXX nie)
wiederholt ist, so muß auch die Menschheit gemeint sein, was durch die mt voranstehende Stelle 13,35(+Mk) bestätigt wird, denn hier geht es um gnoseologische Sachverhalte – also wiederum nur um eine auf Menschen bezogene Erfahrung. In diesem red. Zitatzusatz dürfte außerdem das Nom. rectum κ. die urspr. LA sein (KLOSTERMANN 123f; JEREMIAS 1965: 82 n.2; GUNDRY 270f; N-A gg. H-G; GRUNDMANN 348; STRECKER 1971:71), weil schon die ganze 2. Zeile des Erfüllungszitats mt gebildet ist (KINGSBURY 1969:88f) und ein nachträglicher Zusatz von der erst späteren Stelle 25,34 her kaum anzunehmen ist (GNTCom 33f). Die Auslassung konzentriert sich auf diese eine Stelle und dürfte sich von daher als nachträglich erklären lassen, da das Nom. regens schon als term. techn. empfunden wurde.

4,8(=Q) bezeichnet das Nom. rectum in dem Syntagma *alle Königreiche der Menschheit* klar den Bereich menschlicher Herrschaftsgebilde und ist darum synonym mit ἔθνη in 20,25 (bzw. *Erde* 17,25). In diesem neuen Kontext ist darum auch Mt 16,26 trotz oberflächengleicher Übernahme der ersten Mk-Stelle keine diachronische semant. Identität anzunehmen, so daß *die ganze*

Welt gewinnen abstrakt das Habenwollen "irdischer Güter" (so BALZ ebd. 770) meinte, sd. die neue semant. Tiefenstruktur des Mt dürfte *die Menschheit gewinnen* im Sinne der Weltherrschaft von 4,8 meinen. In 18,7(+Q) ist κ. nicht als Obj., sd. als Subj. des Abfalls gemeint: Dem Vernichtungsgericht ist die Menschheit außerhalb (und innerhalb) der universal intendierten Leserkirche des Mt insoweit verfallen, als sie zum Abfall verführt (24,9–14); dieser Abfall ist zwar dem Plan Gottes gemäß (vgl. 26,24) unvermeidlich, dennoch ist jedes Glied der Menschheit, das zum Abfall verführt, zum Vernichtungsgericht bestimmt.

εἰ

    Mt 55 : Mk 36 : Lk 53 + 35 : Joh 49

Wenig spezifisch sind dabei die Syntagmen (vgl. MORGENTHALER 1973:158): εἴ τι(ς) 16,24(=Mk); 18,28 (neutr. von Mk 11,25 oder 9,22 permutiert)

    Mt 2 : Mk 6 : Lk 3 + 4 : Joh 0

εἰ οὐ 26,24(=Mk) und dupl. V.42 (als realer Indikativ B-D-R 428,1)

    Mt 2 : Mk 1 : Lk 5 + 0 : Joh 3

εἰ μή

    Mt 16 : Mk 16 : Lk 16 + 2 : Joh 15

      =(Mk 16 – 9 + 5) + (Q 3 + 1)

9,17(=Mk) und dupl. 6,1 (bzw. Mk 2,21 permutiert) im Syntagma εἰ δὲ μή γε *andernfalls* (B-D-R 376,2); sonst nach Negation und ohne nachfolgendes Vb. *außer* (B-D-R 376,1 in Anlehnung an das Aram.): im Erzähltext 17,8(gg.Mk ἀλλά); 21,19(=Mk); im Munde anderer nur red. 12,24(+Mk/Q Gegnervorwurf verstärkt) und 14,17(+Mk Jüngermangel verstärkt); 10mal im Munde Jesu 11,27b.c(=Q); 12,4(=Mk).39(=Q) und dupl. 16,4(+Mk); 13,57(=Mk); 15,24(+Mk); 24,36(=Mk); mit nachfolgendem Vb. im Vordersatz nur 24,22(=Mk) bzw. im Nachsatz 5,13(+Q).

Damit ergibt sich für Mt eine stärkere Verwendung von bloßem εἰ

    Mt 35 : Mk 13 : Lk 29 + 29 : Joh 31 (GUNDRY 643)

Dabei reduziert Mt aber die *interrogative* Verwendung auf die Verwendung im Munde von Gegner 12,10(=Mk); 19,3(=Mk); 26,63(+Mk); 27,49(=Mk):

    Mt 4 : Mk 6 : Lk 8 + 11 : Joh 2

Damit ergeben sich für *konditionales* εἰ (*wenn* >ἐάν) die Relationen:

    Mt 31 : Mk 7 : Lk 21 + 18 : Joh 29

      =(Mk 7 – 2 + 12) + (Q 9 + 5)

Beliebt ist bei Mt 11,14(+Q); 17,4(+Mk); 19,17(+Mk).21(=Mk 9,35 permutiert)

εἰ θελ-

    Mt 5 : Mk 0 : Lk 0 (bzw. mit τις Mt 6 : Mk 2 : Lk 1),

was nur unspezifisch im LXXismus 27,43(+Mk Zitat LXX-Ps 21,9 *ihn lieben*) übernommen worden war – bzw. 16,24(=Mk) mit τις; mt Synonym ist damit die auf Gott bezogene Wendung εἰ >δυνατόν 24,24(=Mk); 26,39(=Mk).

    Besonders zu achten ist auf die Verwendungsgruppe, in der der Ind. 12mal so real vorausgesetzt ist, daß εἰ einen kausalen Sinn *da* erhält (B-D-R 372,1; LÜHRMANN EWNT 1,932), wie es besonders in der Schlußfolgerungsformel εἰ οὖν der Fall ist, der besonders in der Q-Gattung der Thesen-Begründungen bei der abschließenden Conclusio 6,23(=Q nach dem V.22 Begründeten) wie 7,11(=Q noch dem V.10 Begründeten) steht und von Mt in gleicher Funktion 22,45(+Mk) eingesetzt wurde. Dasselbe leistet in der gleichen Gattung aber auch εἰ δέ 6,30(=Q nach dem V.28f Begründeten); 12,28(=Q) und auch bloßes εἰ 19,10(+Mk); 10,25(+Q nach 9,34) wie 4,3.6(=Q nach Kap. 1-3!) und dupl. 27,40(+Mk); wie der Teufel so setzen auch die Dämonen 8,31(+Mk nach V.29) die reale Vernichtungsabsicht voraus. Ebenso ist es im Petruswort 14,28(+Mk), wo ein Imp. folgt, real-kausal zu nehmen, da es Reaktion auf die Selbstidentifikation Jesu V.27 ist.

    Rein konditional sind 5,29f(+Mk) = 18,8f (statt mk ἐάν) vor Imp. wie im Irrealis (ἄν in Apodosis) 11,21(=Q) und dupl. V.23; 12,7(+Mk); 23,30(+Q);

24,43(=Q) bzw. Irrrealis durch nachfolgenden Realis 12,26(=Mk).27(=Q); im betonten Versprechen 26,33(=Mk).

εἰδέα, εἶδον ↗ὀφθαλμός
εἰκών ↗ἀργύριον
εἰμί
    Mt 288 : Mk 192 : Lk 361 + 276 : Joh 442
εἰμί
    Mt 14 : Mk 4 : Lk 16 + 15 : Joh 54
        =(Mk 4 + 6) + (Q 2 + 2)
Mt setzt mit der aufeinander bezogenen doppelten christol. Verwendung in der Unwertsformel *ich bin nicht wert* (so seit Thuk und Xen PASSOW I 1472; BAUER WB 740; von Mose Gott gegenüber LXX-Ex 4,10; RENGSTORF ThWNT 3,294f) im Munde des Täufers 3,11(=Mk/Q mit Inf. wie 1Kor 15,9; 2Kor 3,5 Plur.) wie des Centurio 8,8(=Lk mit ἵνα B-D-R 393 n.4; das Vb. an die 1. Stelle angleichend vorangestellt)) ein; dabei ist das Adj.
ἱκανός
    Mt 3 : Mk 3 : Lk 9 + 18 : Joh 0
im qualitativen Sinne (statt ↗ἄξιος) verwendet; dgg. 28,12(+Mk – evtl. Mk 15,15 permutiert und in den Plur versetzt) attributiv im quantitativen Sinne (wie Mk 10,46, wo Mt es durch πολύς ersetzte; TRUMMER EWNT 2,452f).
    Ein solches *Funktionsverbgefüge* hat 27,24(+Mk *ich bin unschuldig*) für Pilatus geschaffen und christol. 11,29(+Q *ich bin mild*) wie allegor. 20,15(+Mk *ich bin gütig*). Mt Jesulogie sprechen auch die *Zusagen* in Präp.-Verbindungen 18,20(+Q ἐν μέσῳ) und 28,20(+Mk μεθ᾽ ὑμῶν und hier abschließend durch ἐγώ verstärkt) aus.
    Als *Identifikationsformel* erscheint 3mal bloßes ἐγώ εἰμι 14,27(=Mk) im Munde Jesu wie die Schülerfrage 26,22(+Mk) von Mt durch das Vb. ergänzt und V.25 dupl. wurde.
    Selbstbezeichnungen mit Prädikatsnomen sind nach der Übernahme der Aussage des Centurio 8,9(=Lk ἐγὼ ἄνθρωπός εἰμι) mt 4mal gebildet durch den Zusatz des Vb. 22,32(+Mk) für Gott, durch den Zusatz des Nom. χριστός 24,5(=Mk) für die Lügenmessiasse bzw. υἱός im Hohnzitat 27,43(=Mk 14,62 permutiert, um den Rückverweis auf Mt 26,63f verstärkt zum Ausdruck zu bringen). Morphologisch kennzeichend für Mt ist neben der 8maligen redundanten Setzung von ἐγώ vor allem die nach der Übernahme in den 3 Anfangsstellen 6mal vollzogene red. Verbindung mit einem Adj. bzw. Subst. sowie analog die 2malige Verbindung mit einer Präp.
εἰ
    Mt 17 : Mk 10 : Lk 16 + 6 : Joh 26
        =(Mk 10 – 4 + 4) + (Q 4 + 2) + (A-Mt 1)
11mal Anrede an Jesus: rahmend 4,3.6(=Q) vom Teufel bzw. 27,40(+Mk) dupl. seinen Agenten, in deren Mund es auch 22,16(=Mk) wie allegorisch 25,24(=Q – an beiden aufeinanderfolgenden Stellen als Wissensinhalt) und 26,63(=Mk) erscheint (A : A'). Um die 3 Kernstellen der Gegner legt sich wie ein innerer Rahmen B : B' die Frage des Täufers 11,3(=Q) in Entsprechung zu der des Pilatus 26,63(=Mk). Im Zentrum steht C die ihre Einsicht aussprechende Anrede der Schüler 14,28(+Mk); 14,33(=Mk 3,11 von den Dämonen permutiert) und 16,16(=Mk) wiederholt. Konnotiert ist Jesus auch in der Gottesanrede an den Geburtsort im Erfüllungszitat 2,6.
    Im Munde Jesu exemplarisch in der Beispielgeschichte 5,25(+Q) und an Petrus 16,17.18.23(+Mk) als Dupl. und in bewußt betonter Umkehrung der Petrusanrede von V.16, was auch dadurch signifikant gemacht wird, daß hier die größte mt Dichte der Verwendung vorliegt. Auch in der Petrusanrede durch die Gegner 26,73(=Mk) liegt in der Textsequenz nach V.63 die Akoluthie auf eine Jesusanrede vor.
    In der Regel ist es mit einem Nomen verbunden, nur 16,17 und 22,16 mit

einem Adj., 5,25 und 26,73 mit einer Präp.-Wendung, abs. nur 14,28. Die
Verbindung mit dem Adv. ἀληθῶς 26,73 wurde 14,33 dupl.

ἐστίν
    Mt 119 : Mk 71 : Lk 101 + 70 : Joh 166
            =(Mk 71 - 34 + 34) + (Q 17 + 23) + (A–Mt 8)
Die mt Zusätze entstehen z.T. aus der Tendenz, Nominalsätze zu ergänzen.
Begründende Erläuterungen und Identifikationen werden vor allem beim Gebrauch mit einem Prädikatsnomen vollzogen: 5,34.35a.b; 6,23f(=Q); 12,8(=Mk);
im Allegorieschlüssel 13,37.38.39a.b; 22,32(=Mk Gott); 27,6(+Mk Blut-
geld).42(+Mk König Israels).
    In Fragen 2,2 (wo); 12,48(=Mk meine Mutter); 22,42.45(=Mk wessen Sohn);
24,45(=Q der treue Bedienstete); 26,68(+Mk Pt. der Schlagende); 9,5(=Mk im
adj. Komp., was leichter sei) bzw. 18,1(+Mk wer größer).
    Dasselbe im Komp. der Aussage 19,24(=Mk); 3,11(+Q stärker als); 6,25(=Q
mehr als); gehäuft bei größer als 11,11b(+Q), was als Syntagma 12,6(+Mk);
18,1.4(+Mk als Frage und Antwort); 23,17(+Q) und 13,32b(+Mk) zugleich mit
dem Antonym V.32a(+Mk kleiner als) multipliziert ist und darum in dieser
6maligen Verbindung als typ. mt angesehen werden muß. Insgesamt hat Mt
diesen Kompar. verdoppelt:

μείζων (GUNDRY 645)
    Mt 10 : Mk 3: Lk 7 + 0 : Joh 13
            =(Mk 3 - 1 + 3) + (Q 2 + 3)
Dabei fehlt in der doppelten Q-Übernahme 11,11a(=Lk) zuerst das Prädikat,
wie es Mt in der Doppelung des Analogieschlusses auch an der Schlußstelle
23,19(+Q) nach V.17 im Wiederholungsfalle verkürzt (aber gedanklich als
Filler ergänzt) bietet. Die Frage 18,1 wird durch den dupl. Zusatz in der
künftigen Himmelsbasileia von 11,11b her, der auch in der Antwort V.4 dupl.
ist, zu einer positiven Frage nach der Bedingung für die künftige Unsterblichkeit (entsprechend 5,3f.19). Positive Voraussetzung ist die jesulog.
Verwendung 12,6(+Mk größer als der Tempel - doch wie V.41f πλεῖον gerade
im Neutr.: Mt "bringt ein Denken zum Ausdruck, das im Grunde weniger
personal ist"; LEGASSE EWNT 2,990, was wiederum als Indiz dafür zu werten
ist, daß es ihm letztlich um sein Buch und Konzept geht, in dem er seine
Dogmatik und Ethik als Jesus-Bios darstellt) wie die ekklesiol. Definition
des ↗διάκονος 23,11(+Q). Einmalig im NT ist die Verwendung als Adv. 20,31
(gg. Mk πολλῷ μᾶλλον).

ἐστίν + Pt.
    Mt 9 : Mk 5 : Lk 9 + 10
fällt auf, daß nur 10,26(=Q verborgen) und 1,23(=Mk 5,31 permutiert) übernommen sind, während es 3,3(+Mk dupl. von Q-Mt 11,10); 13,19f.22f(+Mk);
15,20(+Mk); 26,68(+Mk) red. erscheint.
    Mit adj. Prädikatsergänzung noch 5,48(=Q vollkommen als Gottesprädikat);
10,11.37a.b.38(+Q wert) funktionsgleich zu μακάριος 11,6(=Q); 11,30(+Q leicht);
13,21(+Mk unbeständig).57(=Mk geehrt); 14,15(=Mk unbewohnt); 19,26(=Mk
19,24 permutiert unmöglich) bzw. 26,39(=Mk möglich); 21,42(=Mk wunderbar);
22,8(=Q-Lk 14,22 bereit); 29,38(=Mk betrübt); 26,66(+Mk schuldig).
    Mit Adv. erscheint es 6,21(=Q wo); 23,16.18(+Q οὐδέν als ungültig);
24,33(=Mk) und 26,18(=Mk) nahe; 28,6(=Mk hier); οὕτως 18,14(+Q; 19,10(+Mk).
    Mit dem Gen. der Person als Besitzangabe (B–D–R 162,7) nur 3mal escha-
tol. 5,3(=Q) und dupl. V.10 sowie 19,14(=Mk) von der künftigen βασιλεία
(vgl. Kontrast dazu die Torheitsfrage 22,28).
    Mit Präp. μετά 9,15(=Mk); 12,30(=Q + Antonym κατά); ὑπέρ 10,24(=Q); ἐν
24,26(+Lk) sowie

ἐστίν ἐκ
    Mt 3 : Mk 1 : Lk 2 + 3
1,20 (vom heiligen Geist) setzt mit der Präp.-Wendung erzählend ein und

bildet 5,37 das Antonym *vom Teufel;* 7,9(+Q *wer von euch). Mit Rel.-Pron.*
ὅ ἐστίν
   Mt 2 : Mk 9 : Lk 0 + 2
hat Mt 1,23 mit Pt. die mk Übersetzungsformel (Mk 5,31; 15,22.34) permutiert
und 27,33(=Mk) um das Pt. verkürzt wiederholt:
μεθερμηνεύομαι
   Mt 1 : Mk 3 : Lk 0 + 2 : Joh 2,
bei dessen Auslassung dann 27,46(=Mk) – da ein ganzer Satz Bezugsobj. ist
– statt des Rel. verstärkt das *Dem.-Pron.*
τοῦτ' ἔστιν
   Mt 1 : Mk 1 (7,2) : Lk 0 + 2
steht. Dgg. bleibt es bei den Herrenmahlworten 26,26.28(=Mk), die hier als
Begründung nach voranstehendem Imp. tatsächlich zu "Spendeworten" wurden und nun erst tatsächlich den Bezug der Mahlelemente auf die *Identität*
mit dem histor. Jesus des Buches herstellen, bei der unverkürzten Form. Im
Mask. bei Mt besonders beliebt in Definitions- und Identifikationsaussagen
οὗτός ἐστιν ὁ (FUCHS 1971:17; 1980:141; GUNDRY 646)
   Mt 15(18) : Mk 3(4) : Lk 4
      =(Mk 3[4] + 9[10]) + (Q 0[1] + 3)
Aus dem einzigen, abweichend mit περὶ οὗ formulierten und auf das Auftreten des *Täufers* bezogenen Q-Erfüllungszitat 11,10(=Lk) wurde es 3,3(+Mk)
dupl.; 8,27(=Mk – durch Akklamationsfrage ohne Art., aber deutlich auf 3,17
rückbezogen) und 13,55(=Mk) in der Frage nach der Identität *Jesu* wurde es
anschließend in der Antipas-Aussage 14,2(+Mk) dup.; die himmlische Präsen-
tation 17,5(=Mk) wurde schon 3,17(+Mk) dupl., da er mt schon der geborene
Gottessohn ist; auf ihn bezieht sich auch schon die Akklamation 12,23(+Q);
darauf geht auch der allegor. Gegnerbezug 21,38(=Mk), den V.11(+Mk) nach
der daraufhin stilisierten Frage V,10(+Mk wie 8,27) vorwegnehmend positiv
als Akklamation dupl. wie negativ in dem anaphor. Zusatz in der Kreuzesinschrift 27,37(+Mk mit Namen wie 14,2).
   Sachlich bezogen 7,12(+Q die Goldene Regel gilt, weil sie identisch ist mit
Gesetz und Propheten); 13,19. 20.22.23(+Mk statt Plur.) steht als Allegorieschlüssel in identifizierender Funktion); 18,4(+Mk) steht es in der Apodosis
einer Eintrittsbedingung. 22,38(=Mk 12,31) schließt durch Permutation beider
Elemente auch zu der red. Wendung mit fem. αὕτη ἐ. (das Hauptgebot) zu-
sammen, was im engen Zusammenhang mit dem voranstehenden Komplex zu
sehen ist.
   Identifizierend ist auch das 3malige red. mt Syntagma αὐτός ἐ. 11,14(+Q
Täufer = Elijah); 12,50(=Mk die Bruderschaftsdefinition statt mk οὗτος) als
Antwort auf die Lehrfrage τίς ἐ. V.48(=Mk); 16,20(+Mk Jesus = Messias) ist
es von 26,48(=Mk) dupl..
   In Allegorieeinleitungen 8mal das Syntagma ⇥ὅμοι- ἐ. 11,16(=Q); 13,31.33
(=Q) und dupl. V.44.45.47.52; 20,1.
   Funktionsgleich ist οὕτως ἐ. bei abschließender Allegorieanwendung 18,14
(+Q). Dasselbe Syntagma wiederholt dupl. die in der Textsequenz unmittel-
bar folgende Stelle 19,10(+Mk).
   Kataphorisch ist τί ἐ. 9,13(+Mk von V.5 dupl.); 12,7(+Mk) auf das folgen-
de Hos-Zitat vorweisend; ἐ. ταῦτα 10,2(+Mk) auf die Namensliste vorweisend
wie 15,20(+Mk) ebenso red. auf den Verunreinigungkatalog rückweisend; die
Inkongruenz im Numerus (B-D-R 133,3) unterstreicht dabei den kollektiven
Charakter des Zwölferkreises bzw. den schon in der Reihenfolge markierten
Dekalogbezug. Im Zeitbezug hat 27,62(=Mk 15,42 Vb. permutiert) die Wendung ἥτις ἐ. gebildet.
εἷς ἐστιν
   Mt 4 : Mk 0 : Lk 0
19,17(+Mk) von Gott und 23,9(+Mk) dupl., wobei es an der Wiederholungs-

stelle von einer christol. Verwendung V.8 und 10(+Mk) chiastisch gerahmt
ist.

ἐστίν + Inf.

    Mt 7 : Mk 6 : Lk 4 + 6

hat alle Mk-Stellen übernommen 20,23(=Mk οὐκ ἐμόν); 19,24(=Mk *leichter*) und
4mal καλόν ἐστιν 15,26(=Mk); 17,4(=Mk); 18,8f(=Mk was Mt 5,29f mit *nützen*
dupl.), was 3,15(+Mk = 1Kor 11,13) durch die stoische Wendung mit dem Pt.
πρέπον ergänzte

    Mt 1 : Mk 0 : Lk 0 + 0 : Joh 0.

ἐστέ

    Mt 9 : Mk 4 : Lk 8 + 4 : Joh 17
      =(Mk 4 - 1) + (Q 3 + 3)

Es steht immer im Munde Jesu. Die beiden Schlußstellen 23,28.31(=Q) kon-
trastieren die voranstehenden Schüleranreden (besonders V.31 vs. V.8), die
A mit dem Makarismus 5,11(=Q) einsetzen und sogleich V.13.14(+Q) als Defi-
nitionsaussagen dupl. wurden, womit Mt unterstreicht, daß für ihn 5,11 ein
Neuansatz ist, der die Bestallung der Weisheitslehrer vollzieht. Ihnen entspricht A' die letzte Schülerstelle 23,8(+Q), die sie als Bruderschaft des
Lehrers Jesus definiert. Von Mk übernommen sind die beiden Mahnfragen B
8,26 und B' 15,16. Im Zentrum steht C die 10,20 von Mk permutierte Bei-
standszusage der Verantwortung (einzige mit subst. Pt.) in Verfolgungen.
Die Gen.-Verbindung *Christus gehören* von Mk 9,41 wurde nicht übernommen.

εἰσίν

    Mt 21 : Mk 11 : Lk 18 + 13 : Joh 13
      =(Mk 11 - 4 + 5) + (Q 0 + 6) + (A-Mt 3)

Nicht im Munde Jesu erscheint es nur an der Eingangstelle 2,18 (LXX-Jer
38,15 *nicht mehr leben* im Sinne des Voll-Vb.) und an der Mittelpunktsstelle
13,56(=Mk Jesu - im Sinne des Mt vermeintliche - Schwestern *leben bei uns*,
wieder im Sinne des Vollverbs). 7,13f(+Q) setzt mit der Opposition *viele* vs.
wenige ein, die 22,14(+Q) wiederholt; 7,15(+Q *räuberische Wölfe*) dupl. sogleich das Vb. von V.13f. in negativer Beziehung; die 7,13f begonnene und
an den Sing. erinnernde Verbindung mit einem nachfolgenden Pt. wird auch
10,30(+Q *gezählt*) wie 18,20 (*versammelt*) wiederholt, dürfte also 4mal red.
sein. Eine negative Identifikation mit Q-Splittern wie 7,15 wird auch 15,14
(+Q *blinde Lotsen*) vorgenommen; die Allegorie-Identifikationen 13,38a.b.29
sind von den ersten Mk-Stellen 4,15-18 her permutiert, wie das auffallende
οὗτοί ε. im ersten Falle und die Verbindung mit der analogen Sing.-Wen-
dung klar belegt. Identifikatorisch ist auch die 12,48b(+Mk nach Analogie
des Sing. V.48a) gebildete Frage τίνες ε. wie die umkehrende Feststellung
16,28(=Mk ε. τινες). Die identifikatorische Verwendung in der Ehedefinition
19,6(=Mk) hat die anschließende V.12a.b.c(+Mk) dupl. Verwendung zur Klassifikation der Eunuchen veranlaßt. Diese Verwendung ist auch in der Schlußstelle mit der Engel-Identifikation der Auferweckten 22,30(=Mk mit mt ὡς) zu
sehen. Eine juridische Klärung liegt red. 12,5(+Mk) *unschuldig-* wie 17,26
frei-sein vor.

ὦ

    Mt 7 : Mk 2 : Lk 7 + 1 : Joh 17
      =(Mk 2 - 2 + 1) + (Q 3 + 2) + (A-Mt 1)

Der Konj. kommt nur in der 3.Pers.Sing. ᾖ vor und außer an der ersten
Stelle 6,4 nach ὅπως (als Voll-Vb.) immer nach ἐάν: an der Schlußstelle 24,28
(+Q) rahmend als Voll-Vb., sonst immer mit Adj. 6,22f(=Q *gut* vs. *böse*);
10,13a(=Q-Lk 10,6).b(+Q *würdig* vs. *unwürdig*); 20,4(+Mk *recht*). Die Verwendung in Präp.-Wendungen Mk 3,14; 5,18 wurde nicht übernommen.

ἴσθι

    Mt 4 : Mk 1 : Lk 2 + 5 : Joh 0

Der Imp. erscheint in der 2.Pers.Sing. 2,13 (mit Adv. als Voll-Vb. *lebe dort*) im Engelmund wie 5,25(+Q) im Munde Jesu mit adj. (daher evtl. Mk 5,34 permutiert) Pt. von

εὐνοέω (NT sonst nie; LXX 3mal; BAUER WB 639 "seit Trag. Hdt auch Inschr. Pap."; B-D-R 353 n.9) *sei wohlgesinnt, wieder Freund*; der Imp. in der 3.Pers.Sing. 5,37(=Jak 5,12 gg. Fut. bei B 700 pc *deine Rede sei Ja*) und 18,17(+Q mit dem Dat. der Person *er gelte dir als*).

εἶναι

Mt 6 : Mk 8 : Lk 23 + 20 : Joh 3
   =(Mk 8 - 2)
Der Inf. erscheint mt immer von Mk abhängig und (konträr zur lk Tendenz) reduziert auf die indir. Rede 16,13.15(=Mk); 22,23(=Mk), den Inhalt eines *Gutsein* 17,4(=Mk) bzw. *Wollens* 20,27(=Mk) wie 19,21(=Mk 9,35 permutiert, da auch bei Mk diese 2 Willens-Stellen aufeinander folgen).

ὤν

Mt 5 : Mk 7 : Lk 15 + 32 : Joh 27
   =(Mk 7 - 7) + (Q 3 + 1) + (A-Mt 1)
Mt reduziert konträr zur lk Tendenz auch den Pt.-Gebrauch (vor allem als Gen.abs.) und hat es in untergeordneten Hypotaxen: 1,19 (mit Adj. *weil er gerecht war*); 6,30(=Q mit Adv. *obwohl es heute noch lebt*); 7,11(=Q mit Adj. *obwohl ihr böse seid*), was 12,34(+Q) dupl. ist; 12,30(=Q *wenn einer nicht mit mir ist*).

ἤμην

Mt 38 : Mk 56 : Lk 98 + 85 : Joh 112
   =(Mk 56 - 41 + 8) + (Q 0 + 8) + (A-Mt 7)
Auch den Impf.-Gebrauch hat Mt konträr zur lk Tendenz stark reduziert.

3mal verwendet er die *1.Pers.Sing.* 25,35.36.43 (mit Adj. bzw. Präp.) im Munde Jesu im Anschluß an die *2.Pers.Sing.* 25,21.27(+Q mit Adj.), die 26,29 (=Mk + μετά in Erinnerung an 12,30 und in der alten Pf.-Form ἦσθα) im Gegnermund wiederholt.

Am häufigsten ist 20mal die 3.Pers.Sing. verwendet, davon 7mal mit *Adv.*: οὕτως (vgl. Präs.) 1,18 (kataphorisch *folgendermaßen*); red. auch mit ἐκεῖ 2,15; 14,23(+Mk); 26,61(+Mk) wie im *Plur.* V.55(=Mk) hergestellt; 8,30(=Mk) mit dem aus Mk 12,34 permutierten und unter Einfluß von Mk 5,6 gesetzten μακράν

Mt 1 : Mk 1 : Lk 2 + 3 : Joh 1 (NT nur noch Eph 2,13.17);
2,9 mit dem immer red. (28,16; 18,20 auf ἐκεῖ vorweisenden) *wo*:
οὗ (GUNDRY 646)

Mt 3 : Mk 0 : Lk 5 + 9 : Joh 0;
21,25(+Mk - als Gegneranfrage evtl. von Mk 12,37 permutiert) *woher*:
πόθεν (GUNDRY 647)

Mt 5 : Mk 3 : Lk 4 + 0 : Joh 13 (im NT noch Jak 4,1.1; Apk 2,5; 7,13), was 15,33(=Mk) als Schülerfrage übernahm und 13,27(+Mk) dupl., wie er 13,54 (=Mk) die Torheitsfrage übernahm und V.56 dupl.;
3mal mit *Adj.* 7,27(+Q *groß*); 14,24(=Mk *widrig*):
ἐναντίος

Mt 1 : Mk 2 : Lk 0 + 3 (NT nur noch 1Thess 2,15; Tit 2,8),
sowie mit *καλόν* 26,24(+Mk) und im *Plur.* 22,8(+Q *würdig*); 25,2 (μωραί); bzw. 14,21(=Mk 5 000); 15,38(=Mk 4 000);
4mal mit *Pt.* 7,29(+Q *lehrend*); 8,30(=Mk *weidend*); 12,4(+Mk *erlaubt*); 19,22(=Mk *besitzend*); bzw. im *Plur.* 9,36(=Mk *zerstreut*); 26,43);
4mal mit *Subst.* 3,4(=Mk); 21,33(+Mk); 27,54(=Mk); 28,3(=Mk 16,4 permutiert + ὡς); bzw. im *Plur.* 4,18(=Mk);
3mal mit *Präp.*: μετά 26,71(+Mk von V.69 her dupl.); ἐν 12,40(+Q LXX-Jon 2,1) und 27,56(+Mk) bzw. im *Plur.* 24,38(+Q) und 23,30a(in der 1.Pers.); παρά 22,25(=Mk).

Die *1.Pers.Plur.* hat Mt 23,30a.b(+Q), die *3.Pers.Plur.* 10mal: 4,18(=Mk);

9,36(=Mk); 14,21(=Mk); 15,38(=Mk); 22,8(+Q).25(=Mk); 24,38(+Q); 25,2; 26,43 (=Mk); 27,55(=Mk).

ἔσομαι
Mt 48 : Mk 17 : Lk 47 + 9 : Joh 6
=(Mk 17 - 8 + 6) : (Q 9 + 21) + (A-Mt 4)

Das *Fut.* hat Mt in der *1.Pers.Sing.* nur 17,17(=Mk doch mit μετά); 4mal in der 2.Pers.Plur.: Q-Mt 5,48(gg. Lk wohl übernommen) als Imp. und anschliessend antithet. dupl. in 6,5; mit dem Pt. der Verfolgungsvorhersage 24,9 (=Mk) und dupl. 10,22); 6mal in der *3.Pers.Plur.*: 19,5(=Mk Gen 2,24) als dir. Befehl Gottes und sonst gerichtseschatol. 12,27(=Q); 19,30(=Mk) und anschließend 20,16 dupl.; 24,7(=Mk).40(=Lk). Typ. für Mt ist die *3.Pers.Sing.*

ἔσται (GUNDRY 644)
Mt 37 : Mk 7 : Lk 33 + 6 : Joh 3
=(Mk 7 - 1 + 3) + (Q 7 + 17) + (A-Mt 4)

Als Gegnerfrage 22,28(=Mk mit Gen.) und Gegnerbehauptung 27,64 (von Q-Mt 12,45 her antithet. dupl.); als Schülerfrage 24,3(=Mk im Sing. bei ταῦτα vgl. Präs.) und 19,27(+Mk) auf V.30 hin formuliert mit Dat. wie im Schülereinspruch 16,22(+Mk); sonst 32mal im Munde Jesu 20,26b.27(=Mk) und von V.26b her dupl. in V.26a wie 23,11 in Imp.-Funktion (in 5,37 wohl sek. LA); in weisheitlicher Frage 12,11(+Q wie 7,9 Präs.) wie Folgerung 6,21(=Q).

An der restl. 26 Stellen auf das Endgericht hin: 10,15(=Q); 11,22(=Q) dupl. V.24(+Lk) und multipl. 5,21.22a.b.c; von daher dürfte auch die Abänderung Q-Mt 6,22f(gg. Lk präs.) gerichtseschatol. und nicht nur logisch gemeint sein; 8,12(=Q) wurde 13,42.50; 22,13; 24,51; 25,30 multipl.; ebenso wurde die eschatol. Entsprechung (EDWARDS 1969; 1971:47-58) mit οὕτως 12,40(=Q) anschließend V.45(+Q) antithet. dupl. wie 13,40.49 multipl. und analog 24,27.37(=Q) in V.39. Auch in der Verbindung mit dem Pt. in den Binde-/Löse-Stellen 16,19a.b und 18,18a.b markiert das Fut. die Geltung im neuen Äon und ist nicht rein lokal mißzuverstehen (*Himmel* steht metonym für *Himmelreich*).

εἰπον ⟩ λέγω

εἰρήνη
Mt 4 : Mk 1 : Lk 13 + 7 : Joh 6
=(Mk 1 - 1) + (Q 3 + 1)

Die mt Beschränkung auf die auf Israel begrenzte Aussendungsrede (vgl. die Auslassung von Mk 5,34) muß hinsichtlich der semant. Füllung beachtet werden: Die doppelte antithet. Verwendung 10,13b.c(=Q) ist klar auf den semit. Gruß bezogen; darum meint *euer Friede* metonymisch *euren Grußwunsch* (SCHENK 1967:92-6) und darf mt nicht als "erfolgender Heilszuspruch" verstanden werden (gg. HASLER EWNT 1,959), da Mt eine Reihe von konkret gestuften Anweisungen gibt, die nicht miteinander identifiziert werden. *Ihr Friedenswunsch* wird nicht mit ihrer Botschaft identifiziert (gg. GUNDRY 189 nicht "the larger connotation of messianic blessing"). Davor sollte auch die antithet. Wiederaufnahme des Ausdrucks mit der gleichen Präp. ἐπί in der betont christol. Formulierung 10,34a(=Q).b(+Q) warnen (wobei auch hier im Rahmen der auf Israel begrenzten Aussendung nicht "Frieden auf Erden", sd. nur "ins Land" gemeint ist). Die V.35 gegebene Erläuterung macht klar, daß nur an den Hausfrieden und die Entzweiung der Familien gedacht ist, was im übrigen durch den Gesamtkontext der Verfolgung V.34-39 in rahmender Entsprechung zu V.16-23 ohnehin klar ist. Damit ist auch der (wie Röm 8,35) metonyme Gebrauch des Antonyms für *Trennung, Zwietracht* klar:

μάχαιρα
Mt 7 : Mk 3 : Lk 5 + 2 : Joh 2
=(Mk 3 + 3) + (Q 1)

(von Lk hier wohl gelesen und mit anderen Bezügen zur Aussendungsrede nach 22,36 permutiert); bei der Gefangennahme 26,47.55(=Mk Plur.) wurde der Sing. V.51(=Mk) in dem V.52 geschaffenen mt Jesuswort 3mal dupl.; seit Homer *Messer*, seit Herodot *Kurzschwert* (PLÜMACHER EWNT 2,978f). Indem der Autor seinem Jesus die Maxime 26,52 in den Mund legt, gliedert er ihn in die wenig tragfähige Tradition ein, die die Ablehnung des Waffengebrauchs nur in der Angst vor dem Tode begründet.

ἀποσπάω

Mt 1 : Mk 0 : Lk 1 + 2 (Lk 22,41; Apg 20,30; 21,1 – NT sonst nie) 26,51(gg. das med. Simpl. von Mk 14,47): das Schwert *herausziehen.*

ἀποστρέφω

Mt 2 : Mk 0 : Lk 1 + 1 : Joh 0 26,52(+Mk) trans. das Schwert *zurückstecken* (Antonym →ἀποσπάω); med. 5,42 (+Q) *sich abwenden.*

ἀσπάζομαι (GUNDRY 642)

Mt 2 : Mk 2 : Lk 2 + 5 : Joh 0 Da der *Gruß* ein Eröffnungssignal zwischenmenschlicher Kommunikation ist, wurden die beiden mk Stellen Mk 9,15; 15,18, wo Jesus Obj. der Begrüßung ist, im Zuge der Verhoheitlichung des mt Jesus ausgelassen, während es statt dessen zweimal als positive Aufforderung an die Schüler erscheint: 5,47(+Q; Lk hat hier verallgemeinert; vgl. u.a. SCHULZ 1972:129.) im Zusammenhang der Feindesliebe mit dem Begründungsbeispiel, daß eine Begrenzung auf Mitchristen ohne Endgerichtslohn ist. Dabei entspricht es als zweites Beispiel dem zweiten Befehl V.44b (wie V.46 zu V.44a), setzt damit Gruß und Fürbitte identisch – setzt mithin eine Grußform voraus, von der das aussagbar ist; 10,13 bestätigt, daß das der Friedenswunsch ist im direkten Anschluß an die zweite positive Weisung 10,12(=Lk 10,4, der das Vb. für ein Grußverbot unterwegs hat (für SCHULZ 1972:405f; HOFFMANN 1972: 276f urspr.). Da der Zusammenhang deutlich macht, daß dieser Fürbittwunsch konditioniert ist und sich nicht automatisch erfüllt, trifft für Mt die pauschale Behauptung nicht zu "Der Gruß wünscht diese Güter nicht nur, sd. läßt sie auch zur Wirklichkeit werden" (gg. TRUMMER EWNT 1,416 ist das ein sakramentalistisches Wunschbild: Der Gruß als solcher tut das eben nicht; SCHENK 1967).

ἀσπασμός

Mt 1 : Mk 1 : Lk 5 + 0 : Joh 0 ist 23,7(=Mk 12,38 aber auch Q) als Gegensatz dazu in der Gegnerwarnung als einem Beispiel der von ihnen erwarteten Ehrenbezeugungen.

εἰρηνοποιός 5,9(+Q – NT und LXX sonst nie; Vb.: Prov 10,10; Kol 1,20)

ist in dem 4-gliedrigen Parallelismus der Vorderglieder dieser Bedingungssätze die Handlungskonkretion von πραΰς V.5 und darum nicht auf das mt Lehrkonzept bezogen, sd. wird in den nachfolgenden Aussagen über Versöhnung V.21ff, Vergeltungsverzicht V.38ff und Nichtangleichung an Verfolger V.43ff entfaltet.

εἰς

Mt 217 : Mk 164 : Lk 223 + 299 : Joh 182 =(Mk 164 – 71 + 60) + (Q 19 + 29) + (A-Mt 16) Die mt Häufigkeit der Präp. mit dem 2. Rang ist Mk gegenüber (der es öfter als ἐν hat) nicht als solche signifikant, doch wird man beachten müssen, daß der hell. Zug, daß "εἰς für ἐν im örtlichen Sinne eintritt", sich "aber nur bei Mk, Lk und häufig Apg, selten Joh" findet (B-D-R 205; BAUER WB 456f), von Mt in der Regel aufgehoben wurde (vgl. 10,17; 24,18).

Temporal (B-D-R 206,1; BAUER WB 453; ELLIGER EWNT 1,967) verwendet Mt es nur 4mal: 10,22(=Mk *bis zum Ende*) dupl. 24,13(+Mk); 21,19(=Mk *für immer*); 28,1(+Mk *zum 1. Wochentag*).

Final (B-D-R 207,3; BAUER WB 453f; ELLIGER EWNT 1,967f) sind offenbar 34 Stellen zu zählen (evtl. durch Endgerichtsaussagen zu vermehren) =(Mk 14 + 11) + (Q 3 + 6):

5,13(=Q zu nichts nütze).22(+Mk Dubl. ε. γένναν verbunden schuldig für); 6,30(+Q sorgen für; zum Zeugnis 8,4(=Mk);10,18(=Mk) und dupl. 24,14(+Mk); zur Begegnung 8,34(=Mk) und dupl. 25,1.5; 9,38(=Q für die Ernte – nicht lokal, da analog mit gleichen Vb.dupl.); 12,20(+Q zum Sieg); 10,9.10(=Mk erwerben für – durch Vb. finalisiert).

So vor allem 7mal bei Ausliefern 10,21(=Mk zum Töten) wie 24,9(+Mk zum Drangsalieren) und von daher liegt wohl auch eine red. Verstärkung des finalen Moments in die Hände (Metonym: Gewalt) der Menschen 17,22(=Mk) und 26,45(=Mk): für die Gewalt; typischerweise taucht gerade in dieser Vb.-Verbindung 20,19(+Mk) eine red. Abänderung auf

εἰς τό + Inf. (GUNDRY 643)

Mt 3 : Mk 1 : Lk 1,

die den finalen Sinn (zur Geißelung) unterstreicht, und der 26,2(+Mk zur Kreuzigung) anaphor. wiederholt wird, um dann nach der doppelten Vorher-sage 27,31b(+Mk) im tatsächlichen Vollzug ebenso ausgedrückt zu werden, wobei mit 26,2 eine makrosyntaktische Rahmung hergestellt wird. Im Zusam-menhang der anderen Paradosis-Stellen und in Analogie zu 5,22 wird man dann auch die erste in 10,17(=Mk) so verstehen (an = für die Gerichte).

Verstärkt wird das finale Element des Vb. auch 13,30c(+Q zu Bündeln binden); beachtet werden muß es ebenso in dem pl Syntagma πιστεύω ε. 18,6 (=Mk gezielt final die Person betonend: an mir hängen); betont ist auch 18,21(=Q ἁμαρτάνω ε. gezielt: an dir verfehlt), was V.15(+Q) dupl.; 20,1(+Q als Dupl. von 9,38 her: mieten für); 21,46(+Mk ἔχω ε. halten für); 26,13(=Mk zu ihrem Andenken).28(=Mk 1,4 permutiert falls nicht umkodiert zur Vergebung; evtl. aber zur konsekutiven Funktion hin auf die von euch geleistete Ver-gebung hin); 27,6(+Mk vereinnahmen für den Tempelschatz).7(+Mk zum Be-gräbnis).10(+Mk δίδομι ε. ausgeben für). 2mal in LXX-Zitaten übernommen ist die Verbindung mit den Hilfsverben 19,5(=Mk εἶναι); 21,42(=Mk γίνεσθαι).

Beachtlich bei Mt ist auch die unklass. konsekutive (sich einer kausalen Bedeutung annähernde) Verwendung (ELLIGER EWNT 1,968 "die beabsichtigte Wirkung ist eingetreten"; BAUER WB 455f), die besonders bei Aktionsnomina vorliegt

Mt 12 = (Mk 3 + 5) + (Q 1) + (A-Mt 3):

3,11(=Mk 1,4 permutiert: Taufe auf die vollzogene Umkehr hin; vgl. V.8 Frucht der Umkehr, die mt ganz konkret Einkehr in das mt Buchkonzept ist, da der mt Täufer ja die gleiche Botschaft wie der mt Jesus und dessen Schüler bekommt); 12,41(=Q auf den Umkehrruf Jonas hin); im Gegnermund 22,16(=Mk nicht achten auf das Ansehen hin); die Schülerfrage ε. τί 26,8 (=Mk) fragt mt wohl nicht so sehr nach dem Ziel (wozu?) als nach dem Grund – so deutlich in der Dupl. 14,31(+Mk auf Grund welcher Tatsache zö-gertest du?) – und dann wohl auch in der Dupl. der Präp. 26,10(+Mk für mich = weil ich es bin); so auch 5,35b in Abweichung der dortigen Reihe schwören bei (von BAUER WB 456 mit Analogie des zeitgleichen Pap. Gießen 66,9 hier eingeordnet) mit der Betonung daraufhin, daß es sich um Jerusa-lem handelt; hierher gehört vor allem das mt

εἰς (τὸ) ὄνομα (GUNDRY 646)

Mt 5 : Mk 0 : Lk 0 + 2

10,41a.b.42(+Mk: weil er ein Prophet, ein Gerechter oder ein Schüler ist, soll man ihn empfangen; HEITMÜLLER 1903:112; HARTMANN 1975; EWNT 2,1275), d.h. daraufhin, daß er m.R. diesen Namen trägt; analog versammelt man sich 18,20 auf meinen Namen hin als auf das Jesuskonzept dieses Buches hin, dessen Verlesung damit als Grundtätigkeit dieser Versammlungen bestimmt wird (so auch ohne traditionsgeschichtlichen Zusammenhang mit dem mAb 4,11 im Munde des Aqiba-Schülers und Sandalenmachers Johann bzw. ARN A 40/B 46 anonym erscheinenden analogen Spruch vom "Versammeln leschem des Himmels" = "für einen Zweck, den Gott billigen kann" MARTI-BEER 1927:

101f, weil damit immer noch nicht die Präp. mit Akk. geklärt wäre, was sich
aber erklärungsadäquater aus dem konsekutiven Verwendungskomplex des
Mt erklären läßt). Auch die Taufe *auf den* (Sing. trotz der inhaltlichen
Dreiheit!) *Namen hin* 28,19 (der aber den mt Sohn-Begriff in Relation zum
mt Vater-Begriff wie dem jesuanisch zentrierten mt Geist-Begriff als eine
Einheit nimmt) meint eine Taufe auf das in diesem Buch veröffentlichte
Konzept hin. So ist die mt Schlußstelle wie die Eingangsstelle rahmend
taufbezogen, wobei der Gebrauch der Präp. wie schon bei allen analogen pl
Taufstellen (*auf die grundlegende Osternachricht* bzw. *das darin einstim-
mende κύριος-Bekenntnis hin*) und ebenso bei deren Übernahme in der Apg
konsekutiv ist.

Die restlichen 167 Belege haben *lokale* Zielangaben, besonders oft bei Vb.
der Fortbewegung: 6mal bei ⟩*ἀναχωρέω* bzw. bei *φεύγω* 24,16(=Mk) dupl. 10,23
und 2,13; *χωρέω* 15,17b(=Mk); *πορεύομαι* 21,2(=Mk) und dupl. 2,20; 25,41;
28,16.16; *εἰσπορεύομαι* 15,17a(=Mk); *ὑπάγω* 9,6(=Mk); 26,18(=Mk) und dupl. 20,4.
7; *δεῦτε* 22,4(+Q); 6mal bei ⟩*ἀναβαίνω*; alle 5mal(=Mk) bei *ἐμβαίνω*; *ἐγγίζω* 21,1
(=Mk) und synonym *ἐπανάγω* V.18(+Mk); *προάγω* 14,22b(=Mk); 26,32(=Mk); 28,7
(=Mk) und dupl. 21,31(+Q); *ἐπιστρέφω* 12,44(=Lk); *παραγίνομαι* 2,1(=Mk 15,41
permutiert; das Auftauchen betonend); *κατοικέω* 4,13(=Mk 1,21 permutiert)
dupl. 2,23; *ὁρμάω* 8,32c(=Mk); 12mal bei ⟩*ἀπέρχομαι*; 27mal bei *εἰσέρχομαι*;
6mal bei ⟩*ἐξέρχομαι*; 24mal(=Mk 16 + 8) bei *ἔρχομαι*.

Nach Handlungsverben: bei *ἀποστέλλω* 8,31(=Mk); 14,35(=Mk) dupl. 15,24;
20,2 und 2,8 bei *πέμπω*; *ἀναφέρω* 17,1(=Mk); *εἰσφέρω* 6,13(=Q); *ἀνάγω* 4,1(=Mk);
ἀπάγω 7,13(+Q); 27,31b(+Mk); *συνάγω* 3,12(=Q) dupl. 6,26(+Q); 13,30d; 26,3(+Mk)
bzw. *συλλέγω* 13,48(+Q); *παραλαμβάνω* 4,5(=Q).8(+Q); 27,27(+Mk); *διώκω* 23,34(+Q
in Relation zum Antonym *fliehen*); *καλέω* 22,3(=Q) und komplenym *ἀκούω* 10,27
(+Q); *ἀναβλέπω* 14,19(=Mk); *ἐμβλέπω* 6,26a(+Q); *ἐνκρύπτω* 13,33(=Q); *σπείρω* 13,22
(+Mk *unter die Dornen*); trans. *ἀποστρέφω* 26,52(+Mk); *τύπτω* 5,39(+Q) und
27,30b(+Mk); *ἐμπτύω* 26,67(+Mk) wie 27,30(+Mk); *σχίζω* 27,51(=Mk adverb. *ent-
zwei*); 17mal bei ⟩*βάλλω*, 4mal bei *ἐκβάλλω* und 27,5 beim Synonym *ῥίπτω*;
beim Komplenym (*ἐμ*)*πίπτω* 12,11(=Q); 15,14(=Q); 17,15.15(=Mk).

Mt hat eine Tendenz zur wiederholten Setzung, wie er sie 8,28; 15,17;
21,1 übernahm, vor allem da, wo er wie 17,15 kontrahiert und ein zu wie-
derholendes gleiches Vb. wegläßt wie 25,46; 28,16.

εἷς, μία, ἕν (GUNDRY 643)
    Mt 66 : Mk 37 : Lk 43 + 21 : Joh 37
        =(Mk 37 – 10 + 11) + (Q 9 + 15) + (A-Mt 4)
Das 4malige ἑ. ⟩*ἐστιν* ist in seiner theol. Verwendung (BETZ EWNT 1,970)
zwar Mk 12,29.32 nicht übernommen, weil es dort eine Übereinstimmungsaus-
sage mit (von Mt konfrontativ dissoziierten) jüd. Lehrern machte, doch hat
schon 19,17(=Mk) im Munde des mt Jesus die Wendung in dieser Formulierung und wiederholt sie ebenso 23,9(=Mk 12,29 permutiert); dort ist sie
23,8.10 rahmend unter dem Einfluß von Gal 3,26-28 auch jesulog. dupl. worden.

Kennzeichnend für attributiven Gebrauch ist für Mt die red. *Nachstellung*
(LUZ 1978:405; semit. B-D-R 247 n.5)
    Mt 9 : Mk 1 : Lk 1 (Lk 15,8),
die nur 19,5(=Mk Zitat Gen 2,24) übernommen und V.6(=Mk) in der Stellung
daran angeglichen wurde. Die mt Verwendungsweise macht schon die Ein-
gangsstelle 5,18 klar, sofern zuerst das unbetonter nachgestellte "nur ein
Jota"(+Q) steht, während bei der anschließenden Erweiterung "sogar ein
Häkchen"(=Q) durch Voranstellung steigernd ein größerer "Nachdruck auf
der Zahl" liegt (B-D-R 474 n.2). 5,41(+Q *nur eine Meile*) erklärt sich die
Nachstellung durch den steigernden Vorblick auf die Verdoppelung in der
Apodosis. Die red. Nachstellung dürfte bei 9,18(=Mk) signalisieren, daß in die
Episode dann noch eine Frau als weitere Person eintritt. 19,5f dürfte die

Nachstellung die Funktion haben, auf das anschließend genannte zusammenfügende Handeln Gottes als das eigentliche Argument zu achten. Der Zusatz 21,19(+Mk) meint *nur ein Feigenbaum* als Vorweiser auf V.21 und das dem Schüler in Aussicht gestellte steigernde Versetzen eines Berges. 21,24 (=Mk) steht die red. Nachstellung *nur ein Wort* im von vornherein abwertenden Kontrast zum rahmend zweimal betonten *Ich Jesu*. Auch der verstärkende Zusatz in den argumentativen Fragen 6,27(+Q *auch nur eine Elle*) und 12,11(+Q *auch nur ein Schaf*) markiert, daß der Hauptton auf den jeweiligen steigernden Fortsetzungen liegt.

Die 12 Fälle der noch stärkeren *Voranstellung* wie die Weiterführung in 5,18(=Q) sind im Zusammenhang mit dem mt Zug zur Voranstellung von Adj. auch in ihrer red. Funktion zu sehen: durch die voranstehende Negation ist 5,36 (*kein einziges Haar*) wie 26,40(=Mk *keine einzige Stunde*) bestimmt, was 20,12(+Mk als *bloß eine Stunde*) dupl.; auch 27,14(+Mk *kein einziges Wort*). In der red. Zusatzbildung des Nomen 8,19(gg. Lk τις wohl für Q urspr.) ist nicht etwa (fälschlicherweise von Lk her) eine abgeschwächte Bedeutung im Sinne eines unbestimmten Art. anzunehmen (gg. B-D-R 247,2), sd. als red. Bildung wie klass. (vgl. AristophAv 1292 *einer, nämlich ein Krämer*) noch ein "gewisser Nachdruck" (ebd. n.4): *einer, nämlich ein jüd. Lehrer*; ebenso 18,24(+Q Dupl. von V.12.14): *einer, nämlich ein Schuldner* wie 26,69(=Mk durch Beseitigung des Gen. gesteigert!): *eine, nämlich eine Magd*; 23,15(+Q) *einen zu einem Proselyten machen*. Klar ist 13,46 die quantifizierende Voranstellung durch Relation zur qualifizierenden (*wertvolle Perle*) bestimmt, wie auch die red. Herstellung des Syntagmas 18,5(=Mk) im Zusammnhang einer Qualitätsbestimmung (τοιοῦτο) erfolgte; analog 27,15(=Mk *einen Gefangenen ihrer Wahl*). Auch die red. Voranstellung eines solitären ε. 19,16 (=Mk) vor das Pt. ist darum (in umgekehrter Tendenz zu lk Abänderung zu τις) als mt vorbereitende Steigerung zu sehen (*so einer*), zumal er sogleich durch weitere Signale als ein Angehöriger der Gegnergruppe apostrophiert wird. 26,22(=Mk) steht es vor ἕκαστος.

Stärker wird die Gruppe hervorgehoben als der, die oder das Einzelne bei εἷς + Gen.Plur.

Mt 17 (=Mk 5 + 5) + (Q 1 + 3) + (A-Mt 3)
Außer 28,1(=Mk), wo im Gefolge der LXX-Sprache die Kardinalzahl für den *ersten Wochentag* für die Ordinalzahl (πρώτη) steht, ist immer die Kardinalzahl im eigentlichen Sinne gemeint: 16,14(=Mk *einer der Propheten*); 18,6 (=Mk *einer dieser Kleinen*); 26,14.47(=Mk *einer der Zwölf*). Zusätze zu Mk: 5,29f (*eins deiner Glieder*); 10,42 wie 18,10 dupl. 18,6, was auch 18,14(=Q) dupl. zusetzt; 26,51(=Mk *einer der Jesusbegleiter*) ist der dir. Gen.-Anschluß wieder red. gebildet; 6,29(=Q *eine von diesen*); 5,19(+Q *eins* - dupl. von V.18 - *dieser Gebote*); 18,28(+Q *einer der Mitsklaven* - von V.12.14 her dupl.); 20,13 (*einem von ihnen*); 25,40.45 (*einem dieser Geringsten*). Funktionsgleich ist

εἷς ἐκ + Gen.Plur. (nur) des Pron.

Mt 5 : Mk 1 : Lk 2
10,29(=Q); 18,12(=Q *eins von ihnen*); 26,14(=Mk *einer von euch*); 27,48(+Mk *einer von ihnen*), von woher sich auch 22,35(=Mk) der red. Zusatz der Präp. zum Pron. erklärt wie umgekehrt die Auslasssung von Mk 9,17 darin begründet ist, daß ein Nomen folgt.

Übernommen ist die *distributive* Zerlegung einer Menge (B-D-R 247,3) 6,24a.b(=Q ε./ἕτερος wie klass. ebd. n.9), während 24,40f(=Q) Lk wie im ersten Falle verfährt, Mt dgg. ε./μ. (wohl mit Q urspr.) wiederholt; 17,4 (=Mk 3mal μ.); 20,21(=Mk) wie 27,38(=Mk) 2mal ε.; nur die red. Anweisung 18,16 hat *einen oder zwei* im Hinblick auf das begründend angeschlossene Zitat und analog bei der red. Verteilung der Talente 25,15.18.24(+Q).

εἰσακούω ⟶οὖς

εἰσέρχομαι ⟶ἔρχομαι
εἰσπορεύομαι ⟶στόμα
εἰσφέρω 6,13(=Q) bildl. von Gott *hineinbringen in*
　　Mt 1 : Mk 0 : Lk 4 + 1 : Joh 0 (NT nur noch 1Tim 6,7; Hebr. 13,11)
ἐκ (vor Vokalen ἐξ)
　　Mt 82 : Mk 63 : Lk 87 + 84 : Joh 164
　　　　=(Mk 63 – 35 + 11) + (Q 12 + 8) + (A–Mt 23)
Mt meidet (ebenso wie Lk) den *adv.* Gebrauch (BAUER WB 468; B–D–R 212,3)
und hat alle 3 mk Stellen des *adv.* Gebrauchs (Mk 6,51; 9,21; 15,39) gestrichen. Red. ist indessen die nie vorgegebene zeitgenössische Umschreibung des *Gen.pretii* (BAUER ebd.; B–D–R 179,1) 20,2 und 27,7(+Mk; im
NT nur noch Apg 1,18 und evtl. Lk 16,9 zum kausalen übergehend), was der
Häufigkeit seines monetären Wortfeldes entspricht. Von den *temp.* Stellen
wurde neben der *adv.* Mk 9,21 auch 10,20 nicht übernommen bzw. nach Mt
19,12 (*seit Geburt*) permutierend vorgezogen wie auch Mk 14,72 nach Mt
26,42 (*zum zweiten Male*) permutierend vorgezogen und durch die Dupl. in
V.44(+Mk *zum dritten Male*) von der mehr *adv.* Bedeutung *wiederum* auf eine
stärkere Betonung des numeralen Moments umgestellt wurde. Die einmalige
(:Mk 0 : Lk 0 + 3 : Joh 2) *numerale Verwendung* 21,44(+Q *wer von beiden*)
ist red.; 7mal in dem Syntagma ⟶*rechts* bzw. 5mal *links* (BAUER WB 465: "Da
der Grieche in diesen Fällen das Verhältnis der Dinge zueinander anders
empfindet, auch auf die Frage wo?") – daher auch 24,17(=Mk τά ἐκ par. V.18
τί ἐν).
　　Lokal mit Vb. der Bewegung 5mal bei ⟶ἐξέρχομαι und 12,42(=Q) beim
Simpl.; bei ⟶ἐκπορεύομαι 15,11.18a(=Mk); bei καταβαίνω 17,9(+Mk) wie
28,2(+Mk); 5mal bei ⟶ἐκβάλλω; für Gott 2,15 bei καλέω (Zitat), 17,9b ἐγείρω
(sonst ἀπό), 21,16 καταρτίζω (Zitat); 26,27(=Mk *trinken aus*; anders V.29).
　　Kausal ist es 7mal red. mit ⟶γεννάω für die Herkunft/Ursprung verbunden bzw. 1,18 mit Synonym-Wendung; 3,9(=Q ἐγείρω); 5,37 mit εἶναι wie
21,25b.c.d.26(=Mk); 21,19(=Mk + red. γίνομαι). Ferner 12,33(=Q Erkenntnisgrund, was Mt red. mit ἀπό dupl.).34(=Q λαλέω ε.).37a.b(+Q Gerichtsmaßstab);
ὀφελέω 15,5(=Mk); 27,29(+Mk Material); 16,1 (*Zeichen vom Himmel*) statt mk
ἀπό im Hinblick auf die *Stimme vom Himmel* 3,17(=Mk) und 17,5(=Mk).
　　Als Umschreibung bzw. Verstärkung des *Gen.part.* (BAUER ebd.467f;
B–D–R 164; 169) steht es 5mal in der pron. Wendung ⟶*einer von*, analog
18,19 *zwei von euch* wie 25,2 *fünf von ihnen* bzw. abs. 23,24a(=Q).b(+Q *man-
che*); argumentativ fragend neben 21,44 auch *wer von euch* 6,27(=Q); 7,9
(=Q); 12,11(+Q); bzw. 26,73(=Mk *gehören zu*); mit Vb.: 13,41.47.49(συλλέγω,
συνάγω, ἀφορίζω) bzw. 24,31(=Mk ἐπισυνάγω); 23,25(+Q γέμω); 25,8(δίδωμι);
26,29(=Mk πίνω *trinken von*).

ἕκαστος ⟶πᾶς
ἑκατόν, ἑκατοντάρο(/η)ς ⟶δύο
ἐκβάλλω ⟶βάλλω
ἐκδίδομαι ⟶δίδωμι
ἐκδύω ⟶γυμνός
ἐκεῖ (GUNDRY 643)
　　Mt 28 : Mk 11 : Lk 16 + 6 : Joh 22
　　　　=(Mk 11 – 9 + 10) + (Q 4 + 6) + (A–Mt 6)
Das Adv. ist eine lokale Anaphora, die fast immer im klass. *dort* (BAUER WB
474) verwendet ist und nur 13,58 und 28,7 aus Mk übernommen wurde. Dazu
kommt noch die kontrahierte Form (BAUER WB 783)
κἀκεῖ
　　Mt 3 : Mk 1 : Lk 0 + 5 : Joh 1 (NT sonst nie; LXX nur 3Makk 7,19)
Diese ist aus Mk 1,35 mit dem ganzen Segment ausgelassen, während sie Mt
10,11 auf das mk Simpl. zurückgeht. In dir. Rede hat sie auch A–Mt 5,23
und 28,10(Dubl. zu V.7); in wörtl. Rede erscheint das Simpl. 17mal, so daß

insgesamt 20 Belege darauf verteilt sind, während es in der übergeordneten Kommunikationsebene der Autorerzählung nur 11mal erscheint: 2,15; 13,58; 14,23(+Mk); 15,29(+Mk); 19,2(+Mk); 21,17(+Mk); 26,71(+Mk – einzige subst. Stelle im NT für Personen); 27.36(+Mk).47(+Mk).55(+Mk).61(+Mk).

In dir. Rede ist es vor allem von Q vorgegeben wie vor allem in der Höllen-Charakterisierung 8,12(=Q – die 13,42.50; 22,13; 24,51; 25,30 multipl. ist) sowie 6,21(=Q); 12,45(=Q); 24,28(=Q).

24,28(=Q) übernahm Mt auch das Adv. in der Finalbedeutung *dorthin* (so immer LXX; B-D-R 103 n.3), in der er es in dir. Rede auch 2,22; 17,20(+Q) und 26,36(+Mk) einsetzte, während er die einzige Stelle Mk 6,33 als im Erzählkontext stehend ausließ (Lk hat es außer in der Q-Par. 17,37 nur noch 12,18; 21,2, so daß sich folgende Verteilung vergleichen läßt:)

Mt 4 : Mk 1 : Lk 3 + 0.

Charakteristisch mt ist auch die Verbindung mit εἶναι (bei Mk nur 3,1 und daneben periphrast. 2,6; 5,11 und bei Lk nur 2,6; 6,6; 12,34; 13,28 sowie periphrast. 8,31; ferner Apg 16,1): Mt 2,13.15; 6,21(=Lk); 8,12(=Lk – dupl. 13,42.50; 22,13; 24,51; 25,50); 14,23(+Mk); 18,20; 27,55(+Mk).61(+Mk):

Mt 13 : Mk 1 : Lk 3 + 0.

Zur Einleitung einer Apodosis zu einem Relativsatz ist es 6,12 und 24,28 aus Q übernommen; während Lk keine weitere Stelle hat, hat Mt 18,20 eine weitere gebildet, jedoch die einzige Mk-Stelle 6,11 als Doppel-Mischbildung nicht übernommen, so daß auch hier eine erhöhte Verteilung vorliegt, wenngleich diese weniger signifikant ist:

Mt 3 : Mk 1 : Lk 2 + 0.

Synonym dazu ist als Distanzmarkierer:

adv. αὐτοῦ

Mt 3 : Mk 0 : Lk 0 + 2

27,53(+Mk) nach ihrer Auferweckung *dort* (vgl. Apg 18,19; 21,4; L-S-J 283 – vgl. Mt 26,36 red. *hier*). Das erst löst m.E. die sonst unklärbare Frage (vgl. SENIOR 1982:316.321-3), warum sie – bei Annahme einer poss. Bedeutung – erst 3 Tage nach der Auferweckung auferstehen bzw. nach Jerusalem gehen. Anzunehmen ist diese Verwendung auch 13,35 (+Mk *erschien dort* der Gegenspieler) wie 2,2 *dort im Osten* (gg. B-D-R 284,1b wohl nicht nur unbetont vorangestelltes Poss.).

ἐκεῖθεν (HAWKINS 1909:5; MORGENTHALER 1973:181; GUNDRY 643)

Mt 12 : Mk 5 : Lk 3 + 4 : Joh 2

=(Mk 5 – 1 + 7) + (Q 1)

Die Q-Übernahme Mt 5,21 hebt sich von den übrigen 11 homogenen Stellen des lokalen Adv. *von dort* dadurch ab, daß sie die einzige ist, die in einem Logion und nicht in Erzählsegmenten steht und auch nicht auf ein Vb. der Bewegung, dessen Subj. Jesus ist, bezogen ist. Dem entspricht, daß Mt aus Mk 6,10f genau die beiden Belege ausgelassen hat, die ebenfalls in Logien erschienen. In genauer Umkehrung dazu stehen die 3 lk Verwendungen immer in dir. Rede. Damit erscheint kennzeichnend mt die Verwendung dieser lokalen Anaphora in Erzählzusammenhängen mit Jesus als Subj. – und außerdem immer in Perikopeneinleitungen oder -schlüssen:

Mt 11 : Mk 3 : Lk 0.

Erst der 8. mt Beleg 13,53 übernimmt den 1. mk (6,1); Mt 15,21 (10. Beleg) entstammt Mk 7,24; Mt 19,15 ist aus Mk 10,1 versetzt übernommen (bei beiden der letzte Beleg; darum ist gg. GASTON 1973:61 hier nicht mit red. als Mk-Reduktion zu rechnen). Man sollte auch noch den Schluß der Aussendungsrede 11,1 als red. Permutation aus der zugeordneten wörtl. Rede selbst Mk 6,10f veranschlagen. Red. Zusätze zum mk Erzählgerüst sind deutlich 4,21; 9,9.27; 12,9.15; 14,13; 15,29.

Gerade weil der lokale Bezug des Ortsadv. "gewöhnlich ganz unbestimmt" ist, ist die makrosyntaktische Funktion der "Herstellung eines Zusammenhangs" zum Vorhergehenden (KLOSTERMANN 9) nur um so deutlicher. So weist z.B. Mt 9,9 weniger auf einen konkreten Ort, weil 9,2ff die konkrete mk Ortsangabe des *Hauses* ganz ausgelassen wurde, sd. verknüpft viel stärker die folgende Handlung Jesu als solche mit der voranstehenden. Damit erweist sich das Ortsadv. konträr zu seinem semant. Gehalt stärker als Verbinder denn als Trenner. Diese Funktion als Textem ist besonders bei der Verwendung in der mt Redeabschlußformel 11,1 wie 13,53 beachtlich, weil auch sie einer Bestimmung der mt Reden als Abschluß von Buchteilen widerstreitet. Die Primärfunktion in der Makrosyntax ist darum in diesem Rückweiser als Verknüpfer von Handlungen Jesu zu sehen.

Daneben fällt von der ersten Stelle an auf, daß dem Ortsadv. explizite *Nachfolge*-Aussagen folgen: Nachdem dies 3mal hintereinander 4,21; 9,9.27 geschah, kann auch von einer Textem-Funktion als *Nachfolge*-Anzeiger oder -Verstärker gesprochen werden (9,27 korrespondiert diesem Rückweiser zudem noch der Vorweiser-Satz Nachfolge/Heilungsgeschichten in V.26 vgl. V.31 wie 4,24:25); explizit wiederholen das auch die Summarien 12,15 und 14,13, was im Zusammenhang mit dem Start-Summarium 4,24f von der Red. besonders betont ist. Auch die letzte Stelle 19,15 ist davon bestimmt, daß sie eine – wenn auch negativ auslaufende – Nachfolgeberufung einleitet, der 19,23ff eine grundsätzliche Nachfolge-Belehrung angeschlossen ist.

Wenn dies an 6 der 11 Stellen durch die Wortverwendung in der morphologischen Oberflächenstruktur direkt ausgedrückt ist, dann ist anzunehmen, daß das auch an den restlichen 5 Stellen in der semantischen Tiefenstruktur der Fall ist: Im Redenschluß folgen statt dessen die Vb. διδάσκειν + κηρύσσειν und in der analogen Redeschlußformel 13,53 wiederum das erstere; somit implizieren diese Redeverben für Mt den semant. Gehalt *in die Nachfolge rufen*. In 12,9 folgt eine Sabbatheilung Jesu: Der Kranke beteiligt sich faktisch am Sabbatbruch Jesu und gewinnt damit Anschluß an Jesus, vollzieht dessen Mit-Sein mit Gott. 15,21 markiert die Heilungsfürbitte der Kanaanäerin dies faktisch auch so, wobei die David-Sohn-Anrede deutlich an die explizite Nachfolge-Aussage der Blinden von 9,27 erinnert – abgesehen davon, daß auch die Assoziation an den außerjüd. *Feldwebel* von 8,9 in die gleiche Richtung weist. Für 15,29 ergibt sich dasselbe nicht nur wegen der direkt anschließenden positiven Ausweitung der voranstehenden Perikope, sd. auch dadurch, daß es sich um ein 4. Summarium handelt, das somit in der Kontinuität von 4,21ff; 12,15; 14,13 steht.

ἐκεῖνος →οὗτος

ἐκκλησία (STRECKER 1971:214-9; FRANKEMÖLLE 1974:220-47; GUNDRY 643)
   Mt 3 : Mk 0 : Lk 0 + 23 : Joh 0

Mt 16,18 setzt nicht nur das Lexem, das bis dahin mit dem Jesusstoff völlig unverbunden war, in diesen ein, sd. hat auch mit betont vorangestelltem μου diesen *Jesus*-Bezug betont gemeint. Das unterscheidet damit das Lexem in diesem Kontext von der urapostolischen, bei Pl vorliegenden Rede von einer ἐ. θεοῦ, wobei der Gen. auctoris auch da mitzudenken ist, wo das Subst. als Kürzel allein steht: Es ist das *Ensemble Gottes,* das mit den Ostererscheinungen konstituiert ist und durch die Verbreitung der Osternachricht ausgebreitet wird. *Kirche Gottes* gibt es erst seit Ostern und von Ostern her: "Jesus hat keine Kirche gegründet. Als Gemeinde gesammelt wird sie durch die Erscheinungen des Auferstandenen und durch die Predigt der Zeugen dieser Erscheinungen. Die Existenz der Kirche ist von Anfang an mit der Auferstehung verknüpft" (CONZELMANN 1973:49). Wenn Pl ausnahmsweise ἐ. direkt mit *Christus* verbindet (Röm 16,16 und weitläufiger 1Thess 1,1) so ist das im Sinne der Gal 1,13+22 präzisierten Aussage zu nehmen als der Herrschaftsbereich des zum Mitherrscher Gottes Auferweckten. Von einer *christl. Gemeinde/Kirche* ist urapostolisch ebensowenig zu reden wie von einem *christl. Glauben* (neben anderen). Die mt Jesuanisierung von ἐ. ist nur eine tertiäre Folge der sekundären Jesuanisierung von *Evangelium, Sohn Gottes, Apostel* usw. Die Zufügung in Mt 16,18 steht im unmittelbaren Zusammenhang mit der Auszeichnung des Petrus als Offenbarungsmittler und Buchtradent an dieser Stelle (SCHENK 1983c). Eine "Sondertradition" als "isoliert überliefertes Traditionsstück" ist zwar immer wieder postuliert aber nie als kohärenter Text nachgewiesen worden. Solche unbegründeten Pauschalannahmen erlauben es weder, diese Aussage auf Jesus selbst zurückzuführen (wie SCHMIDT ThWNT 3,529 - sei es sie mit CULLMANN 1961:209-14; ThWNT 6,105 auf das letzte Mahl Jesu zu verlagern) noch sie auf die Ostererscheinung vor Petrus zurückzudatieren (gg. BULTMANN 1968:48,51; VÖGTLE 1971:170). Hinter Mt führt hier kein Schritt zurück, und Mt hat hier nicht etwa "das apostolische Schrifttum" (CULLAMNN 1961: 252) zum Fundament erklärt, sd. sein trito-apostolisches Buch selbst. Er bezeichnet damit die Jüngergemeinde und Bruderschaft in der Völkerwelt (vgl.21,43 in Zusammenhang mit 28,18-20) konkret als mt Buch-Gemeinde. Als solche steht sie zugleich distanzierend im anti-jüd. Gegensatz zu *ihren Synagogen* (WALKER 1967:34; SCHRAGE ThWNT 7,832; FRANKEMÖLLE 225 - jedoch nicht wie ebd. 239f "Bauen *meines* Bundesvolkes"). Die Buchgemeinde des mt Jesus ist auch 18,17a.b gemeint, wo an die konkrete Versammlung gedacht ist. Der anaphor. Art. dort weist in der Textsequenz auch auf das Poss.Pron. der ersten Stelle zurück, wie nicht nur die anschließend wiederholte Aufgabenstellung (Binden/Lösen) zeigt, sd. im Kontext ebenso die Renominalisierung des Poss.Pron. 18,20: *auf meinen Namen hin versammelt* (FRANKEMÖLLE 1974:229 - dennoch ist dessen Bezeichnung 232 "hoch theol. Metapher" so nicht beschreibungsadäquat wie seine Polemik gg. ein "soziologisches" Verständnis bei TRILLING 1964: 154,160; STRECKER 1971:214 nicht greift; die Erneuerung der konsequent eschatol. Deutung bei BERGER 1976:201ff auf die "zukünftige und endgültige Versammlung Gottes selbst" von Sir 14,1f her wird der Kraft des Poss.-Beziehung auf der primären Autor-Leser-Ebene nicht gerecht; eine Wesensaussage vom "heiligen Bau" als "endzeitlichem Tempel" liegt gg. ROLOFF EWNT 1,1010 ebenfalls nicht vor, da die Berufung auf Mt 26,61 das Gegenteil nahelegt: die in diese Richtung zielenden Aussagen von Mk hat Mt gerade gestrichen).

ἐκκόπτω ⟶δένδρον

ἐκλάμπω ⟶φῶς

ἐκλεκτός

Mt 4 : Mk 3 : Lk 2 + 0 : Joh 0

(=Mk 3 + 1)

24,22.24.31(=Mk) sind im Zusammenhang der Endzeitrede übernommen, wobei wesentlich ist, daß an der letzten Stelle red. mit dem Poss.Pron. der Bezug auf den Menschensohn-Weltenrichter dazu gekommen ist, d.h. semant. bestimmend ist sein künftiges *Auswählen* (Gen.subj.) im Endgericht. Von der mt Allegorie-Synonymik her ist es darum nicht überraschend, daß in der red. Dubl. 22,14 der *König* ist, der *ausliest*. Auch hier ist die Bedeutung *Endauslese* deutlich (WALKER 1967:105f mit B.WEISS, SCHRENK ThWNT 4,191). Es ist bei Mt konsequent ein eschatol., nicht aber ein protologisches Lexem, was sich auch darin zeigt, daß Mt das Vb. im Aor. aus Mk 13,20 auslie.. Als apokalyptische ist sie bei Mt auch keine ekklesiol. Prädikation (STRECKER 1971:217). Darum ist in der Übers. die Eindeutschung mit *erwählt* tunlichst zu vermeiden (da man sich gg. ECKERT EWNT 1,1016 nicht auf die metasprachliche Erläuterung verlassen kann: "Ein prädestinatianisches wie ein partikularistisch-sektenhaftes Mißverständnis ist damit abgewiesen"). Der Ausdruck *Endgerichtsauslese* ist synonym mit dem mt *als gerecht anerkannt werden*. In Mt 24 werden damit referenzgleich die Personen benannt, die 24,13(=Mk) voranstehend wie schon in der Dubl. 10,22 mit dem Pt. von

ἐκλεκτός –   – 235 –   – ἐλάχιστος

ὑπομένω
   Mt 2 : Mk 1 : Lk 1 + 1 : Joh 0
bezeichnet sind: Zur *Endgerichtsauslese* gehört man, wenn man sich *niemals*
vom mt Buchkonzept abbringen läßt. Damit ist der Sem–Kern von ἐκλεκτός
Teilhaben am kommenden Äon.
ἐκλύομαι ⇥ἄρτος
ἐκπειράζω ⇥δαιμονίζομαι
ἐκπλήσσομαι ⇥διδαχή
ἐκπορεύομαι ⇥στόμα
ἐκριζόω ⇥δένδρον
ἐκτείνω ⇥χείρ
ἐκτινάσσω 10,14(=Mk – NT nur noch Apg 13,51; 18,6) Staub *abschütteln*
ἔκτος ⇥δύο
ἐκτός ⇥ἔξω
ἐκφύω ⇥δένδρον
ἐκχέω 9,17(+Mk) pass. Wein *vergossen werden*
   Mt 1 : Mk 0 : Lk 0 + 3 : Joh 1 – statt dessen die hell. Form für *Blut*
ἐκχύννομαι 23,35(=Q); 26,28(=Mk – in der Mahlsituation metonymisch: *einge-*
gossen, da der vorgeordete Imp. an künftige Wiederholungen denkt)
   Mt 2 : Mk 1 : Lk 3 + 3 (NT nur noch Röm 5,5; Jud 11)
ἐλαία, ἔλαιον ⇥δένδρον
ἐλαφρός ⇥βαρύς
ἐλάχιστος (GUNDRY 643)
   Mt 5 : Mk 0 : Lk 4 + 0
Das als Superlativ von μικρός verwendete Adj. war "augenscheinlich abge-
griffen", so daß Eph 3,8 einen Kompar. davon bilden konnte (OSTEN-SACKEN
EWNT 1,1039) und darum auch mit μικρός synonym verwendet werden kann.
Mt hat es nie mit Lk gemeinsam und unterscheidet sich auch dadurch von
ihm, daß er es nie im Neutr. hat, wie es bei Lk immer steht. Im Sing. ist es
negiert in das Erfüllungszitat 2,6 eingeführt. Betont plaziert erscheint die
Verwendung des Plur. je 2mal am Anfang der ersten wie am Ende der letzten Rede des mt Jesus. In 5,19a dürfte die Wendung von der Q-Vorgabe vom
Häkchen und Jota V.18 her verursacht worden sein (vgl. die dupl. Wiederaufnahme von μία und den Rückweiser τούτων) und sich nicht gg. einen un-
terstellten antinomistischen Enthusiamus richten, sd. (da Mt 9,12; 12,7;
15,1ff; 23,23f ja den Juden Minimierung des Gesetzes vor allem in seiner auf
den Mitmenschen bezogenen Funktion unterstellt; MARTIN 1983:58-60): *die*
(von den Juden) als die geringfügigen, bedeutungslosen angesehen werden.
Eine Explikation ihres wahren Wertes gibt der mt Jesus ja anschließend
5,21ff. Die Apodosis dazu 5,19b nimmt den Ausdruck homonym auf, so daß
von vornherein ein Oxymoron entsteht, was im Gesetz der semant. Metonymie klar zur Folge hat, daß Mt "nur um der Parallele willen so formuliert",
also "tatsächlich an Ausschluß" denkt (SCHWEIZER 62; LUZ 1978: 410; nach
der mt Textstruktur ist V.20 begründend und darum synonym, so daß eine
Differenzierung zwischen einer Rangordnung im Himmelreich und einer Zu-
lassung zum Himmelreich als künstliche Eintragung erscheint – dies um so
mehr als die mt red. Erweiterungen 20,1-16 und 25,21.23 den Sinn haben,
jeden möglichen Gedanken an einen Rangunterschied gerade auszuschließen:
es gibt kein Mehr oder Weniger an individueller Unsterblichkeit). Die
personale Wiederaufnahme 25,40.45 ist durch τούτων erinnernd auf die mt
jesuanische Füllung von 5,19a rückbezogen. Als die *geringfügigsten Brüder*
(bei Mt klar als ekklesiol. Bezeichnung gemeint, die im Wiederholungsfalle
weggelassen wurde, weil sie automatisch mitzudenken ist) erscheinen die,
die durch Verfolgung (um des mt Buches willen 24,14) dazu gemacht werden. Mit der hier schon vorher vollzogenen erinnernden Wiederaufnahme
von 10,42 ist die Synonymie mit

μικρός

Mt 6 : Mk 3 : Lk 5 + 2 : Joh 2

deutlich. 10,42 ist von 18,6(=Mk) her dupl., wie es dort 18,10.16 überhaupt als Leitwort (=V.12 Verirrten) multipl. wurde. Mt hat erst den möglichen Abfall im Sinn, dem die ausgesetzt sind, die primär Verirrte als Versprengte sind, so daß überall die Verfolgung als der wesentliche Faktor im Blick zu sein scheint. Das dürfte auch die Konnotation bei der ironischen Verwendung des Komparativ (im Sinne des Superlativ B-D-R 60-61) 11,11(=Q - der Kleinste = ehemalige Verfolgte ist im neuen Äon besser dran als der jetzt noch unter Verfolgung stehende Täufer) sein wie 13,32(=Mk) in der Senfkorn-Allegorie: das jetzt kleinste (weil der Verfolgung preisgegebene) Samenkorn wird dennoch zum schützenden Baum des neuen Äon führen, in dem man geborgen ist. Das tert. compar. ist Ablehnung und Verfolgung und nicht allein die schwache gegenwärtige Resonanz als solche (oder gar "der unscheinbare Beginn der Verkündigung Jesu" - LEGASSE EWNT 2,1051, da der mt Jesus in seiner Hoheit alles andere als "unscheinbar" ist).

μικρόν 26,39(=Mk lokal).73(=Mk temporal) adv. Akk. kurz (B-D-R 304 n.4)

Mt 2 : Mk 2 : Lk 0 + 0 : Joh 9

'Ελεάζαρ 1,15.15 indekl. Eigenname in der Genealogie (BAUER WB 493)

ἐλέγχω 18,15 innergemeindliches Zurechtweisen (nach Lev 19,17)

Mt 1 : Mk 0 : Lk 1 + 0 : Joh 3

ἐλεε- (GUNDRY 643)

Mt 15 : Mk 3 : Lk 12 + 8 : Joh 0

ἐλεέω

Mt 8 : Mk 3 : Lk 4 + 0
=(Mk 3 + 5)

Das vor allem von der LXX (ca. 130mal) favorisierte Vb. des großmütigen Helfens hat Mt 20,30f als Bittruf aus Mk 10,47f übernommen. Die dazugehörige Hoheitsanrede Sohn Davids wurde durch die red. Anrede Herr verstärkt. Mt hat von dieser letzten Stelle her diese Verbindung Bittruf + Anrede auch an der dupl. ersten Stelle 9,27 eingetragen; red. ist diese Verbindung Bittruf + Anrede auch 15,22(+Mk) eingesetzt. Dort ist V.25 das Syntagma mit dem aus Mk 9,24 permutierten und in den Mund der Nichtjüdin verlegten Hilf mir!

βοηθέω

Mt 1 : Mk 2 : Lk 0 + 2 : Joh 0

synonym, während Mt 17,15(+Mk) dort wiederum statt dessen sein Vorzugs-Vb. einsetzte. Mit diesem Bitt-Vb. und den zugehörigen Anreden zeigt Mt, wie stark er die Heilungen als "machtvolles Werk" Jesu ansieht, zugleich aber auch, daß er selbst in diesen Hilfstaten dieser Forderung des Willens Gottes (s.u.) entspricht (HELD 1970:250f). Synonym als Helfen erscheint im Bittruf 8,25 bzw. in der Bittgeste 9,25 σώζω, wie nach der κύριε-Anrede auch 8,2 das Wenn du willst bzw. 8,6 die Notschilderung funktionsgleich sind.

Wie die Entsprechung der Ausführung zur Bitte in 20,34(=Mk 9,22 permutiert) zeigt, ist das jüd.-hell. (KÖSTER ThWNT 7,551f: TestSeb 6mal; TestAbr[B] 12 und Komp. LXX-Prov 17,5) Vb.

σπλαγχνίζομαι

Mt 5 : Mk 4 : Lk 3 + 0 (NT sonst nie)
=(Mk 4 + 1)

synonym, das Mt vereinheitlichend dem Bittkontext entnahm und berichtend für ein Handeln Jesu 9,36(=Mk 1,41 als Einleitungsstelle von einer Einzeltat generalisierend in ein Summarium versetzt und damit dem Synonym 9,27 nachgestellt) wie 14,14(=Mk) verwendete bzw. 15,32(=Mk) für eine Willenserklärung Jesu zu Abhilfe eines möglichen Verhungerns. Allegor. wurde es 18,27 für den Erlaß des Darlehens dupl. (wegen der dupl. alleinigen Abhän-

gigkeit von Mk, die auch für die lk Permutationen gilt, ist es eine inkohärente Verallgemeinerung, ein Vorkommen in "Gleichnissen Jesu" als spezielle Kategorie der Klassifikation anzubieten; gg. WALTER EWNT 3,633f).

Hier entspricht die Ausführungswendung dem Bittruf 18,26.29 mit dem
jungen hell. Komp. (in der die Wurzel darum noch lebendig war; von LXX
favorisiert) der *Verzögerung des Zornesausbruchs* (HOLLANDER EWNT 2,936f;
vgl. Antonym V.34) und damit des *Strafaufschubs* (hier wirklich das
Hoheitsrecht des Gnädig-Seins)

μακροθυμέω

Mt 2 : Mk 0 : Lk 1 + 0 : Joh 0,
wie evtl. auch die gleiche Präp. (allerdings + Dat.) wie beim Synonym 14,14;
15,32 (+Akk.) zeigt. Es verwundert nicht, daß diese Allegorie 18,33a.b dann
auch dupl. das häufigste Synonym *ἐ.* einbringt, um die Pflicht zum innergemeindlichen Schulderlaß (V.32 Kontextsynonym) stark zu betonen. In die
grundsätzliche Verbindung zwischen Berufung und Sündenerlaß hatte Mt
schon 9,13 das Stichwort eingebracht. Das berufende Vergeben ist bei Mt
ein so konditioniertes, daß Verlust möglich ist (was einer von Ostern und
der Gerechtmachung des Gottlosen her gedachten Neuschöpfung in 1Kor
3,15; 5,5 widerspricht).

Nicht übernommen wurde *ἐ.* von Mk 5,19, wo es für ein berichtetes Handeln Gottes (durch Jesus) im Munde Jesu verwendet war, so daß die Konzentration auf die Verwendung im Bittruf an Jesus weiter deutlich wird.
Allerdings hat Mt diese Verwendung nicht völlig beseitigt, sd. *ἐ.* mit Gott
als Subj. schon in den red. Makarismus 5,7b vorverlegt, wo es in der Apodosis für das dem ius talionis entsprechende nachfolgend belohnende Handeln Gottes (Pass. divinum) verwendet ist. Da es sich in beiden Fällen auch
um die jeweilige Erstverwendung und um ein Jesuswort handelt, darf diese
Permutation angenommen werden, so daß auch diese mt Bildung von Mk
veranlaßt ist. Mt ist also in seiner Verwendung von *ἐ.* völlig und allein von
Mk abhängig. Voraus geht hier in der Protasis des als ius talionis formulierten Satzes die Angabe der Bedingung mit dem Adj.

ἐλεήμων (NT nur noch Hebr 2,17; LXX 31mal)

als Handlungsmaxime der Schüler Jesu, die dann ebenso als durch das
permutierte Vb. verursachte Dupl. anzusehen ist. Auf keinen Fall ist der
durch das ius talionis bestimmte Gleichklang der Formulierung im Interesse
einer bestimmten Gnadenlehre, die nicht die mt ist, so zu deuten, daß "un-
geschuldetes, göttl. Erbarmen" nachfolgt (gg. STAUDINGER EWNT 1,1045, sofern er dies gerade im Gegensatz zu "verdienstlich" und "als Bedingung
des Heils" bezüglich "jüd. Theologie" entgegensetzt; Mt ist darin strukturgleich), da der analoge Nachsatz in 6,4 klar zeigt, in welchem präzisen
Lohnzusammenhang Mt dieses nachfolgend vergeltende Handeln Gottes
denkt. Dort steht in der Protasis das Subst.

ἐλεημοσύνη

Mt 3 : Mk 0 : Lk 2 + 8 (NT sonst nie; Philo, Jos; LXX ca. 60mal)
als Nom. actionis, während die beiden voranstehenden Sätze 6,2.3 das Funktionsverbgefüge mit ποιέω (vgl. Tob 1,3.16; 4,7f; Sir 7,10) im engeren Sinne
von *Armen Unterstützung gewähren* hat. Es steht zusammen mit Beten und
Fasten unter dem Supernym δικαιοσύνη V.1. Die Almosenpraxis der mt Buchgemeinde 6,3f profiliert sich auf dem Hintergrund einer Schwarzmalerei der
synogogalen Praxis in 6,2, was stark (wie Stilmerkmale) für red. Bildung
spricht; eine vor-mt Vorlage als kohärenter Text ließ sich bisher nicht
eruieren, da der Formschematismus nicht schon als solcher für "katecheti-
sche Stücke" oder "Kult-Didache" spricht, sd. primär den mt Schematisie-
rungs- und Antithetisierungsschemata zugehört (GUNDRY 102 gg. GERHADS-
SON 1972; BETZ 1975; STRECKER 1984:100f). Mt dürfte das Subst. auch hier
von Mk her dupl. und unter dem Einfluß der Weisheitsliteratur ausgestaltet

haben. Für ein Handeln Gottes gebraucht er dieses Subst. nicht. Als menschliche Handlungsmaxime überhaupt wird synoynm zum Vb. das Nom. actionis immer im Munde des mt Jesus
ἔλεος
    Mt 3 : Mk 0 : Lk 6 + 0 (in LXX mit τό 274 Belegen häufigstes Derivat) mit dem variierten Zitat aus Hos 6,6 (HUMMEL 1966:38–43.97-9; BARTH 1970: 77f; HILL 1977) in 9,13(+Mk auf Berufen bezogen) wie 12,7(+Mk auf Hunger-stillen bezogen) eingebracht, wie es sich auch 23,23(+Q) um einen an jüd. Gegner adresssierten Vorwurf handelt, das göttl. Gebot der Barmherzigkeit (= Liebesgebot) als Handlungsmaxime des jüd. Gesetzes (BORNKAMM 1970:23f) zu verkennen; ἐ. ist darum mit der geforderten ἀγάπη synonym. (Dgg. ist bei den 5 Stellen Lk 1,50-78 Gott Subj. und nur 10,37 die Verwendung ethisch, was den Unterschied der Verwendung bei beiden Autoren unter-streicht). Für menschliches Handeln verwendet, sind dann die Vergleichs-relationen der Derivate noch stärker mt profiliert:
    Mt 13 : Mk 2 : Lk 7.
ἐλεύθερος 17,26(+Mk synopt. sonst nie!) von Steuerpflicht *frei*
’Ελιακίμ 1,13a.b (4Regn 18,18; 23,34; auch Lk 3,30).
’Ελιούδ 1,13.14
ἐλπίζω nur(!) 12,21 (Zitat Jes 42,4 Voraussage der Haltung der Völker)
    Mt 1 : Mk 0 : Lk 3 + 2 : Joh 1
ἐμαυτοῦ ➔ἐαυτοῦ
ἐμβαίνω ➔πλοῖον
ἐμβάπτω ➔ἄρτος
ἐμβλέπω ➔ὀφθαλμός
ἐμβριμάομαι+Dat. 9,30(=Mk 1,43 permutiert *zornig befehlen* BAUER WB 505)
    Mt 1 : Mk 2 : Lk 0 + 0 : Joh 2 (NT sonst nie; LXX nur Dan 11,30)
’Εμμανουήλ ➔θεός
ἐμός ➔ἐγώ
ἐμπαίζω ➔ἀφίημι Ι
ἐμπίπτω ➔πίπτω
ἐμπίμπρημι ➔πῦρ
ἐμπορία, ἔμπορος ➔ἀγοράζω
ἔμπροσθεν + Gen. als uneigentl. Präp. (MORGENTHALER 1973:181; GUNDRY 643)
    Mt 18 : Mk 2 : Lk 8 + 2 : Joh 5
        (=Mk 2 + 2) + (Q 4 + 10)
Da der mt Gebrauch sich auf die uneigentl. Präp. beschränkt, die synopt. immer im lokalen Sinne als Ersatz für das selten lokal gebrauchte πρό er-scheint, sind bei Lk nur 8 und nicht 10 Belege vergleichbar (Lk 19,4.28 als Ortsadv. abzuziehen; BAUER WB 509f). Mt hat somit nicht nur "ein leichtes Übergewicht" (gg. KRETZER EWNT 1.1089f), sd. ein "Vorzugswort".
    In dem 11,10(=Q) übernommenen Mischzitat (Ex 23,20; Mal 3,1) dürfte es statt des einfachen Dat. im klass. Griech. stehen (*für dich = dir*; B-D-R 214 n.9 - dgg. so nicht auch 7,6; 11,26) und nicht eine betont lokale Ausrich-tung *voran* (gg. KRETZER ebd.1090) bezeichnen, da diese schon in der vor-anstehenden Wendung gegeben ist, noch gar eine temporale (*vorher*), da diese in Q wie Mt sonst nie vorliegt. Im Dankgebet 11,26(=Q) steht es statt des einfachen Gen. im klass. Griech., da es zum Subst. gehört und ein Gen. subj. vorliegt: Ja, Vater, so ist es *dein* guter Wille (Vorsehungsplan) - es geht also nicht um ein Wohlgefallen *vor* Gott (CHRIST 1970:85,95 gg. BAUER ebd.; B-D-R ebd.; KRETZER ebd.).
    Stärker lokal ist demgegenüber die Folge 10,32(=Q) vom Bekennen gegen-über den Menschen bzw. Gott; auch in der V.33 anschließenden Antithese dürfte Mt den Sprachgebrauch von Q festgehalten und Lk in Protasis wie Apodosis variierend sein synonymes Alleinwort ἐνώπιον eingesetzt haben. Dgg. ist der Abschluß der Modellerzählung vom verirrten Schaf 18,14(+Q)

red. von 11,26 her dupl., wobei die Präp. beim Subst. wieder den Gen.subj. vertritt: der Wille *meines* Vaters (B-D-R ebd. gg. BAUER ebd.; außerdem gg. GNTCom 45 im Zusammenhang mit der stärkeren 1.Pers. als urspr. LA). Red. ist auch 23,13(+Q) erweitert: die jüd. Autoritäten verstellen versperrend den Zugang zum künftigen Äon vor den Nichtjuden; neben dem lokalen Element (BAUER ebd. "vor der Nase") erscheint hier auch eine finale semant. Komponente (*für* im Sinne eines Dat.incommodi), die sich auch sonst noch bei Mt beobachten läßt (s.u.).

Während *ἔ.* bei Q nur im Spruchgut erschien, gab Mk sie nur im erzählenden Kontext vor: 17,2(=Mk) ist die Öffentlichkeit wie Sichtbarkeit der Verwandlung betont: *in Gegenwart von;* ebenso 26,70(=Mk 2,12 permutiert, wie das gleiche Pron. belegt), um mit dem Zusatz hier deutlicher den Bezug zum Logion von 10,33 zu markieren, läßt er ihn sich *in Gegenwart aller* von Jesus lossagen (SCHENK EWNT 1,373). 27,11(+Mk) ist *ἔ.* wieder im Sinne eines bloßen Dat. dupl.: Jesus wird *dem* Statthalter vorgeführt (nicht: *ihm gegenübergestellt;* weder Sichtbarkeit noch Öffentlichkeit ist besonders betont); ebenso 29,29(+Mk), daß sie bei der Verspottung Jesus fußfällig huldigen. So sind die berichtenden Ergänzungen im Passionszusammenhang nachfolgende Dubl., womit Mt wieder sein Arbeits-Prinzip einer Gleichbehandlung aufeinanderfolgender Stelle erkennen läßt.

Alle weiteren Belege finden sich im *Spruchgut* (und lassen sich alle als Multipl. von Q her verstehen), so daß die erkennbare Verteilung ein für Mt typ. Gewicht ergibt:

Mt 18 : Mk 0 : Lk 6.

Dabei ist von 10,32f her auch eine Multipl. von
ἔμπροσθεν τῶν ἀνθρώπων (GUNDRY 643)

Mt 5 : Mk 0 : Lk 1

in der auch sonst sachverwandten Q-Dubl. 5,16 wie antithetisch dazu 6,1 und 23,13. Wie bei 11,0 und 23,13 gewinnt auch Mt 5,16 die lokale Bedeutung noch ein finales Element im Sinne eins Dat. commodi, was noch dadurch expliziert wird, daß sich ein kommentierender Finalsatz anschließt. Auch einen solchen weiterführenden Anschluß darf man als weiteres makrosyntaktisches Stilmerkmal des Mt werten, denn *ἔ.* wird auch 5,24(+Q paratakt. angeschlossener Imp. *damit);* 6,1(+Inf.).2; 7,6; 18,14 und 25,2 (paratakt. angeschlossenes Fut. *damit,* wobei der erläuternde Finalsatz bis zum Ende von V.33 reicht; die eschatol. Verwendung erfolgte als Dubl. von 10,32f her):
ἔμπροσθεν + erweiternde Kommentierung

Mt 8 : Mk 0 : Lk 0.

In diesen Zusammenhängen wird außerdem 5,16 wie 6,1.2f die von Mt 10,23f erst geschaffene direkte Antithese von
ἔμπροσθεν τῶν ἀνθρώπων/σου vs. (himmlischer) *Vater*

Mt 5 : Mk 0 : Lk 0

wiederholt. Dabei ist 6,1 eine bewußte und abgrenzend-präzisierende Wiederaufnahme von 5,16. Bei dem von daher angeschlossenen ersten Beispiel 6,2 dürfte nach der angeschlossenen Erläuterung und wegen der Identität der 2.Pers. des Poss.Pron. mit der Vb.-Form weniger das dynamische Element eines *vorher* (so BAUER WB 520) bestimmend sein, also analog zum pleonast. Gebrauch des Adv. in Lk 19,4 (evtl. auch Mt 11,10; B-D-R 484) eine verstärkende Tautologie *öffentlich sichtbar* vorliegen.

πρό

Mt 5 : Mk 1 : Lk 7 + 7 : Joh 9
Von Mt immer temporal (*vor*) verwendet: 11,10(=Q – was als einziges Q-Zitat Mal 3,1 auch Mk 1,2 von der Q-Red. übernommen haben dürfte; SCHENK 1979b) in der LXX-Wendung; sonst wohl immer red.: 5,12(+Q attributiv *die Propheten vor euch);* 6,8(+Q mit Inf. *vor eurem Bitten);* 8,29(+Mk im Mund

der Dämonen *vor dem von Gott gesetzten Vernichtungszeitpunkt*); 24,38(+Q attributiv *vor der von Gott gesetzten Vernichtungsflut*).
ἐμπτύω 26,67(=Mk); 27,30(=Mk) *anspucken* (red. mit εἰς wie Num 12,14)
   Mt 2 : Mk 3 : Lk 1 (NT sonst nie; LXX 2mal; BAUER WB 510)
ἐμφανίζω →φαίνομαι
ἐν
Mt 291 : Mk 134 : Lk 354 + 275 : Joh 220
   =(Mk 134 – 72 + 98) + (Q 49 + 44) + (A-Mt 38)
Die häufigste Präp. (Mt 1,5 %; Mk 1,2%; Lk 1,8 %; Apg 1,4 %; Joh 1,4 % des Wortbestandes; BUJARD 1973:126) ist "zugleich auch die im Gebrauch vielseitigste und in der Bedeutung verschwommenste" (ebd. mit BAUER WB 511f; M-M 209). Dabei ist zu beachten, daß Mt es präziser verwendet und vorgegebenes →εἰς in ἐν umändert (24,14.18; 26,13.23).
   Temporal von einem bestimmten Zeitraum (B-D-R 200) 49mal *während, innerhalb*: 6mal ἐν ἡμέραις 2,1 (Herodes) 23,30(+Q *unserer Väter*); 24,38(=Q *vor der Flut*); 27,40(=Mk 3) bzw. mit 3,1(=Mk) und 24,19b(=Mk) mit ἐκείναις. 3mal (: Mk 2 : Lk 32) wird *während* durch den LXXismus, der aram. nicht möglich ist (B-D-R 404,1), ἐν τῷ + A.c.I. ausgedrückt 13,4(=Mk).25(+Mk dupl.); 27,12 (+Mk), während Mk 6,48 nicht übernommen wurde. 12,32.32(+Mk weder in diesem noch im kommenden Äon) und von daher auch eschatol. von Mt stärker zeitlich als räumlich und wohl nicht nur den Eintrittspunkt, sd. die Dauer betonend 19,28(=Q παλιγγενεσία); 22,28(=Mk).30a(+Mk dupl. ἀνάστασις); ebenso (vgl. Dan 6,29 *unter der Regierung des Darius*; JEREMIAS 1967:176)
ἐν τῇ βασιλείᾳ (τῶν οὐρανῶν im Sinne des neuen Äon)
   Mt 8 : Mk 1 : Lk 6
8,11(=Q); 11,11(=Q) und dupl. 5,19a.b; 13,43 (τοῦ πατρός); 18,1.4; 26,29(=Mk τοῦ πατρός). Anders (lokal-ekklesiol. als bestehend) ist das Syntagma von der Sohnes-Basileia 20,21 verwendet (gg. JEREMIAS 1979:101 n.8 *wenn du König bist* ist nicht automatisch das temporale Sem von Mk auf Mt als äquivalent kodiert übertragen anzusetzen); auch 16,28 ist vom Vb.- Gefüge her nicht temporal, sd. modal *als König kommend* (ebd.). Dgg. zeigt der Anschluß von 5,12(=Q) an V.3-10 und bestätigt vom Fortgang in 5,19a.b her, daß Mt offenbar auch
ἐν τοῖς οὐρανοῖς (bzw. Sing. 27mal)
als Abkürzungswendung für ἐν τῇ βασιλείᾳ τῶν οὐρανῶν verwendet. Dupl. dann auch 5,16.45; 6,1.9.10(Sing.).20(=Q Sing.); 7,11.21; 10,32f; 12,50(+Mk) 16,17(+Mk).19a.b(+Mk); 18,10a.b(+Mk).14(=Q).18a.b.19; 19,21(=Mk); 22,30(=Mk Sing); 24,30(+Mk Sing.); 28,18(Sing.).
   Temporal verstärkend von einem bestimmten Zeitpunkt (B-D-R 200,1) 28mal: 12,2(+Mk Sabbath); 23,6(=Mk Plur. bei Mahlzeiten); 26,5(=Mk Fest); 25,31b.34(+Mk diese Nacht); 12,41.42(=Q *beim Endgericht*) bzw. 13,40.49 (Abschlußtag dieses Äons); 8mal mit ἡμέρα 7,22(+Q →ἐκείνῃ); 10,15(=Q); 11,22(=Q) dupl. V.24(+Q) und 12,36(+Q); 13,1; 22,23; 24,50(=Q); 6mal bei καιρός 11,25(=Q ἐκείνῳ) dupl. 12,1; 14,1 ferner 24,45(=Q); 13,30(+Mk); 21,41(+Mk Plur. einzelne Zeitpunkte); 5mal bei ὥρα 8,13(=Q ἐκείνῃ); 10,19(=Mk) dupl. 18,1; 26,55 ferner 24,50(=Q).
   Instrumental, bisweilen *kausal* (B-D-R 195, 219) 46mal: 5,13(=Q *womit würzen*); 16mal *schwören bei* (weil man etwas damit zum Pfand einsetzt) 5,34-36 und 23,16.18.20-22; *wegen, aufgrund ihrer Geschwätzigkeit* 6,7(+Q); "in der Gerichtssprache klass." (B-D-R 219 n.1) 7,2.2(+Q); *zertreten mit* 7,6; *sterben durch* 8,32(=Mk); *umkommen durch die Hölle* 10,28(+Q) bzw. *durchs Schwert* 26,52(+Mk); *reden durch* 10,20(+Mk) wie 22,43(=Mk); *sich freuen, Gefallen haben an* 3,17(=Mk nach LXX; ELLIGER EWNT 1,1096) und dupl. 17,5(+Mk) bzw. umgekehrt *sich stoßen an, sich ins Verderben bringen durch* 11,6(=Q) und 13,57(=Mk) sowie dupl. 26,31.33(+Mk – wie Sir 32,15 durch das weisheitlich verstandene Gesetz; STÄHLIN ThWNT 7,342); *Wunder wirken durch* 14,2

(=Mk); *mittels Boot* 14,13(+Mk); ποιεῖν ἐν 17,12(+Mk) wie 20,15; 21,23f.27 (=Mk); *fangen durchs Wort* 22,15(+Mk); *lieben mit ganzem* 22,37a.b.c(+Mk); *Beteiligte am Mord* 23,30b(+Q); *Öl mittels Gefäßen* 25,4; *arbeiten mit* 25,16(=Q).

Nicht mehr instrumental dürfte bei Mt der Gebrauch bei 2 wesentlichen Verwendungszusammenhängen sein: (a) bei ≯*Taufen* (gg. B-D-R 195d) 3,11a (+Mk/Q).b(=Mk/Q) betont das unmittelbar verbundene wie 3,6(=Mk) das vorangestellte Syntagma die red. *lokale* Kodierung. (b) Nicht mehr instrumental ist bei Mt (gg. B-D-R 219,1) auch das Syntagma vom Austreiben mit *Beelzebul* kodiert, da die red. Stelle Mt 10,25 klar zeigt, daß er es als direkte *Jesusbezeichnung* (*als*) versteht; in diesem Sinne ist sie dann 12,24(=Mk). 27a.b(=Q) übernommen und 9,34(=Q) vorgezogen; ebenso ist die Antithese 12,28(=Q) dann nicht instrumental, sd. (analog zu 16,28) *modal* benennend *Jesus als Pneuma = Sophia*. Trotz gleicher morphol. Oberflächenstruktur hat Mt bei dieser Präp. oft die semant. Tiefenstruktur des Textes transkodierend geändert. Wie 16,28 steht *kommen mit(als)* auch schon 16,27(=Mk) in Verstärkung des Dat. modi (B-D-R 198,2 vgl. 1Kor 4,21) dupl. 25,31 sowie synonym 21,9(=Mk) und 23,39(=Q), analog auf den Täufer dupl. 21,32(+Q *als Weg = Lehrer zur*).

Modal als solch freierer Dat. soziativus (23mal) auch noch: 6,29(=Q *Salomo in seiner vollen Kleiderpracht*); 7,15(+Q *in Schafskleidern*); 11,8(=Q *in vornehm weichen* sc. *Kleidern*).21(=Q *in Sack und Asche*); die 6malige Wendung ἐν παραβολαῖς 13,3(=Mk).10(+Mk).13(=Mk).34f(+Mk); 22,1(+Q) ist in ihrer durchgehenden Verbindung mit Redeverben nicht instrumental (wie bei Mk), sd. modal: *die die Blindheit der Gegner beweisende öffentliche Redeweise in Analogieschluß-Erzählungen* (KINGSBURY 1969:30f); *bitten im Gebet (betend)* 21,22(+Mk); *in Wahrheit* 22,16(+Mk).

Die restliche Hälfte von 145 Belegen hat einen lokalen Gebrauch, wobei öfter Syntagmen mit ≯ἀγρός, γῆ, ὁδός, οἰκία, οἶκος, φυλακή usw. vorliegen; mit den Vb. γίνομαι und εἰμί (vgl. 20,26 den Wechsel beider), wobei bei den öfteren Doppelungen im Wiederholungsfall das Vb. nicht immer wiederholt ist (vgl. 24,26; 25,36-44 mit 12,40 oder 11,20-23); mit den Pron. ≯αὐτός und ἕαυτος. Mit Art. 14,33(=Mk doch Syntagma red.); 24,16.19(=Mk) und attr. nachgestellt wie 1,16.16 und öfter bei ≯πατήρ.

ἐναντίος 14,24(=Mk) *widrig, entgegenstehend* (BAUER WB 519 ≯εἰμί)
    Mt 1 : Mk 2 : Lk 0 + 3 (NT nur noch 1Thess 2,15; Tit 2,8)
ἔνατος, ἔνδεκα, ἐνδέκατος ≯δύο
ἔνδυμα, ἐνδύω ≯γυμνός
ἕνεκα, ἕνεκεν ≯ἐγώ
ἐνενήκοντα ≯δύο
ἐνεργέω ≯ἐργ-
ἔνθεν ≯ὧδε
ἐνθυμέομαι, ἐνθύμησις ≯θέλω
ἐννέα ≯δύο
ἔνοχος ≯δίκαιος
ἔνταλμα, ἐντέλλομαι, ἐντολή ≯διδάσκω
ἐνταφιάζω ≯ἀποθνῄσκω
ἐντός ≯ἔξω
ἐντρέπομαι ≯διδάσκω
ἐντυλίσσω ≯γυμνός
ἕξ ≯δύο
ἐξαιρέω ≯ὀφθαλμός (≯δένδρον/ἐκκόπτω)
ἐξανατέλλω ≯φῶς
ἐξέρχομαι ≯ἔρχομαι
ἔξεστιν, ἐξουσία ≯διδάσκω
ἐξετάζω ≯εὑρίσκω (ζητέω)
ἐξήκοντα ≯δύο

ἐξίστημι ⇒θαυμάζω
ἐξομολογέομαι ⇒ἁμαρτία
ἐξορκίζω ⇒ὅρκος
ἔξω (gg. GUNDRY 644 untypisch und Mt 12,47 als sek. Zusatz)
    Mt 8 : Mk 10 : Lk 9 + 10 : Joh 13
       =(Mk 10 – 4) + (Q 1 + 1)
Als uneigentl. *Präp.* + Gen.
    Mt 3 : Mk 4 : Lk 3 + 6 : Joh 0
zugesetzt zum Vb. *Hinausgehen* red. 10,14 (gg. H-G 57 urspr. LA; wohl von
Mk 5,10 oder 8,23 permutiert) und 21,17(=Mk 11,19 permutiert), übernommen
bei *Hinauswerfen* 21,39(=Mk). Als *Adv.*
    Mt 5 : Mk 6 : Lk 6 + 4 : Joh 13
auf die Frage "wohin?" *hinaus* beim *Simpl. werfen* 5,13(=Lk) aus Q vorgegeben und 13,48 dupl. sowie bei *Hinausgehen* 26,75(=Mk 14,68 permutiert); daneben auf die Frage "wo" *draußen* bei *Stehen* 12,46(=Mk) und *Sitzen* 26,69
(+Mk evtl. 1,45; 3,32 oder 11,4 permutiert).
ἔξωθεν
    Mt 3 : Mk 2 : Lk 2 + 0 : Joh 0
23,25(=Q mit Art. *das Äußere*).27(=Q doch ohne Art. adv. *von draußen*) und
dupl. V.28, während Mk 7,15.18 nicht übernommen wurden.
ἐξώτερος ⇒σκότος
    In den jeweiligen Kontexten finden sich auch die Antonyme
ἔσω 26,58(=Mk) Adv. *hineingehen ins Innere* (Antonym zu V.75)
    Mt 1 : Mk 2 : Lk 0 + 1 : Joh 1 (Mk 15,6 dann nicht übernommen)
ἔσωθεν (GUNDRY 644)
    Mt 4 : Mk 2 : Lk 3 (NT nur noch 2Kor 7,5; Apk 4,8; 5,1)
23,25.27(=Q) adv. *innen*, was V.28 dupl. und V.27 durch das subst. Synonym
ergänzt. In gleicher Opposition wurde das Adv. im Sinne von *innen* 7,15(+Q)
dupl.; Mt hat es nie im Sinne *von innen heraus* verwendet und darum Mk
7,21.23 nicht übernommen (während Lk 11,7 es permutierte). Während Lk
11,39f es subst. hat (was Mt 23,26 beim Synonym als in Q urspr. ansehen
läßt), hat nur Mt es an allen 4 Stellen als bloßes Adv. im Sinne von *innen*
als sein Spezifikum (so weder Mk noch Lk).
ἐντός 23,26(=Q-Lk 17,21 permutiert) uneigentl. Präp. subst. *der Inhalt*
    Mt 1 : Mk 0 : Lk 1 (NT sonst nie; LXX 9mal vgl. 1Makk 4,48; BAUER WB
533f; SCHNEIDER EWNT 1,1126; kontextsynonym ἔσωθεν, antonym ἐκτός)
ἐκτός 23,26(+Q) subst. Adv. *sein Äußeres* (vs. ἐντός; synonym ἔξωδεν)
    Mt 1 : Mk 0 : Lk 0 + 1 : Joh 0
ἑορτή 26,5(=Mk); 27,15(=Mk) als histor. Zeitbestimmung *Fest*
    Mt 2 : Mk 2 : Lk 3 + 0 : Joh 17 (NT nur Mk, Lk) nur als Kontextsynonym des
Das Supernym erscheint bei Mt (wie Mk) nur als Kontextsynonym des
Wallfahrtsfestes, das 26,17(=Mk) als Mazzotfest bezeichnet, während πάσχα Mt
26,2.17.18.19(=Mk, wobei Mk 14,12a nicht übernommen ist) bei Mt nicht (wie
Lk) das ganze Wallfahrtsfest bezeichnet, sd. nach 26,17(=Mk) nur das Mahl
am 1. Tage des Mazzotfestes. Christl. Feste kennt Mt offenbar ebensowenig
wie Mk.
ἐπαίρω ⇒ὀφθαλμός
ἐπάν 2,8 temp. Konj. + Konj. *sobald* (seit Xenophon; BAUER WB 559)
    Mt 1 : Mk 0 : Lk 2 (NT sonst nie; LXX nur 2mal)
ἐπανάγω ⇒ἄγω
ἐπανίστημι ⇒ἵστημι
ἐπάνω + Gen. (GUNDRY 644)
    Mt 8 : Mk 1 : Lk 5 + 0 : Joh 2 (NT nur noch 1Kor 15,6; Apk 6,8; 20,3)
       =(Mk 1 – 1 + 3) + (Q 0 + 1) + (A-Mt 4)
Mt verwendet es nur als uneigentl. Präp. und läßt das Mk 14,5 vulgär quantitativ verwendete Adv. *mehr als* (B-D-R 185,1; BAUER WB 560) aus. Da es

auch Lk 11,44 adv. gebraucht ist (B-D-R 215 n.3; BORSE EWNT 2,46), so sind die Häufigkeitsrelationen

    Mt 8 : Mk 0 : Lk 4.

Beachtet man weiterhin, daß bei Mt alle Stellen *lokal* verwendet sind (SENIOR 1982:281 n.2), was bei Lk nur 4,39 und 10,19 der Fall ist (dessen Folgestellen 19,17.19 sind qualitativ-funktional *Herrschaft über*), so sind die Vergleichsrelationen

    Mt 8 : Mk 0 : Lk 2.

Davon sind 27,37 und 28,2 zu Mk zugesetzt, und das wird auch für die LA 21,7 gelten (H-G 193 gg. N-A), zumal es hier in der gleichen Vb.-Verbindung wie an der vorgenannten Stelle und auch an der in der Textsequenz folgenden 23,22 vorliegt – bzw. mit analogem *liegen auf* auch 23,18.20 und schon 5,14(+Q). Im spezielleren Sinne des 27,37 vorliegenden *oberhalb* hat es auch die 1. Stelle Mt 2,9, die darum ebenfalls als Autorformulierung zu bestimmen ist.

ἐπαύριον ⋟ἡμέρα

ἐπεί (GUNDRY 644)

    Mt 3 : Mk 1 : Lk 1 + 0 : Joh 2
       =(Mk 1 - 1 + 2) + (Q 0 + 1)

Die kausal verstärkende Konj. mit anaphor. Funktion (BAUER WB562; BORSE EWNT 2,48f) hat Mt aus Mk 15,42 nicht übernommen, da sie ihm wohl syntaktisch wie semant. abwegig schien. Dgg. hat er dieses *da ja* mit Ind. in seiner Erlaß-Allegorie 18,32 und ebenso 21,46 (für mk *denn* wegen des red. geschaffenen Rückverweises auf V.11) wie 27,6(+Mk wegen des Rückverweises auf *Blut* V.4).

ἐπερωτάω ⋟ἐρωτάω

ἐπί + Gen.

    Mt 35 : Mk 21 : Lk 26 + 31 : Joh 9
       =(Mk 21 - 15 + 20) + (Q 4 + 2) + (A-Mt 3)

Neben der *temporalen* Verwendung *während* 1,11 (wohl einzige mk Stelle 2,26 permutiert, die auch Lk versetzte; B-D-R 234,5 klass. Gleichzeitigkeit) und der *kausalen* 18,16 (Zitat Dt 19,15 *auf Grund der Aussage*; B-D-R 234,4) immer *lokal*, davon 11mal in dem von der mk Eingangswendung her multipl. Syntagma ἐπί (τῆς) ⋟γῆς, das Mt immer betont als menschlichen Handlungsort in Relation zum *Himmel* verwendet und darum unspezifische Verwendungen strich.

    Ferner noch 14mal auf die Frage *wo*: bei *tragen auf* 4,6(=Q); *liegen auf* 9,2(+Mk); *gehen auf* 14,26(=Mk – nach red. Akk.); *kommen auf* 24,30(+Mk) und 26,64(+Mk); *bekanntmachen auf* 10,27(=Q) bzw. subst. 24,17(=Mk) *der auf dem Dach; am Wege* 21,19(+Mk); *vor dem Statthalter* 28,14(=Mk 13,9 permutiert); funktional (B-D-R 234,3 att.) *einsetzen über* 24,45(=Q) und dupl. 25,21.23 (wo Lk ἐπάνω hat); *sitzen auf* 24,3(+Mk) und 27,19(+Mk).

    8mal auf die Frage *wohin* bei Vb. der Bewegung (BAUER WB 565f): *sich setzen auf* 19,28(=Q) und dupl. 23,2(+Mk) und 25,31; *sich lagern auf* 14,19 (=Mk statt Dat.); *legen auf* 21,7(=Mk 11,4 permutiert) und 27,29(+Mk); *gießen auf* 26,7.12(+Mk).

ἐπί + Dat.

    Mt 17 : Mk 16 : Lk 35 + 27 : Joh 5
       =(Mk 16 - 7 + 4) + (Q 3 + 1)

5mal *lokal* (B-D-R 235,1): *auf einer Schüssel* 14,8.11=(Mk); bei Vb., die eine Richtung angeben, seit Homer (BAUER WB 567) auch auf die Frage *wohin* wie red.9,16(=Mk statt Akk. *aufsetzen auf*) und 16,18(+Mk *bauen auf*); *einsetzen über* 24,47(=Q nach voranstehendem Gen. V.45).

    Temporal (B-D-R 235,5) und nicht lokal zu werten ist das Syntagma *vor den Türen* 24,33(=Mk *ante portas*).

    11mal *kausal* (B-D-R 235,2 überhaupt am häufigsten): *leben von* 4,4a(=Q).

b(+Q Zitat Dt 8,3); etwas tun *gestützt auf* (B-D-R 235 n.3) *meinen Namen* 18,5(=Mk) und 24,5(=Mk); *wegen Hurerei* 19,9(=Mk 10,11 statt Akk.); vor allem bei Vb. des Affekts: *erschrecken über* 7,28(=Mk) und dupl. 22,33(+Mk); *erbarmen über* 14,14(=Mk; B-D-R 233 n.3 att. statt Akk., den er aber wegen der Aufforderung bei der Wiederholung hat) und dupl. beim Synonym 18,26. 29; 18,13(=Q) *freuen über*; die B-LA 27,43 *vertrauen auf* (statt Akk.) dürfte sek. sein.

ἐπί + Akk. (Mt 21,44; 24,16 als sek. LA nicht mitgerechnet)

Mt 66 : Mk 34 : Lk 99 + 107 : Joh 19

=(Mk 34 – 15 + 21) + (Q 11 + 13) + (A–Mt 2)

Ganz analog wie bei Mt die Tendenz zum korrekten Gebrauch von εἰς zu beobachten ist, so liegt auch bei diesem Synonym bzw. Intensivum dazu durchgehend eine vereinheitlichte Verwendung auf den klass. Gebrauch hin vor, der auf die Frage *wohin* antwortet (B-D-R 233): bei ἔρχομαι und Synonymen 3,7(+Mk gg. BAUER WB 572; LOHMEYER 38 ist eine Zweckangabe durch 21,31f ausgeschlossen; die Gegner kommen eher *gegen* die Taufe; vgl. 10,21[=Mk] *aufstehen gegen*; 12,26[=Mk] *gegen sich zerspalten* = V.25 κατά; 24,7[=Mk] *erheben gegen*; *Hand anlegen gegen* 26,50b[+Mk] von V.55[=Mk] *ausziehen gegen* dupl.; *versammeln gegen* 27,27[+Mk]); 3,16(+Mk); 10,13a(=Q final *Frieden für* vgl. V.34).b(=Q *zurückkehren* – mit 01 03 032 892 1010 pc gg. N-A 24 und H-G 57 urspr. LA, da Mt πρός reduziert); 21,19(=Mk); 22,9 (+Q); *Mordschuld über* (*gegen*) *euch/uns* 23,35.36(+Q) wie 26,25.25(+Mk); höchst instruktiv ist 14,25(=Mk doch statt Gen., den er V.26 beibehält, ist gg. B-D-R 233 n.2 nicht damit synonym als inkorrekter Gebrauch auf die Frage *wo?*, sd. bewußter Wechsel, der das *Auftreten auf* den See dramatisiert) dupl. V.28.29(+Mk) für Petrus im strikten Sinne des Akk.; 14,34(=Mk).

Dieselbe bewußte Differenzierung zeigt sich bei *Platz einnehmen* 19,28b (=Q doch statt Gen. im Unterschied zu 28a!); darum dürfte auch die Übernahme 9,9(=Mk) in diesem Sinne eine dramatisierende Neukodierung bei gleicher Oberflächenstruktur sein und nicht eine unpräzise Verwendung "auf die Frage *wo?* statt des klass. Gen. oder Dat." (B-D-R 233,1);

Ferner: *erscheinen bei* 3,13(+Mk); *vordringen zu* 12,28(=Q); *stellen auf* 4,5(=Q) dupl. 13,2(=Mk statt Gen. durch Vb.-Wechsel); 5,15(=Q); *legen auf* 9,18(+Mk) und 23,4(+Q); 12,18(+Mk Zitat Jes 42,1); *bringen zu* 5,23(+Q); *nehmen auf* 11,29(+Q); *führen vor* 10,18(=Mk statt Dat. durch Vb.-Wechsel); *zusetzen zu* 6,27(=Q); *bauen auf* 7,24.26(=Q) und dupl. V.25(+Q) *gründen auf; fallen auf* 10,29(+Q); 13,5(=Mk).7(=Mk 4,18 permutiert).8(+Mk); 17,6(+Mk); 26,39 (=Mk statt Gen. durch Vb.-Wechsel); *säen auf* 13,20.23(=Mk); *sich lagern auf* 15,35(=Mk – doch korrekter statt Gen.); *an Land ziehen* 13,48(+Mk dupl. V.2); *ausstrecken über* 12,49(+Mk); *zurücklassen auf* 24,2(=Mk) und red. *hergestellt* 18,12(=Q); *bestiegen habend* 21,5.5(+Mk Zitat Sach 9,9 dupl.; "von der Bewegung, die ihr Ziel ganz erreicht" BAUER WB 570); *versammeln am selben Ort* 22,34(=Mk 5,31 permutiert; *Finsternis überzieht das Land* 27,45 (=Mk).

Von daher auch bei Mt gehäuft 6mal *final* (BAUER WB 572): *Sonne aufgehen/regnen lassen für* 5,45a(=Q).b(+Q); *Frieden bringen für das Land* 10,34 (+Q); *sich erbarmen über* 15,32(=Mk wegen des finalen Elements der Aufforderung nicht wie 14,14 geändert); *um seinen Großhandel zu betreiben* 22,5 (+Q); ἐφ᾽ ὅ *wozu* 26,50(+Mk);

Abstrakt-funktional sind bei Mt red.: *treu sein über* 25,21.23(+Q); πιστεύω 27,42(+Mk) bzw. analog V.43(+Mk) πεποιθέναι; ἐφ᾽ ὅσον 25,40.45 *in dem Maße, insofern als*; dies dürfte auch 9,15(+Mk) gleichsinnig zu verstehen und nicht automatisch von Mk her als temp. (gg. BAUER WB 573 *solange*) anzunehmen sein.

ἐπιβαίνω 21,5(+Mk Zitat Sach 9,9) vom *Besteigen* (Pf. Resultat) des

ὄνος 21,2.5.7(+Mk) red. *Esel*, der vom Zitat her red. zugesetzt ist
   Mt 3 : Mk 0 : Lk 2(andere Zusammenhänge) : Joh 1 (NT sonst nie)
ὑποζύγιον 21,5(+Mk Zitat Sach 9,9) *Zugtier, Esel* (NT nur noch 2Pt 2,16)
πῶλος 21,2.5.7(=Mk) *Fohlen, Jungtier* (EWNT 3,487)
   Mt 3 : Mk 4 : Lk 4 : Joh 1 (NT sonst nie; LXX 6mal)
ἐπιβάλλω, ἐπίβλημα →βάλλω
ἐπιγαμβρεύω →γαμέω
ἐπιγινώσκω →γινώσκω
ἐπιγραφή →ἀργύριον
ἐπιδείκνυμι →δείκνυμι
ἐπιδίδωμι →δίδωμι
ἐπιζητέω →εὑρίσκω (ζητέω)
ἐπιθυμέω →γινώσκω
ἐπικαθίζω →καθίζω
ἐπικαλέω →καλέω
ἐπιλαμβάνομαι →λαμβάνω
ἐπιλανθάνομαι 16,5(=Mk) *vergessen*
   Mt 1 : Mk 1 : Lk 1 (NT nur noch Phil 3,13; Jak 1,24; Hebr 6,10; 13,2.16)
ἐπιορκέω →ὅρκος
ἐπιούσιος →ἄρτος
ἐπίσημος →Βαραββᾶς
ἐπισκέπτομαι →ἀσθενέω
ἐπισκιάζω →νεφέλη
ἐπισπείρω →σπείρω
ἐπιστρέφω →στρέφω
ἐπισυνάγω →διασκορπίζω
ἐπιτίθημι →χείρ
ἐπιτιμάω →τιμάω
ἐπιτρέπω, ἐπιτρόπος →διδάσκω
ἐπιφώσκω →φῶς
ἐπτά, ἐπτάκις →δύο
ἐργ- (GUNDRY 644)
   Mt 20 : Mk 4 : Lk 8 + 18 : Joh 35
ἐργάζομαι
   Mt 4 : Mk 1 : Lk 1 + 3 : Joh 8
ist im *trans.* Sinne (BAUER WB 607) in der LXX-Wendung mit dem inneren
Akk. 26,10(=Mk *eine gute Aufgabe/Auftragsarbeit erfüllen*) übernommen und
negativ kontrastierend dazu 7,23(+Q statt des in Q urspr. Nomens Lk 6,27)
im Pt.präs. (also nicht "getan habt" gg. STRECKER 1984:171 und die meisten
Kommentare) wegen des kausalen Aspekts eingesetzt: *weil sie jetzt* (mit ihren Aussagen V.22) *Verlogenheit* (→ἀνομία = ὑπόκρισις - nicht etwa *Unge-
setzlichkeit*) üben (Kritikpunkt ist nicht die "Notwendigkeit der Tat", denn
Taten weisen sie ja vor, und zwar solche, die nach 10,9; 13,58; 21,15.21 zum
mt gedachten Auftrag gehören; durch den modernistischen Eintrag der Idee
einer angeblichen mt Wunderkritik durch HELD 1970:195-9 wurde der Text
als Warnung vor Selbsttäuschung an angeblich charismatische Antinomisten
durch BARTH ebd. 68f mißverstanden; es geht aber um eine universale Warnung vor Lügenaussagen im Endgericht, wobei die Lüge darin besteht, diese
Taten im Namen/Auftrag Jesu getan zu haben; ihre Anrede ist dabei mit
23,39 funktionsgleich; Mt setzt auch hier nicht eine Orthopraxie gg. eine
Orthodoxie, sd. betont die unabdingbare Zugehörigkeit der Orthopraxie zu
der von ihm seinem Konzept gegenüber geforderten Orthodoxie, wie er sie
soeben voranstehend V.15-20 wieder eingefordert hatte). Auch die beiden
intrans. Stellen stehen in auftragsbezogenen Worten des mt Jesus - jedoch
in allegorischer Metaphorisierung: 21,18(+Q) *in der Weinplantage* bzw. 25,16
(+Q) *mit den Talenten Auftragsarbeit leisten*.

ἐργάτης
    Mt 6 : Mk 0 : Lk 4 + 1
Das Nom. agentis (nicht einfach *Arbeiter*, sd.) *Lohnarbeiter* (HEILIGENTHAL
EWNT 2,122) ist in 9,37.38(=Q); 10,10(=Lk) in den Semen der *Auftrags*- wie
Lohnbezogenheit erhalten und in dieser Doppelfunktion in der Allegorie vom
Schülerlohn 20,1.2.8 dupl. worden, während offenbar gerade die semant.
positive Affinität zum *Lohn* in der Bezeichnung als solcher den Formulie-
rungswechsel in 7,23 mitbedingt hat: Mt gebraucht damit das Subst. im ausnahmslos positiven Sinne der eigenen Ekklesiologie. Charakteristischerweise
heißen sie vor ihrer Beauftragung 20,3.6
ἀργός
    Mt 3 (NT noch Jak 2,20; 1Petr 1,8; 1Tim 5,13.19; Tit 1,12; LXX 5mal),
was nicht einfach *untätig, müßig* meint, sd. *noch nicht beauftragt* und damit
auch *ohne Lohnerwartung*. Stärker dualistisch in einem Wertungszusammen-
hang charakterisiert es 12,36(+Q) das Jesus verteufelnde Reden der Gegner
kontextsynonym mit mt πονηρός und ist darum nicht einfach mit *faul,
nichtsnutzig* (BAUER WB 207 - vgl. ὀκνηρός) wiederzugeben, sd. meint ein
gotteslästerliches Reden, das zur Verurteilung im Endgericht führt und also
primär durch Verfehlung des Endzeitlohns gekennzeichnet werden soll. Das
privative Adj. ist also ganz am eschatol. Utilitarismus der mt Ethik orientiert und beschreibt ein Handeln, das nicht bzw. noch nicht am mt Basileia-
Konzept orientiert ist.
ἔργον
    Mt 6 : Mk 2 : Lk 2 + 10 : Joh 27
ist als *gute Auftragshandlung* von der Schlußstelle 26,10(=Mk) in den Plur.
der Anfangsstelle 5,16(+Q) dupl. worden. In Kontrast dazu sind 23,3(+Q) die
Handlungen der jüd. Lehrer gesetzt und durch die Formulierung *als pervertierte Auftragshandlungen* charakterisiert, weil ihnen V.5(+Q) falscher
Offenbarungsanspruch unterstellt ist. Die *Auftragshandlungen* des mt Messias bzw. (damit identisch:) der *Weisheit* 11,2.19(+Q im rahmenden Bezug
aufeinander, womit der Inhalt von 4,17-11,1 bezeichnet ist) müssen dazu
führen, sich dem mt Jesuskonzept als der einzig legitimen Garantie des
Endzeitlohns anzuschließen. Selbst Herodes muß 14,2(=Mk) bezeugen, daß
Gottes Kräfte in ihm *wirksam sind:*
ἐνεργέω
    Mt 1 : Mk 1 (NT noch 19mal im pl Bereich; LXX 7mal)
Das Vb. ist wegen des Gottesbezugs verwendet, das in den anderen Derivaten nie ausgedrückt war. Es steht für Mt nicht "noch im Rahmen dämonol.
Vorstellungen" (gg. PAULSEN EWNT 1,1106).
ποιέω (GUNDRY 647)
    Mt 86 : Mk 47 : Lk 88 + 68 : Joh 110
        =(Mk 47 - 23 + 12) + (Q 17 + 16) + (A-Mt 17)
Das allgemeinste Handlungs-Vb. nimmt bei Mt den 4. Rang unter den Vb. ein
(bei Lk den 5. und bei Mk einen noch tieferen). Darum kann es 20,12a allgemein *arbeiten* (+ Akk. der Dauer - so gut griech. und sonst nie in den
Evv.; BAUER WB 1354 SokrEp 14,8) meinen. Darum kann es ebenso in der
Textsequenz als Kontextsynonym eines konkreteren Hyponyms eintreten:
    So hervorgehoben mit anaphor. τὸ αὐτο 5,46(=Q lieben).47b(=Q grüßen);
8mal mit τοῦτο 8,9a.b(=Q); 9,28(+Mk heilen); 13,28(+Mk säen); 12,23.24.27(=Mk
- lehren V.23); 23,23(=Q); 3mal mit ὅ 12,2a(=Mk).b(+Mk Sabbatarbeit); 20,15
(+Mk dupl. von der folgenden Stelle V.32 her in der Koppelung mit *wollen*;
Lohn geben - allegor. von Gott); 26,13(=Mk Salbung); 5mal mit ὅσος 7,12a
(=Q + Dat.); 17,12(=Mk + Dat.); 23,3b(+Q).d(ellipt. wiederholt; BAUER WB
1354); 25,40b.c.45b.c(+Dat. - im jeweiligen Wiederholungsfalle Abkürzungs-
ergänzung); 7mal mit τί 6,3b; 12,3(=Mk); 19,16(=Mk Gutes); 20,32(=Mk + Dat.);
21,40(=Mk + Dat. allegor. von Gott zu V.36 in ius-talionis-Zusammenhang ge-

bracht); 27,22(=Mk + Akk.).23(=Mk Böses).

Ferner mit Adv. *so wie* ὥσπερ 6,2b (posaunen) bzw. 4mal mit reziprokem *ebenso* οὕτως 7,12b (+ Dat.); 18,35(+Mk + Dat. – für Gott von 19,4 her dupl.); 24,46(=Q) bzw. 2mal verstärkt mit ὡσαύτως 20,12a; 21,36(+Mk + Dat. morden – von V.40 her zum ius talionis dupl.); statt dieses Adv. steht 23,3c synonym die Präp. κατά.

Allgemein auch im Handlungsverbgefüge 11mal mit Subst.: *Auftragstaten tun* 6,1; *Almosen geben* 6,2a.3a; *Wunder tun* 7,22(=Mk 9,39 permutiert) und 13,58(=Mk) sowie 21,15(+Mk).21(+Mk ellipt. dupl.); *Verlogenheit praktizieren* 13,41(+Mk – V.28 dupl.; vgl. synonym 7,23); *Hochzeitsfeier veranstalten* 22,4(=Q) bzw. *Passa abhalten* 26,18(+Mk; BAUER WB 1351f gut griech. von der Festfeier XenHell 4,5.2; 7,4.28); *Handlungen tun* 23,5(+Q); bzw. 3mal mit Adj.: *besonderes* 5,47a; *gutes* 19,16(=Mk); *böses* 27,23(=Mk); bzw. mit Adv. *gutes* 12,12(=Mk).

Im speziellen Funktionsverbgefüge mit Akk. vom *Hervorbringen* eines Resultats vor allem in dem mt 9mal multipl. (GUNDRY 644) *natürlichen Fruchtbringen* (≻καρπόν meist allegor. in eth. Abzweckung); vom menschl. *Herstellen, Verfertigen*: *Hütten bauen* 17,4(=Mk); *zum Proselyten machen* 23,15a(+Q vgl. dopp. Akk. V.b); bzw. mit Akk. + πρός + subst.Inf. *um gesehen zu werden* 6,1 und 23,5(+Q); *zum Begrabenwerden* 26,12(=Mk doch Syntagma red.).

3mal *etwas/jemanden machen zu* mit doppeltem Akk. des Obj. und des Präd.-Subst.: *zu Menschenfischern* 4,19(=Mk); *zur Räuberhöhle* 21,13(=Mk); *zum Höllensohn* 23,15b(+Q vgl. V.a); bzw. mit A.c.I. *zur Ehebrecherin* 5,32 (+Q); das Resultat ist auch im Blick beim dopp. Akk. nach dem Imp. der log. Voraussetzung 12,33a.b(+Q) *nehmt an, setzt den Fall* (= führt folgende Denkoperation aus; GRUNDMANN 331 mit BAUER WB 1353 vgl. PlatTheat 197D).

7mal mit doppeltem Akk. des Obj. und des Präd.-Adj. *etwas/jemanden machen zu*: *gerade* 3,3(=Mk Zitat Jes 40,3); *weiß* 5,36; *offenbar* 12,16(=Mk) bzw. 26,73(+Mk); *männlich/weiblich* 19,4(=Mk Zitat Gen 1,27 von Gott als Renominalisierung von κτίζω); *gleich* 20,12b (allegor. von Gott); *sorglos* 28,14.

Ein herstellendes, menschl. Handeln liegt auch da vor, wo speziell von der *Ausführung des Willen eines anderen* die Rede ist. So hat 20,32(=Mk) die Koppelung von δέλω des einen und π. des anderen in der Frage Jesu an die Blinden übernommen wie Q-Mt 7,12 in der Goldenen Regel und dupl. gesetzt in 17,4; 20,15 (wie 9,28 in der Dubl. im mt Synonym *glauben = wollen*). Mt 12,50(=Mk) ist die Definition des wahren Schülers als einem, der den Willen Gottes – red. *meines Vaters* – ausführt, übernommen und in der allegor. Frage 21,31(+Q) dupl. wie in der Definition des Gerichtsmaßstabs 7,21(=Mk – das Vb. war vorgegeben) als der 1. Stelle, die zugleich das Syntagma *mein Vater* einführt:

ποιε- τὸ θέλημα τοῦ (πατρός μου)

Mt 3 : Mk 1 : Lk 0

Das Sem des fremden Willens ist auch in allen Stellen präsent, die nach dem *Erlaubten* (also einer entsprechenden *Willenskundgabe*) fragen wie 12,2.12; 20,15 beim Vb. ἔξεστιν bzw. 21,23.24.27 beim Subst. ἐξουσία; für beides ist θέλημα Supernym und π. Komplenym.

Das Handeln als Ausführung eines fremden Willen setzt dessen Willensäußerung voraus, wie sich Q-Mt 8,9 *Reden* (=*Willensäußerung*) und *Tun* (= *Ausführung*) entsprechen. Das mt *Ausführen des Willens meines Vaters* setzt darum dessen Willensäußerung voraus – konkret: im Reden des mt Jesus. Darum ist 7,21 gerahmt von der Entsprechung *Lehren*(=Anordnen)/ *Tun* in 5,19 bzw. 7,24.26(=Q) *diese meine Worte*(=Willensäußerungen) *hören und ausführen* (vgl. 6,1 *den euch gegebenen Auftrag ausführen*). Unter Dupl. von 7,24 wird π. in der Allegorieauflösung 13,24 im Sinne von *Ausführen* wiederholend erinnert, nachdem wie dort auch das *Hören der Willensäußerung* komplenym voransteht. *Reden* als *Willensäußerung* in Relation zum π. liegt auch in der Gegneraussage 23,3a.c(+Q) vor. Mt exemplifiziert dieses sein Zentralkonzept auch mit der Aufnahme des Leitwortes π. in der LXX-Ausführungformel in sein Erzählkonzept (PESCH 1966/7): Beispielhaft tun die Schüler 21,6(von Mk 11,3 permutiertes Vb.) und 26,19(+Mk) *wie Jesus ihnen befohlen hatte.* Dem geht analog 1,24 die das Vb. in das Buch einführende Befehlsausführung des Josef (durch den Engel der Beauftragungsepiphanie vermittelt) voraus; antithetisch dazu schließt das Buch 28,15 mit der feindlichen Befehlsausführung der Grabeswächter:

ἐποίσε/αν ὡς προ/συν-έταξεν(ἐδιδάχθησαν) ὁ ἄγγελος/'Ιησοῦς

Mt 4 : Mk 0 : Lk 0

Während Mt das Vb. πράσσω (wie Mk) nie verwendet, hat er 18,19 red.

πρᾶγμα

Mt 1 : Mk 0 : Lk 1 + 1 : Joh 0,

wo es nicht im allgemeinsten Sinne *Sache, Ding* meint (gg. GRUNDMANN 420; SCHNEIDER EWNT 3,345), wie man annimmt, wenn man voraussetzt, daß in diesem typ. mt konditionierten und gedoppelten Amen-Wort ein selbständig tradierter Spruch vorliegt. Doch selbst in diesem Falle würde das noch nichts für die semant. Kodierung im mt Kontext voraussetzen. Hier ist es aber deutlich auf die voranstehenden Sätze bezogen (Erde vs. Himmel) und so mit ihnen verbunden, daß π. eindeutig die Bedeutung des Nom. actionis (wie 1Thess 4,6; Röm 16,2) *Handlung* hat und als Supernym die gemeindliche Handlung der Fürbitte um Vergebung für den Mitchristen renominalisiert. Eine vor-mt Gestalt des Spruches ist nicht auszumachen. Es spricht alles dafür, daß er ihn selbst gebildet hat (GUNDRY 369).

πρᾶξις 16,27(+Mk) *Handlung* als zu belohnende *Willenssausführung*

Mt 1 : Mk 0 : Lk 1 + 1 : Joh 0 (NT nur noch Röm 8,13; 12,4; Kol 3,9)

ἐρεύγομαι →κρυπτός

ἐρημία 15,33(=Mk – NT noch 2Kor 11,26; Hebr 11,38) *unbewohnte Gegend*

ἔρημος

Mt 8 : Mk 9 : Lk 10 + 9 : Joh 5

=(Mk 9 – 4) + (Q 1 + 2)

3,1(=Mk) führt das subst. Adj. der wasserlosen und darum unbewohnten Gegend (ellipt. γῆ/χώρα BAUER WB 6,11; B-D-R 241,1; RADL EWNT 2,128f) sogleich mit der red. Näherbestimmung τῆς 'Ιουδαίας ein, worauf dann der anaphor. Art. 3,3(=Mk Zitat Jes 40,3); 4,1(=Mk); 11,7(=Q) konkret zurückweist. 14.13.15(=Mk) steht beim Adj. τόπος dabei und die Par. des Subst. 15,33 weist klar die Bedeutung *unbewohnte Gegend* auf. Als Nom. resultandum wird das Adj. 23,38(+Q gg. B pc als urspr. LA mit N-A, H-G, GNTCom 61; GUNDRY 473 gg. KLOSTERMANN 161; TRILLING 1964:86; HUMMEL 1966:89; STECK 1967:50; CHRIST 1970:137; SCHULZ 1972:346) *zerstört, verwüstet* red. dupl. zur Weissagung über Jerusalem vom 24,15(=Mk Zitat Dan 11,31; 12,11) vorgegebenen Subst.

ἐρήμωσις

Mt 1 : Mk 1 : Lk 1 (NT sonst nie)

her und auf es hin vorgetragen. Darum dürfte auch die danach wiederholte Verwendung in 24,26(+Q) als weitere Dupl. im Kontext des Mt auf denselben zerstörten Ort zu beziehen sein, was Mt wiederum durch die Setzung des anaphor. Art. unterstreicht (nicht einfach *Wüste, Einöde,* wie man gemeinhin übersetzungslinguistisch unbedacht einfach konkordant wortaustauschend substituiert – z.B. zuletzt GRUNDMANN 507; GUNDRY 485 mit weitergreifenden Assoziationen zur Wüstentypologie). Mt hat antijüd. zugespitzt: Der Menschensohn ist auf keinen Fall von dem ja zerstörten Zentrum des Judentums (bzw. metonymisch: vom Judentum überhaupt) zu erwarten. Daß bei Mt der Aspekt des *Zerstörens* besonders betont ist, zeigt (neben der Auslassung der *Wüsten-*Stellen Mk 1,13.35.45; 6,31) auch die Übernahme des Vb. im Pass.

12,25(=Q – gg. den mk Wortlaut)
ἐρημόω (NT nur noch Apk 17,16; 18,16.19).
ἐρίζω 12,19(+Mk – NT sonst nie; LXX 10mal) *Streit suchen*
ἐρίφιον, ἔριφος ↗ἀφορίζω
ἔρχομαι (GUNDRY 644)
   Mt 113 : Mk 86 : Lk 101 + 55 : Joh 156
         =(Mk 86 – 39 + 20) + (Q 20 + 16) + (A–Mt 10)
Das allgemeine Vb. der *Eigenbewegung* hat bei Mt den 3. Rang (wie bei Mk
– bei Lk dgg. den 4.). Es bezeichnet nicht nur die Eigenbewegung menschl.
Personen, sd. auch der *Zeit* 9,15(=Mk), des *Sterns* 2,9, der *Bergbäche* 7,25.
27(+Q), der *Vögel* 13,4(=Mk).32(+Mk dupl.), der *Flut* 24,39(=Q). Da der Zeit
kategorial Selbstbewegung eignet (Zeit ist, was von selbst kommt), während
wir uns als Menschen im Raum erst bewegen müssen, um eine veränderte
Position einzunehmen, ist nicht die *räumliche Selbstbewegung* als die eigentliche und primäre anzusehen und sind andere Subj.-Verwendungen
nicht als erst "übertragene" zu klassifizieren. Vielmehr ist umgekehrt die
räumliche Selbstbewegung der zoologischen Wesen nur ein Spezialfall von
Selbstbewegung, von der die des Menschen wiederum ein Spezialfall ist –
unbeschadet der Tatsache, daß quantitativ am häufigsten von ihnen die
Rede ist. Darum ist die Anwendung des Vb. auf Subj. wie Geist Mt 3,16
(+Mk), Vater-Basileia 6,10(=Q), Frieden 10,13(+Q), Teufel 13,19(=Mk).25(+Mk
dupl.), nicht übertragen, sd. stehen der Selbstbewegung der Zeit eher näher als der Spezialfall der räumlichen Selbstbewegung. Wichtig ist daher
auch der Gebrauch von ἔ. für solches objektive *in Erscheinung treten, in
der Öffentlichkeit hervortreten, sich einstellen* (BAUER WB 614f von Person-
en einerseits und 616 von Zuständen und Einrichtungen andererseits ist
darum nicht so konsequent zu trennen und ebensowenig im Bezug auf Personen als primär anzusehen; SCHRAMM EWNT 2,138-43 läßt dieses semant.
Wesensmerkmal völlig außer Betracht): das *Auftreten der Abfallerreger*
18,7a.b(=Q), das *Sich-Einstellen der Mörderstrafe* 23,35(+Q), des *Täufers*
11,18(=Q).14(+Q dupl. in Relation zu ἀποστέλλω V.10); 17,10.11.12(=Mk);
21,32(+Q dupl 11,18); dessen, der *als der Stärkere auftritt* 3,11(=Mk) bzw.
11,3(=Lk – im Wiederholungsfalle ellipt. zu renominalisieren) bzw. *als König*
16,28(=Mk); das *In-Erscheinung-Treten des Menschensohn-Endrichters* 10,23
(+Q); 16,27(+Mk); 24,30(=Mk).44(=Q) und zwecks Rahmung dupl. 25,31 – bzw.
allegor. als das *Auftreten des Diebs* 24,43(=Q) oder 25,10 dupl.; ferner
26,64(=Mk) – des *Bräutigams* und rahmend dazu *des Herrn* 24,42(=Mk).46(=Q);
25,19(=Q).27(=Q) bzw. *des im geweissagten Auftrag des Herrn In-Erschei-
nung-Tretenden* 21,9(=Mk) bzw. 23,39(=Q). Es steht bei Mt mehrheitlich (ca.
60mal) in dir. Rede.
   Als *Vorbereitungshandlung* für die Erfüllung eines Zweckes oder Auftrags
ist für das *Auftreten* bei Mt von der 1. Stelle 2,2 her auffallend in der dir.
Rede programmatisch der Gebrauch des finit. Vb. mit Inf., der den "Zweck
des Kommens" angibt (BAUER WB 614 vgl. EurMed 1270; 1Makk 16,22; 1Esr
1,23; 5,63):
ἔρχ– (finit.) + Inf.
   Mt 12 : Mk 5 : Lk 8 + 0 : Joh 0
So sind das Dämonenwort an Jesus 8,29(=Mk 1,24 permutiert) wie die antithetischen mk ἦλθον-Worte Jesu 9,13(=Mk 2,17b, was seinerseits ein red.
christol. Kommentarwort darstellt, daß aus Q-Mt 10,34 + 11,19 gebildet ist)
und 20,28(=Mk mit der Selbstbezeichnung *Menschensohn* – synonym V.23 οὐκ
ἔστιν ἐμόν!) bzw. das von Q 10,34a(=Lk 12,49 permutierend vorgezogen
SCHULZ 1972:258) in dieser Struktur übernommen. Es gehört strukturell zur
Botenformel als Komplenym zu ↗ἀποστέλλω (10,40 und red. 15,24 dupl.): *ich
bin hier und habe den Auftrag zu.*
   12,42(=Q) gab es außerdem schon im typologischen Überbietungsspruch

von der Südkönigin in der berichtenden 3.Pers. vor, die *gekommen war, um Salomos Weisheit zu hören,* von woher es Mt 2,2 dupl.; Mt 13,32(+Mk - red. Parataxe zweier Inf. im Anschluß an V.19.25) hat es eben von daher auch anschließend in den Abschluß seiner Fassung der Senfbaum-Allegorie dupl. und damit eine neue Kodierung dieses Stoffes auf die nichtjüd. Völker hin hergestellt. Der Südkönigin sind auch die mt Frauen 28,1 angeglichen, wo der finale Inf. unterstreicht, daß der Zweck ihres Hingehens nicht mehr die Salbung ist, sd. das *Sehen* der Bestätigung der geweisagten Rehabilitation, was noch dadurch unterstrichen wird, daß Mt dieses Sehenwollen ja in das Dunkel der Nacht verlegt und diesen Abschnitt zur Mittelpunktsperikope seiner abschließenden makrosyntaktischen Ringkomposition machte.

Die Botenselbstvorstellung (BÜHNER 1971/2; ARENS 1976) auf das folgende Botenwort hin ist nach 10,34a(=Q) auch V.34b.35 dupl. übernommen oder gebildet. Red. hat Mt 5,17a.b(+Q) den ersten seiner 5 Botensprüche programmatisch in die Einleitung der Grundsatzrede eingebracht; dabei ist in seiner Textsequenz das ἦλθον von Mt 1-4 her konkret christol. gefüllt.

Funktionsgleich hat mt 27,49(=Mk) den finalen mk Inf. durch das elegante Pt.Fut. (BAUER WB 614 seit Homer; im NT noch Apg 8,27) im Munde der "dort Stehenden" (wohl Synhedristen von V.41) ersetzt:

ἔρχ- (finit.) + Pt.Fut.

Mt 1 : Mk 0 : Lk 0 + 1.

Daran angeglichen ist durch red. finale Futurisierung auch 17,11(=Mk) und 21,40(=Mk durch Permutation, Transformation und Kontraktion hergestellt):

ἔρχ- (finit.) + Fut.(finit.)

Mt 2 : Mk 0 (der 12,9 zwei parataktische Futura hat).

Funktionsgleich final ist in 24,5(=Mk) auch die übernommene enge Verbindung von fut. Vorhersage

ἐλεύσονται + Pt.Präs.

Dieselbe Funktion hat red. 2mal das mit dem Pt. einsetzende Syntagma

ἐλθών + Fut.(1.Person)

Mt 2 : Mk 0,

was sich in der Funktionsgleichheit schon 2,8 als abgewandelte Wiederholung von 2,2 im Munde des Herodes erkennen läßt. Q-Mt 8,7(=Lk 7,3 permutiert) ist das Pt. vorgegeben und mt im Munde Jesu mit dem Fut. zur Zusage verbunden (wie das redundante Pers.Pron. und das mt höhepunktsmarkierende Präs.hist. belegen; SCHENK 1975) und damit den ἦλθον-Worten mit Inf. angeglichen. Der finale Aspekt muß auch bei der Folge der finiten 3. Pers.Fut. 12,44(=Q *um ihn so zu finden*) veranschlagt werden. Funktionsgleich ist ebenfalls das Pt.

ἐλθών + Imp.

Mt 2 : Mk 0 : Lk 0

5,24(+Q) und als Syntagma der Heilungsfürbitte auch 9,18b(=Mk - red. Imp. statt Konj.), wodurch auch das Pt. typ. mt die Funktion des Imp. erhält und der finale Aspekt der Vorbereitungshandlung stärker betont ist.

Die Parataxe ist zum Ausdruck des finalen Aspekts der Ausführung einer beabsichtigten Handlung 13,19(=Mk) übernommen (nachdem sie V.4 aufgelöst worden war) und anschließend V.25(+Mk) dupl., da es sich wieder um ein Tun des Teufels handelt.

Den Konj.Aor. hat Mt nur 27,64(+Mk) zur Angabe eines befürchteten Zwecks dem Pt. angeschlossen bzw. 9,15(=Mk) an das finite Fut. In den verschiedenen Ausprägungen ist so 23mal der finale Aspekt zum Ausdruck gebracht.

Daß der Anschluß auch an das Pt. erfolgte, entspricht einer weiteren mt Häufigkeit. Vor allem im erzählenden Kontext hat Mt einleitendes Pt.Nom.

ἐλθών/-όντες + Aor. des Hauptverbs (GUNDRY 643)
   Mt 28 : Mk 16 : Lk 12
      =(Mk 16 - 2 + 6) + (Q 2) + (A-Mt 6)
"Wenn zwei Handlungen zu einem Vorgang verbunden sind, wird für die vorbereitende Handlung das Pt. des Aor. vor den Aor. des Hauptverbums gestellt. Diese Satzform kehrt so beständig wieder, daß sie den Stil des Mt kennzeichnet" (SCHLATTER 23 vgl. JEREMIAS 1965:81 n.4; BARTH 1970:123 n.1 vgl. auch ἀπελθών, ἀποκριθείς, ἀφείς, ἐγερθείς, εἰδώς, ἰδών, προσελθών). Bei Mt ist das nicht ein gedankenloses Pt.conj., sd. betont meist in Relation zu den analogen Syntagmen in der dir. Rede den betont finalen Aspekt des Bewegungsverbs. Wie bewußt Mt vorgeht, zeigt typischerweise der von ihm 27,57(=Mk) vorgenommene Wechsel in die umgekehrte Richtung der Auflösung eines Pt. ins finit. Vb., wenn er dieses in rein erzählender Funktion als Haupthandlung zum Ausdruck bringen möchte.
   Asyndet. Anschluß an das Pt. steht 2,9; 4,13(=Mk 1,14 permutiert, transformiert und kontrahiert) dupl. 2,23 zwecks Parallelisierung der Einleitungspassagen; 5mal mit εἰς τὴν οἰκίαν 8,14(=Mk) und dupl. 2,11; 9,23(=Mk transformiert + Impf. als Aor.-Ersatz V.24) und V.28(+Mk) dupl. wie 17,25 (=Mk 9,33 permutiert und transformiert); ferner 13,4(=Mk - doch gg. H-G 87 urspr. LA transformiert und Parataxe eliminiert); 13,54(=Mk transformiert + εἰς); 14,12(+Mk); 15,25(=Mk + red. Impf.); 16,5(+Mk + εἰς).13(=Mk transformiert + εἰς); 18,31; 20,9.10; 25,27(=Q); 26,43(=Mk); 27,33(=Mk 15,21 permutiert und transformiert); 28,11(+εἰς).13; im Gen.abs. 8,28(=Mk + εἰς transformiert); 17,14(=Mk transformiert) und V.24(+Mk + εἰς) dupl.; 21,23(=Mk transformiert + εἰς); zum vorgegebenen Impf. als Aor.-Ersatz 9,10(=Mk 2,13 + εἰς permutiert und transformiert); mit Präs. 12,44(=Q wenn er dann bei seiner Rückkehr; BEYER 1968:285f)
   Unter den Präp.-Verbindungen sind die mit Akk. am häufigsten:
ἔ. εἰς 21mal und zwar außer den 12mal beim Pt. noch 9,1(=Mk); 12,9(=Mk);
   13,36(+Mk als 6. οἰκία-Stelle); 14,34(=Mk neben ἐπί); 15,39(=Mk); 19,1 (=Mk doppelt wie 8,28); 26,39(=Mk); 27,33(=Mk);
ἔ. ἐπί 8mal: 3,7.16(+Mk); 10,13(+Q); 14,25.28(+Mk).34(=Mk); 21,19(=Mk);
   23,35(+Mk); (während es mit Gen. 24,30; 26,64 und Dat. 24,5 eher den Stellen mit ἐν 16,27f; 21,9; 23,39 analog ist);
ἔ. πρός 12mal: 3,14(+Mk); 7,15(+Q); 14,25.28.29(+Mk); 17,14(=Mk); 19,14(=Mk);
   21,32(+Q); 25,36.39; 26,40.45(+Mk) - dem korrespondiert auch die Zunahme des Komp. und die Beobachtung, daß in der Textsequenz 15,25 das Simpl. als Renominalisierung des Komp. von V.23 erscheint;
ἔ. παρά 15,29(=Mk doch Syntagma red., dabei gewinnt diese Singularität in Verbindung mit den anderen Akk.-Präp. ein stärkeres Gewicht). Funktionsgleich ist auch 8,29 die red. Verbindung mit dem Ortsadv. ὧδε. Die Tatsache, daß demgegenüber eine Verbindung mit ἐκ nur 12,42(=Q) trad. und mit ἀπό höchstens 27,57(=Mk - falls es nicht wie bei Mk attrib. zu beziehen ist) vorliegt, macht deutlich, daß die Zielgerichtetheit das stärkere Sem ist. Das wird durch die Komp. bestätigt:
εἰσέρχομαι

   Mt 36 : Mk 30 : Lk 50 + 32 : Joh 15
      =(Mk 30 - 20 + 6) + (Q 9 + 8) + (A-Mt 3)
Während Mk mit je 15mal genau die Hälfte der Belege im Erzählkontext und in der dir. Rede hat, erscheint es bei Mt nur 7mal (ca. 20%) im Erzählkontext als vorbereitende Handlung einer anderen (ALLEN XXVf): 2,21 (Josef ins Land Israel); 8,5(=Q Jesus nach Kafarnaum); 9,25(=Mk 5,29 permutiert: Jesu Betreten des Totenraums); 21,10.12(=Mk Jesus nach Jerusalem bzw. in den Tempel); 26,58(+Mk Petrus in den Hof als Komplenym zu V.75); 27,53(+Mk die Auferweckten in die Stadt).
   Die Präp. wird 27mal(: Mk 24 : Lk 31 wiederholt, davon 5mal(: Mk 10mal)

in Erzählungen. Rein mt ist 22,12(+Q) und 26,58(+Mk) die Verbindung mit Ortsadv. (vgl. Simpl. 8,29):

Mt 2 : Mk 0 : Lk 0.

Im Munde anderer Erzählpersonen erscheint es nur 8,8(=Q), während die Dämonenbitte von Mk 5,12 ausgelassen wurde. Im *Munde Jesu* also

Mt 28 : Mk 14

6,6(+Q sich in die Speisekammer *zurückziehen* – hier in der nur im Munde des mt Jesus 3mal begegnenden Wortfeldverbindung mit *Verschließen*; vgl. 23,13; 25,10 mit Simpl.); 10,5(+Mk nicht in eine Samaritanerstadt).11(=Q in eine jüd. Stadt).12(+Q ins Haus); 12,4(=Mk David in Tempel).29(=Mk in das Haus eines Stärkeren).45(=Q von Dämonen *in Besitz nehmen*; WEDER EWNT 1, 972f – so auch V.29 wie 2,21; 22,11; 27,53 und sonst möglich); 15,11(+Mk in den Mund); 22,11(+Q König in den Hochzeitssaal); 26,41(+Mk in Verzweiflung).

Durch Multiplikation hat Mt die *eschat. Eingangssprüche* favorisiert, die ihm von Mk dort 7mal in ununterbrochener Folge im Komplex 9,43.45.47; 10,15.23.24.25 (die beiden einleitenden mit *Leben* und die folgenden synonym mit βασιλεία als Kontextsynonym renominalisiert) vorgegeben waren. Mt rahmt schon seine Bergrede damit: Die Anfangsklammer 5,20(+Q, was sich durch die 5,22.29f folgenden Synonym-Dubl. als von Mk 9 abhängig formuliert erweist) in Relation zur Schlußklammer 7,21(+Q). Darauf folgt der Block der Mk-Übernahmen: 18,3(=Mk 10,15 permutiert).8.9(=Mk); 19,17(=Mk 10,24 permutiert).23.24(=Mk). Darauf folgt dann der 3malige Vb.-Gebrauch 23,13, wovon 2 aus Q vorgegeben waren. Neben der blockweisen Anordnung fällt dabei weiter folgende charakteristische Verteilung und Verbindung auf: In den 7 Fällen des *negierten* Vb.-Gebrauchs ist das Obj. immer βασιλεία (GUNDRY 643 bei nur einer Vorgabe aus Mk zum mt Stilkennzeichen multipl., während beim *positiven* Vb.-Gebrauch das mt Obj. ebenso konstant *Leben* ist, was auch die Erklärung dafür liefert, daß Mt 18,9 dieses die βασιλεία von Mk 9,47 ersetzen ließ. Außerdem sind die Blöcke der warnend-negativen βασιλεία-Verbindungen konzentrisch um den positiven der *Leben*-Verwendungen gelegt:

A βασιλεία *nicht* in Besitz nehmen: 5.20; 7,21; 18,3;

B   *Leben* in Besitz nehmen: 18,8.9; 19,17;

A' βασιλεία *nicht* in Besitz nehmen: 19,23.24; 23,13.a.b.c.

Darauf folgen dann im Schlußteil der letzten Warnrede an die Schüler für den eschatol. Eingang in die individuelle Unsterblichkeit bei der Parusie des Menschensohns noch 3 Stellen mit allegor. veränderten Obj.-Synonymen: 25,10 (*zum Hochzeitsfest eingehen*) bzw. 25,21.23(+Q *zum Freudenfest*). Zu dieser Vb.-Bedeutung *an etwas Anteil erhalten, in den Genuß von etwas gelangen* (BAUER WB 462 – aber auch der Aspekt der *In-Besitznahme* ist nicht auszublenden) im Rahmen des Wortfeldes der eschat. Belohnung (Komplenym ≯ἀποδίδωμι) erscheinen noch Synonyme, die darum ebenfalls zu den "Eingangs-Sprüchen" gezählt werden müssen:

κληρονομέω

Mt 3 : Mk 1 : Lk 2 + 0 : Joh 0 (NT noch 12mal; LXX ca.170mal)

hat 19,29(=Mk 10,17 permutiert) das Obj. *Leben* wie in der Dubl. 25,34 βασιλεία, während es 5,(+Q) *Erde* ist, die V.3 und 10 thematisch von βασιλεία gerahmt wird, wobei dort als verbales Synonym das fut.Präs.

ἐστίν + personaler Gen. des Poss.

erscheint wie ebenso auch 19,14(=Mk, der dabei von Q-Mt 5,3 abhängig sein dürfte). In 19,19(+Mk) wird im synonymen Parallelismus

≯λαμβάνω

vorausgestellt, was 20,9.10a.b.11(+Mk) von daher red. dupl. wiederholt. Bei der Cluster-Bildung in diesem Textsegment wundert es nicht, daß 19,16 (+Mk) dupl. von V.21(=Mk) als 4. Synonym beim Obj. *Leben* auch

≯ἔχω

erscheint, was red. auch 21,38 (statt mk εἶναι + Gen.) im törichten Selbstgespräch der Frevler mit dem Renominalisierungs-Obj. und Kontext-synonym für die Sohnes-Basileia

κληρονομία (NT noch 8mal; LXX fast 200mal)

Mt 1 = Mk 1 : Lk 2 + 2 : Joh 0

zusammen mit dem personalen Nomen für den Inhaber der Sohnes-Basileia κληρονόμος (NT noch 12mal; LXX 6mal)

Mt 1 = Mk 1 = Lk 1

verwendet wird.

Wie besonders die Koppelung des Vb. mit der Negation bei den eschat. Eingangssprüchen mit dem βασιλεία-Obj. und vor allem die Veränderung der Protasis in 18,3 gegenüber Mk zeigt, liegt für Mt der pragmatische Akzent immer auf der Bedingung des Eingangs (WEDER ebd.). Von daher ergibt sich für Mt die Notwendigkeit, eine weitere, besondere und von der vorherigen unbedingt abzuhebende Verwendungsgruppe von *é*. zur Bezeichnung der *Eintrittsbedingung* selber in der Bedeutung *wählen, bejahen, akzeptieren* zu konstatieren: Eingeführt wird sie 7,13a(=Q *Akzeptiert diese enge Pforte!* – mit anaphor. Art. auf die mt Bergrede und damit auf das mt Konzept insgesamt selbst autoreferentiell bezogen).13b(=Q – während "die Vielen" des weltweiten Judentums den *breiten Weg bejahen*).

Von den in der vorigen Gruppe genannten Stellen ist 19,24(=Mk – jedoch in der semant. Tiefenstruktur umkodiert!) herauszunehmen und hierher zu zählen, da dort bei Mt nicht eine erläuternde Wiederholung von V.23 angegeben ist, sd. vielmehr die vorausgehende *Bedingung* für V.23 genannt ist (PAMMENT 1981:232 wegen der mt bewußten Differenz im Obj.; mit N-A und H-G ist hier *Gottes Herrschaft* zu lesen und gg. FRANKEMÖLLE 1974:266 nicht die Variante *Himmelsherrschaft* als urspr. anzusehen), was sich schon aus der Differenz von Fut. und Aor. ergibt: Leichter geht ein Kamel durch ein Nadelöhr, als daß ein Reicher *das in Jesus präsente Gottesgesetz (die Weisheit) akzeptiert* (mit 7,13 auch typischerweise durch διά verbunden).

Hierher gehört auch die der Israelgerichtsrede angehängte Warnparänese 22,12(+Q): Unmöglich kannst du *die Eintrittsbedingung hier bejaht haben*; denn erst darauf erfolgt ja der Verurteilungsbescheid ins ewige Feuer als Antonym zum individuellen Unsterblichkeitslohn. Auch 24,38(=Q) dürfte in weissagender Analogie im mt Verständnis hierher zu zählen sein: Noah *wählt, bejaht* den gehorsamen Bau der Arche ja *vor dem* Flutgericht im Gegensatz zu anderen. Selbst 21,31(+Q) dürfte in der historistisch präs. Schilderung der Jesus-Gegenwart eine synonyme Wiederaufnahme des *bejahenden Akzeptierens* von 19,24 (gleiche Obj.-Bezeichnung!) vorliegen:

προάγω meint nicht ein *Vorausgehen* ("beim Einzug in die Basileia" – so BÜHNER EWNT 3,363 vgl. BAUER WB 1393 "kommen euch zuvor"), sd. ist auf das in Jesus präsente Gottesgesetz, seine Befehlsgewalt als die ihm von Gott verliehene Herrschaft bezogen (PAMMENT 1981:231f mit ALLEN, GREEN z.St.), dem sie in der Gestalt des mt Täufers, der ja die gleiche Botschaft hat, *recht gaben* (vgl. L-S-J 1466 s.v.5 *advance, promote, prefer* – als der sachlich näherliegende Ausgangspunkt der semant. Füllung).

So meint auch z.B. JosAp 2,123 εἰς τοὺς ἡμετέρους νόμους ... εἰσήλθειν trans., daß viele Nichtjuden die jüd. Gesetze *akzeptierten* (gg. BAUER WB 462 ist dies nicht zur intrans. Verwendungsgruppe *Anteil erhalten, in den Genuß kommen* zu rechnen, da BAUER die Konditionalgruppe der Eintrittsbedingungen nicht als spezielle Verwendungskategorie in den Blick nimmt).

Von hier aus wird auch die Traditionsgeschichte von Q-Mt 23,13 besser erhellbar: Mt hat hier nicht eine weitere Wurzel seiner Favorisierung der Rede vom Basileia-Eingang, sofern sie den künftigen Lohn bezeichnet, sd. diese ist ganz auf den Zuwachs von Mk her begrenzt (und von ihm offenbar erst von seinen ersten beiden, auf das *Leben* bezogenen Stellen her red. gebildetes Syntagma). Die Behauptung, daß *Eingehen* "traditioneller-weise mit dem Begriff der Basileia verbunden" sei (so SCHULZ 1972:110), wird man zurücknehmen müssen: Dan 11,9 ist politisches *Eindringen* im Blick. Die mt Präs. hier (im Unterschied zu den lk Aor.) sind gnomisch von *ver-suchten Handlungen* gebraucht: Sie - die Gegner - versuchen es gar nicht ernsthaft (wie etwa 19,16 belegen sollte) und behindern (durch ihre Irrleh-re wie Verfolgung) die, die es versuchen (PAMMENT 1981:223 mit MCNEILE z.St. Präs.de conatu). Andererseits wird man nicht von der aor. Fassung des Lk behaupten können: "Die Lk-Fassung ist kaum noch verständlich, da zur Gnosis die Vorstellung vom *Eingehen* schlecht paßt" (SCHULZ ebd.); denn Lk hat hier nicht etwa eine unpassende "Vorstellung", sd. er beweist vielmehr, daß ein anderer semantischer Kode für das Vb. vorliegt, als sich unsere Wort-für-Wort-Substitutionen bloßer Interlinearversionen manchmal vorstellen können: Während es bei Lk in der konditionalen Bedeutung des *Akzeptierens* verwendet ist, ist es bei Mt zugunsten des nachfolgenden Teils des Wortfeldes, nämlich der der Bedingung nachfolgenden Belohnung des *Anteil-Erhaltens*, umkodiert. Kann aber Q-Mt 23,13 nicht als unbedingt ältere Fassung erwiesen werden, dann gibt es keinen Q-Beleg, und die Aus-drucksweise vom *Eingehen in die Basileia* ist synopt. völlig von der mk Red. abhängig und steht ohnehin in semantischer Spannung zum Q-Konzept vom *Kommen* der Basileia. Die konditionale Verwendung wird von Lk - im Unter-schied zu Mt - nicht favorisiert (und dürfte auch darum an dieser Stelle urspr. sein; WEDER ebd.: "Lk scheint sich dieser Redeweise gegenüber kri-tisch zu verhalten" - was sicher seine diesbezügliche Aktivität überbewertet; dann aber ist es erst recht literarhistorisch völlig unbegründet, die Behauptung aufzustellen, "die Rede vom *Eingehen in die Gottesherrschaft*" habe "ihren Ursprungsort in der Verkündigung Jesu und seinem Basileia-Verständnis"; ebd. wobei schon die übliche Fehlanwendung der Kategorie *Verständnis* einer wissenschaftlichen Semantik unmöglich sein sollte).

διέρχομαι 12,43(=Q) + διά *hindurchgehen*
     Mt 1 : Mk 2 : Lk 10 + 20 : Joh 2
(Mit H-G 181 ist es gg. N-A Mt 19,24 sek. LA, die - durch die Präp. veran-laßt - an Mk rückangleicht, da Mt von seinem differenzierten βασιλεία-Kon-zept her offenbar signalisierend katachretisch verkürzte; BUSSE EWNT 1,777).

ἀπέρχομαι (GUNDRY 641)
     Mt 35 : Mk 22 : Lk 19 + 6 : Joh 21 (von 115 ntl. Stellen)
          =(Mk 22 - 14 + 10) + (Q 2 + 5) + (A-Mt 10)
Das Komp. wird mit der gleichen Präp. nur 28,8(+Mk) verwendet, was analog zum par. Komp. ἐξ- darauf hinweist, daß die Bedeutung *weggehen* nicht mehr immer und unbedingt im Blick ist. Das Präfix ist auch hier abge-schwächt, wie vor allem die Verwendung des komplenymen Syntagmas

ἀπέρχομαι εἰς
     Mt 12 : Mk 8 : Lk 4 + 0
belegt. Die einfache Bedeutung erscheint 14,15(=Mk) weder im Munde des Autors noch seines Jesus, sd. dem seiner *Schüler* und ist als vorbereitendes Pt. auf die im Konj. bezeichnete Haupthandlung *Lebensmittel einkaufen* be-zogen. Wenn Mt anschließend V.16 sogleich den Inf. im abs. Gebrauch in den Mund Jesu als das einzige wiederholte Handlungsverb gesetzt hat, so ist bei dieser Repitition ebenfalls die vom Kontext bestimmte Metonymie deut-lich: "Es ist überflüssig, daß sie einkaufen *gehen*". Im Endgerichtswort 5,30 (=Mk 9,30 permutiert), das 25,46 dupl. ist, meint es "seine ewige Zukunft haben".
     Semant. richtungsweisend ist der Einsatz durch Alliteration im Sammelbe-richt 4,24, wo α. versetzt von Mk 1,35 aufgenommen ist und mit unpersönli-chem Subj. für das *Sich-Ausbreiten* der Nachricht steht (in der semant.

Tiefenstruktur sind natürlich auch hier Personen die Subj.). Da der Inf. 8,18(+Mk) in einem Befehl Jesu wiederum im Anschluß an ein Heilungssummarium wie 4,24 gesetzt ist, so will Mt sagen, daß sie am anderen Ufer *die Nachricht verbreiten* (Metonym). Bezüglich der Dämonen ist die Wendung 8,32 (+Mk) als Befehlsausführung (synonym zum Befehl ⇸ὑπάγετε) für die "Besitznahme" der Schweine gesetzt. Wenn 8,33(+Mk) das Pt. sogleich für die Hirten wieder aufnimmt, so ist nicht gedacht, daß die Wirkung auf die Stadt die gleiche wie auf die Dämonen ist. Es steht im Gegenteil als Vorbereitungshandlung für ein *Bekanntmachen*, dessen Obj. jedoch erst im zweiten Falle diese Handlung ist, die einem *alles* erst folgt; das weist stärker auf 8,18 zurück, so daß die Ausbreitung von der Nachricht von den Massenheilungen im Blick ist. Auch 9,7(+Mk) wiederholt es Mt für eine Befehlsausführung des Gelähmten nach dem Befehl V.6 in gleicher Synonymstruktur wie 8,32. Da dessen *Aufstehen* zur Nebenhandlung wurde, die Haupthandlung aber das Ortsziel dem Befehl gemäß zufügt, so ist wiederum metonymisch wesentlich an *Nachrichtenverbreitung* gedacht, zumal Mt den Chorschluß 9,8 daraufhin verstärkt und damit 8,18 bebildert und konkretisiert hat. Der einschränkende Imp. an die Zwölf 10,5(+Mk) meint klar metonymisch: "Ihr habt jetzt keinen Auftrag für die Nichtjuden". Wesentlich ist der Zusatz 16,21(+Mk) in der ersten Verwerfungs/Rehabilitierungs-Vorhersage, die sowohl als Einleitung des zweiten Buchteils wie als erster Fall dieser Weissagung überhaupt hervorgehoben ist; dadurch erscheint dann 20,17f schon als Erfüllung dieses Vorhersageteils, die festgestellt und weiter präzisiert wird. Beide Stellen zusammen verdeutlichen, daß Mt bewußt die "Auftragsgemäßheit" konnotiert hat. Dasselbe gilt auch für das Syntagma im letzten konkreten Befehl Jesu, da er den Engelbefehl 28,10(+Mk) im Munde Jesu in Analogie zu 16,21 wiederholt; der Wiederholungsbefehl betont die Auftragsgemäßheit: sie sollen auftragsgetreu nach Galiläa gehen. Red. ist wohl auch die Verwendung 22,5(+Q) als Personenhandlung in einer Allegorie, wo das Sich-Entfernen eine Negativ-Reaktion auf einen Befehl bezeichnet.

Überhaupt ist die Verwendung *in Allegorien* für Mt kennzeichnend, wo sonst nicht das Syntagma mit der Ziel-Präp., sd. die abs. Verwendung vorliegt:

Mt 11 : Mk 0 : Lk 0 + 0
=(Mk 0 + 2) + (Q 0 + 7) + (A-Mt 2)

Wie 22,5 so liegt auch 25,10.18.20(+Q) eine Negativ-Reaktion vor, die als Sich-dem-Auftrag-Entziehen (besonders an der letzten Stelle als durch die Furcht motiviert) gekennzeichnet ist. Negativ ist auch 13,25(+Mk): das "Sich-Zurückziehen" des Feindes aus der Gefahrenzone nach der Störaktion. 18,30(+Q) ist das negative *Hingehen* Ausdruck des Nicht-Wollens und Vorbereitungshandlung zum Einkerkern.

Eine positive Bedeutung ist hingegen 20,5(+Mk) klar. Es geht wohl um ein Sich-Entfernen; aber ist nur der Ortswechsel des Sich-Entfernens bezeichnet? Nach dem erteilten Auftrag ist nicht nur weniger der Weggang als der *Hingang* betont, sd. das entscheidende Sem ist die *Ausführung des Auftrags*. Das wiederholt sich – ganz deutlich durch den Reaktionsbezug des Nicht-Wollens und der Willensänderung markiert – in 21,29(+Q): Die Reue motiviert die Ausführung des Auftrags. Unterstrichen wird das durch die anschließende Antithese 21,30(+Q), die Nicht-Ausführung des Auftrags. Im übrigen sind 21,19 und 22,5 durch mt antonyme Willens-Reaktionen deutlich aufeinander bezogen. Auftrags- und willensbezogen ist auch die Schüler-Anfrage 13,28: Hinzugehen, um einen Auftrag auszuführen; dabei ist ein Antonym-Bezug zu V.25 durch die Abfolge deutlich intendiert. Auch die kurz darauffolgende Wiederholung 13,46 ist zielbezogen (*kaufen*) und weniger ortsverändernd als im Sachbezug bestimmt: objektiv den sich deterministisch ergebenden Auftrag ausführen (wobei *Suchen* zum Wortfeld des Wollens gehört).

Von den 12 nicht-allegor. Stellen mit abs. Verwendung sind (wie allegor.
13,25) 19,22(=Mk) und 22,22(=Mk) als Segmentschluß auf den Abgang von
Feinden bezogen, und in Alliteration folgen beide auf das temporale Pt.conj.
(*nachdem er/sie gehört hatte/n*); ein analoger Feind-Abgang ist 27,5 mit
einer dreifachen Alliteration die Wiederaufnahme des mt Synonyms (vgl.
2,22) bei Judas; doch dürfte hier besonders die redundante Setzung anzeigen, daß Mt auch hier damit wesentlich konnotativ aussagen will, daß Judas
seinen *Vorsehungsauftrag erfüllt* hatte, womit wiederum eine metonymische
Verwendung vorliegt. Auch die positive Verwendung für Josef 27,60(+Mk *vom
Grab weg*) dürfte metonymisch intendiert sein: er hatte seinen Vorsehungs-
planauftrag (nämlich das 26,11 vorhergesagte *Begraben*) hiermit erfüllt.
Selbst die Abänderung 28,8(+Mk) mit der einzigen partitiven Präp., die ja
mit der mt Umkehrung der Frauenreaktion bei Mk in das Gegenteil zusam-
menhängt (*um zu benachrichtigen*!), ist die Konnotation der Auftragserfüllung ebenso präsent (vgl. V.10). Auch 16,4(=Mk – doch unter auffallender
Weglassung der finalen Präp.), wo Jesus in Alliteration den Gegnern gegenüber Subj. ist, hat Mt eine synonyme Redundanz gebildet, so daß wiederum
die Metonymie stärker durchschlägt: "Er erfüllte weiter seinen Vorsehungs-
planauftrag". Ganz deutlich ist das in Jesu Vorhersage in Gethsemani 26,36
(+Mk), wo immer auffiel, daß hier dem *Weggang* keine Rückkehr entsprach.
Da Mt den Satz sonst an Gen 22,5 angeglichen – also offenbar ganz bewußt
als typologische Weissagung stilisiert hat – und außerdem anschließend
26,42(=Mk).44(+Mk) hierfür auch eine doppelte Ausführung und Erfüllung
berichtet, so ist hier die Metonymie *den Auftrag erfüllen* die einzig
sinnvolle Übers., zumal der Auftrag die konkrete Füllung durch den Inf.
Beten hat (daß dabei das Orts-Adv. nicht auf α., sd. auf das voranstehende
Vb. bezogen ist, ist gemäß der mt Nachstellung bei Imp. klar: B-D-R 474,3).
Eine ähnliche Verbindung liegt 2,22 bei Josef vor, wo das Orts-Adv. aber
gemäß der mt Verwendung (da hier ein Ind. vorliegt, dem es vorangestellt
wäre; B-D-R ebd.) voransteht und damit klar auf α. im Inf. bezogen ist. Da
es wiederum deutlich auf einen Auftrag aus der Beauftragungsepiphanie bezogen ist, so ist wiederum das stärkste Sem das konnotative: "Er fürchtete
sich, dorthin auftragsgemäß zurückzukehren". Die anschließende, korrigie-
rende Beauftragungsepiphanie verwendet das Synonym von 17,5. Von daher
sind schließlich auch die beiden aus Q übernommenen Stellen bei Mt als
konnotativ-metonymisch gefüllte Aussagen zu verstehen: 8,21 ergibt sich das
ohnehin aus dem angeschlossenen Inf.: "daß ich den Auftrag erfülle, meinen
Vater zu begraben". Im Kontrast dazu ist 8,19 das Nachfolgeangebot konkret bezogen auf den Vorsehungsplan: "wohin dich auch dein Auftrag
führt". Daß sich diese Bedeutung schon zu dem dort vorgezogenen dupl.
V.18 aus anderen Gründen nahelegte, bestätigt nur die offenkundige Einheitlichkeit der umfassenden mt Kodierung dieses Vb.

ἐξέρχομαι

Mt 43 : Mk 38 : Lk 44 + 29 : Joh 29

   =(Mk 38 – 25 + 10) + (Q 8 + 2) + (A–Mt 10)

Zu den von Mk übernommenen Stellen sind auch die 3 versetzten zu zählen:
8,28(=Mk 5,2); 9,26(=Mk 1,28 – erst hier gg. Ende der Serie *verbreitet sich*
wieder – nach dem Einleitungssummarium 4,24 synonym ἀπῆλθεν – die Nachricht und nicht schon nach der ersten Einzelheilung der mt Serie; dann erläutert V.31, daß dies durch die Geheilten geschieht, wobei Mk 1,45 zur Verstärkung der Aussage permutiert ist); 13,1(=Mk 2,13 zusammen mit der
nachfolgenden par. Wendung παρὰ τὴν θάλασσαν). Dupl. Wiederholungen werden auch 8,32.34; 15,18.19; 15,21.22 und 26,71.75 (red. zum Komplenym am
Anfang V.58) gebildet (ferner 10,11.14 durch Wiederaufnahme einer Mk-Stelle
durch eine Q-Stelle), während die Wiederholungen in 11,7.8.9 und 12,43.44 –

und wohl auch 24,26.27 ursprünglich – durch Q vorgegeben sind und so für die mt Wiederaufnahmen stilbildend gewirkt haben. Q-Gleichnisstoff sind 5,26 *entlassen werden* ("semitisierende Meidung des Pass."; JEREMIAS 1965:179) und 22,10(=Lk 14,23). 3mal hat Mt eine bewußt rahmende Inclusio mit den beiden komplenymen Bewegungs-Vb. gebildet: 10,12:14; 21,12:17; 26,58:75 (SENIOR 1982:207f).

Kennzeichnend für die mt Red. ist weiterhin eine Vermehrung des Part. conj. zur Kennzeichung einer vorbereitenden Nebenhandlung in Erzählzusammenhängen (GUNDRY 644 vor allem 18mal im Nom.):

Mt 19 : Mk 13 : Lk 12 + 10
=(Mk 13 – 10 + 10) + (Q 0 + 1) + (A-Mt 5)

Aus Mk übernommen sind die 3 aor. Belege Mt 8,32; 12,14; 14,14; gegenüber Mk sind vor allem die 3 präs. Belege 8,28; 9,32 (einziger Gen.abs. – von V.31 dupl.); 27,32; gegenüber Q ist das Pt.aor. 22,10 red. transformiert (10,14 ist das Pt.präs. in der dir. Rede imp. gemeint und darum hier nicht direkt mitzuzählen), so daß Q keine Vorgabe beisteuerte. Gg. Mk steht das Pt.aor. im Nom. weiter 9,31; 13,1; 15,21.22; 24,1; 26,71.75; ohne Par. steht es 27,53 sowie in Argumentationserzählungen 18,28; 20,3.5.6, so daß auch hier das mt Stilmittel Pt.Aor. + finit.Aor.(bzw. Impf.) des Hauptverbums (vgl. Simplex) 16mal vorkommt.

Der *Ausgangspunkt* wird bei diesem Vb. der Selbstbewegung 21mal markiert: Außer 13,1, wo gut griech. der bloße Gen. steht, wird die Präp. des Komp. nur 5mal wiederholt: 8,28(=Mk); 15,19(=Mk) dupl. V.18; 2,6 (LXX-Zitat *hervorgehen*). 5mal von Q her dupl. steht ἀπό: 12,43(=Lk) und 24,27(=Lk) sowie gg. Mk in 15,22; 17,18; 24,1; ἔξω ist 3mal vorgegeben: 10,14(=Q gg. H-G 57 urspr. LA); 21,17(=Mk); 26,75(=Mk 14,68 versetzt). 2mal steht ἐκεῖθεν 5,26 (=Q); 15,21(+Mk) und 1mal ὅθεν 12,44(=Q).

Dgg. wird der *lokale Zielpunkt* nur 6mal (und nie in eigener Formulierung) markiert mit ἐπί für die Person 26,55(=Mk), mit εἰς in 9,26; 21,17; 26,30.71 aus Mk wie 11,7 und 22,10.

Wichtiger ist die *finale* Näherbestimmung zur *Ausführung* eines eigenen oder fremden Willens, die 5mal ein Inf. (vgl. Simpl.) angibt: 11,7.8.9(=Q); 13,3(=Mk – durch Art. red. betont); 20,1(=Mk 1,35 mit Zeitadv. permutiert + red. Inf.), während 8,34(+Mk) und 25,1.6 in der Wendung *zur Begegnung* εἰς final ist. Um *Ausführung* eines Auftrags geht es bei dem paratakt. Fut. 13,49 (wobei V.41 die analoge Wendung mit dem Komplenym ≯ἀποστέλλω voranging!); ebenso liegt dieses Wortfeld 22,10 zugrunde, wo nicht nur das Komplenym V.3f voransteht, sd. konkret die Ausführung eines Auftrags geschildert wird, der zudem in einer Redehandlung besteht, so daß hier noch größere Nähe zur Bedeutung *als Bote auftreten* vorliegt. Diese ist unbedingt bei dem asyndet. angeschlossenen Redeverb 9,31 zu veranschlagen: Mt will nicht ausdrücken, daß die Blinden das Haus (V.28) verlassen, sd. daß sie in ganz Galiläa *als Boten für ihn auftreten* und bekanntmachen, was ihnen schon V.28 gewiß war, daß er nämlich solches tun kann. Sie machen ihn in seiner Macht bekannt (SCHENK EWNT 2,9). Die daran V.32 angeschlossene Renominalisierung im Gen.abs. verlangt dann in der semantischen Tiefenstruktur, daß man ebenso das Redeverb als Filler wieder in den Slot ergänzt, und ist so nicht eine temporale Übergangsmarkierung (*während sie das Haus verlassen*), sd. die betont wiederholte Nennung ihrer Galiläa-Mission. Damit sind sie auch als Subj. der asyndetisch angeschlossenen Haupthandlung gedacht: *Bei ihrer Galiläa-Mission bringen sie, die geheilten Blinden,* einen Besessenen zu Jesu als weiterer Beweis ihres Zutrauens in sein *Können* von V.28. Dies ist kein selbständiger Abschnitt (zumal auch der Heilungsvollzug V.33 nur im Nebensatz des Gen.abs. und nur Pass. auftritt), sd. ein integraler Bestandteil des Chorschlusses der Blindenheilung, der den Kreis der Redenden auf 3 Gruppen erweitert und den Gegnern kontrastiert, so daß sie von vornherein ins Unrecht gesetzt sind.

Ins Wortfeld der Botensendung gehört auch die Selbstaussage Jesu mit dem finalen Inf. 13,3(=Mk), wo der Botenselbstbericht in der Form eines allegor. Botenfremdberichts vorliegt; dies zu signalisieren dürfte die Funktion des verstärkend von Mk zugesetzten Art. sein: Der Sämann ist von vornherein als Bote kenntlich und anaphor. auf Jesu eigenes Lehren bezogen (SCHENK ebd.). Darum ist auch die allegor. Dupl. mit angeschlossenem Inf. 20,1 in dieser Funktion zu nehmen. Das Vb. wird mit Inf. und Zeitbezug aber eben nicht mit einem expliziten Ortsbezug eingeführt. Da es dann noch 3mal im Pt. wiederholt wird, ist es ein betontes Leitwort dieser mt Bildung und signalisiert allegorisch sein *Auftreten* als *Ausführung eines Auftrags*.

Jesus ist im Unterschied zur mk Häufigkeit (SCHENK ebd.10) nur noch 5mal erzähltes Subj. und erst ab 13,1; 14,14 wird erst die 8. mk Jesus-Stelle Mk 6,23 direkt übernommen; 15,21(+Mk); 21,17(=Mk); 24,18(+Mk) - dazu in 26,30(=Mk) im Plur. mit den Schülern zusammengeschlossen.

Ebenso sind die auf die ›*Dämonen* bezogenen Belege - trotz der Erweiterung des Mk-Stoffes um das Q-Material 12,43.44 - drastisch auf 4 Belege reduziert. Nur 8,32 und 17,18 sind aus Mk übernommen. Aus diesem Sachzusammenhang wurden vor allem alle Imp. gestrichen (SCHENK ebd.11): Da Mt die Entsprechung von Befehl und Gehorsam je konkret und in der "Ausführungsformel" vor allem zur Kennzeichnung des rechten Schülerverhaltens verwendete, mußte er sie konsequent im Zusammenhang mit Dämonen auflösen. Bei den übernommenen Stellen meint ἐξε. in Korrespondenz zum Komplenym εἰσέρχομαι (=*In-Besitz-nehmen*) bei Mt konkret das *Aufgeben des okkupierten Besitzes.*

προσέρχομαι (HAWKINS 1907:7; MORGENTHALER 1973:181; GUNDRY 647)

   Mt 52 : Mk 5 : Lk 10 + 10 : Joh 1 (NT noch Hebr 7mal; 1Petr/1Tim 1mal)
   =(Mk 5 + 47)

Die Präp. wird nach dem Komp. nie wiederholt. An der Hälfte der Stellen folgt (wie schon klass. BAUER WB 1414) der Dat. der Person

   Mt 26 : Mk 1 : Lk 1 + 5 : Joh 1

Dabei wiederholt der Dat. in 6 Fällen das Subj. eines Gen.abs. (HARTMANN 1963:35 n.2 - das sind 6 von 14 typisch mt Fällen: 5,1; 8,5; 17,14 (spezifizierender Sing. nach kollekt. Plur.); 21,23; 24,3; 26,7; daneben 9,28 auch auf einen Dat.

Die einleitende Jesus-Stelle Mk 1,31 ist von Mt nach 17,7 (wie von Lk nach 7,14) permutiert (beidemale folgt ἐγείρω und Mt hat die Permutation durch den Gebrauch von ἅπτω auch 8,15 signalisiert), wobei die Schüler Obj. geworden sind und 28,18 wurde es in gleicher Funktion dupl., worauf beidemale ein Beistandswort folgt, so daß beide Stellen im Rahmen einer Epiphanie eng aufeinander bezogen sind. Der mt Jesus ist damit nur 2mal Subj. (26,39[=Mk] ist das seltene

προέρχομαι

   Mt 1 : Mk 2 : Lk 2 + 3 [NT nur noch 2Kor 9,5; LXX 12mal]

die urspr. LA). Das allegor. *Herantreten* einer Person an seine beiden Söhne mit einem Auftrag 21,28.30(+Q Pt.+ Dat.+ Asynd.) ist nicht christol. gemeint, da diese Argumentationserzählung auf die Verwerfung wegen der Abweisung des Täufers hin allegor. ist.

Innerhalb einer Epiphanie ist das Pt.conj. als Vorbereitungshandlung des Steinwegwälzens ohne einen expliziten Personen- und Redebezug mit dem Subj. *Engel* 28,2(+Mk Pt.+ Asynd.) keine den Jesus-Stellen vergleichbare Verwendung. Weitere Verwendungen ohne Jesus-Bezug sind: Täuferschüler zum Begraben 14,12(+Mk Pt.+ Asynd. - von der einzigen vorgegebenen Jesusschülerstelle V.15 her dupl.) ebenfalls ohne Personen- und Redebezug (vgl. klass. und Papyri wie Sir 4,15; 6,19.26: *sich mit etwas befassen, einer Sache zuwenden*; SCHNEIDER ThWNT 2,680f); 17,24(+Mk + Dat.) Steuererhe-

bende mit Anfrage an Petrus; 26,69(+Mk +Dat.).73(+Mk Pt.+ Asynd.) Priester-
fürstpersonal an Petrus zur Anklage; 27,58(+Mk Pt.+ Dat.+ Asynd.) Josef
bittend an Pilatus (in Papyri überhaupt *bitten* als Latinismus; ebd. n.3).
 Die 12 Stellen, an denen der mt *Jesus Obj.* der *Gegner* ist, werden typischerweise durch die Teufelsstelle 4,3(+Q Pt.+ Dat.+ Asynd. mit Korrespondenz zum Abgang V.11a und dem antonymen π. der Engel V.11b) eingeleitet
als der ersten Stelle überhaupt. Mk hatte 3 Stellen mit Gegnern als Subj.
vorgegeben 19,3(=Mk - doch red. Aor. + Dat., um zugleich den Ausdruck
der teuflischen Absicht anzuschließen); 26,49(=Mk Pt.+ Dat.+ Asynd. Judas
mit Anrede), was sogleich V.50(+Mk Pt.+ Asynd. Verhaftung) und ohne direktes Personenobj. in der Bedeutung *vor Gericht erscheinen* (Papyri, Dt
25,1; SCHNEIDER ThWNT 2,681) für die Lügenzeugen V.60a(+Mk Gen.abs.).b
(+Mk Pt.+ Asynd.) dupl. wurde; auch Mk 12,28 wurde nicht ausgelassen, sd.
zur ersten direkten Gegnerbegegnung überhaupt 8,18(+Q π.+ εἷς + γραμμα-
τε-) permutiert und auf eine Einzelperson 19,16(+Mk mit gleicher Gegneranrede - und in Korrespondenz zum antonymen Abgang V.22) dupl.; weitere
Multipl. der Plur.-Stelle liegen vor: 15,1(+Mk +Dat. im höhepunktsmarkie-
renden Präs.hist.); 16,1(+Mk Pt.+ Asynd. mit Kennzeichnung der teuflischen
Absicht wie 19,3); 21,23(+Mk. + Dat.); 22,23(+Mk + Dat. aus Simpl. + Präp.
kontrahiert). Als Vorbereitungshandlung dient es Mt sicher nicht "zur Be-
lebung der Erzählung" (BAUER WB 1414; dgg. m.R. HELD 1970:216 n.1), sd.
meint in Kontrast zum Hauptkomplex der mt Verwendung: *sich heuchlerisch-*
verlogen mit scheinbaren Anliegen an Jesus wenden; das ist das hier durch
das einleitende Vorzeichen der Teufels-Stelle bleibend gesetzte mt Sem. Darum ist es eine fatale historistische Fehlauswertung, zu behaupten: "Bei Mt
bekommen wir durch die mit π. verbundenen Sätze ein ausgezeichnetes Bild
von den Menschen, die Jesu Umgebung bildeten" (SCHNEIDER ebd.).
 Der Umschwung zu den auf Jesus positiv bezogenen Stellen ist durch
die Antithese 4,11(+Mk Engel mit der Parataxe *Dienen*) gesetzt. Man wird
auch dieser Einleitung den Charakter einer Schlüsselaussage zuerkennen
müssen: Alle folgenden Stellen, die nicht als von der Teufels-Seite gekennzeichnet vorkommen, meinen von vornherein: *sich dienstwillig mit einem*
Anliegen an Jesus wenden. Das inkludierte Sem ist im Folgenden immer
entweder *Dienstwilligkeit* oder *Heuchelei*.
 Die Urzelle dieser Verwendung im positiven Sinne ist Mt 14,15(=Mk 6,35
finit. transponiert) mit der Übernahme der einzigen Mk-Vorgabe
προσῆλθον (αὐτῷ) (οἱ μαθηταί) (αὐτοῦ) (+ Redeverb)
 Mt 20 : Mk 1 : Lk 0 (JEREMIAS 1965:81.83; BORNKAMM 1970:19).
Red. multipl.: 5,1(aus Elementen von Mk 3,13 permutiert gebildet) erweist
sich im abs. Gebrauch ohne ein angeschlossenes Handlungs-Vb. als bewußte
Wiederaufnahme der 4,11 voranstehenden Stelle; 8,25(+Asynd. *wecken* unter
Auslassung des Subj. in der Textoberfläche); 13,10(Pt. + Asynd.).36(finite
Vollform) und dazwischen auch allegor. V.27(Pt.+ δοῦλοι + Asynd.); 15,12(Pt.+
asynd. höhepunktsmarkierendes Präs.hist.).23(Pt.+ Asynd.); 17,19(Pt.+ Dat.+
Asynd.); 18,1(finite Vollform).21(Pt. + Dat. + Asynd. und Petrus pars pro
toto); 24,1(finit. + finaler Inf. *zeigen* - Handlung fungiert wie 9,20 als Bitte,
die wie 13,10; 15,12; 17,19; 18,1 auf weiterführende Belehrung ausgeht;
HUMMEL 1966:85f).3(finite Vollform); allegor. wie 13,27 wieder die Talenten-
empfänger 25,20.22.24(Pt.+ Asynd.), wobei die letzte Stelle wie die von Judas
26,49 zu den Gegner-Stellen gezählt werden könnte, von denen sie sich aber
durch die κύριε-Anrede unterscheidet; 26,7(finit.+ finale Parataxe: Frau mit
Salbungsabsicht, worin sie funktional den Engeln von 4,11 entspricht, da
sie etwas *für Jesus tut*).17(finite Vollform); 28,9(Pt.+ Asynd. Proskynese als
Reaktion auf die Epiphanie des Auferweckten); durch den Einschluß der
Söhne ist auch die Mutter der Zebedaiden 20,20 (finit. + Pt.) hier einzuordnen. Zugleich zeigen diese beiden letzten Stellen durch die spezifisch mt

Zuordnung von
προσέρχομαι + →προσκυνέω (HELD 1970:216f; GUNDRY 647)

Mt 4 : Mk 0 : Lk 0 + 0 : Joh 0,
die der Gleichstilisierung mit den einleitenden Hilfsbitten 8,2 (Pt.+ Asynd.)
und 9,18 (Pt.+ Asynd.; GRUNDMANN 274 urspr. LA gg. N-A, H-G 55, GNTCom
25) entsprechen (funktionsgleich auch beim Simpl. 15,25) – dazu 17,14
(finit.+ Dat. + γονυπετώ) –, daß die Verwendungsgruppe der Hilfesuchenden
Jesus gegenüber nahe an die Schülergruppe heranzurücken ist. Das verbin-
dende semant. Element dürfte für beide mt Gruppen die Dienstwilligkeit sein,
wie auch die Konstanz der κύριε-Anrede bei beiden zeigt; 8,5 (finit.+ Dat.);
9,14 (Präs.hist.+ Dat. – die Johannesschüler als Ratsuchende und Lern- und
damit Dienstwillige, darum nicht zu den Gegnerstellen zu zählen; vgl. 14,12).
20 (Pt.+ Asynd. als Bitthandlung wie 24,3).28 (finit.+ Dat.+ Parataxe); 15,30
(finit.+ Dat.); 21,14 (finit. abs. pars pro toto als abkürzendes Metonym +
Dat.). Diese Gruppe der 9 Belege von Rat und Hilfe Suchenden ist von Mt
ohne Vorgabe im Zusammenhang mit den Jüngerstellen red. geschaffen worden (HELD 1970:214-7). Daß in dieser Gruppe wie in anderen meist (über
20mal) Rede-Vb. bzw. Redehandlungen folgen, darf nicht kurzschlüssig dahin
systematisiert werden, daß Mt seine Wunder den Streit- und Schulgesprä-
chen angeglichen habe (THEISSEN 1974:202f gg. HELD), sd. dient mehr dazu,
auch die Wundergeschichten als geschlossene Einheiten episodalen Charakters zu gestalten (SCHMIDT 1919:284   Mt erscheint mehr als *Perikopenbuch*).
προσήλυτος 23,15(+Q) *Beitrittsjude* (PhilSom 2,273; SpecLeg 1,51.308)

Mt 1 : Mk 0 : Lk 0 + 3 (sonst nie im NT)
ist von Mt in antithet. Relation dazu verwendet.

παρέρχομαι
Mt 9 : Mk 5 : Lk 9 + 2 (NT noch 2Kor 5,17; Jak 1,10; 1Pt 4,3; 2Pt 3,10)
=(Mk 5 + 4)
Der einzige in Mk 6,48 vorgegebene lokale Gebrauch von *vorübergehen* im
Inf. wurde vom Subj. Jesus weg auf die Schilderung der Gefährlichkeit der
Besessenen Mt 8,28 permutiert (nicht synonym mit mt →παράγω). Die genuin
zeitliche Verwendung (mit *Stunde*) wurde Mt 14,15 von Mk 14,35 her dupl.;
dort hat Mt 26,39 das Vb. auf das Metonym *Becher* (zur Bezeichnung der
Zeit der Verwerfung als des Katastrophenteils des Geschichtsplans vor der
Rehabilitierung) permutiert und V.42 für die Einsicht in die Unabänderlichkeit dupl. (SAND EWNT 3,91). Temporal ist auch die Ansage der Nähe der
Parusie 24,34(=Mk), noch ehe diese Endzeitgeneration (vgl. 1,17) *vorüber*
(=*zu Ende*) gegangen ist, was V.35(=Mk) durch die im kausalen Asyndeton
angeschlossene Antithese verstärkt, daß zwar Himmel und Erde (≠ alles) ihr
apokalyptisches Ende haben werden (V.29 erinnernd), nicht aber seine konditionierten Heils- und Unheilsorakel bzw. das in ihnen Vorhergesagte (Verstärkung durch Litotes der negierten Negation) unter Erinnerung an 7,24ff.
Da Mt hier auf das Ende der Grundsatzrede zurückweist, hat er dort rahmend am Anfang 5,18 diese Antithese in dem Sinne dupl., daß er schon dort
an das apokalyptische Vergehen von Himmel und Erde erinnert, daß jedoch
bis dahin die von Gott gesetzten Bedingungen für ewiges Leben (das Mosegesetz, sofern es der dargestellten Auffassung des mt Jesus entspricht)
gültig sind. Mt ist also in seiner Verwendung ganz von Mk abhängig und
hat alle zusätzlichen Belege von daher dupl.

ἐρωτάω I
Mt 1 : Mk 1 : Lk 9 + 6 : Joh 12 (NT sonst 6mal)
In der (in LXX noch nicht vorliegenden) Bedeutung *bitten* wird das einzige
mk Simpl. 7,26 (was bei ihm wohl zu den Latinismen – vgl. *rogare* – zu zählen ist) bei Mt mit verändertem Subj. und angeschlossenem direkten Imp.
versetzt übernommen. Synonym ist →αἰτέω zur metasprachlichen Bezeichnung
derjenigen Sprechhandlung (die in der Regel aus einem Satz besteht), die

in freundlicher Form den Angesprochenen auffordert, eine ausgesprochenen Sachgehalt in einen außersprachlichen Sachverhalt zu überführen (SCHENK EWNT 2,145).

ἐρωτάω II

Mt 3 : Mk 2 : Lk 6 + 1 : Joh 15 (NT sonst nie)
  =(Mk 2 – 2 + 3 aus mk Komp.)

Mt ändert 3mal das mk Komp. in das Simpl. in der Bedeutung *fragen*: 16,13 mit dir. Frage Jesu; 19,17(=Mk 10,17 permutiert) als dir. Gegenfrage Jesu, die im Unterschied zum vorangehenden Bezug auf die Schüler (obwohl auch 16,13 nach der Meinung Außenstehender fragte) einen noch stärker antithet. Akzent trägt; das gilt ebenso für die explizit-performative Rückfrage 21,24. Mk 4,10 und 8,5 wurden nicht übernommen, da das Vb. wie sein Komp. bei Mt immer den konnotativen Akzent des feindlichen Fragens trägt (SCHENK EWNT 2,144).

ἐπερωτάω

Mt 8 : Mk 25 : Lk 17 + 2 : Joh 2 (NT nur noch Röm 10,20; 1Kor 14,35)
  =(Mk 25 – 20 [davon 3 →Simpl.] + 3)

Die metasprachliche Symbolhandlungsbezeichnung *fragen* bezeichnet diejenige Ein-Satz-Sprechhandlung, die den Angesprochenen auffordert, Auskunft, Entscheidung oder Bestätigung über einen sprachlichen Sachgehalt zu geben, die der angenommenen Kompetenz des Angesprochenen über den außersprachlichen Sachverhalt entspricht. Mt übernimmt aber auch das Komp. von Mk nur dort, wo es auch den Akzent des feindlichen, richterlich untersuchenden Fragens trägt (SCHENK EWNT 2,52f): 17,10; 22,23.25; der Bericht 22,46, daß niemand Jesus zu fragen wagte, versetzt darum bewußt verstärkend die Vorgabe von Mk 12,34 an den Schluß der Auseinandersetzungen und damit der Rede zu den Gegnern überhaupt; 27,11 ist die richterliche Pilatusfrage bezeichnet. Die mt Zusätze zu Mk verstärken diese Tendenz: 22,41 wird das Vb. für Jesus eingesetzt, um das hinterlistige Fragen der Gegner 22,23.35 in eine Gegenverhör umschlagen zu lassen. Von daher erklärt sich auch der red. Eintrag an der ersten Stelle 12,10: Das Vb. hat bei Mt schon von der ersten Verwendung an immer deutlich den denotativen Aspekt des *richterlich untersuchenden Fragens*. Das gilt auch für 16,1(+Mk), wo das dazugesetzte charakterisierende Pt. deutlich an 22,23.35 angelehnt und darum hier nicht ausnahmsweise in der Bedeutung *bitten* zu nehmen ist (gg. BAUER WB 564; GREEVEN ThWNT 2,684f). Die Beibehaltung für eine Schülerfrage 17,10 erklärt sich von daher, daß sich der Frageinhalt offenbar auf die Meinung von Feinden bezieht; die metakommunikative Formulierung der Frageeinleitung mit diesem Vb. hat hier offenbar (wie beim Simpl. 16,13) die Funktion, von vornherein den Akzent des Feindlichen in dem betr. Redeinhalt zu signalisieren. In dieser vereinheitlichenden und konkretisierenden Verwendung im Sinne seines Feind-Dualismus unterscheidet sich Mt deutlich von der breiteren mk Verwendung des Lexems im Simpl. wie Komp.

ἐσθίω →ἄρτος

Ἑσρώμ 1,3a.b (vgl. Lk 3,33; 1Chr 2,9; Rut 4,18f)

ἔσχατος (GUNDRY 644)

Mt 10 : Mk 5 : Lk 6 + 3 : Joh 7
  =(Mk 5 – 3 + 5) + (Q 2 + 1)

Nicht aus Mk übernommen wurde das adv. gebrauchte Neutr. 12,22 (BAUER WB 621), und auch bei Mk 12,6 wird man denselben adv. Gebrauch annehmen müssen (oder mindestens davon ausgehen, daß Mt es so verstanden hat). Unter der Tendenz zur Reduktion von Adv. (MORGENTHALER 1973:164: Mt 101 : Mk 100 = Mk 7,4% ≻ Mt 6,0%) entfällt auch das Direktadv. Mk 5,23 (sonst nie in NT und LXX). Damit wird die mt Verwendung – beschränkt auf reines Adj. noch signifikanter:

Mt 10 : Mk 3

Von 52 NT-Belegen hat es ohnehin Mt am häufigsten; Mk 9,35 wurde ausgelassen, während Mt 19,30a.b(=Mk) das Sprichwort mit seiner Halbwahrheit
von der Umkehrung (so BULTMANN 1967:116, wenn er für eine isolierte und
frühere Verwendung die Funktion als Drohwort postuliert) bzw. – bei Mt auf
jeden Fall – Gleichstellung (der Späteren, die V.29 durch Verallgemeinerung
akzentuierte, mit den Früheren, für die V.27f Petrus stand) mit dem Antonym ⊁πρῶτος als Kompenym übernimmt und anschließend 20,16a.b (in umgekehrter Reihenfolge und mit anaphor. Art. auf die erzählten Erntearbeiter
bezogen; JÜLICHER 1910:II 462; GUNDRY 398) sogar als durch die Allegorie
20,8.12.14(+Mk dupl.) verstärkte Quintessenz (mit definitorischem οὗτῶς, das
die Umkodierung unterstreichend anzeigt) rahmend wiederholt; da schon die
erste Antithese dieses Clusters aus dem mt Kontext her im Unterschied zu
Mk nicht als Warnung, sd. als Bestätigung der Treue der Schüler gemeint
war, so wird das durch die red. Allegorie noch deutlicher (gg. BARTH 1970:
112: Es geht nicht um einen Gegensatz, der ausschließt, sd. um die Gleichbelohnung aller treuen Buchschüler mit der individuellen Unsterblichkeit;
MICHAELIS ThWNT 6,866–9). Aus Q übernommen sind die beiden ersten Stellen des Buches: 5,26 (letzten Rest der Schuld); 12,45 (subst. im Vergleich
mit Antonym wie Hi 8,6 der spätere Zustand; BAUER WB 621); in Anspielung
darauf hat Mt 27,64 genau diese Antithese im Munde der Gegner selbst ironisch dupl. So ist die mt Verwendung insgesamt rein numerisch bestimmt;
ein terminolog. Gebrauch im Wortfeld der Eschatologie liegt nicht vor.

πρῶτος (GUNDRY 647)

Mt 17 : Mk 9 : Lk 10 + 11 : Joh 5
    =(Mk 9 – 2 + 5) + (Q 1 + 3) + (A–Mt 1)

Die mt Häufung dieser Ordinalzahl entspricht der Häufung der Kardinalzahl.
Aus Mk übernommen sind 19,30a.b; 20,27; 22,25.38(versetzt); 26,17(ersten
Tag); als Permutation ist auch die erste Stelle 10,2, die wohl temporal
gemeinte Hervorhebung der Petrus als des Frühesten unter den Zwölf zu
sehen, die den Plur. der Oberen (des Antipas) von Mk 6,21 ersetzt; das ist
auch in sachlicher Hinsicht wichtig: während sich der Umkehrungsspruch
von oben und unten bei Mk 10,31 antonym auf 6,21 zurückbezieht, bezieht
sich die komplenyme Umkodierung von Mt 10,30 über V.27 auf 10,2 zurück.
Zusatz zur Mk-Vorlage ist 21,36 (vergleicht die früheren Gesandten). Aus Q
ist 12,45 (mit Antonym) übernommen; red. Q-Zusätze sind 21,28.31 (der Erstgenannte als typ. innertextliche Deixis – als ursprl. LA mit N-A und H-G)
unter der Voraussetzung der Materialgleichheit mit Lk 15,11ff. In den Stellen ohne breiteren Parallelkontext gibt es jeweils Anzeichen für red. Bildung: 17,27 (mt vorangestelltes Adj. wie auch 22,38 sek.; den ersten gefangenen Fisch); 20,16a.b sind Dubl. zu 19,30 (s.o.) und damit zusammenhängend auch 20,8.10, wo überall das Antonym dabeisteht, um es allerdings als
Komplenym zu erweisen (bei Mt geht es aber eben nicht "um einen totalen
Rollentausch" und eine "Umwertung der Werte", wie LANGKAMMER EWNT 3,
457 erbaulich einträgt; dgg. m.R. schon BAUMGARTEN EWNT 2,154f); 27,64 ist
mit dem Antonym von Q-Mt 12,45 her dupl.; dabei dürfte der frühere Betrug
hier wohl nicht generell der "durch das irdische Wirken Jesu entstandene"
insgesamt gemeint sein (gg. GRUNDMANN 566), sd. – da Jesus Obj. ist –
wohl konkret Mt 2, wo Josef eine den Jüngern par. Funktion hat und das
Gegenüber ebenfalls die Tempelgegner im Verein mit der politischen Instanz
sind. Während es sonst immer um den Ersten in einer Reihe weiterer geht,
hat Mt öfter die für ihn typ. Koppelung der Früheren mit den Späteren (wie
klassisch ist die zeitliche Verwendung die häufigste; BAUER WB 1438–40):

πρῶτος vs. ἔσχατος

Mt 8 : Mk 2 : Lk 2.

πρῶτον (Adv. GUNDRY 647)
    Mt 8 : Mk 6 : Lk 10 + 5 : Joh 8 (NT noch 22mal; LXX 14mal)
        (=Mk 6 - 3) + (Q 3 + 2)
Mit Ausnahme von 17,10(=Mk) findet es sich immer im Munde Jesu und mit
der Tendenz, in Verbindung mit einem Imp. oder funktionsgleichen Verbindungen zu stehen. Darin hat das mt zuerst vor allem die Funktion die
Setzung von Prioritäten zu markieren: 7,5(=Q entferne zuerst!) ist es mit
Imp. übernommen und 8,21(=Q erlaube zuerst!) durch Umstellung näher an
den Imp. herangerückt; 5,21(+Q versöhne dich zuerst!); 6,33(+Q erstrebt
zuerst!); 23,26(=Q-Lk 11,38 dürfte in die Schilderung permutiert sein;
reinige zuerst!). 12,29(=Mk) wurde die erste Vorgabe von Mk übernommen,
wo es funktionsanalog in einem Konditionalsatz steht (zuerst fesseln),
während die darauffolgende Stelle Mk 4,28 wieder Mt 13,30 permutiert und
red. mit einem Imp. verbunden erscheint, was außerdem der generellen mt
Vorliebe der Verbindung von Adv. + Imp. entspricht (B-D-R 474,3):
πρῶτον + Imp.
    Mt 6 : Mk 1 : Lk 4
Bezeichnend ist dann auch, daß es im Munde der Schüler 17,10(=Mk Elia muß
zuerst wiederkommen) für eine Bedingung des Gottesplans übernommen wurde, während es in der anschließenden Realisierungsschilderung, wo es Mk
9,12 wiederholte, ausgelassen wurde. Glättend ausgelassen hat Mt auch die
Aufforderung Mk 7,27 (laß zuerst die Kinder satt werden!) und natürlich Mk
13,10 mit der Mk 9,11 funktionsgleichen Gottesplanbedingung, daß zuerst
das Evangelium (= Markusbuch) weltweit bekanntgemacht werden müsse, was
er auslassen mußte, da er Mk durch sein eigenes Buch ersetzte und nun
überbietend im Fut. der Vorhersage seines Jesus stilisierte, daß eben dieses
Evangelienbuch nun weltweit bekanntgemacht werden wird.
ἔσω, ἔσωθεν ⭢ἔξω
ἑταῖρος (GUNDRY 644)
    Mt 3 (NT sonst nie; LXX 27mal – davon Sir 7mal)
        (=Mk 0 + 1) + (Q 0 + 1) + (A-Mt 1)
Als Zusatz zu Mk erscheint es Mt 26,50 als Anrede an Judas im Augenblick
der unheilsentscheidenden Begegnung, als Zusatz zu Q 22,12 als Anrede in
der rhetor. Frage an den Gast ohne das Hochzeitsgewand; auch der 1. Beleg
Mt 20,13 steht in einer Allegorie im Vokativ an den Vertreter der murren-
den Erstberufenen gerichtet. Es findet sich also immer in der Anredeform
im Sing. (die v.l. 11,16 ist sek. LA) und immer im Munde Jesu bzw. (eine
Kommunikationsschicht tiefer eingebettet) im Munde seines narrativen Stell-
vertreters. Es geht immer an von ihm Berufene, die aus dieser bindenden
Beziehung herausfallen bzw. herauszufallen drohen (RENGSTORF ThWNT 2,
697-9; SPICQ 1978:I 296-8). Als Anrede wird es statt des Namens immer von
einem Höhergestellten gegenüber Nichtverwandten verwendet: Kampfgefährte
(BAUER WB 622) mit einem Beiklang der Männerfreundschaft. Bei Mt jedenfalls immer im Zustand des Abfallens in Antonym-Beziehung zu ⭢μετάνοια
einer, der diesen Weg in umgekehrter Richtung zu gehen sich anschickt: Du
Abfallender!, wobei ein konnotativer Anklang an das fem. ἑταίρη sicher
nicht unbeabsichtigt ist. Im Wortspiel mit der fem. Form Prostituierte
verwendet es der Satiriker Theopompos (Lobeshymne fr.255f) für die Homosexualität des makedonischen Adels am Hofe Philipps (FOX 1979:72). Man
sollte darum die singuläre mt Verwendung sprachpsychologisch auch im
Zusammenhang mit seinem Josefs-Ideal 1,18ff und seinem Ideal der männlichen Ehelosigkeit 19,10-12 sehen. Die zölibatäre Tendenz des Autors steht
sozialpsychologisch den hell. Männerbünden nicht fern.
ἕτερος ⭢ἄλλος

ἔτι (GUNDRY 644)
   Mt 8 : Mk 5 : Lk 16 + 5 : Joh 8
       =(Mk 5 + 3)
Im berichtenden Kontext hat Mt das in positiven Aussagen die *Fortdauer eines Zustands* aussagende Adv. (BAUER WB 624) in der das Folgende eng mit dem Voranstehenden verbindenden Wendung im Gen.abs. *als er noch immer redete* (im gut griech. asyndet. Gebrauch; B–D–R 459,4): 12,46(=Mk 5,35a permutiert – ohne die sek. LA mit δέ); 17,5(+Mk) dupl.; 26,47(=Mk). Temporal auch in der dir. Rede der Gegner von dem, was aufgehört hat 27,63(+Mk mit Pt. im eingebetteten Bericht: *als er noch am Leben war*), bzw. von dem, was aufhören soll 26,65(=Mk *was haben wir noch länger Zeugen nötig?*) und dupl. im Jesuswort 5,13(*nicht länger mehr nützlich*).

   Nicht temporal, sd. rein *numeral* von dem, was *noch übrig* ist 19,20(=Mk 5,35a in der Verbindung mit dem Fragewort permutiert und transkodiert *was habe ich noch nötig?* – während Mk 12,6 in dieser Bedeutung hier ausgelassen wurde), bzw. komplenym auch dem, *was hinzukommt*, in dem red. Jesuswort 18,16(=Mk 12,6 das Adv. in der Verbindung mit dem Zahlwort permutiert und transkodiert zu *außerdem einen oder zwei*).

ἑτοιμ–
   Mt 11 : Mk 6 : Lk 17 + 3 : Joh
ἑτοιμάζω
   Mt 7 : Mk 5 : Lk 14 + 1 : Joh 2
       =(Mk 5 – 1 + 2) + (Q 0 + 1)
(Mk 15,1 ist die LA mit N–A, H–G, GNTCom 117, RADL EWNT 2,169 gg. PESCH II 169 als sek. anzusehen und darum sind gg. MORGENTHALER 1973:101 nicht 6 Belege für Mk zu veranschlagen). Von der LXX her ist das entscheidende Sem eher *Schaffen* und *Machen* als nur *Vorbereiten* (GRUNDMANN ThWNT 2, 702–4; RADL EWNT 2,168–70). Das ist vor allem beim göttl. Handeln 20,23(=Mk) zu veranschlagen, wo Mt *mein Vater* als Handlungssubj. betont hinzugefügt hat. Könnte man hier bei Mk noch mit der Bedeutung *Bestimmung* rechnen, da es sich um eine Vorhersage auf die Mitgekreuzigten (zur Rechten und zur Linken) in Mk 15,27 hin handelt, so dürfte Mt die kritische Antwort auf die Torheitsfrage anders gewendet haben, da er das Vb. ja als adj. Pt. in 25,34.41 dupl. hat: Die βασιλεία, die als Lohn beim Endgericht erlangt wird, ist ebenso wie das ewige Verdammungsfeuer schon von Anfang an (also schon vor der Schaffung des Vergänglichen >παρέρχοαι) *geschaffen*; schon 25,33 hatte von 20,23 her die Stichworte *rechts* und *links* dupl. Als 4. theol. Stelle tritt die allegor. Lohnzusage auch 22,4(+Q) auf: Das Hochzeitsmahl ist nicht nur *vorbereitet*, sondern fix und fertig angerichtet und geschaffen. Im gleichen Sinne ist hier 22,4(=Q).8(+Q) auch das Adj. als *resultandum* verwendet

ἕτοιμος
   Mt 4 : Mk 1 : Lk 3 + 2 : Joh 1 (NT nur noch 6mal)
       =(Mk 1) + (Q 2 + 1)
Da die beschreibende Stelle Mk 14,15 nicht übernommen – bzw. in den Festzusammenhang 22,8 zurück permutiert wurde, ergibt sich für Mt eine kennzeichnende Konzentration der Verwendung: 22,4.8 steht es in der Lohnzusagefunktion. Analog zur doppelsinnigen Verwendung von >εἰσέρχομαι wird auch ἕ. im ius talionis 24,44(=Q) und anschließend 25,10 red. dupl. für die Eintrittsbedingung dorthin verwendet: *Bereitsein* besteht in der Bejahung des Willens des Vaters – also in der Befolgung der Ethik des mt Jesus in der *Schaffung* dieser guten Werke, in der Umkehr dorthin und in dieser Nachfolge. Durch die Kontextverschränkung hat Mt auch das metaphor. Synonym >γρηγορέω sinngleich zur Bezeichnung der Eintrittsbedingung dieses *Gerüstetsein* verwendet.

   Schon 3,3(=Mk Zitat Jes 40,3) stand das Vb. im Imp. für diese Ein-

trittsbedingung: Den Weg zum Herrn *schaffen* - das ist die Weissagungs-
formulierung für die V.1 geforderte *Umkehr* (als Einkehr in das mt Konzept). Die Übernahme des Ausdrucks in der Mahlvorbereitung 26,17.19(=Mk)
in der zur gehorsamen Ausführung eines Befehls umstilisierten Episode
gliedert diese Stellen den voranstehenden als ein Exemplum an, zumal dann
auch das mt Herrenmahl als Teil des Religionsgesetzes des mt Jesus erscheint: eine beispielhafte Gehorsamstat, die damit ein Stück der Eintrittsbedingung pars pro toto erfüllt.

ἔτος →δύο
εὖ 25,21(=Q-Lk εὖγε).23(+Q) Adv. abs. *sehr gut, bravo!* (BAUER WB 627)
     Mt 2 : Mk 1 : Lk 1 + 1 (NT nur noch Eph 6,3 Zitat Dt 5,16)
εὐαγγελίζομαι
     Mt 1 : Mk 0 : Lk 10 + 15 : Joh 0 (NT noch 28mal; LXX 20mal)
11,5(=Q) hat das obj.-lose Pass. (*Nachricht erhalten*; STRECKER EWNT 2,194)
von Q übernommen und durch die doppelte Voranstellung des Subst. in 4,23
und 9,35 in seiner Textsequenz auf den Bedeutungsgehalt des Subst. bezogen, so daß es als Funktionsverbgefüge von daher übersetzt und bestimmt
werden muß. Auch die Adressaten sind durch die 5,3 voranstehende Näherbestimmung im mt Sinne klar als Willenstäter definiert. Das Vb. ist als
Kürzel des vollen mt Funktionsverbgefüges mit mt κηρύσσω synonym.

εὐαγγέλιον
     Mt 4 : Mk 7 : Lk 0 + 2 : Joh 0 (NT noch 62mal; LXX nur Plur. 3mal)
     =(Mk 7 - 3)
Mt ist in seiner Verwendung ganz von der Mk-Red. abhängig, dessen doppelte Verwendung 1,14f er zu der rahmenden inclusio 4,23, 9,35 gedehnt
hat. In Korrespondenz zu diesen beiden Anfangsstellen mit Jesus als Subj.
hat er am Schluß die beiden vorhersagenden Passivstellen 24,14(=Mk) und
26,13(=Mk) stehen gelassen und dieser Rahmung zuliebe die übrigen Mk-Vorgaben unberücksichtigt gelassen. Mt hat immer das ihm eigene red. Syntagma mit zusätzlicher Inhaltsangabe
κηρυσσ- (τοῦτο) τὸ εὐαγγέλιον τῆς βασιλείας (MARXSEN 1959:92-5; STRECKER
     Mt 3 : Mk 0 : Lk 0   1971:128-30; GUNDRY 644)
Dies ist zwar an der Schlußstelle nicht in der Textoberfläche verbalisiert,
aber in der semant. Tiefenstruktur vorhanden, worauf das auch schon an
der vorletzten Stelle zugesetzte Demonstr. in seiner anaphor. Textfunktion
eindeutig hinweist. Man hat also die Textsequenz zu beachten und die Näherbestimmungen nicht nur atomistisch nebeneinander zu notieren. Darum
ist textlinguist. ebenso zu beachten, daß in dieser berichtenden Wendung
der anaphor. Art. ebenso wie das renominalisierte Vb. schon seit der ersten
Stelle auf die thematische Zusammenfassung der mt Botschaft in 4,17 zurückweist. Damit ist abs. →βασιλεία hier immer Kürzel für die mt Himmels-
basileia als dem Lohn der individuellen Unsterblichkeit im neuen Äon. Es
genügt darum niemals, den Ausdruck nur als *frohe Botschaft* oder *gute
Nachricht* zu übersetzen, da ja dabei immer noch nicht gesagt wäre, worin
die nur formal wertende Relation des Frohen und Guten konkret bestünde.
Selbst die einen Schritt weiter gehende semant. Inhaltsfüllung mit *Christus-
botschaft, Heilsbotschaft* oder *Ansage der Heilsbedeutung der Christusbot-
schaft* erweist sich noch als inkohärente Abstraktion, weil noch offen bliebe,
wie der jeweilige Autor seinen Christus sowie sein Heil bestimmt. Für Mt ist
klar, worin für ihn das Gute besteht - es ist der Lohn der Gehorsamen gegenüber der Willensoffenbarung seines Jesus. So ist an den ersten beiden
Stellen klar, daß er damit das Konzept seines Jesus meint, während an den
beiden letzten Stellen klar hervorgeht, daß er selbstreferenziell sein ganzes
Buch so bezeichnet. Das Scheinproblem zwischen mündlich vs. schriftlich
verschwindet, wenn man wiederum textlinguist. die verschiedenen
Kommunikationsebenen Autor-Leser-Bezug einerseits und darin eingebettet

erzählter Held/dessen Adressaten andererseits in ihrer funktionalen Zuordnung ernst nimmt und nicht funktionslos nebeneinander setzt. So falsch (KRAMER 1963:41-60; SCHENK 1983:22-43) die generalisierende Prämisse der synopt. Formgeschichte ist: "Evangelium ist der Name der Heilspredigt, und die ältesten Christen machen dabei keinen Unterschied zwischen der Predigt Jesu und der Predigt von Jesus" (DIBELIUS 1971:264 und dazu MARXSEN 1959:95 "Das ist richtig!"), so richtig ist sie für die konsequente Ipsissima-Vox-Konzeption des Mt. Außerdem können Vb. des Sagens sehr wohl für ein Vorlesen stehen.

κηρύσσω

Mt 9 : Mk 12 : Lk 9 + 8 : Joh 0
        =(Mk 12 – 6 + 1) + (Q 1 + 1)

4,17(=Mk) ist das Vb. als metakommunikative jesuanische Redeeinleitung samt der inhaltl. Redefüllung übernommen, jedoch so, daß der Umkehr-Imp. vorangestellt und die motivierende Nähe der Lohnzusage nachgestellt ist. 3,1 (=Mk) ist κ. für den Täufer ebenso übernommen, jedoch red. mit der gleichen jesuanischen Inhaltsfüllung versehen worden. In der Israel-Sendungsrede 10,7 gab Q schon den analogen Motivations-Inhalt vor – allerdings ohne den Imp. (der nun aber bei Mt anaphor. nach der doppelten Vorgabe in der semant. Tiefenstruktur hier zweifellos vorhanden und darum als Filler in diesen Slot einzusetzen ist), und Mt verstärkte diese Darstellung zu seiner Einheitsfront der Subj., indem er auch hier noch das metasprachliche Vb. als Einleitung hinzusetzte, das er von Mk 6,12 permutierte. Das 10,27 im Anschluß daran im Imp. von Q übernommene und in diese Rede versetzte abs. κ. ist in der semant. Tiefenstruktur wieder ellipt. mit demselben doppelten Inhalt gefüllt anzusehen (und durch das par. Fut. V.26 zugleich auf die spätere Veröffentlichung des Buchkonzepts orientiert – somit auch hier wieder selbstreferentiell). Gerade von dieser Q-Stelle her ergibt sich auch, daß der semant. Gehalt dieses Vb. schlicht funktional im *Veröffentlichen, öffentlich Bekanntmachen, Verbreiten* besteht und nicht in sich selbst schon eine "theol. Bedeutung" von *Bezeugen* hat. Leider kann man sich im Gefolge der tiefgreifenden Christologisierung vor allem des Adj. *kerygmatisch* seit BULTMANN nur schwer von dieser pseudo-semant. Hypothek lösen (STENDAHL 1952; ROLOFF 1970:9-24; SCHENK 1975). Die semant. Gehalte des aus Q übernommenen Vb. werden auch durch das in den Evv. einzige, aus Q stammende Subst. bestätigt:

κήρυγμα

Mt 1 : Mk 0 : Lk 1 (NT nur noch 1Kor 3mal; Past 2mal; LXX 4mal)
ist 12,41(=Q) das des Jona, wobei das Nom. actionis an dieser Stelle wieder den semant. Zusammenhang mit *Umkehr* belegt.

Schließlich ist das Vb. κ. noch an den beiden abschließenden Stellen im Funktionsverbgefüge 24,14; 26,13 von Mk übernommen, in denen es um die künftige weltweite Expansion des Konzepts geht, das im Vorlesen dieses Buches bestehen soll.

Zwischen die beiden Schülerkomplexe hat Mt 11,1 red. nochmals ein abs. verwendetes κ. Jesu als Summarium eingefügt, das als verkürzte Dubl. ohnehin auf die beiden voranstehenden Summarien 4,23 und 9,35 zurückweist und als Slot in der semant. Tiefenstruktur wiederum klar inhaltlich gefüllt erscheint. Mt hat die Verwendung ringkompositorisch angeordnet, wobei zugleich eine deutliche zeitliche Sequenz vorliegt:

A   Täufer: 3,1;
   B   Jesus: 4,17.23; 9,35;
A' Zwölf: 10,7.2
   B' Jesus: 11,1
A" Autor: 24,14; 26,13

Die 3 Jesusstellen haben ihre entscheidende Schlüsselfunktion für die mt

Semantik auch darin, daß hier die nur bei Mt sich findende parataktische Verknüpfung von

(᾿Ιησοῦς) διδάσκ- καὶ κηρύσσ-

   Mt 3 : Mk 0 : Lk 0

vorliegt (BORNKAMM 1970:35; STRECKER 1971:127; MERK EWNT 2,716f; SCHRAGE 1982:233). Dieses Syntagma ist nicht so zu deuten, als gäbe es für Mt drei prinzipielle Aktivitäten Jesu ("Predigen", Lehren, Heilen – gg. KINGSBURY 1975:42-9). Die Vexierung durch die kerygmatistische Pseudosemantik hat auch hier zu der irrtümlichen Relationsbestimmung geführt, die behauptete, bei Mt sei das ⊁διδάσκειν dem κ. "zu- und untergeordnet" (SCHMAUCH 1958:8f). Diese Begriffsverwirrung wirkt auch noch in den angestrengten Versuchen nach, denen zwar klar ist, daß Mt δ. (entgegen dem mk Gebrauch) auf die mt Gesetzeslehre vereinheitlichend eingegrenzt hat, und die dem κ. – verstanden als *Anrede, Proklamation* oder *Entscheidungsruf* – überordnen wollen (STRECKER 1971:127f), während BORNKAMM (1970:35 n.1) die Wortverknüpfung semant. fragwürdig zur "Verbindung von Gesetzeslehre und Reichsbotschaft" in luther. Weise synthetisiert: "So eng beides miteinander zusammengehört, so wenig ist es doch gleichbedeutend. Formelhaft umreißt die Wendung das Spannungsfeld der ganzen mt Theologie: Gesetz und Gottesreich." Das aber führt dann zu dem Fehlschluß, die Schüler hätten nur die "angekündigte Nähe des Gottesreiches auszurichten (κ. 10,7) nicht(!) seine Gesetzespredigt zu tradieren" (ebd.37).

   Dgg. aber spricht die größere Häufigkeit von δ. wie dessen Voranstellung an den 3 betr. Stellen sowie dessen entschiedenere Konzentration auf den mt Jesus, während das Subj. von κ. 5-fach aufgefächert ist. Sieht man sich die beiden ersten Schlüsselsummarien näher an, so spricht vielleicht mehr für eine Synonymität der beiden illokutionären Vb., wobei dem ersten von Mk her stärker die Ortsbestimmung zugeordnet sein könnte, so daß es dann noch zu einer präzisierenden Bestimmung des Inhalts als der nötigen Ergänzung dazu kommen konnte. Die mögliche Kontextsynonymie dürfte richtig veranschlagt sein, wenn man beobachtet, "daß parallel zur Aussendung der Jünger – damit diese die Nähe der Basileia *predigen* (10,7) – und der Voraussage der *Predigt* der Botschaft an alle Völker (24,14;16,13) der Befehl zur *Belehrung* aller Völker steht (28,19f)" und darin "einen weiteren Hinweis auf die sachl. Identität von Gesetzeslehre und Gottesreichpredigt" findet (STRECKER 1971:128) – oder um es (angesichts der nötigen Klärung der Basileia-Konzepte) vorsichtiger zu formulieren: mindestens auf die Kontextsynonymie der beiden Vb. Das differente Sem wäre dann hier aber nicht *Anrede* oder *Proklamation*, sd. *weitere Ausbreitung, lokale Expansion* dieser *Didache*.

   Man hat sich offenbar durch nicht beschreibungsadäquate Kategorien, die man ungeprüft voraussetzte, dazu verleiten lassen, hier zwei nicht adäquat definierte Größen in falsche Relationen zueinander zu setzen: Eine mt "Reichsbotschaft" oder "Reichspredigt" als eine isolierbare Größe gibt es offenbar gar nicht. Die Forderungen der mt Paränese ("Gesetzespredigt") sind wohl eine klarer zu separierende Entität. Sie enthält aber nicht nur den Umkehrruf und die diesen entfaltenden Einzelmahnungen, sd. eben auch immer zugleich die damit verbundenen Lohn-Motivationen (bzw. die antonymen Strafdrohungen). Wenn jedoch δ. präzis das *Befehle geben* im engeren Sinne bezeichnet, dann wäre κ. die komplenym zugeordnete *Lohnzusage*, die die Teilnahme am neuen Äon und seinem Leben verspricht (und deren Anwartschaft man verfehlen kann). Die dominierende inhaltl. Näherbestimmung von κ. durch die künftige Himmels-βασιλεία weist klar in diese präzisierte Richtung. Die Struktur wäre dann in den beiden rahmenden Makarismen Mt 5,2.10 klar expliziert: Die Nachsätze mit ihren Lohn-Versprechungen motivieren die Befehle der Vordersätze und analog dazu sind die davon eingeschlossenen, weiter entfaltenden Makarismen strukturiert. D.h., daß δ. und κ. von Mt in ihrer Relation additiv als Befehl und Lohn gedacht sind. Wenn allerdings eins dieser Vb. allein steht, so ist es metonymisch (pars pro toto) gemeint.

Man muß also erheblich von den mitgeführten falschen semant. Momenten der verwendeten Ausdrücke "Kerygma" oder "Evangelium" (als Freuden- oder Siegesbotschaft) bei der Übers. des Mt substrahieren, um tatsächlich zu dekodieren, was er enkodiert hat: Die Bekanntmachung der Bedingungen für die Teilnahme am neuen Äon. "Der Sachverhalt, daß Mt auch das für immer (= bis ans Ende) gültige Kerygma der Jesusvergangenheit bereitzu- stellen wünscht, bildet das Wahrheitsmoment der Beschreibung des Mt-Evan- geliums als eines Katechismus" (WALKER 1967:147 - was in sich natürlich ebenso keine eindeutige Kategorie darstellt). Wesentlich ist dieser mt Ethik die eschatol. Nützlichkeit; damit ist sie im Ansatz stärker anthropol. als theol. fundiert. Evangelium wird in großer Nähe zu seiner Alltagsbedeutung Botenlohn mt immer als Botenlohnzusage enkodiert. Damit sind wir vom apo- stol. Gebrauch für die österliche Neuschöpfung des Auferweckten zum Mit- herrscher Gottes, der sich vom zeitgenössischen politischen Gebrauch für die Kaisererhebungen her verständlich machte (Vb. PhilLegGai 18,231; Subst. JosBell 4,618.656) wieder weit entfernt. Mt ist im Sinne von Gal 1,6-9 ein "anderes Evangelium".

εὐδοκέω, εὐδοκία ≯'Ιησοῦς
εὐθέως (KLOSTERMANN 19; GASTON 1973:61; GUNDRY 644)
Mt 13 : Mk 0 : Lk 6 + 9 : Joh 3 (NT nur noch 4mal; LXX 15, 2Makk 7mal) Das Zeitadv. hat Mt 9mal aus der bei Mk gewöhnlicheren Form in die in der hell. Prosa geläufigere (RYDBECK 1967:169f,184) verändert übernommen und asyndet. 25,15(+Q) einmalig zur Einleitung eines Pt. in den Erzählzusam- menhang einer Parabel eingeführt, um die unverzügliche Ausführung eines implizierten Auftrags zu markieren. 2 seiner Mk-Zusätze sind an der Para- taxe ε.+ δέ erkennbar, wobei 14,31(+Mk) Jesu unverzügliche Reaktion auf eine Bitte beschreibt und V.27(=Mk εὐθύς mit permutiertem δέ mit Imp. in der Tiefenstruktur) dupl., während es 24,29(+Mk) um Gottes Handeln in der Herbeiführung der nahen Parusie geht, womit es als Rückweiser auf V.22 wie als Vorweiser auf V.32f die mt Naherwartung besonders akzentuiert und insgesamt auf den verläßlichen Determinismus des Vorsehungsplans ausge- richtet ist. Beim Tode Jesu 27,48 ist paratakt. καί ε. im Zentrum des Chiasmus zugefügt, um ironisch durch die Unsinnshandlung des Tränkungs- versuchs die rahmenden Elijah-Nennungen für den Leser als Hinweis auf das Schema von Verwerfung/Rehabilitation und damit auf den Vorsehungsplan zu lenken.

Von den übernommenen Stellen stehen die ersten beiden 4,20.22, die programmatisch eine sofortige Befehlsausführung markieren, mit οἱ δέ + Pt. während alle Folgenden mit paratakt. καί übernommen sind: 8,3 geht es um die sofortige Wirkung eines Heilungs-Imp. Jesu, wie er ellipt. in der semant. Tiefenstruktur auch 20,34 analog gegeben ist. Entsprechend sagt Jesus 21,2 das sofortige Eintreffen seiner Vorhersage voraus wie V.3(=Mk εὐθύς + red. δέ! als 4. Stelle dieses red. Syntagmas) den Gehorsam gegenüber seinem Be- fehl. Die Handlungsinitiative Jesu in der Erfüllung des Vorsehungsplans is 26,49 bei der Gefangennahme signalisiert wie es auch 26,74 um das Eintref- fen des Vorsehungsplans im Hahnenschrei geht. Daß Jesus 14,22 im Anschluß an die Speisung seine Jünger sofort zur Vorausfahrt zwang, soll wohl ver- kürzt den Zusammenhang von Befehl und Ausführung signalisieren wie di Wichtigkeit der See-Epiphanie als weiteren Messiasbeweis vorbereiten. In der gleichen Weise hatte schon 3,16 die erste mk Stelle für ein sofortige Handeln Jesu zur Vorbereitung der Gottessohnproklamation nach der Taufe unverändert beibehalten: Jesus kennt den Gottesplan und realisiert ihr selbstverständlich. Daß Samen auf Felsen *sofort* verdorrt, unterstreicht 13,5 den Automatismus eines Sachzusammenhangs; in der Entschlüsselung der Allegorie hat 13,20.21 die mk Normalform in der antithet. Entsprechung *unverzügliche Annahme/Abfall* unverändert übernommen, wobei auch hier nicht nur die Selbstverständlichkeit eines Sachzusammenhangs ausgedrückt ist, sd. zugleich auch der Vorsehungsplan, der ja Abfall notwendig einschließt (18,7 und Judas). So dürfte es an allen Stellen bei Mt um einen Hinweis auf die Unabänderlichkeit des Vorsehungsplans und seine Durchsetzung auch im Handeln Jesu wie der ihm begegnenden Menschen gehen. Aufgeführt wurden damit auch schon die unverändert von Mk übernommenen Stellen mit

εὐθύς Adv.

Mt 5 : Mk 42 : Lk 1 + 1 : Joh 3 (NT sonst nie; LXX 4-6, Epikt 60mal)
εὐθύς Adj. 3,3(=Mk Zitat Jes 40,3) *gerade machen!*

Mt 1 : Mk 1 : Lk 2 + 3 (NT nur noch 2Pt 2,15)
Als Einleitungsstelle, die als Erfüllungszitat den Schlüssel für die Erfüllung des Vorsehungsplan gibt, könnte das Adj. bewußt als Vorzeichen und semant. Kode für die dann an 3,16 nachfolgenden Stellen mit Adv. gesetzt sein, um zu signalisieren, daß es sich dann beim Adv. immer um eine Markierung des Vorsehungsplans handelt. Synonym und funktionsgleich steht 21,19f(+Mk) für den befehlsgemäß *sofort* verdorrten Feigenbaum das hierfür häufigste Alltagsadv. des hell. Schriftverkehrs (RYDBECK ebd.)

παραχρῆμα (vgl. funktionsgleich auch ἐν τῇ ὥρᾳ ➔ἐκείνῃ)

Mt 2 : Mk 0 : Lk 10 + 6 (NT sonst nie; LXX 19mal davon 6 in 2Makk)

εὐκαιρία ➔ἡμέρα
εὔκοπος ➔κόπος
εὐλογέω ➔δοξάζω
εὐνοέω ➔εἰμί
εὐνουχίζω, εὐνοῦχος ➔γαμ-
εὑρίσκω (GUNDRY 644)

Mt 27 : Mk 11 : Lk 45 + 35 : Joh 19
=(Mk 11 - 6 + 2) + (Q 7 + 7) + (A-Mt 6)
Im Sinne des bewußten *Findens* nach vorausgegangenem Suchen steht es 7mal - vor allem nach dem Komplenym ζητέω in der "Finderweisheit" (PEDERSEN EWNT 2,207) 7,7f(=Q) wie dem Finderglück 18,13(=Q), das red. 13,46 vom Schaf auf die Perle dupl.; 26,60(=Mk Belastungslüge); daneben 2,8 mit dem verbalisierenden Hyponym *erkundigen*; 21,19(=Mk) steckt das Synonym semant. im vorausgehenden Hungern.

6mal hat es Mt in der noch stärker akt. Bedeutung *sich verschaffen, erlangen* (PREISKER ThWNT 2,767f), wobei 12,43(=Q Ruhe) ebenfalls ζητέω Komplenym ist. Mt hat die Wendung an der voranstehenden Stelle 11,29 dupl.; sie entspricht sachlich der ψυχή in 10,39a.b(+Q vorgegeben SCHULZ 1972:445 gg. SCHMID 1930:278; GUNDRY 201), dupl. 16,25b(+Mk Synonym σώζω; Antonym ἀπόλλυμι) und dies wiederum war schon 7,14(+Q Synonym εἰσέρχομαι) mit ζωή benannt. Mt hat so aus einer negativen Q-Stelle einen zusammenhängenden Komplex von 5 Mahnungsmotivationen multipl.

Für Mt typ. ist auch die Vervielfältigung in der mit 14 Belegen bei ihm häufigsten Gruppe, die durch die semant. Abwesenheit des Komplenym bezeichnet ist, also das *zufällige Finden* als *antreffen, stoßen auf*, benennt (BAUER WB 643 - eine Wort-für-Wort-Übertragung mit *finden* ist hier meist irreführend und kann nicht als äquivalente Übers. gelten). Hier geht in der semant. Tiefenstruktur meist ein Akt der Selbstbewegung (des Gehens) voraus, der meist auch verbalisiert ist. Von Q war es 3mal 8,10 (*Glauben antreffen*); 12,44(nach ἐλθόν); 24,46(nach ἐλθόν) vorgegeben und von Mk auch 3mal 21,2 (nach red. verdeutlichendem πορεύεσθε); 26,40.43 (nach ἔρχεται bzw. ἐλθών hier offenbar schon bei Mk von Q-Mt 24,46 her gebildet). Red.

Bildungen sind 27,32(+Mk nach red. ἐξερχόμενοι); im Wort Jesu 17,27 (nach ἀνοίγω) und 5mal in Allegorien 13,44, wo es schon von 18,13 her vorgetragen ist, und auf jeden Fall ist es von daher red. an den beiden Folgestellen 18,28 (nach ἐξελθών; eine ironische Dubl. von V.13) und 20,6 (nach ἐξελθών und synonym mit εἶδεν V.3); 22,9(+Q nach πορεύεσθε).10(+Q nach ἐξελθόντες und synonym zu εἶδεν V.11). Erkennbar ist diese Verwendung auch durch ein Adj. 22,20 oder Pt. im Akk., "das den Zustand oder die Handlung bezeichnet, in denen jemand oder etwas angetroffen, befunden wird" (BAUER WB 643; B-D-R 416,2): 12,44 (leerstehend - als Bedingung); 13,44 (verborgen); 20,6 (dastehen); 21,2 (angebunden); 24,46 (so handelnd); 26,40.43 (schlafend; bzw. beim einzigen Pass. (*zeigte sich*) 1,18 entsprechend im Nom. des Pt. (daß sie schwanger war).

ζητέω (gg. GUNDRY 644 ist Mt 12,47 als sek. LA nicht mitzuzählen)

> Mt 13 : Mk 10 : Lk 25 + 10 : Joh 34
> =(Mk 10 - 4 + 1) + (Q 5 + 1)

Zusammen mit dem Komplenym ist ζ. 26,59(=Mk) und Q-Mt 7,7f, 12,43; 18,12 (=Lk 15,8 permutiert) übernommen und von daher 13,45 dupl.; dabei geht es nur 18,12 um das Suchen von etwas, was man besessen und verloren hat. An allen anderen - auch bei den abs. 7,7f - Stellen *wünscht* man etwas zu erlangen, was man noch nicht hat. Auch 28,5(=Mk) geht es im mt Kontext nicht um die Suche nach einem verlorenen Jesus (gg. BAUER WB 669) und das mt Engelwort impliziert keine Kritik, da bei ihm ja die Salbungsabsicht entfiel und der Satz ausdrücklich zur Begründung des Imp. der Beschwichtigung steht; sie erwarten mt vielmehr das Eintreffen der vorhergesagten Rehabilitierung im Anschluß an die erfolgte Verwerfung und werden bestätigt, was die ihnen dann sogleich zugedachte red. Erscheinung noch unterstreicht.

Auf die Tötungsabsicht Jesu bezogen sind außer 26,59 auch 21,46(=Mk + finalem Inf. *ergreifen*, wobei die Dubl. Mk 14,1 entfiel) und 26,16(=Mk Judas + finalem ἵνα wie 1Kor 14,12); rahmend dazu hat Mt 2,13(=Mk 11,18 mit Inf. ἀπολέσαι) das Vb. schon im Sinne der *feindlichen Absicht* in sein Buch eingeführt und 2,20 (in Angleichung am Ex 4,19 mit der LXX-Wendung *nach dem Leben trachten*) dupl.; durch den red. Zusatz des Inf. (*zur Rückkehr bewegen*) düfte 12,46(=Mk) markieren, daß er das *Bemühen* der Familie im feindlichen Sinne versteht.

Oberbegriff ist für alle Stellen *Wollen*, sofern ζ. einen sich in Aktivität umsetzenden Willen beschreibt. Positiv orientiert ist die Aufforderung 6,33 (=Q), was sie mit den 7,7f und 13,45 folgenden Stellen zusammenbindet, so wie sie sich zusammenfassend auf die 2.-4. Bitte des Gebets von 6,10f zurückbezieht. In Antithese zum Simpl. steht hier 6,32(=Lk) das Komp.

ἐπιζητέω

> Mt 3 : Mk 0 : Lk 2 + 3 (NT noch Röm 11,7; Phil 4,17; Hebr 11,14; 13,14)

als ein Intensivum, das ein fehlgeleitetes *Hauptinteresse* bezeichnet (das sich angesichts des Vor-Wissens Gottes erübrigt - vgl. V.33 Koplenym προστίθημι). Das Supernym ist hier zugleich abschließendes Kontextsynonym zu μεριμνάω; semant. ist damit die übergeordnete Bedeutungsebene bezeichnet, so daß μεριμνάω als eine Gestalt des ζ. erscheint. Mit Absicht hat Mt das hier antithet. auf die *Nichtjuden* bezogen eingebrachte Komp. dann 12,39(+Mk statt lk Simpl. - mit Kontextsynonym *Sehen wollen* V.38, was wiederum *Wollen* als Archilexem bestätigt) und bei der Dub. 16,4(+Mk statt Simpl.) bewußt mit Bezug auf die jüd. Gegner dupl.; es erscheint somit immer in Worten Jesu und mit negativem Akzent. Der "Beweis" den sie hier fordern, wird erst durch das Rehabilitierungs-Ostern gegeben, nachdem sie selbst durch den Vollzug der Verwerfung die Voraussetzung dazu geliefert haben. Damit hat ihr *Suchen* nicht nur das intensivierende Sem des *Forderns*, sd. immer auch das feindliche Sem des *anmaßend Fordernden* und schließlich auch

noch das semant. Element, daß sie an der falschen Stelle anmaßend fordern.
ἐξετάζω (GUNDRY 644) 2,8; 10,11(+Q) untersuchen, ausforschen
    Mt 2 (NT nur noch Joh 21,12; LXX 14mal; BAUER WB 545)
εὐρύχωρος ⇥ὁδός
εὐχαριστέω ⇥δοξάζω
εὐώνυμος ⇥δεξιός
ἔφαγον ⇥ἐσθίω
ἐχθρός ⇥δαιμόνιον
ἔχιδνα ⇥γέννημα
ἔχω
    Mt 73 : Mk 69 : Lk 77 + 44 : Joh 86
          =(Mk 69 – 28 + 17) + (Q 11 + 4)
Das allgemeinste Relations-Vb. zur Verbindung von 2 Elementen hat bei Mt
den 5. Rang unter den Vb. (bei Mk den 4., bei Lk den 6.); es "bezeichnet
jede Verbindungsform zwischen zwei Größen, sowohl persönlicher als auch
materieller oder bildlicher Art. Bereits Aristot beschäftigte sich eingehend
mit der Bedeutung des Wortes und fügte es seiner Kategorienlehre ein
(Metaph 4,23,1023a; vgl. Cat 15,15b). ε. hat kein direktes hebr. Äquivalent"
(LARSON EWNT 2,237f; HANSE ThWNT 2,816–27). Mt hat keinen med. Gebrauch. Synonymes ⇥ἐστιν + Gen. ersetzt Mt 12,11(gg.Q); 21,38(gg.Mk);
    Den intrans. Gebrauch des Akt. mit Adv. (BAUER WB 660) sich befinden,
sein, hat er nur in der Wendung (andere von Mk 5,23 ausgelassen)
οἱ ⇥κακῶς ἔχοντες (GUNDRY 645)
    Mt 5 : Mk 4 : Lk 2.
Den trans. Gebrauch hat er vermehrt in dem medizinischen Syntagma ἐν
γάστρι ἔχω schwanger sein (3mal ⇥γαμέω) sowie in dem Syntagma der
Notwendigkeitsrelationen (seit Aesch; ebd. 658)
χρείαν ἔχω (GUNDRY 644)
    Mt 6 : Mk 4 : Lk 6 + 2 : Joh 4 (LXX etwa 12mal; SAND EWNT 3,1133)
mit Gen. in der Weisheitsmaxime 9,12(=Mk), im Vorsehungsplanbezug 21,3
(=Mk) und 26,65(=Mk) im Munde des Priesterfürsten; die abs. Verwendung
Mk 2,25 für den Hunger Davids wurde als Doppelausdruck ausgelassen und
mit Gen.-Zusatz nach 6,8 in die Dubl. zum Vb.-Gebrauch
χρῃζω
    Mt 1 : Mk 0 : Lk 2 (NT nur noch Röm 16,2; 2Kor 3,1; LXX 2mal)
von Q-Mt 6,32 permutiert. Die genuin mt dupl. Zusätze 3,14(+Mk) und 14,16
(+Mk) sind daran kenntlich, daß statt des Gen. der Inf. zugesetzt ist (so
weder Mk noch Lk; 1Thess 3mal; Joh 13,10). Bei Mt sind das alle Belege von
χρεία
    Mt 6 : Mk 4 : Lk 7 + 5 : Joh 4.
Mt ist also in seiner Verwendung der Notwendigkeitsrelation ganz von Mk
abhängig.
    Eine geläufige Wendung aus dem Bereich der sozial-finanziellen Bezie-
hungen nimmt offenbar die noch einzige Verwendung mit Inf. in der Mög-
lichkeitsrelation 18,25a auf: nicht bezahlen können (vgl. Lk 7,42; 14,14); da
die einzige Mk-Stelle (mit Ellipse des Imp. des Hauptsatzes; BAUER WB 659)
14,8 in dieser Bedeutung nicht übernommen wurde, kann 18,25 als Permutation angenommen werden. Zu diesem Bereich können auch die Stellen mit
Obj.-Akk. gezählt werden: Da habt ihr (=ihr könnt haben) 27,65(+Mk – vgl.
POxy. 33 III,4; BAUER WB 660) dupl. offenbar den red. Sing. 25,25 (=Q-Lk
19,20 außerhalb der Wendung permutiert) da hast du (=du kannst behalten)
    Mt 3 : Mk 1 : Lk 3.
Die meisten Verwendungen bezeichnen Wirklichkeitsrelationen:
– die Teile eines Ganzen: Ohren 13,9(=Mk) dupl. V.43 und 11,15; Hände 12,10
(=Mk) und 18,8(=Mk) bzw. Augen V.9(=Mk); bzw. Wurzeln 13,6(=Mk).
– in der ältesten Bedeutung (BAUER WB 656: Homer) das, was man in der

Hand hat, hält 26,7(=Mk) bzw. 2mal red. *das, was man anhat, trägt:* 3,4(+Mk); 22,12(+Q von Mk 11,13 nur vom Baum *Laub tragen* permutiert).
– in Personbeziehungen: *Kinder* 21,28(=Q-Lk 15,11); 22,24(+Mk).25(+Mk Supernym σπέρμα als Kontextsynonym) und V.28(=Mk) *Ehefrau* – bzw. mit Obj.-Akk. + Präd.-Akk. 3,9(=Q) *zum Vater* und 14,4(=Mk mit Ellipse) *zur Ehefrau;* mit solchem doppelten Akk. auch *jmd. für einen Propheten halten* 21,26(=Mk) und dupl. V.46(+Mk) wie 14,5(+Mk):
   Mt 3 : Mk 1 : Lk 2 (Lk 14,18f permutiert);
soziale oder kulturelle Relationen bezeichnen auch 8,9(=Q) *Soldaten unter mir;* 9,36(=Mk) *Hirten* (metaphor. Regenten) bzw. in Antithese dazu 11,18(=Q) *von einem Dämon regiert werden.* Begleitpersonen werden im Akk. + μεθ' ἑαυτῶν 15,30(=Mk 8,14 von Sachen her permutiert) und 26,11a(=Mk).b(=Mk ellipt.) bezeichnet.
– in Sachbeziehungen *besitzen:* generell abs. 13,12a.b(=Mk) und 25,29a.b(=Q) als Resultat eines →*Gebens; Besitz* 19,22(=Mk) – sowie in der Wendung (πάντα) ὅσα ἔχει
   18,25(=Mk 10,21 vorgezogen); 13,46(=Mk 12,44 permutiert) und V.44 dupl.; i.e. 12,10(+Q *Schaf*); 13,37(+Mk *Unkraut*); 21,38(+Mk *das Erbe*); 25,28(=Q *Talente*); eschatol. 19,16(+Mk *ewiges Leben*).21(=Mk *Schatz im Himmel*) = *Lohn* 5,46(+Q) und 6,1.
– allgemeiner *zur Verfügung haben:* 8,20a.b(=Q *Ruheort*); 13,5a.b(=Mk *genug Erde*); *Brote* bzw. *zu essen* 14,17(=Mk); 15,32.34(=Mk); 16,8(=Mk gg. H-G 127 urspr. LA); 27,16(+Mk *Gefangenen*); von daher prinzipiell *Verfügungsgewalt haben* 7,29(=Mk) und 9,6.
– von psychol. Zuständen: 5,23(=Mk 11,25 permutiert) *einen berechtigten Vorwurf gg. jmd. haben;* 17,20(=Q) und 21,21(=Mk) *Glauben haben* (während Mk 4,40 abgeändert wurde.

ἕως I (Temporalkonjunktion; MORGENTHALER 1973:181; GUNDRY 644)
   Mt 21 : Mk 5 : Lk 15 + 6 : Joh 5 (im NT nur noch 8mal)
      =(Mk 5 + 2) + (Q 3 + 4) + (A-Mt 7)
Der Gebrauch als Konj. ist ursprünglicher, während die Verwendung als Präp. erst im Hell. einsetzt (BAUER WB 661 Ende 4.Jh.v.Chr.). Kennzeichnend für die mt Verwendung der Konj. ist
ἕως →ἄν + Konj. Aor.
   Mt 10 : Mk 3 : Lk 3 + 1
      =(Mk 3 + 1) + (Q 2 +2) + (A-Mt 2)
zur Angabe des Endpunktes *solange bis, bis daß* (B-D-R 544,3b n.6). Die mk Stellen sind 10,11; 16,28 und 22,44 (Zitat LXX-Ps 109,1) übernommen; in 24,34(+Mk) ersetzt die Wendung ein mk Synonym (was Lk 21,32 par. analog ändert). Die beiden in Q vorgefundenen Belege 5,26 und 23,39 ergänzte Mt offenbar durch ἄν, während er 5,18b(gg. Q-Lk 16,17) diese Wendung vollständig zufügt und sie 5,18d (analog zu 24,34) wiederholte (während hier die ἄν auslassende Sonder-LA von B es sicher final versteht, nimmt SCHWEIZER 1970:51f das als gegeben an; dazu LUZ 1978:418 n.94 "Für ἕ.ἄν seltener als für bloßes ἕ. [nur TestHiob 21,2; 22,3]). 12,20 ist sie abändernd in das Zitat von Jes 42,4b eingetragen und hat einen finalen Aspekt (der von Gott gesetzte Zweck; GRUNDMANN 326); zur Begrenzung eines Imp. dürfte sie auch 2,13 (vgl. 10,11; 22,44) red. sein.
   Mt Stilisierung zeigt sich auch in der Wendung
ἕως οὗ/ὅτου (GUNDRY 644)
   Mt 7 : Mk 0 : Lk 7 + 5
Dabei ist 2mal οὗ zu mk ἕ. ergänzt (Mt 14,22; 26,36) und gibt beidemale mit Konj.Aor. die Gleichzeitigkeit an (*während, solange als;* B-D-R 355,3a n.5 – was KRETZER EWNT 2,244 verkennt, wenn er meint, darin eine "Finalisierung" *damit* erkennen zu können, wogegen schon spricht, daß Mk 6,45 einen Ind.Präs. hatte). Gleichzeitig ist auch das bei Mt 5,25 einmalige ἕ. ὅτου (diff.

Q-Lk 12,58) mit Ind.Präs. gemeint. Sonst gibt ἕ. οὗ wieder den Endpunkt an, und zwar im Erzählstil 1,25 und 13,33(=Q) mit Ind.Aor. bzw. in wörtl. Rede 17,9(red. gg. Mk 9,9) und 18,34 mit Konj.Aor..

An den restl. 4 Stellen hat Mt die bloße Konj. zur Bezeichnung des Endpunktes. Dabei steht der Konj.Aor. ohne ἄν 18,30 (hier dürfte Q-Mt 5,26 dupl. sein), was dann V.34 nochmals wiederholt, und 10,23 red. nach dem Schema, wonach ἕ. eine Negation aufhebt wie 5,18.26; 16,28; 23,39; 24,34 im eschatol. Sinne, aber auch 17,9; 24,39; richtet sich dabei das Interesse darauf, daß die Haupthandlung erst nach der angegebenen Zeitgrenze ausgeführt wird, so meint dieser Semitismus (*lo' 'ad*) *erst dann, wenn* (BEYER 1968: 132 n.1). Mit dem Ind.Aor. bezeichnet ε. den Endpunkt erzählend 2,9 wie 24,39(Zusatz gegenüber Q-Lk 17,27). Synonym:

ἄχρι 24,38(=Q) temp. Präp. + Gen. *bis* zu dem Tag

    Mt 1 : Mk 0 : Lk 4 + 15 : Joh 0 (LXX 7mal)

ἕως II + Gen. (uneigentl. Präp.; MORGENTHALER 1973:181; GUNDRY 644)

    Mt 28 : Mk 10 : Lk 13 + 16 : Joh 5

       =(Mk 10 - 1 + 1) + (Q 3 + 4) + (A-Mt 11)

Außer der bei Mk 6,23 ersten Stelle sind alle mk Belege übernommen: Mt 17,17a.b; 24,21.31; 26,29.38.58; 27,45.51; red. Zusatz zu Mk ist Mt 22,26. Aus der Spätschicht von Q sind Mt 11,23a.b (lokal) und 23,35 (temporal) übernommen; die *temporalen* Q-Mt-Stellen 11,12 (Verbindung mit mt Adv.) und 11,13 (hier hat Q-Lk 16,16 das Hap.leg. μέχρι) dürften red. sein. Auch die *graduale* Verwendung Q-Mt 18,21 dürfte red. Zusatz sein (Verbindung mit Numeral-Adv., was V.22 noch doppelt wiederholt). Die *lokale* Verwendung Q-Mt 24,27 ist red. Kontetxangleichung an V.31(=Mk).

Als Präp. ist ἕ. erst im Hell. gebraucht (B-D-R 216,3 n.10). Auch die Verbindung mit Adv. ist für die Koine charakteristisch (ebd. 203):

ἕως + Adv.

    Mt 9 : Mk 5 : Lk 2 + 1

5mal *temporal* 11,12(diff. Lk); 17,b.c(=Mk); 24,21(=Mk); 27,8(+Mk); 3mal *gradual* 18,21.22a.b; *lokal* 27,51(=Mk – während das Adv. aus Mk 14,54 bei Mt 26,58 in den Nachsatz versetzt wurde).

Bei Mt dominiert die *temporale* Verwendung der Präp.:

    Mt 16 : Mk 5 : Lk 5 + 4

Außer den 5 Stellen mit Adv. sind das 3mal mit histor. Eigennamen als inkludierendes *bis* im Schlußsatz der Einleitungsperikope 1,17 im apokalyptischen Periodisierungsschema; ähnlich auch 2,15 und 23,35(=Q), während es 11,13 exkludierend *bis vor Johannes* meint (B-D-R 216,3 n.11). Das nahe Endgericht ist bezeichnet 13,30 (allegor.: Ernte) wie 26,29(=Mk) und 28,20, die Todesstunde Jesu 27,45(=Mk), der Ostertag 27,64. Temporale Synonyme sind 24,38(=Lk) ἄχρι und 2mal μέχρι 11,23 und 28,15(red. vgl. 27,8).

Die *lokale* Verwendung ist für Mt weniger signifikant:

    Mt 6 : Mk 3 : Lk 8 + 11

Sie setzt 11,23a.b)=Q) ein, war 24,27 red. Angleichung an V.31(=Mk); 26,58 (=Mk); 27,51(=Mk mit Adv.).

Kennzeichnend für Mt ist hingegen wieder die *graduale* Verwendung:

    Mt 6 : Mk 2 : Lk 0 + 1 (Apg 8,10)

Diese Angabe des *Maximums* setzt 18,21(diff. Lk) ein und findet sich von da an 5mal ununterbrochen hintereinander 18,22a.b; 20,8; 22,26(diff. Mk) und schließlich 26,38(=Mk – während Mk 6,23 nicht übernommen ist).

    Kennzeichnend für Mt ist schließlich die komplenyme Markierung eines *End- und Zielpunktes* in Relation zum Anfangspunkt mit

⇥ἀπό/ἕως

    Mt 13 : Mk 4 : Lk 2 + 4

Gradual 20,8; *lokal* bei 2/3 der Stellen 24,27.31(=Mk); 26,58(=Mk doch durch Zurücksetzung der ersten Wendung noch betonter aufeinander und in der

zweiten Wendung dir. auf den Ausgangspunkt bezogen); mit 8 Belegen an
der Hälfte der *temporalen* Stellen: 1,17a.b.c; 11,12 (das ἀπό von Q durch die
Zielangabe ergänzt); 23,35(=Q); 24,21(=Mk); 26,29(=Mk) und 27,45(=Mk) wurden
durch den red. Zusatz von ἀπό ergänzt.

Ζαβουλών 4,13.15 Eigenname eines der 12 Patriarchen/Stämme (Gen 30,20)

Ζάρα 1,3 (NT sonst nie; vgl. 1Chr 2,4)

Ζαχαρίας →γραφή

ζάω →ζωή

Ζεβεδαῖος →βαπτίζω

ζημιόομαι →κερδαίνω

ζητέω →εὑρίσκω

ζιζάνιον →ἄρτος

Ζοροβαβέλ 1,12f (vgl. Lk 3,27; Davidide nach 1Chr 3,19)

ζυγός 11,29f metaphor. Inpflichtnahme (→μανθάνω; SCHENK EWNT 2,259)

ζύμη, ζυμόω →ἄρτος

ζωή

   Mt 7 : Mk 4 : Lk 5 + 8 : Joh 36
       =(Mk 4 – 1 + 2) + (Q O + 1) + (A–Mt 1)

Aus Mk wurden alle Stellen übernommen: 18,8(=Mk 9,43.45 kontrahiert) abs.
und 19.16.29 erst mit der Näherbestimmung →αἰώνιος. Mt hat vereinheitlicht,
indem er das in 18,8 übernommene →εἰσέρχομαι εἰς gehäuft verwendete und
in die beiden Zusätze zu Mk in Mt 18,9 und 19,17 statt →βασιλεία einsetzte.
Da es sich beidemale um einen Fall unmittelbarer Wiederholung – also Renominalisierung handelt, steht es ohne die selbstverständlich zu ergänzende
adj. Näherbestimmung. Gg. die Favorisierung des Syntagmas mit Vb. der Bewegung spricht auch 19,16 nicht, wo es einmalig nicht im Munde Jesu erscheint, denn hier ist das Fut. von →ἔχω (vgl. dessen eschatol. Synonym-
Obj. schon V.21) in Entsprechung zu den anderen Stellen zu nehmen, da Mt
das mk *erben* nach V.29 verlagert hat. Man hat also aus dem modifizierten
Vb. im Munde des Gegners nicht vorschnell in dem Sinne erbauliches Kapital zu schlagen, als daß sein "Habenwollen" als solches fehlorientiert wäre.
Dgg. spricht die Vb.-Wiederholung im Munde Jesu selbst V.21. Ein synonymes Vb. der Selbstbewegung ist auch an der letzten red. Stelle 25,46
verwendet, wo es als letztes Wort der Lehre Jesu überhaupt (vgl. 26,1)
wieder durch das qualifizierende Wert-Adj. näher bestimmt ist. Von daher
ist es auch an der einleitenden Stelle 7,14(+Q), wo es mit einem kausativen
Komplenym steht, als red. anzusprechen, zumal in Q-Materialien sonst nie ζ.
verwendet ist. Bei Mt steht es also immer in Mk-Abhängigkeit und im Wort-
feldgegensatz zum "ewigen Verderben" als der gleiche Lohn für die ganze
mt Schülerschaft im neuen Äon. Da Mt das Subst. nie biologisch oder anthropol. verwendet, so ist es nicht als Kontrastbegriff zum normalen Leben
des Menschen gebildet. Von daher läßt sich für Mt nicht ein "metaphor. Gebrauch" behaupten (man muß mit dieser Kategorie überhaupt vorsichtiger
umgehen als etwa SCHOTTROFF EWNT 2,261-71): Sie trägt für die Sem-Analy-
se weniger aus (und eher Mißverständnisse ein) als die synchrone Wortfeld-
bestimmung – hier durch das Antonym *ewiges Verderben*. Von daher ist die
Übers. *individuelle Unsterblichkeit* am ehesten äquivalent. Dazu gehören auch
2 Belege des Vb. im Pt.:

ζῶ

   Mt 6 : Mk 2 : Lk 10 + 12 : Joh 17

Während die Anfangs- 4,4 (=Q Zitat Dt 8,3 *nicht vom Brot allein*) wie die
Schlußstelle 27,63(+Mk *als er noch am Leben war*) zweifellos nur das physische Leben Jesu zu meinen scheinen wie 9,18(=Mk) das Ziel einer *Wiederbe-
lebung* (doch in allen 3 Fällen auf den nahen Eintritt des neuen Äon hin
orientiert!), so ist mit dem Pt. 22,32(=Mk) als Abschluß der Sadduzäerzu-
rückweisung zweifellos die individuelle Unsterblichkeit gemeint. Sie ist

auch in der pt. Gottesbezeichnung 16,16(+Mk) im Blick; da dieses jüd. Gottesprädikat nach seinem jeweiligen Kotext erst semant. präzis bestimmt werden kann (STENGER 1978), vertritt es hier im Munde des mt Petrus das οὐράνιος der Jesusworte: *ewiges Leben bereithaltend*. Wenn es 26,63(+Mk) im Munde des Priesterfürsten wiederholt wird, dann primär leserorientiert zur Erinnerung an 16,16 und so die folgende Gottessohnfrage vorbereitend.

ἡλικία 6,27(=Q) *Lebensfrist* (BAUER WB 682; SCHRAMM EWNT 2,291)

  Mt 1 : Mk 0 : Lk 3 + 0 : Joh 2 (NT nur noch Eph 4,13; Hebr 11,11)

ζώνη ⇥δερμάτινος

ἤ (GUNDRY 644 – allerdings leider unter Vermischung der Vergleichszahlen)

  Mt 71 : Mk 33 : Lk 45 + 35 : Joh 12

    =(Mk 33 – 16 + 11) + (Q 8 + 16) + (A–Mt 19)

Es ist für Mt weniger typ. als *Vergleichspartikel* nach Komparativ (*quam – als*; BAUER WB 677f; MORGENTHALER 1973:159; PEPPERMÜLLER EWNT 2,276f):

  Mt 8 : Mk 5 : Lk 8 + 8 : Joh 2

    =(Mk 5 – 1) + (Q 3 + 1)

1,18(nach πρίν Mk 14,30 permutiert); 10,15(=Q) ἀνεκτότερον wie 11,22(=Q).24 (+Q Dubl. von 10,15); 18,8(=Mk καλόν).9(=Mk).13(=Q μᾶλλον); 19,24(=Mk εὐκοπώτερον).

  Davon zu unterscheiden ist der Gebrauch der *disjunktiven Partikel* (*aut – oder*; BAUER WB 675-7; B-D-R 466; PEPPERMÜLLER EWNT 2,275f):

  Mt 63 : Mk 28 : Lk 37 + 27 : Joh 10

    =(Mk 28 – 14 + 12) + (Q 5 + 17) + (A–Mt 15)

Dabei ist weiterhin ein doppelter Unterschied zu machen: syntaktisch zwischen nur wortverbindend vs. satzverbindend, semant. zwischen wirklichen Alternativen und bloßen Aufreihungen (eines zweiten oder weiterer Beispiele: *bzw.*).

  Bei reichlich 2/3 der Belege (43mal) liegen nur *Wortkonnektoren* vor. Diese sind meist anreihend im Sinne von *bzw.* zu übersetzen: 5,17.18(+Q).36; 10,11(+Q).14(+Q).19(=Q).37a.b(+Q); 12,25(+Mk); 13,21(=Mk) 15,4.5.6(=Mk); 16,14 (+Mk); 17,25b; 18,8a.b.c(+Mk).16a.b(+Q).20; 19,29(=Mk 6mal; 1mal +Mk); 20,23 (=Mk); 24,23(+Mk); 25,37.38.39.44(5mal); von diesen 38 Stellen haben nur 12 eine Vorlage; 26 dürften red. sein.

  Nur 5 von den Wortverbindungen sind wirkliche *Alternativfragen*: 21,25 (=Mk Gott/Mensch); 22,17(=Mk Gott/Kaiser); 23,17(Gold/Tempel).19(Opfer/ Altar); 27,17(+Mk Jesus-Barabbas/Jesus). Typ. ist nicht nur, daß diese Stellen erst im Anschluß an zwei aus Mk übernommene auftauchen und dann multipl. sind, sd. daß das im Schlußteil des Buches immer in Reden auf Jerusalemer Boden lokalisiert ist, was damit den Dualismus des Verwerfungskonzepts unterstreicht.

  Die 20 *Satzkonnektoren* haben meist argumentative Funktion. Auch in den beiden Satzpaaren mit der Aussage *entweder/oder* 6,24a.b(=Q – ἤ/ἤ nur hier im NT) und dupl. 12,33a.b(+Q) haben sie additive Funktion und die formale Antithese dient nur zur Verstärkung des Arguments.

  Rein aufreihend im Sinne von *bzw.* sind auch die 13 Einleitungen in Doppelfragen, wobei die Erstfrage ohne Partikel steht (PEPPERMÜLLER eb.): 6,25(+Q).31a.b(+Q); 7,4(+Q).10(=Q).16(+Q); 12,5(+Mk unter Wiederholung der metakommunikativen Einleitung von V.3).29(+Mk zum Anschluß an die rhetor. Fragen V.26 und 27a); 16,26b(+Mk); 26,53(+Mk) ist stärker als Aufforderungsfrage im Anschluß an das voranstehende Argument zu sehen; 20,15a.b (nach Analogie von 7,9f gebildet) ist wohl nicht eine Alternativfrage, da sie argumentative Funktion hat.

  Alternativfragen liegen nur 9,5(=Mk) und 11,3(=Q) vor sowie 17,25c, falls man diese nicht lieber zu den bloßen Wort-Alternativfragen zählen will.

  Kennzeichnend sind für Mt also vor allem die argumentativen Fragen, wo die Partikel sowohl mit Frage-Pron. (τίς, τί, πῶς) verbunden als auch auf

dieses rückweisend erscheint (vgl. SENIOR 1982:137f, dessen Klassifikation aber nicht funktional homogen ist).
ἡγεμών (HAWKINS 1909:5; MORGENTHALER 1973:181; GUNDRY 644)
    Mt 10 : Mk 1 : Lk 2 + 6 (NT nur noch 1Pt 2,14)
        =(Mk 1 + 8) + (Q 0) + (A–Mt 1)
Der Plur. ist 10,18(=Mk) zur Bezeichnung der Verfolgungsinstanz *Machthaber, Herrschende* (neben *Königen* zur Bezeichnung der unteren Instanzen) übernommen. Von daher hat Mt 8mal diese Bezeichnung im Sing. speziell für *Pilatus* multipl., indem er sie 27,2 bei der Einführung der Person in den Text hinzusetzte und danach alterierend 27,11a.b.14.15.21.27; 28,14 mit dem Namen
Πιλᾶτος (WEISER EWNT 3,206; QUINN 1970)
    Mt 9 : Mk 10 : Lk 12 + 3 : Joh 20 (NT nur noch 1Tim 6,13)
        =(Mk 10 – 1)
27,13.17.22.24.58a.b(=Mk) und V.62.65(=Mk permutiert für die Auslassungen von der eingeführten Funktionsbezeichnung her) setzte, so daß jedes der beiden Elemente immer ellipt. für die einleitende Vollbezeichnung steht.
    Der Sing., den JosAnt 18,55 funktionsgleich braucht, ist in diesem Zusammenhang wohl keine Amtsbezeichnung, da der röm. Vertreter des Landesherrn in Klientelstaaten *praefectus* (so auch die 1961 gefundene Pilatus-Inschrift in Caesarea) war, so daß es falsch bezogen ist, wenn man es als *Statthalter* im Sinne von römischer *Prokurator in Judäa* verstehen wollte, denn *Präfekten* gab es nur in den direkten Provinzen (also *Syrien*) des röm. Reiches selbst (FITZMYER 1970:505f gg. BAUER WB 678f; WEISER EWNT 2,277–9). Mt dürfte die Bezeichnung seit 27,2 direkt von der Vorhersage 10,18 als für eine erste teilweise Erfüllung eingeführt haben, denn er hat den Vb.-Gebrauch beider Stellen (≻ἄγω über παραδίδωμι hinaus) aneinander angeglichen. Damit ist die Schülernachfolge im Schema von Verwerfung und Rehabilitierung noch stärker an die des Lehrers angeglichen. Damit bleibt aber auch der von 26–36 amtierende *praefectus* trotz aller mt Tendenzen zur stärkeren Israel-Belastung dennoch bis zum Ende ein Mitbelasteter; Mt kann keine pro-römische apologetische Tendenz (wie Lk) zugesprochen werden.
    Auch in das Erfüllungszitat hat Mt den Plur. erst red. eingeführt (WEISER EWNT 2,278 mit ROTHFUCHS 1069:60f,126f) als Anrede an Bethlehem als *Königsstadt*, da Mi 5,1 dafür keinen Anhalt bot. Doch hat die Verursachung eine klare Tendenz, da in diesem Mischzitat das gleiche Lexem im Vb. von 2Regn 5,2 vorangestellt ist, ehe es in dem nachgestellten Relativsatz als *Herrschaft* des Messiaskönigs Israels erläutert wird:
ἡγέομαι (SCHRAMM EWNT 2,279–81 mit BAUER WB 679 "leitende Stellung")
    Mt 1 : Mk 0 : Lk 1 + 4 : Joh 0
Insofern Mt 2,6 mit dieser betonten Doppelung im Wortfeld der königlichen Messianologie einsetzt und verschiedene Permutationen und Dubl. zur Terminologie der abschließenden Verwerfung Jesu in Jerusalem setzt, stehen bei ihm auch alle folgenden Stellen von ἡ. von vornherein unter dem Vorzeichen einer bewußten Antithese zum wahren König Israels. Damit ist die Konfrontation in Mt 27 red. zugespitzt: Pilatus steht als Okkupations-Herrscher dem wahren Herrscher seines Volkes gegenüber (vgl. ≻κράζω, κύριε). Es steht quasi *König* gegen *König* auf dem Schachbrett des mt Sprachspiels (darum ist die Übers. *Befehlshaber* bei GRUNDMANN 548 eine dem mt Text semant. inadäquate Scheinhistorisierung, da das für Mt entscheidende Sem gg. SCHWEIZER 328 nicht "militärische Macht" ist).
ἤδη (GUNDRY 644)
    Mt 7 : Mk 8 : Lk 10 + 3 : Joh 16
        =(Mk 8 – 4 + 2) + (Q 1)
Die erste 3,9(=Q mit Präs.) und die letzte Stelle 24,32(=Mk – im Nebensatz

mit ὅταν, während Mt den Gen. abs. von Mk 3mal ausließ) des (meist als Zeitadv. gebrauchten) *schon* beziehen sich auf die *nahe* (synonym 24,32f) Parusie; auch der Zusatz 17,12(+Mk *Elijah kam schon*) ist auf den Vorsehungsplan bezogen. Mit einer Zeitangabe wurden nur 14,15(=Mk) und 15,32 (=Mk mit Präs.im Nebensatz mit ὅτι) zur Dramatisierung der Speisungsvorbereitung übernommen, während dazwischen die gleiche Funktion zur Vorbereitung der See-Epiphanie 14,24(=Mk 4,37 wegen des Zusammenhangs mit dem Boot permutiert und aus der Inf.-Konstruktion des Nebensatzes in einen Hauptsatz transformiert) einmalig eine (stärker literarische) *Entfernungsangabe* (so schon seit Hdt 3,5; L-S-J 764) hat. Die *logische Unmittelbarkeit* (so seit Plato L-S-J ebd.; BAUER WB 680; PEPPERMÜLLER EWNT 2,282) ist red. 5,28(+Mk *hat schon*) ausgedrückt. Bei Mt überwiegt der Gebrauch in Hauptsätzen:

    Mt 5 : Mk 1.

ἡδύοσμον →δύο
ἥκω (GUNDRY 644)

    Mt 4 : Mk 0 : Lk 5 + 0 : Joh 4
        =(Q 2 + 2)

Das resultative Vb. *da(= gekommen)-sein* (BAUER WB 681f; SCHRAMM EWNT 2, 283f) wurde an der ersten 8,11(=Q *viele*) wie letzten Stelle 24,50(=Q *Herr*) von Q im eschat. Sinne übernommen (SCHULZ 1972:275f,323f) und von daher 23,36(+Q *das alles*) und 24,14(+Mk *das Ende*) dupl., so daß Mt es nur (im Unterschied zu Lk) in eschatol. Bedeutung verwendet.

ἠλί →θεός
'Ηλία →γράφω
ἡλικία →ζῶ
ἥλιος →φῶς
ἡμεῖς (GASTON 1973:62)

    Mt 49 : Mk 23 : Lk 69 + 123 : Joh 48

Als Komplexe besonderer Dichte fallen auf das Unservater 6,9-13 (9mal), die Dämonenaussagen 8,29-31 (4mal) und die Torheitsallegorie 25,8-11(4mal).

ἡμεῖς

    Mt 5 : Mk 3 : Lk 5 + 21 : Joh 18
        =(Mk 3 + 1) + (Q 0 + 1)

Die 4 ersten Belege des verstärkenden Nom. (B-D-R 277,1; SCHNEIDER EWNT 2,294f) finden sich im Munde der Schüler: Q-Mt 6,12(diff. Lk dürfte die Bitte abgeändert haben und 19,27(=Mk); 17,19(=Mk), woran die Frage der Täuferschüler 9,14(+Mk) angeglichen ist, um sie so durch die Stilisierung auf die positive Seite zu stellen. In Kontrast dazu steht die abschließende Gegnerstelle (vgl. auch Gen., Dat., Akk.) 28,14, die die auch bei Mk 14,58 abschließende Gegnerstelle permutiert.

ἡμῶν (SCHNEIDER EWNT 2,295)

    Mt 13 : Mk 6 : Lk 19 + 43 : Joh 13
        =(Mk 6 - 5 + 3) + (Q 3 + 3) + (A-Mt 3)

Neben der mt Häufung des Gen. fällt auch eine sorgfältige Verteilung auf, wie sie schon im Nom. (vgl. auch Dat. und Akk.) ansetzte: Die 4 *letzten* Stellen sind konsequent im Munde der *Verworfenen* plaziert: Q-Mt 23,30(diff. Lk *eure*) hat Mt eine direkte Rede der Gegner geschaffen, wobei *unsere Väter* den ausgelassenen Sing. der auf David bezogenen Stelle Mk 11,10 permutieren könnte; 25,8 (*unsere Lampen*); 27,25(+Mk *unsere Kinder* - zur Ergänzung des Akk.); 28,13 (Gen.abs. *während wir schliefen* - in der Funktion des Nom.; sonst nur Apg 6mal, Pl 4mal, Hebr 1mal). Dem entspricht, daß in diesem Komplex die positive Verwendung des Grundbekenntnisses Israel Mk 12,29 (*unser Gott*) zur Verstärkung des Dualismus ausgelassen wurde. Auch die Gegnerstelle Mk 12,7 (*uns gehöre* - Mt hat es nie vom Vb. regiert) wurde abgeändert, da sie für Mt in den *ersten* Komplex der 9 *positiven* Stellen gefallen wäre: Dieser beginnt 1,21 (*Gott mit uns*) mit einem Erfüllungszitat, kommt 8,17(+Mk *unsere Krankheiten*) auf ein solches zurück und schließt 21,33(=Mk *unsere Augen*) mit einem solchen, von dem her die Einbringung und Anordnung der beiden anderen retrospektiv entworfen sein dürften. Eine solches rückschreitendes Vorgehen ist auch darin zu beobachten, daß auch die voranstehende Stelle 20,33(+Mk) *unsere Augen* dupl. hat. 15,33(+Mk *hinter uns her*) hat die einzige weitere Präp.-Stelle, während die beiden solchen in Mk 9,40 (*für/gegen uns*) entfielen. Die Gebetsstellen Q-Mt 6,11(*unser Brot*).12a(*unsere Schulden*).b(*unsere Schuldner*) wurden V.9(+Lk *unser Vater* - contra *unsere Väter* 23,30 und darum die Auslassung von Mk 11,10 *unser Vater David* wie Mk 12,29 *unser Gott*) dupl. So ergibt sich für das Syntagma Subst. + ἡμῶν (B-D-R 284; K-G 464,4) das Verhältnis

Mt 10 : Mk 3.

ἡμῖν (SCHNEIDER EWNT 2,295f)

Mt 18 : Mk 9 : Lk 26 + 31 : Joh 14
=(Mk 9 - 4 + 9) + (Q 3 + 1)

Außer der einmaligen red. Verbindung mit der Präp. παρά 22,25 (hergestellt durch Permutation von Mk 12,19) und der Aufforderungsfrage der Dämonen 8,29 (Plur. von Mk 1,24 permutiert), bei der es sich faktisch um eine Bitte (mit Ellipse des Vb.) handelt, steht bei Mt (wie von Mk und Q vorgegeben) immer der einfache Dat. der Vb.-Ergänzung. Auffallend ist die Multipl. der 24,3(=Mk) vorgegebenen Verbindung

Vb. des Sagens + ἡμῖν

Mt 7 : Mk 1,

die er im Gegnermund vorlaufend 21,25(+Mk); 22,17(+Mk) und nachfolgend 26,63(+Mk) und durch Hyponyme spezifiziert 26,68(+Mk *weissage*) bzw. schon in den positiven Bitten der Schüler um Allegoriedeutung im ersten Buchteil 13,36(+Mk); 15,15(+Mk) einsetzte.

Die erste Stelle 3,15(+Mk *es gebührt uns*) führt den Dat. im Munde Jesu für den Gehorsamsbezug ein; 6,11(=Q *gib*).12(=Q *erlaß*) hat die an Gott gerichteten Bitten übernommen; 19,27(+Mk) wurde der Dat. der Lohnfrage betonend zugesetzt und in der Allegorie 20,12 (im Zusammenhang mit ποιεῖν aus Mk 10,35 vorgezogen) in Korrespondenz dazu dupl.; wenn bis dahin mit Ausnahme der Dämonenverwendung 8,29 der *positive* Aspekt dominierte, so fällt auch hier wieder auf, daß dann ab 21,25 wieder die Verwendung im Munde der *Gegner* dominiert, nur unterbrochen durch die Schülerfrage 24,3 und die allegor. Konfrontation der Verworfenen 25,8 (=Mk 10,37 permutiert *gebt uns*).11(=Q *öffne uns*) mit den Klugen V.9(*es reicht nicht für uns und euch* - als antithet. Q-Dubl. von V.11). Gerade diese Konfrontation verstärkt den Blick dafür, daß es ab 21,15 6mal im Munde der *Verworfenen* erscheint, was der Verwendung im Nom., Gen. und Akk. entspricht (von daher dürfte sich wiederum auch die Auslassung der beiden letzten positiven Stellen der Vorlage Mk 14,15; 16,3 erklären).

ἡμᾶς

Mt 13 : Mk 5 : Lk 19 + 28 : Joh 3
=(Mk 5 + 6) + (Q 1 + 1)

Im Anschluß an Präp. nur 3mal 13,56(=Mk πρός) und dupl. 27,4(+Mk) sowie 27,25(=Mk 9,22 ἐφ' permutiert und vom Positiven zum Negativen transkodiert), so daß auch hier die beiden abschließenden Verwendungen im Munde der Verworfenen erscheinen. Sonst als einfache Vb.-Ergänzung in der Bitte 6,13a(=Q) und V.13b dupl.; im Munde der Dämonen 8,29(=Mk 1,24 permutiert). 31a(+Mk dupl.).b(=Mk); in den Hilfebitten der Blinden 9,27(+Mk) und 20,30f (+Mk), im Munde der Schüler 17,4(=Mk) bzw. allegor. dupl. 20,7.

ἡμέρα (GUNDRY 644)

Mt 44 : Mk 27 : Lk 83 + 94 : Joh 31
=(Mk 27 - 7 + 7) + (Q 5 + 8) + (A-Mt 4)

23 der Belege stehen im *Sing.*, davon 10 für das *Endgericht*, wofür 10,15
(=Q) multipl. in 11,22(+Q).24(+Q); 12,36(+Q) das ihm genuine Syntagma
ἡμέρα ↗κρίσεως (GUNDRY 644)
   Mt 4 : Mk 0 : Lk 0
hat; ferner danach ἡ. ἐκείνη 24,36(=Mk); 26,29(=Mk) und dupl. schon davor
7,22(+Q) bzw. abs. dupl. 24,42.50(=Q); 25,13.
   4mal ist der Sing. für den *Auferweckungstag* in Angleichung an die
urspr. Pistisformel 1Kor 15,4 red.
τρίτη ἡμέρα
im Dat. in den Verwerfungs-Rehabilitierungs-Vorhersagen 16,32; 17,23; 20,19
statt des mk Plur. und dupl. im Gen. 27,64, während V.63 die mk Wendung
μετὰ τρεῖς ἡμέρας dir. permutiert aufgenommen hat. Der Plur. erscheint dafür auch in der red. ersten Vorhersage 12,40b(+Q) im Anschluß an die Jona-
Korrelation V.40a(+Q).
   Die übrigen 9 Sing.-Stellen erscheinen 3mal erzählend: 13,1(=Mk 4,35
permutiert); 22,23(=Mk 8,1 permutiert und in Sing. transformiert) sowie
V.46(+Mk) dupl.; 6mal in Jesusrede: 6,34(+Q); 20,2.6.12; 24,38(=Q Noah);
26,55(=Mk κατά + Akk. *täglich*).
   Außerdem ist es in der semant. Tiefenstruktur auch dort vorhanden, wo
es ellipt. fehlt (BROER 1972:69) wie bei αὔριον 6,34a.b (+Q vgl. auch Lk
10,35; Apg 4,3.5); ἐπαύριον 27,62; πρώτη 26,17(gg. Mk ausgelassen!); σήμερον
(wie Apg 19,49; 20,26) 11,23(+Q); 27,8(+Mk); 28,15 (so nach den beiden vorangehenden Stellen mit H-G 278, KLOSTERMANN 230f gg. N-A 87, GUNDRY
593); ellipt. Verwendung von Tagesangaben:
   Mt 7 : Mk 1 : Lk 1 + 4.
αὔριον 6,30(=Q).34a.b(+Q) mit Art. dupl. Zeitadv. *morgen*
   Mt 3 : Mk 0 : Lk 4 + 4 (NT nur noch 1Kor 15,32 Zitat; Jak 4,13f)
ἐπαύριον 27,62(=Mk 11,12 mit Art. permutiert)
   Mt 1 : Mk 1 : Lk 0 + 10 : Joh 5 (NT sonst nie)
σήμερον (GUNDRY 648)
   Mt 7 : Mk 1 : Lk 11 + 8 : Joh 0
      =(Mk 1) + (Q 1 + 3) + (A-Mt 2)
In 6,30(=Q) meint das Temporaladv. *heute noch* im Unterschied zu *morgen
schon*. Dieser begrenzende Sinn steckt auch in der Naherwartung der Brot-
bitte 6,10 (Lk dürfte verallgemeinernd abgeändert haben). Derselbe Akzent
des *heute noch* dürfte auch in dem Arbeitsauftrag 21,28(+Q) vorliegen, da
Mt ihn auf die Periode des Täufers allegorisiert; 27,19(=Mk 14,40 in Ent-
flechtung der mk Doppelangabe permutiert, was Lk in umgekehrter Richtung auflöst, und hier wegen des Bezugs auf die Nacht von daher gebildet)
ist wegen des Träumens die letzte Nacht bezeichnet. Genuin mt ist
μέχρι (GUNDRY 646) σ. 11,23(+Q); 28,15(+Mk) *bis heute* (↗ἕως temp.)
   Kennzeichnend für Mt ist der hell. Gebrauch (BAUER WB 1484) in einer
präp. Wendung mit Art. in den genannten 3 Ellipsen, von denen die beiden
letzten als Autorenkommentar für seine Gegenwart stehen wie Jub 38,14. Im
Unterschied zu den Synonymen ↗ἄρτι und νῦν ist σ. bei Mt nicht vorse-
hungsgeschichtlich verwendet,
   Eine 8. Stelle wäre für Mt zu veranschlagen, wenn Mt 16,3 als urspr.
angesehen werden müßte (so DAUTZENBERG EWNT 1,736; FRANKEMÖLLE 1974:
115 n.166 als Beleg für die mt Ansicht der Verstockung, doch wird man sie
von der Bezeugung her mit LÜHRMANN 1969:35f nicht für Mt annehmen können. GNTCom 41 bietet als möglichen Gegengrund gg. die an sich starke Bezeugung für eine sek. Auslassung die Erwägung an, daß die lokale Nichtübereinstimmung mit den klimatischen Verhältnissen in Ägypten die dortige
Textüberlieferung dazu veranlaßt habe, doch so motivierte Eingriffe sind in
der Zeit der Kirchenväter ohne Parallele; GRUNDMANN, SCHWEIZER u.a. fällen
keine klare Entscheidung).

Weiterhin ist καιρός als Archilexem für ἡ. bei Mt im Sing. (≻ἐκείνη) gelegentlich Kontextsynonym:
καιρός (GASTON 1973:62; GUNDRY 645 – doch textkritisch ohne 16,3)
   Mt 9 : Mk 5 : Lk 13 + 9 : Joh 3
Das Archilexem des *Zeitpunktes* steht 3mal für die Einheit des Tages in dem makrosyntaktischen Gliederungssignal mit ≻ἐκεῖνος 11,25(=Q) dupl. 12,1 und 14,1 und insgesamt 6mal mit temporalem ≻ἐν (wobei die einzige bei Mk 10,30 mit κ. οὗτος nicht übernommen wurde) – noch 13,30(=Mk 13,33 permutiert) eschatol. wie von der darauf orientierten Verantwortungszeit 25,45(=Q) und dupl. 21,41(+Mk Plur.), wo es zugleich V.34(=Mk) renominalisiert; das Endgericht meinen auch die Dämonen 8,29(+Mk *vor der Zeit*); 26,18 (die letzte mt Stelle permutiert die mk erste Mk 1,15) spricht vom Eintreffen der vorhergesagten Verwerfung als einem Zeitpunkt des Vorsehungsplans. Entsprechend der je konkreten Verwendung des relationalen und formalen Lexems erfolgt bei Mt 3mal red. die betr. Näherbestimmung durch einen Gen. (der einzige bei Mk 11,13 wurde ausgelassen) 13,30 (Ernte); 21,34 (Früchte); 26,18 (μου).
εὐκαιρία 26,16 (wie Lk statt mk Adv.– NT sonst nie) *günstiger Zeitpunkt*
πρόσκαιρος 13,21(=Mk) *zeitweilig, unbeständig, vorübergehend* (BALZ EWNT 3,413f mit dem noetischen Sem *"oberflächlich"* ≻σκανδαλίζω)
   Mt 1 : Mk 1 (NT nur noch 2Kor 4,18; Hebr 11,25; LXX 3mal hell.)
χρονίζω 24,48(=Q) dupl. 25,5 eschatol.-allegor. Irrtum *sich Zeit lassen*
   Mt 2 : Mk 0 : Lk 2 (NT nur noch Hebr 10,37)
χρόνος 2,7.16(=Mk 2,19 permutiert); 15,19(=Mk 9,21 permutiert) *Zeitspanne*
   Mt 3 : Mk 2 : Lk 7 + 17 : Joh 4
Die häufigsten η.-Verbindungen sind die mit ≻ἐν 14mal und ≻ἐκείνη 12mal; ferner *Plur.* zur Bezeichnung einer Epoche der Vergangenheit
ἡμέραι + Gen. der Person
   Mt 4 : Mk 0 : Lk 6 + 1
2,1 (*des Herodes: Regierungszeit*); 11,12(+Q *des Johannes: Wirkungszeit*; TRILLING EWNT 2,298; zu der von Mk übernommenen Fehleinschätzung vgl. SCHENK 1983c); 23,30(+Q *der Väter*); 24,37(=Q *Noahs*).
   Konkrete Angaben werden berichtend gemacht: 4,2(=Mk 40 – doch während bei Mk das πειράζειν während dieser stattfindet, so bei Mt danach); 12,40a(+Q *Jona 3*); 15,32(=Mk 3); 17,1(=Mk 6); in dir. Rede auf Zukunft bezogen 9,15(=Mk); 12,40b(+Q); 24,19.22a.b.29; 26,2(=Mk 2).61(=Mk 3) dupl. 27,40(=Mk); 28,20(*alle*).
κολοβόω 24,22a.b(=Mk) (Zeit) *verkürzen* (wie *Steine behauen*)
   Mt 2 = Mk 2 (NT sonst nie; LXX nur 4Regn 4,12 *stutzen*; BAUER WB 873f)
Das Komplenym der astronomischen Zeiteinheit *Nacht* ist in den Plur.-Stellen 4,2(+Mk); 12,40a.b(+Q) nachgeordnet mitgenannt, während die beiden einleitenden mk Stellen mit Sing. und gleichzeitiger Vorordnung (Mk 4,27; 5,5) ausgelassen (bzw. in die angegebenen Plur. permutiert) wurden:
νύξ (GUNDRY 646)
   Mt 9 : Mk 4 : Lk 7 + 16 : Joh 6
      =(Mk 4 + 1) + (Q 0) + (A–Mt 3)
14,25(=Mk) ist die röm. Zählung einer 4. *Nachtwache* übernommen wie 26,34 (=Mk) und V.31 verstärkend dupl. der Abfall *in dieser Nacht*. In seinen Eigenformulierungen hat Mt 2,14; 25,6; 28,13 in Engel-, Jesus- und Gegnermund den "klass. Gen der Zeit, innerhalb welcher etwas geschieht" (B–D–R 186,2):
νύκτος
   Mt 3 : Lk 1 + 1 : Joh 2.
ὥρα (GUNDRY 649)
   Mt 21 : Mk 12 : Lk 17 + 11 : Joh 26
      =(Mk 12 – 3 + 8) + (Q 3 + 1)

Mt Kennzeichen (Häufigkeits-Subst. 32. Rang) sind die 7malige präp. Verbindung mit →ἐκείνη, die 4malige mit →περί, die 20,12(+Mk); 26,40(=Mk); 27,45a.b (=Mk) ergänzt werden durch
ὥρα + Numeralwort
   Mt 8 : Mk 5 : Lk 3
      =(Mk 5 – 1 + 4).
Sonst neben 14,15(=Mk) von der Tageszeit *spät* und 26,45(=Mk) vom *Zeitpunkt* der Auslieferung 4mal hintereinander eschatol. für die Parusie neben →ἡμέρα *Tag* und *Tageszeit* (BAUER WB 1771) 24,36(=Mk).44.50(=Q) und dupl. 25,13(+Q).
Ἡρῴδης I (KELLERMANN EWNT 2,304f)
   Mt 9 : Mk 0 : Lk 1 + 1 (NT und LXX sonst nie)
2,1.3 führt Herodes d.Gr. (41[37]–4 v.Ch.) als βασιλεύς (Mk 6,14 permutierend und transkodierend und damit auch die Idee einer Tötungsabsicht dupl.) ein und renominalisiert den Namen in Beschränkung auf dieses Textsegment V.7.12.13.15.16.19.22, während Lk ihm rahmend die erste und die letzte Nennung seines Doppelwerks widmet (A Lk 1,5 : A' Apg 23,35).
Ἡρῴδης II (KELLERMANN EWNT 2,305f)
   Mt 4 : Mk 8 : Lk 13 + 2 (NT und LXX sonst nie)
14,1(=Mk) führt den Sohn Herodes Antipas (4 v.–39 n.Ch.), Tetrarch von Galiläa und Peräa, mit seinem korrekten Titel τετράρχης (statt des mk →βασιλεύς, den er auf den Vater permutierte) ein und renominalisiert den Namen nur (im Unterschied zum expansiven und ringkompositorischen Gebrauch des Lk B Lk 3,1 – Apg 4,27 : B' Apg 13,1) in diesem Segment V.3.6a.b(=Mk). Ebenso nur hier übernahm er den Namen seine Nichter und Frau (KELLERMANN EWNT 2,308f)
Ἡρῳδιάς 14,3.6(=Mk)
   Mt 2 : Mk 3 : Lk 1 (NT und LXX sonst nie) – falsch zugeordnet zu
Φίλιππος II 14,3(=Mk); 16,13(=Mk) Herodessohn, Tetrarch, dessen Gründung Καισάρεια ἡ Φ. 16,13(=Mk – NT sonst nie) erwähnt ist.
Ἡρῳδιανοι →γραμματεύς
Ἠσαίας →γραφή
Θαδδαῖος →μαθητής
θάλασσα →Γαλιλαία
θαμάρ →γαμ–
θάνατος, θανατόω, θάπτω →ἀποθνῄσκω
θαρσέω →φοβέομαι
θαυμα–
   Mt 9 : Mk 6 : Lk 12 + 5 : Joh 7
(ἐκ)θαυμάζω (GASTON 1973:62; GUNDRY 644)
   Mt 7 : Mk 5 : Lk 12 + 5 : Joh 6
      =(Mk 5 – 2 + 2) + (Q 2)
Es ist bei Mt "gegenüber anderen Vb. des Staunens vorherrschend" (ANNEN EWNT 2,334). Wie schon Tob 11,16 steht es zwischen Erfahrung und Deutung. Bei Mt bilden die 5 ersten Stellen eine deutliche Gruppe, da es eine sich in Worte fassende Erfahrung beschreibt. Hier haftet am Vb. nicht eine Unschlüssigkeit, sd. eine klar zuordnende Ausrichtung auf die Doxologie hin. Um das zu verstärken, hat schon die Eröffnung 8,10(=Q) θ. mit Jesus selbst als Subj. in sein Buch eingeführt: Jesus ist nicht *erstaunt* oder *verwundert* (was hier viel zu neutral und mißverständlich wäre); der Ton liegt weniger auf der Überraschung als auf der *Begeisterung* über so viel Einsicht (wobei die Antithese zu Israel zu *bei keinem* verstärkt wurde).
   Dasselbe gilt für die Wiederaufnahme im Chorschluß nach der Sturmstillung 8,24(=Mk 5,20 permutiert als jeweils erste, so beschriebene Reaktion): Die Größe ist der Gegenstand der *Begeisterung*; entsprechend ist es 9,33(=Q) nach der Dämonenbannung: neu für Israel; wenn 15,31(+Mk) den Chorschluß

nur durch indir. Rede ausdrückt, so ist doch auch hier der doxologische
Zusammenhang deutlich durch den Hinweis auf den *Gott Israels* als Obj.
(renominalisierter Israel-Bezug wie 8,10 und 9,33 als verbindendes Element
der Textsequenz). Von daher ist auch die Jüngerreaktion auf den verdorrten Feigenbaum bei Mt 21,20(+Mk) red. als Bewunderung und *Begeisterung*
beschrieben. Typ. für diesen Block der 5 gleich stilisierten Verwendungen
ist auch, daß Mt die anders getönte Verwendung in der Stelle vom Entsetzen Jesu über den Unglauben in der Vaterstadt Mk 6,6 ausgelassen hat. In
der Parallele zu 9,33 hat Mt 12,23(=Mk 3,21 permutiert) einmal

ἐξίστημι

    Mt 1 : Mk 4 : Lk 3 + 8 (NT nur noch 2Kor 5,13)
übernommen; sowohl der Dubl.-Charakter wie der Inhalt (Davidssohn-Ah-
nung) als auch der Kontrast zur Verteufelung lassen auch hier das Synonym in ein *positives Staunen* transkodiert sein (LAMBRECHT EWNT 2,17f).

    Zum Schluß kommt es Mt 21 noch zu einem Höhepunkt der Anzeige dieser
positiven Bedeutung, sofern hier durch die Verwendung der beiden gleich-
sinnigen, in der LXX häufigeren Verbaladj. (ANNEN ebd.335) eine signifi-
kante Verdichtung hergestellt wird:

θαυμάσιος (NT sonst nie)
erscheint 21,15(+Mk) im Plur. *Wunder* als zusammenfassende Bezeichnung
der voranstehenden Lahmen- und Blindenheilungen im Tempel;

θαυμαστός
    Mt 1 : Mk 1 : Lk 0 + 0 : Joh 1 (NT nur noch 1Pt 2,9; Apk 15,1.3)
beschreibt 21,42(=Mk Zitat LXX-Ps 117,23) der mt Jesus seine Rehabilitierung nach der Verwerfung, wobei der Parallelismus der Sätze eine dir. Definition gibt: *Wunder, das meint: eine Tat Gottes selbst.* So umfaßt der positive Verwendungsblock insgesamt 7 Belege dieses Stammes (und eines Synonyms), wobei als mt Eigenheit gelten darf, daß er sie in fortlaufender
und ununterbrochener Textsequenz angeordnet hat.

    Denn nachgeordnet und deutlich davon abgehoben sind die beiden letz-
ten Vb.-Stellen; sie zeichnen sich auch dadurch aus, daß ihnen keine wörtl.
Rede folgt. Hier geht es um eine Erfahrung, die sich (jedenfalls was die
Betroffenen angeht) nicht in Worte fassen läßt: 22,22 (statt des mk Komp. –
sonst nie in NT und LXX) ist der Abgang der Pharisäer-Gegner nach der
hinterhältigen Zensus-Frage bezeichnet. Er ist par. zu 19,23 stilisiert und
bezeichnet damit klar negativ *Entsetzen* (vgl. auch die 26,33 folgende Reaktion!); dasselbe gilt für die wortlose Reaktion des Pilatus 27,14(=Mk), die Mt
noch durch das Adv. verstärkte: Er ist *entsetzt*, daß Jesus nicht auf die
leicht zu widerlegenden Anklagen reagiert und damit ihm das Handeln-Müs-
sen in die Hand legt. Wegen dieser antithet. Neukodierung seines 2. Blocks
hat Mt auch hier wieder die sich nicht gut einordnende Stelle Mk 15,44
ausgelassen, die nur eine ahnungslose Verwunderung beschrieb. Die mt
Neukodierung ist also in beiden Blöcken durch Vereindeutigung und Anti-
thetisierung gekennzeichnet.

θεάομαι ⇥ὀφθαλμός

θελ- (GUNDRY 644)
    Mt 48 : Mk 25 : Lk 32 + 17 : Joh 34
θέλω (GASTON 1973:74)
    Mt 42 : Mk 24 : Lk 28 + 14 : Joh 23
    =(Mk 24 – 9 + 12) + (Q 4 + 5) + (A-Mt 6)
Wollen setzt immer einen Zweck voraus und beschreibt die angestrebte Ver-
wirklichung eines Zweckes. Zwecksetzer und Verwirklicher haben dasselbe
Subj., wenn ein *fester Entschluß* bezeichnet ist; dieser Gebrauch liegt bei
Mt gehäuft in der negierten Wendung (vor allem im Aor.) vor: 2,18 (Zitat
LXX-Jer 38,15 *nicht trösten lassen*); von Jesus 15,32(+Mk *nicht hungrig ent-
lassen*) und 27,34(+Mk *nicht trinken*); Jesus gegenüber 23,37b(=Q); negativ

auch 23,4(=Mk 12,38 zur Q-Negation permutiert); in Allegorien 18,30; 21,29 (=Q-Lk 15,28); 22,3(+Q), während die beiden Stellen Mk 6,26 (Herodes) und 9,30 (Jesu Verborgenbleiben) nicht übernommen wurden:
οὐ θέλω (SCHRENK ThWNT 3,46 LXX oft; auch Hdt 6,12; Polyb 6,37.12; Epikt)

   Mt 8 : Mk 2 : Lk 5

In positiven Aussagen sind Zwecksetzer und Verwirklicher gleich in der Wortfeldrelation θ. zu δύνασθαι 8,2f(=Mk) wie zu ποιεῖν 17,12(=Mk); ferner konkretisiert 11,14(+Q δέξασθαι); 14,5(=Mk ἀποκτεῖναι); 16,24(=Mk ὀπίσω μου ἐλθεῖν).25(=Mk σῶσαι); 19,17(+Mk εἰσελθεῖν).21(=Mk 9,35 permutiert εἶναι); 20,26f(=Mk groß sein); 23,37a(=Q sammeln).

ἐνθυμ- (GUNDRY 644)

   Mt 4 : Mk 0 : Lk 0 + 1

ἐνθυμέομαι

   Mt 2 (NT nur noch Apg 10,18 Doppelkompositum; LXX 23mal)
2 Bedeutungskomponenten sind bei Mt (auch beim Subst.) immer deutlich: (a) bei ihm geht es nicht um ein erwägendes Überlegen (gg. EWNT 1,1109f - wie sonst BAUER WB 527), sd. er hat es immer im engeren Sinne des festen Entschlusses enkodiert; (b) steht es immer bei Aktionen, die durch den Plan Gottes überholt und dadurch als Torheit gekennzeichnet werden (Kontrast-Chrie): 1,20 nimmt das Vb. die Willens-Synonyme von V.19 auf, vor allem den festen Entschluß, Maria zu entlassen. In der Konfrontation mit den Gegnern 9,4(+Mk - von Mt durch 8,19 zur zweiten stilisiert) wird auch noch das Obj. Böses (= Sap 3,14) red. zugesetzt. Im Unterschied zum mk fragenden Überlegen bezeichnet Mt hier ein schon entschiedenes Denken, die feste Entschlossenheit zum Bösen, was auch noch dadurch unterstrichen ist, daß alle voranstehenden Gegnerfragen gestrichen sind (GUNDRY 164); außerdem hat Mt die Jesusfrage zu einer finalen (wozu) umgewandelt

ἱνατί

   Mt 2 : Mk 0 : Lk 1 + 2 (NT nur noch 1Kor 10,29),
die hier so wenig wie 27,46(+Mk), wo es aram.
λεμά 27,46(=Mk - gg. EWNT 2,829 nicht "warum") korrekt übersetzt, kausal mißverstanden werden darf; sie wird damit fast zur Aufforderungsfrage (also pragmatisch als Imp. zu fassen, wie schon 8,19 der Gegner als Adressat der Verwerfungsvorhersage eingeführt worden war!). Voran steht 9,4(+Mk) schon das Subst.

ἐνθύμησις (BÜCHSEL ThWNT 3,172f)

   Mt 2 (außer Apg 17,29; Hebr 4,12 nie in NT, LXX, Philo, Josephus)
Hier ist dieser metasprachliche Zusatz referentiell auf den Blasphemie-Vorwurf V.3 rückbezogen eingeführt worden und kennzeichnet diesen eben nicht nur als Gedanken oder Erwägung, sd. zugleich in Vorwegnahme von 12,13 als Verwerfungswillen, wie schon auch bei der ersten direkten Gegnerkonfrontation 8,19f das Bild der Heimatlosigkeit nicht etwa durch eine wandernde Jesusbewegung bedingt ist, sd. die Ablehnung und Verfolgung Jesu ausdrückt (POLAG 1977:74). Der voluntative Charakter ergibt sich 9,4 auch daraus, daß in der parallelisierenden Komposition des Mt das mt Glauben V.2 als Antonym an der entsprechenden Stelle (Jesus + Pt.) steht. 12,25 (+Q) ist wiederum im referentiellen Rückweis auf einen verteufelnden Vorwurf das Syntagma εἰδὼς τάς ἐνθυμήσεις αὐτῶν εἶπεν wörtl. wiederholt (zugleich im Kontext die Stichworte Blasphemie, Menschensohn, Sündenerlaß V.31f und Herz V.34); damit ist hier nicht nur zugleich der negative Akzent des Bösen klar denotiert (PLUMMER 175; FUCHS 1980:64f, der den mt Dualismus aber mit "pastoralem Eifer" als "Verkündigungsanliegen" in einer fatalen Pragmatik hermeneutisch rechtfertigen möchte) und als Filler bei der Übers. zu verbalisieren, sd. auch deutlich, daß es nicht nur um böse Gedanken geht, sd. um feste Entschlossenheit zur Verwerfung, was die mt Text-

sequenz durch Voranstellung von 9,34 und 10,25 ohnehin schon deutlich ins Bild gerückt hat. Eine sachl. Steigerung drücken μισέω, ὀργίζομαι und 2,16 θυμόομαι (NT sonst nie) *in Wut, von Vernichtungswillen erfüllt,* aus.

Für subj.-gleichen Zwecksetzer und Verwirklicher verwendet Mt auch βούλομαι (med. *sich entschließen*; BAUER WB 289f: nach Überlegung)

Mt 2 : Mk 1 : Lk 2 + 14 : Joh 1

11,27(=Q) für die deterministisch begrenzte Offenbarungsabsicht des mt Jesus wie dupl. 1,19 für den Entschluß des Josef, den die Beauftragungs-epiphanie außer Kraft setzt. Die Identität des Subj. in der Verwendung des Vb. dürfte der Grund dafür sein, daß Mt das β. von Mk 15,15 auslieẞ, wo Pilatus den Willen anderer realisiert und wofür Mt 27,15(+Mk red. für *bitten* als verbalisiertes *Wollen von anderen*).17(=Mk).21(+Mk dupl.) θ. durchaus verwendet. Auf den ersten Blick scheint 1,19 β. nur die synonyme Wieder-aufnahme von θ. zu sein und dafür auch die Subj.-Identität zu gelten, doch macht die paratakt. Anbindung des kausalen Pt. an das mt Leitwort ≻δίκαι-ος deutlich, daß dabei Gott als vom β. unterschiedener Zwecksetzer voraus-gesetzt ist.

Gott selbst erscheint synopt. nur bei Mt ausdrücklich als Subj. des Vb. - so mit Akk. in der LXX-Wendung *Gefallen haben an, lieben* (hebr. ḥapheṣ bᵉ; LIMBECK EWNT 2,341) im Zitat LXX-Hos 6,6 bei 9,13(+Mk) und 12,7(+Mk) sowie im Gegnerspott 27,43(+Mk Zitat LXX-Ps 21,9); in Subj.-Identität der eigenen Zweckverwirklichung in den red. Allegorien 18,23(*Abrechnen*); 20,14 (δοῦναι).15(ποιῆσαι) und komplementär in der Frage *willst* (=*befiehlst*) *du?!* 13,28(+Mk); ferner in der semant. Tiefenstruktur ellipt. im Gebet Jesu als vorläufigen Gegensatz zum eigenen Wollen 26,39(=Mk).

Mt 8 : Mk 1 : Lk 0 (der es indessen 4,6 dem Teufel zuordnet). Dem ent-spricht der mt Gebrauch des *Subst. allein* in der Gottesrelation (SCHRENK ThWNT 3,53 erst LXX meist Plur., herrscherlich und ethisch)

θέλημα

Mt 6 : Mk 1 : Lk 3

=(Mk 1 + 5)

(wobei als Vergleichswert bei Lk auch 12,47a.b zu veranschlagen ist und gg. LIMBECK EWNT 2,339 nicht "nur Lk 22,42").

So hat Mt das 12,50(=Mk) einmalig mit *Gott* als Gen.subj. vorgegebene Subst. red. 7,21(+Q) und 18,14(+Q mit ≻ἔμπροσθεν) so multipl., wie er es dort in das ihm allein eigene Syntagma des *gebietenden Wollen*

θέλημα τοῦ πατρός μου

Mt 3 : Mk 0 : Lk 0

verwandelte, um so den Gottesbezug mit dem mt Jesusbezug zu verbinden: Im mt Norm-Positivismus ist *Gottes Wille* immer das, was er den mt Jesus sagen läßt (FRANKEMÖLLE 1974:278), die Übereinstimmung mit der mt ver-standenen ≻*Lehre* Jesu (FIEDLER 1976:96f). Kontextgemäß abgewandelt heißt es in der Dubl. der Allegorie 21,31(+Q) nur *Willen des*(=*ihres*) *Vaters* - aber eben immerhin betont mit πατρός! Gerahmt werden diese 4 Stellen durch die beiden direkt gebetsanredenden Stellen A 6,10(+Q) und A' 26,42(+Mk), in de-nen das anredende θέλημά σου auch in der Textsequenz selbst auf ein *dir.* unser bzw. *mein Vater* zurückbezogen sind, sich also nicht nur makrosyn-taktisch als klare Pronominalisierung der vollen Wendung erweisen. Es geht immer umfassend um die Verwirklichung des *Vorsehungsplans,* wobei sich das 3malige ποιεῖν (vgl. LXX-Ps 39,9; 102,21; 142,10; 1Esr 9,9; 1Makk 18,16; 4Makk 3,60) in den Innengliedern mit dem Pass. divinum des typ. mt ≻γενη-θήτω in den gebetsanredenden Rahmengliedern entsprechen.

Es ist nach BILL 1,419f immer wieder hervorgehoben worden, daß es gerade für diese Bitte keine jüd. Gebets-Parallele gibt (KLOSTERMANN 57; SCHÜRMANN 1959:58f; FRANKEMÖLLE 1974:276). Um so wichtiger ist die tat-sächliche konzeptuelle Übereinstimmung mit SenEp 74,20 (placeat homini

quidquid deo placuit) bzw. Epikt 2,17.22 (μηδὲν ἄλλο θέλε ἢ ἃ ὁ θεὸς θέλει;
vgl. 1,12.7 und 15; 2,7.13 und vor allem in der PlatKrit 43D zitierenden
Schlußmaxime Ench 53, die red. das Vb. auch in γενέσθω abänderte, so daß
Mt die Sprache seiner Umwelt aufnimmt; BONHÖFFER 1911:285), aus deren
Kontext sich jeweils ergibt, daß es sich nicht um das apologetische Zerrbild
eines "blinden Fatum" oder einer "stoischen Naturgesetzlichkeit" handelt,
der man "ausgeliefert" wäre (vgl. zur tatsächlichen Struktur stoischer
Normethik einerseits und Paränese andererseits WOLBERT 1981:26–39), um
dem dann rein formal ein positives "Sich-Orientieren an Jesus" entgegen-
zusetzen (gg. STRECKER 1984:119f, gg. den auch eine vor-mt Gestalt als
kohärenter Text nicht nachgewiesen ist, da es nicht nur um die Elemente
des Satzes geht, sd. um ihre volle syntaktische und semant. Struktur, die
darum weiterhin mit BACON 1930:276; KILPATRICK 1946:21; BARTH 1970:65;
SCHULZ 1972:86; GUNDRY 106f als mt Konstruktion und Komposition gelten
muß; ebensowenig ist die Relation zu der voranstehenden Bitte richtig beschrieben, wenn man in dem mt Zusatz nur wie SCHÜRMANN ebd.53f eine
"Erläuterung" sieht bzw. wie FRANKEMÖLLE ebd. 276f eine "konkretisierende
red. Interpretation": "Gottes Herrschaft verwirklicht sich auf Erden dort,
wo sie anerkannt und praktiziert wird"; eine solche auch von GUNDRY ebd.
für Mt behauptete "realized eschatology" entspricht nicht seinem semant.
Konzept, dem es vielmehr um die Zuordnung der Bedingung zum eschatol.
Lohn geht). Mt dürfte sich an 1Makk 1,3.60 anlehnen, was den überraschenden Sing. ἐν οὐρανῷ wie die Verwendung der Vergleichspartikel erklärt
(SCHRENK ThWNT 3,53).

    Subj.-Differenz zwischen Zwecksetzer und Verwirklicher bezeichnet θ.
auch in zwischenmenschlichen Relationen im generellen Wortfeldbezug mit
ποιεῖν in der goldenen Regel 7,12(=Q) sowie 17,4(+Mk Frage an Jesus) und
20,32(=Mk Frage Jesu an die Blinden) bzw. analog zum Subst. korrelatives
γενηθήτω 15,28(+Mk als Renominalisierung von πίστις); abs. θ. ist in der
Frage Jesu 20,21(=Mk) Renominalisierung des im αἰτεῖν V.20 verbalisierten
Wollens; ferner konretisiert 5,40(+Q *prozessieren*); 26,17(=Mk ἐτοιμάσωμεν),
wo der jeweils red. Dat. σοι die Differenz des Subj. anzeigt bzw. - dazu
26,15(+Mk δοῦναι) antithetisch dupl. in der Frage des Judas μοι - wie red.
auch ἀπό σοῦ 5,42(+Q δανίσασθαι) und 12,38(+Mk ἰδεῖν) als für Mt typisch:
θέλω + Personalpron.Sing.
    Mt 5 : Mk 0 : Lk 0
Vgl. ⤳εἰ zum signifikant mt Syntagma
εἰ θελ-
    Mt 5 : Mk 0 : Lk 0 (bzw. mit τις Mt 6 : Mk 2 : Lk 1)
θεμελιόω ⤳οἰκία
θεός
    Mt 51 : Mk 47 : Lk 122 + 165 : Joh 83
        =(Mk 47 - 18 + 6) + (Q 10 + 3) + (A-Mt 3)
Auf dem Hintergrund des philsophisch-hell., jüd.-hell. und urchristl.
Sprachgebrauchs ist θ. für Mt nicht mehr wie im klass. Griech. ein Prädi-
katsausdruck, der alles bezeichnen kann, was *überragende Bedeutung* hat
(WILAMOWITZ 1950:17f; KLEINKNECHT ThWNT 3,66f; SCHRAGE 1976:153).

    Mt hat von den 4 aus seinen Vorlagen übernommenen Möglichkeiten von
Gott zu reden (θεός, κύριος, πατήρ, Pass.divinum), die Verwendung von θ.
(immer im Sing. - andere Entitäten dieser Art gibt es in seinem dualist.
Monotheismus nicht, sd. nur Satan/Beelzebul und seine Dämönchen) nicht
expandiert, wenngleich es die bei ihm häufigste Bezeichnung bleibt. Allein
27,46(=Mk) hat (in Abweichung von der Mk-Vorlage wie von LXX-Ps 21,2) im
NT 2mal den Vokativ beim Subst. mit Pers.pron. (B-D-R 147 n.5 - in Angleichung an *mein* ⤳*Vater*) in Korrespondenz zu dem 9mal unmittelbar vorausgehenden ⤳*Sohn Gottes* in der Übers. der hebr. Transkription (gg. mk aram.)

ἠλί 27,46a.a (NT und LXX sonst nie).
  Das Syntagma
κύριον τὸν θ. σου
    Mt 3 : Mk 2 : Lk 7 + 2 : Joh 0
hat er nur im Akk. und nur in LXX-Zitaten und nur da, wo Gott als Obj.
menschlichen *Nicht-Verhöhnens* 4,7(=Q Dt 6,16), *Huldigens* 4,10(=Q Dt 6,13),
Liebens 22,37(=Mk Dt 4,5) - nur hier neben 27,46 mit Pers.Pron. - vorkommt. Die Doppelung mit *euer Vater* bei 01[1] 03 sa mae Or in 6,8 wird
durchweg als sek. LA beurteilt (GNTCom15 unter pl - wohl stärker: späterem
liturgisch-vollklingendem - Einfluß).
  1,23 führt θ. in sein Buch als eigene Übers. der LXX-Transkription
'Εμμανουήλ (NT sonst nie; LXX 3mal) von Jes 7,14 (*Gott mit uns*) ein, was
    dort nicht übers. war. Er hat so θ. von vornherein mit dem Jesusnamen
verbunden und mit der Relation *Sohn* V.23.25 gerahmt. Wichtig ist dabei
auch die Abänderung der vorausgesagten Redenden gg. LXX in den Plur.:
Nennen werden Jesus so diejenigen, die er von ihren(! ebenfalls Plur. gg.
LXX wie den vorausgehenden Sing.) Sünden rettet (ROTHFUCHS 1969:57- 60;
STRECKER 1971:55-7; FRANKEMÖLLE 1974:12-21); vorausgesagt ist also nicht
ein "unüberbietbarer Anspruch" (gg. FRANKEMÖLLE ebd.18), sd. vielmehr die
Tatsache, daß er als letzter König Gottes Anerkenner finden wird. Der hier
geistgezeugte und 3,16f(+Mk als Autorformulierung) geistbegabte (wie 17,5
bestätigte) Sohn-König wird also nicht nur 4,3.6(=Q *da* nicht *wenn*) vom
Satan und 8,29(=Mk) von den Dämönchen selbstverständlich als solcher vorausgesetzt - und ebenso funktionsgleich im Munde ihrer jüd. Trabanten in
Jerusalem 22,16(=Mk - *den Vorsehungsplan Gottes lehrend*); 26,61(+Mk Tempel).63a(=Mk 5,7 von Dämonen permutiert).63b(+Mk Sohn); 27,40(+Mk Q=Mt 4,3
dupl.).43a.b(+Mk), sd. nach der manifestierenden See-Epiphanie tatsächlich
von den Schülern 14,33(=Mk 3,11 permutiert - einmal im Munde der Dämönchen war für Mt genug) als solcher anerkannt, was Petrus 16,16(=Mk - wie
26,63 ergänzt durch das Adj. ⊁ζῶντος, individuelle Unsterblichkeit gebend)
bestätigend wiederholt wie 27,54(=Mk) abschließend in Munde des Centurio.
Das καλέσουσιν der einleitenden Schlüsselstelle 1,23 realisiert sich ebenso im
δοξάζειν 9,8(=Mk mit zugesetzter pt. Gottesbezeichnung, die eindeutig
christol. und nicht ekklesiol. gefüllt ist; SCHENK 1963) und dupl. 15,31(+Mk),
wo *Gott Israels* als synonymer Rückweiser auf den Plur. von 1,21.23 im
Munde von Nichtjuden fungiert.
  Außer 3,9(=Q) im Munde des Täufers kommt es 32mal im Munde des mt
Jesus vor. Die größte Dichte von 7 Vorkommen liegt in der Antwort an die
Sadduzäer 22,29-32 vor. Der in den Schlüsselstellen der einleitenden Autor-
formulierungen 1,23 und 3,16 gesetzte Jesusbezug ist an allen Stellen als
semant. Gehalt vorauszusetzen. Zentral sind die Selbstaussagen vom Wirk-
samwerden der Jesus gegebenen ⊁βασιλεία 12,28b(=Q), die dort synonym
Geist Gottes von V.28a(=Q - der seit 3,16 auf Jesus ruht) aufnimmt wie
19,24.31(=Mk 10,24 permutiert).43(+Mk dupl.) das Syntagma von der Jesus
von Gott gegebenen Regentschaft im mt Sinne wiederholt: βασιλεία θ.,
πνεῦμα θ. und ἐξουσία sind mt Synonyme zu dem μεθ' ἡμῶν ὁ θ. der Schlüsselstelle 1,23. Darauf zu beziehen sind auch die 3 Stellen von Gottes
⊁δύνασθι 3,9 (aus *Steinen Kinder erwecken*); 19,26(=Mk); 22,29(=Mk); dabei
ist die All-Aussage von 19,26 in unmittelbarem Zusammenhang mit der βασι-
λεία-Aussage V.24 gemacht und auf sie zurückbezogen: *Alles ist möglich*
meint konkret *Menschen zum Gehorsam gegenüber Jesu zu bewegen und damit zu retten*; damit heißt mt θ. immer und an allen Stellen: *der, der Jesus
jetzt die βασιλεία gegeben hat*. Dynamis- und All-Aussagen (aber auch die
Einzigkeits-Aussage 19,17, wo θ. sek. Zusatz-LA ist) verbinden Mt nicht nur
mit der jüd.-hell. Tradition, sd. ebenso mit dem philosophischen Monotheismus der Allgott-Vorstellung des paganen Hellenismus (vgl. KLEINKNECHT

ThWNT 3,76).

Er ist der Gott der Engel →22,30(+Mk wohl urspr. LA), der Gott Abrahams, Isaaks und Jakobs als derer, die er schon mit engelgleicher individueller Unsterblichkeit belohnt hat 22,32(=Mk) und diese *Lohnzusage* allen, dem mt Jesus Gehorsamen macht 5,8(+Q →*Sehen*).9(=Gen. von Lk 6,20 permutiert). Er hatte ein οἶκος 12,4(=Mk), in das David ging (Anspielung auf 1Regn 21,7, wobei der Art. suggeriert, daß es sich schon um den salomonischen Tempel handele). Wie er im Analogieschluß der Erhaltung von der Kleidung des Acker-Unkrauts 6,20(=Q) her verstanden werden kann, so redet er auch lesbar in den →*Schriften* 22,31 wie in Ex 3,6 von seinem *Belohnen* so auch 15,3.4.6(=Mk) in den dazugehörigen *herrscherlichen Befehlen.* Dieser generelle Befehlsbezug wird konkretisiert, indem schon 4,3.7.10(=Q) das 1. Gebot mit Zitaten aus dem Dt formuliert, wie es auch 6,24(=Q) in der Alternative *Gottes* vs. *Mammon-Dienst* aufnimmt bzw. das Dt-Zitat des Liebesgebots 22,37(=Mk) und ebenso die Census-Alternative 22,21(=Mk), deren enger Zusammenhang mit dem Jesus-Bezug V.16 nicht übersehen werden darf: Gebt dem, der Jesus jetzt die Befehlsgewalt gegeben hat, das was ihm zukommt.

Ethisch konkretisierend ist auch 19,6(=Mk) was *Gott zusammengespannt hat,* ist direkt auf das Zitat LXX-Gen 2,24 zurückbezogen, das Mt red. als *dir. Gebot Gottes* eingeführt hatte. Die Begründung des red. Schwurverbots 5,34 und 23,22 gewinnt mit dem Hinweis auf den Himmel als Gottes Thron in Anlehnung an Jes 66,1 einen ganz spezifischen Zusammenhang mit dem Jesusbezug: der Himmel ist der Thron dessen, der jetzt dem irdischen Jesus des Mt seine anordnende, lohnzusagenden und weissagende Regentschaft über Israel übertragen hat. Der Vorwurf, dem zu widersprechen, trifft 16,23(=Mk) Petrus im ganz konkreten Rückbezug auf den V.21 geweissagten Verwerfungs-Rehabilisierungs-Plan und erst recht global 15,3f.6 die jüd. Gegner im Hinblick auf ihren Umgang mit Gottes Befehlswort.

Als Handlungs-Vb. sind ihm neben dem grundlegenden δύνασθαι die herrscherlichen Befehle und Zusagen zugeordnet, die in den Schriften seinen Plan vorhersagen, wie er nach 5,9 auch beim Eintritt des neuen Äon noch redend vorausgesetzt wird, was aber 22,29ff funktionsgleich mit dem Auferstehenlassen ist; daneben 3,9 *erwecken,* 6,30 *kleiden,* 19,6 *zusammenspannen* von Mann und Frau im Zusammenhang mit 19,4(=Mk) einmaligem κτίζω (bei Mt wie bei Lk und Joh fehlen κτίσις, κτίσμα, κτίστης)

Mt 1 : Mk 1 : Lk 0 + 0 : Joh 0.

κύριος für Gott

Mt 27 : Mk 10 : Lk 35 + 55

=(Mk 10 – 4 + 3) + (Q 5 + 1) + (A–Mt 12)

Die erste Gottesbezeichnung, die Mt als Autorformulierung in seinem Buch verwendet, ist κ. in der 5maligen Wendung →*Engel des Herrn* A 1.20.24; 2,13. 19, mit der er auch rahmend A' 28,2(+Mk) schließt. Im Zusammenhang der Beauftragungsepiphanien betont er damit, daß er mit κ. primär den *Auftraggeber* bezeichnet. In unmittelbarem Zusammenhang steht ebenfalls als Autorformulierung die Verwendung in der Einleitung der ersten Erfüllungszitate (→ῥηθέν; in Korrespondenz zu →*Sohn*) B 1,22; 2,15, die von daher dann in der semantischen Tiefenstruktur auch bei allen weiteren als Filler mitzudenken ist. Dem entspricht B', daß κ. das letzte Wort des letzten Erfüllungszitats 27,10(+Mk) ist wie auch der voranstehenden Anspielung Q-Mt 23,39 (LXX-Ps 117,26). Der Gebrauch von κ. findet sich insgesamt 10mal in Zitaten und Anspielungen; vgl. noch 3,3(=Mk finaler Gen. *Weg zum Herrn*); 4,7.10 (=Q) wie 22,37(=Mk) κ. τὸν θεόν σου; 5,33 (Lev 19,12 *Eide halten*); 21,9(=Mk LXX-Ps 117,26 – *im Auftrag/gemäß der Weissagung*) im Munde der Begleitenden bzw. die Rehabilitierungsweissagungen 21,42(=Mk LXX-Ps 117,23) im Munde Jesu wie 22,44(=Mk LXX-Ps 109,1).

Weiterhin im Munde Jesu in der dankbaren Bejahung des dualist. Vorsehungsplans 11,25(=Q Vokativ, im Anschluß an πάτερ und mit Attribut κ. des Himmels und der Erde wie Tob 7,17; 1QGenApoc 22,16 bzw. Jdt 9,12 δέσποτα); sonst metaphor. 6,24(=Q zwei Herren im Hinblick auf θεός); 9,38(=Q Herr des Erntefelds = Israels) wie analog 21,40(=Mk Herr der Weinplantage), was 20,8(+Mk) dupl. als jeweilige Renominalisierung des betr. allegor. οἰκοδεσπότης; 18,25.27(τοῦ δούλου).31(ἑαυτῶν).32(αὐτοῦ).34(αὐτοῦ) als Renominalisierung von βασιλεύς V.23 und V.35 angewendet auf mein Vater; 21,30(+Q) dupl. antithet. den Vokativ von 11,25 als Anrede eines Sohnes an den Vater.

Mt κ. steht immer im Bezug zum Vorsehungsplan, seiner Durchsetzung, dem Gehorsam ihm gegenüber. Eine Unterscheidung wie PhilLegAll 3,73, daß θ. für Güte und Milde wie κ. für Allmacht und Herrschergewalt stehe (bzw später GenR 38 zu 8,1; ExR 3 zu 3,14 gerade umgekehrt; STAUFFER ThWNT 3,91), gibt es bei Mt nicht; bei Jos fehlt κ. bis auf das Zitat Jes 19,19 im Brief des Onias Ant 13,68 (κ. τῷ θεῷ) und das Gebet des konvertierten Herrschers von Adiabene Izates 20,90 (δέσποτα κύριε; FITZMYER EWNT 2,816; vgl. auch FAUTH KP 3,413-7 zur Anwendung auf Zeus PindIsthm 5,52; DiodSic 3,61.6 u.ö.; zu Isis vgl. BERGMANN 1968 passim; absolutes κ. und Anrede vor allem in 2Makk und Sap vgl. H-R 826, 838; zu Qumran VIELHAUER 1965:147-54; FITZMYER 1975).

πατήρ für Gott (HAWKINS 1909:7,31f)
    Mt 46 : Mk 4 : Lk 17 + 3 (nur die ersten Stellen der Apg) : Joh 118
        (=Mk 4 + 14) + (Q 10 + 18)
Die starke Expansion des Mt, die nur durch die joh Überbietung noch übertroffen wird, hat ihren Ort im dualist. Weisheitskonzept des Mt: Der gerechte und verfolgte Weise nennt Gott Vater und versteht sich als dessen Sohn, was sowohl Sap 2,13.16f belegt wie undualistisch Epikt 1,9.6f; 3,22.82. Auf dem Hintergrund der Bezeichnung philosophischer Lehrer als Vater (MICHEL EWNT 3,126) wird die Mahnung von Mt. 23,9 konturiert, sich nicht Vater nennen zu lassen, weil einer euer Vater(=Lehrer in philosophischer Erziehung) ist, wobei Philosophie immer primär Ethik ist (Rabbiner, an die LOHMEYER 339f mit anderen vor allem denkt, sind dabei nur u.a. gemeint; ein Bezug auf die Erzväter, der darin von TertullMonogam 6 bis TOWNSEND 1961 gefunden werden sollte, ist darum m.R. mit STRECKER 1971:256 abzuweisen, doch sollte man auch mit der Annahme eines Gemeindeamtes vorsichtiger als ebd.216f sein, da die Warnung eher abwehrend und nach außen abgrenzend als innergemeindlich korrigierend ist). Auf diesem Hintergrund wurde Q-Mt 7,9 die im Analogon verwendete Sohn-Vater-Beziehung, die Lk 11,11 noch hat, durch die Sohn-Mensch-Beziehung ersetzt (gg.SCHULZ 1972: 162 spielt auch die gehäufte mt Verwendung von ἄνθρωπος als Allegorienzeiger eine Rolle) im Hinblick auf die steigernde Anwendung euer Vater V.11(=Lk) als nicht zu direkter Analogie.

Der Dualismus wird daran deutlich, daß Mt π. als Gottesbezeichnung nur im Munde Jesu und – mit Ausnahme der allegor. Stelle 21,43(=Q-Lk 15,30, die als an Gegner adressiert bezeichnenderweise ohne den Zusatz eines Poss.Pron. bleibt, wegen des mt Syntagmas mit ϟθέλημα aber zu den theol. Stellen im engeren Sinne gezählt werden muß) – nur den Schülern gegenüber (bzw. als Gebetsanrede) verwendet. Sie stehen immer in Reden Jesu, wobei die einleitende Grundsatzrede mit 17 Belegen (=37%) 5,16-7,21 die größte Häufigkeit hat.

Den jüd. Gegnern gegenüber gibt es nicht nur kein "euer Vater", was ihrer mannigfachen Gleichstilisierung mit dem Teufel entspricht, sd. im Gegenteil - dies verstärkend - nur zoologische (ϟGiftschlangenabkömmlinge 3,7; 12,34 im Kontextkontrast zum Tun des Willens meines[!] Vaters V.50; 23,33 in Kontextantithese zu einer ist euer[!] Vater V.9; faule Fische

13,47-50) und botanische (>Unkraut 13,24-30.36-43; Pflanzen, die *mein Vater*[!] nicht gepflanzt hat 15,13 in dir. Antithese) Herkunftsbezeichnungen als Invektiven. Man kann und darf die mt Vater-Christol. und -Ekklesiol. keinen Augenblick abgesehen oder abgelöst von diesem Kontext-Umfeld betrachten wie bewerten: Wie die mt Christol. so ist auch seine Theologie die unablösbare Kehrseite seines Antijudaismus (RUETHER 1978:66f.229f).

ὁ πατήρ μου (FRANKEMÖLLE 1974:160; GUNDRY 647)

   Mt 17 : Mk 0 : Lk 4 (red. dupl. Lk 2,49; 22,39; 24,49)

       =(Mk 0) + (Q 1 + 16)

Das Syntagma war nur 11,27a(=Q) für die Empfängeraussage, die sich im kausalen Asyndeton mit der Rede in der 3.Person an das Dankgebet V.25f anschloß (also auch im Vokativ V.25[=Lk] wie im Nom. V.26[=Lk] impliziert), als Empfängerbeschreibung in der weisheitlichen Sohn-Relation (CHRIST 1970:81-97; SUGGS 1970:71-94) vorgegeben (also ist sie auch in den abs. Gegenüberstellungen des Kennens V.27b.c[=Lk] impliziert). In der Sohn-Relation erscheint abs. π. auch 24,36(=Mk) mit der Einschränkung des Wissens (den Zeitpunkt der Parusie betreffend), was zur Folge hat, daß das *Alles* von 11,27 nicht allumfassend ist, sd. auf den Kontextbezug von Ablehnung und Verwerfung einerseits und Annahme und Erkenntnis des Vorsehungsplans und der Heilsbedingungen andererseits eingegrenzt ist. Das abs. π. in Relation zum Sohn ist auch abschließend 28,19 von 11,27 her dupl. worden. Funktionsgleich ist auch die 16,27(=Mk) übernommene Stelle von der *Doxa seines Vaters*, die in der 3.Pers. formuliert ist, da Sohn in der Selbstbezeichnung Menschensohn korreliert. Damit erhöhen sich die speziell christol. π.-Stellen um weitere 7 auf 24.

   Die 16 red. Stellen mit zugesetztem μου (HAHN 1966:321) sind alle Multiplikationen der Urstelle aus Q. Das macht das Syntagma dem semant. Konzept nach allerdings noch nicht ohne weiteres für alle Stellen zum "Stichwort einer Offenbarer-Christologie" (so SCHRENK ThWNT 5,989, dem FRANKEMÖLLE 1974:160 zustimmt), zumal es in der mt Textsequenz nicht die erste Stelle ist. Der semant. Gehalt dürfte durch den mt Sohn-Bezug primär darin liegen, *meinen wirklichen himmlischen Erzeuger* zu benennen, und die Funktion haben, auf den Buch-Prolog zurück zu verweisen.

   Interessant ist auch die Plazierung der mt Stellen: Schon die erste 7,21(gg. Lk >θέλημα) ist typischerweise die letzte der 17 π.-Stellen der Bergrede im inneren Schlußrahmen als einem zusammenfassenden Höhepunkt: sie steht als endgerichtliche Verwerfungsdrohung. Auch 10,32f(+Q) stehen die Lohn- bzw. Verwerfungsvorhersage als Schlußstellen der Israelsendungsrede und markieren als solche deren Höhepunkt. Durch die mt Einordnung hat auch 11,27 einen entsprechenden Platz im ersten Teil der Verwerfungsrede wie 12,50(+Mk >θέλημα) als angebundenes positives Gegenstück zum 2. Teil der Verwerfungsrede analog fungiert. Ebenso ist auch die zugefügte Verwendung in der Verwerfungsaussage 15,13 als Rede-Höhepunkt zu bewerten (was eine inner-jüd. Verortung dieses Kap. wie sie HUMMEL 1966: 46-9 vorschlug, absolut ausschließt). Mt 16,17 wurde in direkter Anlehnung an 11,27 mit der Entfaltung der positiven Seite der verstandenen Jesusoffenbarung formuliert, um auch hier einen Höhepunkt am Ende des ersten Buchteils zu setzen und damit die Selbstlegitimation des Buches als eines Petrus-Buches durch Petrus als Offenbarungsmittler (und nicht als "Bekenntnis"; SCHENK 1983c) zu unterstreichen. Zu einer auffallenden Häufung von 4 Belegen kommt es in der letzten Rede an die Schüler vor dem Weg zu der Verwerfungsstadt 18,10(>Engel).14 (>θέλημα, darum 1.Pers. urspr. LA). 19(Zusage der Erhörung des Gemeindegebets).35(Verwerfungsaussage, die in der Wiederholung gegenüber 6,15 gesteigert ist, wo sie mit *euer Vater* formuliert war). Diese Häufung dürfte damit zusammenhängen, daß diese Gemeinderede die letzte in Kafarnaum/Galiläa ist.

Der Wechsel ist zugleich durch eine weitere Differenz markiert: Während bisher alle Stellen - mit Ausnahme der Urstelle - auch weiterhin eine zusätzliche syntagmatische Verbindung mit "Himmel" (und zwar nicht nur bei Bedingungen und Gerichtsbezügen) haben, so fehlt an allen der 6 folgenden Stellen in Jerusalem ein solcher Himmelszusatz bei π. μου (in Differenz zu π. ὑμῶν 23,9). Entweder handelt es sich dabei nur um ellipt. Verwendung im Fortsetzungsfalle, so daß der Filler immer mitgedacht ist, oder die Weglassung geschah bewußt, um die Stärke der Verwerfung der Jesus-Sophia zu unterstreichen: 20,23(+Mk) steht die Aussage (wie die abs. 24,36) als Kontrastaussage zu einer auch künftigen Beschränkung der Verfügungsgewalt Jesu. Der Schlußteil der Schlußrede wird 25,34 wieder durch das Syntagma (*Gesegnete meines Vaters*) als Redenhöhepunkt markiert (hier in Relation zu Menschensohn). 26,29 erfolgt der Zusatz, weil Mt nicht nur die vorgegebene Rehabilitierungvorhersage wiederholt, sd. sie zugleich zu einer Belohnungsausage für die Schüler gemacht hat und dabei auch hier wiederum im Wiederholungsfalle (analog wie 18,35 Sing. nach 6,15 Plur.) eine schon 13,43 gemachte Aussage von der künftigen Herrschaft *ihres Vaters* zu einer Aussage über die Herrschaft *meines Vaters* steigert. Das Gebet im Vokativ 26,39 knüpft an das bei Mk vorgegebene π. an und dupl. das red. Syntagma verstärkend V.42. 26,53(+Mk) schließlich erklärt einen Gebetsverzicht (*meinen Vater bitten*) erneut mit dem verstärkenden Hinweis auf den Gehorsam gegenüber der Durchführung des Vorsehungsplans.

πατήρ ὑμῶν (bzw. 1mal ἡμῶν, 1mal αὐτῶν, 5mal σου; FRANKEMÖLLE 1974:160f)

Mt 20 : Mk 1 : Lk 3 + 0

(=Mk 1 + 3) + (Q 2 + 14)

Mt hat seine 4 Vorgaben 6,14(=Mk 11,25, wo es red. aus Q-Elementen gebildet war; SCHENK 1979) und 6,12(=Q) in der Grundsatzrede versammelt, wo sie bei Q 5,48(=Lk 6,36) und wahrscheinlich auch V.45 (gg. Lk, der hier aber seine Gottesbezeichnung *Höchster* substituiert hat; SCHULZ 1972:128) schon vorgegeben war und damit eine bewußte Konzentration geschaffen. In Q-Mt 6,26(gg. Lk) dürfte hingegen Mt mit der Beziehung auf die Ernährung der Tiere red. sein, da der Q-Kontext V.30 in der par. Bekleidung der Pflanzen eindeutig θεός hat, Q also π.ὑ. konkret für den Bezug auf die Sohnschaft der gehorsamen Menschen beschränkte (Lk 12,32 hat dann seinerseits seine einzige Dubl. von V.30 her geschaffen und es nicht etwa aus jener Q-Stelle permutiert).

Alle weiteren Stellen sind mt multipl., wobei die Konzentration auf die Grundsatzrede durch die 12 geschaffenen Dubl. besonders augenfällig gemacht wird: 80% der Stellen mit diesem Syntagma stehen in der einleitenden Bergrede und bestimmen damit die Verwendung. Dabei ist bei der Bestimmung der semant. Grundfunktion nicht atomistisch von der naheliegenden Analogie von π.μου/ὑμῶν auszugehen und primär als Ausdruck der "grundsätzlichen Parallelisierung Jesus - Jünger im MtEv" (so FRANKEMÖLLE 1974: 160) zu bestimmen, da nach der zu beachtenden mt Textsequenz die 1. mt π.μου-Stelle eben erst im Anschluß an die 16 Stellen mit π.ὑμῶν eingeführt wird. Textlinguist. ergeben sich aus den beiden Einleitungsstellen zwei wesentliche semant. Komponenten:

5,16 wird die Wendung als Dubl. von V.45 als Schluß- und Höhepunkt des Segments 5,11-16 eingebracht, das nach der mt Gliederung der Rede die Einsetzung der Schüler zu wahren Weisheitslehrern vollzieht (ein Segment, das durch das durchgehend betonte *ihr* bestimmt ist). In den voranstehend 5,3-10 angegebenen Grundbedingungen für die wahren Weisheitslehrer hatte 5,9 als eine Lohnbeschreibung u.a. auch die künftige Einsetzung zu *Söhnen* (= Mitherrschern) genannt. Darauf wird mit der Wendung V.16 zurückverwiesen: *euer Vater = der euch mit der Sohnschaft Belohnende*. Primär ist also die Wortfeldrelation *Vater/Söhne*, ohne die natürlich implizierte

Bestimmung des mt Jesus als einzig authentischem Geber des Religionsgesetzes und seiner Lohnzusagen in dieser Wendung selbst zu explizieren.
Das 2. semant. Element liegt im Gegenüber der Angeredeten zu den Menschen in V.16 selbst. Damit wird die Exklusivität dieser Gruppe betont, die
natürlich offen ist, denn gerade auch die ⊁ἄνθρωποι im mt Sinne des Wortes
können und sollen ja möglichst ⊁υἱοί werden, dennoch darf das exklusive
Moment in diesem ὑμῶν nicht unterbewertet werden, da es auch im Kontrast
zu dem 4,34 eingeführten αὐτῶν ihrer Gemeindehäuser usw. gesetzt ist.

Diese beiden semant. Elemente werden von der 2. Stelle 5,45 als die bestimmenden bestätigt, sofern hier Söhne nicht nur in makrosyntaktischer,
sd. direkt mikrosyntaktischer Beziehung zu π.ὑ. erscheint und das Gegenüber durch die Bestimmung der Feinde und Verfolger klar gegeben ist. Die
Anwendung 5,48 impliziert dies klar, wie auch die red. Überschrift der Warnung vor dem pharisäischen Ethos 6,1 dies deutlich dupl.; der Sing. π.σου
6,4.6a.b.18a.b ist eine individualisierend zuspitzende Modifikation des Plur.
im Anwendungsfalle wie das im Anredefalle 6,9b dem vorgegebenen Vokativ
zugesetzte einmalige ἡμῶν (dessen Funktion kann nicht darin bestimmt werden, "das gemeinsame Kindschaftsverhältnis Jesu und seiner Nachfolger gegenüber Gott aus(zusprechen)", da der mt Jesus nicht um Vergebung der
Schulden bitten würde; gg. STRECKER 1984:115 n.50). Im Rahmen der Ge-
betsmahnungen ist 6,8 klar Q-Mt 6,32 dupl., wie 6,15 die antithet. Dubl. zu
der Mk-Vorgabe V.15 ist. Der semant. Gehalt der euch im neuen Äon mit der
Mitherrschaft Belohnende entnimmt auch die Stelle 6,26(+Q) einem formal
isolierenden Alltags-Weisheits- oder Schöpfungs-Bezug, wie es das Wissen
um das, was nötig ist, 6,32(=Q) stärker konkretisiert. Dasselbe gilt für die
wieder gebetsbezogene letzte Bergpredigtstelle 7,11(Q=), wo wiederum das
Poss.Pron. offenbar zum vorgegeben π. explizierend zugesetzt wurde, wobei
V.9 gleichzeitig durch Einfügung von ⊁ἄνθρωπος den mt Kontrast markiert.

Die restl. 4 Stellen in den späteren Reden an die Schüler sind eine Rückerinnerung an den Mt 5-7 gegebenen und gefestigten Bedeutungsgehalt: In
der Israelsendungsrede ist 10,20(+Mk Geist eures künftigen Belohners) wieder durch den Verfolungszusammenhang (contra αὐτῶν V.17) bestimmt wie
10,29(+Q) den Tod der Sperlinge (analog zu 6,26) wieder sogleich durch den
eschatol. Horizont der Todüberwindung stärker integriert. 13,43(+Mk) bringt
im Allegorieschlüssel den einzigen Beleg in der 3.Pers. in der Klarstellung
des Lohnbezugs durch das Syntagma ⊁βασιλεία τοῦ πατρὸς αὐτῶν. Schließlich
ist auch in der abschließenden antithet. Verwendung 23,9 nicht der
"schlicht liebende Vater" HARNACKs (1900:86) präsent, sd. der künftig Loh-
nende in Zusammmenhang mit dem mt Jesus als dem einzigen, der die Eintrittsbedingungen dazu vermittelt. Die semant. Komponente "liebend" ist bei
Mt an keiner Stelle präsent; wegen der mit dem Ausdruck Vater gegebenen
Mißverständnisse in der Zielsprache sollte mt π. an keiner Stelle damit
schlicht ersetzt werden, da das gerade keine "Übers." darstellt, die die
Bedingungen der übersetzungs-linguist. kommunkativen Äquivalenz erfüllt.

Auch der Zusatz "im Himmel" hat nicht primär die Funktion einer bloßen
Unterscheidung einer himmlischen von einer irdischen Größe (gg. FRANKE-
MÖLLE 1974:164f, der den "spätjüd.", "in den Himmeln thronenden fernen
Gott" zu dem "den Jüngern nahen Vater" jesuanisch "transformiert" sieht,
womit aus einem Zerrbild frühjüd. Theologie mittels einer metaphor. ver-
schleiernden Fehlanwendung der Kategorie "Transformation" ein vermeintlich christl.-apologetisches, den Christen aber fatal verunehrendes Kapital
geschlagen wird):

πατήρ ... ὁ ἐν (τοῖς) οὐρανοῖς (HAWKINS 1909:32; FRANKEMÖLLE 1974:161-5)
   Mt 13 : Mk 1 (NT sonst nie)
Die Wendung ist Mt 6,9 von Mk 11,25 permutiert übernommen und an allen
anderen Stellen von daher multipl. worden, was bei Mt kein ungewöhnlicher

Vorgang ist (und darum kein zureichender Grund, Mk 11,25 als an Mt ange-
lehnte Glosse literarkritisch auf später zu datieren; gg. KLOSTERMANN Mk
119, dem BULTMANN 1931:65 und STRECKER 1984:129 n.87 folgen). Die erste
Dubl. 5,16 ist identisch mit der ersten π. ὑμῶν-Stelle und dort deutliche
Renominalisierung von ≻βασιλεία τῶν οὐρανῶν V.3 und 10 sowie der Wendung
vom großen Lohn ≻ἐν τοῖς οὐρανοῖς V.12 und somit als primäre Bezeichnung
des neuen Äon (der zwar schon existiert, aber jetzt noch verborgen ist)
semant. mehr temporal als lokal bestimmt (≻ἐν-temporale). In Übereinstimmung mit der ersten Stelle ist die präp. Wendung zu π. ὑμῶν nur an Folge-
stellen der Bergrede 5,45; 6,1.9; 7,11 zugesetzt, wobei außerdem in der
Textsequenz 5,48; 6,14(hier als Substitut der von Mt permutierten Präp.-
Wendung).26.32 das genuin mt Adj. die präp. Wendung funktionsgleich aufnehmen kann:

πατήρ ... ὁ οὐράνιος (HAWKINS 1909:32; GUNDRY 646)
    Mt 7 : Mk 0 : Lk 1 + 1 (NT sonst nie; LXX 9mal).
    =(Mk 0 + 3) + (Q 0 + 4)

Nachdem Mt 7,21 die Wendung π. μου mit der Präp.-Wendung eingeführt hatte, wiederholt er künftig ὲ.τ.οὐ. nur noch bei dieser Wendung 10,32f; 12,50;
16,17; 18,10.14.19 und unterbricht diese wiederum renominalisierend 15,13
und 18,35 mit dem Adj., während er erst an der Schlußstelle 23,9 das Adj.
wieder zu einem π. ὑμῶν als Schlußpunkt zusetzt. Die Verteilung deutet an,
daß Mt bei diesem Gebrauch keinem fest vorgegebenen Kode folgt, sd. die
Anordnung so erst im Verlauf der Niederschrift getroffen haben dürfte:

ὑ. 5,16.45   6,1.9   7,11   23,9
ὑ.A   5,48   6,14.26.32
μ.   7,21; 10,32f; 12,50   16,17; 18,10.14.19
μ.A   15,13   18,35

Diese Abfolge und Vorgehensweise machen es fraglich, daß die Erklärung
zutrifft, die für diesen Sprachgebrauch des Mt den von anderen Phänomenen her begründeten Strukturzusammenhang behauptet: "Damit(!) läßt Mt die
Jünger durch Jesus in sein einzigartiges Gottesverhältnis hineinnehmen und
gibt so eo ipso auch die Ermöglichung der Sohnschaft der Jünger an" (so
FRANKEMÖLLE 1974:163).

    In die Mk-Vorlage eingesetzt wurde das Adj. statt des vorgegebenen
Subst. 6,14(=Mk 11,25 versetzt, da das Logion dort in der Komposition der
Verurteilungsreden über Israel keinen Platz mehr finden konnte); 15,13 und
18,35 sind als Dubl. dazu gebildet; nachdem es von da her auch in Q-Mah-
nungen 5,48 voranstehend und 6,26.32 nachfolgend eingesetzt wurde, ist es
danach auch 23,9 red.; da es immer Vater-Attribut ist, bestimmt es einen
akt. Geber näher (während es bei Lk 2,13 *Heer* vgl. 4Makk 4,11 wie Apg
26,19 *Erscheinung* pass. die Herkunft bezeichnet) wie Zeus und die Olympier
überhaupt seit HomHymnCer 55 (TRAUB ThWNT 5,536f bzw. den stoischen All-
gott SenEp 66,11); damit ist das eigentliche Verhältnis

    Mt 7 : Mk 0 : Lk 0 + 0.

In der Verbindung mit π. μου bestimmt es 15,13 negative *Vernichtungs-
Straforakeln* näher, wie gerade auch die negative Dubl. 18,35 im Vergleich
mit der positiven Mahnung 6,14 zeigt. Bei π. ὑμῶν steht es dgg. in der
Bergrede bei *positiven Lohnverheißungen*; in 23,9 steht es zwar formal bei
einer Warnung, doch nicht nur als Schlußstelle, sd. auch im deutlichen
Kontrast zu den umgebenden Verurteilungsansagen über die jüd. Lehrer: Mt
setzt offenbar von vornherein die Befolgung bei seinen Adressaten voraus,
wie es sich auch aus den bisherigen Verwendungen dieses speziellen Syntagmas ergab; damit entfällt aber die Möglichkeit, diese Stelle textpragmatisch auf eine aktuelle Amtskritik der Kirche des Mt zu beziehen (gg.
FRANKEMÖLLE 1979).

    Diese textlinguist. Doppelbeobachtung bleibt auch noch bei SCHOENBORN

(EWNT 2,1338) außer Betracht; auch wenn er richtig herausstellt: "Ein räumliches Sein Gottes steht nie zur Debatte" (ebd.1330), so ist das als negative Abgrenzung zwar eine wichtige Kennzeichnung, doch bleibt die positive semant. Bestimmung als "dynamische Ausgangsbestimmung" (ebd. mit TRAUB ThWNT 5,520) noch zu formal und unbestimmt, weil abseits des entscheidenden Sems: In seinen beiden unterschiedlichen Syntagmen meint das Adj. ganz konkret einerseits *ewige Feuerpein bereithaltend* (= *mein*) und andererseits die Lohnzusage *den Lohn der individuellen Unsterblichkeit bereithaltend* (= *euer*); οὐράνιος ist die Quelle für ⊁αἰώνιος.

θεραπεύω (GASTON 1973:62; GUNDRY 644; COMBER 1978)

    Mt 16 : Mk 5 : Lk 14 + 5 : Joh 1 (NT nur noch Apk 13,3.12)

       =(Mk 5 + 8) + (Q 1 + 2)

4 der 5 mk Stellen kommen in Summarien vor, davon 3 für Jesus: Mk 1,34 wurde Mt 4,23 übernommen und 4,24; 8,16; 9,16 red. wiederholt; Mk 3,20 bildet Mt 12,15 Bestandteil eines 5. Summariums; Mt 14,14 ist Mk 6,5 versetzt übernommen, wie die Verwendung des einmaligen Obj. ἀρρώστους beweist. Die weiteren Stellen in Summarien 15,30; 19,2; 21,14 sind jeweils Abänderungen bzw. Zusätze zur Mk-Vorlage. Damit stehen bei Mt *9 Stellen in Summarien* für Jesus gegenüber nur 3 bei Mk vorgegebenen. Das Gewicht der Häufigkeit wird noch durch das Gewicht der Verteilung unterstrichen, da Mt 4,23f nicht mit einer Einzelheilung einsetzt, sd. mit eben diesem Summarium. Dieses Gewicht wird aber ebenso durch die syntagmatische Verbindung noch weiter verstärkt, sofern nur Mt dabei den Zusatz *alle* hat: 4,23.24; 8,16; 9,35; 12,15 (vgl. 14,35).

    Bei 12,15 geht nicht einmal die Erwähnung von Gebrechen voraus, sd. die so bezeichnete Handlung erscheint als *Belohnung* der Nachfolge und dürfte überhaupt im Sinne von *Nähren* gedacht sein (vgl. L-S-J 793 s.v.2-5). In Korrespondenz zu 12,1ff, dem diese Chrie hier wiederum als positives Gegenstück folgt, wird man dann in der Tat ein Speisungssummarium als red. Gestaltung des Mt annehmen, zumal auch das angeschlossene kommentierende Erfüllungszitat V.17-20 nicht speziell auf Heilungen abzielt; zu übers. wäre also hier: *Und er versorgte sie alle* (vgl. auch Subst. Lk 12,42). Das entspricht genau dem mt Trend, der den Einzelheilungen wie -lehren Heilungs- bzw. Lehrsummarien voranstellte. In gleicher Weise hat er also auch den beiden konkreten Speisungen 14,13ff und 15,32ff ein Speisungssummarium vorausgehen lassen. Das würde aber zugleich auch semantisch für die übrigen Stellen bedeuten, daß das wesentliche mt Sem das der *Versorgung* ist und man nicht zu schnell vom medizinisch eingeengten Fremdwort unserer Zielsprache her denken darf. Die Ausgangsbedeutung *dienen* ist jedenfalls noch präsent.

    Im Zusammenhang einer *Einzeltherapie* erscheint das Vb. 5mal: 8,7(diff. Lk 7,3) kann es aus Q stammen; hier erscheint es vor der Handlung in einem Wort Jesu (vgl. 10,8). Mt 12,10(=Mk 3,2) ist es aus dem einzigen mk Einzelfall übernommen, doch aus der mk Autorerzählung eine Schicht tiefer in die dir. Rede der Gegner versetzt. Dabei dürfte der Inf.Aor. darauf hindeuten, daß bei Mt weniger der therapeutische Prozeß des Behandelns als der effektive Sinn *gesund machen* vorherrscht (was der *Versorgung* V.15 korrespondiert, was sich wohl aber gg. GRIMM EWNT 2,355 nicht global auf die ganze "Jesusüberlieferung" ausweiten läßt, da Mk gerade an dieser Stelle durchaus prozessuale Synonyme hat und Mk 6,5 es mit Handauflegung koppelte).

    Wenn es 12,22(diff. Lk 11,14) zur Q-Schilderung eines Dämonenexorzismus hat, so dürfte das ein deutlich red. Hinweis darauf sein, daß Mt keinen eigentlichen Exorzismus mehr darstellen will, sondern die Heilung einer nur *dämonisch verursachten Krankheit*. Das bestätigt auch der analoge red. Ersatz von ⊁ἐκβάλλω durch unser Vb. in 17,16(gg. Mk 9,18) in der Schilderung des Jüngerversagens durch den Vater wie dann der entsprechende Zusatz in der einzigen Pass.Form bei der Schilderung der anschließenden Heilerfolge 17,18 nach der Notiz vom Ausfahren des →δαιμόνιον (vgl. →ἐξέρχομαι).

Als *Schülerauftrag* erscheint θ. im Munde Jesu in der Israelaussendung 10,8(=Q). Wenn Mt es schon 10,1 nannte und damit doppelte, so dürfte er es aus der Schilderung des Schülersummariums Mk 6,13, das er wegließ, versetzt übernommen haben. Das Synonym für den engeren Sinn ist
ἰάομαι
   Mt 4 : Mk 1 : Lk 11 + 4 : Joh 3,
das 8,8(=Q) in der Heilungsfürbitte des Nichtjuden in Q und darum wohl auch bei der Vollzugsangabe 8,13(diff.Lk) vorgegeben war, woran 15,26(=Mk 5,29 von einer Frau auf eine Tochter permutiert) den analogen Fall einer heidnischen Tochter in bewußter Erinnerung an den heidnischen Sohn angeglichen hat. Daß die Verwendung für Nichtjuden von Mt gezielt gesetzt ist, zeigt die dazwischenstehende Einführung 13,15(+Mk Zitat Jes 6,10 od. evtl. schon mit lk Permutation nach Apg 28,27 aus Q) für Gott als Subj.in Antithese zu den Juden. Das personale Subst. nur 9,12(=Mk) im Sprichwort:
ἰατρός
   Mt 1 : Mk 2 : Lk 2 (NT nur noch Kol 4,14).
ὑγιής (GUNDRY 648)
   Mt 2 : Mk 1 : Lk 0 + 1 : Joh 6 (NT nur noch Tit 2,8; LXX 9mal)
jeweils von der Hand (dem Arm) *gesund*: 12,13(+Mk 5,34 permutiert) und dupl. im Summarium 15,31(+Mk).
θερίζω, θερισμός, θεριστής →δένδρον
θέρος 24,32(=Mk) *Sommer*
   Mt 1 : Mk 1 : Lk 1 (NT sonst nie; LXX 8mal)
θεωρέω →ὀφθαλμός
θηλάζω, θῆλυς →γαμέω
θησαυρ- (GUNDRY 644)
   Mt 11 : Mk 1 : Lk 5 + 0 : Joh 0
θησαυρίζω
   Mt 2 : Mk 0 : Lk 1 (NT nur noch 5mal; LXX 13mal)
       =(Mk 0) + (Q 1 + 1)
θησαυρός
   Mt 9 : Mk 1 : Lk 4 (NT nur noch 2Kor 4,7; Kol 2,3; Hebr 11,26)
       =(Mk 1) + (Q 3 + 4) + (A-Mt 1)
An der letzten Stelle 19,21 ist das Subst. in dem apokalyptischen Syntagma *Vorrat/Schatz im Himmel* (KOCH 1968: die noch nicht eingetretene, aber dennoch nicht verlorene Tatfolge, die urspr. nicht nach einem Lohn-Schema gedacht war) aus Mk 10,21 übernommen und wie dort Kontextsynonym zu *ewigem Leben* (19,16f). Die Bedingung dafür ist Besitzverteilung an die Notleidenden, wie es frühjüd. Tradition entsprach (Sir 29,8-13), doch dürften bei Mt wie schon in der mk Red. die verfolgten Christen konkret im Blick sein. Dieses Syntagma dürfte schon bei Mk von der entsprechenden Wendung 6,20(=Q) abhängen.

   Bei diesem Mahnspruch ist bei Mt (anders als bei Lk) nicht unmittelbar weiter expliziert, worin er besteht, doch dürfte der Rückbezug (Sing. Himmel/Erde V.19) auf die red. 3. Bitte des Unservaters V.10 kontextsemant. signalisieren, daß Mt umfassend an das Tun des Willens Gottes im Blick auf den Endzeitlohn denkt. Antithetisch dazu steht davor V.19 die warnende Mahnung, sich nicht *Vorräte* auf Erden zu *horten*. Da Lk 12,21 das Vb. schon vorgezogen hat, so ist es von Mt aus Q übernommen. Wenn das erste Glied in Q nur aus dem Vb. bestanden hätte, dann hätte Mt in diesem Falle das Subst. zugesetzt, da er eine starke Tendenz zu stereotypen Parallelbildungen hat. In V.20 dürfte Lk das Vb. durch seine Konkretisierungen red. ersetzt haben. Der mt Plur. der Objekte dürfte in beiden Fällen red. sein, da das einer durchgehenden mt Tendenz entspricht und die abschließende gemeinsame Gnome V.21 den Sing. hat. Da sich diese Begründung auf beide antithetischen Glieder bezieht, muß sie nicht als urspr. selbständiges Logion angesehen werden, wie überhaupt der kurzschlüssigen Folgerung widersprochen werden muß, daß sich diese Mahnung speziell an Reiche gerichtet habe (gg. ZELLER 1977;77-81; ders., EWNT 2,371f); als Warnung hat sie erst ein Ziel im Blick, das erreicht oder nicht erreicht werden soll.

Der Zusammenhang mit *Himmel* liegt auch in der von diesem Logion aus gebildeten red. Allegorie vom *Schatz* (Sing.) *im Acker* 13,44 vor. Mt bildet damit die Weisheit als himmlische Herrscherin ab, wie sie in seinem Jesus dargestellt ist und die richtigen Bedingungen für die individuelle Unsterblichkeit vermittelt, weshalb dafür der Einsatz aller Mittel als selbstverständlich eingeübt werden soll: Man kaufe ein Mt-Buch als Führer zum ewigen Leben - und wenn man alles, was man hat, dafür verkaufen müßte.

Nicht als Ziel, sd. als antithetisch bestimmter Herkunftsort (=*Fundus*; vgl. Synonym V.34) erscheint das Subst. für Gutes bzw. Böses in 12,35a.b (=Q), wobei Mt es evtl. im Wiederholungsfalle wiederum stereotypisierend ergänzte. In deutlicher Anlehnung hieran hat Mt 13,52 es positiv red. in der Allegorie vom Hausherrn (ein mt Selbstportrait ist durch πᾶς ausgeschlossen) metaphor. als *Schatztruhe* (=*Fundus* - so eher als *Vorratskammer*, wie EWNT 2,374 metaphorisieren will) wiederholt; der anaphor. Art. stellt dabei den Bezug zur Aussage über die Himmels-Basileia im voranstehenden Satz her. Der Plur. der ersten Stelle 2,11, der einzigen, wo θ. außerhalb der Worte Jesu im Erzählkontext vorkommt, bezeichnet der Plur. auch schon die Behälter: *Schatztruhen* →χρυσός mit
λίβανος 2,11 *Weihrauch* (NT nur noch Apk 18,13; LXX 2mal) und
σμύρνα 2,11 (NT nur noch Joh 19,39; LXX 9mal) *Myrrhe(-harz)*
θλίβω, θλῖψις →διώκω
θνήσκω →ἀποθνήσκω
θορυβέω 9,23(=Mk) *totenklagend*
    Mt 1 : Mk 1 : Lk 0 + 2 (NT sonst nie; LXX 5mal)
θορυβός 26,5(=Mk); 27,24(=Mk 5,38 permutiert) *Aufruhr, Trubel*
    Mt 2 : Mk 2 : Lk 0 + 3 (NT sonst nie; LXX 13mal)
θρηνέω 11,17(=Q) *Klagelieder singen*
    Mt 1 : Mk 0 : Lk 2 + 0 : Joh 1 (NT sonst nie)
θρίξ →κεφαλή
θροέομαι 24,6(=Mk - NT noch 2Thess 2,2) *in Schrecken versetzen lassen*
θρόνος →δόξα
θυγάτηρ →γαμέω
θυμόομαι →ἐνθυμέομαι
θύρα →κλείω
θυσία, θυστιαστήριον, θύω →ἀρχιερεύς
θωμᾶς →μαθητής
'Ιακώβ I 1,15f als Vater Josefs (NT nur hier)
'Ιακώβ II 1,2a.b; 8,11(=Q); 22,32(=Mk) =*Israel* Enkel Abrahams, Sohn Isaaks
    Mt 4 : Mk 1 : Lk 4 + 8 : Joh 3 (NT noch Röm 9,13; 11,26; Hebr 11,9.20f)
immer zusammen mit seinem Vater
'Ισαάκ
    Mt 4 : Mk 1 : Lk 3 + 4 (NT noch Pl 3mal, Hebr 4mal Jak 1mal),
wobei die Stellen in der Genealogie sicher als Einsatzpunkt dieser Trias von der Q- wie von der Mk-Vorgabe bedingt und angeregt sein dürften, sofern einleitend ihre Vergangenheit im Hinblick auf ihre himmlische Gegenwart (22,32) wie Zukunft (8,11) in den Blick genommen ist.
'Ιάκωβος I 13,55(=Mk als erster der 4 genannten Brüder Jesu); 27,56(=Mk - doch von Mt offenbar auf diesen transkodiert); deklin. gräz. Form
    Mt 2 : Mk 1 : Lk 0 + 3; der Name des 2. ist

'Ιωσήφ 13,55 (statt der bei Mk gräz. Form 'Ιωσῆς, die 27,56 steht)
Σίμων 13,55(=Mk ist bei Mt der 3. Brudername, bei Mk der 4.), der letzte
'Ιούδας 13,33(=Mk als vorletzter; deklin. gräz. Form)
'Ιάκωβος II, III ≯μαθητής
ἰάομαι, ἰατρός ≯θερπεύω
ἴδε ≯ἰδού
ἴδιος (GUNDRY 644)
    Mt 10 : Mk 8 : Lk 6 + 16 : Joh 15
        =(Mk 8 – 2 + 1) + (Q 0 + 3)
Als Pron.Poss. verwendet es Mt 4mal red. emphatisch im klass. Sinne (Gegensatz ἀλλότιος; BAUER WB 730 – weniger von der LXX her für das bloße Personalsuffix) und stellt es in mt Weise immer voran: 9,1(+Mk und mt vorangestellt *eigene Stadt* – dgg. ist 13,57 textkritisch sek.); 22,5(+Q und mt vorangestellt *eigenen Acker*); 25,14(+Q *eigenen Beschäftigten*).15(+Q *eigenen Fähigkeit*):
    Mt 4 : Mk 0 : Lk 3 (red. Lk 6,41.44; 10,34) + 11
        =(Mk 0 + 1) + (Q 0 + 3)
Von Mk übernommen ist der adv. Gebrauch der hell. Wendung
κατ' ἰδίαν *für sich, privatim* (BAUER WB 732)
    Mt 6 : Mk 8 : Lk 2 + 1 : Joh 0
        =(Mk 8 – 2)
von Jesus 14,13(=Mk).23(=Mk 4,34 permutiert im Hinblick auf das wichtige Ereignis der Gottessohn-Erkenntnis); 17,1(=Mk); 20,17(=Mk 6,31 permutiert – wegen der Wichtigkeit des Einschnitts: nur die 12 werden auf dem Weg nach Jerusalem mitgenommen) – den Schülern gegenüber auf wichtige Ereignisse vorweisend (während die Absonderung des Kranken 7,22 entfiel) – bzw. die Schüler Jesus gegenüber 17,19(=Mk); 24,3(=Mk).
ἴδε (GUNDRY 644)
    Mt 4 : Mk 9 : Lk 0 : Joh 19 (NT nur noch Gal 5,2)
Immer in dir. Rede in der Allegorie 25,20.22(+Q).25(diff.Lk –ού) einem Angeredeten im Sing. gegenüber (red. immer im Nachsatz temporal mit konsekutivem Einschlag: *jetzt, hiermit, folglich*), 26,65(=Mk 15,4 permutiert; vor red. Zeitangabe *jetzt* verstärkend konsekutiv *also*) erstarrte Interjektion einem Plur. gegenüber.
ἰδού (GASTON 1973:61; GUNDRY 644)
    Mt 60 : Mk 7 : Lk 54 + 23 : Joh 4
        (=Mk 7 – 1 + 36) + (9 + 5) + (A–Mt 4)
In der dir. Rede ist die Demonstrativpartikel oft übernommen (FIEDLER 1969: 14)
    Mt 28 : Mk 7 : Lk 40 + 16
        =(Mk 7 – 2[1 Dubl. und 1 Permutation] + 10[2mal statt –ε]) + (Q 9 + 4)
und steht für die verschiedensten logischen Relationen sowohl asyndet. wie paratakt. (5mal καὶ ἰ.)
– der temporale Aspekt *jetzt* dürfte vor allem bei Neueinsätzen bestimmend sein: in der Überschrift des 2. Teils der Israelsendungsrede 10,16(=Q ≯ἐγώ), wo red. ein folgernder Imp.-Satz angeschlossen ist, red. temp. wiederholt 23,34(+Q *jetzt sende ich* – zwecks Verstockung im Unterschied zu anderen Sendungen; gg. BAUER WB 733 nicht nur aufmerksamkeitssteigernd). Temp. *jetzt* ist ebenso in dem einzigen Q-Zitat 11,10 (Mal 3,1) bestimmend (*jetzt sende ich meinen Engel*) und dürfte stilbildend auf die Auswahl 3 weiterer mt Erfüllungszitate eingewirkt haben: 1,23 (Jes 7,14 *Jetzt wird diese Jungfrau schwanger*); 12,5(+Mk Sach 9,9 *Jetzt kommt dein König*); 12,18 (+Mk Jes 42,1 *Jetzt ist mein Sohn da*) im Nominalsatz wie auch 25,6 (*Der Bräutigam ist da* – gg. den Zusatz der späteren HS, die daraus eine Vorankündigung machen; SCHENK 1978:290; B-D-R 340,3; FIEDLER 1969:24 n.93). Im einleitenden Gegnervorwurf 12,2(statt mk –ε *Jetzt tun deine Schüler*) steht es in an-

gleichender Wiederaufnahme des 11,19(=Q) voranstehenden Gegnervorwurfs und in antithetischer Entsprechung zu dem 12,18 folgenden Erfüllungszitat; 12,49(statt mk -ε asyndet. Nominalsatz *jetzt sind das meine Mutter und meine Brüder*) wird eine deiktische Definition gegeben (zur red. Handlung V.49a); 13,3(=Mk *Jetzt trat dieser Sämann auf*) ist es ein weiteres allegor. Element (neben der Botenformel) schon im Start der Parabel (gg. BAUER WB 733 nicht nur Aufmerksamkeitserreger; 19,27(=Mk bestätigendes *Jetzt haben wir alles verlassen*); 20,18(=Mk *jetzt ziehen wir schon* – als kommentierende Erinnerung und Vollzugsfeststellung der Vorhersagen von 16,21; 17,12.22f); 22,4(+Q *Jetzt ist mein Hochzeitsmahl angerichtet*); 23,38(=Q *jetzt wird euer Haus für euch unbewohnt*); 24,26a.b(=Q *jetzt ist der Messias hier*) und dupl. V.23(statt mk -ε) antithetisch rahmend zu V.25(+Mk *jetzt, hiermit habe ich es euch vorhergesagt*), ebenso vom Engel 28,7c(+Mk);
– über den temp. Aspekt hinaus dürfte die Funktion wesentlich konsekutiv bestimmt sein im gegnerischen Nominalsatz der Allegorieerklärung 11,19(=Q *also, folglich ist dieser Mensch*) wie etwa auch Ab 3,8 das Resultat einer argumentativen Auseinandersetzung so eingeleitet wird (MARTI-BEER 1927:73 z.St. *also*);
– nach Imp. und mit Zeitangaben wie 26,45f(=Mk) dominiert der Zeitaspekt *schon* (BEYER 1968:257f) mit einem kausalen Beiklang wie ebenso 28,7b(+Mk Parataxe *schon vorangeht*) und 28,20(Parataxe *weil ich schon bei euch bin*);
– stärker konzessiv (*obgleich*) sind die Begründungen durch antithetische Nachsätze wie 7,4 (+Q – *während doch der Balken in deinem Auge ist*; Parataxe beim Nominalsatz der Dauer); 11,8(=Q Asyndeton *während doch die Weichgekleideten...*); 12,41f(=Lk Parataxe *während hier doch jetzt wesentlich mehr ist als Jona/Salomom*). Sofern nicht ein neu eingetretener Zustand, sd. eine Dauer bezeichnet ist, sind es "unhebräische Nachsätze", und asyndet., nominale Nachsätze sind unhebr. "Gräzisierungen" (BEYER 1968:57-9).

In Erzählkontexten ist die Verwendung für Mt besonders signifikant (SCHMID 1930:78; FIEDLER 1969:14):

Mt 32 : Mk 0 : Lk 16 + 7
=(Mk 1[permutiert] + 26) + (0 + 1) + A-Mt 4)

Gen.abs. + ἰδού (HAWKINS 1909:5,31 "most distinctive"; KLOSTERMANN 9)

Mt 10 : Mk 0 : Lk 1 + 0 (Lk 22,47)
=(Mk 1[permutiert] + 4 + (Q 0 + 1) + (A-Mt 4)

Das Pt. im Aor. der Vorzeitigkeit (*nachdem*) mit δέ 1,20; 2,1.13.19 markiert die Zeitabfolge als unmittelbaren Anschluß wie einen kausalen Zusammenhang. Danach immer nach einem Pt.präs.: 4mal in der asyndet. Wendung *während er noch redete* 9,18(+Mk); 12,46 (von Mk 3,32 permutiert); 17,5(+Mk) und 26,47(+Mk); mit paratakt. δέ 9,32(+Q evtl. um das gleiche Subj. einzubilden *während ihrer Galiläa-Mission*) und 28,11(+Mk *wegen ihres Weggangs*). Während Mt asyndet. ἰ. im Erzählkontext nur in dieser Verbindung hat, verwendet er an den übrigen Erzählstellen parataktisches καὶ ἰδού

Mt 22 : Mk 0 : Lk 15
=(Mk 0 + 22)

Da erzählendes κ. ἰ. in der Literatur bereits ausgestorben war, "beruht das Wiederaufleben des *und siehe* bei Mt in der Hauptsache auf einer Nachahmung des LXX-Stils" (JOHANNESSOHN 1940:44 n.67; BERGER 1972:181). Die damit eingeleiteten Nachsätze erhalten eine Zeitbestimmung besonders dann, wenn sie an einen tempor. Vordersatz anschließen: 3,16(+Mk nach εὐθύς) *sogleich* – da aber die Taufe V.15 als Gehorsamstat bestimmt war, so ist damit zugleich konsekutives *daraufhin, infolgedessen* als ein bestätigend-belohnendes Handeln Gottes ausgedrückt, was die sogleich anschließende Wiederholung 3,17(+Mk) und deren Dupliz. 17,5b(+Mk) erklären dürfte; auch 4,11(+Mk nach τότε) hat das Erscheinen der Engel eine bestätigende Funktion nach den Gehorsamstaten der Teufelsabweisung. Auch bei der Mose-Elijah-Erscheinung 17,3(+Mk) dürfte es nicht nur additiv einen plötzlichen weiteren Akt, sd. als Ausdruck der gesteigerten Christol. des Mt ein Resultat der Verwandlung Jesu ausdrücken. Entsprechend wird auch 27,51 (+Mk) das Zerreißen des Vorhangs als negatives und das red. Folgende als positives Resultat des Todes Jesu gekennzeichnet (SENIOR 1982:325). Selbst das Beben 28,2(+Mk das erst anschließend als Resultat der Engelerscheinung gekennzeichnet wird) wird entsprechend an den Gang der Frauen angeschlossen, da diese bei Mt ja die Bestätigung der geweissagten Rehabilitation erwarten und erfahren; infolgedessen wird auch 28,9 das Erscheinen Jesu analog an den Rückweg der Frauen angeschlossen.

Auch 8,2(+Mk nach Protasis Gen.abs. + Hauptvb. *nachfolgen*) kann es als *infolgedessen* stärker das Heraustreten des Hautkranken aus der Menge der Nachfolgenden signalisieren. 8,24(+Mk Protasis Dat.abs. + Haupt-Vb. *nachfolgen*) kann ein *infolgedessen* die eben V.20 gemachte Aussage demonstrieren, daß er wirklich nicht in Ruhe schlafen kann. Dieser Aspekt ist auf jeden Fall in den 3 Stellen der Gadarener-Episode 8,29.32.34(+Mk), an den beiden der Gelähmtenheilung 9,2f(+Mk), beim Zöllnermahl 9,10(+Mk), wie bei der Frau 9,20(+Mk) wieder im assoziativen Anschluß an Nachfolgeaussagen deutlich gegeben und soll dann auch bei der Kanaanäerin 15,22(+Mk) wie den Blinden 20,29(+Mk) konsekutiv verstanden werden. Selbst die Wiederaufnahme 12,10 (+Mk Subst. + Pt., das allerdings nicht gut semit. ein plötzliches Dasein, sd. die Dauerkrankheit der kraftlosen Hand bezeichnet) soll wohl nach den 9 Stellen von Kap. 8-9 weniger das bloße Dasein oder ein sofortiges Auftauchen bezeichnen, sd. eine logische Folge des Erscheinens Jesu (*infolgedessen*). In ähnlicher Weise dient es 19,16(+Mk) der Verknüpfung, um die Frage des Reichen von dem von Jesus eben V.14 gesprochenen Wort her als deren Resultat und Auslöser zu motivieren. 26,51(+Mk) wird so der Waffengebrauch deutlicher von der Verhaftung Jesu her motiviert.

Ἰερεμίας →γραφή
ἱερεύς, ἱερόν, Ἰεροσόλυμα, Ἰερουσαλήμ →ἀρχιερεύς
Ἰεριχώ 20,29(=Mk) Oasenstadt in der judäischen Jordansenke
    Mt 1 : Mk 2 : Lk 3 (NT nur noch Hebr 11,30)
Ἰεσσαί 1,5f Eigenname des Vaters Davids
    Mt 2 : Mk 0 : Lk 1 + 1 (NT nur noch Röm 15,12)
Ἰεχονίας 1,11f letzter König Judas vor dem Exil (NT sonst nie)
Ἰησοῦς (MORGENTHALER 1972:181 Vorzugswort; GASTON 1973 61; GUNDRY 644)
    Mt 150 : Mk 80 : Lk 88 + 69 : Joh 238
        =(Mk 80 - 13 + 64) + (Q 6 + 6) + (A-Mt 7)
Mt verwendet wie alle frühchristl. Autoren die mit Schluß-Sigma im Nom. deklin. griech Form, die auf die Kurzform *jeschû*ʻa zurückgeht und das theophore Element des urspr. *jehôschû*ʻa nicht mehr erkennen läßt (FOERSTER ThWNT 3,285-7 verbreitete Namensform), was im Zusammenhang mit den gräzisierten Namensformen der Brüder (13,55; 27,56) zu sehen ist.

Das bei Mt (wie bei Mk und Joh) häufigste Subst. (während bei Lk θεός diesen 1. Rang einnimmt und Ἰ. erst nach ἄνθρωπος folgt) wird nicht nur gegenüber Mk stark gehäuft, sd. auch noch 1,21-25 betont in seiner einzigartigen Gottessohnschaft definiert eingeführt (FOERSTER ebd.289f.: Reaktivierung des theophoren Namenselements). Die Häufung steht offenbar im Dienste der Durchsetzung des eigenen Konzepts gegenüber der Mk-Vorlage. Die Buchüberschrift 1,1(=Mk) setzt mit dem Doppelnamen ein, der zugleich durch die Näherbestimmungen *Nachkomme Davids, Nachkomme Abrahams* im Blick auf die Genealogie ergänzt wird. Der Doppelname wird samt dem Eingangssyntagma 1,18 (gg. die singuläre Umstellung in B wohl in der üblichen Reihenfolge) als Dubl. renominalisiert und dazwischen 1,16 in der nur Mt eigenen Wendung (SCHNEIDER EWNT 2,447) aufgeschlüsselt dupl., die 27,17.22

(+Mk) im Munde des Pilatus renominalisiert:
'I. ὁ λεγόμενος Χριστός

Mt 3 : Mk 0 : Lk 0 + 0 : Joh 0 (sonst noch JosAnt 20,200);
27,37(+Mk) hat in Äquivalenz damit *Jesus der →König der Juden,* womit er
den Namen in die Kreuzesinschrift eintrug. Ebenso genuin mt ist vorbereitend dazu 21,11(+Mk) *der Prophet Jesus aus Nazareth in Galiläa,* was abge-
kürzt 26,69(=Mk) mit *Jesus der Galiläer* bzw. 26,71(+Mk) *Jesus der Nazare-
ther* renominalisiert ist. Während so die 3 Herkunftsbezeichnungen auf Jerusalem beschränkt sind und die Ortsdifferenz markieren, so sind die 6
königlichen Doppelausdrücke vor allem rahmend in Kap. 1 und 27 gesetzt.
Als 7.Stelle ist der betonende Beginn des 2.Buchteils 16,21 (01 03 sa mae
bo) als bewußte Renominalisierung eher auf das Konto des Mt und nicht der
späteren Abschreiber zu setzen (HUMMEL 1966:112; KINGSBURY 1975:96 gg.
KLOSTERMANN 141; GNTCom 42f argumentiert dagg. zu pauschal mit der Sel-
tenheit in "den" Evv. überhaupt, statt die speziell mt Häufung wie seine
Buchgliederung zu beachten). Die einzige weitere Näherbestimmung ist 28,5
(=Mk) *der gekreuzigte Jesus.* Im Unterschied zu Mk (und Lk) wird der mt
Jesus *nie* mit dem eigenen Namen, sd. nur mit Hoheitsprädikaten *angeredet*
(Mk 1,24; 5,7; 10,47 entfielen). Die anfänglichen Nennungen nach dem Dop-
pelnamen in 1,16.21.25 sind ohne Art., was sich bei B 16,24 als Folge auf
V.21 wiederholt; ferner: 14,5; 17,8; 20,17(B).30(=Mk); 21,1.5; 26,51.69.71.75;
27,17.22.37; 28,5(=Mk).9:

Mt 19 : Mk 3 : Lk 20
Damit ist deutlich, daß die Setzung des Art. hier weniger ein Vulgarismus
ist (MAYSER 1970 II/2 §§ 54f), sd. anaphor. Charakter hat (SCHNEIDER
EWNT 2,445; B-D-R 260). Da der Art. gut griech. das Poss.Pron. schon ausdrückt, so wäre auch vorauszusetzten, daß Mt mit dem Art., sofern er im
Munde des Autors selbst erscheint, immer *unser Jesus* meinen sollte. Dafür
spricht außer der Häufung der Stellen ohne Art. und die konsequente Weglassung der Anrede auch der Kontrast zu *Jesus →Bar-Abbas* 26,16f.

Wesentlich ist weiter, daß Mt schon 3,15(+Mk) seinen Jesus redend *einführt* und ebenso red. 28,9.10.16.18(+Mk als Dubl. von V.5) als redendes
Subj. *abschließen* läßt. Insgesamt ist der Name 89mal als Subj. von Redehandlungen (→ἀποκριθείς; 14mal höhepunktsmarkierend mit Präs.hist. λέγει
8,4[=Mk].20.22[=Q]; 9,28[+Mk]; 15,34[+Mk); 18,22[=Mk]; 21,16[+Mk].31[=Mk
11,33b permutiert] dupl. V.42[+Mk]; 26,31[(=Mk].36[+Mk].52[+Mk].64[=Mk];
28,10[+Mk]; SCHENK 1976): 4,7.10(=Q).17(=Mk); in der redeabschließenden
Übergangswendung 7,28(+Q) dupl. 11,1; 13,53; 19,1(=Mk 10,5 permutiert) und
26,1; 8,13(=Q); 9.2.4.9.15.22(=Mk).30.35(+Mk); 10,5(+Mk); 11,4.7.25(+Q); 13,34
(+Mk).57(=; GUNDRY 649)Mk); 14,16.27.31(+Mk); 15,28.32(+Mk); 16,6.8.17.21.24
(+Mk); 17,7.9(+Mk).17f(=Mk).22.25f(+Mk); 19,14.18.21.23.26.28(=Mk); 20,17.22.25.
32(=Mk); 21,1(+Mk).6.12(=Mk 11,7 permutiert).21.24(=Mk); 22,1(+Q).18.29.41
(=Mk); 23,1(+Mk); 24,4(=Mk); 26,10(=Mk).19(+Mk).26(=Mk 14,18 permutiert).34
(=Mk).49f(+Mk).55.75(=Mk); 27,11b(=Mk 15,5 permutiert).46.50(=Mk). 12mal
erscheint *Jesus* als Rezipient von Redehandlungen: 8,10(=Q); 14,12(+Mk).13
(=Mk); 15,1(+Mk); 17,4.19(=Mk); 18,1(+Mk); 20,30(=Mk); 21,27(=Mk); 24,1(=Mk);
26,17(+Mk); 27,11a(+Mk). Insgesamt erscheint 'I. 92mal im Nom., davon 16mal
dem Vb. nachgestellt.
Χριστός (HUMMEL 1966:112f; KINGSBURY 1975:96-9; GUNDRY 649)
Mt 17 : Mk 8 : Lk 12 + 25 : Joh 19
(=Mk 8 + 9) : (Q 0)
(HAHN EWNT 3,1155 zählt 18 Belege, weil er diskussionslos auch 23,8 für mt
hält, obwohl dieser Zusatz dort nur in einigen Mehrheitstextzeugen vom 9.
Jh. an auftaucht und doch wohl eher als spätere Dubl. zu V.10 anzusehen
ist). Mt ist in seiner Verwendung ganz und nur von Mk abhängig, dessen
Vorgaben er multipl., während beachtenswert bleibt, daß Q keinen Beleg

vorgab (DINKLER 1964:130; HAHN 1966:180; EWNT 3,1165).

Kennzeichnend mt ist vor allem die gehäufte Verwendung in Erzählzusammenhängen (BOUSSET 1967:3), wie er sie von 1,1(=Mk 1,1) schon 1,16.17.18;
2,4 dupl. und ferner 16,21(+Mk Dubl. V.16 s.o.) und 11,2(=Mk 1,34 permutiert
im gleichen Sachbezug auf Wunder; gg. HAUCK 16; CNTCom 75 wie H-G 27
als urspr. Mk-LA in der Syntax von B anzusehen, da eine Angleichung an
Lk nur für die Fassung von O1 und damit nicht als globales Argument gelten kann und nicht erst Lk auf eine betont christol. Fassung in Rahmung
mit Mk 1,24 Wert legen dürfte – gg. BUSSE 72f, der gerade für V.41 keine
lk Stilmerkmale benennt, während die meisten Mk-Kommentare wie KLOSTER-
MANN, GRUNDMANN, GNILKA, PESCH die Fassung des Kurztextes diskussionslos für entschieden halten; die Schwierigkeit, schon einen präzisen Grund
für die mögliche Verkürzung eindeutig auszumachen, ist bei der Vielgestal-
tigkeit der Textvarianten keine hinreichende Beweisbehauptung für die
Kurzfassung):

Mt 7 : Mk 1 : Lk 0 (3mal in indir. Rede) : Joh 0
Bei seinen Übernahmen aus Mk und den red. Häufungen ist in typ. mt Weise
eine assoziative Cluster-Bildung wiederum auffallend: Wie 1,1 an den 4
nachfolgenden Stellen dupl. wurde, so auch 16,16(=Mk) in V.20.21(+Mk);
ebenso 24,23 in V.5 wie 23,10 (hier kann Mk 9,41 permutiert sein, da es an
beiden Stellen um die Zugehörigkeit geht); ebenso 26,63(=Mk) in V.68(+Mk –
einziger Vokativ) wie 27,22(=Mk 15,32 permutiert) in V.17.

"Daß Mt den Titel übernommen hat, ohne eine spezielle Aussage damit zu
verbinden" (STRECKER 1971:126 n.2), wird daran deutlich, daß er ihn 16,21
im Munde des Petrus schon red. mit der Apposition *Gottessohn* verbindet
und damit diese Verbindung im Munde des Priesterfürsten 26,63 als selbstverständlich schon beantwortet vorwegnimmt. Die Einführung als Doppelnamen 1,1.18 wird durch die Kennzeichnung als Cognomen 1,16 (und 27,17.22
abschließend erinnert) analog zu dem des *Petrus* 4,18; 10,2 klar bestimmt,
daß Namensbestandteil und titularer Gehalt keinen Gegensatz bilden (HAHN
EWNT 3,1149): es ist der geistgezeugte Davidskönig der letzten Generation.
Dabei ist wichtig, daß 2,4 durch ein Erfüllungszitat V.5f hinsichtlich der
Herkunft wie im Schlußwort an die Gegner 22,42 der Schriftbeweis hinsichtlich des künftigen Endziels der Vernichtung aller Feinde den Inhalt näher
bestimmt. Daß der Ausdruck in den Zitaten selbst nicht auftaucht, kann
nicht verwundern, denn er "wird im AT innerhalb prophetischer Verheißungen einer Neuerrichtung des Königtums nirgends verwendet" (HAHN 1966:
136). Eine Inhaltsbestimmung wird 11,2 weiterhin durch die V.5 in Anspielung auf Prophetenformulierungen angegebenen Wunder ebenfalls in der
Richtung auf erwartete und erfüllte Vorhersagen im Sinne des Autors gegeben. Somit ist die Personidentität mit Jesus an den ersten 11 Stellen
durchgehend gegeben und für die 6 letzten Stellen im Gegnermund eindeutig vorgeprägt – vor allem, nachdem schon 22,42 eine explizit gegneraorien-
tierte Klarstellung gegeben hatte. Von daher erweisen sich auch die ersten
in Jesusworten abgewiesenen Gegneraussagen 24,5.23 als "ganz schlichte
Identifikationsaussage" (HAHN 1966:182), mit der andere Konzepte – ganz
gleich welcher Art, weil von vornherein durch das bisherige Mt-Bild er-
ledigt – abgewiesen werden. Ein Rekurs auf Strukturschemata zeitgenössi-
scher jüd. Messias-Konzepte (sei es das der Bilderreden von 1Hen 48,10;
52,4 oder die differierenden Zwischenreichkonzepte von 4Esr 7,26-35;
12,32-34; 13,2ff oder 2Bar 30,1; 40,4; 74,2f) trägt nichts aus (KRAMER 1963:
37f), da nicht eine interpretatio Christiana eines jüd. Konzepts, sd. eine
rein innerchristl. Begriffsgeschichte vorliegt. Mt macht durch seine Textsequenz deutlich, daß mögliche Bezugnahmen auf zeitgenössische jüd. Konzep-
tionen einen nachträglichen Reaktionsschritt darstellen. Das 10malige *Sohn*
→*Davids* ist seit der Apposition 1,1 als Hyponym ebenso kenntlich gemacht

wie das 4malige *König der >Juden/Israels* im dynastischen Sinne von *Thron-anwärter* 2,2 in Vorbereitung von V.4. Die doppelte Näherbestimmung durch *Gottessohn* zeigt an, daß dies bei Mt das übergeordnete Konzept ist, was sich auch durch die Häufigkeitsrelationen ergibt, die sich noch stärker als bei Mk im Gegensatz zur pl Verwendung umgekehrt haben:
(ὁ) υἱὸς/παῖς(παιδίον) (τοῦ) θεοῦ/μου (KINGSBURY 1975:40-83; GUNDRY 648)
     Mt 34 : Mk 10 : Lk 13 : Joh 11
            =(Mk 10 - 3 + 6) + (Q 5 + 2) + (A-Mt 14)
Die redaktionsanalytische Diskussion dürfte abgeklärt haben, daß weder Davidsohn (gg. HUMMEL 1966:116-22) noch Herr (gg. TRILLING 1964:21-51; STRECKER 1971:118-20.123-6; FRANKEMÖLLE 1974:80.85.89.144.377.398) noch Menschensohn (gg. BLAIR 1960:83; WALKER 1967:116.128-30; LANG 1973: 238-46.487-98), sd. Gottessohn die zentrale christol. Kategorie des Mt ist (KINGSBURY 1975:40-2.82f.; HAHN EWNT 3,920: "Die ausgeprägteste Gottes-sohnchristol. hat Mt"; gg. STRECKER 1971:125, daß sich "eine mt Eigenart" aus den red. Stellen "nicht erschließen" lasse). Neben den expliziten Sohn-Stellen ist dabei auch auf das im mt Wortfeld komplenyme 17malige (bzw. in der semant. Tiefenstruktur 24malige) *mein >Vater* (zuzüglich doppeltem *mein >Gott* am Kreuz 27,46 und der doppelten Entsprechung von *Herr* und *Sohn* bei den einleitenden Erfüllungszitaten 1,22f und 2,15) zu achten; schließlich ist im mt Konzept auch υἱὸς τοῦ ἀνθρώπου hier ein- und unterzuordnen.
    Mit der Veränderung der mk Anrede an Jesus in der Taufe in eine In-formation über die Gottessohnschaft an den Täufer "ist die Gottessohn-schaft Jesu ihrem Ursprung nach von seiner Taufe deutlich getrennt" (HUMMEL 1966:115; KINGSBURY 1975:48-51). Für die mt Vorverlagerung er-halten Mt 1-2 entscheidendes Gewicht; nur unter Verkennung der je eige-nen Mittel, mit denen das geschieht konnte man irrtümlich behaupten: "Mit der jungfräulichen Geburt hat er die Gottessohnschaft Jesu in Gegensatz(!) zu Lk (1,32) nicht ausdrücklich in Verbindung gebracht" (HUMMEL 1966:116; ähnlich HAHN EWNT 3,919f); es bleibt vielmehr dabei: "die Gottessohnschaft" des mt Jesus "beginnt mit der Geburt" (STRECKER 1971:125) - nur muß man sich dafür nicht allein auf das Erfüllungszitat 2,15 berufen (wie STRECKER ebd., da - wie HAHN ebd. zeigt - diese Isolierung auch zu einer gerade dif-ferenzierend-separierenden Schlußfolgerung führen kann): Vor allem sind schon die 3 red. Sohn-Stellen 1,21.23.25 (die durch die Abwesenheit eines Art. eben gerade nicht auf den Davidssohn bezogen, sd. von ihm abgehoben werden) in das Konzept einzubeziehen, da nicht nur die 2,15 entsprechende Korrespondenz von κύριος und ὑ. auch ebenso beim Erfüllungszitat 1,22f gegeben ist, sd. in der Textsequenz die doppelte Nennung der Geistzeugung 1,18.20 voransteht wie das doppelte Pass. divinum >γεννάω 1,16b.20 (ein-schließlich des semant. speziell gefüllten Subst. 1,1.18): "By reason of his unique origin, he is the Son of God" (KINGSBURY 1975:43f; PESCH 1967: 409-11; FRANKEMÖLLE 1974:165f gg. SCHWEIZER ThWNT 8,382).
    Von daher ist auch das 9malige jesulog. παιδίον 2,8.9.11.13a.b.14.20a.b.21 (zumal Mt es aus Heilungsgeschichten konsequent gestrichen hat!), beson-ders in der Verbindung mit *seiner Mutter* V.11.13.20.21 im Gegenüber zu Jo-sef als dem *Sohn Davids* wie im Anschluß an das theonome Erfüllungszitat 2,5f und als Rahmung zu dem Sohn-Zitat V.15 in den Blick zu nehmen: παιδίον "in ch. 2 functions as a surrogate for *Son of God*" (KINGSBURY 1975:45f mit DAVIS 1971:414). Dabei steht immer der anaphor. Art.: *dieser Gottgezeugte als Säugling und seine Gebärerin.*
    Mt hat also eine ganz spezielle Hyiologie, sofern er das Prädikat weder als Einsetzungs-Hyiologie wie urapostolisch von der Auferweckung noch wie Mk von der Taufe Jesu her, sd. in deutlicher Verbindung mit den könig-lichen Zügen von der göttl. Zeugung her bestimmt. Die *Begründung durch Gott selbst* wird in den Erfüllungszitaten 1,23 und 2,15 (wo in Hos 11,1 *v.*

erst red. gg. den Plur. τέκνα eingeführt ist; ROTHFUCHS 1969:62f) gegeben
und durch das weitere in 12,18 bestätigt: Das bei Mt (wie in den Evv. überhaupt) einmalige ὁ παῖς μου ist bei ihm nicht als *Knecht*, sd. als *Sohn* zu
übers. (KINGSBURY 1975:62f mit STRECKER 1971:68, 70 n.2; PESCH 1967a:408;
ROTHFUCHS 1969:72f,123f; von daher gewinnt auch die Verwendung von παιδίον 2,8-21 verstärkt an Gewicht); Mt hat diese semant. Füllung dadurch
unterstrichen, daß er in das Zitat gg. die LXX ἀγαπητός wie εὐδοκέω in Angleichung an die direkten Gottesstimmen von 3,17 wie 17,5 einführte, diese
ihrerseits wechselseitig einander anglich, indem er 3,17 die 3. Pers. von
17,5 her und in 17,5 das ἐν ᾧ εὐδόκησα von 3,17 zusetzte. Zu den 3 Erfüllungszitaten und den beiden direkten Gottesstimmen können dann noch die
3 Stellen der Beauftragungsepiphanien im Engelmund 1,21; 2,13a.b. 20a.b
hinzugenommen werden, so daß eine achtfache *direkte Sohn-Legitimation
durch Gott* für Mt grundlegend ist.
ἀγαπητός 3,17(=Mk); 12,18(=Mk 12,6 permutiert); 17,5(=Mk)
    Mt 3 : Mk 3 : Lk 2 + 1 : Joh 0
Hier ist exklusiv an allen drei Stellen *Gott* Subj. und *Jesus* Obj., was sich
entscheidend vom Vb. und Subst. unterscheidet. Darum ist der besondere
semant. Gehalt dieser Stellen auch in der Übersetzung zum Ausdruck zu
bringen. Diese Verwendung ist im Zusammenhang mit der Offenbarungster-
minologie zu sehen und bezeichnet den *alleinigen Offenbarungsträger*.
Synonym dazu steht 12,18
αἱρετίζω (+Mk - NT sonst nie) *erwählen*; als LXXismus (Hag 2,23) in das
    Zitat aus Jes 42 eingeflossenes (ROTHFUCHS 1969:73) Synonym der mt
Erwählungschristologie. Typ. mt ist auch die rein jesulogische Verwendung
von
εὐδοκ-
    Mt 4 : Mk 1 : Lk 2 + 0 : Joh 0
εὐδοκία
    Mt 1 : Mk 0 : Lk 2 + 0 : Joh 0 (die Dupl. Lk 2,14 ist ekklesiol.!)
meint 11.26(=Q) den "souveränen göttlichen Ratschluß" (SCHRENK ThWNT 2
745 Vorzugswort bei Sir; GAECHTER 378; HOFFMANN 1972:111 gg. BAUER WB
510 nicht "dir wohlgefällig"), so daß "Gottes εὐδοκία niemand anders als
Jesus selbst ist, nämlich eben Jesus als die den Weisen und Verständigen
verborgene Weisheit" (CHRIST 1970:85), wobei bei Mt ohnehin das Funktionsverbgefüge die Renominalisierung des bei ihm nur christol. verwendeten Vb. darstellt:
εὐδοκέω
    Mt 3 : Mk 1 : Lk 2 + 0 : Joh 0 (die Dupl. Lk 12,23 ist ekklesiol.!)
"mit dem ich meinen Plan verwirkliche" Mt 3,17(=Mk ἐν ᾧ Gottesstimme);
12,18(+Mk ὅν Erfüllungszitat); 17,5(+Mk ἐν ᾧ Gottesstimme).
    Als solche wird sie 4,3.6(=Q) *auch vom Teufel* fraglos vorausgesetzt (*da*,
nicht: *wenn*) wie 8,29(=Mk im Vokativ ohne Art., doch ohne mk *des höchsten*
auf die feste Formel verkürzt) im Munde des Dämonenheeres. Die doppelte
Verspottung 27,40.43(+Mk) ist in bewußter Korrespondenz zu den Teufelstel-
len formuliert und zeigt die teuflische Art der Spötter an, die die Gottessohnschaft nicht infrage stellen, sd. wissentlich und willentlich verwerfen. Da diese Stellen auch im Rückbezug auf die Frage des Priesterfürsten 26,63(=Mk - jedoch red. wieder wie bei den Dämonen 8,29 auf die stereotyp formelhafte Wendung gebracht und damit auch den Teufelsworten
angeglichen) stehen, so ist auch hier der Hohn stärker als das Element der
Frage. Der Kreis der Verhöhner war schließlich schon durch die Spott-
aussage des Herodes 2,8 eröffnet. Diese 7 *Hohnaussagen* sind damit nicht
primär erst als Kontrast zu den Gehorsams- und Erkenntnisaussagen gesetzt, sd. schon als verstärkender Kontrast zu den direkten Gotteslegiti-
mationen selbst: Die Verhöhner machen letztlich nur sich selbst lächerlich.

Auf der Basis der von Gott selbst gegebenen Legitimation stehen auch die dann selbstverständlichen 8fachen direkten *Selbstaussagen* des mt Jesus in der Botenformel 11,27a.b.c(=Q abs. in Relation zu *Vater*), in den letzten Feind-Allegorien 21,37a(=Mk + αὐτοῦ).b(=Mk μου).38(+Mk dupl.) und 22,2(+Q + αὐτοῦ als Dubl. von 21,37a), sowie den Schülern gegenüber in der Selbstbegrenzungsaussage 24,36(=Mk als urspr. LA, wie vor allem das dem *Vater* zugesetzte μόνος nahelegt; GNTCom 62; da im Kontext jedoch 3mal *Sohn als Mensch* voransteht und nachfolgt, so ist diese Stelle eher diesem Komplex zuzuordnen, worin für Mt aber keine Alternative liegt) wie in der Taufformel 29,19 (abs. in Relation zu *Vater* und sogar unter dem Sing. eines einzigen ὄνομα). Hinzu treten komplenym nicht nur die seit der Bergrede herrschenden Selbstaussagen mit *mein Vater* (bzw. *mein Gott*), sd. auch noch die von der speziellen ≻βασιλεία θεοῦ im mt Sinne als der dem mt Jesus gegebenen Herrschergewalt als *Mitherrschaft*, was dem königlichen Aspekt der mt Hyiologie entspricht; in diese Untergruppe gehören auch alle nur im Munde Jesu verwendeten 30 Selbstaussagen mit υἱὸς τοῦ ἀνθρώπου.

Schließlich erscheinen von daher auch die 3 *Anerkennungsaussagen* der gegebenen Einsicht als selbstverständliche Reaktionen 14,33(+Mk – im Anschluß an eine Epiphanie) und deren Wiederholung 16,16(+Mk – nicht als "Bekenntnis", sd. als Bestätigung von 11,27, von woher beide dupl. sind) und im Munde des Exekutors 27,54(=Mk). Ihnen können noch die Gehorsamshandlungen des Josef 1,25; 2,14.21 wie der Magier 2,9.11 zugeordnet werden. Impliziert ist der Gehorsam auch im mt Taufbefehl 28,19, da getauft werden soll im Anschluß an eine gehorsame Anerkennung (≻εἰς) des mt Buchkonzepts von einheitlichen Namen des *Sohnes* (in Korrespondenz zu dessen *Vater* und dem *Geist*, der seit der Zeugung 1,18.20 mit der Sohnschaft verbunden ist, die mt Pneumatologie als streng sohnbezogen ausweist).

γένεσις

Mt 2 : Mk 0 : Lk 1 (NT nur noch Jak 1,23; 3,6)
    =(Mk 0) : (Q 0) : (A-Mt 2)
Der pointierte doppelte Gebrauch Mt 1,1.18 in der Bucheröffnung muß im Zusammenhang gesehen werden. Das Problem ist aber (1.) dadurch verstellt, daß man in 1,18 (wie Lk 1,14 auf den Täufer bezogen) die Bedeutung *Geburt* als unbezweifelbar annimmt (KRETZER EWNT 1,582f als opinio communis). Dies ist aber zweifelhaft, weil 1,18ff ja gar keine eigentliche Geburtsgeschichte folgt (1,25 die Geburt als solche lediglich im Nebensatz erscheint), sd. "die theo-logische *Herkunft* Jesu ausgesagt werden soll" (FRANKEMÖLLE 1974:361; WAETJEN 1976a:217). Die (2.) strittige Frage geht darum, ob das Lexem in der Koppelung mit dem bei Mt einmaligem βίβλος 1,1(=Mk 12,26 permutiert) *Buch* (BALZ EWNT 1,524f) und der Namensnennung in 1,1 lediglich eine Teilüberschrift für 1,2-17 darstellt (BALZ EWNT 1,524 "Entstehungsgeschichte" als "Geschlechtsregister", nicht "Stammbaum" mit BAUER WB 307; SCHRENK ThWNT 1,615; BÜCHSEL ebd.6682; SCHMID; LOHMEYER, BILL., FILSON, SCHWEIZER, MEIER, GUNDRY z.ST.; TRILLING 1964:93; BURGER 1970: 101f; von VÖGTLE 1971a:73 auf Kap.1 ausgedehnt bzw. von KRENTZ 1964 und KINGSBURY 1977:24f auf den ganzen "Prolog" bis 4,16); demgegenüber heißt es bei KRETZER (EWNT 1,583 in Zustimmung zu FRANKEMÖLLE 1974:365; 50 Seiten nach und gg. BALZ, ohne daß das vermerkt würde) formal wiederum gleich "Entstehungsgeschichte" – jedoch das Buch als ganzes bezeichnend: "Nach Mt 1,1 fängt mit Jesus Christus eine neue Epoche der universalen Geschichte an", womit es von γενεά 1,17 her sachl. bestimmt worden wäre (so z.St. auch ZAHN, KLOSTERMANN, SCHNIEWIND, BONNARD, GRUNDMANN, BEARE; ferner MARXSEN 1959:64f; 1964:134; WAETJEN 1976a:213f).

Da beide Analysen sich auf das Vorkommen des Syntagmas in Gen 5,1 (vgl. 2,4) berufen, so kann dies aber eben nur als Voraussetzung, nicht aber als Grund und Entscheidungskriterium für Mt fungieren. Als weitere Voraussetzungen sind wohl die Tatsachen wichtig, daß LXX mit der ersten Buchüberschrift "Genesis" beginnt (BEARE 64), bucheröffnendes βίβλος seit Tob 1,1 sicher auf das ganze Buch bezogen werden muß und zeitgenössisch (Jub 1,1; 1QS 1,1; 1QM 1,1; ApkAbr Prol.) apokalyptisch betont sicher "Offenbarungsschrift" bedeutet (FRANKEMÖLLE 1974:363), sowie daß Mt das einzige, auf Mose bezogene βίβλος von Mk 12,26 ausgelassen, bzw. als Lesesignal mit Neubezug auf Jesus an den Anfang seines Buches permutiert hat. Hinzu kommt die Beobachtung, daß das periodisierte Generationenregister in der 3. Epoche mit nur 13 Generationen unvollständig ist (WAETJEN 1976a:214f). So begründet von diesen Voraussetzungen her der mt buchglobale Referenzbezug sein mag, so zeigt doch der dennoch nicht abebbende Widerspruch (z.B. MEIER 1980:4) gg. die Übersetzung *Geschichte* in 1,1 wie auch die dann nötige Annahme einer Bedeutungsdifferenz zwischen dieser Stelle und der folgenden, daß das semant. Problem ungeklärt ist.

Als alternativen Lösungsvorschlag sollte man in Betracht ziehen, daß γ. an den beiden von L–S–J 343 s.v.II genannten Stellen (Herod 2,146 und SophTrach 380 sowie auch Kallist fr 14 Z. 24) *Vaterschaft* überhaupt meint (FOX 1979:712). Darüber hinaus ist bei ArrianAnab 3,3.2 und 7,29.3 (vgl. BAUER WB 306 s.v.1) speziell die göttliche Vaterschaft bezeichnet: "Alexanders Abstammung von Zeus jedoch wurde mit dem griech. Wort γ. umschrieben, und das hieß natürlich(!), er sei wirklich von Zeus gezeugt worden und nicht ein entfernter Abkömmling" (FOX 1979:281); und ergänzend zu dieser Bestimmung der Verwendung als t.t. der Alexander-Tradition heißt es: "Dies ist der stärkere Ausdruck als z.B. jener, den Ptol.Philadelphos in OGIS 54 gebraucht, wo von Zeus' ἀπόγονος gesprochen wird" (ebd.713). Vom mt Kontext der betonten Vaterschaft Gottes für Jesus her, die dann auch in der Kodierung der häufigen mt *Vater*- wie *Sohn*-Verwendung dominierend bleibt, wird wohl auch Mt in diese Gebrauchsweise einzuordnen und zu veranschlagen sein, daß er γ. in beiden Bucheröffnungsstellen konkret im Sinne von *Gottessohnschaft* verwendet hat.

Zählt man auch diesen Ausdruck zu der größeren Zahl von gewählteren griech. Wörtern, die Mt gebraucht, dann ist es möglich, beide mt Stellen übereinstimmend zu übers. und dem Rechnung zu tragen, daß 1,18ff keine wirkliche Geburtsgeschichte folgt, sowie das Eröffnungssignal der Buchüberschrift als betonte Lesehilfe, die sie als erstes und wesentliches metakommunikatives Signal darstellt, entsprechend zu würdigen. An beiden betonten Überschriftstellen geht es um die wirkliche und direkte Erzeugung durch Gott und deren weitere, daraus folgende Manifestationen überhaupt: "Offenbarungsbuch *der direkten göttl.* Vaterschaft vom Messiaskönig Jesus" (1,1). Damit besteht ein gemeinsames Wortfeld mit der im Folgenden von Mt vollzogenen Favorisierung der Lexeme "Vater" und "Sohn Gottes" durch das ganze Buch hindurch und bis in sein Schlußwort 28,19 hinein, wo beide Ausdrücke ja sogar einen einzigen "Namen" bilden und der noch dazugehörige "Geist" ausdrücklich an die Zeugung Jesu erinnert. Mit diesen dem mt Wortfeld zugeordneten Lexemen werden im Verlauf des Buches immer diese ersten beiden Signale von 1,1 und 18 erinnert und sind mit diesem spezifischen semant. Gehalt zur Stelle.

Nicht "Geburt" einerseits und "Geschlechtsregister" bzw. "Geschichte" (FRANKEMÖLLE 1974:399 als "Bundesgeschichte") andererseits sind hier primär bezeichnet, sd. die unmittelbare göttl. Vaterschaft ist die entscheidende semant. Komponente, die engstens mit "Vater" als einem Leitwort des Buches zusammenzubringen ist: Es versteht sich (wie an der Schwelle beider Buchteile ausdrücklich den Mittler markierend) als das durch Petrus (Mt 16,18; SCHENK 1983c) vermittelte "Offenbarungsbuch der wahren göttl. Vaterschaft über den Messiaskönig Jesus". Von daher werden auch die flankierenden Erweiterungen in 1,1 deutlich: "der zugleich auch Nachkomme Davids und Nachkomme Abrahams ist" – und nur diese beiden Näherbestimmungen bilden die spezielle Überschrift für das 1,2-17 angeschlossene Segment im engeren Sinne. Dabei ist die ebenso hervorgehobene Verwendung von βιβλ- für "Offenbarungsschrift" bei Mt wohl schon durch seinen Rezipienten Joh als solche erkannt und in Anlehnung an wie im verdrängenden Widerspruch gg. Mt in Joh 20,30 (vgl. 21,25) zum hervorragenden metakommunikativen Lesersignal am Buchschluß gemacht worden, muß also dort ebenfalls mit "Offenbarungsbuch" qualifiziert wiedergegeben werden, was bei der größeren Nähe des Joh zum 7maligen Gebrauch in der Apk ohnehin naheliegend ist.

ὁ υἱὸς τοῦ ἀνθρώπου (KINGSBURY 1975:113-22; GUNDRY 648; PAMMENT 1983)

Mt 30 : Mk 14 : Lk 25 + 1 : Joh 13 (NT noch Hebr 2,6; Apk 1,13; 14,14)
    =(Mk 14 + 5) + (Q 8 + 3)

Von der mt Verteilung her, daß dieses Vorzugssyntagma nur im Munde Jesu (also nie als *"Prädikation"*) neben anderen Selbstbezeichnungen vorkommt und erst ab 8,20 (wie par. *mein Vater* seit der Bergrede) verwendet ist, nachdem das Gottessohn-Konzept schon fest installiert ist, ist davon auszugehen, daß Mt wohl keine spezielle "Menschensohn-Christologie" als eigenes Konzept gibt. Es liegt kein tatsächlicher messianischer Titel, sd. eine Selbstbezeichnung vor, der kein eigenes Konzept zugeordnet ist (STRECKER 1971:125f).

Einen Ausgangspunkt bei der Trichotomie der Formgeschichte in irdische, leidend-auferweckende und eschatol. Verwendungen zu nehmen (BULTMANN 1931:124,133,161-5) empfiehlt sich wegen des atomistischen und a-historischen Charakters dieser Klassifikation nicht (HOOKER 1967; MADDOX 1972; SCHENK 1972; zur Notwendigkeit der Modifikationen auch EDWARDS 1969; 1971)), da dabei semant. Konturen eingeebnet werden und andererseits Aporien enstehen (wie: daß "auch der Begriff Menschensohn" sowohl Passion 26,2 wie Weltgericht 25,31 umschließt, worauf STRECKER ebd. m.R. hinweist gg. TÖDT 1963:79, der etwa das Element des Passionsbezuges bei Mt ausgrenzen wollte: oder: 9,6 ist Sündenvergebung mit Menschensohn verbunden, während es 1,21f mit dem gottgezeugten Sohn verbindet; KINGSBURY 1975:58,65,113f,117-22 kommt aber nicht zu einer schon zureichenden Bestimmung, weil er in der Relation beider darin falsch ansetzt, daß er *Gottessohn* primär als bekennende Prädikation verstehen will, wovon er *v. τ. α.* mit "public" als semant. Opposition abhebt; da aber *Gottessohn* nicht primär "confessional" ist, so ist diese Relation zu präzisieren.

Von der bloßen Verbindung der Ausdrücke her, bei der mt red. auch *König* als Renominalisierung von *v.τ.α.* auftritt (25,31ff), ist es einer hinreichenden semant. Analyse auch nicht zuträglich, von der Annahme einer mt Identifikation des Menschensohn-Konzepts mit dem Königs-(Messias)-Konzept auszugehen (gg. BRANDENBURGER 1980:43-5,51-5,131-8), da die dabei vorausgesetzte Konstanz der Zuordnung von Ausdruck und Konzept so nicht gegeben ist, sd. verschiedene Kode-Wandel sich überschneiden.

Mit der Einführungsstelle 8,20(=Q) gibt Mt insofern den Schlüssel, als er das Wort vom Ruhelosen (weil Verfolgten) als einer ersten Verwerfungsvorhersage red. zusammen mit der ersten Gegnerkonfrontation einleitet, dem ersten γραμματεύς, der ihm noch dazu mit der ersten Feindanrede entgegentritt. Auch die 2. Verwendung 9,6(=Mk), die seine Herrschergewalt über die Verfehlungen ausspricht, ist an eben dieselbe Gegnergruppe adressiert. Diese makrosyntakt. Verbindung muß man als für den mt Kode entscheidend veranschlagen (darum ist der von einer mögliche aram. Verwendung im gegnerischen Sinn ausgehende Kode-Vorschlag auf eine mt Identifikation von Jesus mit seinen Schülern bzw. jeden Gerechten hin abzulehnen; gg. PAMMENT 1983).

Damit ist klar, daß die Gen.-Verbindung in einem anderen Sinne als bei

Sohn Gottes zu verstehen ist. Beide Gen.-Verbindungen sind verschieden aufzulösen. Bei dem unbestreitbaren Zusammenhang beider kann die Lösung nur darin bestehen, daß beide Stellen so gelesen werden sollen, daß ich, der Sohn (der immer den Gottessohn bezeichnet), gemeint ist, sofern er als Mensch auftritt (Gen.epexegeticus). "Zur Kennzeichnung des Menschseins Jesu" ist die Wendung also nicht "erstmals bei IgnEph 20,2 gebraucht, dann Barn 12,10; JustDial 100,3" (HAHN EWNT 3,928), sd. schon bei Mt (allerdings nicht als ein Gen.subj.). 11,20(=Q) ist sie darum als eine Aussage über die Ablehnung durch die Gegner in einem Kommentarwort zur Allegorie in direkter Entsprechung zum zitierten ἄνθρωπος im Munde der Gegner eingebracht. Die mt Selbstaussagen vom Ich-Sohn als Menschen sind ein Hyponym zu den Gottessohn-Aussagen als ihrem Supernym.

12,6(=Mk ich als der geborene König Israel auch Herr über den Sabbat) wird die dir. Gegneranrede fortgesetzt, wie die an sie gerichtete Unterscheidung 12,32(=Q) vom vergebbaren Wort gegen mich, den Sohn Gottes als Menschen im Unterschied zur Lästerung des Geistes (= des Geistträgers V.28) im Beelzebulvorwurf (V.27) damit ihren mt Sinn bekommt; 12,40(=Q) wird die erste Oster-(=Rehabilitierungs-)Weissagung an sie als Ansage des zu erwartenden Triumphs über eben diese Gegner als erste komplementäre Ergänzung zu 8,20 deutlich ausgesprochen. Ehe sich die Verwendung den Gegnern gegenüber 12,8 fortsetzte, wurde der Ausdruck 10,23 (+Mk als vorwegnehmende Dubl. zu 11,19) so eingebracht, daß auch hier nicht nur der Parusieaspekt, sd. der Kontrast zu den verfolgenden Gegnern bestimmend bleibt; 16,13(=Mk 8,31 permutiert) hat Mt durch die Umstellung wieder den direkten Bezug von Menschen zum Ich-Gottessohn als Mensch unterstrichen (von Gottessohn 14,33 her auf 11,16 hin).

Die folgenden Stellen sind Vorhersagen an die Schüler über die österl. Rehabilitierung 17,9(=Mk) bzw. seine Verwerfung V.12(=Mk - von Gottessohn V.5 her); 26,2 (+Mk dupl.).24a.b(=Mk im Gegnerkontrast zu doppeltem Mensch auf Judas bezogen).45 bzw. beides zusammen 17,22(=Mk); 20,18(=Mk). Die Überschneidung der Phasen erkennt man gut in der Selbstvorhersage 16,28 (+Mk) vom In-Erscheinung-Treten des Gottessohns als Menschen in seiner Herrschergewalt, sofern sie sich im anschließenden vorübergehenden Erscheinen in der Herrschergewalt des rehabiliterten Gerechten auf dem Berge erfüllt. Die Nichtanwendbarkeit der Dreigliederung der synopt. Formgeschichte auf die mt Belege wird ebenso 20,28(=Mk) deutlich, wo die beispielhafte Lebenshingabe als Teil der ganzen Dienstzeit erscheint (analog zu 8,20), wie an der typischerweise wie die Eingangsstelle an die Gegner adressierten Schlußstelle 26,64(=Mk), wo die Präsenz des Rehabilitierten und seine nahe Parusie verbunden sind. Wie sehr der Gegner-Bezug durchgehend bestimmend ist, wird auch daran deutlich, daß nur Mt ja auch das österliche Rehabilitierungsgeschehen im direkten Angesicht der Gegner in Szene setzt.

Der zeitliche Kontinuitätscharakter der Phasen wie der Feindbezug wird im Allegorieschlüssel 13,37(+Mk) einerseits daran deutlich, daß der Ich-Gottessohn als Mensch den guten Samen sät wie V.41(+Mk) seine Engel sendet, und diese dann aus dessen vorheriger βασιλεία die Frevler aussortieren. Daß also mindestens an 2 Stellen (13,37.41 und 26,64) der Ich-Sohn als Mensch auch für die Phase zwischen Ostern und der Parusie verwendet wird, darf ebenso verwundern wie der gehäufte Gebrauch für die Parusie, da Mt ja die vita Jesu als Einheit von seiner Geburt bis zu seiner Parusie sieht. Darum wird der Ausdruck auf alle Phasen der Wirksamkeit Jesu angewendet, sofern er mit seinen Gegnern zu tun bekommt; der letzte Akt dieser Art ist die Parusie. Die besondere Qualifikation dieser Schlußphase der Wirksamkeit wird dadurch markiert, daß wohl auch hier der Ich-Gottessohn als Mensch erscheint, aber zusätzlich besonders qualifiziert 16,27

(=Mk *in der Herrschergewalt*), was 25,31(+Mk) rahmend dupl. bzw. dazwischen 19,28(+Q *auf dem Thron seiner Herrschergewalt*) erinnert; ferner 6mal gehäuft im Cluster größter Dichte 24,27(=Q) und dupl. V.30a.30b(=Mk).37 (=Q).29(=Q).44(=Q), dabei V.27.37.39 in dem Mt eigenen red. Syntagma mit ⟩παρουσία.

Dennoch gehört der Ausdruck als solcher nicht in die mt Eschatol., zu der er keinen besonderen Beitrag liefert, sd. in die mt Jesulogie und markiert nur die Einheit der Person über alle Phasen hinweg. Die Häufigkeit der nur oder auch eschat. Stellen bei Mt (12mal : Mk 3 : Lk 10; gg. HAHN EWNT 928 ohne 16,28) beruht im wesentlichen auf der Einbeziehung des Q-Materials und der damit vorgegebenen Identifikation mit der erschienenen Weisheit (=Sohn) in Menschengestalt (CHRIST 1970:87f). Daß Mt damit auch eine Präexistenz behauptet hat (ALLEN 122f sieht sie 11,27 explizit, CHRIST 1970:91 implizit gegeben, während FISCHER 1970:113f sie an allen Sohn- und Vater-Stellen als "stillschweigende Voraussetzung seines Denkens" annimmt), beruht auf einer textlinguist. unmöglichen Abwertung von 1,18ff als einer isolierten Stelle, auf die Mt angeblich nie mehr zurückkomme, was dem Charakter der Renominalisierungen im Laufe der Textsequenz widerspricht.

κύριος (BORNKAMM 1970:38f; STRECKER 1971:123-6; KINGSBURY 1975: 103-13)
     Mt 48 : Mk 6 : Lk 36 + 63
          =(Mk 6 + 16) + (Q 11 + 15)
Auch κ. ist bei Mt kein selbständiger Titel, sd. im Wortfeld dem Gottessohn untergeordnet: als "both relational and confessional" (KINGSBURY 1975: 105f.112f) beschreibt κ. die Anerkennung Jesu als des Sohnes Gottes (inklusive Sohn Davids bzw. als Mensch). Die semant. äquivalente Wiedergabe wäre: *als mit göttlicher Autorität ausgestattet anerkannt.* Typ. für Mt ist besonders der Vokativ

κύριε
   Mt 29 : Mk 1 : Lk 24 + 6
        =(Mk 1 + 15) + (Q 7 + 6)
Er ist von Mk her nur im Munde der Nichtjüdin 15,27(=Mk) übernommen, bei der Mt ihn gleich V.22.25 dupl. hat. 7,21(=Q) ist er im Munde Jesu als Vorhersage der Doppel-Anrede an ihn als den Endgerichtsvollzieher übernommen (und V.22 dupl.) wie 25,11(=Lk 13,25 red. dupl.) und 25,20.22.24(=Q) allegor., doch in deutlicher Entsprechung dazu (allegor. im Munde Jesu auch 13,27 [+Mk] dupl.) - ferner un-allegor. 25,37.44 dupl., wo die negative Seite abschließend die bisherigen Einschränkungen endgültig expliziert. Mt eröffnet bezeichnenderweise (im Unterschied zu Lk) mit der Anredeform wie der Selbstaussage Jesu 7,21f den jesulog. Gebrauch. Dieser ist bei ihm dadurch ausgezeichnet, daß er, wie 8,21(+Q) im Kontrast zur ebenfalls red. Gegneranrede zeigt, dann nur im Munde von Schülern und Heilungssuchenden erscheint, also betont bekenntnishaft ist (FOERSTER ThWNT 3,1092; BORNKAMM 1970:38f; STRECKER 1971:124f): darum ersetzt er damit gleich anschließend 8,25 wie 17,15 mk διδάσκαλε wie 17,4 ραββί bzw. 20,33 ραββουνί. Uneingeweihte Mitläufer werden wie Gegner daran erkannt, daß sie Jesus nicht mit κ. anreden. Er ist als anerkennende Anrede die Bejahung des primären Gebrauchs im Munde Jesu. Insofern ist er rein relational und nicht Bekenntnis im eigentlichen Sinne, da er nicht prädikativ oder forensisch verwendet ist. Zur urapostolischen κ.-Akklamation, die keine Anrede ist, besteht keine direkte Verbindung. Ebenso ist sie nicht direkt assoziativ mit der Gottesbezeichnung gleichen Ausdrucks zu verbinden, wie das Nebeneinander beider in klarer Zu- und Unterordnung 22,44(=Mk) zeigt. Der hier zitierte LXX-Ps 109,1 ist für den mt Sprachgebrauch kennzeichnend: Wie David κ. μου weissagend sagt, so reden ihn auch jetzt die Seinen so an.

Meist wird die Anrede auch 8,8(=Q) - und gelegentlich darüber hinaus auch V.6 - als Q-Vorgabe angesehen, wobei auch hier eine Verwendung im

Munde eines Nichtjuden vorliegt; sie könnte allerdings bei der red. Häufung der Anrede in beiden Großevangelien, die sonst nicht zusammentreffen, hier auch zufällig durch beide von Mk 7,28 her gleich par. zugesetzt sein, da Mt Zusätze schon V.2(+Mk) wie V.6(+Q) vornahm; und Lk seinerseits hat hier 7,3.10 auch noch andere Reminiszenzen an die von ihm ausgelassene Perikope von der Kanaanäerin; andererseits könnte auch die singuläre Anrede Mk 7,28 schon unter dem Einfluß von Q-Mt 8,8 formuliert sein, da beidemale Nichtjuden für ihr Kind bitten.

Weitere Zusätze des Vok. außerhalb des Mundes Jesu sind bei Mt red. 9,28(+Mk); 14,28.30(+Mk); 16,22(+Mk); 18,21(+Q); 20,30f(+Mk); 26,22(+Mk Kontrast). Textkritisch abgelehnt werden als urpr. die Zusätze 9,18 (zwar nur bei M pc f ff[1] h vg[cl] – doch mt Stil entsprechend und auch 8,6 ist eine Auslassungstendenz vor Subj.-Nennung und Zustandsschilderung zu erkennen) und 13,51 (gut mt nach "Ja" bei C L W 0137 0233 Koine it sy[p.h] co); mit ihnen lägen 31 Belege vor. An eine bloße Höflichkeitsanrede ist bei den 18 Anreden an den mt Jesus aus dem Munde von Schülern und Heilungsbittenden in keinem Fall zu denken (gg. FITZMYER EWNT 2,813f). Der Gebrauch bewegt sich (wenn man neben den vergangenheitlich gebrauchten Belegen die endgerichtlichen hinzunimmt) stärker in Richtung auf eine sich spätnachapostolisch entwickelnde Gebetsanrede Jesu (vgl. par. Lk), wie sie urapostolisch noch ausgeschlossen war.

Im Munde des mt Jesus finden sich (in Entsprechung zu den 11 Vokativen) die 19 restl. Stellen, so daß Mt (wie Mk und Q) es nie in Erzählzusammenhängen hat. Von Mk übernommen (und nicht vermehrt) sind die 5 funktionalen Aussagen vom *Herrn über den Sabbat* 12,8, *über die Reittiere* 21,3 (wo sich für Mt das Herrsein aus der Weissagung ergibt) wie *über David* 22,43(+Mk).44f(=Mk) und schließlich über die Schüler 24,42(=Mk + red. ὑμῶν!); im direkten Anschluß daran wurden aus Q die 4 funktionalen Belege vom verreisenden Herrn 24,45f.48.50(=Lk) mit entsprechenden poss. Gen. übernommen, die sich dann auch analog in der Allegorie von den Talenten 25,18f.21a.b.23a.b.26(+Q) ebenso wiederfinden wie sie schon 10,24f(+Q) zu finden waren. Mit diesen Gen.-Syntagmen wird der rein relationale Charakter des mt κ. nochmals unterstrichen wie durch die Tatsache, daß sie sich gehäuft im Munde Jesu selbst finden: Es geht um die Anerkennung des mt Jesus-Konzepts.

ἱκανός ⊁εἰμί

ἵλεως 16,22(+Mk – NT noch Hebr 8,2) (*Gott*) *möge erbarmend-verhindernd* *sein*

ἱμάτιον ⊁γυμνός

ἵνα

   Mt 39 : Mk 64 : Lk 46 + 15 : Joh 145
      =(Mk 64 – 45 + 11) + (Q 3 + 4) + (A-Mt 2)

"Die Auslassungen von mk ἵ. resultieren oft daraus, daß Mt die dir. Rede der mk indir. vorzieht: Oft werden mk ἵ.-Sätze in Imp. verkehrt (Mk 7,26; 9,9; 14,35; 6,8.25; 5,23a), finale ἵ.-Sätze in Inf. (Mk 12,2; 14,12; 15,20) oder paratakt. in Hauptsätze verwandelt (Mk 5,23b; 14,10; 15,32; 6,41; 8,6)" (LAMPE EWNT 2,463).

Die 3 Vorgaben aus Q sind "vulgär gebrauchte" (ebd.462) Obj.-Sätze *daß*: im Munde des Teufels 4,3 nach Imp., 7,12 im Munde Jesu nach ⊁θέλω, im Munde des Centurio 8,8 statt Inf. als Ergänzung des Adj. ⊁ἱκανός; red. sind die Subj.-Sätze nach unpersönlichem ἀρκετον 10,25(+Q) und συμφέρει 5,29f (+Mk); 18,6(+Mk) wie die explikativen Obj.-Sätze nach Nomina 18,14(+Q θέλημα) und 26,16(=Mk 14,10 permutiert εὐκαιρία) bzw. Vb. Wollens, Strebens, Bittens, Befehlens, Veranlassens (B-D-R 392): 26.4(+Mk συμβουλεύομαι).63(+Mk ἐξορκίζω; gg. ebd.463 nicht final); 28,10(=Mk 16,1 permutiert ἀπαγγέλω); während sie 9mal von Mk übernommen wurden: 12,16 und 20,31 (ἐπιτιμάω); 16,20 (διαστέλλω); 20,21 (mit εἰπέ betont an die Teufelsrede 4,3 angeglichen).33 (θέλω); 24,20 und 26,41 (προσεύχομαι beidemale + μη; untereinander zusammenhängende Bitten um Bewahrung, deren Anklang an das Unservater 6,13 gg. eine finale Verwendung spricht); 27,20 (πείθω).32 (ἀγγαρεύω).

Von den 33 finalen Verwendungen des Mk (ἵ. = damit) sind 8 übernommen: 9,6 (Protasis im christolog. Kommentar "von jetzt an wißt ihr" wie 1Hen 98,8; funktionsgleich mit λέγω ὑμῖν, wodurch es zu einem Offenbarungswort wird; ellipt. so "schon klass." BAUER WB 745; B-D-R 470,3); 12,10; 14,15.36 (final, da die Par. 8,34 ὅπως hat); 19,13.16; 27,26; in Q, wo ἵ. final noch nicht vorgegeben war, wurde es zu Imp. 7,1 und 23,26 zugesetzt; red. wohl auch als Vordersatz 17,27 wie zur Zitateinleitung 18,16; klar red. 26,5 (+Mk; gg. ebd.463 wohl nicht imperativisch, da Mt die beiden mk Verwendungen Mk 5,23a und 12,36 gestrichen hat) sowie in der Einleitung der Erfüllungszitate 1,22; 2,15; 4,14; 12,17; 21,4(+Mk), wo 26,56(=Mk) multipl. wurde, für das, was nach wirklicher Absicht Gottes so und nicht anders geschah (KLOSTERMANN 9; ROTHFUCHS 1969:36f). Damit wären für Mt 18 finale Verwendungen (46,15%) zu veranschlagen. Synonym ist

ὅπως Konjunktion (HAWKINS 1909:6; MORGENTHALER 1973:181; GUNDRY 646)

   Mt 17 : Mk 1 : Lk 6 + 14 : Joh 1
       =(Mk 1 + 5) + (Q 1 + 3) + (A-Mt 7)

Als Vergleichsstelle ist Lk 24,20 nicht einzubeziehen, da ὅ. dort einmalig im NT als Adv. mit Ind. verwendet ist. Mt verwendet es auch nie mit verstärkendem ἄν (so Lk 2,35; Apg 3,20; 15,17), was "kennzeichnend für die amtlichen Urkunden und den Kanzleistil der Ptolemäerzeit" (KRETZER EWNT 2, 1284 vgl. MAYSER 1970: II 254-7) und damit ein Indiz dafür ist, daß Mt nicht in einem ptolemäisch geprägten Sprachmilieu anzusiedeln ist (bei Lk dürfte die ptolemäische Koine wohl LXX-vermittelt sein).

8,34(+Mk) setzt Mt die finale Konj. der Absichtserklärung zum Vb. des Bittens an die Stelle des finalen Inf., wie er ihm 9,38 von Q vorgegeben war, während er 14,36(=Mk) in dieser Verbindung ἵνα beibehielt. Ihm dient ὅ. wohl als eine bestimmte Verstärkung, die ein unbedingtes Wollen anzeigt.

Das ist vor allem deutlich hinsichtlich der Betonung des Willens Gottes in der Erfüllungsformel, wo Mt es 3mal setzt; dabei dürfte die Verteilung in Abwechslung mit den anderen Konj. bewußt gestaltet sein:

ὅλον/ἵνα:	1,22; 2,15;			21,4; 26,56;
ἵνα:		4,14;	12,17;	
τότε:	2,17;			27,9.
ὅπως:	2,23;	8,17;	13,35;	

"Sowohl in Kap.8 als auch in Kap.13 bringt Mt eine Sammlung von Berichten, die unter einem leitenden Gesichtspunkt stehen. Hier wie dort schließen sich an diese Sammlungen mit ihren Zitatabschlüssen zudem weitere Wunder bzw. Gleichnisse Jesu an. Mt 8,17 und 13,35 sind einem Sammelbericht angefügt, der an seinem Ende vom Red. mit einem das Wesentliche der Sammlung zusammenfassenden Satz (8,16b; 13,34) abgeschlossen wird. In ganz ähnlicher Weise läßt sich auch Mt 2,23 verstehen" (ROTHFUCHS 1969:37). Damit ist deutlich beobachtet, daß die Verwendung dieser Konj. nicht nur eine gerade bei Summarien stehende, verstärkende Funktion hat, sd. zugleich auch makrosyntaktisch sowohl anaphor. als auch kataphor. gedacht ist, also die Funktion einnimmt, die in der ersten und den beiden letzten ἵνα-Stellen dem in der Protasis als Nomen zugesetzen ὅλον zukam. Um diese spezifisch mt Bedeutungsnuance zum Ausdruck zu bringen, muß also übers. werden: damit hierin wie im Folgenden. Bei 8,17 ist die Verzahnung auch dadurch deutlich, daß 8,18 mit ⟩ἀπέρχομαι ein analoges Verzahnungselement gegeben ist. Für 2,23 ist es ein klares Signal, daß die mt "Vorgeschichte" nicht mit Kap.2 endet, sd. die Bucheinleitung weiterläuft (bis 4,16).

Das unbedingte göttliche Planziel ist auch 23,35(+Q statt lk ἵνα) verstärkt ausgedrückt: Sie werden die Propheten/Gerechten ausrotten, *damit unbedingt* das Vorsehungsziel, die vernichtende Strafe, über sie kommt. Darum ist letztlich indirekt auch der Vorsehungsplan und sein Determinismus da im Blick, wo ὅ. für Absichtserklärungen der Gegner verwendet ist, denn die Gegner-Stellen haben gemeinsam, daß sich ihre damit als unbedingt gekennzeichnete Absicht so nicht durchsetzen läßt. Das Buch setzt schon 2,8 mit einer solchen Gegner-Stelle ein: Herodes will angeblich huldigen (faktisch Jesus umbringen); 12,14 ist die einzige Mk-Stelle mit dem förmlichen Vernichtungsbeschluß übernommen, der ihnen jedoch so noch nicht gelingt. Daran angeglichen ist wiederum 22,15(+Mk) die offizielle Beschlußfassung zur Stellung der Falle, die so, wie sie geplant ist, ebenfalls noch nicht gelingt. Schließlich wird an der letzten Stelle des Buches 26,59(+Mk) eine direkt auf die Gegnerfront personalisierte Tötungsbegründungsabsicht beschrieben, deren Mißlingen mikrosyntaktisch im gleichen Satzverbund ebenfalls vermerkt ist (vgl. dgg. V.4.16 explikatives ἵνα).

Mit der Häufung von 7 Stellen in der mt Bergrede drückt Mt aus, daß Jesus die Ziele des göttl. Vorsehungsplans veröffentlicht: 5,16(+Q) muß der Schüler gute Werke tun, *damit unbedingt* alle Menschen im nahen Endgericht gerichtsdoxologisch selbst verantwortlich gemacht werden können; 4,45(+Q) liebt der wahre Schüler seine Feinde, *damit er unbedingt* ein Gottessohn (=Mitherrscher V.9) im neuen Äon sein wird. Die Rechte soll 6,4 nicht wissen, was die Linke tut, *damit* das Almosen *unbedingt* im Verborgenen bleibt - im Kontrast zur Ruhmsucht der Feinde 6,2.5.16, während V.18 wieder zur positiven Alternative zurücklenkt und die Absicht des nur vor Gott getanen Werkes unterstreicht; 6,18 ist die einzige Stelle bei Mt mit Negation (vgl. Lk 16,26; Apg 8,24; 20,16). Auch Mt 6 ist der Erfolg des göttlichen Geschichtsplans so gewiß wie das davon eingeschlossene Scheitern-Müssen der Gegner. Der doppelte mt Determinismus ist also bei der Verwendung der Vorzugskonj. ὅ. allgegenwärtig.

ἱνατί →θελέω (ἐνθυμέομαι)
'Ιοράνης →βαπτίζω
'Ιούδα(ς) I, 'Ιουδαία, 'Ιουδαίος →γενεά
'Ιούδας II →'Ιάκωβος I
'Ιούδας III →μαθητής
'Ισαάκ →'Ιακώβ
'Ισκαριώτης →μαθητής
ἴσος 20,12 (evtl. Mk 14,56.59 permutiert) *übereinstimmend, gleichwertig*
    Mt 1 : Mk 2 : Lk 1 + 1 : Joh 1
'Ισραήλ →γενεά
ἵστημι (GUNDRY 644)
    Mt 20 : Mk 9(+ 2 στήκω) : Lk 26 + 35 : Joh 18(+ 2 στηκώ)
        =(Mk 9 + 5) + (Q 1) + (A-Mt 5)
4mal(: Mk 1 : Lk 2 + 8; Mk 7,9 ist gg. N-A nicht urspr. LA) verwendet Mt es trans. als *stellen* 4,5(=Q); 18,2(=Mk); 25,33; 26,15(+Mk finanziell *Preis festsetzen* od. *abwägen*; BAUER WB 755). Intrans. vom Ende einer Bewegung *stehen bleiben* 2,9; 20,32(=Mk), von der Verhinderung einer Bewegung *Bestand haben* 12,25f(=Mk); 18,16(=Dt 19,15 juridisch *Gültigkeit haben*), vom Ziel einer Bewegung 27,11(=Mk 13,9 permutiert juridisch *gerichtliche Vorführung;* gg. WALKER 1967:45 hier nicht Jesu Aktivität betonend), als Körperhaltung des Beters 6,5(=Mk 11,25 permutiert), wo aber auch nur die *Anwesenheit* (=εἰμί; WOLTER EWNT 2,505) gemeint sein kann wie vor allem beim Perf. 12,46(=Mk *draußen*, während V.47 textkritisch sek. ist); 13,2(+Mk *am Ufer*); 16,28(=Mk *hier*); 20,3.6a.b; 24,15(=Mk) wie *die Anwesenden* statt des mk Komp. 26,73 und 27,47.
ἐπανίστημι 10,21(=Mk - NT sonst nie) *erheben* gg. (BAUER WB 560)

παρίστημι 26,53(=Mk 14,47 trans. permutiert) *zur Verfügung stellen*
     Mt 1 : Mk 6 : Lk 3 + 13 : Joh 2
ἰσχυρός, ἰσχύω →δύναμαι
ἰχθύδιον 15,34(=Mk – NT und LXX sonst nie) Plur. *kleine Fische*
ἰχθύς
     Mt 5 : Mk 4 : Lk 7 + 0 : Joh 3
          =(Mk 4) + (Q 1)
Als Grundnahrung und Zubrot in Relation zum Brot 7,10(=Q Vergleich mit
Schlange wie PlinNatHist 11.73) wie 14,17.19(=Mk); 15,36(=Mk 6,41b per-
mutiert); im Anklang an das Märchenmotiv vom Ring des Polykrates (Hdt
3,42) ist 17,27 die 4. Mk-Stelle 6,43 (mit gleichem Vb.) permutiert zum Ausgangspunkt einer red. Weissagung gemacht worden.
'Ιωάθαμ 1,9a.b (NT sonst nie; 8.König 1Chr 3,12f Vater Ahabs)
'Ιωάννης →βαπτίζω
'Ιωβήθ 1,5a.b (NT nur noch Lk 3,32; Großvater Davids Rut 4,17)
'Ιωνᾶς →γραφή
'Ιωράμ 1,8b.c (NT sonst nie; 6.König 2Chr 21,3ff)
'Ιωσαφάτ 1,8a.b (NT sonst nie; 5.König 2Chr 17,1ff)
'Ιωσήφ →γαμέω
'Ιωσίας 1,10f (NT sonst nie; 13.König; 2Chr 34,1)
ἰῶτα →γραφή
κἀγώ →ἐγώ
καθά 27,10(+Mk Zitat LXX-Ex 9,12; NT sonst nie) Adv. *so wie*
καθαρ– (GUNDRY 644)
     Mt 14 : Mk 16 : Lk 16 + 10 : Joh 15
διακαθαρίζω Q-Mt 3,12(statt lk διακαθαίρω – NT und LXX sonst nie)
hat Mt red. an das Simpl. angeglichen (eins der für Mt kennzeichnenden
δια-Komp.; GUNDRY 643): gerichtsmetaphorisch im Munde des Täufers,
entfaltet durch Einsammeln des Getreides und Verbrennen der Spreu.
καθαρίζω
     Mt 7 : Mk 4 : Lk 7 + 3 : Joh 0
          =(Mk 4 – 1) + (Q 2 + 2)
Mt hat durch die Auslassung der auf Speisen bezogenen Stelle Mk 7,19 wie
mit der gleichen Kodierung seiner 5 ersten Stellen eine Konzentration auf
die psychosomatische Beseitigung des Hautausschlags gegeben: 8,2.3a.b(=Mk
– durch Auslassung von Mk 1,44 fehlt das Subst. bei Mt); aus Q ist 11,5
übernommen und in Vorbereitung darauf ist diese Lepra-Stelle als Schülerauftrag in der Israelsendung 10,8(+Q) dupl.
Die 5. Gegnerverurteilung 23,25(=Q) belehrt darüber, daß sie zwar das
Äußere des Tischgeschirrs reinigen, dies aber nur eine verlogene und blinde Täuschung ist; in der Aufforderung V.26(+Q), zuerst den Inhalt von Bereicherung frei zu machen, dürfte das Vb. bei Mt als urspr. Q-Fassung erhalten sein. Das Antonym ist 23,25(=Q).27(+Q)
γέμω
     Mt 2 : Mk 0 : Lk 1 + 0 : Joh 0,
das durch die negativen Obj. und die Konfrontation mit κ. zum Antoynm
wird und "unrein sein" als Kontext-Sem erhält (PRIDIK EWNT 1,578f) wie vor
allem 23,27 mit dem Obj. *allem Unreinen* (=Toten, Verwesenden)
ἀκαθαρσία (NT nur noch 9mal Pl und von ihm abhängig);
     Kontextsynonym zum *unreinen voll sein* (von Verlogenheit und Lieblosig-
keit) ist 23,28(+Q)
μεστός
     Mt 1 : Mk 0 : Lk 0 + 3 (NT noch 5mal; LXX 4mal)
Antonym ist 23,27(+Q)
ὡραῖος (NT nur noch Röm 10,15 Zitat Jes 52,7; Apg 3,2.10) kontextsynonym
zum Adj. 23,26(=Q), das das Resultat des entspr. Vb. benennt

καθαρός
   Mt 3 : Mk 0 : Lk 1 + 2 : Joh 4
      =(Mk 0 + 1) + (Q 1 + 1)
Im Zusammenhang 23,25f meint κ. als Antonym zur Verlogenheit (ὑποκρίτης) *frei von Bereicherung (=ehrlich erworben)* und damit *dienstbereit für Gott.* So ist es schon in der Makarismenreihe der Grundbedingungen der wahren Weisheitsschüler 5,8(+Q) mit der Wendung aus LXX-Ps 23,4 kontextsynonyme Wiederholung des *willentlich arm* von V.3 eingeführt. Da nach dieser ersten mt Stelle die Lepra-Episode unmittelbar an die Bergpredigt angeschlossen ist, so könnte von Mt ein direkter Wortfeldzusammenhang intendiert sein:
λέπρα 8,3(=Mk)
   Mt 1 : Mk 1 : Lk 2 (NT sonst nie)
bezeichnet bei Mt wohl ein auf Bereicherungs-Skrupel beruhendes, psychisch verursachtes Haut-Ekzem;
λεπρός
   Mt 4 : Mk 2 : Lk 3 (NT sonst nie; LXX 14mal)
dürfte 8,2(=Mk); 10,8(+Q); 11,5(=Q) und 26,6(=Mk) denselben speziellen Akzent haben; auch im letzten als dem 2. konkreten Falle handelt es sich typischer Weise um ein als *reich* gekennzeichnetes Haus;
So kann auch bei der Verwendung des Adj. κ. 27,59(+Mk) das *reine* Leinen nicht nur analog zum *neuen* Grab V.60 stehen, sd. den Mann meinen als einen, der es gemäß dem Jesus-Gesetz *ehrlich erworben* hat, zumal Mt ihn ja red. paradigmatisch als Schüler Jesu darstellt. Das Antoym
ἀκάθαρτος
   Mt 2 : Mk 11 : Lk 6 + 5 : Joh 9
übernahm Mt nur in dem →*Dämonen* synonymen Syntagma *Lügengeist* (im deutlichen Teufelsbezug als dem Betrüger) im Auftrag an die Schüler 10,1 (=Mk) wie im direkten Gegnerbezug 12,43(=Q). Zum mt Wortfeld gehört
κοινόω
   Mt 6 = Mk 5 : Lk 0 + 3 (NT nur noch Hebr 9,13; LXX nie)
Alle Stellen stehen in dem Zusammenhang Mt 15,11a.b.18.20a.b(=Mk – die letzte Stelle in Permutation); dabei fällt aber auf, daß Mt das Obj. *den* →*Menschen* in allen Fällen renominalisiert (5 : Mk 3). Das signalisiert nicht nur eine Vereinheitlichung des Kodes, sd. wohl auch ein Umkodierung; diese wird vollends klar, wenn man sieht, daß Mt zugunsten der *personalen* Konzentration und Betonung gerade das Adj. aus Mk 7,2.5 (als Attribut zu *Hände*) nicht übernommen hat und noch stärker καθαρίζω als Antonym aus Mk 7,19 völlig ausgelassen hat, da das Obj. *Speisen* ein sachliches war. Damit ist völlig klar, daß für Mt irgendwelche jüd. Reinheitsfragen völlig ferngerückt sind. Ihm geht es nur noch *personal* darum, das zu bestimmen, was *von Gott und seinem Messias trennt* bzw. *nicht trennt.* Darum ist die Auslassung von Mk 7,19 falsch erklärt, wenn man Mt hier noch (in die andere Richtung gehend) im Bereich des Judentums ansiedeln will (gg. HUMMEL 1966:47f – ein typisches Zeichen dafür, was passiert, wenn man den Kodewechsel nicht untersucht; "semant. Kodewechsel" ist präziser beschreibungsadäquat, als pauschal von mt "Verständnis" oder "Interpretation" zu reden).
καθέθρα 21,12(=Mk) *Sitze* der Verkäufer; 23,2(+Q vom Komp. dupl.) *Lehrstuhl*
   Mt 2 : Mk 1 (NT sonst nie; LXX 16mal)
πρωτοκαθεδρία 23,6(=Mk/Q) *vorderste (Ehren-)Plätze* bei Versammlungen
   Mt 1 : Mk 1 : Lk 2 (sonst weder NT noch LXX noch außerchristl.)
καθέζομαι 26,55(+Mk) *sitzen* (als Lehrender im Tempel)
   Mt 1 : Mk 0 : Lk 1 + 2 : Joh 3 (NT sonst nie; LXX 5mal)
καθεύδω →*γρηγορέω*
καθηγητής
   Mt 2 (NT und LXX sonst nie)

Die hell. Bezeichnung "der Autorität von Lehrern und Vorbildern" (EWNT 2,545), z.B. Aristoteles (PlutAlexFort 4,327F) wird als Außenbezeichnung Mt 23,10a.b(+Q) abgewehrt, weil der mt Gottkönig als Verkörperung der Weisheit die einzige Lehrautorität ist. Damit wird in der letzten Rede nochmals eine Selbstkanonisierung des Buches ausgesprochen. Alle anderen Lehrformen in der Gemeinde (7,15f Propheten, Lehrer 13,52) werden hier wiederum durch das vorliegende Buch ersetzt.

(συγ)κάθημαι (GASTON 1973:62; GUNDRY 644)
    Mt 19 : Mk 12 : Lk 13 + 7 : Joh 4
        =(Mk 12 – 3 + 7) + (Q 2 + 1)
Vom *Sitzen* auf dem Boden (*Hocken*) 11,16(=Q allegor. von Kindern), 20,16 (=Mk Bettler), 26,69(+Mk Petrus) von V.58(=Mk συν-Komp.) *sich setzen* her, 27,36(+Mk Wache).61(+Mk Frauen); 28,2(=Mk 16,5 permutiert Engel) *sich setzen* – während Mk 2,6 (Gegner); 3,32.34 (Menge) 5,15 (ehem. Besessener) nicht übernommen wurden; von einer *sitzenden Tätigkeit*: 9,9(=Mk Zöllner), 19,28(=Q eschat. Richten der 12), 29,19(+Mk Pilatus); die Verwendung für *wohnen* 4,16a.b(+Mk Erfüllungszitat gg. die Vorlage zur Betonung des lokalen Aspekts der Erfüllung am Ende der Bucheinleitung; ROTHFUCHS 1969:69) ist nicht unbedingt LXX-Sprachgebrauch, sd. "seit Homer, Hdt 5,63, Musonius 59,7, AelAristid 50,14K" (BAUER WB 769 gg. SCHLATTER 115; BÜHNER EWNT 2,547f) üblich; 23,22(+Q) so auch von *Gott* verwendet.

    Die reflexive Verwendung *sich setzen* findet sich über die beiden genannten Stellen hinaus vor allem an allen 6 jesuan. Stellen: 13,1(=Mk 3,32 permutiert und transkodiert).2(=Mk), was 15,29(+Mk) dupl.; 24,3(=Mk) und eschatol. mit LXX-Ps 109,1 in den Rehabilitierungsvorhersagen an die Gegner, in denen er sich zugleich als ihr künftiger Richter präsentiert, 22,44(=Mk) und 26,64(=Mk); das entspricht auch intrans.

καθίζω (GUNDRY 644)
    Mt 8 : Mk 7 : Lk 7 + 9 : Joh 2
        =(Mk 7 – 2 + 1) + (Q 0 + 1) + (A–Mt 1)
von Jesu Lehren 5,1(=Mk 9,35 als erster Stelle permutiert) und eschatol. 19,28(+Q) als Dubl. von 25,31(=Mk 12,41 als letzter Jesus-Stelle permutiert) her. Eschatol. ist auch die allegor. Verwendung 13,48 (Engel zur Scheidung), während die Bitte und Versagung 20,21.23(=Mk) nachösterlich ekklesiol. zu verstehen sein dürfte. Schülerorientiert ist auch der Imp. 26,36(=Mk *sich setzen = bleiben*); 23,2(+Mk) informiert über den gekommenen Endpunkt der Lehrer Israels auf dem Lehrstuhl des Mose.

    Für das von Mk 11,2.7 ausgelassene Simpl. (=*reiten*) hat Mt 21,7 Komp.

ἐπικαθίζω (NT sonst nie; LXX 8mal).
καθίστημι ἐπί
    Mt 4 : Mk 0 : Lk 3 + 5
        =(Q 2 + 2)
Die allegor. *Einsetzung* als Vollmachtserteilung 24,45(=Q) wird im Bewährungsfalle V.47(=Q); 25,21.23(+Q gg. Lk wohl urspr.) erweitert (zum jurist. Hintergrund vgl. BÜHNER EWNT 2,554).
καθώς ↗ὡς
καί I Adv. *auch, sogar* (BAUER WB 777f; B-D-R 442; PRIDIK EWNT 2,560)
    Mt über 30mal
    In seiner urspr. Verwendung als hinzufügendes Adv. erscheinen ergänzendes *auch* bzw. steigerndes *selbst, sogar* 5,39f(=Q nach Imp.).46f(=Q); 6,21 (=Q); 10,4(=Mk).30(=Q); 11,9(Q bei Komparativ); 3mal begründendes κ.↗γάρ im Munde des Gegenübers 8,9(=Q); 15,27(=Mk); 26,73a(=Mk); τε κ. 22,10(+Q); konzessiv ist 2mal die Krasis ↗κἄν;

    besonders mit Per.Pron. 9mal in der Krasis ↗κἀγώ; κ.συ 26,69(=Mk) dupl. V.73b(+Mk); kennzeichend ist

καὶ ὑμεῖς
Mt 9(10) : Mk 2 : Lk 4
7,12(+Q); 15,16(=Mk) und dupl. V.3; 19,28d(=Q); 20,4.7(+Mk nach Imp.); 23,28 (+Q); 24,33(=Mk).44(=Q) – anders 23,32 als konsekut. Konj.;
ferner κ.ὑμῖν 6,14(=Mk); κ.αὐτοί 20,10(+Mk); mit Demonstr.Pron. neben 2mal Krasis ↗κάκεῖνα unkontrahiert 20,4 (+Mk κ.ἐκείνοις); 4mal in Vergleichssätzen bei ↗ὡς καί-Nachsätzen wie in identifizierenden Hauptsätzen für Analogieschlüsse mit
οὕτως καί (GUNDRY 646)
Mt 6 : Mk 2 : Lk 4
=(Mk 2 – 1 + 5)
immer im Munde Jesu: 7,12(+Q Goldene Regel); 12,45(+Q Gegeneridentifikation als red. Pointe; gg. JEREMIAS 1965:107 wird dadurch das voranstehende Dämonenstück aber nicht zum "Gleichnis"); 17,12(+Mk Verwerfungsschema Gleichheit Jesus/Täufer; STRECKER 1971:186); 18,35 (Allegorieschluß); 23,28 (+Q Vergleichsfolgerung); 24,33(=Mk vorgegebene Vergleichsanwendung, von woher die übrigen Stellen multipliziert sind, während Mk 7,18 von Mt verkürzt übernommen wurde).
καί II Konj.
Die weitaus häufigste Konj. bleibt sie auch bei Mt, wenngleich die relative Häufigkeit geringer ist. 2 wesentliche Verwendungsarten sind zu unterscheiden:
– καί-wörterverbindend als koordinierender Konnektor (BAUER WB 773f):
a) Personen und/oder Sachen verbindend 2,11; 4,18.21.22(=Mk); 10,2-4(=Mk); 13,55(=Mk); 21,5(+Mk gg. Zitat nicht epexegetisch); 21,31f(+Q)
b) Quantitäten koordinierend 1,17b.c
c) das Ganze zum Teil ergänzend überhaupt 1,2.11 (Brüder); 2,3 (Herodes/ganz Jerusalem); Zöllner/Sünder 9,10f(=Mk) wie 11,19(=Q); 9,14(=Mk Täuferschüler/Pharisäer insgesamt); 13,17(=Q Propheten/Gerechte – statt der Q-Koordination bei Lk); 26,59(=Mk Oberpriester/ganzer Gerichtshof)
d) Hendiadyoin, wenn die koordinierten Ausdrücke nur eine gemeinsame Sache aussagen wie vor allem in den mt ↗Gegnergruppen-Bezeichnungen, aber auch sonst (B-D-R 442,9b): 5,6(+Q hungern/dürsten); 8,14(=Mk permutiert: fieberkrank); 14,9(=Mk wegen der vor den Tischgästen geschworenen Eide)
e) καί-explicativum/epexegeticum (B-D-R 442,6), wo der 2. Ausdruck mit und zwar, nämlich den 1. erklärt, hat das Erfüllungszitat Mt 21,5 offenbar nicht mehr verstanden.
– καί sätzeverbindend als koordinierender oder subordinierender Konnektor:
"Aus der Nähe zur Umgangssprache oder zum Aram. bzw. aus dem Zeitgeschmack erklärt sich die gegenüber dem klass. Griech. ... ungewöhnlich häufige, oft kontinuierliche Verwendung von κ. zur Verbindung von Sätzen in der Erzählung: z.B. Mt 7,25-27; 9,9-11" (PRIDIK EWNT 2,558). Diese ist aber in bestimmten Fällen auch bewußte rhetor. Stilisierung (B-D-R 442 n.2), so daß schon die Parataxen 7,25.27 als mk Stilmerkmale angesehen werden können, eine Serie von schnell aufeinanderfolgenden Ereignissen ins Bild zu setzen wie auch vor allem 27,51-53(+Q) und ferner 2,11f; 4,23-25; 9,35; 11,4; 15,31; 17,27; 21,33(gg. Mk); 24,7.9-12.29-31(gg. Mk).38(gg. Q); 25,35f.37-39. 42f.44 (SENIOR 1976:319f).
τε
Mt 3 : Mk 0 : Lk 9 + 140 : Joh 3
hat Mt als koordinierende Konj. nur 22,10(+Q); 27,48(=Mk); 28,12(+Mk).
Neben der schlicht koordinierenden Parataxe in Erzählabläufen wie 1,23 oder 3,12 ist aber schon beim 22maligen κ.↗ἰδού deutlich geworden, daß oft nur für eine atomisierende Betrachtung der Textoberfläche eine Nebenordnung vorliegt, von der zusammenhängenden Textstruktur her aber durchaus eine subordinierende Hypotaxe – "Fälle, in denen die Übers. von κ. mit und

miß– oder unverständlich ist" und "zur Vermeidung von Mißverständnissen durch *und* in Verbindung mit einer weiteren nebenordnenden Konj. übersetzt bzw. durch eine andere neben– oder unterordnende Konj. ersetzt werden muß" (PRIDIK EWNT 2,558f):
a) καί–adversativum (B–D–R 442,1): *aber* 3,14(+Mk ich/doch du); 18,21(=Q und ich soll ihm doch vergeben; PRIDICK ebd.560 gg. B–D–R 442 n.14); 20,10 (+Mk); 22,21(=Mk aber Gott, was ihm zusteht); so klar nach Negationen *aber trotzdem* 6,26(=Q); 10,29(=Q) bzw. mit Negation 5,29b.30b(+Mk); 11,17a.b(=Q); 12,43(=Q); 13,17b.c(=Q); 21,32(+Q); 26,60(=Mk)
b) καί–consecutivum *so daß* (B–D–R 442,2): 5,15(+Q).25(=Q); 8,9b.c.d(=Q); 12,33a.b(+Q); 23,32(+Q; BAUER WB 775); 26,45(+Mk plangemäß – gg. B–D–R 442 n.10 nicht nur temp.); besonders mit Fut. nach Imp. (BEYER 1968:238ff.252ff) 4,19(=Mk); 7,7a.b.c(=Q); 8,8(=Q);
c) καί–finale *damit* (B–D–R 442,3): 8,21(+Q); 25,27(=Q); 26,53(+Mk)
Καιάφας ⇥ἀρχιερεύς
καινός
     Mt 4 = Mk 4 : Lk 5 + 2 : Joh 2
Die Schlußstelle 27,60 vom frischen Grab dürfte die mk Anfangsstelle 1,27 von der frischen Lehre permutieren; das eschatol. *neu trinken* 26,29(=Mk) ist als Rehabilitierungsorakel übernommen wie die Winzerweisheit 9,17(=Mk) mit dem Synonym
νέος 9,17a.b(=Mk) für *jungen Wein*
     Mt 2 = Mk 2 : Lk 7 + 1 : Joh 1;
Die Antonymentsprechung Mk 2,21 wurde ausgelassen bzw. nach 13,52 in einen neuen Vergleich permutiert zur Darstellung der "Reservelosigkeit" (WALKER 1967:27f) jedes bekehrten ⇥γραμματεύς (gg. BAUMGARTEN EWNT 2,564 steht hier gerade das *Neue* und eben nicht das *Alte* voran!)
παλαιός 9,16f(=Mk); 13,53(=Mk 2,21 permutiert)
     Mt 3 = Mk 3 : Lk 5 + 0 : Joh 0
καιρός ⇥ἡμέρα
καῖσαρ 22,17.21a.b.c(=Mk) röm. *Caesar* als Funktionsbezeichnung
     Mt 4 = Mk 4 : Lk 7 + 10 : Joh 3 (NT nur noch Phil 4,22)
Καισάρεια ἡ Φιλίππου ⇥ʽΗρῴδης
καίω ⇥φῶς
κἀκεῖ ⇥ἐκεῖ
κἀκεῖνος ⇥ἐκεῖνος
κακ– (GUNDRY 645)
     Mt 12 : Mk 9 : Lk 8 + 13 : Joh 3
κακός
     Mt 3 : Mk 2 : Lk 2 + 4 : Joh 2
        =(Mk 2 – 1 + 1) + (Q 0 + 1)
Wie in 21,41(+Mk) *Grausamkeit* das bestimmende Sem ist, so auch 24,48(+Q); antonym dazu ist in der Unschuldserklärung durch Pilatus 27,23(=Mk) das Adj. des *Verbrecherischen* durch Voranstellung vor das Vb. stärker betont; der bloße Bezug auf Gedanken Mk 7,21 wurde von Mt ausgelassen (LATTKE EWNT 588). Ergänzend zu GUNDRY 645 ist noch das 6,34(+Q) red. Subst.
κακία
     Mt 1 : Mk 0 : Lk 0 + 1 : Joh 0
hinzuzunehmen, so daß Mt insgesamt 11 Belege des Simpl. der Wortgruppe aufweist. Dieser betont red. Abschlußsatz nimmt wohl nicht bloß eine pessimistische Sprichwortweisheit allgemein auf, sd. dürfte der Sorgenparänese eine bewußte Zuspitzung auf die *Verfolgungen* hin geben (vgl. 5,11f; 10,19f; 24,9f). Auch das die Eltern verstoßende Reden 15,4(=Mk Zitat LXX-Ex 21,16) im Komp.
κακολογέω
     Mt 1 : Mk 2 : Lk 0 + 1 (NT sonst nie; LXX 6mal)

ist durch die Androhung der Todesstrafe als ein besonders *grausames* Vergehen gekennzeichnet. Komparativ:

χείρων 9,16(=Mk); 12,45(=Q); 27,64(+Mk) *schlimmer*

Mt 3 : Mk 2 : Lk 1 + 0 : Joh 1 (NT noch epistol. 4mal; LXX 10mal)

κακῶς ≯μαλακία

κάλαμος

Mt 5 : Mk 2 : Lk 1 (NT noch 3Joh 13 *Schreib-*, Apk 11,1; 21,15f *Meßrohr*)
=(Mk 2 + 2) + (Q 1)

Die positive Bejahung voraussetzende rhetor. Frage 11,7(=Q) vom Täufer als einem nicht im Winde schwankenden Schilfrohr ist für Mt sicher nicht vom Schilfrohr auf den Gründungsmünzen der neuen Hauptstadt Tiberias um 20 n.Chr. und einer davon mutmaßlich abgeleiteten Metapher einer politisch opportunistischen Anpassung des Antipas her kodiert (THEISSEN 1985:494; 1985c), sd. vom Gottesgericht, wofür 3Makk 2,22 alle 3 Worte gemeinsam hat (vgl. schon 1Kön 14,15 – allerdings vom Wasser als Verursacher):

σαλεύω noch 24,29(=Mk eschatol.)

Mt 2 : Mk 1 : Lk 4 + 4 (NT nur noch 2Thess 2,2; Hebr 12,26f)

κ. im Erfüllungszitat 12,20(+Mk Zitat LXX-Jes 42,2) ist als *geknicktes Schilfrohr* Metapher der Schwachen, deren sich der Gottessohn annimmt:

συντρίβω (Mk 5,4; 14,3 wurden nicht übernommen)

Mt 1 : Mk 2 : Lk 1 + 0 : Joh 1 (NT noch Röm 16,20; Apk 2,27);

κατάγνυμι (NT nur noch Joh 19,31-33) steht als Intensivum dazu.

Der *Rohrstock* dient 27,48(=Mk) zum Reichen des Trinkschwamms wie vorher V.30(=Mk) zum Schlagen und wurde dort ringkompositorisch von Mt V.29(+Mk) als Spottszepter dupl..

καλέω (GUNDRY 645)

Mt 26 : Mk 4 : Lk 43 + 18 : Joh 2
=(Mk 4 – 1 + 3) + (Q 6 + 7) + (A-Mt 7)

Der *herrscherliche Ruf* Jesu zum Nachfolgen ist 4,21(=Mk) und 9,13(=Mk) übernommen, während Mk 3,31 (urspr. LA gg. H-G 85) nicht übernommen wurde, da Jesus hier als Obj. erschien. Ein mt Nachfolgebezug (*Ruf zum Dienst*) dürfte auch im beauftragenden Zusammenrufen der Sklaven des abreisenden Herrn 25,15(=Q) liegen (vgl. 28,16 ≯τάσσω); in der Gastmahlsallegorie 22,3(=Q) haben die Schüler die *Einberufungsfunktion* ihres Herrn übernommen (analog 28,19). Dieser Sachzusammenhang zwischen schon erfolgter Jesusberufung und verlängernder Schülersendung ist hier besonders durch die in der Erzählung als solcher befremdlich scheinende Tatsache markiert, daß die Adressaten schon V.3(=Q-Lk 14,7 permutiert) und dann V.4.8(=Q-Lk 14,24 permutiert) im Pt.Pf.Pass. desselben Vb. bezeichnet sind: *die schon (im Blick auf den Endzeitlohn in den Dienst) Einberufenen* – also die ≯Israel-Generation; über sie hinaus geht das Vb. erst V.9(=Q-Lk 14,9 permutiert – alle 4 Belege der Allegorie dürften aus Q stammen, da Lk den Gebrauch auch red. auf V.7-13 vorverlagert hat). Vom 4fachen Vb.-Gebrauch her verwendet 22,14 dann für alle in die mt Jesus-Nachfolge gerufenen Gruppen zusammenfassend das Adj. resultandum

κλητός (NT nur noch Pl 7mal, Jud und Apk je 1mal).

Allgemeiner ist das Rufen-Lassen der Magier durch Herodes 2,7 (evt. Mk 3,31 permutiert) . Beim Zusammenrufen der Plantagenarbeiter 20,8 ist Q-Mt 25,14 zusammen mit der angeschlossenen Vb.-Wendung dupl.; im Erfüllungszitat 2,15 (LXX-Hos 11,1) ist Gott direkt Subj. (wie allegor. schon 22,1ff, wo Jesus nur als ungenanntes Untersubj. impliziert war).

Kennzeichnend mt ist die Gruppe der restl. Stellen, in denen es immer um *Bezeichnung, Benennung* geht:

Mt 15 : Mk 1 : Lk 28 (GUNDRY 23, 451)
=(Mk 1 + 3) + (Q 0 + 7) + (A-Mt 7)

Dies war nur 21,13(=Mk Erfüllungszitat LXX-Jes 56,7) vorgegeben. Obwohl auch Lk diese Verwendung favorisiert, so treffen beide doch darin doch nie in Q-Stoffen zusammen (ECKERT EWNT 2,594f); wenn Lk 20,44 mit der Verwendung par. zu Mt 22,45 in der Abweichung von Mk zusammentrifft, so erklärt sich das aus der beiderseitigen Favorisierung dieses LXX-bedingten Verwendungstyps unabhängig voneinander hinreichend. Mt hat es 5mal im Akt. mit doppeltem Akk.: 1,21(=LXX-Gen 17,19).23(=LXX-Jes 8,2).25 (als Ausführung von V.21 dupl.); 22,43.45(+Mk). Im Pass. stehen 9 der restl. Stellen (neben der Übernahme 21,13): 2,23 (Eintrag in das Erfüllungszitat LXX-Jdc 13,5); 5,9.19a.b(+Q für eschatol. Lohn bzw. Strafe); 27,8(+Mk) - bzw. med. *sich nennen/bezeichnen lassen* 23,7.8.10, während das Mittelglied der Ringkomposition V.9 als Höhepunkt den akt. Konj.Aor. hat. Unter negativem Aspekt *den Schimpfnamen erteilen* verwendet Mt 10,25(+Q) das Komp.

ἐπικαλέω

Mt 1 : Mk 0 : Lk 0 + 20 : Joh 0,
das seit Xen trans. *Beinamen geben* meint (BAUER WB 581; KIRCHSCHLÄGER EWNT 2,72f).

προσκαλέομαι

Mt 6 : Mk 9 : Lk 4 + 9 (NT nur noch Jak 5,14)
bei Mt immer im Nom. des Pt.Aor. προσκαλεσάμενος (: Mk 7 : Lk 3) und 10,1 (daher gegenüber Mk 3,13/6,7 modifiziert) und auch konzeptuell homogenisiert, sofern es nur von *Jesus* (daher Mk 15,44 nicht übernommen) den *Seinen* gegenüber (daher Mk 3,23 nicht übernommen) verwendet ist: 15,10.32 (=Mk); 18,2(=Mk 8,34 permutiert); 20,25(=Mk) - bzw. allegor. 18,32(+Q Mk 15,44 permutiert) immer als glirderndes Signal einer weiterführenden Belehrung und als Indikator mt Ekklesiologie: Es signalisiert den mt Jesus als herbeirufenden, um das mt Buch versammelnden Herrn (18,20). Komplenym ist das favorisierte ⋗προσέρχομαι bzw. ἔρχομαι πρός; synonym steht daneben φωνέω 20,32(=Mk); 27,47(=Mk) + Akk. *kommen lassen*; 26,34.74f(=Mk) *krähen*

φωνή

Mt 5 : Mk 9 : Lk 10 + 4 : Joh 13

φωνή

Mt 7 : Mk 7 : Lk 14 + 27 : Joh 15
gebraucht Mt im Unterschied zum Vb. immer nur von *sprachlichen Lauten* (weshalb der Zusatz in der LA 24,31 sek. sein muß), wobei 3,3(=Mk); 27,46.50 (=Mk) ihre stimmliche Erzeugung (*Sender*) wie der wörtliche *Gehalt* angegeben ist, was auch bei den Gottesreden 3,17(=Mk) und 17,5(=Mk) der Fall ist. Diese *Inhalte* sind immer schriftbezogenes LXX-Griech.; so verwundert es auch nicht, daß die beiden red. Stellen, die komplementär dazu die *Empfängerreaktion* mit ἀκούω verbalisieren, gerade in den Erfüllungszitaten 2,18 (=LXX-Jer 38,15 *Klagegeschrei*) und 12,19(=LXX-Jes 42,2 - von der Angleichung an Mt 6,15 her wohl speziell auf *Beten* abgehoben) erscheinen. Dieser wiederum typisch mt *Vereinheitlichung* entspricht, daß die beiden Mk 1,26; 5,7 vorgegebenen Verwendungen im Munde der Dämonen eliminiert wurden.

προσφωνέω 11,16(=Q) *zurufen*

Mt 1 : Mk 0 : Lk 4 + 2 (LXX nur hell. 4mal)

καλός, καλῶς ⋗δένδρον

καλύπτω ⋗κρυπτός

κάμηλος ⋗ἄρτος

κάμινος ⋗πῦρ

καμμύω ⋗ὀφθαλμός

κἄν ⋗ἐάν

Καναναῖος ⋗μαθητής

καρδία ⋗γινώσκω

καρπός, καρποφορέω ⋗δένδρον

κάρφος ⋗ὀφθαλμός (δοκός)

κατά I + Gen. (GUNDRY 645)
    Mt 16 : Mk 7 : Lk 6 + 16 : Joh 1
        =(Mk 7 -1) + (Q 1 + 8) + (A-Mt 1)
In lokaler Bedeutung 8,32(=Mk) hinab; schwören bei 26,63 dürfte die adversative Verwendung von Mk 14,57 permutiert und transkodiert haben. Für Mt
typisch ist überhaupt die adversative Verwendung (SCHMID 1930:293):
    Mt 14 : Mk 6 : Lk 3 + 12
Die Hälfte der Belege ist in Mt 12 und damit auf den Komplex der Jesus-
Feindschaft konzentriert: 12,14(=Mk) ist die 1. mk Stelle für den anklagenden Feindbeschluß übernommen, den dann abschließend 27,1(= Mk 14,56 permutiert) wiederholt, wobei 27,1 als Resultat der Absichtserklärung von
26,59(=Mk) strukturgleich angeglichen ist (SENIOR 1982:216). 12,25a.b(+Q)
markieren beispielhaft einen Selbstwiderspruch; 12,30(=Q) übernimmt die
Maxime, die zeigt, daß mit mir das bestimmende Antonym ist; 12,32a.b markiert verschiedene Grade der Anklage wiederum mit einem anklagenden Vb.
dicendi. Die Feindanklage steht schon an der ersten Stelle 5,11(+Q) im Blick
auf die Schüler wie beim Murren 20,11, so daß es 7mal bei einem anklagenden Vb. dicendi steht. Daß diese Feindschaft eine Folge der Sendung Jesu
ist, markiert auch 10,35a.b.c (gg.Q wei Mi 7,6) red. mit dieser Präp. Von zu
überwindender innergemeindlicher Feindschaft unter Brüdern spricht 5,23(=
Mk 11,25 permutiert).
κατά II + Akk.
    Mt 21 : Mk 16 : Lk 37 + 74 : Joh 7
        =(Mk 16 - 9 + 5) + (Q 0 + 2) + (A-Mt 7)
Kennzeichnend für Mt ist der 8malige temporale Gebrauch, wobei die beiden
mk Stellen, die jeweils distributiv waren, übernommen sind: 27,15 (jeweils
am Fest) und 26,55 (mk täglich, bei Mt jedoch, der das Redepensum von
21,18-26,5 auf einen einzigen Tag brachte, umkodiert zu einen ganzen Tag
lang); der Rest findet sich in der stereotypen Wendung im Traum (=wäh-
rend) 1,20; 2,12f.19.22; 27,19 (KÖHLER EWNT 2,926).
    Red. sind die 6 kausalen Stellen: 2,26 (entsprechende der Zeit); 9,29(+Mk
entsprechend eurem Glauben); 16,24(+Mk gemäß der guten Taten); 19,3(+Mk
wegen jeder Ursache); 23,3(+Q entsprechend ihren Handlungen); 25,15(+Q
entsprechend ihrer jeweiligen Fähigkeit - zugleich distributiv). Die beiden
mk Stellen Mk 1,27; 7,5 sind nicht übernommen.
    Lokal ist nur die distributive Wendung 24,7(=Mk); zur 6malig übernom-
menen adv. Wendung κατ' ἰδίαν ≯ἴδιος.
καταβαίνω (GUNDRY 645)
    Mt 11 : Mk 6 : Lk 13 + 19 : Joh 17
        =(Mk 6 + 2) + (Q 0 + 3)
Rahmend stehen das vom Täufer und Jesus gesehene Herabkommen des Geistes Gottes 3,16(=Mk), das 28,2(+Mk ἐκ) durch das von den Frauen und den
Wächtern gesehene Herabkommen des Engels des Herrn dupl. wurde. Jesus
und die Seinen sind Subj. des Abstiegs vom Berg 17,9(=Mk red. ἐκ), was
8,1(+Mk ἀπό - wohl nicht Permutation Lk 6,17, so daß ein Q-Element vorläge)
dupl. ist, während die ἀπό-Wendung für den Ausstieg des Petrus aus dem
Boot 14,29 von Mk 3,22 (Gegner von Jerusalem) permutiert und transkodiert
sein dürfte. Alle 5 Belege im Erzählkontext stehen im Pt. als vorbereitende
Nebenhandlungen.
    In den eingebetteten dir. Reden ist die Spottaufforderung 27,40.42(=Mk
ἀπό) an Jesus wie seine Weisung zum unverzüglichen Verlassens Judäas
24,17(=Mk) übernommen, während das Fut. im Straforakel an Kafarnaum Q-Mt
11,23 (gg. die stärkere kausative Fassung wie Lk, die H-G 63 favorisiert,
mit B D W pc latt sy[S.C] sa und als mit LXX-Jes 14,15 übereinstimmende
Wendung vorzuziehen sein wird; GNTCom 31) schon in dieser literar.-red.
Q-Schicht (SCHENK 1981:55f) vorgegeben sein dürfte (SCHULZ 1972:361). Das

Herabströmen des Platzregens 7,25.27(+Q) könnte als Vorbereitungshandlung in Q vorgegeben sein (SCHULZ 1972:313), ist aber wegen des mt Interesses am Regen (5,45) und der typ. mt Häufung serieller Ereignisabfolgen hier (≯καί) eher eine verstärkende Ergänzung.

καταβολή ≯ἔθνος
καταγελάω 9,24(=Mk) *verlachen, auslachen*
   Mt 1 = Mk 1 = Lk 1 (NT sonst nie)
κατάγνυμι ≯κάλαμος
καταδικάζω ≯δικαιόομαι
καταθεματίζω ≯ὀμνύω
κατακαίω ≯πῦρ
κατακλυσμός 24,39(=Q) dupl. V.38 (NT nur noch 2Pt 2,5) *Sintflut*
κατακρίνω ≯κρίνω
κατακυριεύω ≯κύριος
καταλείπω ≯ἐγείρω
καταλύω
   Mt 5 : Mk 3 : Lk 3 (NT nur noch Gal 2,18; 2Kor 5,1; Röm 14,20)
      =(Mk 3) + (Q 0 + 2)
Die 3 von Mk auf die *Tempelzerstörung* (Antonym οἰκοδομέω) bezogenen, auf- und auseinander folgenden Stellen wurden übernommen 24,2(=Mk Vernichtungsorakel); 26,61(=Mk Anklage); 27,40(=Mk Spott). Die Anwendung auf ein *Außer-Geltung-Setzen* (Antonym πληρόω) von ≯"Gesetz und Propheten" 5,17a. b(+Q) dürfte unter Verwendung von Gal 2,18 red. gebildet sein, wobei die Negation nur der rhetor. Verstärkung (Vorzeichen ≯νομίζω) der positiven Aussage dient (GRUNDMANN 144; STRECKER 1971:137-47; 1984:56f gg. BULTMANN 1932:146f; HÜBNER 1973:32-9; EWNT 2,652; BROER 1980:23-34 ist eine vor-mt Fassung als kohärenter Text nicht zu rekonstruieren; die postulierte Intention der Zurückweisung christl. Antinomisten [so BARTH 1970:149-54] oder jüd. Vorwürfe [so HÜBNER ebd.] ist textpragmatisch nicht zu begründen); V.18 gibt die jesulog. Begründung dafür wie V.19f die ekklesiol. Konsequenzen zieht (vgl. 7,12 rahmend dazu). Die Aussage ist semant. nicht einfach "die(!) christolog. Variante von Röm 3,21" (so HÜBNER EWNT 2,652), was höchstens von der syntaktischen Struktur gelten könnte, sd. semant. die subjektiv-transkodierende *Verwendung* für das jesulog. Konzept des Mt, was sich an den diametral entgegengesetzten Konsequenzen der je verschiedenen Christologien und ihren komplenymen Entwürfen von der Zukunft Israels wie des Parusie-Gerichts zeigt.

καταμανθάνω ≯μαθητεύω
καταμαρτυρέω ≯μαρτύριον
κατανοέω ≯ὀφθαλμός
καταπατέω ≯πούς
καταπέτασμα ≯ἀρχιερεύς
καταπίνω ≯ἄρτος
καταποντίζομαι ≯Γαλιλαία
καταράομαι ≯δίκαιος
καταρτίζω 4,21(=Mk) *ausbessern*; 21,16(+Mk LXX-Ps 8,3) med. *herstellen*
κατασκευάζω 11,10(=Q/Mk 1,2 gg. LXX-Mal 3,1/Ex 23,20) *Weg bereiten*
   Mt 1 : Mk 1 : Lk 2 (NT noch Hebr 6mal, 1Pt 1mal)
κατασκηνόω, κατασκήνωσις ≯πετεινόν
καταστρέφω 21,12(=Mk) *umstürzen* (NT nur noch v.l. Apg 15,16)
καταφιλέω ≯ἀγαπάω (φιλέω)
καταφρονέω ≯ἀγαπάω
καταχέω 26,7(=Mk – NT sonst nie; LXX 5mal) *ausgießen*
κατέναντι ≯ἀπέναντι
κατεξουσιάζω ≯ἐξουσία
κατεσθίω ≯πετεινόν

κατηγορέω 12,10(=Mk); 27,12(=Mk) *anklagen* (Obj. Jesus)
     Mt 2 : Mk 3 : Lk 4 + 9 : Joh 2 (NT nur noch Röm 2,15; Apk 12,10)
κατισχύω ≯δύναμαι
κατοικέω ≯οἰκία
κάτω 4,6(=Q) *hinab*; 27,51(=Mk) *unten*; bzw. 2,16 κατωτέρω *darunter*
     Mt 3 : Mk 2 : Lk 1 + 2 : Joh 1
καυματίζω, καύσων ≯πῦρ
Καφαρναούμ ≯Γαλιλαία
κεῖμαι 3,10(=Q; 5,14(+Q); 28,6(+Mk) *liegen = sich befinden*
     Mt 3 : Mk 0 : Lk 6 + 0 : Joh 7 (GUNDRY 645)
κελεύω ≯διδάσκω
κεραία ≯γραφή
κεραμεύς 27,7.10(+Mk – NT nur noch Röm 9,21) *Töpfer* (Bez. einer Halde)
κερδαίνω (HAWKINS 1909:5; GUNDRY 645)
     Mt 6 : Mk 1 : Lk 1 + 1 : Joh 0
         =(Mk 1) + (Q 0 + 5)
Die Übernahme 16,26(=Mk mit Antonym *Verlust* wie Phil 3,7f
ζημιόομαι 16,26[=Mk] *Verlust erleiden*
     Mt 1 : Mk 1 : Lk 1 – NT nur noch 1Kor 3,15; 2Kor 7,9; Phil 3,8; LXX
7mal) scheint für Mt die Schleuse für die Multipl. der finanztechnischen
Verwendung von *gewinnen* geöffnet zu haben, da er es erst von da an verwendet: 18,15(+Q) für den Rückgewinn des Mitchristen (komplenym zur Versöhnung 5,24 und darum hier nicht "Missionssprache" gg. EWNT 2,700); der
Zugewinn 25,16(so gg. H–G 229 urspr. LA, wegen der analogen Fortsetzung
V.17, während die Variante Rückangleichung an Lk 19,18 sein dürfte).17.
20.22(+Q – SCHULZ 1972:290 hält die stereotype Form für Q-Vorgabe; dgg.
scheint das Simpl. V.16 zum Komp. Lk 19,16 darauf zu deuten, daß dies das
vorgegebene Vb. war; außerdem scheint erst der red. Übergang zu den
≯"Talenten" auch den Aspekt des *Gewinns* bedingt zu haben). Ob Mt bei
dieser Schlußallegorie nur an gute Taten oder an Missionsgewinn denkt, ist
für ihn keine Alternative, da der Gewinn neuer Schüler (4,19) bei ihm durch
Lehren (28,19) wie durch Tun (5,16.19) erfolgt: Es geht um die gerichts-
entscheidende Verbreitung des Mt-Buches in Wort und Tat.
κεφαλή (GUNDY 645)
     Mt 12 : Mk 8 : Lk 7 + 5 : Joh 5
         =(Mk 8 – 2 + 2) + (Q 2 + 1) + (A–Mt 1)
Außer in der Ps-Wendung *Grundstein* 21,42(=Mk ≯γωνία) immer vom wichtigsten menschl. Körperteil und außer dem *Kopfschütteln* der Schlußstelle
27,39(=Mk) immer im Sing.; die Wendung *Haar(e) des Kopfes* 10,30(=Q) als
Metonym (pars pro toto) des in Gottes Verfügung befindlichen menschl.
Lebens wurde 5,36 für das verbotene Schwören (in Bezug auf eine gemein-
antike Schwurpraxis; LATTKE EWNT 2,705; Belege BAUER WB 850) dupl.; 6,17
als Obj. der Salbung für normale Körperpflege in Ringkomposition:

A	ἄλειψαί			νίψαι
B		σου		σου
C		τὴν κεφαλὴν	τὸ πρόσωπόν	
D			καί	

ἀλείφομαι 6,17 Med. *sich salben*
     Mt 1 (: Akt. Mk 2 : Lk 3 + 0 : Joh 2 : Jak 1 – NT sonst nie)
8,20(=Q) ist der metonyme Ausdruck mit
κλίνω 8,20(=Q) *den Kopf hinlegen = ausruhen, schlafen*
     Mt 1 : Mk 0 : Lk 4 + 0 : Joh 1 (NT nur noch Hebr 11,34)
für *Ruhen, Schlafen* Kennzeichen der Verfolgung der Weisheit (Menschensohn); die Heimatlosigkeit fungiert als Bild für die zu erwartende Ablehnung
und Feindschaft (POLAG 1977:74; SCHENK 1981:48f) und ist nicht durch Wan-
derprophetie bedingt, was Mt noch durch das Feind-Gegenüber unterstri-

chen hat. So ist Jesus auch sonst die häufigste Bezugsperson im Passions-
zusammenhang: 26,7(=Mk vorweggenommene Begräbnissalbung); 27,30(=Mk
schlagen) wurde V.29(+Mk Spottkrone) und V.37(+Mk Titulus) dupl.; in Analogie zu den 5 Jesus-Stellen (: Mk 2 : Lk 5) wurden die ersten mk, auf den
Täufer-Tod bezogenen Stellen 14,8.11 (=Mk unter Auslassung der beiden bei
Mk 6,25.27 dazwischenliegenden Stellen) übernommen. Dieser verstärkte
Jesusbezug dürfte auch für die mt Füllung der übernommenen Übersetzung
Γολγοθά 27,33(=Mk) *Schädelort* (VÖLKEL EWNT 1,629f)
    Mt 1 : Mk 1 : Lk 0 : Joh 1 (NT und LXX sonst nie) mit
κρανίον 27,33(=Mk) – zwischen V.29f und 37 rahmend – *Schädel*-Ort
    Mt 1 : Mk 1 : Lk 1 : Joh 1 (NT sonst nie; LXX 2mal)
semant. bestimmend sein: Ort der tödlichen Verwerfung Jesu.
θρίξ 3,4(=Mk); 5,36; 10,30(=Lk) Plur. (Kamel- bzw. Menschen-)*Haare*
    Mt 3 : Mk 1 : Lk 4 + 1 : Joh 2 (NT nur noch 1Pt 3,3; Apk 1,14; 9,8)
σιαγών 5,39(=Q) *Backe* (SCHULZ 1972:120–7)
    Mt 1 : Mk 0 : Lk 1 (NT sonst nie; LXX 20mal)
τράχηλος 18,6(=Mk) *Hals*
    Mt 1 : Mk 1 : Lk 2 + 2 (NT nur noch Röm 16,4)
κῆνσος ⇥τελ- II
κήρυγμα, κηρύσσω ⇥εὐαγγέλιον
κῆτος 12,20(+Q Jona 2,1) *Seeungeheuer* (NT sonst nie; LXX 11mal)
κιβωτός 24,38(=Q) *Kasten, Arche*
κινέω 23,4(+Q) *Lasten fortbewegen*; 27,39(=Mk *Kopfschütteln*)
    Mt 2 : Mk 1 : Lk 0 + 3 (NT nur noch Apk 2,5; 6,14)
κλάδος ⇥δένδρον
κλάσμα, κλάω ⇥ἄρτος
κλαίω
    Mt 2 : Mk 3 : Lk 11 + 2 : Joh 8
       =(Mk 3 – 2) + (Q 0) + (A-Mt 1)
Während die Totenklage aus Mk 5,38f ausgelassen wurde, hat Mt 2,18 das
Vb. im Zusammenhang mit dem Subst.; es bezeichnet also keineswegs Reue.
Das trifft mt auch für das 26,75(=Mk) übernommene *Weinen* des Petrus zu;
daß es hier nicht ein Bedauern ausdrückt, ergibt sich aus dem LXX-Zusatz
πικρῶς (Lk par. - sonst nie im NT) *verbittert*,
    das auch an den betr. Stellen (Jes 22,4; 33,7; Ez 17,30) verbittertes
Weinen über das unabwendbare Verhängnis meint. Der Aspekt der "Reue" ist
von der röm.-abendländischen Salutalogie her evangelienharmonistisch zu
unbestritten hier überall eingelesen worden: In der Anregerstelle 3Makk
2,24 ist diese *Verbitterung* geradezu das Gegenteil von *Reue*. Dazu stimmt
auch die mt bevorzugte Verwendung des Subst.
κλαυθμός (HAWKINS 1909:5; GUNDRY 645)
    Mt 7 : Mk 0 : Lk 1 + 1 (NT sonst nie)
       =(Mk 0) + (Q 1 + 5) + (A-Mt 1),
das 2,18 im Erfüllungszitat aus LXX-Jer 38,15 übernommen ist mit
ὀδυρμός *Wehklagen* (NT nur noch 2Kor 7,7; LXX 2mal).
    8,12(=Q) folgt dann die Übernahme der die Straffolge in der Hölle
beschreibenden Wendung
ἐκεῖ ἔσται ὁ κλαυθμὸς καὶ ὁ βρυγμὸς ὀδόντων
    Mt 6 : Mk 0 : Lk 1 + 0,
die danach 13,42.50; 22,13; 24,51; 25,30 jeweils red. als Abschluß von
Gerichtsallegorien multipl. ist (JEREMIAS 1965:83; BARTH 1970:54).
βρυγμός (+ Gen. ὀδόντων; HAWKINS 1909:4; GUNDRY 642) *Zähneknirschen*
    Mt 6 : Mk 0 : Lk 1 (Apg 7,54 mit Vb.; NT sonst nie; LXX 2mal)
ὀδούς
    Mt 8 : Mk 1 : Lk 1 + 1 (NT nur noch Apk 9,8; Mk 9,18 mit synonymen
Vb.) hat Mt außerhalb der Wendung im Talions-Zitat 5,38(+Q Ex 21,24par).

Da an allen 6 Stellen eine Platzanweisung in der →Geenna vorausgeht (an der 1., 4. und 6. Stelle stereotyp als *Hinauswerfen in die Finsternis*), so ist dieser Beschreibungssatz geradezu die mt Definition des der individuellen Unsterblichkeit entgegengesetzten Zustands in der endgültigen Weltzeit: "Das ist der Ort, an dem es nur noch verzweifeltes Weinen und Zähnezusammenbeißen geben wird"; es geht klar um einen Ausdruck der Verzweiflung (vgl. ähnlich 1Hen 108,3-7), nicht aber um ein "Bild für Selbstvorwürfe" (HASLER EWNT 1,547f gg. SCHWANK 1972). Während die übernommene Stelle gezielt gg. Israel gerichtet war, sind die beiden mittleren universal gemeint, während sich die letzten drei in den direkten Warnteilen an die mt Lesergemeinde richten (SCHWEIZER 1974:124; FRANKEMÖLLE 1979:161).

κλει- (GUNDRY 645)
     Mt 4 : Mk 0 : Lk 4 + 2 : Joh 2

κλείω
     Mt 3 : Mk 0 : Lk 2 + 2 : Joh 2 (NT nur noch 1Joh 3,17 und Apk 6mal)
         =(Mk 0) + (Q 1 + 1) + (A-Mt 1)
Alle 3 Stellen bei Mt haben darin ihre red. Besonderheit, daß sie nicht nur in paradigmatischer Wortfeldbeziehung zu →εἰσέρχομαι stehen, sd. daß diese auch immer syntagmatisch verbalisiert ist: 6,6; 25,10(=Q-Lk 13,25 das ἀπό-Komp. als ntl. Hap.leg.); 23,13(=Q) dürfte die konstante mt Syntagmatisierung der beiden Vb. der Grund dafür sein, daß Mt das Vb. statt des Subst. bei Q-Lk hat (*Schlüssel zur Erkenntnis beiseite schaffen*; UNTERGASSMAIR EWNT 2,733). Dieses Subst.

κλείς
     Mt 1 : Mk 0 : Lk 1 (NT nur noch Apk 4mal; LXX 5mal)
hat Mt nach 16,19 vorgezogen und zugleich in den Plur. versetzt, weil es hier als Supernym des →bindenden Verbietens wie des →lösenden Erlaubens erscheint: Die *Schlüssel* sind also Metapher für die *Eintrittsbedigungen* in die künftige Himmelsherrschaft und damit für diesen Teil des mt Buchkonzepts selbst; dieser Bezug zur Himmelsherrschaft steht in einem kontradiktorischen Gegensatz zur jüd.-pharisäischen Gesetzeslehre in der verbalen Stelle 23,13.

θύρα
     Mt 4 : Mk 6 : Lk 4 + 10 : Joh 7
         =(Mk 6 – 4) + (Q 1) + (A-Mt 1)
ist 25,10(=Q) wie dupl. 6,6 als Obj. mit dem Vb. verbunden (red. auch 11,7), während es 27,60(=Mk *Eingang*) und temporal metaphor. 24,33(=Mk *nahe vor der Tür*) übernommen ist; Antonym →ἀνοίγω.

κλεπτ-
     Mt 9 : Mk 2 : Lk 3 + 0 : Joh 5
κλέπτης 6,19f(=Q); 24,43 exemplarisch-metaphor., nie direkt ethisch
     Mt 3 : Mk 0 : Lk 2 + 0 : Joh 4 (NT noch 7mal; LXX 17mal)
κλέπτω (HAWKINS 1909:5 schwach; GUNDRY 645)
     Mt 5 : Mk 1 : Lk 1 + 0 : Joh 1 (NT nur noch Röm 2,21; 13,9; Eph 4,28)
Während 6,19f(+Q) das Subst. verstärkt ist, ist 19,18(=Mk) das Dekalogverbot zitiert und auf diesem Hintergrund der unsinnige Gegenvorwurf vom Diebstahl der Leiche 27,64; 28,13(+Mk) komponiert. Das Nomen resultandum κλοπή 15,19(=Mk – NT sonst nie; LXX 6mal) Plur. *Diebstähle*
κληρονομέω, κληρονομία, κληρονόμος →(εἰσ)έρχομαι
κλῆρος 27,35(=Mk) *Anteil* (nach LXX-Ps 21,19)
     Mt 1 : Mk 1 : Lk 1 + 5 : Joh 1 (NT nur noch Kol 1,12; 1Pt 5,3)
κλητός →καλέω
κλίβανος →πῦρ
κλίνη 9,2.6(+Mk – dgg. Mk 4,21; 7,4[?].30 ausgelassen) *Bahre des Kranken*
     Mt 2 : Mk 2 : Lk 3 (NT nur noch Apk 2,22)
κλίνω →κεφαλή

κλοπή →κλέπτω
κοδράντης →ἀργύριον
κοιλία →γαμέω
κοιμάομαι →γρηγορέω
κοινόω →καθαρίζω
κοινωνός 23,30(+Q) *Partner = Mitschuldige* an (nur hier im NT mit ἐν)
   Mt 1 : Mk 0 : Lk 1 (NT Pl 5mal, sonst 3mal, LXX 8mal)
κόκκινος →γυμνός
κόκκος →αὐξάνω
κόλασις →πῦρ
κολαφίζω →χείρ
κολλάομαι →γαμέω
κολλυβιστής →ἀργύριον
κολοβόω →ἡμέρα
κομίζομαι →ἀργύριον
κονιάω 23,27(+Q – NT nur noch Apg 23,3; LXX 2mal) *übertünchte (Gräber)*
κονιορτός 10,14(=Q) *(Kalk-)Staub*
   Mt 1 : Mk 0 : Lk 2 + 2 (NT sonst nie; LXX 19mal)
κοπάζω 14,32(=Mk) *nachlassen, sich legen* (Sturm wie Hdt 7,191)
   Mt 1 : Mk 2 (NT sonst nie)
κοπιάω 6,28(=Q) dupl. 11,28 *sich abmühen, plagen*
   Mt 2 : Mk 0 : Lk 1 + 1 : Joh 3
κόπος 26,10(=Mk) *belästigen* (Syntagma von Gal 6,17)
   Mt 1 : Mk 1 : Lk 2 + 0 : Joh 1 – im Funktionsverbgefüge mit
παρέχω
   Mt 1 : Mk 1 : Lk 4 + 5 : Joh 0
εὔκοπος 9,5(=Mk); 19,24(=Mk) Komp. in der Frage: *Was ist leichter?*
   Mt 2 : Mk 2 : Lk 3 (NT sonst nie)
κόπτω →δένδρον
κοράσιον →γαμέω
κορβανᾶς →δῶρον
κοσμέω →οἶκος
κόσμος →ἔθνος
κουστωδία 27,65f(+Mk); 28,11(+Mk) lat. Lehnwort *custodia = Wache*
   Mt 3 (NT und LXX sonst nie)
κόφινος →ἄρτος
κράζω (GUNDRY 645)
   Mt 12 : Mk 10 : Lk 3 + 11 : Joh 4
      =(Mk 10 – 3 + 5)
Das Vb. bekommt im mt Gebrauch eindeutig das Gefälle zu einem Gebetsterminus (SCHENK 1974:73f). Ansätze dazu sind 20,30f wie 21,9 von Mk übernommen, von dem allein her Mt dieser Ausdruck zugeflossen ist; schon 21,15
(+Mk) findet eine Dupl. von V.9 wie 9,27(+Mk) eine weitere in der Bitte der
Blinden statt. Der Hilferuf der Schüler 14,26 (statt mk Komp.) erhält durch
die dupl. Wiederholung V.30(+Mk) mit der Inhaltsangabe eindeutig ebenso
diese Füllung wie der Bittruf der Kanaanäerin 15,22(=Mk 9,24 permutiert).
23(+Mk). Daß der Todesschrei Jesu 27,50(=Mk 15,13 permutiert und transkodiert) so zu verstehen ist, ergibt sich aus dem mitpermutierten πάλιν, mit
dem auf den inhaltlich gefüllten Gebetsruf V.46 als dessen Wiederholung zurückverwiesen ist (gg. FENDRICH EWNT 2,774 kein Beleg für "inhaltsloses,
unverständliches Schreien"). Das wird dadurch bestätigt, daß Mt die Dämo-
nenschreie von Mk 3,11; 5,5; 9,26 gestrichen hat. Die mt Einleitungsstelle
8,29(=Mk) scheint eine Ausnahme zu sein, die zeigt, daß Mt die Streichung
nicht konsequent durchgeführt hat, doch könnte hierbei auch angedeutet
sein, daß – da Mt die Besessenen zu einem Kranken-Paar gemacht hat – dahinter auch ein deformiertes Gebet steckt. Wenn Mt die Kreuzigungsforde-

rung von Mk 15,13 zwar gestrichen (bzw. permutiert) aber im Wiederholungsfalle 27,23(=Mk) beibehalten hat, so will er sie wohl klar als ein deformiertes Gebet beibehalten, das sowohl einen pervertierten Inhalt als auch eine pervertierte Adresse hat, sofern die Juden zu Pilatus als zu ihrem Götzen rufen (vgl. analog Anrede 27,63). Aus 3-4 Ansätzen des Mk hat Mt mindestens 10 Belege der Gebetssprache gemacht, letztlich aber wohl alle daraufhin orientiert.

κρανίον ⇒κεφαλή

κράσπεδον ⇒γυμνός

κρατέω ⇒χείρ

κραυγάζω 12,19(+Mk - Erfüllungszitat Jes 42) (nicht) *kreischen, brüllen*

    Mt 1 : Mk ß : Lk 1 + 1 : Joh 6 (NT sonst nie; LXX 1mal)

κραυγή 25,6 *Ruf* (Parusie-Ankunft)

κρεμάννυμι (GUNDRY 645)

    Mt 2 : Mk 0 : Lk 1 + 3 (NT nur noch Gal 3,13 Zitat)

18,6(+Mk) wörtl. *gehängt* (Mühlstein); 22,40(+Mk) *abhängen von* (Prinzip)

κρημνός 8,32(=Mk) *Böschung, steiler Abhang*

    Mt 1 : Mk 1 : Lk 1 (NT sonst nie; LXX nur 2Chr 25,12)

κρίνον ⇒αὐξάνω

κριν- (GUNDRY 645 einschließlich ⇒διακρίνομαι)

    Mt 28 : Mk 4 : Lk 21 + 27 : Joh 31

κρίσις (HAWKINS 1909:5)

    Mt 12 : Mk 0 : Lk 4 + 1 : Joh 11

        =(Mk 0 + 2) + (Q 4 + 4) + (A-Mt 2)

Der bei Mk (wie bei Pl) nicht verwendete Term ist Mt nur in Q vorgegeben, deren Belege er alle übernommen hat. Die *Endgerichtsangabe* ἐν τῇ κ. hat er 12,41f(=Lk) übernommen, in 11, 22 (=Lk 10,14) jedoch zu seiner red. Wendung (mit der verstärkenden Akzentuierung des temp. Aspekts)

ἐν ἡμέρα κρίσεως

    Mt 4 : Mk 0 : Lk 0 + 0

erweitert (BARTH 1970:54): Mt 10,15 (vgl. Lk 10,12) als Erweiterung vom ⇒ἡμέρα und als Dubl. dazu in 11,22 wiederholt sowie als red. Q-Zusatz 12,36 als der Termin des Rechenschaftsgebens über alle Redehandlungen. Dabei erläutert die red. Begründung 12,37 das dort stattfindende Geschehen antonym als ⇒δικαιωθῇσῃ (positiver Lohnaspekt) einerseits und

καταδικάζω

    Mt 2 : Mk 0 : Lk 2 (NT nur noch Jak 5,6; LXX 10mal)

andererseits, das auch 12,7 red. ist: *verurteilen* (wie red. auch im ius talionis Lk 6,37).

    Dieser negative Aspekt des Völkergerichts wird in der Q-Dubl. 23,33 (vgl. 3,13) durch den finalen Gen. ⇒γεέννης markiert. Mit dieser bei Mt letzten Stelle korrespondieren die ersten beiden in der red. Antithese 5,21f; da das Subst. sonst nie "ein gerichtliches Kollegium bezeichnet", liegt hier wohl nicht eine Ausnahmebedeutung "lokale Gerichtsbehörde" vor (STRECKER 1984:68 gg. RISSI EWNT 2,787f). Wenn der Dat. hier immer die Strafe bezeichnet, so ist sie auch in dem vorliegenden Spruch in allen Fällen gleich und in V.22c dann inhaltlich als *Feuerhölle* konkretisiert. Doch nur bei Annahme eines semitischen Ursprungs läßt sich für einen vorausliegenden Text argumentieren: "Das hinter ἔννοχος ἔσται stehende aram. *'iṯḥajjaḥ* zieht nicht die Nennung der Gerichtsinstanz, sd. der Strafe nach sich. Es muß also in V.22a wie in V.21 … übersetzt werden: *der soll der (Todes-) Strafe schuldig sein*, entsprechend in V.22b …: *der soll (der Todesstrafe durch den) Hohen Rat schuldig sein*" (JEREMIAS 1971:148 n.25; ThWNT 6,975; BÜCHSEL ThWNT 3,942f; DIETZFELBINGER 1979:14f). Damit läge hier wie bei einer Reihe von mt ⇒ἡμέρα-Stellen eine Ellipse bei κρίσις vor. Der mt Sprache gemäßer ist es indessen, da es ihm um einen Mitchristen geht, an eine 18,5-17 analoge Gemeindegerichtsbarkeit zu denken; da deren Urteil allerdings nach 18,18 ja auch gerichtseschatol. relevant ist, so fügt sich das der eschatol. Verwendung durchaus ein. Mindestens 9 von 12 mt Stellen sind also gerichtseschatol.

Dgg. ist 23,23(=Lk) – wie der Kontext deutlich erfordert – mit κ. zusammenfassend das von Gott geforderte Handeln beschrieben (SCHULZ 1972: 100f; POLAG 1977:80), was Mt red. noch durch voranstehendes "Hauptsache des Mose-Gesetzes" unterstreicht, so daß die angeschlossene Doppelung eine inhaltliche Entfaltung im Sinne des mt verstandenen Doppelgebots beschreibt. In derselben Bedeutung hat Mt 12,18.20 im Erfüllungszitat aus LXX-JEs 42,1-4 das Subst. 2mal zur Mk-Vorlage zugesetzt (BARTH 1970: 117-20; BÜCHSEL ThWNT 3,943; BRAUN 1957:II 24f; ROTHFUCHS 1969:74). Es bezeichnet *Gottes Rechtswillen* in dem längsten Erfüllungszitat als Zusammenfassung des mt Buchinhalts.

κρίνω

Mt 6 : Mk 0 : Lk 6 + 21 : Joh 19
=(Mk 0) + (Q 3 + 3)

7,1(=Q) verbietet das *Verurteilen* der Mitchristen als weiterführende Entfaltung der 5. Unservaterbitte (6,12) und modifiziert die vorgegebene Begründung im Pass.divinum zu einer finalen Motivation: *damit(!) Gott euch nicht verurteilt.* In dem angeschlossenen, bekräftigenden Begründungssatz 7,2 dürfte Mt beides red. in Analogiebildung zum Bildwort vom *Messen* als dessen Verstärkung und Enkodierung dann 2mal entsprechend dupl. haben. Dabei gebraucht mt einmalig das Subst.

κρίμα

Mt 1 : Mk 1 : Lk 3 + 1 : Joh 1

(Mk 12,40 wurde ausgelassen; Mt 23,14 ist die sek. LA Angleichung an Mk). Das Subst. bezeichnet nicht die Strafe als eine Aktion interpersonaler Vergeltung, sd. immer eine intellektuelle Entscheidung: *Urteil* (LOUW 1982:2 mit L-S-J 995, was RISSSI EWNT 2,785f nicht genügend berücksichtigt; →διακρίνω).

Das Simpl. dürfte auch 5,40 aus Q übernommen sein: Der Jesusschüler ist Obj. des *Prozessierens* eines anderen im Schuldrecht, was als Ausdruck der Unterdrückung ertragen werden soll (Lk 6,29 als Evangelist der Wohlhabenden dürfte red. auf Raubüberfall hin umstilisiert haben).

Sicher aus dem Q-Schlußwort ist das Pt. 19,28(=Lk 22,30) übernommen. Hier geht es bei Mt deutlich um das Datum des Völkergerichts; dann aber muß dem Vb. eine punktuelle Bedeutung zukommen, während man in ihm meist eine durative Dauerhandlung ausgesprochen sieht: die Stämme Israels zu *regieren* (RISSI EWNT 2,787f); doch weisen die Q-Par. in eine andere Richtung: Mit gleichem Bezug auf den Termin des Völkergerichts verwendet Mt 12,41f 2mal

κατακρίνω

Mt 4 : Mk 2 : Lk 2 + 0 : Joh 0

in dem geläufigen weisheitseschatol. Grundsatz (Sap 4,16): Die Taten der einen geben den *Maßstab* für die Beurteilung der Taten der anderen – und somit für ihre Verurteilung – ab; sie sind also nicht ein direktes, sd. nur ein indirektes Subj., sofern sie die Abweichenden als im Unrecht befindlich erweisen (SCHENK EWNT 2,640f); dgg. sind die beiden, direkt auf Jesus als Obj. bezogenen Stellen 20,18 und – als Erfüllung dieser Vorhersage versetzt auch – 27,3 von Mk übernommen. Materialiter geht es hier immer um ein Todesurteil und nicht nur formal um eine Verurteilung als solche; ebenso geht es eschatol. immer um ein *Vernichtungsurteil.*

Die weisheitlich indirekte Verwendung ist in Q nicht auf das Komp. beschränkt; während dabei die *Männer von Ninive* bzw. die *Königin des Südens* als *Gerichtsmaßstab* gg. das sich verweigernde Israel der Jesusgeneration

erscheinen, so sind es analog dazu kurz davor Q-Mt 12,27(=Lk) die *eigenen*
exorzisierenden *Schüler* der jüd. Lehrer unter synonymer Verwendung von
κριτής

    Mt 3 : Mk 0 : Lk 6 + 4
in dem Funktionsverbgefüge *sie werden eure Richter sein* = *sie werden*
euch ins Unrecht setzen bzw. *als im Unrecht befindlich erweisen* (SCHENK
EWNT 2,796; die beiden anderen Stellen aus Q in 5,25 bezeichnen beispielhaft die Richtergestalt und ihre Funktion, die bei Mt allegorisiert ist). Da
nun deutlich auch das Simpl. des Vb. so verwendet worden ist (Röm 2,27)
und Q 3mal eine solche Verwendung des weisheitseschatol. Grundsatzes anbot, so ist wohl auch im Schlußwort von Q, wo 19,28 das abtrünnige Israel
ein viertes Mal als das entsprechende Gegenüber erscheint (gg. RISSI, bei
dem dieses Konzept völlig unbeachtet und unausgewertet bleibt), ebenfalls
diese Bedeutung anzunehmen und auf der red. Ebene im Zusammenhang mit
der Weisheitschristologie des Mt zu sehen. Eine andere Bedeutung würde
sowohl dem mt Dualismus von Belohnten und Bestraften widersprechen als
auch dem von Mt betonten Egalitarismus des eschatol. Lohns sowohl im engeren Kontext von Mt 10-20 wie im weiteren des gesamten Buches überhaupt. Das Sem des Messens zeigt auch die Synonymie mit
μετρέω 7,2a.b(=Q/Mk) *messen*
    Mt 2 : Mk 2 : Lk 1 + 0 (NT noch 2Kor 10,12, Apk 5mal; LXX 6mal)
μέτρον 7,2(=Q/Mk); 23,32(+Q) *Maß*
    Mt 2 : Mk 1 : Lk 2 + 0 : Joh 1
dφορίζω (GUNDRY 642)
    Mt 3 : Mk 0 : Lk 1 + 2 : Joh 0
Für die Einleitungshandlung der Scheidung im Völkergericht wird es im NT
nur von Mt verwendet – und zwar an allen drei Stellen (JEREMIAS 1965: 83
n.10):
    Mt 3 : Mk 0 : Lk 0 + 0 : Joh 0
In der Allegorie-Entschlüsselung A-Mt 13,49 sind es die Engel (und zwar
nach der Textsequenz von V.41 die des Menschensohns), die die *Absonde-*
rung der Bösen von den Gerechten vollziehen (V.41 auch das synonyme
Syntagma συλλέγω ἐκ, da dieses Vb. V.28.29.39 in der Allegorieerzählung für
das Unkraut vorausstand und in der Erklärung schon V.40 wiederaufgenommen wurde, während es V.48 in der Allegorieerzählung für die guten Fische
vorangehen ließ). Nachdem Mt schon den Getreideernte-Vergleich durch den
Angler-Vergleich erweitert hatte, wird das Vb. in der letzten Gerichtsschil-
derung 25,32b nochmals aufgenommen – und zwar im analogen Syntagma *d.*
dπό –, in dem es dann auch V.32c wiederholt wird, indem Mt als dritte Bebilderung einen Schafhirten-Vergleich nachschiebt. Dies ist deutlich nach-
gesetzt, so daß sich in der Textsequenz und auf Grund der voranstehenden
Allegorien der ganze Hirten-Vergleich als red. zu erkennen gibt (FRIEDRICH
1977:277f, also auf keinen Fall Anlaß dazu sein kann, die Stellen unter der
undefinierten Sing.-Kategorie "Gleichnissondergut des Mt" eine vor-mt Einheit vortäuschend als Tradition darzustellen und von daher automatisch und tendenziell den speziell "palästinensischen Hirtenalltag" angespielt
zu behaupten – gg. KELLERMANN EWNT 1,443). Die Gerechten werden (in gut
mt Allegorik) mit *Schafen* gleichgesetzt, so daß die *Böcke, Widder* (= männl.
Tiere im Unterschied zu den weibl.) von vornherein für die *Bösen* stehen:
ἔριφον, Deminutiv (LXX nur Tob 2,13) ἐρίφιον 25,32f (NT nur noch Lk 15,29)
    Wenn man schon davon ausgeht, daß "der palästinensische Hirt" nicht
Schafe und Böcke, sd. Schafe und Ziegen scheidet, "weil die Ziegen nachts
wärmer stehen müssen und ihnen die Kälte schadet" (JEREMIAS 1965:204
nach DALMAN 1939: V 276), dann ist daraus nicht zu schließen, daß die
Böcke hier Ziegen sein müßten, damit eine traditionsgeschichtliche Speku-

lation stimmt (gg. KELLERMANN ebd., denn das Feuer der Geenna dient nicht der Wärme dieser Ziegen), sd. nur, daß dieser Text seinen Argumentationswert eben nicht von solchem "palästinensischen Kolorit" gewinnt und Mt anderswo angesiedelt ist: Hintergrund ist klar die übliche Absonderung vor allem der weiblichen, trächtigen Tiere vor der Aggressivität der Widder (Varro 2,2; Colum. 7,2-4; RICHTER KP V 3). Das allgemein bekannte Koch- und Verzehropfer des Dionysos-Bockes kann außerdem die Wahl des Ausdrucks mitbestimmt haben: "Deswegen opfert man auch dem Bacchus auf allen Altären eben den Bock" (VergilGeorg 2,280f).

συλλέγω (HAWKINS 1909:7 als schwach gewertet)
    Mt 7 : Mk 0 : Lk 1 + 0 (NT sonst nie)
Außer an den genannten gerichtsbezogenen Stellen, die Mt 13,28-48 assoziativ aufeinander folgen, ist σ. nur noch erntebezogen vorgegeben in der rhetorisch-ironischen Begründungsfrage 7,16(=Q) für das Wein- und Feigenernten von den jeweiligen "Bäumen". Negativ gerichtsbezogen auch:
dποχωρέω Q-Mt 7,23(gg. Lk von Q übernommen) *weg von mir!* (BAUER WB 202)
κρούω 7,7f(=Lk) *anklopfen* als Metapher des Bittgebets
    Mt 2 : Mk 0 : Lk 4 + 2 (NT nur noch Apk 3,20; LXX 4mal)
κρυπτός (GUNDRY 645)
    Mt 5 : Mk 1 : Lk 2 + 0 : Joh 3 (NT nur noch Pl 5mal; 1Pt 3,4)
        =(Mk bzw. Q 1) + (A-Mt 4)
10,26(=Mk) eröffnet bei Mt das Zentrum der Aussendungsrede. Da das *Unsichtbar-Verborgene* unter dem Vorzeichen der Verfolgung zu furchtlosem Bekennen aufruft, hat das Adj. zugleich die Konnotation des Sich *unter Verfolgung Verbergenden*. Im synoymen Parallelismus dazu steht dort das Pt.Pass. von
καλύπτω
    Mt 2 : Mk 0 : Lk 2 (NT nur noch 2Kor 4,3; Jak 5,20; 1Pt 4,8),
dessen Subj. 8,24(+Mk) die über das Boot gehenden Wellen sind, so daß damit ebenfalls klar die Lebensgefahr in Verfolgungssituation angespielt ist (RITZ EWNT 2,606). Auch von dieser Vorgängerstelle her ist in der Textsequenz diese Konnotation an der Folgestelle 10,26 her verstärkt in Anschlag zu bringen. Den hier dennoch gegebenen Auftrag zur *Veröffentlichung* hatte Mt mit dem Vorzugs-Vb.
κρύπτω (HAWKINS 1909:5; GUNDRY 645)
    Mt 7 : Mk 0 : Lk 3 + 0 : Joh 3 (NT noch Kol, 1Tim, Hebr 1mal, Apk 3mal)
        =(Mk 0) + (Q 1 + 6)
schon 5,14(+Q) red. eingeführt, wo der Stamm zusammen mit dem Bezugssubst. ϕῶς von 10,26(=Q) her dupl. eingeführt worden war. Auch bei der nicht verborgen bleiben könnenden Bergstadt ist die Konnotation der Verfolgung von 5,11f her vorgegeben. Auch in der Zustimmungserklärung Jesu dazu, daß Gott seinen Plan dieser bösen Generation *unsichtbar gemacht* hat (Q-Mt 11,25), ist der Rückbezug des Vb. auf Ablehnung und Verfolgung durch den voranstehenden Kontext evident.
    Dieser spezifisch mt semant. Gehalt ist auch bei der gehäuften Verwendung des Adj. in Kap. 6 zu veranschlagen, zumal der Verfolgungszusammenhang von 5,11f.14 in 5,38ff wieder aufgenommen wurde und somit präsent ist. Der mt Skopos von 6,1ff ist darum kaum: "Jesus gibt der Frömmigkeit die verlorene Keuschheit zurück, indem er sie ins Verborgene weist" (so OEPKE ThWNT 3,975). Der spezifisch mt Gegensatz zum "innerisraelitischen Ruhm" ist 6,4a vielmehr die Wohltätigkeit seiner Lesergemeinde unter den Bedingungen der Ablehnung und Verfolgung durch "Israel", also: *in der Solidarität der verfolgten Jesus-Schüler*, die Kap.5 eindeutig als von Israel abgehobene Gemeinschaft definiert hatte. Auch die zugeordnete Belohnungszusage 6,4b meint nicht "der in das Verborgene sieht" (so mit den meisten RITZ EWNT 2,800, weil dann wie Sir 23,19 εἰς zu erwarten wäre, während Sir

17,15; 39,19 diesen Gedanken mit ἀπό ausdrückt), sd. ist wieder mit dem
anaphor. Art. ausgezeichnet; wäre in 6,4 ein "der *es auch* im Verborgenen
sieht" (so BAUER WB 284) unter Absehung des spezifisch mt Kodes für das
Lexem noch denkbar (obwohl eine Diskrepanz bei der Obj.- Betonung in der
Übers. zu der Obj.-Auslassung im Ausgangstext unübersehbar ist), so wird
dies spätestens bei der Par. 6,6d fraglich, weil dort die Ortsangabe eindeutig anaphor. Wiederaufnahme des Gottesattributs von V.6c ist. Dasselbe
wiederholt sich in gleicher Weise auch V.18 mit dem variierten Adj.

κρυφαῖος
    Mt 2 (NT nur hier; LXX 4mal).
6,6.18 hat Mt den Aspekt des jetzt "verborgenen Gottes" in die Jesusüber-
lieferung eingeführt – und zwar mit deutlichem Sachbezug auf die Verfolgungssituation der Lesergemeinde. Das Adj. in 6,6 bezeichnet nicht
schlechthin den "im Verborgenen betenden Menschen", wodurch "hier das
Gebet als ein intimes Geschehen aufgefaßt" würde (so RITZ EWNT 2,800), sd.
ist Gottesprädikat, das dem "der in den Himmeln" des Kontextes von 6,2.9.14
genau entspricht: Es ist der im jetzigen Äon unter den Verfolgungen verborgene, aber mit letzter Sicherheit den kommenden Äon der Belohnung
heraufführende Gott. Im Wiederholungsfalle beider Verse ist die lokale
Wendung darum eine modale Näherbestimmung des Subj. (so übrigens auch
die gleiche präp. Wendung 4Makk 15,18) und des im übrigen auch gar nicht
wiederholten Obj.; die anaphor. Funktion des Art. ist dabei als Possessiv-
funktion zu nehmen: *in dieser seiner jetzigen Verborgenheit*, die ihm in
seiner Mitverwerfung mit den jetzigen Jesus-Schülern geschieht. Von 6,6.18
und dem vierfachen Gottesbegriff her ist dann auch die analoge Verwendung in 6,4b genauso zu fassen: der verborgene, weil von den Feinden der
Jüngergemeinde verworfene Gott, der aber bald den belohnenden neuen Äon
sichtbar heraufführt. Mt hat hier also 5mal das ihm spezifische Theologumenon eines "verborgenen Gottes" nicht im Sinne eines platonisierenden
Offenbarunsgbegriffs, sd. im Sinne eines ekklesiol. "sub cruce tectum"
eingeführt, das dem christol. Schema der Synopt. von Verwerfung und Rehabilitation analog ist. Vom 6maligen präzisen Gebrauch der lokalen Präp. ἐν
in Kap.6 her überrascht es dann auch nicht, daß 13,33 das intensivierende
Komp.

ἐγκρύπτω (NT sonst nie; LXX 7mal)
    gg. das Simpl. Q-Lk 13,21 (mit H-G 94; MARSHALL 561 gg. N-A urspr. LA,
da das Komp. sek. Parallelangleichung an Mt ist) in die Sauerteig-Allegorie
einführte. Als das entscheidende Schlüsselwort dieser Allegorie (PAMMENT
1981:220) macht es diese nicht zu einem bloßen "Doppelgleichnis" mit der
voranstehenden vom Senfkorn, sd. hat eine selbständige Aussage, sofern
nicht nur die Kleinheit, sd. eben die Verborgenheit in der Nicht-zur-Kennt-
nisnahme und der sich schon darin abzeichnenden oder daraus noch weiter
ergebenden Ablehnung, Abweisung und Verfolgung ausgesagt ist: Den meisten muß es nach dem Vorsehungsplan in diesem Äon verborgen bleiben.
Entsprach im Kontext der Rede 13,31f im wesentlichen V.3-9, so V.33 dann
V.10-17.
    Die Wichtigkeit wird durch die sofortige, anschließende Wiederaufnahme
des Pt.Pf.Pass. (vgl. 10,26) des Simpl. 13,35 als red. Einschub in das Erfüllungszitat LXX-Ps 77,2 unterstrichen, das hier mit der renominalisierten
Präp. ἐν(! = V.33) ⊁παραβολαῖς (im spezifisch mt Sinne dieses Wortes) synonym par. steht und durch das singuläre Vb. für *bekanntmachen*

ἐρεύγομαι (NT sonst nie; LXX 7mal; BAUER WB 610f)
    offenbar unterstrichen ist. Als Plur.Neutr. nimmt das Pt. damit zugleich
auch den red. Plur. von ⊁μυστήριον von 13,11 auf, der bei Mt "offenkundige
Lehren" meint (BARTH 1970:100). Diese mt Synonymität ist durch den überbrückenden Gebrauch des neutr.Plur. der Pro-Formen V.17 (doppeltes Relat.)

und V.34 (Demonstr. vgl. auch noch V.51) in der makrosyntaktischen Struktur klar gegeben.

Von diesen Vorläufern her ist auch die nochmalige red. Wiederaufnahme des Pt.Pf.Pass. in der Einleitung 13,44a zur allegorischen Kennzeichnung des "Schatzes" als eines *verborgenen* zu sehen, wobei außerdem das durch Vb.-Wiederholung V.44b (als weitere Dubl. von V.33 her) zugleich auch die Situation der gefährdeten Schüler-Gemeinde signalisiert.

Ein letzter doppelter Q-Zusatz findet sich in der red. Verwendung in der Talenten-Allegorie 25,18 (gg. H-G 229 ist hier mit N-A das Simpl. urspr. LA, da Mt die Abfolge von Komp. + gleiche Präp. meidet) und V.25. In dieser abschließenden Allegorie vom Bekennen und Verleugnen durch die Taten der Diener ihres Herrn ist deutlich zusammenfassend auf die früheren Verwendungen des Lexems angespielt: Das Versagen wird als Verstoß gg. 5,14 wie 10,26f klar kenntlich gemacht, wobei im Zusammenhang mit der Verwendung in der Israel-Sendungsrede auch die Unterscheidung von wahrer und falscher Furcht zusätzlich das Sem *Ablehnung/Verfolgung* konnotativ in Erinnerung rufen dürfte: Statt vor den Verfolgern fürchtet er sich vor seinem Herrn; doch er fürchtet sich auch nicht in der richtigen Weise vor seinem Herrn, so wie das Mt-Buch ihn vorstellte. Er hat also das ihm gegebene "Talent", das im Mt-Buch selbst besteht und ihn das richtige Verhältnis zu seinem Herrn lehrt, mißverstanden und steht damit auf der Seite der bisherigen Verlierer.

ἀποκαλύπτω
  Mt 4 : Mk 0 : Lk 5 + 0
    =(Mk 0 + 1) + (Q 3)
10,26(=Q) ist das Komp. als Antonym zum Simpl. (synonym zu ➤*γινώσκομαι* und *κηρύσσω*) von Mt zur Aufforderung der Verbreitung des mt Jesus-Konzepts (also der Buchveröffentlichung) gemacht worden (hier noch im Rahmen der eingegrenzten Sendung an Israel). Ziel ist eine reine Ipsissima-Vox-Frömmigkeit, die mit dem mt Buch-Konzept identisch gesetzt wird. 11,25.27(=Q) liefert dazu die Begründung: Was der Vater dem Sohn *veröffentlicht* hat, *veröffentlicht* dieser den von ihm Bestimmten weiter. 16,17(+Mk) dupl. Mt diese Q-Aussagen (HOLTZ EWNT 1,314) in der speziellen Adressierung an Petrus an der hervorgehobenen Stelle am Schluß des ersten Buchteils, bestimmt ihn darum zum *Offenbarungsmittler* - also zum Garanten des Buch-Konzepts, so daß damit ein weiterer Akt der Selbstkanonisierung des Buches vollzogen wird (SCHENK 1983c).

κτάομαι 10,9(+Mk/Q) *erwerben*
  Mt 1 : Mk 0 : Lk 3 + 3 (NT nur noch 1Thess 4,4
κτῆμα 19,22(=Mk) Plur. *Besitztümer*
  Mt 1 : Mk 1 : Lk 0 +2 (NT sonst nie; LXX 12mal)
κτίζω ➤*θεός*
κυλλός ➤*χείρ*
κῦμα ➤*βαπτίζω*
κύμινον ➤*δύο*
κυνάριον ➤*ἄρτος*
Κυρηναῖος 27,32(=Mk) Simon, aus der Cyrenaika (Nordafrika)
  Mt 1 : Mk 1 : Lk 1 + 3 (NT und LXX sonst nie)
κύριος I ➤*θεός*, *κύριος* II ➤*Ἰησοῦς*
κύριος III 26,63(+Mk) red. bewußt als götzendienerische Anrede des
  Pilatus durch Juden als singuläre Stelle stilisiert (vgl. ebenso die denunziatorische Formulierung bei ➤*κράζω*)
κύων ➤*ἁρπάζω*
κωλύω ➤*ἀφίημι* III
κώμη ➤*πόλις*
κώνωψ ➤*διυλίζω*

κωφός
> Mt 7 : Mk 3 : Lk 4 (NT sonst nie; LXX 13mal)
>   =(Mk 3 - 1) + (Q 3 + 2)

Die Hälfte der ntl. wie synopt. Belege sind mt, obwohl er die adj. Stelle Mk 9,25 ausließ: Alle mt Belege sind subst.; wegen der Häufigkeit des mt Gebrauchs von ↗Hören muß der Red. auf dieses Antonym Wert gelegt haben. Da sein semant. Gehalt "taub(-stumm)" jedoch komplex ist, hat schon Q ein doppeltes Antonym vorgegeben; einerseits 11,5 hören, andererseits 12,22a.b reden. Dabei markiert "reden" das noch gesteigerte Wunder der Heilung, weil die zweite Funktion von der ersten abhängt, so daß damit die völlige Heilung bezeichnet ist, wobei sich die Wundererzählung über den komplizierten Prozeß des empirischen Spracherwerbs kühn hinwegsetzte. Charakteristisch ist, daß der Red. 9,32f(+Q) bei der Heilungsdubl. zu 12,22 diesen stärkeren Ausdruck dupl., während seine typ. Steigerungsabsicht 12,22 durch die red. Zufügung von ↗blind zur Geltung brachte. Bei der dreitägigen Massenheilung vieler Nichtjuden auf dem Berg 15,30(=Mk) liegt die Steigerung zunächst in der Änderung des vorgegebenen Sing. in den Plur. und dann darin, daß im Chorschluß 15,31(=Mk) wiederum das stärkere Erfolgs-Antonym ↗λαλέω Reden-Können von 9,33 und 12,22 her direkt damit verbunden ist (so urspr. LA mit N-A und H-G) - in Abweichung zu den sonst vorgenommenen Angleichungen der Stelle an 11,5. Das Hörenkönnen ist als Heilungserfolg bei dem Redenkönnen immer eingeschlossen. Erst und nur Mt hat κ. in einen Sammeebericht eingebracht; die bloße Addition von Mk und Q genügte seiner Steigerungsabsicht selbst bei der Dupl. noch nicht. Damit fördert sein Illusionismus den Realitätsverlust bei seinen intendierten affirmativen Lesern.

λάθρα 1,19; 2,7 (NT noch Apg 16,37; Joh 11,28; LXX 8mal) Adv. heimlich

λαλέω (GASTON 1973:61; GUNDRY 645 - doch ohne die sek. LA 12,47)
> Mt 25 : Mk 19 : Lk 31 + 60 : Joh 60
>   =(Mk 19 - 8 + 8) + (Q 2 + 4)

Neben der 3maligen abs. Verwendung als Reden-Können für den Heilerfolg Jesu bei besessenen Taubstummen (Antonym ↗κωφός) 9,33(=Q) dupl. 12,22; 14,31(=Mk) vom bekennenden Reden der verfolgten Schüler 10,19a.b.20a(=Mk), dessen eigentliches Subj. V.20b(+Mk) der Geist eures Vaters in euch ist - gewissermaßen die mt Schlüsselstelle, in dem selbstreferentiellen Orakel 26,13(=Mk) über die beispielhafte Begräbnissalberin bezieht der Autor sein eigenes Buch ein. Dem dualist. Determinismus des Mt entsprechend signalisiert λ. bei den Gegnern 12,34b(=Q) dup. V.34a und 36(+Q) das entsprechend teuflisch inspirierte Reden gg. Jesus. Da schon die Heilung und das Reden des kafarnaitischen Taubstummen 9,33 durch V.32 als eine Art erweiterter Chorschluß an die Heilung der kafarnaitischen Blinden angeschlossen und durch sie verursacht ist, so entspricht das λ. V.33 ihrer Jesus-Bekanntmachung V.31; damit ist die Weiche gestellt, das λ. der Geheilten den Jünger-Stellen zuzuordnen. Indem andererseits das λ. der Familie Jesu 12,46b(+Mk) im Sinne eines ihn zur Rückkehr zu bewegen dem λ. Jesu V.46a(+Mk - 9,18 dupl.) direkt konfrontiert ist und auf die massierten definitorischen Stellen über die Gegner V.34.36 folgt, die durch Jesu λ. gerade direkt erinnert waren, so ist es deutlich in eine Reihe mit dem gegnerischen λ. gestellt.

    In der überwiegend narrativen Verwendung mit Jesus als Subj. und nachfolgendem Dat. der Angeredeten ist von der Schlüsselstelle 10,20b her darum ebenso das Element des inspirierten Redens anzusetzen. Mt hat den Gen. abs. der Redeausleitung über die direkte Übernahme 26,47(=Mk) hinaus (mit dem Rückweis auf das Orakel von der jetzt eintretenden Auslieferung) vervielfältigt:

(ἔτι) αὐτοῦ λαλοῦντος (GUNDRY 645)
> Mt 4 : Mk 2 : Lk 3

Die Einleitungsstelle 9,18(=Mk 5,35 permutiert) blickt ausdrücklich auf die Absage an die Täuferschüler zurück, die sich mit Pharisäern identifizieren, wie die Dubl. 12,46a auf Jesu Gegenerabweisung V.23ff; die weitere Dubl. 17,5(+Mk) blickt auf die Petrusreaktion auf die Epiphanie von Mose und Elijah zurück, wobei λ. von deren Komp. 17,3(=Mk) her, das offenbar deren Rede als den Vorsehungsplan bestätigend kennzeichnen soll, aufgenommen ist:

συλλαλέω
  Mt 1 : Mk 1 : Lk 3 + 1 (NT sonst nie; LXX 5mal).
Genuin mt Red. ist auch die von der LXX her (HÜBNER EWNT 2,828) geprägte Redeeinleitung (STRECKER 1971:209 n.1)
ἐλάλησεν (αὐ)τοῖς (...) λέγων
  Mt 4 : Mk 0 : Lk 0
in 13,3(+Mk); 14,27(=Mk Vb., doch Dat.); 23,1(+Mk mit nominalisiertem Obj.); 28,18.

    Die 13,34a.b(=Mk) zweimal vorgegebene Verbindung mit ≻παραβολή hat Mt stereotypisierend 13,3(+Mk).10(+Mk).13(+Mk).33(+Q) auf 6 Belege (mit Dat. der Person) erhöht (sonst nie im NT), wobei die bei Mk 4,1f synonyme Verbindung mit ≻διδάσκω wegen der mt Umkodierung dieses Vb. aufgehoben wurde, denn nach den Begründungen 13,13.34f geht es immer deterministisch um Verwerfungsrede, da die Gegner von vornherein nicht hören und sehen wollen und diese Redeweise nicht der Gesinnung, sd. nur dem Aufweis der Verstocktheit dienen. Allein-mt ist in dem Syntagma noch die 4malige Verbindung ἐν παραβολαῖς 13,3.10.13.34a. Die vom Geist seines Vaters und damit vom Vorsehungsplan inspirierte Rede des mt Jesus erweist Mt 13 die Gegner nach Mt 12 als vom teuflischen Anti-Pneuma besessen.
λαλία 26,73(+Mk – NT nur noch Joh 2mal) Redeweise (Dialekt) des Petrus
λαμβάνω (MORGENTAHLER 1973:181; GASTON 1973:76; GUNDRY 645)
  Mt 53 : Mk 20 : Lk 22 + 29 : Joh 46
      =(Mk 20 – 8 + 25) + (Q 3 + 6) + (A-Mt 7)
Das Vorzugs-Vb. hat bei Mt den 10. Rang (nach ἀποκρίνομαι und vor προσέρχομαι). Beliebt is bei ihm die Verwendung zur Beschreibung einer Vorbereitungshandlung im Pt.conj.
λαβών/-οῦσα/-όντες/-οῦσαι (GUNDRY 645)
  Mt 17 : Mk 6 : Lk 8
      =(Mk 6 – 1 + 7) + (Q 2) + (A-Mt 3)
"oft als Pleonasmus", "kann ein Semitismus sein (B-D-R 419,1.2), findet sich aber auch im Profangriech. (Hom; Soph) und wird einfach als mit wiedergegeben" (KRETZER EWNT 2,832): akt. 13,31.33(=Q); 14,19(=Mk); 21,35.39 (=Mk); 25,1.3a; 26,26a.27(=Mk); 27,6.7(+Mk).24(+Mk).48(+Mk).59(+Mk); 28,12 (+Mk); als Imp. 17,27; rezeptiv 20,11(+Mk).
    Beliebt ist bei Mt auch das subst. Pt.
ὁ λαβών/οἱ λαβόντες + Akk.-Obj.
  Mt 6 : Mk 0 : Lk 0
finanztechnisch im akt. Sinn von Steuereinnehmern 17,24 wie komplenym rezeptiv 25,16.18.20.24(+Q); 28,15(+Mk), wie überhaupt der Bezug auf Geld
  Mt 15 : Mk 1 : Lk 0
für Mt typ. ist, wie er nur 21,34(=Mk Ertrag des Weinackers) vorgegeben war und außer 28,15; 17,24f.27; 25,16-24 auch 20,9.10a.b.11 und 27,6.9 gehäuft eingeführt wurde (≻ἀργύριον). In der akt. Verwendung red. ist auch
συμβούλιον λαμβάνω (HAWKINS 1909:5.33; GUNDRY 648)
  Mt 5 : Mk 0 : Lk 0
Das Syntagma, das offenbar einen Latinismus darstellt (BAUER WB 919 consilium capere = nach der Beratung einen Beschluß fassen GRUNDMANN 548), ist zum von Mk vorgegebenen Subst. 12,14 und 27,1 durch das red. Vb. gebildet (beidemale mit adversativem ≻κατά) und 22,15; 27,7; 28,12(+Mk) dupl.

worden;
συμβούλιον
    Mt 5 : Mk 2 : Lk 0 + 1 (NT und LXX sonst nie)
        =(Mk 2 + 3)
synonym mit diesem Funktionsverbgefüge hat 26,4(+Mk) das bloße Vb.
συμβουλεύομαι
    Mt 1 : Mk 0 : Lk 0 + 1 : Joh 1 (NT nur noch Apk 3,18)
vom Subst. her für den entscheidenden Todesbeschluß des Synhedrions
dupl., so daß 27,1 nur eine bestätigende Wiederholung darstellt und für Mt
der offizielle Schluß von vor der Verhaftung feststand (WALKER 1967:45;
FISCHER 1970:120). Überhaupt sind es immer die Gegner in der mt einheitlichen jüd. Gegnerfront, für die dieser Ausdruck verwendet ist (STRECKER
1971:77; SCHNEIDER EWNT 3,686): Mt bringt also mit allen Stellen seine
Vorstellung zum Ausdruck, daß die jüd. Behörden in röm. Weise einen
offiziellen Gerichtsbeschluß faßten.
    Sonst λ. im aktiven Sinne: 5,40(+Q wegnehmen); 8,17(+Mk); 10,38(+Q Kreuz
aufnehmen); 13,20(=Mk einmalig Wort annehmen); Brot in die Hand: 15,26
(=Mk).36(=Mk); 16,5(=Mk) dupl. V.7.9f; 26,26(+Mk); Öl mitnehmen 25,3f; insgesamt in die Handnehmen, anfassen 17mal, davon 11mal red. (SENIOR 1982:
134); im rezeptiven Sinne empfangen 6mal von Gott her: 7,8(=Lk); 10,8(+Mk
Vollmacht V.1).41a.b Lohn von 19,29(=Mk) und 21,22(=Mk) her dupl..
λαμπάς, λάμπω →φῶς
λαός →γενεά
λατομέω 27,60(=Mk – NT sonst nie; LXX 9mal) in Stein aushauen
λατρεύω →ἀγαπάω
λάχανον →δένδρον
λεγιών 26,53(=Mk 5,9.19 permutiert) lat. Lehnwort (5 600 Mann)
    Mt 1 : Mk 2 : Lk 1 (NT und LXX sonst nie)
λέγω
    Mt 289 : Mk 202 : Lk 217 + 102 : Joh 266
nimmt unter den Vb. bei Mt (wie bei Mk und Lk) den 1. Rang ein; der Aor.
(Zahlen s.u. gesondert) ist wegen der mit dem Impf. bedeutungsgleichen
Verwendung (B-D-R 329) hier ebenso mit einzubeziehen wie die Formen von
ἐρῶ (s.u.).
λεγ(όμενος) (HAWKINS 1909:5.31; SCHMID 1931:153.162: HUMMEL 1966:112f;
    Mt 14 : Mk 1 : Lk 2 + 2 : Joh 8   GUNDRY 645)
        =(Mk 1 + 11) + (Q 0) + (A-Mt 2)
Das Pt.Pass. (s.u. auch Aor.Pass.) wird von Mt mit Vorliebe als Zusatz zu
Namensnennungen verwendet: übernommen für Barabbas 27,16(=Mk) und
dupl. für Jesus 1,16 wie 27,17.22(+Mk); für Petrus 4,18(+Mk; 10,2(+Mk);
Matthäus 9,9(+Mk); Judas 26,14(+Mk); Kajaphas 26,3(+Mk); ortsbezogen
Nazareth 2,23; Gethsemani 26,36(+Mk); Golgotha 27,33a.b(+Mk) – dazu für
Maria 13,55(+Mk) finites λέγεται.
λέγων (-όντες) (SCHLATTER 16f; JEREMIAS 1965:81; BARTH 129; GUNDRY 645)
    Mt 118 : Mk 36 : Lk 94
        =(Mk 36 – 18 [+21 Wurzelvorgabe] + 50) + (Q 4 + 11) + (A-Mt 14)
neben subst. Pt. 12,48(+Mk) nach einem finiten Vb. als Redeeinleitung ist
LXXismus (hebr. le'mor; B-D-R 420,1 – gelegentlich auch griech. Hdt 3,156;
5,36; nie bei Paulus; wo Mk unsemit. ein Obj. angeschlossen hatte, hat Mt
8,2; 16,13; 19,25 dies ausgelassen): Engel 1,20 und 2,13.20; Erfüllungszitate
1,22; 2,15.17; 3,3(+Mk); 4,14(+Mk); 8,17(+Mk); 12,17(+Mk); 13,14.35(+Mk);
15,4.7(+Mk); 21,4(+Mk); 22,31(=Mk); 27,9(+Mk); Himmelsstimme 3,17 und 17,5
(+Mk); Gott allegor. 21,37(=Mk) dupl. 22,4(+Q); Magier 2,2: Täufer 3,2(=Mk 1,7
permutiert).14(+Mk); Täuferschüler 9,14(=Mk Präs.); Sorgende 6,31(+Q); Bekennende 7,31(+Q); 27,54(+Mk); Schüler 10,7(=Q Präs.); 13,36(+Mk); 14,15(=Mk
Impf.).33(+Mk); 15,23(+Mk); 16,7(+Mk).22(=Mk 8,33 permutiert); 17,10(=Mk);

18,1(+Mk).26.28f(+Q);   19,25(=Mk);   20,11(+Mk);   21,20(=Mk Präs.);   24,3(+Mk).5
(=Mk);   25,9.37.44 dupl. von V.11(=Q mask.).20(=Q);   26,8(+Mk).17(=Mk Präs.).
70(=Mk); Bittende/Preisende 8,2(=Mk).6(=Q).25(=Mk Präs.).27(=Mk Impf.).29(=Mk
Präs.).31(=Mk);   9,18(=Mk).27(+Mk).33(=Mk 2,12 permutiert);   12,10(+Mk);   15,22.
25(+Mk);   17,15(+Mk);   20,30(=Mk Inf.).31(+Mk);   21,9f.15(+Mk); Gegner 12,38(+Q);
15,1(+Mk);   19,3(+Mk);   21,23(=Mk Präs.).25(=Mk);   22,16(=Mk Präs.).23.24(=Mk);
23,16(+Q);   26,48(=Mk).65(=Mk Präs.).68(=Mk Inf.).69(=Mk Präs.);   27,4(+Mk).11
(=Mk 15,4 permutiert).19(+Mk).23f.29(+Mk).40(=Mk).63(+Mk);   28,13; Jesus 5,2(Q
Impf.);   8,3(=Mk Präs.);   9,30(+Mk);   10,5(+Mk);   13,3.24.31(=Mk Impf.);   14,27.30
(+Mk);   16,13(=Mk);   17,9(+Mk).25;   21,2(=Mk Präs.);   22,1(+Q).42(=Mk Impf.);   23,2
(=Mk Impf.);   25,45;   26,27(+Mk).39(=Mk Impf.).42(+Mk);   27,46(+Mk);   28,9.18.
λέγει (-ουσιν) (LARFELD 1925:13.262; SCHENK 1975/6; GUNDRY 645)
    Mt 71 : Mk 73 : Lk 4
        =(Mk 73 – 54 + 36) + (Q 1 + 15)
Mt setzt die Redeeinleitung im Praes. hist. bewußt als makrosyntaktisches
Gliederungssignal ein (so auch Xenophon Anabasis vgl. HERMANN 1944 und
im Lat.), um christol. Höhepunkte im Erzählablauf der Handlung zu markieren. Unter diesem Aspekt übernimmt, permutiert, delitiert oder insertiert er
es vor allem gegenüber seinen Vorlagen. So wird es z.B: in dem Komposi-
tionszyklus Vollmachtsfrage + Allegorietrias bei der Vollmachtsfrage 21,23-27
nie verwendet, obwohl Mk es ihm hier als Vorlage bot, womit er signalisiert,
daß dieses Segment für ihn keine eigene Perikope darstellt, sd. reines
Einleitungsstück ist, während er es in den anklagenden heilsgeschichtlichen
Allegorien jeweils als Höhepunktsmarkierer 21,31a.b(+Q) wie 21,41f(+Mk und
V.45 referierend erinnert) und 22,8(+Q) und schließlich im kirchenbezogenen
Warnanhang 22,12. Dabei ist weiter die Verwendung an den ersten vier genannten Stellen im *Asyndeton* ein weiteres mt Merkmal (GUNDRY ebd.):
    Mt 27 : Mk 6 : Lk 0
        =(Mk 6 – 2 + 20) + (Q 0 + 3)
wie 9.28c(+Mk) dupl. 13,51f wie 17,25;   16,15(=Mk 8,29 permutiert);   18,22(+Q);
19,7f.10.18(+Mk).20(=Mk 10,23 permutiert);   20,7a.b.21.22(+Mk).23(=Mk 10,42
permutiert).33(+Mk);   22,21a.42f(+Mk);   26,25(+Mk).35(=Mk 14,30 permutiert).
64(+Mk);   27,22a.b(+Mk);
    ferner para- oder hypotaktisch 4,6.10(+Q).19(+Mk);   8,4(=Mk) dupl. V.7.
20.22(+Q).26(+Mk);   9,6(=Mk asynd.).9(=Mk).28b(+Mk).37(+Q); auch die Allegorie
11,17-19(=Q) ist im formalen Gleichklang der 3 red. Endungen bewußt daraufhin stilisiert;   12,13(=Mk asynd.).44(=Q);   13,28(+Mk);   14,17(=Mk).31(=Mk
6,50 permutiert);   15,12.33(+Mk).34(=Mk 8,2 permutiert);   17,20(=Mk 9,19 permutiert);   18,32(+Q);   20,6.8;   21,13(Mk Impf.).16.19(+Mk);   22,20(=Mk).21b(+Mk);
26,31.36.38.40.45(=Mk).52(+Mk).71(Mk Inf.);   27,13(+Mk);   28,10.
λέγω ὑμῖν/σοι (GUNDRY 645)
    Mt 63 : Mk 16 : Lk 45
        =(Mk 16 + 16) + (Q 13 + 18)
Die explizit performative Verwendung in der dir. Rede hat Mt (außer 3,9 für
den Täufer) immer für Jesus und spezifisch mt in der Verbindung mit↗
ἀμήν (GUNDRY 641)
    Mt 31 : Mk 13 : Lk 6 + 0 : Joh 50
        =(Mk 13 – 3 + 2) + (Q 1 + 10) + (A-Mt 8)
Aus Mk hat es Mt nicht nur – wie man gemeinhin annimmt – 9mal übernommen (KUHN EWNT 1,166-8), sd. neben den offenkundigen Übernahmen 10,42
(=Mk 9,41 – doch versetzt Mt hier die Formel in eine Parenthese); 16,28;
18,3;   19,28); 21,21; 24,34; 26,13.21.34 ist auch noch 24,2 als versetzte
Übernahme von Mk 12,43 anzusehen und blieb als Relikt der Perikope und
als Jüngeranrede, da dieses Zwischenstück von Mt wegen der durchlaufend
komponierten Gerichtsrede ausgelassen werden mußte (WALKER 1967:67f).
    Mk 3,28 wie 8,12 gegenüber hat Mt (wie Lk, der es ohnehin nur Christen

gegenüber beläßt: O'NEILL 1959) *Amen* ausgelassen, da die entsprechenden, auch bei Q vorhandenen Sprüche ohne diese Einleitung waren und außerdem Anrede an die Gegner vorliegt, für die Mt es meidet (die Ausnahme 21,31 hat spezielle Gründe, da dort eine verstockende Gerichtsrede vorliegt; 23,36 sind sie nur fiktive Adressaten als Zweitpublikum) und es vorzugsweise in Jüngeranreden verwendet. Die Auslassung aus Mk 14,25 in Mt 26,29 (wie Lk) dürfte damit zusammenhängen, daß sich die mt Verwendungsweise nicht mehr auf eschatol. Aussagen überhaupt wie bei Mk bezieht, sd. speziell auf eschatol. *Lohn- und Strafansagen* konzentriert (HASLER 1969:126-37; BERGER 1970:71-86).

Der Zusatz 19,23 (+Mk 10,23) wurde angebracht, um die Jüngerlehre als Anwendung des Gesprächs mit dem Reichen einzuleiten und weil es sich um einen Spruch vom lohnenden "Eingehen in das Reich" (wie 18,3; 21,31) handelt. Der Zusatz 17,20 (+Mk 9,29) bringt wiederum als Jüngerbelehrung die Quintessenz (diesmal der Heilung des *Mondsüchtigen* vgl. 8,10), für die Mt außerdem den Q-Spruch (Lk 17,6) verwendet (man kann darum diese Stelle außer als Zusatz zu Mk auch als Zusatz zu Q zählen und werten). Zugleich liegt hierbei noch mt Dubl.-Bildung vor, da das *Amen* offenbar aus der Par. zu Q in Mk 11,22f(=Mt 21,21) übernommen ist. Ein Dubl.-Einfluß der gleichen Mk-Stelle ist auch Mt 18,19 anzunehmen, wo auch das Gebetsmotiv aus dem Mk-Spruch verwendet ist. Eine dritte mk Dubl. ist an der ersten Stelle bei Mt 5,18 erkennbar, sofern dort der Spruch Q-Lk 16,17 mit Elementen von Mk 13,30(=Mt 24,34) zu einer neuen Aussage verbunden ist. Schließlich ist eine mt Vervielfältigung von Mk 11,22f auch Mt 10,23 anzunehmen, da dieser Satz nicht nur die vorangehende, aus Mk 9,9-13 versetzte Passage zusammenfaßt, sd. weil die Amen-Formel bei Mt nur hier wie bei Mk 11,22f erst *zwischen* der Protasis und der Apodosis steht und sachlich eine entsprechende, negative Aussage (unter Aufnahme von Mt 10,14f) über das Verhalten zu Israel vorliegt.

Als sicherer Q-Beleg ist 24,47 zu werten, da Q-Lk 12,44 an dieser Stelle nicht nur das Äquivalent ἀληθῶς hat, was er sonst nur noch Lk 9,27 und 21,3 jeweils statt des mk *Amen* (Mk 9,1; 12,43) verwendet (also an allen seinen drei Stellen funktionsgleich substituiert), sd. vor allem, weil Lk 12,37 dupl. die für Q kennzeichnende Verbindung von Makarismus + Amen-Wort (BERGER 1970:82-6) versetzt vorweggenommen hat. Darum hat man gerade nicht "auf jeden Fall mit zwei verschiedenen Q-Vorlagen zu rechnen" (gg. ebd.94). Dgg. ist die zweite als wahrscheinlich für Q angenommene Stelle Mt 23,36 (ebd.; KUHN EWNT 1,167) wohl auszuschließen, da Lk 11,51 hier ναί λέγω ὑμῖν hat, was Mt 11,9(=Lk 7,26) übereinstimmend für Q bezeugt, wie ebenso bloßes ναί im Gebet 11,26(=Lk 10,21), und Lk außerdem nie *Amen* durch ναί ersetzt (Lk 12,5 typischerweise vor einem Imp. ist Dupliz. von 11,51 und entspricht den analogen Redeverstärkungen, die 12,4.5a vorangehen) und außerdem ναί für Mt (9 : 1 : 4 + 2) noch kennzeichnender ist als für Lk, so daß dieser es nicht ersetzt haben dürfte. Darum ist *Amen* Mt 23,36 zusammen mit den anderen Abänderungen dieses Verses, die an den vorangehenden V.35 anknüpfen, sicher red., weil Mt in einer für ihn typ. Weise gerade die *Strafansage* verstärkt.

Sicher liegt mt Red. bei den Q-Logien vor, die auch bei Lk ohne eine explizit-performative Redeeinleitung überhaupt bezeugt sind: 5,18(=Lk 16,17, wo Mt Mk 13,30 dupl.); 19,28(=Lk 22,28-30 - offenbar das Schlußwort von Q, das Mt in den Mk-Zusammenhang hineinnahm); 25,12(=Lk 13,25, wo Mt es allegor. einer Gleichnisperson in den Mund legt; SCHENK 1978:283).

Eine Grauzone der traditionsgeschichtlichen Analyse liegt in den 6 Logien aus Q vor, bei denen Lk zwar die explizit-performative Redeeinleitung, jedoch nur Mt ein zusätzliches *Amen* hat: 5,26(=Lk 12,59 - in Q die Anwendung des Abschlußgleichnisses der Endzeitrede, bei Mt zum eth. Beispiel geworden); 8,10(=Lk 7,9 - mt die lehrhafte Quintessenz der Heilungs-geschichte für die Nachfolgenden); 10,15(=Lk 10,12 - begründende Endzeit-belehrung nach zwei antithetisch zueinander formulierten Konditionalsätzen); 11,11(=Lk 7,28 als Schluß der Bewertung des Täufers, der das ναί von V.26 überbietet und darum kaum die Kurzfassung gewählt haben dürfte); 13,17 (=Lk 10,24 - in Q buchtechnische Legitimation der Q-Redaktoren als Offen-barungstradenten und insofern Höhepunkt und darum sicher urspr. mit *Amen* formuliert, zumal hier ein Amen-Wort nach einem Makarismus wie in dem sichersten Q-Amen-Wort 24,47 vorliegt); 18,13(=Lk 15,7 bringt die Gleichnisanwendung wie 12,59 und ist darum ebenso wie dort zu beurteilen, wo es für BERGER 1970:77 n.61 urspr. erscheint).

Nun hat zwar auch Q - selbst wenn man von der Täuferstelle Mt 3,9(=Lk 3,8) absieht - auch bloßes λέγω ὑμῖν in 6,29(=Lk 12,27 - doch mit bloßem Hinweis auf Salomos Pracht, während auf das Q-Mt 6,26/Lk 12,22 voranste-hende, in Q einmalige διὰ τοῦτο λέγω ὑμῖν ein Imp. folgt) und 23,39(=Lk 13,35 - hier für eine eschatol. Belehrung; dgg. dürfte die Mt 26,29/Lk 22,18 gemeinsame Reduktion von *Amen* gegenüber Mk 14,25 wohl nicht auf eine gemeinsame Q-Vorlage weisen). Doch wie diese Auflistung zeigt, ist das selten. Veranschlagt man andererseits, daß Lk schon Mk gegenüber nicht nur *Amen* 8mal reduzierte und 2mal ersetzte und auch Q gegenüber 1mal eine analoge Ersetzung vorkam, so ist eine entsprechende quantitative Reduktion wohl auch im Q-Stoff anzunehmen. Von den 8 Auslassungen des Lk gegenüber Mk ist neben Lk 22,18 auch 22,34 eine vergleichbare Reduk-tion auf bloßes λέγω. Darüber hinaus ist nicht von der Hand zu weisen, daß die von Mt 17,20 dupl. und 18,19 wie 10,23 variierte Amen-Formel von Mt 21,21 in Mk 11,23 noch aus Q erhalten sein könnte (SCHENK 1979).

Nur bei Mt findet sich die Amen-Einleitungs-Formel außer an den schon genannten Stellen 10,23 und 18,19 (gg. KLOSTERMANN 150 ist *Amen* hier mit LAGRANGE 356; GRUNDMANN 420 als urspr. anzusehen, da ⊁πάλιν mt immer gleiches anreiht) hier unmittelbar voranstehend 18,18 (was als Wiederauf-nahme von 16,19 über die 16,17-19 wieder aufgenommene Verbindung von Makarismus + explizit-performative Redeeinleitung auf Q-Mt 13,16f zurück-weist, so daß hier Q-Mt 13,17 dupl. ist). 6,2.5.16 wird jeweils nach kondit. Protasis die eschatol. Strafansage der Apodosis (wie 10,23.42; 18,13 und - da auch der Makarismus eine kondit. Protasis darstellt - funktions-gleich ebenso 13,17; 24,47) als Parenthese (BEYER 1968:193) die Amen-Ein-leitung eingeführt, womit 8malige *Parenthese* als mt Stilmerkmal erscheint, die deutlich darauf hinweist, daß bei den Konditionalsätzen auf der Apodosis der Ton liegt (BERGER 1970:35,153-6 gg. HASLER 1969, der durchgehend paränet. interpretierend die imp. Aufrufe damit verstärkt sehen wollte). 25,40.45 leitet die Formel antithet. die endgültige Lohn- bzw. Strafbe-gründung ein.

11mal dient Mt also die Formel dazu, die Kompetenz Jesu, in seiner Heils-plankenntnis *Gerichtsaussagen* zu machen, zu bekräftigen: 5,26; 10,42; 18,3.13. 18; 19,23.28; 24,47; 25,12.20.45 (BERGER ebd.33f.76-9); dazu tritt 10mal speziell die Ansage der *Verurteilung Israels* in Gestalt seines Endge-richts in der Zerstörung Jerusalems: 6,2.3.16; 8,10-12; 10,15.23; 21,21.31; 23,36; 24,2. Immer meint *Amen* bei Mt: *als der zuverlässige Kenner des ver-borgenen Gottesplanes offenbare ich euch*.

Drittes mt Stilkennzeichen ist die *Verbindung* der Formel mit γάρ (4mal), das 13,14(=Q) übernommen ist, doch von Mt schon an seiner ersten Stelle 5,18 steht (und zwar dort nach dem ἦλθον-Wort in V.17 als der ersten Selbstaussage des mt Jesus; ihr schließt sich V.20 die gleiche Wendung ohne *Amen* an, die Mt außer 3,9 für den Täufer noch 18,3; 23,39 hat. Sie ist wohl als anaphor. Ellipse im Filler stillschweigend zu ergänzen); weiter 10,23; 17,20.

Dieses kausale semant. Element kann aber syntaktisch auch durch das *kausale Asyndeton* ausgedrückt werden. Da zu den ἀμὴν γάρ-Stellen auch die Parenthesen 10,23; 13,17 gehören, so sind auch die restl. 6 Parenthesen kausal zu verstehen und entsprechend zu übersetzen (6,2.5.16; 10.42; 18,13; 24,47) - sowie auch die Stellen, die nicht auf eine direkte Redeeinführung unmittelbar folgen: 16,28 wird die Redeunterbrechung aus Mk 9,1 extra weggelassen, wodurch die Amen-Formel zum kausalen Asyndeton wird. Ebenso wird 26,13 das bei Mk 14,9 einmalige δέ weggelassen, wodurch wiederum ein solches kausales Asyndeton entsteht. Ein solches liegt auch 5,26; 10,15; 11,11; 18,18; 23,36; 24,2.34 vor - also insgesamt 15mal als ein viertes mt Stilkennzeichen dieser Wendung.

7mal leitet bei Mt die Amen-Formel vorhersagend eine gewisse Zukunftsaussage mit οὐ μή + Konj.Aor. ein: 10,42(=Mk 9,41); 24,2(diff. Mk 13,2), wobei 5mal noch der zugehörige Endpunkt mit mt ⊁ἕως ἄν angeschlossen ist; 5,18. 26(=Q); 10,23; 16,28(=Mk); 24,34 (wobei Mk 13,30 formal standardisiert wird; dgg. steht Q-Mt 23,39 diese doppelte Temporalwendung ohne Amen, was aber als anaphor. Ellipse anzusehen ist).

Sechstes mt Verwendungsmerkmal ist der Gebrauch der Amen—Formel in Gleichnisschlüssen. Auch wenn es diesbezüglich 5,26 und 18,13 wie 24,47 als allegor. Zug schon übernommen wurde, so ist doch die red. Erweiterung in 21,31 (vgl. V.43 analog mit διὰ τοῦτο) und 25,12 offenkundig (HASLER 1969: 93ff; BERGER 1970:33f; SCHENK 1978:283).

Die Formel ist also ein wesentlicher Ausdruck des biographischen Legitimationsprogramms des Autors, seinem eschatol. Konzept durch die historisch gemeinten Vorhersagen seines Jesus eine höhere Legitimität zu verleihen. Immer geht es um *Vorhersagen* und nie um Imp., und auch bei den Konditionalsätzen - selbst bei denen in der 2.Person - liegt der Ton auf der Apodosis. Zu übers. wäre dann an allen mt Stellen: *entsprechend meiner kompetenten Einsicht in den Plan Gottes sage ich euch voraus.*

Gesteigert hat Mt λέγω auch in den 6 Belegen mit redundantem ⊁ἐγὼ δέ 5,22-44 im Sinne von *Befehlen* (WINDISCH 1929:49) (dazu 16,18[+Mk] κἀγώ; 21,27 οὐδὲ ἐγὼ λ.ὑ.[=Mk]); statt dessen auch

λέγω ⊁δὲ ὑμῖν (ὅτι) (SCHALLER 1970:230)
   Mt 8 : Mk 0 : Lk 3 (Lk 12,4.8 von V.27 her dupl.)
Jesus 6,29(=Q); 8,11(+Q Amplifizierung von Amen V.10); 12,6(+Mk).36(+Mk dupl. von V.31); 17,12(=Mk statt ἀλλά); 19,9(=Mk statt Präs.hist.); 26,29(=Mk statt Amen nur hier ohne ὅτι) bzw. noch 19,24 πάλιν δὲ λ.ὑ. (=Mk statt Präs.hist., Amplifizierung von Amen V.23 vgl. 18,18f)

λέγω ⊁γὰρ ὑμῖν ὅτι
   Mt 5 : Mk 0 : Lk 1
Täufer 3,9(=Q); Jesus 5,18(Amen).20(+Q); 18,10(+Q); 23,39(=Q als Amplifizierung von Amen V.36);

⊁διὰ τοῦτο λέγω ὑμῖν
   Mt 3 : Mk 1 : Lk 1
Jesus 6,25(=Q); 12,31(=Mk statt Amen); 21,43(=Mk 11,24 permutiert);
ναὶ λέγω ὑμῖν Jesus 11,9(=Q); bzw.
οὐ λέγω σοι Jesus 18,22(+Q)
πλὴν λέγω ὑμῖν Jesus 11,22.24(+Q); 26,64(+Mk).
λέγω ὑμῖν (ohne Konjunktion, Adverb oder Pronomen) Jesus 10,27(+Q mit Akk. der Sache).

Im Zusammenhang mit der explizit performativen Verwendung des Vb. in Selbstaussagen Jesu in ihrer Steigerung zum Ausdruck des ipsissima vox Konzepts des Mt steht auch die Verwendung des Subst. für Worte Jesu im Plur. 7,24(=Q).26(+Q).28(+Q) rückblickend *diese Befehle* der Grundsatzrede bezeichnend wie 19,1(=Mk 10,24 permutiert); 24,35(=Mk); 26,1(=Mk 8,38 permutiert als Zusammenfassung von 21,18-25,46):

λόγοι Jesu (GUNDRY 645)
  Mt 6 : Mk 3 : Lk 7
     =(Mk 3) + (Q 1 + 2) – vgl. insgesamt:
λόγος
  Mt 33 : Mk 23 : Lk 33 + 65 : Joh 40
     =(Mk 23 – 9 + 6) + (Q 3 + 10)
An die ersten drei Plur.-Stellen ist auch der Sing. für Befehle Jesu 8,8(=Q)
dupl. V.16 angeschlossen und analog dazu meint auch 15,23(+Mk) das vorübergehend verweigerte Befehlswort; darüber hinaus generell verwendet
13,19(=Mk ergänzt durch τῆς ≯βασιλείας im Sinne von 4,17) und V.20.21.
22a.b.23(=Mk) verkürzt remoninalisiert wie 15,12(+Mk) und 19,11(+Mk).22(=Mk)
im konkreten Anwendungsfalle dupl.; da auch die mt Schüler nur dieselben
Worte weitergeben, konnte 10,14(+Mk) auch für sie der Plur. von 7,24.26.28
renominalisiert werden. Wegen der Identität Jesu mit der Schöpfungsordnung konnte 15,6(=Mk) *Wort Gottes* übernommen werden. 26,44(=Mk) ist
die Gebetswiederholung im gleichen *Wortlaut übernommen* wie 21,24(=Mk) *eine
Frage an die Gegner richten*. In der 3maligen red. kommerziellen Gerichtsmetapher bezeichnet es 18,23(+Q) wie 25,19(+Q) *Abrechnung halten* wie
12,36(+Q) *Rechenschaft geben*, wobei nach V.37a.b(+Q) Worthandlungen der
Maßstab des Lohns wie der Verurteilung sind. Das negative Urteil ist dabei
paradigmatisch veranlaßt durch die 12,32(=Q) voranstehenden Lästerreden
gegen Jesus, wie sie 22,15(=Mk) erneut exemplifiziert und 28,15 red. als bis
in die Gegenwart laufend behauptet, während 22,46(+Mk) überhaupt eine abschließende Unfähigkeit der Gegner zur Antwort ergänzt. 5,32(+Q) meint es
Sachverhalt.

εἶπον
  Mt 181 : Mk 83 : Lk 294 + 124 : Joh 204
     =(Mk 83 – 40 + 92) + (Q 18 + 19) + (A-Mt 9)
Die mt Steigerung ist nicht primär durch Q veranlaßt, sd. dadurch, daß er
Impf. oder Präs.hist. ersetzt und häufiger die dir. Rede einführt. Obwohl er
ein Dat.-Obj. öfter den Vorlagen gegenüber ausläßt, hat er es 95mal nachgestellt (nur 3,15 ziehen N-A wie H-G gg. B pc einmaliges πρός vor), und
die 10 Voranstellungen finden sich meist in dir. Rede: 8,4(Imp.=Mk); 16,20
(+Mk); 17,9(+Mk Imp.); 20,4(adversativ bedingt); 21,3 = 24,23(=Mk); 21,21(=Mk
doch umgestellt); 25,8; 26,63(Imp.); mit ἀποκριθείς 20,13 wie 21,27(+Mk umgestellt). Insgesamt folgt es 43mal als Redeeinleitung nach ≯ἀποκριθείς.
  Innerhalb der 51 Belege in der dir. Rede ist es mehrfach auch metakommunikativ zur Einleitung einer referierten dir. Rede verwendet: 5,22a.b(+Q);
9,5a.b(=Mk); 13,27(+Mk); 15,5(=Mk); 19,5(+Mk Schriftwort als Gottes direkter
Befehl); 21,25f(=Mk); 22,13(+Q).24(+Mk Mose Schriftwort).44(=Mk Gott/
Schriftwort); 23,39(=Q); 24,23(=Mk) dupl. V.26(+Q).48(=Mk); 25,8.12.22.24.26
(+Q); 27,43(+Mk).63f; 28,6(=Mk).7b(+Mk); weiter im Imp.: 4,3(=Q); 10,27(=Q);
18,17(+Q); 20,21b(=Mk permutiert); 21,5(+Mk); 22,4(=Q).17(+Mk); 24,3(=Mk);
26,18b(=Mk); 28,7a(+Mk).13; ferner 2,13; 5,11(+Q); 8,4(=Mk); 12,32a.b(+Q); 17,9
(+Mk); 21,3(=Mk).21b(=Mk).24b(+Mk); 23,3(+Mk *vorlesen* nach 22,24); 26,63b
(+Mk).25=64(+Mk *ja*; LÜDEMANN EWNT 1,956 mit WETTSTEIN 1,518a und BILL
1,990f gg. BAUER WB 448).
  Von der inneren Rede (*Denken*) gebraucht 24,48 das semit. Syntagma (*im
Herzen*), was 9,3(+Mk) und 21,38(=Mk) mit dem Pron. stärker hell. haben.
εἴρω/ἐρῶ (HAWKINS 1909:5.7.31f; ALLEN LXIf; MORGENTHALER 1973:181;
  Mt 30 : Lk 19 + 7 : Joh 6   GUNDRY 643)
     =(Mk 2 + 12) + (Q 0 + 6) + (A-Mt 10)
Nur Mt hat für die Gottesrede 13mal das subst. Pt.Aor. und 6mal ἐρρέθη
≯γράφω (STRECKER 1971:50); an den restl. 11 Stellen sind die Fut. im Munde
der Schüler referiert 7,4(+Q zum Mitschüler).22(+Q zum Weltenrichter); 17,20
(+Q) bzw. Jesu selbst eschatol. 13,30(+Mk) und 25,34.40f als unmittelbar λέγω

konditionierte Vorhersage an die Schüler 21,3(+Mk) bzw. Gegner 21,24f (=Mk) bzw. im Autorkommentar an ein Orakel Jesu erinnernd im Pt.Pf. 26,75 (+Mk) zusammen mit dem Obj.

ῥῆμα (GUNDRY 648)
    Mt 5 : Mk 2 : Lk 19 + 14 : Joh 12
      =(Mk 2 - 1 + 1) + (Q 0 + 3)

dupl. 27,14(+Mk) für die Verweigerung Jesu gegenüber Pilatus (während es für das Orakel Mk 9,32 nicht übernommen wurde); 4,4(+Q Zitat Dt 8,3 für Gottes Wort); 12,36(+Q für Lästerung); 18,16(+Q Zitat Dt 19,15 Rechtssache; RADL EWNT 3,507).

ἀποκρίνομαι (GUNDRY 642)
    Mt 55 : Mk 30 : Lk 46 + 20 : Joh 78
      =(Mk 30 - 18 + 26) + (Q 3 + 8) + (A-Mt 6)

In nicht-partizipialer Form (finit. außer 22,46 Inf.) hat es
    Mt 10 : Mk 15 : Lk 8 + 14

Das ist nicht auffällig beim Bericht von verhinderten, verneinten Antworten: 15,23(=Mk 7,28 permutiert zur vorübergehenden Antwortverweigerung Jesu); 22,46(+Mk) ist die Antwortunfähigkeit der Gegner das Schlußwort des Erzählers zu den öffentlichen Auseinandersetzungen überhaupt; 26,62(=Mk) in der Aufforderungsfrage des Priesterfürsten an Jesus, sein Schweigen aufzugeben. Vom weiteren Schweigen Jesu vor Pilatus 27,12(=Mk 14,61 permutiert, da einmalig in med. Form und mit Akk.Obj.).14(=Mk). Synonym σιωπάω schweigen 20,31(=Mk Bittruf unterlassen); 26,63(=Mk Antwort weigern)
    Mt 2 : Mk 5 : Lk 2 + 1 (NT sonst nie)

Bei den rhetor. Schulübungen in Kontroversen gehörte die Bearbeitung der Aufgabe, jemand gebe auf eine Frage keine Antwort, zum festen Repertoire (Quint 4,2,92) und war darum biographischer Topos.

Kennzeichnend für mt ἀ. ist indessen die andere Hälfte der Stellen, bei denen der finiten Vb.-Form ein Pt. eines lokutionären Verbs folgt:
    Mt 5 : Mk 1 : Lk 1 (Lk 3,16; gg. GUNDRY 642 hat es Mt nicht 6mal)
12,38(+Q) für einen Widerspruch der jüd. Lehrer; die rest. Stellen in der Allegorie 25,9 wie V.37.44.45 anschließend assoziativ multipl. in der Gestaltung der Urteilsverkündung im Völkergericht. Die Pilatus-Stelle Mk 15,9 hat Mt nicht übernommen.

Die restl. Stellen haben alle den LXXismus ἀποκριθεὶς εἶπεν (bzw. 8,8 beim Zenturio ἔφη; 25,40 das Fut. ἐρεῖ im Vorhersage-Text), der außerhalb der Synopt. nie verwendet ist (auch nicht bei Joh; JEREMIAS 1977:82 n.1). Wenngleich die Elemente teilweise vorgegeben sind, so ist das Syntagma als solches bei Mt meist red. und offenbar nur an zwei Stellen von den Vorlagen direkt übernommen: 11,4(=Q) und 19,4(=Mk 10,2 in der von Mt besonders stereotypisierten Pro-Form, die er dgg. bei Mk 6,37 verkürzte, da es sich nicht um einen wichtigen Entscheidungssatz Jesu handelte, sd. um eine situationsbegrenzte Aussage):
    Mt 45 : Mk 10 : Lk 30

Dabei ist Jesus nicht Handlungsträger in folgenden 13 Fällen: 8,8(+Q - in dem Bescheidenheitsausdruck des Centurio, der damit nichtsdestoweniger eine grundsätzliche Aussage macht); 6mal Petrus: 14,28(+Mk - mit der wohl offenbar analogen und ebenso als vorbildhaft hervorgehobenen Aussage, die von Jesus einen Befehl erbittet); 15,15(+Mk - Bitte um Parabel-Erklärung); 16,16(=Mk - als Sprecher der Christus-Prädikation); 17,4(=Mk - als der, der die Reaktion auf die Epiphanie artikuliert); 19,27(+Mk - im positiven Sinne die Nachfolge als Gabe Gottes bestätigend); 26,33(+Mk - Erklärung der Standhaftigkeit); die Beistandserklärung des Engels 28,5(+Mk); bewußt sequentiell auch eingesetzt in den negativen Verwendungen für die Gegner in Jerusalem: 21,27(+Mk) ironisch zur Unwissenheitserklärung der jüd. Führer; 26,25(+Mk) zur ironischen Markierung der Verlogenheit des Judas; 26,66

(+Mk) bewußt für die regelrechte Verurteilung Jesu wie zur Betonung der Entscheidungsfrage des Pilatus 27,21(=Mk) und der Erklärung der Verantwortungsübernahme durch das ganze Volk 27,25(+Mk). An keiner dieser Stellen dürfte das Syntagma zufällig stehen, sd. vielmehr immer eine *betonende* Leserorientierung bieten wollen, also ein textpragmatisches Signal als Wichtigkeitshinweis darstellen.

Dasselbe gilt erst recht für die Stellen, an denen *Jesus Subj.* ist: 3,15(+Mk) beim *ersten öffentlichen Wort* des mt Jesus mit Weisungscharakter und Begründung wird die *volle* Wendung eingeführt:

ἀποκριθεὶς δὲ ὁ Ἰησοῦς καὶ εἶπεν

Mt 14 = (Mk 2 + 7) + (Q 1 + 3) + (A–Mt 1),

die zugleich einen Widerspruch ausdrückt; sie wird wiederholt 11,4(=Q mit καί statt δέ) mit Befehl, Begründung und generellem Konditionalsatz; 11,25 (+Q mit "zu jenem Zeitpunkt" statt δέ) zur Einleitung des Offenbarungsspruches mit der angeschlossenen verbindlichen Einladung der erschienenen Weisheit Gottes; 15,28(+Mk mit τότε statt δέ) als Schlußwort an die Kanaanäerin mit der mt Glaubensformel und in Aufhebung der anfänglichen Anwortverweigerung V.23; 16,17(+Mk) zur Einsetzung des Petrus als Offenbarungsmittlers (und Traditionsgaranten des mt Buch-Konzepts); 17,17(=Mk) Klage Jesu über die Unfähigkeit der Seinen und Befehl, den Kranken zu ihm zu bringen; dann gehäuft an den drei aufeinanderfolgenden Stellen 20,22 (+Mk zur Korrektur der falschen Zebedaiden-Bitte als der paradigmatischen Richtigstellung falschen Betens); 21,21(=Mk über richtiges Beten). 24(+Mk – Gegenfrage zur Torheitsfrage nach der christol. Vollmacht, die seit 11,27 ja klar beantwortet ist im Zuge der Tatfestellung der Verwerfung Jesu durch die Juden); 22,1(+Q für die Allegorie, die ein Gerichtsurteil über die Juden darstellt – durch die variierte Einleitung zugleich für die voranstehende Texteinheit geltend).29(+Mk für Jesu Gesamtantwort an die Sadduzäer, die mt ja auf das Endgericht bezogen ist); 24,4(+Mk für die gesamte Endzeitrede Kap. 24–25); es verwundert darum nicht, daß die darin enthaltene letzte Allegorie 25,26(+Q) genau diese Redefigur für das *Schlußwort* als Gerichtsurteil verwendet und in dieser feststehenden Wendung nur *Jesus* durch *Herr* ersetzt; dasselbe wird 25,40 analog (*König* statt *Jesus*) wiederholt für die positive Urteilsbegründung im Amen-Satz. So lassen diese Stellen wiederum eine bewußte Verwendung erkennen, die besonders die *Normativität* und *Judikabilität* dieser Jesus-Worte unterstreichen.

Typ. mt ist auch das Auftreten der text-semant. *Pro-Form* dafür

ὁ δὲ ἀποκριθεὶς εἶπεν

Mt 18 : Mk 2 : Lk 3

=(Mk 3 + 9) + (Q 2 + 3) + (A–Mt 1),

die abgesehen von den beiden Allegorie-Stellen 20,29f(+Q für die Söhne) immer für *Jesus* steht: 4,4(=Q) für Jesu Widerspruch gg. den Satan mit Bekräftigung des Rechtssatzes Dt 8,3; 12,39(+Q) und 16,2(+Mk) als Widerspruch gg. die Zeichenforderung der Trabanten Satans zur Einleitung der Gerichtsworte; 12,48(=Mk zur verstärkten Definition der wahren Verwandten); 13,11(+Mk gegensätzlicher Rechtsstatus der beiden Auditorien der Parabelrede.37(+Mk Rede zu den Schülern über die Gerichtsereignisse und ihr Verhalten bis zum Völkergericht); 15,3(+Mk mit N-A gg. H-G 120 - Anklage der jüd. Lehrer).13(+Mk Belehrung der Schüler über die Zukunft der Feinde).24(+Mk Erklärung seines vorläufigen Rechtsstatus der Begrenzung auf Israel).26(+Mk bildhafte Bekräftigung dessen); 17,11(+Mk Erläuterung des Vorsehungsplans; 19,4(=Mk Gesetz der Einehe); 24,2(+Mk Amen-Wort über das zerstörende Endgericht am Tempel); 26,23(+Mk der vorsehungsplangemäße Auslieferer und das Gottesgericht über ihn). Auch in dieser Verwendungsweise hat Mt die Wendung zweimal in Allegorien eingetragen und ihren Jesus-Bezug deutlich gemacht: 20,13 ist es das Schlußwort des Besitzers der Plantage über die Lohngleichheit der individuellen Unsterblichkeit im Endgericht; 25,12(=Q-Lk 13,25) ist das negative Gegenstück dazu, die Bezeichnung des Ausschlusses vom Lohn der individuellen Unsterblichkeit. Die Bezüge zu Gesetz und Gericht sind auch hier deutlich und unübersehbar gesetzt.

Das hat Mt auch dadurch unterstrichen, daß er erst *nach* dieser 18maligen Verwendung der Pro-Form im Sing. diese danach 26,66 einmalig im Plur. für die *Verurteilung* Jesu durch das Synhedrium auftreten läßt. Die Häufigkeit der Verwendung für das Reden Jesu, die Verwendung für abschließende Rechtsentscheide und die offenbar gezielte *Verteilung* erfordern, daß das juridische Element in der Übers. zum Ausdruck gebracht werden muß. Es geht Mt nicht um bloße *Antworten*, sd. sein ἀπο-κρίνεθαι hat auch einen deutlichen Sachbezug zu seinem ⟩κρίνειν und damit zum Wortfeld der mt Gesetzlichkeit überhaupt. Mt dürfte auch darin ein Bestimmtsein vom röm. Recht widerspiegeln: das *ius respondendi* (= *das Recht, verbindliche Gutachten zu erteilen*), das vom Kaiser verliehen wurde (HUCHTHAUSEN 1983: XXXIII), wird von Mt offenbar benutzt, um das seinem Jesus von seinem Vater verliehene Recht zu markieren. Darum kann und muß mt ἀποκρίνομαι in der 33maligen Verwendung für seinen Jesus etwa wiedergegeben werden mit *er erteilte folgendes Rechtsgutachten seines Vaters.*

λεμά ⟩ἐνθυμέω

λέπρα, λεπρός ⟩καθαρίζω

λευκός

Mt 3 : Mk 2 : Lk 1 + 1 : Joh 2 (NT nur noch Apk 15mal)
Weiß im Haar-Sprichwort 5,36 hat das Antonym *schwarz –*
μέλας (NT nur noch 2Kor 3,3; 2Joh 12; 3Joh 13; Apk 6,5.12; LXX 6mal);
zu 17,2(=Mk wie ⟩Licht) und 28,3(=Mk wie Schnee:
χιών NT nur noch Apk 1,14) vgl. *weiß* als Farbe der Gerechtigkeit in der
Tiervision 1Hen 85,5.8; 87,2; 90,6 (UHLIG 1984:679; zur himmlischen Herrlichkeit überhaupt vgl. NÜTZEL 1973:96-102; BÜHNER EWNT 2,865f).

ληνός ⟩ἄρτος

λῃστής 21,13(=Mk LXX-Jer 7,11); 26,55(=Mk); 27,38(=Mk).44(+Mk) *Räuber*
Mt 4 : Mk 3 : Lk 4 + 0 : Joh 3 (NT nur noch 2Kor 11,26; LXX 10mal)

λίαν (GUNDRY 645)
Mt 4 : Mk 4 : Lk 1 (NT nur noch 2Tim 4,15; 2Joh 4; 3Joh 3; LXX 20mal)
Da Mt das steigernde Adv. rahmend zur Bezeichung eines Affekts am Anfang und am Ende gebraucht wie Mk bei Zeitangaben (A/A'), so ist er wohl formal von Mk angeregt und hat 2,16(=Mk 6,51 permutiert) wie 27,14(=Mk 16,2 permutiert) zu Vb. (wie Mk 6,51) zugesetzt; in den Innengliedern (B/B') hat er es dann 4,8(=Mk 1,35 permutiert + Q) und 8,28(=Mk 9,3 permutiert) bei Adj..

λίβανος ⟩θησαυρός

λιθοβολέω ⟩ἀποθνήσκω

λίθος

Mt 10 : Mk 8 : Lk 14 + 2 : Joh 6
=(Mk 8 – 2) + (Q 3 + 1)
Im Täuferwort 3,9(=Q) steht (tote) *Steine* als Antonym zu lebendige Menschen wie 4,3(=Q) und 7,9(+Q) in Opposition zu Leben erhaltendem Brot; in den Ps-Zitaten 4,6(=Q) als verletzende Obj. wie 21,42(=Mk – V.44 dürfte sek. LA in Angleichung an Lk sein) als Bauobj.; so auch 24,2(=Mk vom Tempel) bzw. 27,60(=Mk).66(=Mk 16,4 permutiert); 28,2(=Mk) vom Rollstein vor dem Grab (vgl. Chaireton 3,3 als Element des Türöffnungswunders (KRATZ 1979: 500-41; EWNT 2,870f) mit den antonymen Vb.

προσκυλίω 27,60(=Mk) Stein *heranwälzen*
Mt 1 : Mk 1 (NT und LXX sonst nie) und
ἀποκυλίω 28,2(=Mk wie Lk 24,2 – NT sonst nie; LXX 4mal) *wegwälzen*.

(λικμάω 21,44 sek. LA von Lk her *zermalmen*)
λιμός ⊁ἄρτος
λίνον ⊁φῶς
λόγος ⊁λέγω
λοιπός (GUNDRY 645)
    Mt 4 : Mk 2 : Lk 6 + 6 : Joh 0
Neben dem neutr. Adv. *weiter* 26,45(=Mk) hat Mt red. den subst. Plur. *die
Übrigen* 22,6(+Q); 25,11; 27,49(+Mk)
λύκος ⊁ἀρπάζω
λυπέομαι (HAWKINS 1909:5; GUNDRY 645)
    Mt 6 : Mk 2 : Lk 0 + 0 : Joh 2
       =(Mk 2 + 3) + (Q 0 + 1)
In den Evv. ist nur das Pass. verwendet; das Subst. fehlt bei Mt wie bei
Mk, von dem Mt ganz in seiner Verwendung abhängig ist. Im Blick ist immer
eine düstere Zukunft, die ihre Schatten in die eben zur Vergangenheit ge-
wordenen Gegenwart geworfen hat. Darum ist es unzutreffend, es als ein
mildes (oder abschwächendes) Wort zu empfinden (gg. SCHWEIZER 322;
SENIOR 1982:103f), indem man es kurzschlüssig lexikologisch auf *traurig sein*
einengt; es kann vielmehr sehr stark auch *(be)schädigen, Schaden zufügen*
meinen (XenMem 1,6,6; Cyr 6,3,13 vgl. BAUER WB 695, wie überhaupt ein
breiteres Bedeutungsspektrum anzusetzen ist: BALZ EWNT 2,896f).
    Mt 14,9(+Mk) ersetzt es die periphrast. Adj.-Konstruktion: Antipas ist
verzweifelt über die Folgen seines Schwurs. 17,23(+Mk) ist es mit dem mt
steigernden Adv. die Schülerreaktion auf die Wiederholung der grundlegenden Vorhersage der Verwerfung/Rehabilitierung. Dieselbe Wendung ist 26,22
(=Mk) wiederum als Schülerreaktion nach der personalen Konkretion des
Auslieferers wiederholt und durch das Adv. zur *totalen Niedergeschlagen-
heit* gemacht, die sich in der angeschlossenen wörtl. Rede ausdrückt; diese
aber bringt keine Entrüstung, sd. kennzeichnet die tiefe Depression auf das
Verhängnis des Vorsehungsplans hin. Im unmittelbaren Anschluß daran hat
26,37(+Mk) mit Bedacht dasselbe Wort für die Reaktion Jesu auf die Todes-
seite des Geschichtsplans wiederholt: Nachdem der Vorsehungsplankenner
alle Details enthüllt hat, kommt ihm die Depression des ausgelaugten Orakel-
gebers zu. Mt wurde dazu veranlaßt, weil ihm die wörtl. Rede des Mk für
26,38 das Adj. in Aufnahme des Kehrverses von LXX-Ps 41,6.12; 42,5 vorgab:
περίλυπος
    Mt 1 : Mk 2 : Lk 1 + 0 (NT sonst nie)
Mt hatte es ja schon an der ersten Mk-Stelle in das Vb. abgeändert, so daß
der analoge Vorgang auch hier als bestimmend erkennbar ist; dies hat er
hier zudem noch mit seiner temp.-kaus. Verbindung *daraufhin* ausdrücklich
als Schrifterfüllung markiert: Die wörtl. Rede interpretiert seinen gegenwärtigen Zustand direkt als plangemäß; die adv. Ergänzung ist dabei synonym mit dem Adv. von V.22. Daß es als starker Ausdruck gemeint ist, zeigt
auch die Doppelung mit
ἀδημονέω
    Mt 1 = Mk 1 (außer Phil 2,26 sonst nie in NT und LXX)
in 26,37, wo Mk die Verzweiflung der Gefängnisdepression des Epaphroditus
auf seinen Jesus transplantiert hatte (SCHENK 1974;200; 1984:236).
    Kennzeichen der Gegnerreaktion ist λ. 19,22(=Mk): der mt als Gegner
stilisierte junge Reiche zieht angesichts der ihm eröffneten Aussichts-
losigkeit, das ewige Leben zu erreichen, *verzweifelt* ab. Auch hier kommt
die Unerbittlichkeit des Vorsehungsplans zum Ausdruck.
    Anders taucht es 18,31(+Q) in der von Mt stark ausgeweiteten Allegorie
von den beiden Schuldnern auf; hier bezeichnet es die verzweifelte Reaktion der Mitangestellten auf die Brutalität ihres Kollegen, die zur sofortigen
Anzeige bei ihrem gemeinsamen Herrn führt. Es ist also in allen Fällen eine

starke affektive Reaktion bezeichnet; die Wiedergabe der mt Bedeutung wäre mit bloßem *traurig sein* an allen Stellen zu schwach und ungerechtfertigt.

λύτρον →διακονέω

λυχνία, λύχνος →φῶς

λύω →δέω

Μαγαδάν 15,39(+Mk) sonst unbekannter Ort am See Gennesaret

Μαγδαληνή →γάμος

μάγος (HAWKINS 1909:5 "schwach") 2,1.7.16a.b *Astrologen*

    Mt 4 : Mk 0 : Lk 0 + 2 (NT sonst nie; LXX 10mal)

μαθ- (GUNDRY 645)

    Mt 80 : Mk 47 : Lk 37 + 30 : Joh 80

μαθητεύω (BARTH 1970:123; STRECKER 1971:192f; FRANKEMÖLLE 1974:144-6)

    Mt 3 (sonst außer Apg 14,21 nie in NT und LXX)

27,57(+Mk) durch den Dat. commodi (bzw. der Beziehung wie FRANKEMÖLLE 1974:145 mit BILL 1,676; SCHNIEWIND 174; SCHMID 229; GRUNDMANN 357; auch hier Pass. als urspr. LA mit N-A gg. H-G und RENGSTORF ThWNT 4,465, die dann mit BAUER WB 959f und B-D-R 148,3; 309,1 ein intrans. Akt. postulieren müssen) als Jesuszugehörigkeit bestimmt wie synonym 13,52 im finalen Gen. auf die künftige Himmelsbasileia bezogen. Komplenym ist →ἀκολουθέω. Durch den red. Imp. 28,19 im trans. Aktiv ist es konkret auf den ganzen Buchinhalt und dessen universale Bestimmung bezogen; diese *Schülergewinnung* wird hier nicht einfach durch die präsent. Pt. V.19b.20 (→Taufen und →Lehren) einfach näher erläutert (gg. FRANKEMÖLLE 144 mit den meisten), sd. ist stärker selbständig, da V.19b im Unterschied zum neutr. Obj. V.19a ein mask. Obj. hat - eben das im Vb. V.19a steckende μαθηταί. Dabei ist der Rückbezug auf die subst. Wendung *elf Schüler* V.16 nicht so eng zu fassen, daß das Vb. in einem direkten Sinne meine: *in den Zwölferkreis einzubeziehen*; das Vb. vollzieht vielmehr hier wie in den voranstehenden Stellen eine Entschränkung und macht auf die Transparenz des von Mt stärker historisierten Zwölferkreises aufmerksam: Ihr prototypisches Nachfolgeverhältnis wird für die Lesergemeinde des Mt als allgemeingültig erklärt (STRECKERs semant. Präzisierung *unterweisen* sollte man gerade wegen des autoreferentiellen Verweises des Autors auf sein Buchkonzept selbst nicht bestreiten, wenn man andererseits nicht verkennt, daß es nach 5,14-16 primär durch das Handlungsvorbild geschieht). Schon 13,52 ist mit dem Vb. der Zwölferkreis von V.36 selbst angeredet.

μανθάνω 9,13(+Mk Schrift); 11,29(+Q Jesus); 24,32(=Mk Feigenbaum)

    Mt 3 : Mk 1 : Lk 0 + 1 : Joh 2 - sowie das Komp. als Intensivum

καταμανθάνω 6,28(+Q - sonst nur LXX 9mal) *achtet auf* (=V.26 ἐμβλέπω)

μαθητής (STRECKER 1971:191ff; LUZ 1971; FRANKEMÖLLE 1974:147-55)

    Mt 73 : Mk 46 : Lk 37 + 28 : Joh 78 (NT sonst nie; LXX 3mal)

    =(Mk 46 - 7 + 29) + (Q 2 + 3)

Der Terminus für Philosophenschüler (DiogLaert 2,20 des Sokrates, 5,1 Plato, 5,2-4 Aristoteles, 4,2 Seusipp, 6,93 Krates, 8,3.10 Pythagoras, 8,58 Empedokles, 8,87 Eudoxox vgl. PlutMor 328B FortAlex 5) ist 3mal auf Johannes den Täufer bezogen 9,14(=Mk); 11,2(=Q); 14,12(=Mk), während 22,16(=Mk 2,18 permutiert) a-historisch *Pharisäerschüler* genannt werden.

    Alle übrigen Stellen sind auf Jesus bezogen, wobei genuin mt die zahlenmäßige Begrenzung *die →zwölf Schüler* ist: 10,1(μ.+Mk 3,14 permutiert); 11,1 (μ.+Mk 4,10 permutiert); 20,17(μ.+Mk); 26,20(μ.+Mk) - bzw. *elf* 28,16 - und im Zusammenhang damit synonym auch die zusammenfassende Wendung *alle* (=zwölf) μ. 26,35(+Mk).56(+Mk) im Gefolge von V.20:

(πάντες) οἱ →δώδεκα/ἕνδωκα μαθηταί

    Mt 7 : Mk 0 : Lk 0

Die in der Textsequenz an diese Vollstellen angeschlossenen Wendungen οἱ μ. αὐτοῦ/μου/σου

Mt 26 = (Mk 19 + 6) + (Q 0 + 1)

sind darum durch die anaphor. Kraft des Art. mt immer als synonyme Renominalisierung des Zwölferkreises zu verstehen: 12,1f(=Mk).49(+Mk);
13,36(=Mk 4,34 permutiert); 15,2(=Mk).23(+Mk).32(=Mk 8,4 permutiert);
16,13(=Mk).21(=Mk 8,33 permutiert).24(=Mk); 17,16(=Mk); 19,23(=Mk); 23,1(=Mk
12,43 permutiert); 24,1(=Mk); 26,1(+Mk).18(=Mk); 28,7(=Mk) dupl. V.8.13.

Auch die Verwendung des Syntagmas vor 10,1 ist völlig auf die Benennung des Zwölferkreises hin ausgerichtet, wie sich nicht nur aus der Einführung des Namens Matthäus 9,9 (statt Mk Levi; PESCH 1968) ergibt. Dann
aber ist es durchaus im Sinne des Autors, daß die erste Verwendung in der
Bergrede-Einleitung 5,1(=Mk 3,9 permutiert wie der Berg von 3,13 - gg.
STRECKER 1984:27f nicht in Q vorgegeben anzunehmen, da es dort eine völlige Ausnahme wäre und da auch Lk 6,17.20 von Mk 3,7.9 abhängig ist) sich
mt nur auf die vier Erstberufenen von 4,18–22 bezieht (PESCH 1968:51 gg.
FRANKEMÖLLE 1984:149). Durch die Konzentration des Kap. 8–9 auf die Nachfolge hin gilt dasselbe für 8,23(+Mk - s.u. zu V.21), wo außer den beiden
ersten Brüderpaaren noch inzwischen Geheilte als weitere Schüler im Blick
auf das Zustandekommen der Zwölfzahl eingeschlossen sein dürften (etwa der
Lepröse von 8,1ff, der überhaupt der erste Aussendungszeuge wird als 5.
Schüler "Philippus") wie weitere dann im Zusammenhang mit "Matthäus" (dem
8. Schüler in 10,3) 9,11f.14b(=Mk) von den inzwischen Befreiten (die beiden
Besessenen 8,28ff als dem 6./7. Bartholomäus/Thomas und der Gelähmte 9,1ff
als der 9. Schüler Jakobus). 9,19(=Mk 5,31 permutiert) wurden μ. aus Mk
vorgezogen, bleiben aber im Segment selbst funktionslos, so daß sie nur um
einer segmentübergreifenden Funktion willen stehen, also wohl als Zeugen
für die Ganzheit dessen, was später zu lehren ist (= dieses Buch verbreiten), und zugleich signalisieren, daß der Vater dieser Tochter wie die
(=seine) Frau im Gegenüber zu dem sich bildenden Zwölferkreis bleiben. Die
red. Redeeinleitung 9,37(+Q) steht in Vorbereitung zu 10,1, wobei rückblickend erkennbar wird, daß 9,27ff mit den beiden Blinden (die ihn ja
wiederum schon bekanntmachen) der 10./11. (Thaddäus/Simon) den Anschluß
gefunden haben wie der stumme Besessene schließlich als 12. (Judas).

Bei Mt bezeichnet ebenso den Zwölferkreis in Erzählpassagen des direkten Autormundes das noch um das Pron. verkürzte absolute
οἱ μαθηταί

Mt 33 (+ 3 in dir. Rede Jesu) : Mk 7 : Lk 12 + 26
         =(Mk 17 + 16 + (Q 1 + 2)

13,10(+Mk); 14,19(=Mk –Pron.).19c(=Mk –Pron.).d(+Mk dupl.).22(=Mk –Pron.).
26(+Mk dupl.); 15,12(=Mk –Pron.).33(=Mk 8,1 permutiert).36c(=Mk –Pron.).
36d(+Mk dupl.); 16,5(=Mk 8,27a –Pron. permutiert).20(+Mk); 17,19(=Mk –Pron.);
18,1(=Mk 9,31 –Pron. permutiert); 19,10(=Mk).13(=Mk).25(=Mk 10,24 permutiert); 21,1(=Mk –Pron.) und dupl. V.6(+Mk zwei Angehörige des Zwölferkreises).20(=Mk 11,14 –Pron. permutiert); 24,3(+Mk); 26,8(+Mk).17(=Mk
–Pron).19(=Mk).26(+Mk).36(=Mk –Pron.).40(+Mk).45(+Mk); 27,64(gg. H-G und
N-A urspr. LA) - auch eingeschränkt auf die drei Erstberufenen 17,6.10.
13(+Mk) meint es diese Angehörigen des Zwölferkreises; im Hinblick auf diese
erst 10,1 vollständig formulierte Gruppe wurde μ. für den kontrastierenden
Sing. vorlaufend auch schon 8,21(+Q) red. eingebracht; dabei kann es sich
nur um einen der bisher schon Berufenen handeln: der Rückbezug auf das
Begräbnis des Vaters läßt im Sinne des Autors wohl an einen der beiden
Zebedaiden von 4,21f denken. Absolutes μ. im Sing. kommt sonst nur noch
3mal in Worten Jesu eingebettet in der Israelsendungsrede 10,24(=Q als
generelles Komplenym zu ⊁Lehrer) und dupl. V.25(+Q) und V.42(+Mk) vor; im
unmittelbaren Anschluß an 10,1 ist auch hier direkt an den Zwölferkreis zu
denken.

Man muß also davon ausgehen, daß "an keiner Belegstelle ... der Begriff über den Kreis der Zwölf hinausgreift" (STECKER 1971:253f.192f; PESCH 1968: 50-3; WALTER 1981:27 gg. MARTINEZ 1961, der das nur von den abs. Stellen gelten lassen wollte, wie gg. die generelle Bestreitung der Gleichsetzung durch LUZ 1971:142-52; FRANKEMÖLLE 1974:147, die beide verkennen, daß die von ihnen betonte "Transparenz" zur Gegenwart des Autors ja nur auf der Basis der histor. Differenz in der Retrospektive möglich ist, womit sie in ihrer Kritik an STRECKER im Grunde nur bestätigen, daß die Historisierung die Basis für die Typisierung ist, die ja STRECKER als zugehörigen Aspekt ebenfalls herausgestellt hatte, um eine einfache Identifizierung der Zeit der Kirche mit der Zeit Jesu bei BARTH 1970:103f.123 als nicht beschreibungsadäquat darzutun; das Problem wird aber eher verdunkelt, wenn man wie FRANKEMÖLLE hier zur Lösung semant. Probleme die syntaktische Kategorie "Transformation" einführt, die diesbezüglich gar keine Erklärungsadäquatheit erbringen kann; die Transparenz so zu fassen, daß die mt Zwölf speziell als "Prototypen für Gemeindeleiter" stehen, überspannt die vermittelnde Nennung bei den Speisungen 14,19; 15,36 und verkennt die primäre Leitungsfunktion des Buches selbst; gg. LUZ 1971:159; WALTER 1981:27f). Wichtig ist weiter, daß Mt in der Verwendung des Ausdrucks in seiner morphologischen Gestalt ganz von Mk abhängig ist; denn in Q fehlt der Ausdruck (abgesehen von der generellen Maxime 10,25f und der konkreten Verwendung für die Täuferschüler 11,2) in einer Anwendung auf Jesus-Schüler noch völlig, was in der Regel nicht genügend beachtet wird. Christsein im mt Sinne wird durch diesen Terminus wesentlich als Beziehung zum Jesus dieses Buchkonzepts bestimmt: Lohngaratien für das Endgericht sind gegeben, wenn solche Erbarmungswunder weiter getan und überhaupt die Orthopraxie der Ausführung seiner positivistisch gesetzten Imp. realisiert werden.

Πέτρος (GASTON 1973:63; FRANKEMÖLLE 1974:155-8; GUNDRY 647)

Mt 23 : Mk 19 : Lk 18 + 56 : Joh 34

(=Mk 19 – 2 + 6)

wird red. schon zur Erstnennung 4,18(+Mk) als selbstverständlicher Beiname zugesetzt (im betonten Anschluß an die Eröffnung des ersten Buchteils 4,17), wie er dessen Primärnamen im Wiederholungsfalle 8,14(+Mk) schon ersetzt und auch 10,2(=Mk) den Beinamen als solchen kennzeichnet, wobei er die mk Behauptung einer Verleihung des Beinamens strich (PESCH EWNT 3,196f) in Vorbereitung auf 16,16(=Mk), wo erstmalig der Doppelname gebildet wurde, indem der Primärname von Mk 1,36 permutiert wurde; als Anrede wird 16,17(=Mk 14,37 permutiert) der Eigenname benutzt, den 17,25 (aus Mk 1,29f in der Haussituation permutierend übernommen) in gleicher Funktion verwendet, so daß er die 6 mk Verwendungen von Simon auf 5 reduzierte. 16,18(+Mk) folgt die entscheidende Definition des Beinamens, der eigentlich als griech. Sachbezeichnung nur "Stein" meint, im Wortspiel mit Felsenfundament ihn als Offenbarungstradenten und Buchgaranten zu bestimmen (KÄHLER 1976/7; SCHENK 1983c; PESCH EWNT 3,197).

Davor erscheint 14,28(=Mk 5,37 als erste analoge mk Stelle permutiert) Petrus als Eigenname sowie V.29 dupl. als Bittender um einen Befehl Jesu wie als Ausführender, wie er auch 15,15(+Mk) als Sprecher der Zwölf die abschließende Orientierung in der Reinheitsrede erbittet; in ähnlicher Funktion erscheint er analog dazu auch dreimal im 2. Buchteil 17,24(+Mk); 18,21 (+Q Mk 11,21 permutiert); 19,27(=Mk), so daß er als spezieller Adressat wesentliche Befehle Jesu zur Illustration seiner Schlüsselfunktion für das Buch erhält (KILPATRICK 1950:38ff ohne daß man daraus den weitergehenden Schluß von HUMMEL 1966:59f ziehen dürfte: "Das kann nur in einer Gemeinde geschehen, in der man sich sagte: Dies oder jenes hat Petrus geboten, und er hat es von Jesus gehört; darum ist es gültig. Petrus gilt als Garant für die Autorität gesetzlicher und disziplinarischer Vorschriften. es liegt hier in nuce ein Traditionsgedanke vor, der dem rabbinischen ähnelt." Das mag zur Beschreibung des Buchziels hilfreich sein, kann jedoch nicht auch als seine Voraussetzung substituiert werden).

Seiner Mittlerfunktion entspricht es, daß er zugleich auch prototypisch als Person mit Schwächen gekennzeichnet ist wie 16,22f(=Mk) als Zurechtgewiesener nach dem Verwerfungs/Rehabilitations-Orakel, worauf er sogleich auch 17,1.4(=Mk) zum Zeugen der Vorwegnahme der künftigen Rehabilitation wurde. Die 8 Schlußbelege Mt 26,33.35(=Mk 14,67 permutiert).37.40.58.69.73.75 sind von Mk übernommen, während er mit Mk 16,7 einen speziellen Osterbezug strich. Mt ist in seiner Verwendung beider Namen ganz und nur von Mk abhängig; Q bot keine Vorgabe wie auch bei keiner Sonderstelle eine kohärente Textvorlage ausgemacht werden kann.

Σίμων
Mt 9 : Mk 11 : Lk 17 + 13 : Joh 25
   =(Mk 11 – 2)
den bei Juden wie Griechen (seit Aristophanes BAUER WB 1488; FITZMYER 1971:105–12; SCHNEIDER EWNT 3,583f) beliebten griech. Namen tragen ferner 4 weitere Personen: der Vorletzte der Zwölferliste 10,4(=Mk Καναναῖος), ein Bruder Jesu 13,55(=Mk), ein Lepröser 26,6(=Mk) und der 27,32(=Mk) zum Kreuztragen Gezwungene 27,32(=Mk →Κυρηναῖος).

'Ανδρέας
Mt 2 : Mk 4 : Lk 1 + 1 : Joh 5 (NT und LXX sonst nie)
   =(Mk 4 – 2)
Der Träger des gut griech. Namens der Mannhafte (RESCH EWNT 1,229f) ist 4,18(=Mk) als Bruder des Petrus und Fischer eingeführt und trotz der beiden Auslassungen von Mk 1,29 und 13,3 in der Zwölferliste 10,2(=Mk) vom 4. auf den 2. Platz vorversetzt und so auch hier vereinheitlichend enger dem Bruder verbunden worden.

'Ιωάννης II
Mt 3 : Mk 10 : Lk 7 + 9 : Joh 0
Er steht zuletzt 17,1(=Mk) ebenso an zweiter Stelle des Brüderpaares als der offenbar jüngere, wie er schon einführend 4,21(=Mk) und 10,2(=Mk) mehr durch seinen Vater (Häufung!) determiniert ist
Ζεβεδαῖος 4,21a.b; 10,2; 20,20(=Mk) dupl. 26,37; 27,56(+Mk) Geschenk Jahwes
Mt 6 : Mk 4 : Lk 1 + 0 : Joh 1 (NT und LXX sonst nie),
als durch seinen jeweils vorgenannten (und darum wohl älteren) Bruder
'Ιακωβος II 4,21; 10,2; 17,1(=Mk)
Mt 3 : Mk 11 : Lk 5 + 1.
Alle drei Namen sind dekl. gräz.; die Namen der Brüder sind reduziert.
Φίλιππος I 10,3(=Mk) rein griech. Eigenname des 5. Schülers: Pferdefreund
Βαρθολομαῖος 10,3(=Mk) aram. Sohn des Talmaj (Furchenzieher?) gräz.
Θωμᾶς 10,3(=Mk) aram. Beiname Zwilling als Eigenname des 7. Schülers
Mt 1 : Mk 1 : Lk 1 + 1 : Joh 7 (NT und LXX sonst nie)
Μαθθαῖος 10,3(=Mk) von daher 9,9(+Mk) dupl. und damit zum ehemaligen Zöllner gemacht; Eigenname des 8. Schülers: Gabe Gottes
Mt 2 : Mk 1 : Lk 1 + 1 (NT und LXX sonst nie)
'Ιάκωβος III 10,3(=Mk) deklin. gräz. Eigenname des 9. Schüler, Sohn eines
'Αλφαῖος 10,3(=Mk – während er Mk 2,14 im Zuge der mt Namens-Änderung ausgelassen wurde) dekl. gräz. Eigenname (Wechsler ?)
Θαδδαῖος 10,3(=Mk – NT und LXX sonst nie) 10. Schüler: der Mutige(?)
Σίμων ὁ Καναναῖος 10,4(=Mk)
Wenn Lk 6,15 wie Apg 1,13 für diese Herkunftsbezeichnung "Zelot" substituiert, so ist das eine pro-röm. Zweckübersetzung, um zu zeigen, daß Jesus auch von jüd. Revoluzzertum bekehrt; für die urspr. Bedeutung ist damit nichts zu gewinnen (gg. BAUER WB 795; EWNT 2,613; HENGEL 1976:72f; TRE

3,606), da JosBell 4,151ff von "Zeloten" erst mit Beginn des Jüd.Krieges überhaupt spricht (und die darum JosAnt fehlen) und darunter die speziell priesterlich geführten Aufständischen versteht, die es so vorher noch gar nicht gegeben haben dürfte (BAUMBACH 1971:16f,21f); sollte es doch funktional auf das aram. Äquivalent qan'an für Eiferer zurückgehen, so könnte ein strenges Judesein (obwohl hier kein näherer Gen. wie 2Makk 4,2; Gal 1,13; Jos Ant 12,271; Apg 22,3 folgt) oder doch Kanaanäer (Adj. aus Phönikien, röm. Provinz Syrien) gemeint sein, das hier im Unterschied zu 15,22 nicht mit χ. transkribiert worden wäre, weil diese Liste evtl. stärker unter latein. Spracheinfluß entstanden wäre.

'Ιούδας III
 Mt 5 : Mk 3 : Lk 4 + 2 : Joh 8 (NT sonst nie)
  =(Mk 3 + 2)
Der als letzter in der Zwölferliste 10,4(=Mk) genannte Mann trägt hier wie bei seiner Wiedererwähnung 26,14(=Mk) den nie erklärten Beinamen
'Ισκαριώτης (deklin. statt mk -ιώθ)
 Mt 2 : Mk 2 : Lk 2 + 0 : Joh 5 (NT und LXX sonst nie),
der wohl weder auf eine judäische Stadt (hebr. 'ïsch war aram. nicht gebräuchlich und wäre nur mit einem Stammesnamen verbunden gewesen) noch auf lat. sicarius (Meuchelmörder; JosBell 2,254-265; Ant 20,186 - erst nach 52 n.Chr. für jüd. Nationalisten verwendet), sd. wohl auf 'isch qar'ta' = der Lügner, der Falsche zurück (LIMBECK EWNT 2,491-3 vgl. ders. 1976:43-9 mit TORREY 1973; GÄRTNER 1957). Die ist offenbar nicht auf sein Verhältnis zu anderen der Gruppe oder zu Jesus zu beziehen, da 10,4 mit der mk Red. dessen typ. mk Abschlußwendungen (vgl. Mk 2,28; 10,45) mit dem Adv. auch παραδούς davon abhebt, sd. analog zu den meisten Näherbestimmungen der voranstehenden Personen in der Liste auch als Herkunftsbezeichnung zu verstehen: Judas, der aus dem Schäker-Milieu kam (gg. POPKES 1967:177f nicht "Interpretation der Judastat").

Die Renominalisierung 26,14(=Mk) wird von Mt dazu benutzt, um die von Mk überkommene Auslieferungsabsicht mit Geldgewinnsucht (im Kontrast zu 10,8) zu motivieren. 26,25(+Mk) wird er ausdrücklich als Auslieferer identifiziert; 26,47(=Mk) läßt ihn zur identifizierenden Begrüßung erscheinen; 27,3(+Mk) dupl. ihn zum Zweck der Darstellung einer vergeblichen Reue (zum mt Judasbild LIMBECK 1976:60-74). Da von J. nie unter Absehung von seiner von Mk ihm zugesprochenen Auslieferertat gesprochen wird und alle ihm folgenden Stellen von ihm abhängig sind, ist es irreführende Apologetik, von einem "übereinstimmenden Zeugnis der Evv." zu sprechen (gg. LIMBECK EWNT 2,484.493). Für Mt besonders kennzeichnend ist die "stereotype pt. Wendung" (POPKES 1967:175) durch Dupl. von Mk 14,44
ὁ παρα(δι)δοὺς αὐτόν
10,4(=Mk finit. Aor.); 26,25(+Mk).48(=Mk); 27,3(+Mk) - bzw. 26,46(=Mk) im Munde Jesu selbst mit transformiertem Obj. με und 27,4(+Mk) ellipt. im Munde des mt Judas selbst.

παραδίδωμι (GUNDRY 647)
 Mt 31 : Mk 20 : Lk 17 + 13 : Joh 15
  =(Mk 20 - 2 + 7) + (Q 2 + 4)
wird im Akt. als fin. Vb. für die Tat des Judas noch 26,15f(=Mk).21(=Mk im Munde Jesu) dupl. V.23 verwendet und dann 27,2.18(=Mk) für die Weiterauslieferung an Pilatus bzw. 27,26(=Mk) durch Pilatus, wie das schon 20,19 (=Mk) in der Vorhersage Jesu erschien.

Diesen 13 aktiven Stellen korrespondieren die 5 im Pass., die immer im Munde Jesu als Vorhersagen und mit Gottessohn als Mensch verbunden sind von 17,22(=Mk) über 20,18(=Mk); 26,2(+Mk).24(=Mk) bis 26,45(=Mk). Da (a) schon die 1. Vorhersage im Pass. 17,22 in der Textsequenz auf die pass. Täuferstelle 4,12(=Mk), die aktive Judasstelle 10,4 wie die analog angeschlossenen Schülerstellen 10,17.19.21(=Mk) folgt, (b) die 2. Vorhersage im Pass. zwei verschiedene Stadien der Auslieferung beschreibt, wie sie Mt 27 dann im Akt. geschildert werden, (c) 20,18f wie 26,23f und 45f Akt. und Pass. unmittelbar verschränkt sind, (d) die 7malige Verbindung mit εἰς (: Mk 4 : Lk 4 + 4 : Joh 0) sowohl beim Akt. (10,17.21; 20,19 red.; 24,9 dupl.) wie beim Pass. (17,22; 26,2[+Mk].45) erscheint, so ist für Mt (wie schon für Mk) ausgeschlossen, daß beim Pass. an Gott als Subj. gedacht ist und eine von den akt. Stellen abzuhebende apologetische Verwendung vorliegt (gg. PERRIN 1970:206.209f, der eine spezielle "apologetische Tradition" zu finden meinte, was schon darum fragwürdig ist, weil er rein atomistisch vorgeht und nicht beachtet, daß die Weissagungen von vornherein Verwerfung wie Rehabiliterung umfassen, also nicht auf eine apologetische Funktion reduziert werden können).

Wichtig für die mt Verwendung ist auch, daß den 18 Jesusstellen auch eine Täuferstelle (4,12) wie 5 Jüngerstellen (10,17.19.21; dupl. 24,9f) vorbzw. eingeordnet sind. An allen 24 Stellen geht es immer um *Auslieferung/ Übergabe*, nie um *Verrat* durch Judas oder eine *Hingabe* durch Gott (dies bezeichnet 27,46[=Mk] ἐγκαταλείπω); alle sind von Mk abhängig und keine von Q. Eine theol. Verwendung der *Übergabe* liegt nur in der allegor. verwendeten Gerichtsmetapher Q-Mt 5,25(=Lk) und ihrer Dupl. 18,34 vor. Theol. ist auch die 11,27(=Q) ausgesprochene Sendungsbevollmächtigung Jesu durch Gott (*vollständige Offenbarung*), die allegor. 25,14(statt lk Simpl.). 20.22(+Q) in *Übergabe der Talente* an die Schüler weitervermittelt ist. (Die anders kodierten Verwendungen von Mk 4,2 *gestatten* und 7,13 *tradieren* hat Mt nicht übernommen, wohl aber das damit davon abgehobene Subst. παράδοσις 15,2f.6[=Mk] nur negativ für *jüd. Normierungstradition*
     Mt 3 : Mk 5 : Lk 0 + 0 : Joh 0)

ἀκολουθέω (BORNKAMM-BARTH-HELD 1970:26f.88-92.291f; STRECKER 1971:230-2;
          FRANKEMÖLLE 1974:85-93; KINGSBURY 1978;GUNDRY 641)
     Mt 25 : Mk 17 : Lk 17 + 4 : Joh 19
        =(Mk 17 - 5 + 8) + (Q 3 + 2)

Schon in der Sokratesverspottung des AristophNu 497-517 steht *d.* mit μαθητής zusammen und meint: *die Rolle eines Schülers gegenüber einem philosophischen Lehrer akzeptieren.* Der Wortfeldzusammenhang ist so fest, daß JosAnt 8,354 beides zusammen auch auf das Verhältnis Elisas zu Elijah übertragen konnte, während es in der Vorlage 4Regn 19,19-21 noch nicht vorkam, wie in LXX überhaupt die zusammenhängenden Ausdrücke *Lehrer/ Schüler/Nachfolgen* als festes Konzept noch fehlen und also erst unter noch späterem hell. Einfluß übernommen sind. Sie sind in den Synoptikern ein Indiz der Strukturierung als hell. Philosophen-Biographie (ROBBINS 1982: 226-30).

Von den drei objektlosen Mk-Vorgaben bekam Mk 3,7 in Mt 12,15 (und der Dubl. 4,25) durch den Dat.-Zusatz einen manifesteren Bezug auf Jesus in der Textoberfläche. Während Mk 10,12 ausgelassen wurde, ist nur Mk 11,9 bei Mt 21,9 in dieser Form übernommen, wobei allerdings der pronominale Jesus-Bezug bei dem voranstehenden reziproken Verb schon hergestellt wurde, so daß semant. nur eine scheinbare Ausnahme vorliegt.

Zwei Mk-Stellen wurden sicher gestrichen, weil kein Jesus-Bezug vorlag: 9,38 (*uns*) ; 14,13 (*ihm*). Bei der Streichung von 2,15 und 6,1 könnte Mt trotz vorhandenem Pron. im Dat. den Jesus-Bezug als zu schwach und für seinen Gebrauch als zu wenig ethisch empfunden haben.

Die zweite Stelle im abs. Gebrauch 8,10 stammt aus Q, hat aber in der Textsequenz jetzt einen klaren Rückbezug auf V.1. Der Person-Bezug ist 8,19.22(=Q) in dir. Rede gleich im Anschluß daran vorgegeben und sicher auch 19,29(gg.Lk), während bei Q-Mt 10,38 das Verb red. in Angleichung an die Mk-Fassung des gleichen Spruches Mt 16,24 gesetzt wurde. Red. ist die

Einführung auch schon 4,22(+Mk), wo ein dupl. Gleichlaut mit der von Mk übernommenen Fassung 4,20 in beiden Abschlüssen hergestellt wurde.

Besonders charakteristisch ist, daß neben den beiden genannten red. Verwendungen sich die 7 weiteren red. Stellen alle in Segment-Einleitungen finden, dort Mk-Zusätze sind und außerdem eine konstante Syntagmen-Struktur aufweisen:

3.Pers.Plur.Aor. + Dat.Pron. der 3.Pers.Sing. (Jesus; so konstant ab 4,25 im Anschluß an 4,20.22) + Subj. im Plur. (οἱ ὄχλοι πολλοί 4,25; 8,1; 19,2; statt dessen an der letzten Stelle 20,29 Sing.; der aus Mk übernommenen Stelle 12,15 wird nur ein einfacher Plur. zugefügt; dieser erscheint in der darauf folgenden Stelle 14,13 einmal ausnahmsweise vorangestellt; 8,23 sind es im Anschluß an die Q-Vorschaltung V.21 die Schüler; 9,27 (in der Dubl. zu 20,29) individualisierend zwei Blinde, wobei die ausdrückliche Stilisierung mit der >"Zweizahl" augenfällig an die ersten Berufungen anknüpft, wo 4,18. 21 diese Numeralia ausdrücklich zusetzte, so daß hierin ein zusätzliches Signal zur Hervorhebung des Zusammenhangs und des Themas der Schüler-schaft liegt.

Nach dieser konstanten Stilisierung in dieser Reihe der red. Einleitungen sprechen starke Gründe des mt Stils dafür, den Dat. des Pers.Pron. auch 9,27 als ursp. anzusehen und sein Fehlen in B, D und k als zufälligen Irr-tum (Lesefehler bei den gehäuften o-Lauten) oder als Glättung (nach dem schon voranstehenden Dat. des Nomens) zu werten.

Die red. Entstehung einzelner Stellen dieser Reihe von 8 Segment-Ein-leitungen läßt sich gut erklären: 4,25 folgt auf 4,20.22; 8,1 steht vor-ausblickend auf 8,10; 8,23 kommt von der Einschaltung von 8,19.22 her; 19,2 bereitet auf 19,21.28.29 und 20,29 auf 20,34 vor.

Ein weiteres Spezifikum ist darin zu sehen, daß 8 – also fast ein Drittel der gesamten Stellen – in den Kap. 8-9 vorkommen und damit diesen Kom-plex insgesamt als Leitwort bestimmen. Er ist darum eher als "Nachfolge-Zyklus" zu kennzeichnen, da die herkömmliche pauschale Charakterisierung als "Wunderzyklus" das Material nur grob und unvollständig bestimmt. 8,1 bezieht sich als innere Klammer auf 4,25 zurück; dort treten in die "Nach-folge" die in Galiläa (V.23-5), Syrien (V.24) usw. Geheilten. Von daher bezeichnet dann in der Folge ein >προσέρχεσθαι oder ein >προσφέρειν mit Heilunsgbitte und >Κύριε-Anrede mt einen Eintritt in die Schülerschaft.

Im Zentrum stehen einmal die Stellen 8,10.19.22.23 und 9,9.9, während nun auch deutlich ist, warum 8,1 gerade die erste und 9,27 die vorletzte Geschichte dieses Zyklus mit diesem Leitwort einleitet. Diese Beobachtung läßt weiter auch die Komposition von Mt 8-9 im Anschluß an die Bergpredigt verständlicher erscheinen und verdeutlicht den ethischen Bezug des mt "Nachfolge"-Begriffs, den man schon bisher aus dem Synonym mit der >Vollkommenheitsforderung in 19,21 erhob. Zugleich wird einsichtig, warum 4,25 das Stichwort in die Einleitung der Bergrede einsetzte. Die Abfolge von Nachfolge-Erwähnungen und anschließender Wunder-Gewährung (12,15; 14,13; 19,2) bedeutet (gg. SCHNEIDER EWNT 1,122 und LUZ 1971:155) nicht, daß diese mt als Lohn der Nachfolge und damit als ein Vorschein ewigen Lebens anzusehen sind.

So sind die mt Stellen konsequent auf Jesus bezogen (BORNKAMM et.al. 1970:26f.88-92.191f; monographisch FRANZMAN 1969). Nachfolge als Lebens-form der Christen wird als Bindung und Hingabe an die Gesetzesauslegung des mt Jesus verstanden, die in ihrer Ganzheit weder auf einen Teil der Gemeinde noch auf die vorösterliche Situation einzuschränken ist (STRECKER 1971:230-2). Nachfolge ist bei Mt Synonym zum Mit-Sein (>μετά) mit diesem Jesus (FRANKEMÖLLE 1974:85-93) im Blick auf den Beginn (Anschluß – 16mal im Ind.Aor.; Impf. nur 26,58 und gg. H-G nicht 9,9) wie den Verlauf (27,55 als Rückweiser auf 4,25). Dieses hat im vorlaufenden Mit-Sein Jesu seinen

Grund, weshalb es vom Wortfeld dieses reziproken Mit–Seins her verständ-lich werden dürfte, daß an einer einzigen Stelle 9,19 (im Unterschied zur Vorlage Mk 5,24) höchst auffallenderweise Jesus zum Subj. des *Nachfolgens* = *Mitgehens* mit einem Hilfesuchenden gemacht wird. So gilt "the verb α. as an index of Matthew's view of his community" (KINGSBURY 1978 – doch ist ihm und anderen zu widersprechen, wenn sie 4,25; 8,1; 12,15; 14,13; 19,2 als unter–terminologisch ausgrenzen wollen; Mt hat immer – und wenigstens konnotativ – das *Mitgehen* im Vollsinne seines Konzepts im Blick). Beim völligen Fehlen des Subst. und der jahrhundertelangen Verquickung des Konzepts mit der *Imitatio* sollte man in der Übers. besser nicht subst. von *Nachfolge* sprechen und ebenso entsprechende Funktionsverbgefüge (wie *in die Nachfolge treten*) als irreführend meiden und statt dessen rein funk-tional und möglichst verbal von *Mitgehen* reden bzw. vom *Schüler-Sein (bzw. Werden)*. Ethisch ist weiter zu bedenken, daß α. nicht eine grundsätzlich norm–ethische, sd. nur eine sekundär–paränetische Kategorie sein kann (WOLPERT 1981:48f). Sie ist eine abstrakte Sekundärtugend im formalen Sinne *bleibender Schülerschaft*, die ihren konkreten Inhalt immer erst durch das betr. Konzept – hier also das des mt Religionsgesetzes – findet.

ὄχλος (GASTON 1973:61; GUNDRY 646)
    Mt 49 : Mk 38 : Lk 41 + 22 : Joh 20 (NT nur noch Apk 4mal)
        =(Mk 38 – 12 + 18) +(Q 3 + 2)
Kennzeichnend für Mt ist der Gebrauch des *Plur.* in der hell. Bedeutung *Leute* (MEYER ThWNT 5,582f)

ὄχλοι
    Mt 32 : Mk 1 : Lk 16
Schon der Bevorzugung des *Plur.* wie die Setzung oder Nicht–Setzung des anaphor. *Art.* in der Textsequenz widerstreitet der holistischen Tendenz, für Mt in sigmatischer Hinsicht eine konstante Bezeichnungsfunktion wie *die Volksmenge, das Volk* (MEYER ebd.586f wie HEDINGER 1976; BALZ EWNT 2, 354f redaktionsanalytisch noch undifferenziert bzw. redaktionsanalytisch für Mt spezifiziert KINGSBURY 1969:13.24-8.47 als "die verlorenen Schafe vom Hause Israel" bzw. STRECKER 1971:106f.116.230f "sie als das ganze Volk") zu veranschlagen. Mt bezeichnet mit dem Ausdruck vielmehr je unterschiedli-che Entitäten. Angesichts der bewußt anaphor. Setzung des ≯Art. durch Mt muß vor allem beachtet werden, daß das genuin mt immer auf Jesus bezoge-ne Syntagma *viele Leute* (GNILKA 1961:58)

ὄχλοι πολλοί
    Mt 6 : Mk 0 : Lk 2
immer *ohne Art.* steht und damit als offenkundige Neueinsatzstelle je ver-schiedene *Leute* bezeichnet. Im Unterschied zu den red. Setzungen bei Lk, der damit 5,16(+Mk); 14,25(+Q) definitorisch einen Kreis von Hörwilligen und Halbgewonnenen bezeichnet (MINEAR 1974a), bezeichnet Mt damit in Relation zu seinem auf die ≯Zwölf begrenzten ≯Schüler-Begriff jeweils weitere Kreise der *gewonnenen Anhänger* (MINEAR 1974): 4,25 bringt die Wendung ohne Art. überhaupt erstmalig ein und zwar für solche, die nach dem ersten red. Zug durch ganz Galiläa (V.23) und der Reaktion in ganz Syrien (! V.24) aus allen Teilen Palästinas (mit Ausschluß Samariens – doch mit Einschluß der Dekapolis! – also tendenziell schon hier Nichtjuden einschließend) in glei-cher Weise "in seine Schülerschaft" eintreten wie bisher nur die vier ersten Fischer V.18-22). Typischerweise bezieht sich der einfache Plur. mit ana-phor. Art. 5,1(=Q Sing.) direkt auf eben diese Gruppe zurück wie auch die dupl. Rahmung 7,28(+Mk) mit der Zustimmung zur Bergrede, wobei *ihre Ge-setzeslehrer* diese als Hörer der Bergrede ausdrücklich ausschließt und die Relation offenbar damit als ehemalige und nun überwundene kennzeichnet.

    In Rahmung zu 4,25 wird das volle Syntagma bezeichnenderweise wieder ohne Art. 8,1(+Q) – also nicht anaphorisch auf 7,28 zurückbezogen – mit dem gleichen Prädikat des Eintritts in die Schülerschaft wiederholt, so daß es eine neue Gruppe von *vielen Leuten* bezeichnet, die diesen Schritt vollziehen. Der anschließende red. Zusatz von bloßem πολλοί in der Belohnungszusage gerade für Nichtjuden im Kontrast zum Ausschluß Israels 8,11(+Q) bestätigt dies als eine bewußt zugeordnete Renominalisierung.

8,18(+Mk) erscheint das artikellose Syntagma *viele Leute* erneut und dürfte die urspr. LA sein (H-G gg. N-A und GNTCom 21 ohnehin schwächster Wert D), da die den Abschreibern zugeschriebene Tendenz, die Quantität zu vergößern, die Tendenz des Mt ist und hier außerdem wieder der Jesusbezug betont ist (περὶ αὐτόν), V.16 wie 4,23ff eine red. permutierte Massenheilung vorausgeht und V.19 wie 7,28 eine davon abgehobene red. Nennung eines →γραμματεύς nachfolgt, sowie die nächsten beiden bloßen Plur.-Stellen 9,8(=Mk 2,4 Sing. permutiert).33(+Q Dubl.) hier die volle Wendung durch ihre Setzung des anaphorischen Art. als Bezugspunkt der Vorgängerstelle geradezu erfordern. Der Charakter der Anhängerschaft wird an beiden Plur.-Stellen dadurch bestätigt, daß sie in beiden Fällen als Akklamierende dargestellt und zugleich im betonten Kontrast zu den Gegnern eingeführt sind. Von beiden Stellen typ. abgehoben ist dazwischen der erstmalige *Sing.* der speziellen *Menge* 9,23.25(Mk 5,30f permutiert), die auch als "Trauerklagende" als eine spezielle unverwechselbar gemacht ist.

9,36(=Mk Sing.) ist der anaphor. Charakter des Art. durch seinen speziellen Rückbezug auf die *Hörer* und die *Geheilten* des zweiten summarischen Zugs durch Galiläa V.36 (in Rahmung zu 4,23) als einer speziellen Gruppe deutlich: Auch hier geht es um *seine* (erweiterte) *Anhängerschaft* (vgl. 10,1 anschließend die Zwölf). Diese ist 11,7(=Q) als *seine Anhängerschaft* (nach dem Weggang der Täuferschüler) Auditorium der Belehrung über den Täufer und die Verwerfung der galiläischen Städte und kehrt 12,23(=Q) wie in der Dubl. 9,33 wiederum als akklamierendes Subj. und in direktem Kontrast zu den Gegnern V.24 wieder. Als weiterhin anwesende Hörerschaft sind sie im Plur. mit Art. 12,46(=Mk Sing.) renominalisiert (wieder gefolgt von *Schüler* V.49).

Demgegenüber erscheint 13,2a(=Mk Sing.) als vierter Neueinsatz red. artikellos die Vollwendung zur Bezeichnung einer speziellen neuen Gruppe *vieler Leute;* es sind nach dem Kontext V.1 spezielle Leute von Kafarnaum, so daß damit das Gerichtswort über die von 11,23 konkretisiert wird; ihre Renominalisierung mit dem quantifizierenden Sing. V.2b(=Mk πᾶς ὁ ὄ.) meint darum nicht "das ganze Volk" (gg. GRUNDMANN 338), sd. lokal begrenzt *diese kafarnaitische Zuhörerschaft;* sie werden V.3.10.13 mit αὐτοῖς pronominalisiert und V.11 mit ἐκείνοις den *Schülern* (V.10 pronominalisiert V.11. 16-18 *ihr*) gegenüber antithetisiert, sofern das Zwischengespräch im Boot V.10-23 deutlich macht, daß der Text der offenkundigen "Parabelrede" klar die Verstocktheit jener erweist (KINGSBURY 1969:13.47); die Renominalisierung im Plur. mit anaphorischem Art. V.34.36(+Mk *diese Leute*) als bewußt abschließend rahmende Doppelung in Relation zu V.2a.b zeigt, daß auch die Pronominalisierungen V.24.31.33 (αὐτοῖς) wiederum diese kafarnaitische Gruppe bezeichneten, der als zweiter, dritter und vierter Blindheitstest nochmals eine je weitere Parabel mit ausdrücklicher Bezeichnung der Himmels-Basileia zum Erweis ihres Unverständnisses "vorgelegt" wurde.

Anders hingegen wird der determinierte Sing. 14,5(+Mk) eingeführt: Der mt Antipas fürchtet sich nicht mehr vor dem Täufer, sd. vor *der gesamten Anhängerschaft;* dabei liegt ein bewußt dupl. Rückgriff und damit eine gewollte Identität der Gruppenbezeichnung mit 11,7 vor (wie zusätzlich von dort 11,9 auch das Stichwort *für einen Propheten halten* dupl. wurde wie weiter Anklänge in V.12 an 11,2.4 dem Leser diesen beabsichtigten Rückbezug deutlich macht). Identisch damit ist die Aussage der Gegner in der Vollmachtsfrage 21,26(=Mk), wo ὄ. durch den angeschlossenen γάρ-Satz klar definiert und V.32 als *Bekehrte* in der gleichen Antithese konkretisiert wurden.

Auch 14,13(+Mk dupl. vom anschließenden Sing. her) wird der Plur. mit dem anaphor. Art. durch den von Kap. 13 abgehoben und durch den red. Zusatz des *Nachfolgens* in Angleichung an 4,25 und 8,1 als die *gesamte Anhängerschaft* bestimmt, wobei der Plur. der Herkunft "Städte" (zusätzlicher Rückweis auf 4,25) einen weiteren Kontrast zu den Kafarnaiten von Kap.13 darstellt. V.14(=Mk) quantifiziert (πολύς vorangestellt - daher wohl trotz Fehlen des Art. keine neue Gruppe) die Größe der Gesamtanhängerschaft, die V.21 abschließend mit "ca. 5 000 ohne Frauen und Kinder" angibt: "deren" Kranke heilt er V.14b(+Mk), und sie macht er durch die betont häufigen Renominalisierungen des Plur. in diesem Segment V.15.19a.b (+Mk dupl.).22(=Mk Sing.).23(+Mk dupl.) durch insgesamt 7 Verwendungen des Ausdrucks zum betonten Obj. seiner Speisung durch Vermittlung der zwölf engsten Schüler.

Der determinierte Sing. 15,10(=Mk) ist anaphor. konkret auf die "Männer von Gennesaret" 14,34 und die durch sie veranlaßten Heilungen zurückbezogen, wie sie auch durch das "Zusammenrufen" (vgl. 10,1; 15,32 μαθητάς) im *Anhängerstatus* gekennzeichnet und gleichzeitig die an sie gerichteten Imp. zum Verstehen in den Präs. der Dauer versetzt sind und damit die situationsübergreifende Allgemeingültigkeit des Segments wie der Grupenbezeichnung unterstreichen.

Die fünfte Verwendung der artikellosen Einsatzwendung 15,30(+Mk) bezeichnet die neue Gruppe der Initiatoren der dreitägigen Bergheilungen; nach der anaphor. Wiederaufnahme V.31(=Mk 7,33 Sing. permutiert; gg. N-A, H-G ist wohl mit KLOSTERMANN 134f der Plur. als mt anzusehen und der Sing. als Angleichung an Mk bzw. die auch bei Mt V.32f.35 folgenden Formen, während der einleitende Doppel-Plur. wohl rahmend zum abschließenden Doppel.-Plur. V.36.39 steht) sind sie Subj. der Akklamation (wie 9,8.33; 12,23), deren Inhalt sie wohl als *nichtjüd. Anhänger* ausweisen soll. 15,32. 35(=Mk) renominalisert sie im Sing. mit anaphorischem Art.; V.33(=Mk 8,1 permutiert) quantifiziert sie wiederum im Hinblick auf die Mengenangabe 4 000 (V.38) dieser Speisung; synonym dazu erscheinen sie V.36(=Mk Sing.) und dupl. V.39(+Mk) im Plur., so daß Mt hier (wie bei der Par. 14,13-23) wiederum eine Häufung von 7 Belegen geschaffen hat.

Der red. bewußt anaphorisierte Sing. 17,14(=Mk) weist wohl nicht speziell auf die 15,39 nachhause Entlassenen zurück, sd. entweder nur auf den Rest des Zwölferkreises von 16,21 oder aber wie 15,10 auf die *Gesamtanhängerschaft*, da die Zwölf V.19 (analog zu 15,12) davon abgesondert werden.

Die sechste und letzte artikellose Vollwendung 19,1(=Mk einziger Plur. durch Adj. zum mt Syntagma ergänzt) bezeichnet wieder deutlich eine neue und eigene Gruppe *vieler Leute* (gg. GRUNDMANN 425 suggestive Ergänzung "aus dem Volk"), die nicht nur lokal spezifiert (Judäa und jenseits des Jordans), sd. auch (wie 4,25; 8,1; 14,13) durch den Aor. des *Eintritts in die Anhängerschaft* wie durch die auf sie bezogenen "Heilungen dort" klar als eine neue Entität bestimmt sind.

Da die quantifizierende Sing.-Wendung 20,29(=Mk - doch red. Zusatz nachgestelltes πολύς als Analogiebildung zur Plur.-Wendung) ohne Art. erscheint und ebenfalls durch Aor. des Eintritts in die Anhängerschaft als eigene Größe gekennzeichnet ist, so geht es hier um die spezielle Gruppe der eben in Jericho neu Gewonnenen, die darum mit anaphor. Art. V.31(+Mk) als solche dupl. renominalisiert ist. Speziell diese Gruppe ist durch den determinierten Sing. 21,8(+Mk) gekennzeichnet, wobei die Renominalisierung zugleich durch die erneute Quantifizierung als zusätzliche Anaphora gekennzeichnet ist, die durch den determinierten Plur. V.9(+Mk zugleich durch ἀκολουθοῦντες als Anhängerschaft erinnert) als Akklamierende ebenso

wieder aufgenommen wie V.11(+Mk) in Gegnerantithese, worauf V.46(=Mk
Sing.) wiederum direkt zurückweist ("Prophet" – ferner Furcht der Gegner
wie 14,5 und 21,26). Nicht anders ist der anaphor. Art. beim Plur. 22,33
(+Mk) bezogen, wo er nicht auf die Anhängerschaft der Gegner zu beziehen
ist, aber auch nicht einen Umschlag oder Abfall "des Volks" bezeichnet, da
die Reaktion von Mt analog zu 7,28 und 19,25 im Gegensatz zum Mk-Schluß,
den es hier red. ersetzt, positiv gewertet ist (⟩διδαχή). Fortgesetzt ist
diese Verwendung bei der Angabe des Auditoriums der Verurteilungsrede
über die Gegner zusammen mit dem Zwölferkreis 23,1(=Mk Sing. und ohne
Art.!).

In Antithese zur voranstehenden undeterminierten quantifizierenden
Sing.-Wendung 20,29 bezeichnet diese 26,47(=Mk + red. πολύς) wiederum eine
spezielle Gruppe: die Gegner als Judas-Begleiter; beim anaphor. Plur. 26,55
(+Mk) macht der Redeinhalt unmißverständlich deutlich, daß hier speziell
diese Gruppe bezeichnet ist. Die Anaphora des determinierten Sing. 27,15.24
(=Mk) bzw. Plur. V.20(=Mk Sing.) bezieht sich auf die Volksversammlung V.1
zurück (vgl. die Renominalisierung weiterer Elemente V.17.22 mit dem
schließlichen Synonym V.25). Die dreifache Schlußverwendung ist jedoch mit
keiner Bezeichnung voranstehender Gruppen durch den Ausdruck einfach
zu identifizieren.

Μαθθαῖος ⟩μαθητής
μακάριος (GUNDRY 645)
    Mt 13 : Mk 0 : Lk 15 + 2 : Joh 2
          =(Mk 0) + (Q 7 + 6)

Die urspr. griech.-poetische Gottesbezeichnung (Pind; PlutDef 420E; Is 358
D), die dann auch den Wohlzustand der Reichen (Aristoph) und platonisierend auch die Verstorbenen (PlatLeg 12,947D; Pap vgl. DEISSMANN 1925:144;
nachkonstantinisch auch christl. HAUCK–BERTRAM ThWNT 4,369) bezeichnete,
wurde in der Form des Makarismus zum ethischen Werturteil (Menand fr.
114; PindPyth 5,46 wie Prov 3,13; Sir 14,1f; 25,8; 26,1; LXX-Ps 40,2), wo im
Tat-Folge-Determinismus einer Handlungsbedingung ein wohliges Resultat
vorausgesagt wird. Dieser bedingte Makarismus entspricht anderen konditionalen Satzgefügen in der Wenn-Dann-Struktur oder Gut-ist-Sätzen (KÄH-
LER 1974). Im Dualismus der Apokalyptik wird die Zusage eines eschatol.
Erbes zur motivierenden Folge (PsSal 17,44; 18,6; 1HenSim 58,2). Im Falle
der konditionierten Zusagen sollte man um der Klarheit der Strukturen
willen nicht die Kategorie "Zuspruch" anwenden und dann die Übers. "Heil"
oder "selig" für "angemessen" erklären (gg. STRECKER EWNT 2,927), da μ.
zwar vom begründenden Nachsatz her in seinem positiven Sinn gerechtfertigt wird, ohne jedoch mit ihm identisch zu werden, weil dann aus der
Relation der Begründung die Relation der Identität würde; zu übers. bleibt:
auf dem richtigen Wege sind (da es um eine Beschreibung des jetzigen Zustands und nicht um ein "schon selig" geht). Darum sind die konditionierten Makarismen auch bei Mt keine "Heilszusprüche", sd. "Einlaßbedingungen" für den Lohn des neuen Äon (WINDISCH 1937:45 gg. GUELICH 1976 "eschatological blessings"). Mt ist in seiner Verwendung ganz von Q abhängig,
wo ihm 5,3 als Überschrift und 5,4.6 als Entfaltung vorgegeben war, die er
ethisierend erweiterte und durch V.5.7-10(+Q) auffüllte, wobei er V.3-10
durch Dupl. der Nachsätze eine Inclusio bildete, so daß alle Nachsätze als
Entfaltung des grundsätzlichen doppelten Nachsatzes des Rahmens stehen;
da dieser zugleich an 4,17.23 anschließt und Mt 5,1f an die vier in 4,18-22
gewonnenen Schüler adressiert, so liegt in diesen Eintrittbedingungen und
ihren Lohn-Orakeln zugleich die Beauftragung der Schüler zur Beteiligung
am Dienst Jesu. Die 4,19 ausgesprochene Einsetzung dieser ersten Schüler
zu wahren Weisheitslehrern wird in dem dir. anredenden Makarismus 5,11
vollzogen. Durch die dir. Anrede, die Mt bis V.16 fortsetzt, ist für ihn V.11

nicht mehr wie in Q eine abschließende Anwendung der voranstehenden Makarismen, sd. hat eine neue Einleitungsfunktion für das Folgende bekommen; dabei wird μ. in V.12 durch "Freuen und Jubeln" substitutiv erläutert und die Nachsätze werden klar als ⇥Lohn bestimmt. Die spätere Entstehung dieses Zusatzes (Q-Red. SCHENK 1981:24f) wird auch daran deutlich, daß das prädikativ vorangestellte μ. durch das Hilfsvb. ergänzt ist. Das ist ebenfalls noch 11,6(=Q) der Fall, wo wiederum ein Schlußsatz vorliegt, der darum der gleichen Ursprungsschicht zuzuordnen ist: Lohn bekommt... (als Komplenym zum Abschluß von V.5 εὐαγγελίζονται = Endzeitlohn wird zugesagt). Deutlich ist der eschatol. Lohn auch in der Allegorie vom klugen Verwalter 24,46(=Q), wo nach der Bedingung V.46b im Relativsatz der Lohn V.47 angegeben ist. Die für Q kennzeichnende Verbindung von μ. + ich sage euch ist auch in dem anredenden Makarismus 13,16f(=Q) übernommen; "während Lk (darin der Q-Tradition näherstehend) das Obj. des Sehens betont und so das voraufgehende Offenbarungswort über die Vollmacht Jesu aufnimmt, bezieht sich Mt im Zshg. der Parabellehre auf das Verstehen der Jünger (V.13)" (STREKKER ebd.929; 1971:197f); bei Q wurde das Revelationsschema (einst verborgen/jetzt offenbar) im Sachbezug (vgl. eschatol. Elijah Sir 48,11:8 wie PsSal 17,44; 18,6; Apg 14,13) benutzt, um die Legitimation der Offenbarungstradenten des "Redenbuches" zu begründen. Hier lag ein "unkonditionierter Makarismus" vor, wie er in buchlegitimierender Funktion damals gebräuchlich (4Esr 10,57; JosAs 16,14) und darum als solcher auch erkennbar war. Darum erschien er red. am Ende der Botenrede. Mt hat durch die Umbetonung wie durch den Kontrast der unverständigen Gegner den Ton aber auf das subj. Handeln gelegt und ihn darum in Richtung auf einen konditionierten Makarismus umstilisiert (SCHENK 1981:59f) und ihn damit seiner buchlegitimatorischen Funktion entnommen und in eine eth. Funktion versetzt, damit zugleich das Moment des Sehens durch das Hören erweiternd verstärkt und beides gezielt auf den Leser des Buches ausgerichtet: "weil" sie (lesend) sehen, und "weil" sie (das Vorgelesene) hören wie hier der mt Zwölferkreis den mt Jesus, sind eben nur sie Lohnanwärter. Die Funktion des unbedingten Makarismus, den Mt gekannt, verstanden aber hier ausgelassen hat, hat er 16,17 dupl. aus Materialien dieses Kontextes neu gebildet, damit Petrus zum Offenbarungsmittler gemacht und sein eigenes Buch als "Petrusevangelium" legitimiert (SCHENK 1983c; KÄHLER 1976). Hier liegt nicht etwa ein auf "das Bekenntnis" konditionierter Makarismus vor, da er bezeichnender Weise ohne konkretes Obj. bleibt, und vielmehr die ganze Buchoffenbarung und nicht die voranstehende Prädikation meint. Hier bedeutet μ. also nicht Lohn erhält", sd. mein autorisierter, unauswechselbarer Offenbarunsmittler bist du. Auf die gleiche Anzahl der Belege erhöhte Mt: οὐαί (GUNDRY 646)

  Mt 13 : Mk 2 : Lk 15 (NT nur noch 1Kor 9,16; Jud 11; Apk 14mal)
     =(Mk 2) + (Q 9 + 2)
Bei Mt immer mit Dat. - und zwar in der 3. Pers. 18,7b(=Q Mensch) dupl. V.7a (Menschheit) wie 26,24(=Mk Mensch) und 24,19(=Mk Schwangeren) wie sonst in der 2.Pers. 11,21a.b(=Q Chorazin, Bethsaida) und 23,13.15.23.25.27.29 (=Q Reihe wie mehrfach 1HenMand 94f; 97f; 99f) und dupl. V.16, wobei sowohl Kap. 11 wie 23 über sie geredet wird und red. nur fiktive Adressaten als "Zweitpublikum" (wie schon Assur Jes 10,5ff) vorliegen (LAUSBERG 1976: 762). Die von Amos parodistisch metaphorisierte Trauerinterjektion (hebr. hōj, 'ōj) in ankündigender oder feststellender Funktion zur rhetor. Aufdeckung von Unheil und Zerstörung, wie sie Jes, Mi und die Späteren übernahmen, war vom Nom. gefolgt (so noch LXX Am 5,18; Jes 1,4; 5,8ff), wurde jedoch zunehmend funktionsverschiebend in den Dat. versetzt (so schon LXX Am 6,1; Jes 10,1.5; 28,1: HARDMEIER 1978:166-73.373-88) und entspricht damit lat. vae (vgl. Epikt 3,19,1 und 22,32 weh mir; BAUER WB 1171; B-D-R

4,2; 5 n.7). Auch bei Mt werden die fiktiven Adressaten als bereits tote bzw. zerstörte angesprochen: keine individuelle Unsterblichkeit als Endzeitlohn zu erwarten haben: *dahin, tot, ohne Zukunft sind.* Bei Mt nie direkt, sd. makrosyntaktisch antithetisch zu μακάριος (5,1ff vs. 23,13ff).

μάκραν ⁊εἰμί

μακρόθεν 26,58(=Mk); 27,55(=Mk) *von ferne*
    Mt 2 : Mk 5 : Lk 4 (NT nur noch Apk 3mal)
μακροθυμέω ⁊ἐλεέω

πᾶσα μαλακία (GUNDRY 645) rahmend 4,23(+Mk) und 9,35(+Mk) + 10,1(+Mk)
    Mt 3 (NT sonst nie; LXX 15mal)
Weichlichkeit, Schwäche, Gebrechen im Doppelausdruck ergänzend zu
(πᾶσα) νόσος (HELD 1970: 247; GASTON 1973:63; GUNDRY 646) *Krankheit*
    Mt 5 : Mk 1 : Lk 4 + 1 (NT sonst nie; LXX 13mal),
das 4,24(=Mk 1,34 mit
ποίκιλος *verschiedenartigsten*
    Mt 1 : Mk 1 : Lk 1 + 0 : Joh 0 [NT sonst 7mal]
permutiert) vorgegeben war und über die 3 universalisierenden Doppelausdrücke hinaus noch 8,14 in das Erfüllungszitat aus Jes 53,3 eingesetzt wurde (wohl red. ROTHFUCHS 1969:71f gg. STRECKER 1971:66f), um die Vorsehungsplanerfüllung in den ⁊Therapien der Summarien, wo es - neben dem ebenfalls universalisierenden Schülerauftrag 10,1 - immer steht, zu begründen.
ἄρρωστος 14,14(=Mk 6,13 permutiert, während V.5 wegfiel; NT nur noch
    1Kor 11,30) *krank, schwach*
ἀσθεν- (GUNDRY 642)
    Mt 7 : Mk 2 : Lk 6 + 7 : Joh 10:
ἀσθένεια
    Mt 1 : Mk 0 : Lk 4 + 1 : Joh 2
8,17(+Mk) hat Mt den Plur. in dem Erfüllungszitat aus Jes 53,4 entgegen dem Wortlaut der LXX (ROTHFUCHS 1969:71) zur Bezeichnung von *Krankheiten* red. im Vorblick auf das Pt. Q-Mt 10,8(=Lk 10,9 Adj.), wo es für den Heilungsauftrag der Schüler stand (Krankheitsbezeichnung im "Wörterbuch des Mt" SCHLATTER 283). Da Mk 6,56 das Pt. in einem Sammelbericht (gerade im Anschluß an die Aussendung!) auch einmal von Q übernommen und in Relation zum Handeln Jesu übernommen hatte, so dürfte 8,17 als Permutation dieser mk Vorgabe anzusehen sein.
ἀσθενέω
    Mt 3 : Mk 1 : Lk 1 + 3 : Joh 8
Nach dem Pt. Q-Mt 10,8 als dem Obj. des Schüler-Handelns erscheint das Vb. 25,36.39, wo es dann V.43f vom Adj. aufgenommen wird. Antonym ist an der ersten Stelle (was bei den Wiederholungen immer vorausgesetzt und V.43 auch renominalisiert ist) das *helfende Besuchen*
ἐπισκέπτομαι
    Mt 3 : Mk 0 : Lk 3 + 4 (NT nur noch Hebr 12,15; 1Petr 5,2).
Gg. die vorschnelle Annahme der Bedeutung *Kranksein* hier (so ZMIJEWSKI EWNT 1,410 und ROHDE 2,84) spricht die durchgehend enge Koppelung mit *Gefängnis,* so daß sich das Antonym im Wiederholungsfalle sogar auf beide gleichzeitig bezieht; außerdem ist gg. eine vorschnelle Übertragung von den ersten beiden Mt-Stellen her geltend zu machen, daß dort Jesus bzw. seine Schüler als Subj. dem Obj. *Krankheiten, Kranken* gegenüber erschienen, während hier umgekehrt Jesus in Gestalt seiner Schüler Subj. ist, was gerade am Pt. der zweiten Stelle V.39 (gg. H-G 230 dürfte hier nicht das Adj. urspr. sein) den Gegensatz zu 10,8 hervorhebt. Nicht bedeutungslos für die semant. Inhaltsbestimmung ist ebenso, daß die beiden Adj. nachgeordnet sind und so einen engen Anschluß an das nachfolgende Adj.

dσθενής
   Mt 3 : Mk 1 : Lk 1 + 3 : Joh 0
in 26,41(=Mk) vollziehen und so als dessen Dupl. angesehen werden können.
An dieser Stelle aber hat a. ausdrücklich einen Bezug zur *Verfolgung*.
Schwäche ist aber nicht nur das innere Ausgeliefertsein in der Verfolgung,
sd. dies ist erst Folge des äußeren Ausgeliefertseins. Außer den deutlichen
Wiederaufnahmen von Ausdrücken der Situation der Verfolgung von Mt 10,42
her ist in 25,31ff auch die enge Berührung mit 1Kor 4,10ff in dieser Hinsicht semant. zu veranschlagen. Damit dürfte Mt sowohl in der Abfolge als
auch in der Subj./Obj.-Relation zwei klar voneinander abgegrenzte Verwendungsgruppen in zwei weit getrennten Buchteilen haben:

	Jesus:	Schüler:
Obj./Krankheit:	8,17	10,8
Subj./Verfolgung:	25,36.39.43.44	26,41.

βασαν- (GUNDRY 642)
   Mt 5 : Mk 2 : Lk 3 + 0 : Joh 0
     =(Mk 2 + 1) + (Q 0 + 1) + (A-Mt 1)
βασανίζω
   Mt 3 : Mk 2 : Lk 1 (NT nur noch 2Pt 2,8 und Apk 5mal)
bezeichnet ein *Foltern, Peinigen, Quälen*, das zum Untergang führt und Aus-
weglosigkeit signalisiert: 14,24(=Mk) ist das Boot der Schüler von den Wellen
hart bedrängt; 8,29(=Mk) wird von Mt unter Abänderung der Vorlage red.
auf das vorzeitige Andrängen der ewigen *Folter-Bestrafung* der Dämonen
abgehoben (STENGER EWNT 1,479f). Schon LXX, wo sich der Stamm fast nur
in rein griech. Schriften findet, wurde es Ez 32,24.30 (vgl. 12,18; Sap 3,1)
auf eschatol. Qualen bezogen (SCHNEIDER ThWNT 1,560f). So ist red. 18,34
allegor. auch das bibl. Hap.leg. *Folterknecht:*
βασανιστής (synonym mit den *Strafengeln* von V.10) in Präzisierung der
   Dubl.-Vorlage Q-Mt 5,25 verwendet.
Red. dürfte im Zusammenhang mit der mt Labial-Alliteration auch die Verwendung des Pt.Pass. 8,6(+Q) für den Kranken sein: *furchtbar gequält* (=
die Lähmung schreitet bedenklich fort). Auf den Schmerz ist auch bei der
Verwendung des subst. Adj.
βάσανος
   Mt 1 : Mk 0 : Lk 2 (Lk 16,23.28 – NT sonst nie)
im ersten Heilungssummarium 4,24(+Mk) der Akzent gesetzt, falls man bei
dem red. Zusatz (GUNDRY 64) nicht direkt an *Gefolterte* zu denken hat. Wie
in 8,6 liegt nicht nur ein Nebeneinander mit *Gelähmten* vor, sd. auch wieder
eine mt Labial-Alliteration.
συνέχω 4,24(+Mk) Pass. *gequält, beherrscht werden* (geläufig BAUER WB 1562)
   Mt 1 : Mk 0 : Lk 6 + 3 (NT nur noch 2Kor 5,14; Phil 1,23)
κακῶς (GUNDRY 645)
   Mt 7 : Mk 4 : Lk 2 + 1 : Joh 1 (NT nur noch Jak 4,3; LXX 15mal)
     =(Mk 4 + 3)
Das Adv. wird von Mt immer im physischen und nicht im moralischen Sinne
gebraucht (LATTKE EWNT 2,590f); schon Mk gab κ. immer in dem Syntagma
mit intrans. ⊁ἔχω im Pt vor (LARSSON EWNT 2,237-42 ließ diesen Aspekt des
Vb. völlig außer auch), das Mt immer übernimmt: 9,12(=Mk) in dem Erfah-
rungsargument, daß nur die *Kranken*, nicht aber die *Gesunden* (das urspr.
evtl. aram. bedingte Antonym *gewaltig, stark sein* ist noch etwas stärker als
gesund, weshalb Lk abändert und was an einer urspr. Einheitlichkeit der
etwas inkonzinnen Antithese bei Mk zweifeln läßt) einen Heiler brauchen. Die
übrigen 3 Vorgaben hat er immer nur in berichtenden Summarien der Heiltä-
tigkeit Jesu (BAUER WB 787) 4,24 wie 14,35 in Schlußstellung und 8,16 in
Anfangsstellung:
   Mt 5 : Mk 4 : Lk 2

Das Syntagma heißt seit Aristoph (vgl. TheophrChar 13, 21 synon. μαλακί-
ζομαι; POxy 935,15; Ez 34,4; JÜLICHER 1910: II 174; BAUER WB 660) *krank
sein* (Antonym bei Epict καλῶς ἔχω). Wegen dieses idiomatischen Gebrauchs
ist das Syntagma nicht mit in atomisierender Semantik mit *übel dran sein*
(gg. PESCH Mk z.St.) wiederzugeben, noch ist an ihm ein "palästinensischer
Einfluß" abzulesen (so SCHLATTER Lk 252 ohne Belege), was schon daran
scheitert, daß das Hebr. kein direktes Äquivalent für das Vb. überhaupt hat;
außerdem ist zu beachten, daß Lk 5,31(=Mk) die Wendung bejbehält, während
er die antonyme ändert; beim kafarnaitischen Centurio Lk 7,2 könnte er es
in Permutation aus den mk Summarien, wo er es ausließ, zugesetzt haben,
um die Krankheit bewußt allgemein zu halten, und da Mt, falls Q es, was es
sonst nicht hat, vorgegeben hätte, sicher bei seiner konsequenten Übernahme aus Mk auch hier übernommen hätte (BUSSE 1977: 147n.1 gg. MAR-
SHALL Lk 279); für eine mt Auslassung könnte man nur die Tendenz der
Angleichung an den Gelähmten von 9,2 als stärkeren und wichtigeren Gesichtspunkt ansehen, da es sich um Beispielgeschichten für antijüd.
Betonung der πίστις handelt. Mk wäre dann in seiner Verwendung schon
von Q abhängig. Für Mk 2,17 ist wohl anzunehmen, "daß die cynischen Wan-
derprediger dazu beigetragen haben", den "echt cynischen Satz" "auch in
Palästina einzubürgern" (JÜLICHER ebd.177 – falls er überhaupt bi
"Palästina" rückführbar sein sollte).

Die 3 von Mt von Mk her multipl. Belege haben gemeinsam, daß sie nicht
nur als red. Zusätze zu Mk auftauchen, sd. auch erst nach den Übernahmen
stehen sowie abweichend von den Übernahmen mit Pt. alle mit finit. Vb. verbunden sind: 15,12 nach dem Summarium 14,35 in Verbindung mit ⸗δαιμονί-
ζομαι, was deutlich an die mt Verbindung in den Summarien anschließt und
das Zurückdrängen direkter Exorzismen bei Mt zugunsten von dämonisch
verursachten Krankheiten spiegelt; dasselbe gilt für die Umstilisierung der
Epileptikerheilung, zu der auch der Zusatz von 17,15 gehört. Dabei dürfte
der Bezug zu den 4 ersten Stellen besonders signifikant sein, da hier im
restringierten Kode des Mt dasselbe intrans. ἔχω urspr. ist (so mit 01 B L
Zvid θ pc; LAGRANGE 338; KLOSTERMANN 144 – anders allerdings in der
Übers. 142; wenn GRUNDMANN 406; GUNDRY 349 wie H-G 138, N-A 47, GNTCom
43 als urspr. bewerten, was dann durch die idiomatischere Wendung ersetzt
worden sei, so ist nicht beachtet, das nach AeschProm 759; Polyb 3,90.13
auch das Syntagma κ. πάσχω griech. geprägt ist und die lk Reduktion des
mk Syntagmas seiner Tendenz nach kaum ein Verbesserungsgefälle von
πάσχει zu ἔχει annehmen läßt); außerdem ist
πάσχω 16,21(=Mk); 17,12(=Mk); 27,19(=Mk 5,26 von Frau zu Frau permutiert)
     Mt 3 = Mk 3 : Lk 6 + 5 : Joh 0
kein spezifisch mt Ausdruck, sd. läßt sich 17,15 im Gegenteil als sek. Wiederholung von V.12 her erklären. Zu bedenken ist weiter, daß die mt Red.
dieser Perikope die starken mk Schilderungen der Größe der Krankheit hier
abgeschwächt hat (HELD 1970:178f "nicht von besonders schwerer Krankheit" will Mt hier reden), so daß eher die LA πάσχει evangelienharmonistisch verstärkte, was die mt Red. reduzierte. Zu diesen inneren Kriterien
treten die äußeren, sofern V.20 zeigt, daß auch da nun gerade dieselben HS
gegen den mt Stil verstärkend ändern wie V.15; auch mit dem sek. Zusatz
von 17,21 sind es wieder wesentlich dieselben HS; nach dem Grundsatz der
Textrekonstruktion, die Lesarten im Zusammenhang zu sehen, ist eine Entscheidung für πάσχει unverständlich.

Die letzte κ.-Stelle 21,41(+Mk) steht nicht im Zusammenhang der Heilungen Jesu, markiert aber offenbar durch den Zusatz des Adv. eine betonte
Antithese zu diesen im Sinne der mt Vergeltungs-Theologie im ius talionis:
grausam wird er sie, diese Grausamen umbringen, wobei außer der gut
griech. Paronomasie (B-D-R 488,1a; BAUER WB 785; LATTKE EWNT 2,588 vgl.

Demost 21,204) auch noch eine doppelte Alliteration (κ.κ./α.α) vorliegt.
σεληνιάζομαι (GUNDRY 648)
    Mt 2 (NT und LXX sonst nie)
im Pt. *mondsüchtig* ergänzt 4,24(+Mk) im ersten Summarium zu Besessenen
und Gelähmten wie als finit. Vb. im Einzelfalle 17,15(+Mk vgl. BAUER WB 1480
Manetho, Lukian, VettVal) meint *Epileptiker*, da in der antiken Medizin die
Periodizität epileptischer Anfälle auf Mondphasen zurückgeführt wurde (Galen
9,903; Amulette für Epileptiker wurden σελήνις genannt; KLOSTERMANN 144;
GRUNDDMANN 113f.406). Mt versteht den Mond analog zu den Dämonen als
teuflisch-schädigende Macht, die den Dämonen analog ist.
μαλακός ⇒γυμνός
μᾶλλον (GUNDRY 645)
    Mt 9 : Mk 5 : Lk 5 + 7 : Joh 4
      =(Mk 5 – 4 + 1) + (Q 3 + 3) +(A–Mt 1)
Aus Mk wurde nur 27,24(=Mk 15,11 permutiert) übernommen, wo es nach Negation *vielmehr, im Gegenteil* meint; kompar. ist es 8,13(+Q + ἤ) *mehr als*;
die Argumentationsfragen 6,26(=Q).30(=Q); 7,11(=Q) und 10,25(+Q) stehen in
einer "zweiteiligen *a-fortiori*-Argumentation: Aus einer schwierigeren (un-
wahrscheinlicheren) Prämisse, zumeist in Gestalt eines realen Konditionalsatzes (εἰ), wird mit einem höheren Grad von Evidenz ein leichterer und
darum wahrscheinlicherer Sachverhalt erschlossen" (WOLTER EWNT 2,940).
Genuin mt ist 10,6(+Mk).28(+Q); 25,9 die antithetische Verbindung
Imp. + μᾶλλον
    Mt 3 : Mk 0 : Lk 0 + 0 : Joh 0
μαμωνός ⇒δουλεύω
Μανασσῆς 1,10a.b Königsname (4Regn 18,1; 21,18)
μανθάνω ⇒μαθητεύω
μαργαρίτης ⇒ἐμπορία
Μαρία ⇒γαμέω
μαρτυ-
    Mt 7 : Mk 8 : Lk 7 + 29 : Joh 47
εἰς μαρτύριον αὐτοῖς
    Mt 3 = Mk 3 : Lk 3 + 2
Das subst. Adj. begegnet in den Synoptikern aussschließlich in der vorliegenden Wendung. Dabei muß die semant. Bestimmung jeweils autorspezifisch angegeben werden, und die Analyse des Dat. als commodi (*für*) oder
incommodi (*wider* - und damit das Verständnis als *belastendes Zeugnis*) ist
umstritten; im ersten Falle gehört das Lexem in das Wortfeld der mt Ver-
kündigungterminologie, im zweiten fällt es dagegen dafür völlig aus und
gehört zum Wortfeld der Endgerichtsterminologie. TRILLING (1964:127-30 mit
B.WEISS, ASTING, MICHAELIS) hat emphatisch die erste Lösung favorisiert
(diskussionslos gefolgt von GRUNDMANN, SCHWEIZER, MEIER, BEARE z.St.;
BEUTLER EWNT 2,967, während STRECKER 1971:240 eine Vermittlungsposition
anstrebte, wie sie ZAHN schon vertrat); dennoch scheint die dem widersprechende Erklärung als *Belastungszeugnis im Endgericht* dem mt Kontext
besser zu entsprechen (BURCHARD 1978:334f mit STRATHMANN ThWNT 4,
507-9; J.WEISS 397; SCHLATTER 272; BROX 1961:27-30 wenigstens für die
beiden letzten Stellen):
    24,24(=Mk) ist der Verfolgungskontext bestimmend und nicht "missio-
narische Hochstimmung" (gg. TRILLING), da man für Mt zu Unrecht von
einer semant. Füllung von "Evangelium" als "Freuden- und Siegesbotschaft"
(GRUNDMANN) ausging. Da es primär auch im Buchschluß um die Selbstkanonisierung des Buches und seines Konzeptes geht, daf man nicht die Komponenten "Mission"/"Sendung" im generellen Sinn in Mt unbegründet hin-
einlesen: Der Außenbezug der mt Lesergemeinde wird primär durch ihr ge-
horsames Verhalten und das Verfolgtwerden dafür (5,14-16) hergestellt.

Das ist noch weniger an der voranstehenden Stelle 10,18 zu übersehen, wo einerseits eine dupl. Vorwegnahme vorliegt und zugleich Mk 6,11 versetzt übernommen ist. Gerade das doppelte Obj. ist deutlich auf die voranstehenden doppelten (jüd. und nichtjüd.) Verfolger bezogen. TRILLINGs Hauptargument (die "Auslassung" von Mk 6,11 bei Mt 10,14) zählt nicht, da es nicht um eine Auslassung, sd. um eine Permutation geht; ebenso ist verkannt, daß Mt dort vorlaufend einen synonymen und stärkeren Ausdruck einbringt, der im Gefolge des "halachischen Schemas" in V.12-15 (Doppelbedingung + Rechtsstatus; LÜHRMANN 1969:105-21) so abgeändert werden mußte. Damit wurde der 10,18 synonym vorlaufende V.15 gerade zur endgerichtsterminologischen Deutekategorie für die versetzt nachgeordnete Wendung, die damit keinesfalls missiologisch verstanden werden kann. Das ist weniger auffallend, wenn man sich den Grundsachverhalt klarer vor Augen hielte, daß die mt Israelsendung ja von vornherein nicht als "Mission" zur Gewinnung gedacht ist, sd. nur als Instrument zum Nachweis der bestehenden Verstockung, was die formalisierende Überschrift "Aussendungsrede" zu leicht übersehen läßt.

Wenn nun BROX nicht mehr STRATHMANN für die erste Stelle 8,4 folgen wollte, so scheint dies bei diesem Auftrag an den Geheilten auf den ersten Blick einleuchtend. Doch sollte der Autor bei der Konstanz dieses Syntagmas eine gegenteilige Bedeutung veranschlagen? Der semant. Gehalt bei Mk (evtl. nur "Bestätigung der Heilung durch sie" - obwohl LOHMEYER, SCHMID, CAMPEMHAUSEN sie auch dort als belastend gemeint verstehen wollten), kann für die mt Kodierung nichts entscheiden, da immer mit einer möglichen Umkodierung zu rechnen ist; durch die Jahrhunderte verfestigt ist die Interpretation, die in dieser Stelle primär eine Illustration zu Jesu (zu schlicht verstandener) Gesetzestreue von 5,17 sah (TRILLING 1964:128f; HELD 1970:243f, dem BROX 1961:27 zustimmt; erstaunlich ist, daß MEIER 83 gerade umgekehrt bei dieser Stelle eine negative Enkodierung für möglich hält, während er für die beiden folgenden die positive für fraglos hält). Da eine "Illustration" zu 5,17 in der Weise für Mt nicht nötig ist, da sie unmittelbar in den fälschlich sogenannten "Antithese" im Sinne der Souveränität der Unmittelbarkeit geleistet wird, so ist eher die Möglichkeit gegeben, 8,4 im Anschluß an die antithetische Abweisung von 5,20 zu verstehen: Die Bergrede ist durch und durch antijüd. konzipiert (6,2.5.16 Heuchler), wie der Rahmen 7,29 Distanz zu "ihren" Gesetzeslehrern" wie 4,23 zu "ihren" Synagogen setzt. Da die Doppelgruppe "Oberpriester/Gesetzeslehrer" schon 2,4 als Bezeichnung der Gegnerfront eingeführt wurde, so ist nach der Wiederaufnahme der "Gesetzeslehrer" in 5,20 und 7,29 nun auch die fällige Wiederaufnahme des anderen Elements im Anschluß daran am ehesten als Autorintention zu veranschlagen. Ohne eine vorangehend ausgeführte Belegschilderung wird schließlich 8,10 die berichtete generelle Abweisung Jesu (red. "bei keinem") so vorausgesetzt, daß (im Unterschied zur 2. Pers. bei Q-Lk) verstärkend in der 3. Pers. so über sie geredet wird; damit ist 8,4 auch von 8,10 her zu sehen und nicht etwa 8,10 eine reine Kataphora gegen den Wortlaut anzusetzen; μ. fällt für die "Verkündigungsterminologie" des Mt aus. Auch das personale Nomen

μάρτυς

Mt 2 : Mk 1 : Lk 2 + 13 : Joh 0

gehört 18,16 (Zitat des Rechtsgrundsatzes Dt 19,15) und 26,65(=Mk) in das jurid.Wortfeld. Es ist außerdem funktional analog der Verwendung von κρίνω im Sinne von als Gerichtsmaßstab dienen 12,27.41f; 19,28. Auch das Vb.

μαρτυρέω 23,31(+Q)

Mt 1 : Mk 0 : Lk 1 + 11 : Joh 33

erlaubt gg. das personale Nomen (Q-Lk) den Zusatz des Dat. incommodi ἑαυ-τοῖς und dürfte eben darum von Mt abgeändert worden sein: "Ihr jüd. Leh-

rer seid Beweiszeugen gegen euch selbst" (= sachlich auch 21,41; 22,21; GUNDRY 468). Das wird auch dadurch bestärkt, daß Mt 27,13 das Komp.
καταμαρτυρέω
    Mt 2 : Mk 1 (NT sonst nie; LXX 8mal)
von 26,62(=Mk) dupl.
μαστιγόω →χείρ
μάτην 15,7(=Mk Zitat Jes 29,13) vergeblich
Ματθάν 1,15a.b Eigenname (4Regn 11,18; 2Par 23,17 sonst nie NT + LXX)
μάχαιρα →εἰρήνη
μεγαλύνω 23,5(+Q) Quasten länger machen
    Mt 1 : Mk 0 : Lk 2 + 3
μέγας (GUNDRY 645)
    Mt 20 : Mk 15 : Lk 26 + 31 : Joh 5
        =(Mk 15 – 8 + 9) + (Q 1 + 1) + (A–Mt 2)
Die quantitative Steigerung des Mt ist nicht augenfällig, doch muß man auch den Kompar. →μείζων in Betracht ziehen. Die Bezeichnung des das Normale überragenden Ausmaßes (mit der Tendenz zum Superlativ des Völligen, Totalen →ὅλος) hat bei Mt eine negative Verwendungsreihe, der eine positive kontrastierend entgegengesetzt ist: Dem 8,24(=Mk) totalen Seebeben entspricht V.26(=Mk) die völlige Stille; dem subst. die Herrscher 20,25(=Mk synonym ἄρχοντες) in V.26(=Mk) das innergemeindlicher Herrschen im Dienen; der durch das Adv. quantifizierten sehr großen Freude des Herodes in der Eingangsstelle 2,10 kontrastiert die völlige Freude der Frauen in der Schlußstelle 28,8(+Mk); das 28,2(+Mk) dupl. totale Beben der Angelophanie überbietet den dazu nach 27,60(=Mk 16,4 permutiert) vorgezogenen großen Stein; die totale Bedrängnis 24,21(=Mk 13,2 permutiert – redundant und superlat. durch den anschließenden Relativsatz bestimmt) wurde durch die mt Permutation des Adj. von den Steinen des Tempels weg und die V.24 (+Mk) angeschlossene Dupl. für die ungewöhnlichen, staunenerregenden Zeichen der Verführer gesetzt, um sie V.31(+Mk) mit der herrscherlichen Posaune kontrastierend zu überbieten. Auf der negativen Seite steht noch als 7. Stelle der totale Zusammenbruch 7,27(=Q). Mt hat auf der negativen Seite reduziert, indem er mk Vorgaben im Dämonenbezug oder in rein quantitativen Verwendungen nicht übernahm.
    Um so auffallender ist seine Steigerung auf der positiven Seite, wobei das Adj. den Aspekt des Herrscherlichen (=König) trägt: so eingeführt als Prädikat zu Licht im Erfüllungszitat 4,16(+Mk); 5,19(+Q) als Endgerichtslohn (statt Superl. und als synonyme Obj.ergänzung zu V.9 Mitherrscher); 5,35 als Gottesbezeichnung größter (statt Superl.; BETZ EWNT 2,984) König wie 22,26.38(+Mk statt Superl.) beherrschendes, eschatologisch total gültiges Gebot (der Bezug zu →ποῖος verdeutlicht, daß eine qualitative und nicht quantitative Verwendung vorliegt); in der mt Textsequenz meinen darum auch Jesu Sterberufe 27,50(=Mk) und rahmend red. dup. V.47(+Mk) nicht bloß die laute Stimme, sd. sein herrscherliches Rufen, was durch den red. Anschluß der davon bewirkten Konsequenzen V.51ff noch unterstrichen wird. So ist auch die Charakterisierung des Glaubens der Kanaanäerin 15,28 (+Mk) keine reine Quantifizierung eines großen Glaubens, sondern die Qualifizierung als einem, der der Herrschaftscharakter Jesu entspricht.
μεθερμηνεύομαι →εἰμί
μεθύω →ἄρτος
μείζων →εἰμί
μέλας →λευκός
μέλει
    Mt 1 : Mk 2 : Lk 1 + 1 : Joh 2 (noch 1Kor 7,21; 9,9; 1Pt 5,7; LXX 5mal)
Das Simpl. im erstarrten Kasus hat Mt nur 22,16(=Mk) in der gut griech. geprägten Wendung im Munde der Gegner übernommen (und darum bei Mk

4,38 im Munde der Schüler ausgelassen): *auf niemanden Rücksicht nehmen,*
kein Schmeichler sein (LukDialMort 22,3; KLOSTERMANN 123); es wird eine
rückhaltlose, ja rücksichtslose Antwort erwartet (mit der Präp. seit Aesch
Choeph 780; Hdt 6,101; 8,19; PASSOW II 172; BAUER WB 988f).

μέλι →ἄρτος
μέλλω →δεῖ
μέλος →σῶμα)
μέν →δέ
μένω 10,11(=Mk); 11,23(+Q); 26,38(=Mk) trans. *bleiben*
    Mt 3 : Mk 2 : Lk 7 + 13 : Joh 40
μερίζω 12,25a(=Q).b(=Mk).26(=Mk/Q) *zerspalten* (Herrschaft als Einheit)
    Mt 3 : Mk 4 : Lk 1 + 0 : Joh 0
διαμερίζω 27,35(=Mk) *zerteilen*
    Mt 1 : Mk 1 : Lk 6 + 2 : Joh 1 (NT sonst nie; LXX 19mal)
μεριμν–
    Mt 9 : Mk 1 : Lk 7 + 0
μέριμνα 13,22(=Mk) Nom. actionis *Sorgen*
    Mt 1 : Mk 1 : Lk 2 + 0 (NT nur noch 2Kor 1,28; 1Pt 5,7; LXX 12mal)
μεριμνάω (GUNDRY 645)
    Mt 7 : Mk 0 : Lk 5 + 0 (NT noch Pl 7mal; LXX 9mal)
        =(Q 4 + 3)
Im Anschluß an die Q-Vorgaben 6,25.27.28 erfolgte die Multiplikation 6,31.-
34a.b(+Q) für Nahrung und Kleidung (materielle Lebenssicherung – bei Mt
wohl in der zugespitzten Antithese Verfolgung vs. Luxusstreben, wie der
Vergleichspunkt Salomos Pracht zeigt; das Gegenüber ist nicht ein Wander-
prophetentum; da Säen, Ernten, Arbeiten, Spinnen in der Protasis der Argumentation bejaht vorausgesetzt bleiben, sind Seßhafte angesprochen) bzw.
10,19(=Q) für das Verteidigungswort, wobei das voluntative Vb. (Supernym
θέλω) in intentionaler Gerichtetheit (Supernym ζητέω) die Setzung von Prioritäten der Werte im Erstreben bezeichnet (ZELLER EWNT 2,1005f; 1977:
82-94).

ἀμέριμνος 28,14 (NT und LXX nur 1Kor 7,23) *ohne Furcht vor Strafe*
μέρος →Γαλιλαία
μέσος (GUNDRY 645)
    Mt 7 : Mk 5 : Lk 14 + 10 : Joh 4
        =(Mk 5 – 1 + 1) + (Q 1) + (A–Mt 1)
Die uneigentliche Präp. *inmitten* verstärkt in den adv. Bestimmungen die
lokalen Präp. selbst (SÄNGER EWNT 2,1014): ἐν μ. 10,16(=Q); 14,6(+Mk);
18,2(=Mk) dupl. V.20; ἀνὰ μ. 13,25(=Mk 7,31 permutiert); ἐκ μ. 13,49;
selbständig temporal 25,6(=Mk 13,35 permutiert und modifiziert) *mitten in*
der Nacht; (dgg. ist der lokale Gebrauch als selbständiges Adj. 14,24 wohl
mit N-A gg. H-G durch sek. Rückangleichung an Mk entstanden).
μεστός →καθαρός
μετά + Gen. (SCHMID 1930:295; GASTON 1973:63)
    Mt 61 : Mk 43 : Lk 51 + 29 : Joh 15
        =(Mk 43 – 22 + 20) + (Q 7 + 5) + (A–Mt 8)
Neben der 12maligen Bezeichnung der *begleitenden Umstände*: rahmend
Freude 13,20(=Mk) und 28,8(+Mk), Eid 14,7(von Mk 6,25 permutiert) und
26,72(+Mk), Macht 24,30(=Mk) bzw. V.31(+Mk) Posaune dupl., Schwerter
26,47.55(=Mk), Galle 27,34(+Mk) – od. einfach Verbindung von zwei Sachen
wie Lampen 25,4, custodia 27,66(+Mk) immer von der Gemeinschaft von
Personen mit Personen (wie σύν; RADL EWNT 2,1017f) – mit Ausnahme der
Tiere 21,2(+Mk).

    6mal mit *Namen*: 2,11 (Maria); 4,21(Zebedäus – durch Permutation mk
Vorgabe red. hergestellt); 8,11(+Q Abraham); Jesus 26,69(=Mk) und dupl.
V.51 wie 71.

16mal mit *Subst.*: 9,11(=Mk Zöllner); 12,41f(=Q Generation); 16,27(=Mk Engel); 18,23(+Q Angestellte); 19,10(+Mk Frau); 20,2(+Mk Arbeiter).20(+Mk Söhne); 22,16(+Mk Herodianer); 24,49(+Q Betrunkene).51(=Q Heuchler); 26,18.20(=Mk Schüler).58(=Mk Diener); 27,41(=Mk Gesetzeslehrer); 28,12(+Mk Älteste).

An den restl. 27 Stellen mit *Pron.*, wovon mt ⇥ἑαυτοῦ auffällt: 12,45(+Q); 15,30(=Mk 8,14 permutiert); 25,3; 26,11(=Mk).

Theol. und christol. relevant ist das 1,23 und 28,20 rahmende Mit-Sein Jesu, das noch 9,11(=Mk - vgl. V.11 Subst.); 17,17(+Mk); 18,20; 25,19(+Q); 26,29(+Mk).36(=Mk) - also 8mal - verstärkend zur Geltung gebracht ist (FRANKEMÖLLE 1974:7-83; nur der mt Jesus gibt eine Zusage des Mit-Seins; das ist über die bloße Begleitung hinaus vor allem Beistand), dem komplenym 9mal das Mit-Sein mit Jesus entspricht (neben 3mal Subst.): 12,3 (=Mk).30a.b(=Q); 17,3(=Mk 9,8 permutiert); 25,10.31; 26,23(=Mk).38(+Mk).40 (+Mk); dies ist bei Mt also immer ekklesiologisch relevant: Jesu Anwesenheit qualifiziert sie zu Söhnen Gottes (KINGSBURY 1976:56).

Die restl. Pron.Stellen sind 2,3; 5,25(=Q).41(+Q); 12,4(+Mk); 18,16(+Q); 26,11(=Mk); 27,54(+Mk).

ὁ μετά + Gen.: Mt 12,3(=Mk).4(+Mk); 26,51(+Mk); 27,54(+Mk)

Mt 4 : Mk 3 : Lk 2 + 0 : Joh 0.

εἶναι μετά + Gen.

Mt 7 : Mk 6 : Lk 10 + 7 : Joh 16:
Mt 5,25(=Q); 9,15(=Mk); 12,30(=Q); 17,17(+Mk); 26,69(=Mk).71(+Mk); 28,20.

μετά + Akk.

Mt 10 : Mk 9 : Lk 12 + 29 : Joh 15
=(Mk 9 - 3 + 2) + (Q 0 + 1) + (A-Mt 1)

Temp. 5mal zur Bezeichnung des Zeitpunktes, *nach* dem etwas geschieht (BAUER WB 1008f; RADL ebd.): 1,12 (Exil); 24,29(=Mk Notzeit); 26,32(=Mk Inf. Auferweckung); 27,53(+Mk Auferweckung).62(+Mk Rüsttag); ausgelassen wurde die Inf.-Stelle Mk 1,14.

5mal für den Zeitraum, der *nach* einem bestimmten Zeitpunkt bis zu einem Geschehen vergeht: 17,1(=Mk 6 Tagen); 25,19(+Q langer Zeit); 26,2(=Mk 2 Tagen).73(=Mk kurz darauf); 27,63(=Mk 8,31 bzw. 9,31; 10,34 permutiert 3 Tagen).

μεταβαίνω (HAWKINS 1909:6; GASTON 1973:63; GUNDRY 645)

Mt 6 : Mk 0 : Lk 1 + 1 : Joh 3 (NT nur noch 1Joh 3,14; LXX nie)
Erzählend von Jesus *Weggehen* 8,34(+Mk statt ἀπέρχομαι) + ἀπό und danach μεταβαίνω ⇥ἐκεῖθεν (GUNDRY 645)

Mt 3 : Mk 0 : Lk 0 + 1 (Apg 18,7):
11,1(+Mk); 12,9(+Mk); 15,29(+Mk statt ἐξέρχομαι, doch V.21 synonym dazu). Abschließend im Logion für die Wunderkraft der Schüler 17,20a.b(+Q) in Befehl und Ausführungszusage: *Hinwegheben* (Berg).

μεταίρω ⇥χείρ (αἴρω)

μεταμέλομαι (STRECKER 1971:153; GUNDRY 646)

Mt 3 (NT nur noch 2Kor7,8a.b; Hebr 7,21 Zitat LXX-Ps 109,4; LXX 14mal)
Als Bezeichnung einer *Willensänderung* gehört μ. als Hyponym *Reue* in das Wortfeld des bei Mt bevorzugten ⇥*Wollens*: Das wird klar bei der *Entschluß-änderung* des Judas 27,3(+Mk); das regierende Supernym ist auch 21,29(+Q) explizit vorangestellt, wo es mit der Auftragserfüllung verbunden ist (vgl. 13,28; 19,30; 21,30). Es wird darum in der Allegorieanwendung 21,32(+Q) sogleich wiederholt (Antonym ist in dem von Mt benutzten 3Makk 2,24 Verbitterung); kontextsynonym ist hier ⇥μετανοέω. Ganz bewußt hat Mt auch im gleichen Kontext der Verurteilungsallegorien in der folgenden 22,5(+Q) das direkte Antonym dazu

ἀμελέω

Mt 1 (NT nur noch 1Tim 4,14; Hebr 2,3; 8,9 Zitat Jer 31,32; LXX 4mal) eingesetzt; wie bewußt diese Abfolge konstruiert ist, ergibt sich daraus, daß 22,5 dasselbe Vb. wie 21,29 folgt (und synonym: *nicht wollen*).

μεταμορφόομαι 17,2(=Mk) *umgestaltet, qualifiziert werden* (PhiloMos 1,57)
   Mt 1 : Mk 1 (NT noch 3Kor 3,18; Röm 12,2; LXX nie)
μετανοέω (STRECKER 1971:226-8)
   Mt 5 : Mk 2 : Lk 9 + 5 (NT nur noch 2Kor 12,21 und Apk 12mal)
      =(Mk 2) + (Q 2 + 1)
μετάνοια
   Mt 2 : Mk 1 : Lk 5 + 6 (NT Briefe noch 8mal; LXX 5mal)
      =(Mk 1) + (Q 1)

Mt ist in seiner Verwendung des Lexem für die *Sinnesänderung* als einmaligem Akt des Neuanfangs ganz von Mk und Q abhängig. Die Wiedergabe mit *Umkehr* verkennt, daß LXX das hebr. *schub̲* in der Regel nicht mit μ. wiedergab (BEHM ThWNT 4,985-91 erst Sir 48,15), Mt weder eine *Rückkehr zum Gesetz* noch eine direkte *personale Hinwendung zu Gott* bezeichnet, sd. grundlegend die Bejahung seines Buchkonzepts: Es ist die zusammenfassende Bezeichnung für die *Annahme seiner Eintrittsbedingungen*. Daher hat er Überschrift 4,17 dem Imp. gegenüber der Mk-Vorlage vorangestellt und die Ansage der Nähe des Endzeitlohns begründend nachgeordnet und dies 3,2 (=Mk 6,12 permutiert) dem Täufer als identische Forderung in den Mund gelegt. Die Täuferstelle 4,8(=Q) mit dem Subst. als Nom. actionis im Funktionsverbgefüge wurde V.7 red. zur Forderung an die Gegner gemacht, wobei die erwartete ↗*Frucht* offenbar in der *Hinwendung selbst* besteht, so daß man ein *Schüler* des mt Buchkonzepts *wird*; die Fortsetzung 4,11(+Q) fügte red. das Subst. aus Mk 1,4 permutiert hinzu und die Präp. ↗*εἰς* bestimmt das Verhältnis zum Nom. actionis konsekutiv: *auf die geschehene Hinwendung hin* (gg. SCHLATTER 77f; BEHM ThWNT 4,996 nicht μ. als Wirkung der Taufe und Gabe Gottes an den Täufling): ↗*Taufe "als Ausdruck der menschlichen μ."*, wobei μ. "als Sinnesänderung einerseits" von der nachfolgenden Tat wie 28,18f abgehoben erscheint (STRECKER 1917:227f). Gegnerbezogen ist auch der 11,21(=Q) mitgeteilte Verwerfungsspott über die Städte der Israel-Wirksamkeit (Jesu wie seiner Schüler Kap.10), der V.20(+Q) als Mitteilung an Dritte über sie dupl. ist. Der antithet. typologische Bezugspunkt auf Nichtjuden erscheint ebenso 12,41(=Q) im Jonabeispiel zur Abweisung der gegnerischen Zeichenforderung; wenn hier red. die Auferweckung Jesu zum Bezugspunkt gemacht wird wie 11,20f seine messianischen Taten, so zeigt dies im Vergleich mit 4,17, daß dies jeweils pars pro toto für das ganze Buchkonzept als Bezugspunkt erscheint. Mt verwendet das Lexem nur für den Anfangsakt des Christwerdens; innerkirchliche Verhaltensweisen christl. Lebensführung werden nicht damit bezeichnet; insofern kann man die rein relationale Kategorie *Bekehrung* auf den von ihm in seinem Wortfeld verwendeten Terminus anwenden.

σποδός 11,21(=Q – NT noch Hebr 9,13) *Asche* (+ *Sack* LXX-Ausdruck für μ.)
   Mt 1 : Lk 1
μεταξύ 18,15(+Q) *unter vier Augen*; 23,35(=Lk) lokal *zwischen*
   Mt 2 : Mk 0 : Lk 2 + 3 : Joh 1 (NT nur noch Röm 2,15; LXX 10mal)
μετοικεσία ↗οἰκ-
μετρέω, μέτρον ↗κρίνω
μέχρι ↗ἡμέρα
μή
   Mt 129 : Mk 78 : Lk 141 + 65 : Joh 117
      =(Mk 78 – 39 + 27) + (Q 32 + 18) + (A-Mt 13)
Die emphatische Verneinung von Zukünftigem *gewiß nicht* durch die Doppelung

οὐ μή
  Mt 20 : Mk 9 : Lk 17 + 3 : Joh 17
      =(Mk 11 + 5) + (Q 2 + 2)
steht außer im Fut. im Petruswort 26,35(=Mk) und 16,22(+Mk) im zitierten
Gegnerwort 15,5(+Mk) im Konj.Aor. 13,14a.b(+Mk Zitat Jes 6,9) in Worten Jesu
wie 5,18(+Q).20(+Q).26(=Q); 10,23(+Mk).42(=Mk); 16,28(=Mk); 23,39(=Q); 24,2.21.
34f(=Mk); 25,9; 26,29(=Mk) sowie einmal 21,19 red. gebildet mit
μηκέτι
  Mt 1 : Mk 4 : Lk 1 + 3 : Joh 1;
11mal hat Mt ϟἐὰν μή und 16mal ϟεἰ μή; finales
ἵνα μή 5,29f(+Mk); 7,1(=Q); 12,16(=Mk); 17,27; 24,20(=Mk); 26,5(+Mk).41(=Mk)
  Mt 8 : Mk 6 : Lk 9 + 3 : Joh 18;
μή + Pt.
  Mt 16 : Mk 5 : Lk 24 + 12 : Joh 11
      =(Mk 5 – 3 + 3) + (Q 6 + 4) + (A–Mt 1):
Mt 1,19; 3,10(=Q); 7,18(+Q).26(=Q); 9,36(=Mk); 10,28b(=Q); 12,30a.b(=Q); 13,19
(+Mk); 18,13(+Q).25(+Q); 22,12(+Q).24f(+Mk).29(=Mk); 25,29(=Q).
μή + Inf.
  Mt 9 : Mk 5 : Lk 8 + 20 : Joh 0
      =(Mk 5 – 2 + 1) + (Q 1 + 2) + (A–Mt 2):
Mt 2,12; 5,34.39(+Q); 6,1(+Q); 8,28(+Mk τις statt οὐδείς vgl. ϟοὐδέ);
13,5f(=Mk); 22,23(=Mk τις); 23,23(=Q).
μή + Imp.
  Mt 17 : Mk 4 : Lk 30 + 6 : Joh 15
      =(Mk 7 + 3) : (Q 4) + (A–Mt 3):
Mt 6,3.16.19.25(=Q); 7,1(=Q); 10,28(=Q).31(=Q); 14,27(=Mk); 17,7(+Mk); 19,6(=Mk).
14(=Mk); 23,3(+Mk); 24,6(=Mk).17f(=Mk); 28,5(=Mk).10(+Mk dupl.).
μή in Argumentationsfragen (*etwa* ?), die die Antwort *gewiß nicht* erwartet:
  Mt 4 : Mk 2 : Lk 7 + 2 : Joh 18
nur übernommen in Mt 7,9f(=Q); 9,15(=Mk); 11,23(=Q).
μηδέ (GASTON 1973:61; GUNDRY 646)
  Mt 11 : Mk 6 : Lk 7 + 2 : Joh 2
      =(Mk 6 – 3) + (Q 1 + 7)
bei Mt nur in Worten Jesu *auch nicht/nicht einmal*, während berichtende
Vorgaben von Mk 2,2; 3,20 ausgelassen wurden (sowie Mk 8,26 ohne vorausgehende Negation); übernommen sind 10,14(=Mk) im kondit. Rel.satz.; 22,29
(=Mk) im kaus. Pt.; 24,20(=Mk 13,15 permutiert) im Finalsatz; typ. ist
μηδέ nach μή + Imp.
  Mt 8 = (Q 1 + 7):
6,25(=Q); 7,6(+Q); 10,9b.c.10b.c.d(+Q/Mk); 23,10(+Q).
μηδείς 8,4(=Mk); 9,30(=Mk 5,43 perm.); 16,20(=Mk); 17,9(=Mk); 27,19(+Mk)
  Mt 5 : Mk 8 : Lk 9 + 21 : Joh 0
μηκέτι ϟμή
μήποτε (GUNDRY 646)
  Mt 8 : Mk 2 : Lk 7 + 2 : Joh 1
      =(Mk 2 + 2) + (Q 2 + 1) + (A–Mt 1)
als selbständige Konjunktion zur Einleitung eines Finalsatzes der damit
zugleich vorausgesetzen Befürchtung: rahmend im Munde des Teufels 4,6(=Q
Zitat Ps 91,12) bzw. der Gegner 27,64(=Mk 14,2 daher permutiert); dazwischen im Munde Jesu 5,25(=Q); 7,6(+Q); 13,15(=Mk Zitat Jes 6,19).29(+Mk);
15,32(+Mk); 25,9.
μήτε
  Mt 6 : Mk 0 : Lk 6 + 8 : Joh 0
      =(Mk 0) + (Q 1 + 1) + (A–Mt 4)
Die aufreihende Verwendung (*weder – noch, auch nicht*) in der Allegorieanwendung 11,18a(+Q).b(=Q) deutet auf eine späte hell. Formulierung in Q;

Mt 5,34 setzt μ. auch hier wie 11,18 (Lk dürfte es kaum ausgelassen haben) schon red. im ersten Falle, um V.35a.b.36 anzuschließen.

μήτηρ →γαμέω

μήτι

    Mt 4 : Mk 2 : Lk 2 + 1 : Joh 3

In der Argumentationsfrage *etwa* 7,16(+Q) eine negative Antwort herausfordernd wie frivol auch im Munde des Judas 26,22(=Mk).25(+Mk dupl.). Im Chorschluß 12,23(+Q) ist aber eine positive Antwort (steigend gegenüber 9,33) erwartet, was klass. die zusätzliche Setzung der Negation erfordert hätte, in der Koine jedoch nicht mehr (vgl. Joh 4,29; GRUNDMANN 328 n.49; FUCHS 1980:141 n.298.144 n.307 gg. SUHL 1968:71f; EWNT 2,1049, da mt →ὄχλοι nicht eo ipso Träger des Mißverständnisses sind).

μιγνύω →ἄρτος

μικρόν, μικρός →ἐλάχιστος

μίλιον →δύο

μιμνήσκομαι (GUNDRY 646)

Mt 3 : Mk 0 : Lk 6 + 2 : Joh 3

    (=Mk 0 + 2) + (Q 0 + 1)

5,23(+Q); 26,75(+Mk statt Komp.); 27,63(+Mk) *sich erinnern*

μνημονεύω 16,9(=Mk) *erinnern*

    Mt 1 : Mk 1 : Lk 1 + 2 : Joh 3

μνημόσυνον 26,13(=Mk) *Erinnerung* als autoreferentieller Buchbezug

    Mt 1 : Mk 1 : Lk 0 + 1 (NT sonst nie)

μισέω →ἀγαπάω

μισθός (HAWKINS 1909:6; GUNDRY 646)

    Mt 10 : Mk 1 : Lk 3 + 1 : Joh 1

        =(Mk 1 + 2)+ (Q 3 + 4)

Die einzige Mk-Stelle 9,41, die in ihrer Fortsetzung V.42ff schon den Bezug zum →ewigen Leben vorgab, ist Mt 10,42 versetzt übernommen und von daher auch im gleichen Zusammenhang V.41a.b dupl. worden; dabei kann V.41a als permutierte Übernahme von Q-Lk 10,7 angesehen werden, weil Mt 10,10b es dort auslie. (wie auch 19,29 die "irdische Remuneration" von Mk 10,30; STRECKER 1971:162) und seinem Konzept entsprechend eschatol. transkodierte: sein Belohnungskonzept ist immer rein eschatol. und besteht im *ewigen Leben* (19,17ff). Noch vor dieser Verwendung in seiner Israelsendungsrede hat er μ. eröffnend mit 2 Q-Übernahmen diesen Sprachgebrauch in der Bergpredigt eingeführt: 5,12(=Q) faßt der Ausdruck die Nachsätze der voranstehenden Makarismen zusammen und ist damit klar eschatol. gefüllt; dasselbe gilt von der davon abhängigen Wiederholung in der erneuten Verfolger-Antithese 5,46(=Q-Lk 6,35 permutiert); im Anschluß daran hat Mt 6,1 mit dem gleichen Vb. dupl. (STRECKER 1971:152) sowie mit entsprechendem Antonym 6,2.5.16 multipliziert; diese drei Dubl. sind außerdem inklusive der Amen-Einleitung zugleich Analogiebildungen zu Mk 9,41, wobei nur das Vb. im Zuge der Kontextantonymie zu 6,1 ausgetauscht wurde. Nach dieser Konzentration von 6 Belegen auf die Grundsatzrede und 3 auf die Sendungsrede gibt der Autor in der abschließenden Allegorie der judäischen Jüngerrede 20,8(+Mk) eine abschließend unterstreichende Entfaltung seines Wortkonzepts: Für alle mitwirkenden Schüler (anaphor. Art.) gibt es die gleiche Belohnung (materialiter in der individuellen Unsterblichkeit des kommenden Äons = Himmels-Basileia bestehend). Im Hinblick auf dieses Leitwort ist hier zur Unterstreichung auch Mt 20,1.7(+Mk) das Vb.

μισθόομαι

    Mt 2 (NT sonst nie; LXX 17mal)

verwendet; es ist schon bei seiner Einführung 20,1 als Handlung eines →Hausvaters allegor. konnotiert und signalisiert in diesem Begründungsstück (→denn), daß alle Schüler dasselbe (= *ewiges Leben*) erhalten. Immer geht es eschatol. um die Ganzheitsbejahung der Person der Schüler, die in der *Be-lohnung* mit individueller Unsterblichkeit im kommenden Äon besteht. Immer ist es die Tat-Folge als Erfolg eines Handelns im Sinne des mt Jesus. Darum ist nur die Übersetzung mit *Belohnung*, nicht aber mit *Lohn* (der gestuft sein könnte) angemessen, um das Moment des Überschusses wie der einzigen Antithese der ewigen Bestrafung deutlich werden zu lassen; für Mt gilt nicht: "Jesus vereinigt innerzeitliche und endzeitliche Vergeltung (gg. W.PESCH EWNT 2,1064 - wie man überhaupt nicht von einer "Vergeltungsleh-re Jesu" reden kann). Endzeitlohn als Vermeidung von Endzeitstrafe sind die grundlegenden paränetischen Motivationen des mt Konzepts; die Bezeich-nung "Gnadenlohn" ist seinem Konzept unangemessen (STRECKER 1971: 160-5).

μνημεῖον →ἀποθνῄσκω

μνημονεύω, μνημόσυνον →μιμνῄσκομαι

μνηστεύομαι →γαμέω

μόδιος 5,15(=Mk/Q) lat. *modius*, Getreidemaß (ca. 8,7 l) *Scheffel*
    Mt 1 : Mk 1 : Lk 1 (NT und LXX sonst nie)

μοιχάομαι, μοιχαλίς, μοιχεία, μοιχεύω →γαμέω

μόνον (HAWKINS 1909:6; GASTON 1973:61; GUNDRY 646)
    Mt 7 : Mk 2 : Lk 1 + 8 : Joh 5
       =(Mk 2 + 4) + (Q 0 + 1)
Die pleonastische Verwendung des Adv. *nur* im Ausnahmesatz (nach εἰ μή) wurde Mt 21,19(=Mk 6,8 permutiert) übernommen, doch bei Mk 5,36 ausge-lassen; 21,21(+Mk οὐ μ. - ἀλλὰ καί) wurde es dem Jesuswort ebenso gräz. unsemit. (BEYER 1968:126f; FITZMEYER EWNT 2,1087) zugesetzt wie bei der Bitte des Centurio 8,8(+Q οὐ - ἀλλὰ μ.) und den konditionalen Hypotaxen der Jesusworte 5,47(+Q) und 10,42(+Mk) wie den Bittgesten 9,21(=Mk 5,36 permutiert) und dup. 14,36(+Mk).

μόνος (GUNDRY 646)
    Mt 7 : Mk 4 : Lk 8 + 0 : Joh 9
       =(Mk 4 - 2 + 2) + (Q 2 + 1)
Allein steht prädikativ 4,10(=Q als gräz. verstärkender Zusatz zum Zitat LXX-Dt 6,13) wie 4,4(=Q nach Negation); 14,23(=Mk); 18,15(+Q *unter vier Augen*); ferner 3mal im semit. Ausnahmesatz, dessen "stark ausschließende Kraft" offenbar "nicht mehr recht empfunden" wurde (BEYER 1968:126 n.3) nach εἰ μή im red. Syntagma 12,4(+Mk); 17,8(=Mk hier durch Zusatz von εἰ μή hergestellt); 24,36(+Mk).

μονόφθαλμος →ὀφθαλμός

μύλος →ἄρτος

μύριοι →δύο

μύρον 26,7.12(=Mk) *Salböl*
    Mt 2 : Mk 3 : Lk 4 + 0 : Joh 4 (NT nur noch Apk 18,13; LXX 18mal)

μυστήριον →βασιλεία, κρύπτω

μωραίνω, μωρός →γινώσκω

Μωυσῆς →γραφή

Ναασσών 1,4a.b Eigenname (vgl. LXX-Rut 4,20; Lk 3,32)

Ναζαρά, Ναζαρέθ/τ, Ναζαραῖος →Γαλιλαία

ναί (GUNDRY 646)
    Mt 9 : Mk 0 : Lk 4 + 2 : Joh 3
       =(Mk 0 + 5) + (Q 2) + (A-Mt 2)
Die bejahende Partikel ist 11,9(=Q *gewiß*) als Antwort auf eine selbst-gestellte rhetor. Frage wie 11,16(=Q *in der Tat*) zur verstärkenden Wieder-holung der eigenen Aussage vorgegeben; red. ist sie in den 5 Fällen als *Antwort* auf eine Frage, die ein anderer stellt, mit funktionsgleich entweder voranstehendem Präs. hist. 13,51(+Mk); 17,25(+Mk); 21,16(+Mk) oder nach-folgender Kyrie-Anrede 15,27(+Mk - gg. H-G 123 mit p[45] pc bei Mk wohl

nicht urspr., sd. sek. Angleichung an Mt; GNTCom 95; N-A) bzw. beidem
gemeinsam typischerweis an der Eröffnungstelle 9,28(+Mk). In der Antithese
Ja vs. *Nein* 5,37a.b ist Jak 5,12 übernommen (wohl wegen des red. ⟩ὅλως in
der Überschrift sinngleich: Identität des *Ja* mit dem *Ja*; KLOSTERMANN 47
gg. STRECKER 1984:84; DAUTZENBERG TRE 9,381, die von erst späten jüd.
Belegen BILL 1,336f her eine schlichte Beteuerungsform durch doppeltes *Ja*
annehmen).

ναός ⟩ἀρχιερεύς
νεανίσκος 19,20.22(=Mk 14,51; 16,5 permutiert) *junger Mann*
   Mt 2 : Mk 2 : Lk 1 + 4 (NT nur noch 1Joh 2,13f)
νεκρός ⟩ἀποθνῄσκω
νεός ⟩καινός
νεφέλη 17,5a.b(=Mk); 24,30(=Mk); 26,64(=Mk) *Offenbarungs- bzw. Parusiewolke*
   Mt 4 : Mk 4 : Lk 5 + 1 : Joh 0
Νεφθαλίμ 4,13.15 Stammesgebiet des Jakobssohns westl. See Gennesaret
νήθω ⟩γυμνός
νήπιος ⟩γινώσκω
νηστεύω, νῆστις ⟩ἄρτος
νῖκος 12,20(+Mk Zusatz zu Jes 43,3) *endgültige Durchsetzung* (=neuer Äon)
Νινευίτης ⟩ἔθνος
νίπτω ⟩βαπτίζω
νοέω ⟩γινώσκω
νομίζω ὅτι (statt A.c.I. SCHENK EWNT 2,1156f; GUNDRY 646)
   Mt 3 : Mk 0 : Lk 2 + 7 : Joh 0
      =(Mk 0 + 1) + (Q 0 + 2)
Der negierte Imp. 5,17(+Q); 10,34(+Q) als verstärktes metakommunikatives
Signal zur Erregung der Aufmerksamkeit für die angeschlossenen christol.
Selbstaussagen kennzeichnen auch 20,10(+Mk) als von vornherein *irrtümliche
Annahme.*
νομικός ⟩γραμματεύς
νόμισμα ⟩τελ- II
νόμος ⟩γραφή
νόσος ⟩μαλακία
νοσσίον ⟩πετεινόν
νότος ⟩ἔθνος
νύμφη, νυμφίος, νυμφών ⟩γαμέω
νῦν (GUNDRY 646)
   Mt 4 : Mk 3 : Lk 14 + 25 : Joh 28
      =(Mk 3 – 1 + 2)
24,21(=Mk subst.); 26,65(+Mk); 27,42(=Mk nach Imp.) dupl. V.43 *jetzt*
νύξ ⟩ἡμέρα
νυστάζω ⟩γρηγορέω
Νῶε 24,37f(=Q)
   Mt 2 : Mk 0 : Lk 3 (NT nur noch Hebr 11,7; 1Pt 3,20; 2Pt 2,5)
ξένος ⟩διασκορπίζω
ξηραίνομαι 13,6(=Mk); 21,19f(=Mk) *verdorren, vertrocknen*
   Mt 3 : Mk 6 : Lk 1 + 0 : Joh 1
ξηρός 12,10(=Mk *ausgezehrte Hand*); 23,15(+Q *das Trockene* = Land vs. Meer)
ξύλον ⟩δένδρον
ὁ, ἡ, τό
   Mt 2 777 : Mk 1 485 : Lk 2 629 + 2 688 : Joh 2 144
Die ursp. demonstrative Bedeutung des Art. ist noch wirksam in ὁ μέν 16,14
(+Mk) und dem 73maligen ὁ ⟩δέ (B-D-R 250) als auch in der Verwendung
Art. + Gen. poss. (M-G 674f)
   Mt 12 : Mk 12 : Lk 7 + 6 : Joh 4:
Mt 1,6; 4,21(=Mk); 8,33(+Mk); 10,2f(=Mk); 16,13(=Mk).23c.d(=Mk); 21,21(+Mk).

25(=Mk); 22,21c.d(=Mk); ebenso in der Abfolge
Art. + Pt. + Demonstr.-Pron. (M-G 678)
    Mt 6 : Mk 3 : Lk3 + 3 : Joh 15:
Mt 6,15(+Mk Zitat Jes 9,1); 10,22=24,13(=Mk); 15,11(=Mk); 25,29(=Q sek.
erweitert); 26,23(=Mk sek. erweitert); funktionsgleich auch in der Abfolge
Art. + Präp. (meist kata- oder anaphor. auf Nom. bezogen; M-G 682)
    Mt 37 : Mk 20 : Lk 35 + 64 : Joh 10
        =(Mk 20 - 15 + 8) + (Q 2 + 17) + (A-Mt 5)
2,16; 5,12(+Q).15(+Q).16(+Q).45(+Q); 6,1(+Q).6.9(+Q).18.23(=Q); 7,3a.b(=Q).11(+Q).
21(+Q); 10,32f(+Q); 12,3(=Mk).4(+Mk).50(+Mk); 14,33(+Mk); 16,17(+Mk); 18,10(+Q).
14(+Q).19(+Q); 20,9(+Mk); 21,2(=Mk).11(+Mk); 23,18(+Q).20(+Q); 24,16(=Mk).17a
(=Mk).b(+Mk).18(=Mk).38(+Q); 25,34.41; 26,51(+Mk).
    Die besondere Häufigkeit bei Mt verdankt sich dem anaphor. Gebrauch
des innertextlichen Rückweises auf bereits Erwähntes (z.B. μάγοι 2,7.16a.c
nach V.1 ohne Art.; ELLIGER EWNT 2,1195; B-D-R 252) als auch der auffallend griech. Verwendung anstelle des Poss.pron. (K-G 454,1; z.B. abs. οἱ
>μαθηταί = seine). Der definitorische Gebrauch als außertextliche Referenz
auf bekannt vorausgesetzte Personen oder Sachverhalte, die im Text noch
nicht erwähnt waren, liegt 10,4 (statt mk Rel.pron.) für die Auslieferung des
Judas vor. Der generelle Gebrauch zur Anzeige der Gattung statt des Indi-
viduums (ELLIGER ebd.1196): "Vögel" 6,25(=Q wie 8,20 + "Füchse").28(=Q)
"Feldblumen"; "Mensch" 15,11a.b(=Mk wie spezifiziert Q-Mt 12,35a.b); "Arbeiter" 10,10(=Q); "Hausherr"/"Dieb" 24,43(=Q). Bei Eigennamen (ELLIGER ebd.
1197f; B-D-R 260-2) steht der Art. meist anaphor. (Jesus Christus 1,16 nach
1,1; Pilatus 27,13.17.22.24 nach V.2); bei den im Unterschied zum Griech.
undeklinablen hebr. Namen kann zur Kennzeichnung des Kasus der Art. gesetzt werden wie 24,37(+Q; anders bei den Erfüllungszitaten und 12,39f).
Der Nom. des Art. für den Vokativ (M-G 676f)
    Mt 6 : Mk 5 : Lk 11 + 3 : Joh 2:
6,9(+Q); 7,23(=Q); 11,26(=Q); 23,24(+Q von N-A wie H-G als urspr. LA gewertet); 27,29(+Mk - von N-A wie H-G nicht als urspr. LA gewertet, obwohl
der Vok. sek. Angleichung an Mk sein kann).40(=Mk).
    "Durch den Art. kann jedes beliebige Wort, aber auch ein Satz oder
Satzteil substantiviert werden" (ELLIGER ebd.1196) - z.B. Mt 19,18(+Mk) ein
Zitat (B-D-R 267) oder 24,17(+Mk) eine Präp. (HAWKINS 1909:47).
Art. + Inf.
    Mt 25 : Mk 13 : Lk 70 + 44 : Joh 4
        =(Mk 13 - 7 + 13) + (Q 1 + 4) + (A-Mt 1)
Der subst. Inf. ist eine für Mt typ. Konstruktion in
τοῦ + Inf. (HAWKINS 1909:48; KLOSTERMANN 48; STRECKER 1971:150; GUNDRY
        ᵷ48) ohne Anschluß an ein den Gen. regierendes Nomen oder Vb.
    Mt 6 : Mk 0 : Lk 20 + 15 : Joh 0
        =(Mk 0 + 3) + (Q 1 + 1) + (A-Mt 1)
2,13; 3,13(+Mk bzw. Q-Lk 3,7); 11,1(+Mk); 13,3(+Mk); 21,32(+Q konsekutiv
STRECKER 1971:179); 24,45(=Q). Hinzu kommt 6,8(+Q) noch die tempor. präp.
Wendung
πρὸ τοῦ + Inf.
    Mt 1 : Mk 0 : Lk 2 + 1.
πρὸς τό + Inf. (B-D-R 402,5 LXXismus als Nachwirkung des hebr. lᵉ +Inf.)
    Mt 5 : Mk 1 : Lk 1 + 1
        =(Mk 1 - 1 + 3) + (Q 0 + 2)
Mit A.c.I. 5,28(+Mk; kann hier wie im Lat. auch das Obj. bezeichnen, so daß
der Aor. hier nicht final, sd. konsekutiv ist: so daß er sie begehrt hat);
25,30(+Mk); 26,12(+Mk; antithet. rahmend zur Anfangsstelle A':A) sowie mit
bloßem Inf. 6,1(+Q) und 23,5(+Q) antithetisch thematisch rahmend (B:B') um
gesehen zu werden.

Vgl. weiter je 3mal ⊁διὰ τό, ⊁εἰς τό, ⊁ἐν τῷ (B-D-R 404,1 - ein LXX-ismus, der aram. nicht möglich ist; DALMAN 1965:26f); μετὰ τό 26,32(=Mk); sowie nach Negation 13,5(=Mk); zuammenfassendes Zitat 15,20(+Mk); 20,23(=Mk).

Art. + Pt. (M-G 680f)

    Mt 185 : Mk 80 : Lk 200 + 166 : Joh 183

"Das subst. *Pt.* im Sing. und Plur (im Klass. häufig) steht" bei Mt besonders oft (ὁ ⊁δέ), um es vom ergänzenden Pt. zu unterscheiden, "individuell (Mt 1,20) und generisch (⊁πᾶς Mt 7,26), als stereotype Wendung wie τὸ ⊁ρηθέν (12mal)... oder völlig als Subst. mit Gen. wie τὰ ὑπάρχοντα αὐτοῦ (Mt 24,47: 25,14)" (B-D-R 413).

Art. + Adv. (M-G 683)

    Mt 19 : Mk 12 : Lk 18 + 25 : Joh 12
        =(Mk 12 - 3 + 3) + (Q 3 + 4)

Tempor.: 6,34a.b(+Q) *morgen* wie 27,62(=Mk); 11,23(+Q) *heute* wie 27,8(+Mk) und 28,15; 24,21(=Mk *jetzt*); 26,45(=Mk *weiter*); lok.: *gegenüber* 8,18(=Mk). 28(=Mk); 14,22(=Mk); 16,5(=Mk); *Äußere/Innere* 23,25.26a.b(=Q); 26,71(=Mk *dort*); ferner *Nächsten* 5,43(+Q); 19,19(+Mk); 22,39(=Mk).

Art. + Adj. (M-G 677)

    Mt 93 : Mk 33 : Lk 68 + 32 : Joh 31
        =(Mk 33 - 13 + 29) + (Q 10 + 14) + (A-Mt 20)

3,5(+Q); 5,3(=Q).5.7.8.9(+Q).21.33.37.39a.b.47(+Q); 6,3a.b.4a.b.6a.b.7.13(+Q).18a.b. 24(=Q); 7,6(+Q); 8,22a.b(=Q); 9,2.6(=Mk).28(=Mk 8,22 permutiert).33(=Q); 10,25. 36(+Q).42(+Mk); 11,8(=Q).11(=Q); 12,7(+Mk).18(+Mk).22(=Q).29b(=Mk).45a.b (=Q); 13,5.19f(=Mk).38(+Mk).43.48a.b.49a.b; 14,2(+Mk).6(+Mk).14(+Mk). 35(=Mk); 18,4 (+Mk).6(=Mk).10(+Mk).14(+Q); 19,17a.b(+Mk); 20,12(+Mk).14(+Mk).16(+Mk).25 (=Mk); 21,9(=Mk).15(+Mk).30f(+Q); 22,6(+Q).31(+Mk); 23,11(+Mk). 15(+Q).23(+Q); 24,12(+Mk).22(=Mk).24(=Mk).31a(=Mk)b(+Mk); 25,3f.8a.b.9f.45f; 26,11(=Mk).17 (=Mk); 27,19(+Mk).29(+Mk).49(+Mk).52(+Mk).64(+Mk); 28,7(+Mk).

ὁδ-

    Mt 27 : Mk 16 : Lk 21 + 22

ὁδηγέω 15,14(=Q) *führen* (Blinde)

    Mt 1 : Mk 0 : Lk 1 + 1 : Joh 1 (NT nur noch Apk 7,17) red. multipl. in

ὁδηγός ⊁τυφλῶν 15,14(+Mk); 23,16.24(+Q) für Lehrer Israels

    Mt 3 : Mk 0 : Lk 0 + 1 (NT nur noch Röm 2,19; LXX 5mal)

ὁδός (GUNDRY 646)

    Mt 22 : Mk 16 : Lk 20 + 20 : Joh 4
        =(Mk 16 - 7 + 4) + (Q 4 + 4) + (A-Mt 1)

Übernommen sind die präp. Wendungen *unterwegs* (ἐν) 5,25(=Q); 15,32(=Mk); 20,17(=Mk) bzw. direkt 21,8a(=Mk unter Änderung der Präp.).b(+Mk dupl.), daneben (παρά) 13,4.19(=Mk) bzw. direkt 20,30(=Mk), *auf die Reise* (εἰς) 10,10(=Mk) bzw. *in Richtung* im Verbot 10,5(=Q-Lk 19,4 Präp. modifiziert + finaler Gen.) und aufgehoben 22,10(=Q-Lk 14,23) und dupl. V.9(+Q mit ἐπί + Akk.) mit

διέξοδος *Ausgänge der städtischen Straßen* (MICHAELIS ThWNT 5,112f)

    Mt 1 (NT sonst nie)

Red. ist auch *auf dem Weg* mit διά + Gen. 2,12; 8,28(+Mk) bzw. ἐπί + Gen. 21,19(+Mk). Im Erfüllungszitat 4,15(+Mk Jes 8,23) begründet das Gen.-Syntagma *Weg am See* (oder final *in den See* als Element der Vernichtung 8,32, so daß hier ein engerer Zusammenhang mit den Finsternis und Todesaussagen des Zitats besteht und schon das Element des Vernichtungsgerichts für die Stadt von 11,23 im Blick ist) das Attribut zu Kafarnaum V.13, während in dem Erfüllungszitat 3,3(=Mk Jes 40,3) der Gen. final gemeint sein dürfte als *Weg zum Herrn* wie im synonymen Parallelismus *Pfad*

τρίβος

    Mt 1 = Mk 1 = Lk 1 (NT sonst nie);

dabei ist ὁ. ethisch kodiert wie schon in dem einzigen Erfüllungszitat aus Q

11,20(=Lk Mal 3,1), wo der schon von Q eingebrachte Gen. ebenfalls final gemeint sein dürfte, da beides die Arbeit des Täufers als Vorläufers Jesu beschreibt. Beide Stellen sind in dem red. Gen.-Syntagma *Weg (=Forderung) der* ↗δικαιοσύνη 21,32(+Q; STRECKER 1971:153.179) wieder aufgenommen. Dem entspricht die bei Mt im Gegnermund daran anschließende (und darum red. als deren Renominalisierung anzusehende) Wendung *Weg Gottes* 22,16(=Mk). Die 6malige Verwendung von Gen.-Syntagmen ist für Mt kennzeichnend. Red. ist die ethische Kodierung auch in der Antithese 7,13f(+Q) als *Lebensweise*: "Entscheidend für das Verständnis des Doppelbildes ist die in der Gegen-überstellung von πολλοί und ὀλίγοι liegende bildimmanente Folgerung. Illu-striert ist daher nicht eigentlich die Schwierigkeit der Nachfolge, sd. das Bild mahnt zur Wachsamkeit in der Nachfolge, für die nicht das Kriterium der großen Zahl gilt" (VÖLKEL EWNT 2,1202).

εὐρύχωρος 7,13(+Q *breiter Weg*; contra εὐθύς 3,3; NT nie mehr, LXX 11mal) πλατ- als red. Gegnerkennzeichen
     Mt 4 : Mk 0 : Lk 0 : Joh 0
πλατεῖα *Straßen* 6,5(+Q) als Ort jüd. Betens contra 12,19(+Mk) Jesu nicht.
     Mt 2 : Mk 0 : Lk 3 + 1 (NT nur noch Apk 3mal)
       =(Mk 0 + 1) + (Q 0 + 1)
πλατύνω 23,5(+Q – NT nur noch 2Kor 6,11.13) Gebetsriemen *breit machen.*
πλατύς 7,13(+Q) *weit* als Kennzeichen des Höllentors; Antonym
στενός 7,13(=Q).14(+Q) *eng* (Pforte = mt Konzentration auf Liebesgebot)
     Mt 2 : Mk 0 : Lk 1 (NT sonst nie; LXX 19mal)
ῥύμη 6,2 Plur. *Straßen*
     Mt 1 : Mk 0 : Lk 1 + 2 (NT sonst nie; LXX 4mal)
πυλ-
     Mt 5 : Mk 0 : Lk 2 + 9 : Joh 0
πύλη metaphor. als antithetisches Gegnerkennzeichen
     Mt 4 : Mk 0 : Lk 1 + 4 (NT nur noch Hebr 13,12)
7,13a.14(+Q) als *enges* (=mt Konzept) vs. 7,13b(+Q wo red., da Lk es nicht meidet) *breites Tor* = 16,18(+Mk Plur.) *Tore zur Hölle* (=Judentum, da Mt schon an der ersten Stelle seine Antithese antijüd. meinte) vs. mt Leserge-meinde (vgl. auch πυλῶν ↗ἀρχιερεύς).
Die Häufung von ὁδ- zusammen mit der Einbringung singulärer Straßen-kennzeichnungen erweist Mt offenbar als Großstädter.
ὁδούς, ὀδυρμός ↗κλαυθμός
Ὀζίας 1,8f (NT sonst nie)
ὅθεν (HAWKINS 1909:6; GUNDRY 646)
     Mt 4 : Mk 0 : Lk 1 + 3 : Joh 0
       (=Mk 0 + 1) : (Q 1 + 2)
Mt 12,44(=Q) ist das Adv. in der lok. Bedeutung *von wo* übernommen und 14,7(+Mk) am Satzanfang in der davon abgeleiteten Bedeutung *deshalb* (vgl. Apg 26,19 und Hebr 6mal; BAUER WB 1099) dupl.; 25,24.26(+Q) hat es im Sinne von ἐκεῖθεν ὅπου (vgl. voranstehender Par.-Satz, was Lk offenbar öfter gg. Q abändert und darum beides hier vorgegeben sein dürfte).
οἶδα ↗γινώσκω
οἰκ- (GUNDRY 646)
     Mt 63 : Mk 37 : Lk 80 + 69 : Joh 10
κατοικέω (GUNDRY 645)
     Mt 4 : Mk 0 : Lk 2 + 20 : Joh 0
vom *Wohnen* des Dämons 12,45(=Q), Gottes 23,21(+Q) bzw. mit εἰς *Wohnung nehmen* 2,23 struktur-par. 4,13(+Mk) jeweils zur Erfüllung einer Weissagung.
μετοικεσία (HAWKINS 1909:6) 1,11.12.17a.b *Exil* (NT sonst nie; LXX 10mal)
οἰκετεία 24,45(+Q – NT und LXX sonst nie) *Hausgesinde, Belegschaft*

οἰκία
   Mt 25 : Mk 18 : Lk 24 + 12 : Joh 5
       =(Mk 18 – 8 + 4) + (Q 8 + 2) + (A–Mt 1)
19mal primär *kleineres Wohngebäude, Wohnung*: 2,11; 5,15(+Q wohl vorgegeben); 7,24-27(=Q); 8,6(=Q).14(=Mk); 9,10(=Mk).23(+Mk).28(+Mk); 12,29a.b(=Mk);
13,1(+Mk).36(+Mk); 17,25(=Mk 9,33 permutiert); 24,17(=Mk).43(+Q wohl vorgegeben); 26,6(=Mk); 6mal übernommen primär *Familie*: 10,12-14(=Q); 12,25
(=Mk); 13,57(=Mk); 19,29(=Mk).
στέγη 8,8(=Q) unter mein *Dach* Metonym für: in mein *Haus* (V.6 substituiert)
   Mt 1 : Mk 1 : Lk 1 (NT sonst nie; LXX 5mal)
θεμελιόω Q–Mt 7,25 *gründen* (Lk red. *Fundament legen*; SCHULZ 1972:313)
   Mt 1 (NT nur noch Kol 1,23; Eph 3,17; 1Pt 5,10; Hebr 1,10)
πέτρα (GUNDRY 647)
   Mt 5 : Mk 1 : Lk 3 (NT noch 1Kor 10,4a.b; Röm 9,33; 1Pt 2,8; Apk 6,15f)
Die Baugrundmetapher 7,24f(=Q) wurde 16,18 für Petrus als Offenbarungs-
mittler und damit Buchgarant dupl.; 27,60(=Mk) war *Fels* als Grabort der
Reichen bestimmt, was 27,51 in gleicher Funktion dupl. Antonym
ἄμμος 7,26(+Q wohl gg. Lk 6,49 für Q urspr.) *Sand* (vs. *Fels*)
οἰκιακός 10,25(+Q *Haussklaven*).36(+Q *Hausgenossen = Familie*)
   Mt 2 (NT, LXX sonst nie; modernes Wort PlutCic 20,3; Pap M–M 441) wie
οἰκοδεσπότης als Komplenym
   Mt 7 : Mk 1 : Lk 4 (NT + LXX sonst nie; hell. PlutMor 271E; M–M ebd.)
       =(Mk 1 – 1 + 2) + (Q 3 + 2)
Q–Mt 24,43(=Lk) ist die Metapher vom *Hausherrn* in Relation zum Dieb abschließend in paränet. Anwendung auf die Jünger übernommen und 13,52
schülerbezogen dupl.; Mt 10,25(+Q) war sie als als Jesus-Metapher (im Anschluß an ≻κύριος) im Jüngerbezug eingeführt worden; allegor. steht sie so
auch 13,27(+Mk – wohl von Q–Lk 13,25 permutiert; "Sklaven" + Kyrie-Anrede) und 20,1.11(+Mk vgl. V.8 durch κύριος renominalisiert), womit von vornherein der Schülerbezug auch an dieser Stelle verdeutlicht ist. Als Metapher für Gott wurde sie in die Verurteilungsallegorie 21,33(+Mk) eingebracht, wobei Mt sie wohl von Q–Lk 14,21 (aus der bei ihm red. angeschlossenen Allegorie) permutierend vorgezogen hat. Hier ist sie wieder wie 13,52
und 20,1 in mt Weise an ≻ἄνθρωπος angeschlossen worden. Mk 14,14 wurde
nicht übernommen, da hier keine allegor. Verwendung, wie sie für Mt bestimmend wurde, vorlag.
οἰκοδομέω
   Mt 8 : Mk 4 : Lk 12 + 4 : Joh 1
       =(Mk 4) + (Q 3 + 1)
Aus Mk übernommen wurden die allegor. *Bauleute* 21,44 (Ps 118,22) und V.33
(=Mk) in Antithese dazu Gott als Subj. sowie 26,29; 27,40 das Jesus unterstellte Orakel; 7,24.26(=Q) übernahm die allegor. Verwendung, und 16,18
dupl. 7,24 (Zusammenhang *Fels*) auf Jesu Gründung seiner Gemeinde; 23,29
(=Q) erhebt im Höhepunkt der Verwerfungsrede die Anklage, die Propheten
erst auszurotten und ihnen dann scheinheilig Gräber zu bauen.
οἰκοδομή ≻ἀρχιερεύς
οἶκος
   Mt 9 : Mk 13 : Lk 33 + 25 : Joh 4
       =(Mk 13 – 19 + 3) + (Q 2 + 1)
Bei οἶ. *Haushalt* "lag ein starker Akzent auf dem Besitzaspekt"; immer ist
die "Hausgewalt" unter den verschiedensten Aspekten mitzudenken (FINLEY
1980:8). Die *Nachkommenschaft* ist im Gen.-Syntagma mit *Israel* 10,6(+Mk)
und 15,24(+Mk) red. bezeichnet. Als *Gebäude* sind 12,4(=Mk); 21,13(=Mk) und
23,38(=Q) der Jerusalemer *Tempel* wie 11,8(+Q) *Königspaläste* bezeichnet, so
daß auch beim Dämon 12,44(=Q) an einen *Palast* zu denken ist. Wenn darum
der Gelähmte 9,6(=Mk) – und V.7 dupl. verstärkend wiederholt (angesichts

der sonstigen Kürzungen!) – in seinen *Palast* zurückgeschickt wird, so steht
das Subst. im bewußten Kontrast zur Verwendung von οἰκία als Deminutiv
davor und danach; für Mt sind also beide Ausdrücke keineswegs synonym,
sd. offenbar bewußt unterschieden. Kennzeichen des οἶ. ist 12,44(=Q)
σχολάζω 12,44(+Q – NT noch 1Kor 7,3; LXX 3mal) hell. *leerstehend, unbesetzt*
(PlutGrach 12,6; BAUER WB 1579) – hier allegor. *hingabebereit* – mit
σαρόω *fegen, rein kehren* im Pass.
      Mt 1 : Mk 0 : Lk 2 (NT und LXX sonst nie) sowie
κοσμέω 12,44(=Q) Pass. dupl. 23,29(+Q); 25,7 (*schön*) *herrichten* (*schmücken*)
      Mt 3 : Mk 0 : Lk 2 + 0 : Joh 0
οἰκουμένη →ἔθνος
οἰνοπότης, οἶνος →ἄρτος
οἷος 24,21(=Mk) Rel.-Pron. *wie beschaffen*
      Mt 1 : Mk 2 (NT epistolisch noch 11mal; LXX 18mal)
ὀκνηρός →δοῦλος
ὀλιγοπιστία, ὀλιγόπιστος →πιτσεύω
ὀλίγος →πολύς
ὅλος, ὅλως →πᾶς
ὄμμα →ὀφθαλμός
ὀμνύω (HAWKINS 1909:6; STRECKER 1971:133f; MORGENTHALER 1973:181;
                                                      GUNDRY 646)
      Mt 13 : Mk 2 : Lk 1 + 1 (NT nur noch Hebr 7mal; Jak 5,12; Apk 10,6)
      =(Mk 2 - 1) + (Q 0) + (A-Mt 12)
Diese hell. Nebenform (B-D-R 92) Mt 5,34 wurde offenbar Jak 5,12 übernommen und durch das Adv. ὅλως zu einem ausnahmslosen Verbot des *Schwurs*
verstärkt (darum sinngleich mit Jak; SCHNEIDER ThWNT 5,181f) sowie in dem
abschließenden 4. Beispiel V.36 dupl.; eine weitere red. Multiplikation fand
in der Verdammungsrede der Gegner 23,16a.b.18a.b.20-22 statt; dabei hat im
NT nur Mt 11mal die Verbindung mit der Präp. ἐν. 27,74(=Mk in der klass.
Form ὄμνυμι) wird Petrus als gegen dieses Verbot verstoßend gezeichnet in
Verbindung mit der Neubildung (statt mk ἀναθεματίζω) mit *sich verfluchen*
καταθεματίζω
      Mt 1 (NT und LXX sonst nie – auch das par. κατάθεμα ist erst Apk 22,3
erstmals als Analogiebildung zu ἀνάθημα belegt; BAUER WB 812). An dieser
Stelle ist es Steigerung und Höhepunkt nach V.70.72 nach
ὅρκος (HAWKINS 1909:6; GUNDRY 646)
      Mt 4 : Mk 1 : Lk 1 + 1 (NT nur noch Hebr 6,16f; Jak 5,12),
was 26,72(+Mk) für Petrus einfügte (wobei Lk 1,73 und Apg 2,30 wie Hebr
6,16f keine eigentlichen Par. sind, da Gott Subj. ist, bezogen auf seine
unverbrüchlichen Zusagen). Schon 14,9(=Mk) und dupl. V.7 (statt mk ὀμνύω)
war es betont im Blick auf den Täufertod als unheilstiftende Größe charakterisiert, so daß diese Segmente als mt Negativbeispiele für das Eidesverbot
fungieren. Dazu tritt als weiterer Kontrast auch die Handlung des Priesterfürsten 26,63 (als Illustration zu 23,16-22) mit dem Komp.
ἐξορκίζω
      Mt 1 (NT sonst nie; LXX 3mal),
womit Mt (einschließlich des Akk.-Obj. τὸν θεόν) das beschwörende Wort der
Dämonen von Mk 5,7 im Simpl. permutiert hat, was Mt 8,29 wegließ. Indem
Jesus hier den geforderten Eid nicht leistet, wird er zugleich zum positiven
Gegenbeispiel zu Petrus (BAUERNFEIND 1956:94-100).
      Das Nom. actionis ὅ. ist antithet. schon 5,33 unter red. Aufnahme von
Jak 5,12 und ausweitender Zitierung von Lev. 19,12 eingebracht, ergänzend
zu
ἐπιορκέω *falsch schwören* Mt 1 (NT und LXX sonst nie).
      Vorbehalte bzw. Verbote dem assertorischen wie promissorischen Eid ge-
genüber haben schon Pythagoräer (DiogLaert 8,22) und Stoiker (EpiktEnch

33,5 gemacht (SCHNEIDER ThWNT 5,179f vgl. auch PlutMor 127D = QuestRom 44 und schon SophOedCol 650 und Phil 811f), womit sie auch in das essenische Judentum hinein wirkten (PhiloSpecLeg 2,2–38; JosBell 2,135). Mt hat dies von Jak her in sein Religionsgesetz übernommen: Der Christ verleugnet seinen Herrn nicht erst, wenn er leichtfertig oder falsch schwört, sd. schon, wenn er überhaupt schwört, da er damit die Eindeutigkeit infrage stellt und das, wobei er schwört, gar nicht in seiner Verfügung ist – sei es Gott (bzw. dessen jüd. Attribute) oder sein eigenes Leben. In der Lebensordnung des mt Jesus "hat der Eid keinen Raum mehr. Er hat nur da einen Sinn, wo die Wahrhaftigkeit der Menschen infrage gestellt ist" (ebd.182; KRETZER EWNT 2,1248).

ὁμο- (STRECKER 1971:214f; CARSON 1985)
    Mt 25 : Mk 3 : Lk 25 + 18 : Joh 13
ὅμοιος (GUNDRY 646)
    Mt 9 : Mk 0 : Lk 9 + 1 : Joh 2
       =(Mk 0 + 1) + (Q 1 + 4) + (A–Mt 3)
bei Mt – neben 22,39(+Mk gleichrangig, gleichwertig) – immer im Eröffnungssatz (ohne wie bei Lk 6,47; 7,31; 13,18 red. in vorangestellter dir. oder indir. Frage) eines Vergleichs mit nachfolgendem Dat., wobei dieses konstante Funktionsverbgefüge ὅ. ἐστιν die "am stärksten gräzisierte" Variante solcher Einleitungen ist (JEREMIAS 1965:100; TRILLING 1964:145). Das Vergleichssubj. ist 11,16(=Q) personal "diese Generation" wie red. antithet. dazu 13,52 jeder zum Schüler Gewordene. An den restl. 6 Stellen ist es konstant die künftige mt βασιλεία τῶν οὐρανῶν: 13,31 (hier wohl vom mk Vb. nach Analogie von 11,16 gebildet und nicht in Q vorgegeben, sd. Lk 13,19 nur analog par. gebildet, da Lk V.18 die Frage voranstellt) weiter dupl. 13,33 (auch hier dürfte bei Lk 13,21 nicht eine Q-Vorgabe, sd. eine wiederholte Analogiebildung vorliegen, da Lk V.20 wiederum die ihm typ. Frage voranstellt) ebenso red. 13,44.45.47 und 20,1(+Mk). Damit dürften alle diese 6 mt Stellen red. Bildungen ohne eine Vorgabe in Q sein, die er (wie auch Lk) erst im Anschluß an die von Mk 13,11.26.30 red. vollzogene Verbindung mit dem Stichwort βασιλεία hierauf bezogen hat; eine ältere Tradition von sogen. "Reich-Gottes-Gleichnissen" ist zu bestreiten (SCHENK 1972 mit BAMMEL 1964:9 und WELLHAUSEN). Das Funktionsverbgefüge bei Mt ist im direkter Allegorie-Indikator, "erweckt" also nicht etwa nur "den irreführenden Eindruck einer Gleichsetzung" (gg. die Globalbehauptung von JEREMIAS ebd.; ZERWICK § 65 und zustimmend u.a. HAUFE EWNT 2,1250f, die diesbezüglich nicht autorspezifisch differenzieren). Die Einleitung markiert vielmehr, daß in narrativer Konnotation wie eines übergeworfenen durchsichtigen Gewands etwas folgt, das in narrativer Argumentation Sachverhalte nochmals unterstreicht, die schon diskursiv-narrativ klar sein sollten. Das wird auch durch die Konzentration auf die Belehrung der mt verstehenden Schüler unterstrichen wie ebenso dadurch, daß es Mt 13 – sofern an Gegner gerichtet – ja gerade darum geht, deren offenkundige Verstocktheit zu erweisen.

ὁμοιόω + Dat. (HAWKINS 1909:6 "schwach"; GUNDRY 646)
    Mt 8 : Mk 1 : Lk 3 + 1 : Joh 0
       =(Mk 1) + (Q 1 + 6)
außer im Akt.Fut. in der vorlaufenden Frage 11,6(=Q, was Mk 4,30 permutierte wie Lk 13,18.20 dupl.) in den übrigen, allein mt Stellen und synopt. nur bei ihm immer im Pass.:
    Mt 7 : Mk 0 : Lk 0
Schon im warnenden direkten Personenvergleich 6,8(+Q prohibitiver Konj. Aor.Pass.) geht es nicht nur um Ähnlichkeit, sd. um Gleichartigkeit. Im Personenvergleich des Allegorieschlusses 7,24.26 (Fut.Pass. statt lk Funktionsverbgefüge) ist der Ton damit red. ausdrücklich auf das künftige posi-

tive oder negative Schicksal gesetzt; dieses Fut.Pass. wurde in rahmender
Inclusio dazu abschließend in der Allegorieeinleitung 25,1 im Blick auf den
gleichen Endgerichtsdualismus dupl. (JÜLICHER 1910: II 261; STRECKER 1971:
214); auch in diesen Allegorien geht es nicht nur um eine Ähnlichkeit, sd.
um die stärkere Gleichartigkeit; während 25,1 den Bezug zur mt. Himmels-
Basileia klar fut. einbrachte, so unterscheiden sich davon die 3 gerahmten
Verwendungen 13,24(+Mk); 18,23(+Q); 22,2(+Q) dadurch, daß sie die Allegorie-
Einführung im Pass.Aor. ὡμοιώθη haben, obwohl alle drei deutlich auf das
Endgericht hin zulaufen. Diese red. Verwendung ist wohl kaum "rein zufällig" entstanden (JÜLICHER ebd.310.546 dgg. STRECKER ebd. n.5); sie ist aber
wohl auch kein Indiz dafür, daß Mt seine Himmels-Basileia als nicht rein
zukünftige Größe versteht, sd. als eine mit "heilsgeschichtlicher Vergangenheit", sofern sie "dort zur Gegenwart" wird, "wo die eschatol. Forderung
des Kyrios verkündet und verwirklicht wird" (STRECKER ebd.215; KINGSBU-
RY 1969:67), bzw. um auszudrücken, daß diese Basileia schon in der Jesu
Verkündigung des mt Jesus aufgedämmert sei (CARSON 1985:281, wobei das
ἤγγικεν der mt Himmels-Basileia offenkundig mit dem ἔφθασεν der mt Gottes-
Basileia gleichgesetzt wurde). Der Aor. zeigt entweder im Referenzbezug an,
daß Mt die künftig in Erscheinung tretende Himmels-Basileia als schon seit
Beginn der Menschheit geschaffene versteht (13,35; 25,34) - oder aber
wahrscheinlicher (da es sich um eine metakommunikative Redeeinleitung
handelt), daß er so die vom mt Täufer, Jesus und den Schülern *als unmit-*
telbar-bevorstehend bekanntgemachte Himmels-Basileia betont (zumal es in
der Allegorie-Trias 22,2 speziell um die Aktivität der Schüler geht), also
wohl in Relation zum mt verstandenen Pf. ἤγγικεν, jedoch nicht im Sinne
einer direkten Realisierung, sd. einer metakommunikativ vermittelten Ansage: ὡμοιώθη ist das metasprachliche Äquivalent zum objektsprachlichen
ἤγγικεν: *mit der als unmittelbar bevorstehend bekanntgemachten Himmels-*
Basileia verhält es sich...
ὁμοίως καί 22,26(+Mk); 26,35(+Mk); 27,49(=Mk)
    Mt 3 : Mk 1 : Lk 11 + 0 : Joh 3
Wegen des bei Mt in allen 3 Fällen nachgestellten καί ist ὁ. bei ihm immer
genauso, ebenso, in gleicher Weise gemeint (nicht nur: ähnlich); vgl. auch
παρομοιάζω 23,27(+Q; NT und LXX sonst nie) *ihr gleicht* (nicht: ähnelt)
ὁμολογέω ≯ἀρνέομαι
κατ' ὄναρ (HAWKINS 1909:6; GUNDRY 646)
    Mt 6 (NT und LXX sonst nie)
Das bei Mt singuläre Lexem (OEPKE ThWNT 5,221) steht bei ihm immer in der
aus Votiv-Inschriften geläufigen Wendung, meint aber nicht wie dort *auf*
Grund eines Traumes (ebd.223), sd. steht in der jüngeren hell. Bedeutung
als Modalbestimmung *im Traum* (ebd.235) oder wohl nur temporal gemeint
(KÖHLER EWNT 2,626). Mt signalisiert damit immer ein offenbarendes Handeln
Gottes an seinen Werkzeugen; diese sind 27,19(+Mk) die Frau des Pilatus,
2,12 die Magier und 1,10; 2,13.19.22 Josef. Die rahmende Verteilung auf
Anfang und Ende des Buches in Relation zu Geburt und Tod des Stifters
dient der Amplifizierung seiner Wichtigkeit und ist konstitutives Element
der Enkomium-Biographie (SHULER 1982:94-7). Die 1,20 eingeführte volle
Wendung "Engel des Herrn + Erscheinen" + Modalbestimmung + Dat.-Adres-
sat + Redeeinleitung + wörtl. Rede wird 2,13.19 wörtlich wiederholt; in 2,12.22
steht dafür jeweils am Ende eines Abschnitts synonym das abkürzende metakommunikative Vb.
χρηματίζω (GUNDMANN 49 zur "größeren Anzahl gewählterer griech. Wörter")
    Mt 2 : Mk 0 : Lk 1 + 2 : Joh 0,
das sichtbare Erscheinung und Offenbarungsempfang in der Audition zusammenfaßt (synonym ≯φαίνομαι). Die Traummantik steht also wie die Astro-
mantik der mt Schrifterfüllung als Weissagungs-Element engstens zur Seite;

von Mk ist aus diesem Bereich nur der Petrus gewahrsagte Hahnenschrei 26,34.74 übernommen.

ὀνειδίζω ≯ἀφίημι I
ὀνικός ≯ἄρτος
ὄνομα (GUNDRY 646)
   Mt 23 : Mk 14 : Lk 34 + 60 : Joh 25
       =(Mk 14 – 5 + 7) + (Q 2 +1) + (A–Mt 4)
mitgezählt wurde 27,57(+Mk) mit der Krasis τοὔνομα (NT und LXX sonst nie); auf Einzelnamen auch 10,2(=Mk 3,16 permutiert) und 27,32(=Mk 14,32 vom Orts- auf Personennamen permutiert) bezogen; auf Gott 6,9(=Q); 21,9(=Mk) wie 23,39(=Q) Zitat Ps 118,26 (in Q nur auf Gott) bezogen. Im Gegensatz zur lk gesteigerten Anwendung auf Ortsnamen hat Mt es nur für Personen – und da auch nie für negative Personen (Mk 5,9a.b wurden gestrichen).

   Kennzeichnend für Mt ist außer dem 5maligen Syntagma ≯εἰς ὄ. auch der gesteigerte Bezug auf Jesus (GUNDRY 646)
   Mt 14 : Mk 7 : Lk 9
davon 3mal einleitend in der Verbindung mit ≯καλέω 1,21.23.25; danach 7,22a.b.c(=Mk 9,38f permutiert Auftrag); 10,22(=Mk pleonast.: synonym V.18 um meinetwillen) dupl. 24,9(+Mk); 12,21(+Mk Erfüllungszitat Jes 42,4 pleonast. auf ihn); 18,5(=Mk) ≯ἐπί + Dat. wie 24,5(=Mk); 18,20(+Q) ≯εἰς wie 28,19; 19,29(+Mk pleonast.).

ὄνος ≯ἐπιβαίνω
ὄξος ≯ἄρτος
ὄπισθεν 9,20(=Mk) Adv. von hinten; 15,23(+Mk) Präp. + Gen. hinter
   Mt 2 : Mk 1 : Lk 2 (NT nur noch Apk 2mal)
ὀπίσω ≯ἐγώ
ὅπου (GUNDRY 646)
   Mt 13 : Mk 15 : Lk 5 + 2 : Joh 30
       =(Mk 15 – 12 + 1) + (Q 4 + 5)
Das (un)bestimmte relative Ortsadv. wurde aus Mk da oft nicht übernommen, wo es Mt redundant erschien (SENIOR 1982:158f); übernommen sind: 13,5; 26,13; 28,6. Aus Q stammen die beiden Stellen mit korrelativem ≯ἐκεῖ 6,21 und 24,28. An der ersten Stelle findet sich die größte Häufung in dem antithet. Parallelismus 6,19a.b.20a(+Q).b(=Q), wo Lk wohl verkürzend eingegriffen hat. Red. dürften 25,24(+Q).26(+Q) sein wie 26,57(+Mk), weil sie mit Ind. im eigentlichen Sinne als Ortsbezeichnungen stehen.

   Mit Konj.Präs. ist es 8,19(=Q) übernommen und dürfte auch 24,28(+Q) von dort stammen (HORTSMANN EWNT 2,1281f), um den Iterativ der Gegenwart zu bezeichnen; mit Konj.Aor. ist es 26,13(=Mk) für den Iterativ der Zukunft übernommen, von Mt selbst aber nie gebildet und von Mk 6,10.56; 14,14 nicht übernommen. Synonym ist das Ortsadv.
οὗ (GUNDRY 646)
   Mt 3 : Mk 0 : Lk 5 + 9 : Joh 0
       =(Mk 0) + (Q 0) + (A–Mt 3)
28,16 gebraucht es in der eigentlichen Bedeutung wohin; 18,20 steht es korrelativ zu wo … da; 2,9 fügte es im Sinne der Ort, wo zum Ortsadv. in relativ. Beziehung hinzu. Alle 3 Stellen sind red.
ὅπως ≯ἵνα
ὅραμα, ὁράω ≯ὀφθαλμός
ὀργ-
   Mt 4 : Mk 1 : Lk 4 + 0 : Joh 1
ὀργίζομαι
   Mt 3 : Mk 0 : Lk 2 (NT nur noch Eph 4,26; Apk 11,8; 12,17)
       =(Mk 0) + (Q 1 + 1) + (A–Mt 1)
22,7(=Q) ist das Vb. in der Allegorie übernommen, doch mt red. auf einen König bezogen. In dieser Weise hat er es auch red. in seiner spezifisch er-

weiterten Allegorie 18,34 in Analogiebildung dupl.: *den Vernichtungsgerichtsbeschluß fassen*. Das ist Vorrecht des himmlischen Königs, wodurch es
in der mt Bruderschaft bei 5,21 red. ausgeschlossen sein muß, da die *Menschen* mt ihrer Herkunft nach ja ⇥πονηροί sind (7,11). Hier wird also nicht
eine eth. Analogie (handelt so wie Gott) aufgebaut, wie umgekehrt diese in
der Textsequenz vorausstehende Antithese ausschließt, daß man das allegor.
Handeln zu kurzschlüssig als generell-affektive Analogie bestimmt und damit
emotional als *zürnen* fehlübersetzt (gg. W.PESCH EWNT 2,1297). In beiden allegor. Stellen ist es durch eine spezifisch jurid. Analogie fest auf das Vernichtungsgericht bezogen. Das gilt auch für die einzige Subst.-Stelle, die Mt
aus Q übernommen hat

ὀργή
    Mt 1 : Mk 1 : Lk 2 + 0 : Joh 1
        =(Mk 1 – 1) + (Q 1)
Typ. ist es aus Mk 3,5 für das Verhalten Jesu nicht übernommen, während
das Täuferwort Mt 3,7(=Q) rezipiert wurde. Doch versteht er es nicht als
mit dem Vb. identisches Nom. actionis *Vernichtungsgerichtsbeschluß*, sd. als
Nomen resultandum *Vernichtungsgericht*. Der Bezug zur ewigen Verdammnis
ist an allen 3 Stellen zusammenhängend gegeben. Synonym zum Vb. ist das
ntl. Hap.leg.

θυμόομαι, das Mt 2,16 für Herodes verwendet ist, der *von einem maßlosen
    Vernichtungswillen erfüllt wurde*. Auch hier sind die jurid. Seme zu be-
rücksichtigen; eine Vorform für diese Haltung bezeichnet bei Mt das Komp.
⇥ἐνθυμέομαι.

ὅριον ⇥Γαλιλαία
ὅρκος ⇥ὀμνύω
ὁρμάω 8,32(=Mk) *stürmen*
    Mt 1 : Mk 1 : Lk 1 + 2 (NT sonst nie; LXX 16mal)
ὄρνις ⇥πετεινόν
ὄρος (LANGE 1973:392-446; GUNDRY 646; DONALDSON 1985)
    Mt 16 : Mk 11 : Lk 12 + 3 : Joh 4
        =(Mk 11 – 2 + 7)
Der Plur. in der dir. Rede bezeichnet 24,16(=Mk) einen zu erstrebenden Zu-
fluchtsort wie 18,12(+Q) den Weideort der Herde(+Q gg. KLEINE EWNT 2,1306
nicht als "ein für die Schafherde gefährlicher Ort" gekennzeichnet, sd. eher
als ihr normaler Ort in ekklesiol. Allegorie); gemeinde-allegor. ist auch
schon der Sing. 5,14(+Q *eine Stadt auf einem Berg*) in der Einsetzung der
Schüler zu wahren Weisheitslehrern, wobei das Fehlen des Art. darauf hinweist, daß keine Bezugnahme auf den Ort dieser Bergrede selbst beabsichtigt ist. Der Zuversichtsbefehl, der sich 21,21(=Mk) wie dupl. 17,20(+Q)
durch das Demonstrativum auf den je konkreten Berg des Kontextes (Ver-
klärungs- bzw. Ölberg) bezieht, dürfte für Mt ebenfalls eine ekklesiol.
Konnotation haben und dann mit der Binde-/Lösegewalt im Zusammenhang zu
sehen sein und letztlich auf die geforderte Begründung im mt Buchkonzept
selbst und die Versetzung der christl. Gemeinde in die mt Lesergemeinde
auch bei negativen Konsequenzen zielen.
    Die übrigen 11 mt Stellen (: Mk 9 : Lk 9 : Joh 3) stehen in der über-
geordneten Ebene des Erzähltextes als Formulierungen des Autors selbst an
seine Leser gerichtet. Dabei ist dort, wo im Gefolge des Mk der Jerusalemer Ölberg gemeint ist, dieser immer explizit als solcher benannt 21,1(=Mk);
24,3(=Mk); 26,30(=Mk).
    Alle übrigen Stellen dürften immer denselben galiläischen Berg bezeichnen
wollen: 4,8(+Q) führt ihn in gut mt Weise artikellos ein (der Wechsel nach
Galiläa V.12 spricht nicht dagegen, da Mt die sogen. Versuchung durch
einen mehrfachen beträchtlichen Ortswechsel kennzeichnet) und gebraucht
ihn dann ab 5,1(=Mk 3,13 permutiert) immer mit anaphor. Art.; dem

Aufstieg 5,1 entspricht der 8,1 (von 17,9 dupl.) Abstieg wie 17,1.9(=Mk) wie schon 4,8 die ausdrückliche Kennzeichnung als
ὑψηλός
    Mt 2 : Mk 1 : Lk 1 + 1 : Joh 0
von 17,1 zur Markierung des Zusammenhangs dupl. hatte. 14,25(=Mk allein zum Gebet zur Vorbereitung der Epiphanie) wie dupl. 15,29(+Mk zum Heilungssummarium) sprechen nur vom Aufstieg, so daß Mt 8mal das Syntagma εἰς τὸ ὄ. hat, das er auch 28,16 red. einbrachte; die doppelte Ortsbezeichnung hier hat die präzise Funktion, mit "Galiläa" über die Ölbergstellen von Mt 21–26 hinweg direkt auf "den" bestimmten Berg von Mt 4–17 zurückzuverweisen. Die Kategorisierung dieses mt Berges als Ort der "Offenbarung" (SCHMAUCH 1956: 48–80) oder des "eschatol. Geschehens" verwendet zu weit gefaßte und inkohärent abstrahierte Kategorien. Eine Mosetypologie liegt nicht vor, weshalb der Berg nicht als Ort der Offenbarung erscheint und nicht vom Sinai her verstanden werden kann (KINGSBURY 1975:89f gg. DAVIES, BORNKAMM, HAHN, BLAIR, MCKENZIE, GRUNDMANN, HUBBARD) stärker ist das Element der Konstituierung der messianischen Gemeinde (STRECKER 1971:98, weshalb DONALDSON 1985 dies stärker von einer Zions-Typologie her geprägt verstehen will).
ὀρύσσω →διορύσσω
ὀρχέομαι →αὐλέομαι
ὅς, ἥ, ὅ
    Mt 122 : Mk 84 : Lk 182 + 217 : Joh 152
      =(Mk 84 – 50 + 25) + (Q 28 + 31) + (A–Mt 5)
Kennzeichnend mt ist der Gebrauch in der konditionalen Protasis mit
ὅς →ἄν
    Mt 19 : Mk 12 : Lk 12 + 1
      =(Mk 12 – 4 + 1) + (Q 1 + 9)
in 5,19b.21.22b.c.31(+Q); 10,11(=Q).14.42(=Mk); 12,32b(=Mk); 15,5a(+Mk); 16,25b (=Mk); 18,6(=Mk); 19,9(=Mk); 20,27(=Mk); 23,16b.c.18a.b(+Q); 26,48(=Mk); bzw. damit alterierend oft im gleichen Satzgefüge
ὅς →ἐάν
    Mt 15 : Mk 7 : Lk 5 + 2
      =(Mk 7 – 1 + 2) + (Q 2 + 5)
in 5,19a.32(+Q); 11,6.27(=Q); 12,32a(=Mk); 14,7(=Mk); 15,5b(=Mk); 16,19b.c(+Q). 25a(=Mk): 18,5(=Mk).19(+Q); 20,4(+Mk).26(=Mk); 21,24(+Mk).
    Kennzeichnend für Mt ist ebenfalls die Verwendung von
ὅς μέν/→δέ (M-G 706f; MORGENTHALER 1973:159; hell. statt Art. B-D-R 293,3b)
    Mt 15 : Mk 3 : Lk 3 + 2 : Joh 0
      =(Mk 3 + 7) + (Q 2 + 3)
in 13,4(=Mk).8a.b.c(+Mk).23a.b.c(+Mk); 21,35a.b(=Mk).c(+Mk); 22,5a.b(=Q – doch nur das Rel.); 25,15a.b.c(+Q).
ὅς ein Demonstr. einschließend (M-G 708f; MORGENTHALER ebd.; gut griech.
    Mt 15 : Mk 15 : Lk 29 + 17 : Joh 31   B-D-R 293,3d; 294,4)
      =(Mk 15 – 10 + 2) + (Q 7 + 1)
in 6,8(+Q); 10,27a.b(=Q).38(=Q); 11,4(=Q); 12,2(=Mk); 13,12(=Mk) wie 25,29(=Q); 13,17a.b(=Q); 19,6(=Mk).11(+Mk); 20,15(+Mk).23(=Mk); 26,13(=Mk).
ὅς + Person.-Pron. (Semit. pleonastisch ELLIGER EWNT 2,1308) nur 3,12(=Q)
    Mt 1 : Mk 2 : Lk 3 + 1 : Joh 2 (Mk 1,7; 7,25 nicht übernommen).
ὅς im Kasus an das Bezugswort attrahiert (M-G 710f; MORGENTHALER ebd.;
    Mt 9 : Mk 4 : Lk 25 + 34 : Joh 16   B-D-R 294f)
      =(Mk 4 – 2) + (Q 5 + 2)
mit folgendem Nomen 7,2a(+Q.b(=Mk/Q); 23,37(=Q); 24,38(=Q).44(=Q) -während Mk 6,16 nicht übernommen wurde - bzw. Attractio inversa bei dem Rel.-Satz voranstehendem Bezugsnomen 18,19(+Q); 21,42(=Mk Zitat LXX-Ps 117,22); 24,50a.b(=Q), während Mk 7,13 nicht übernommen wurde. Ebenso hat Mt die

Mk 15,16 einmalig vorgegebene constructio ad sensum nicht übernommen.
ὅ auf ganzen Satz bezogen Mt 12,4(=Mk plur. variiert und transkodiert)
  Mt 1 : Mk 0 : Lk 0 + 5 : Joh 0.
ὅ ἐστιν zur Namensübersetzung Mt 1,23(=Mk 15,34 permutiert; 27,33(=Mk)
  Mt 2 : Mk 8 : Lk 0 + 1 : Joh 6.
→ἕως οὗ
  Mt 6 : Mk 0 : Lk 4
ist die häufigste Präp.-Verbindung, die nur 13,33(=Q) übernommen und 1,25
davor wie danach 14,22(+Mk); 17,9(+Mk); 18,34(+Q); 26,36(+Mk) multipl. wurde.
Gleich häufig ist
ἐν ᾧ 3,17=17,5(+Mk); 7,2a.b(=Mk/Q); 11,20(+Q αἷς); 27,56(=Mk αἷς).
ὅσος (GUNDRY 646)
  Mt 16 : Mk 14 : Lk 10 + 17 : Joh 9
    =(Mk 14 - 7 + 5) + (Q 0 + 2) + (A–Mt 2)
Das Korrelativ.-Pron. gebraucht Mt als solches vor allem in der Verbindung
πᾶς ὅσος (GUNDRY 647)
  Mt 8 : Mk 3 : Lk 2 + 2
Die Verbindung im Akk.Neutr.Plur. wurde, wie der Vb.-Zusammenhang zeigt,
Mt 13,44 aus Mk 10,21.28 kontrahierend permutiert gebildet (Vollform mit
N–A und H–G als urspr. anzusehen; GNTCom 34) wie anschließend 13,46 als
Permutation von Mk 12,44; Mt 18,25(+Q) ist eine red. antithet. Dupl. dazu;
alle 3 Stellen verbindet darüber hinaus noch
ὅσα ἔχω (GUNDRY 646)
  Mt 3 : Mk 2 : Lk 1.
Auch die dritte mk Voll-Stelle Mk 6,30 darf wegen des Schüler- und Lehr-
zusammenhangs in Mt 28,20 permutiert angenommen werden wie als antithet.
Dupl. dazu 23,3(+Mk); das bloße ὅ. wurde in der Lehrfunktion auch 18,18a.b
(+Q - da nicht mask., daher nicht auf Personen bezogen) weiter multipl.
Vom Gebetsbezug mit der Vollform 21,22(=Mk) her ist der Willensbezug in
die Goldene Regel 7,12(+Q) dupl. worden. Daneben ist die mask. Form wohl
auch 22,10(+Q) als urspr. anzusehen (gg. N–A, H–G - doch in textkritischer
Analogie zu 13,44, daß alexandrinische Texte Überflüssiges kürzen), zumal
V.9(+Q) voransteht und nun aufgenommen wird und die Verbindung des ein-
fachen Relativums mit πᾶς nicht mt Stil entspricht. Die einfache personale
Verwendung war 14,36(=Mk) vorgegeben wie die sachliche 17,12(=Mk). Kennzeichnend mt ist 7,12; 18,18a.b; 21,22(ἄν); 22,9; 23,3 dabei auch die konditionale Verwendung in der Verbindung
ὅσα →(ἐ)άν (HAWKINS 1909:6.31 schwach)
  Mt 6 : Mk 2 : Lk 1 + 2 : Joh 1.
Auch die restl. 3 Stellen bilden eine spezifisch mt Gruppe im Syntagma
→ἐφ' ὅσον
  Mt 3 (NT nur noch Röm 11,13)
Da 25,40.45 die Bedeutung *soviel als, in dem Maße als* (BAUER WB 573) sicher ist, ist auch die präpositionale Abwandlung 9,15(=Mk Pron.) ein Indiz
dafür, daß der Autor hier nicht eine tempor. Aussage (*solange*) beabsichtigt,
sd. eine quantitative, die man nicht einfach durch den mk Kode überblenden
sollte; da die Stelle die einzige tempor. Verwendung bei Mt wäre, so ist mit
der Veränderung der Oberflächenstruktur auch eine mt Veränderung des
Kodes für die semant. Tiefenstruktur anzusetzen.
ὀστέον 23,27(+Q) Plur. *Gebein, Knochen*
  Mt 1 : Mk 0 : Lk 1 : Joh 1 (NT nur noch Hebr 11,22)
ὅστις, ἥτις, ὅτι (GASTON 1973:78; GUNDRY 646)
  Mt 29 : Mk 4/5 : Lk 21 + 24 : Joh 6/7
    =(Mk 4 - 2 + 12) + (Q 1 + 11) + (A–Mt 3)
Neben der erstarrten Formel Mt 5,25(+Q) *bis* (neben →ἕως οὗ)
  Mt 1 : Mk 0 : Lk 5 + 0 : Joh 1

nur im Nom.; der Charakter des unbestimmt generellen Rel. ist noch deutlich wirksam im Koine-Pleonasmus 7,24(+Q vgl. V.26); 10,32(+Q - vgl. V.33); 19,29(+Mk) *jeder beliebige* (B-D-R 293,2a statt πᾶς ὅς wie πᾶς ≻ὅσος) πᾶς ὅστις (BAUER WB 1163 nicht unbedingt Semitismus)

    Mt 3 : Mk 0 : Lk 0;

so auch sonst 9mal in konditionaler Protasis verallgemeinernd 5,39.41(+Q); 10,33(+Q vgl. V.32) mit ≻ἄν wie 12,50(+Mk); 13,12a.b(+Mk); 18,4=23,12a.b(+Q).

In allen 16 weiteren Fällen ist es weniger indefinit, sd. hat Definitions- und Erläuterungsfunktion (*und zwar solche, die*; SENIOR 1982:330f; B-D-R 293,2b qualitativ) und erweist sich damit kommunikationsfunktional als eingebetteter Autorkommentar an die Leser, zumal fast alle Stellen als red. Zusätze erscheinen: 2,6 (Erfüllungszitat mit finaler Zweckbestimmung); 7,15 (+Q Definition der Pseudopropheten); 7,26(+Q Definition des Toren); 13,52 (Allegorieerläuterung des verstehenden Schülers); 16,28(=Mk Vorhersage der Verwandlungszeugen); 19,12a.b.c(+Mk Klassifikation der Eunuchen); 20,1(+Mk) Erläuterung der Allegorieperson wie anschließend 21,33(+Mk).41(+Mk), 22,2 (=Q-Lk 14,15 permutiert) und 25,1; ferner 23,27(+Q); 27,55.62(+Mk).

ὀσφύς 3,4(=Mk) *Hüfte*

    Mt 1 : Mk 1 : Lk 1 + 1 : Joh 0

ὅταν ≻ἄν

ὅτε ≻τότε

ὅτι

    Mt 141 : Mk 99 : Lk 173 + 120 : Joh 271

      =(Mk 99 - 71 + 36) + (Q 29 + 44) + (A-Mt 4)

Zur Angabe des Gegenstandes bei Vb. der sinnlichen und geistigen Wahrnehmung *daß*:

    Mt 43 =(Mk 11 + 15) + (Q 6 + 9) + (A-Mt 2):

ἀκούω 2,22; 20,30(=Mk); 22,34(=Mk) im Sinne von *Lesen* 5,21.27.33.38.43(+Q) wie bei ἀναγινώσκω 12,5(+Mk); 19,4(+Mk); 21,16(+Mk); (ἐμ)βλέπω im Sinne von *Erkennen* (B-D-R 397 n.2 LXX) 6,26(=Q); ὁράω 2,16; 9,6(=Mk); 27,3.24(+Mk); γινώσκω 21,45(+Mk); 24,32f(=Mk).43(=Q); 25,24(=Q) bzw. ≻οἶδα 9mal (=Mk 4 + 3) + (Q 2); νοέω 15,17(=Mk); 16,11(+Mk) bzw. διαλογίζομαι 16,8(=Mk) bzw. συνίημι 16,12(+Mk); 17,13(+Mk); μιμνήσκομαι 5,23(+Q); 27,63(+Q); des Meinens: δοκέω 6,7(+Q); 26,53(+Mk); πιστεύω 9,28(+Mk); 3mal ≻νομίζω 5,17(+Q); 10,34(=Q); 20,10(+Mk).

ὅτι-recitativum nach Vb. des Sagens

    Mt 47 = (Mk 49 - 37 + 13) + (Q 8 + 13) + (A-Mt 1)

hat Mt gegenüber den mk Vorgaben 37mal gestrichen (NEIRYNCK 1974:213-5) vor allem bei Herrenworten aber auch bei Heilungsbitten (wohl auch Mt 9,18 mit H-G gg. N-A darum wie 8,2 nicht urspr.). 3mal red. nach Pt. λέγοντες der Schüler 10,7(+Q); 14,26(=Mk doch Pt. red.); 16,7(=Mk doch Pt. red.); bei *indir. Rede* 16,20(+Mk) dupl. von V.21(=Mk); 17,10(=Mk); *dir. Rede* nur für Petrus 27,27(=Mk) dupl. V.72(+Mk) und die Wächter 27,47(+Mk); Erinnerungszitate 26,75(=Mk) und 27,43(+Mk); bei Erfüllunsgzitaten 2,23 bzw. γέγραπται 4,6(=Q) und Schrifterfüllung 26,54(+Mk); innerhalb der *dir. Rede* als Befehl 21,3(+Mk); 28,7(=Mk) antithetisch dupl. V.13, Feststellung 23,31(=Q) oder Vorhersage ὁμολογέω 7,23(+Q);

vor allem *explizit performativ* (1.Pers.Sing.)

    Mt 28 = (Mk 5 + 6) + (Q 6 + 11)

13mal nach λέγω: 11,24(=Q); 16,28(=Mk); 18,13(=Q) dupl. V.19(+Q); 19,23f.28 (+Mk); 21,31(+Q).43(+Mk); 24,34(=Mk).47(=Q); 26,21.34(=Mk); 4mal ἐγὼ δὲ λέγω 5,22.28.32(+Q); 16,18(+Q); 5mal nach ≻λέγω γάρ: 3,9(=Q); 5,20(+Q); 13,17(=Q); 18,10(+Q); 23,39(=Q); 6mal nach ≻λέγω δέ: 6,29(+Q); 8,11(+Q); 12,6(+Mk).36(+Q); 17,12(=Mk); 19,9(+Mk);

ὅτι-causale hypotaktisch *da, weil* bzw. stärker selbständig *denn* (= γάρ)
   Mt 51 : Mk 15 : Lk 75
      (=Mk 15 -10 + 8) + (Q 15 + 22) + (A-Mt 1)
Mt 2,18 (=LXX-Jer 38,15); 8,27(=Mk); 9,36(=Mk); 11,20(+Q).21.23.25f(=Q); 12,41f
(=Q); 13,11(+Mk Antwort auf Begründungsfrage).13(+Mk); 14,5(=Mk 6,15 permutiert); 15,32(=Mk); 16,17(+Q bei μακάριος dupl. doch nicht konditional, da
das Vb. im Aor. steht) in Antithese zum οὐαί 23,13.23.27.29(=Q) dupl. V.15.25;
19,8(+Mk Antwort auf Begründungsfrage) wie 20,7(+Mk).15(+Mk);
   vor allem 28mal paränet. zur Motivierung einer Handlungsaufforderung
mit μακάριος 5,3f.6(=Q) und multipl. V.5.7-10(+Q); 13,16a.b(+Q) bzw. nach Imp.
5,12(+Q).34.35a.b.36.45(=Q); 6,5(+Q); 7,13(=Q) dup. V.14(+Q gg. N-A und H-G
wohl urspr. LA. da gg. GNTCom 19 für die mt Red. nicht eine zugrundelie-
gende aram. Exklamation zu veranschlagen ist); 11,29(+Q); 15,23(+Mk); 16,23
(=Mk); 17,15(+Mk); 23,10(+Q); 24,42(+Mk).44(=Q) und dupl. 25,8.13.
οὐ ⇾ὅπου
οὐ (GUNDRY 646)
   Mt 4 : Mk 1 : Lk 2 + 0 : Joh 3 (NT noch Röm 7,18; 2Kor 1,17-19; LXX 2)
Die Negation mit Akzent steht zur emphatischen Betonung (B-D-R 432,1): Mt
5,37.37(=Jak 5,12 *nein*); 13,29(+Mk Antwort *nein*); 22,17(=Mk Frage *nicht*)
οὐ, οὐκ, οὐχ
   Mt 204 : Mk 116 : Lk 174 + 110 : Joh 286
      =(Mk 116 - 43 + 49) + (Q 45 + 25) + (A-Mt 12)
bezeichnet bei Mt nie die Exklamation *nein*, sd. immer die Negation *nicht* -
so in der Doppelung
οὐ ⇾μή Mt 20 =(Mk 11 + 5) + (Q 2 + 2), bei ⇾εἰ οὐ Mt 2 =(Mk 1 +1) wie
οὐ ... ⇾εἰ μη (GUNDRY 646)
   Mt 9 : Mk 6 : Lk 4
      =(Mk 6 - 3 + 2) + (Q 1 + 3)
Mt im Munde der Gegner 12,24(+Q/Mk), der Schüler 14,17(+Mk), Jesu 6,1(+Q);
12,4(=Mk).39(=Q) dupl. 16,4(+Mk); 13,57(=Mk); 15,24(+Mk); 24,22(=Mk).
οὐ + prohibitives Fut. (verstärkter Imp.; B-D-R 427,1)
   Mt 9 : Mk 0 : Lk 1 + 1
      =(Mk 0 + 4) + (Q 1 + 4)
6,5(+Q als Antithese zu 5,48 dupl.); in Dekalog- oder analogen Zitaten 4,7(=Q
Dt 6,16); 5,21(+Q Dt 5,18).27(+Q Dt 5,17).33(+Q nicht wörtlich belegt); 19,18b.
c.d.e(+Mk Dt 5,16-20).
οὐ in selbstverständlich zu bejahenden, rhetor. Fragen (B-D-R 427,2) *doch*
   Mt 16 : Mk 15 : Lk 5 + 3 : Joh 15
      =(Mk 15 - 9 + 6) + (Q 0 + 4)
5,26(+Q).30(+Q); 7,22(+Q); 12,3(+Mk statt Komp.) dupl. V.5(+Mk) und 19,4(+Mk)
wie 22,31(=Mk); 13,55a.b(=Mk); 15,17(=Mk); 17,24(+Mk); 18,33(+Q); 20,15(+Mk);
24,2(+Mk); 26,40(=Mk); 27,13(=Mk).
   Zur *Negation einzelner Wörter*: οὐ πᾶς (: Mk 0 : Lk 0) 7,21(=Q permutiert)
und 19,11(+Mk); οὐχ ἔχω 13,12(=Mk *entbehren*) und 8,20(=Q); mit Pt.
emphatisch 22,11(+Q); Obj. in Antithese 9,13a =12,7(+Mk Hos 6,6).
   In *Hauptsätzen* mit Ind. 1,25; 2,18b.c; 6,26(ὅτι) funktionsgleich mit V.28
(=Q); 7,3(=Q).25(=Q).29(=Mk); 8,8(=Q).20(=Q); 9,14(=Mk); 10,24(=Q).29(=Q).37a.b.
38(=Q); 11,11(=Q ὅτι).17a.b(=Q).20(+Q); 12,19.20a.b(+Mk); 12,25(=Mk).31(=Q).32
(=Mk).43(=Q); 13,11(+Mk).13a.b(=Q).17a.b(=Q).58(=Mk); 14,4(=Mk).16(+Mk); 15,2
(=Mk).13(+Mk).20(=Mk 7,18 permutiert).23(+Mk).26(=Mk).32b(=Mk).c(+Mk); 16,7f
(=Mk).11a.b.12(+Mk).17f(+Q dupl.).23(=Mk); 17,12(+Mk); 18,14(+Q); 18,30(+Q
⇾θέλω); 19,8.10(+Mk); 20,13(+Mk).22(=Mk); 21,25.27(=Mk).29f(+Q).32(=Mk); 22,3
(=Q).8(+Q).16a.b(=Mk).32(=Mk); 23,3(+Mk).4(=Q).13(=Q).37(=Q); 24,29(=Mk).39(+Q
⇾ἕως).42(=Mk ὅτι); 25,3.12(=Q).13(+Mk).42a.b.43a.b.c.44; 26,11(=Mk).55(=Mk).60
(=Mk).70(=Mk).72(+Mk).74(=Mk); 27,6(+Mk).14(=Mk).34(=Mk); 28,6(=Mk); vor

allem ≯δύναμαι: 5,14(+Q).36; 6,24(=Q); 7,18(=Q); 17,16.19(=Mk); 26,53(+Mk); 27,42(=Mk); in Antithese vor ≯ἀλλά: 4,4(=Q); 5,17(+Q); 9,12f(=Mk); 10,20(=Mk). 34(=Q); 15,11(=Mk); 18,22(+Q); 20,23.26.28(=Mk); 21,21(+Mk); 26,39(=Mk).

In *Nebensätzen* im Irrealis der hypothetischen Wirklichkeit 12,7b(=Lk 6,37 permutiert); 23,30(+Q); 24,43(=Q) wie im irrealen Bedingungssatz 26,24(=Mk); mit imp. Konj. 21.19(+Mk); in Relativsätzen: 3,11(=Mk); 6,20(=Q); 10,26b.c(=Q). 38a(=Q); 12,2.4(=Mk); 13,5(=Mk).21(=Mk); 24,2(=Mk).21(=Mk).44(=Q).50b.c(=Q); 25,24a.b.26a.b(=Q).45.

οὐαί ≯μακάριος
οὐδαμῶς 2,6 (gg. LXX-Mi 5,1 – NT und LXX sonst nie) *keineswegs*
οὐδέ (GUNDRY 646)
    Mt 27 : Mk 9 : Lk 19 + 12 : Joh 15
        =(Mk 9 – 6 + 11) + (Q 7 + 5) + (A-Mt 1)
Kennzeichnend mt ist
οὐδέ τις/εἷς (verstärkt statt οὐδείς; vgl. ≯μή + Inf.; ROTHFUCHS 1969:74f)
    Mt 4 : Mk 0 : Lk 0 + 1 : Joh 1
auch keiner komplenym satzergänzend mit τις Mt 11,27(+Q) im Wort Jesu wie 12,19b(+Mk in eigener abweichender Formulierung im Erfüllungszitat LXX-Jes 43,2) sowie in den einzigen erzählenden Verwendungen 22,46(+Mk) und 27,14 (+Mk) mit ἔν.

Sonst hat Mt die eine Negation ergänzende Konjunktion nur in Worten Jesu und in der erzählenden Verwendung bei Mk-Vorgaben ausgelassen; 11mal als verstärkend amplifizierende *Wortergänzung* vor allem von Q her vorgegeben 6,20(=Q).26b(+Q).c(=Q).28(=Q); 12,4(+Mk).19a(+Mk LXX-Jes 43,2); 13,13(+Mk); 16,9(+Mk); 24,36b.c(=Mk); 25,13(+Q); 9mal als amplifizierende *Satzergänzung* durch ein weiteres Beispiel 5,15(=Q doch von der Wortergän- zung her permutiert); 6,29(=Q); 9,17(+Mk); 10,24(+Q); 16,10(+Mk); 21,32(+Q); 23,13(+Q); 24,21(+Mk); 25,45; daneben 3mal als Antithese 6,15(+Mk); 7,18(=Q); 21,27(=Mk).
οὐδείς, -μία, -έν
    Mt 19 : Mk 26 : Lk 33 + 25 : Joh 52
        =(Mk 26 – 17 + 3) + (Q 3 + 2) + (A-Mt 2)
9mal *mask.* in negativer Substantivierung *niemand* 6,24(=Q); 8,10(+Q); 9,16(=Mk); 20,7(+Mk); 22,16(=Mk nur hier bei Mt emphatisch verstärkend nach Negation : Mk 14 : Lk 6 + 2 : Joh 17 – von Mt am meisten reduziert: 22,46(=Mk); 24,36(=Mk) dabei 2mal *niemand ... außer* (εἰ μή) 11,27(=Q); 17,8 (=Mk) wie auch beim *Neutr. nichts* 21,19(=Mk), das Mt insgesamt 10mal ver- wendet: 5,13(+Q); 10,26(=Q); 13,34(+Mk); 17,20(=Mk); 26,62(=Mk); 27,12(=Mk). 24(+Mk) sowie prädikativ 23,16.18 (dessen Eid) *ist ungültig.*
οὐδέποτε (FUCHS 1971:132; 1980:152; GUNDRY 646)
    Mt 5 : Mk 2 : Lk 2 + 3 : Joh 1 (NT nur noch 1Kor 13,8; Hebr 10,1.11)
        =(Mk 2 + 3)
von 16 ntl. Belegen des Adv. *(noch) niemals* hat Mt fast ein Drittel (auch LXX nur 5mal), davon mit Aor. im Chorschluß 9,33(=Mk 2,12 als Steigerung ans Ende des Zyklus permutiert), dupl. (Zusammenhang: Wissen) im Verwer- fungsurteil des Endrichters 7,23(+Q), in den Gegnerverwerfungsfragen 21,16 (=Mk 2,25 ≯ἀναγινώσκω mit David- und Tempelzusammenhang permutiert) und V.42(+Mk) dupl.; mit Fut. in der Zusage des Petrus 26,33(+Mk).
οὐκέτι 19,6(=Mk); 22,46(=Mk) tempor. Adv. *nicht mehr*
    Mt 2 : Mk 7 : Lk 4 + 3 : Joh 12
οὔπω ≯γινώσκω
οὔτε 6,20(+Q); 12,32(+Mk); 22,30(=Mk) Adv. doppelt *weder ... noch*
    Mt 6 : Mk 4 : Lk 8 + 14 : Joh 9
οὐχί
    Mt 9 : Mk 0 : Lk 17 + 3 : Joh 5
        =(Mk 0 + 3) + (Q 1 + 5)

Bei Mt nie als einfache Negation, sd. immer als Fragewort in argumentativen Fragen, auf die eine unbedingte Bejahung erwartet wird: 5,46f(+Q); 6,25(+Q); 10,29(=Q); 12,11(+Q); 13,37(+Mk).56(+Mk); 18,12(+Q); 20,13(+Mk).

οὖν (MORGENTHALER 1973:181; GUNDRY 646)
    Mt 57 : Mk 5 : Lk 31 + 62 : Joh 194
        =(Mk 5 + 19) + (Q 5 + 26) + (A-Mt 2)
hat seine red. Funktion vor allem für zusammenfassende Gliederungen und Konsequenzen in den mt Reden (PESCH 1977:33); es steht immer folgernd und nicht einfach wiederaufnehmend:
οὖν für zusammenfassende Haupt- oder Relativsätze:
    Mt 12 = (Mk 1 + 2) + (Q 1 + 7) + (A-Mt 1)
1,17(πᾶς); 3,10(=Q πᾶς); 7,24(+Q πᾶς); 10,32(+Q πᾶς); 18,4(+Q ὅστις).26.29.31(+Q nach Pt.); 19,6(=Mk ὅ); 23,20(+Q Pt.); 27,17(+Mk Pt.).64(+Mk).
οὖν für konsekutive Imp. (STRECKER 1971:209 n.4):
    Mt 22 = (Mk 1 + 6) + (Q 2 + 12) + (A-Mt 1)
3,8(=Q); 5,48(+Q); 6,8f(+Q).31(+Q).34(+Q); 7,12(+Q πᾶς); 9,38(=Q); 10,16(+Q).26 (+Q).31(+Mk); 13,18(+Mk); 14,15(+Mk gg. N-A, H-G urspr. LA aus Gründen des mt Stils); 22,9(+Q).17(+Mk).21(+Mk); 23,3(+Q πᾶς); 24,42(=Mk) dupl. 25,13 (+Mk).27f(+Q); 28,19 (imp. Pt.).
οὖν + andere Partikel (konsekutive Nebensätze; JEREMIAS 1965:82 n.10)
    Mt 11 : Mk 0 : Lk 5
        =(Mk 1 + 3) + (Q 2 + 5)
und zwar 7mal ϟἐάν/εἰ: 5,19(+Q).23(+Q); 6,22(+Q).23(=Q); 7,11(=Q); 22,45(+Mk); 24,26(+Q); 3mal mit ϟὅταν 6,2(+Q); 21,40(=Mk permutiert); 24,15(+Mk) mit ϟὥσπερ: 13,40(+Mk).
οὖν in konsekutiven Fragesätzen (BAUER WB 1175)
    Mt 12 : Mk 2 : Lk 6
        =(Mk 2 + 8) + (Q 0 + 2)
in Fragen 13,28(+Mk), mit πόθεν 13,27.56(+Mk), τί 17,10(+Mk); 19,7(+Mk) 21,25 (=Mk); 22,28(+Mk); 27,22(=Mk), speziell Argumentationsfragen unmöglich also 12,12(+Q), ϟπῶς: 12,26(+Q); 22,43(+Mk); 26,54(+Mk).
ἄρα (GUNDRY 642)
    Mt 7 : Mk 2 : Lk 6 + 5 : Joh 0
        (=Mk 2 - 2 + 3) + (Q 2 + 1) + (A-Mt 1)
Mt verwendete die konsekutive Konj. (B-D-R 451,2) neben οὖν und ὥστε (vgl. Q-Mt 23,31 mit Lk 11,41) hell. am Satzanfang sowohl im folgernden Nachsatz 12,28(=Q nach der Feststellung der Tatsache mit εἰ) wie in zwei red. selbständigen Sätzen der schlußfolgernden Anwendung 17,20(+Lk) und 17,27, die er beide noch durch die Verstärkungspartikel ergänzt:
γε auf jeden Fall
    Mt 2 : Mk 0 : Lk 0 + 1.
In diesen 3 Fällen, die zusammen einen ersten Block bilden, gehört α. zu den "syllogistischen Konj." (Dionysios Thrax 95,2f) des Hell. (HORSTMANN EWNT 1,356f).
    Die im Anschluß daran verwendeten übrigen 4 Stellen stehen "wie klass. gern nach Fragewörtern" (B-D-R 440,2 n.4):
    Mt 4 : Mk 1 : Lk 4 + 1
24,34(=Q) ist es als eine sich selbst weiterführende Lehrfrage wer also übernommen, während es als positiv weiterführende Schülerfrage 18,1; 19,25.25 der mk Vorlage zugefügt wurde. Da eine solche Funktion in der Wunder-Reaktion Mk 4,41 nicht vorlag, wurde sie dort ausgelassen und ebenso 11,13, wo sie zur Verstärkung einer indirekten Frage (B-D-R 375 n.2) ohnehin gemäß der mt Tendenz als Ausdruck der Unkenntnis Jesu entfiel.
οὔπω ϟγινώσκω
οὐραν- (GUNDRY 646)
    Mt 89 : Mk 17 : Lk 35 + 29 : Joh 18

οὐράνιος ≯πατήρ
οὐρανός
    Mt 79 (ohne Mt 16,3f) : Mk 17 : Lk 34 + 26 : Joh 18
        =(Mk 17 - 1 + 34) + (Q 6 + 17) + (A-Mt 6)
davon 32mal red. ≯βασιλεία τῶν οὐρανῶν für den kommenden neuen Äon und
im Zusammenhang damit 13mal ≯πατήρ ... ὁ ἐν (τοῖς) οὐρανοῖς (6,9[=Mk per-
mutiert] und sonst von daher mutipl.). Das präp. Syntagma
ἐν οὐρανοῖς/-ῷ (GUNDRY 646)
    Mt 33 : Mk 5 : Lk 6
        =(Mk 5 - 2 + 15) + (Q 2 + 6) + (A-Mt 7)
im *Plur.* neben den *πατήρ*-Stellen und ἐν τῇ βασιλείᾳ τ.οὐ. 5,19a.b; 8,11;
11,11; 18,1.4 noch 5mal: als Abkürzungswendung von βασιλεία 5,12(=Q *Sing.*)
nach V.3.10 wie 16,19b.c nach V.19a und 19,21(=Mk *Sing.*) zwischen V.14 und
23; 18,10a(+Q *Engel*). Dazu 9mal im *Sing.*: 5,34 = 23,22 (*schwören bei* als
Thron Gottes); 6,10(+Q Ort der Willensverwirklichung).20(=Q Plur. Schätze;
Sing. für neuen Äon wie 5,12 Plur. wohl wegen der red. Korrespondenz zu
Erde); 18,18a.b (für neuen Äon als Renominalisierung nach 16,19 Plur., der
auch V.19 folgt); 22,30(=Mk Plur. Engel als Renominalisierung nach 18,10
Plur.); 24,30(+Mk Zeichen des Menschensohns); 28,18.
οὐρανός ... γῆ (GUNDRY 646)
    Mt 14 : Mk 2 : Lk 4
Der künftige *Plur.* 5,3 (inkludiert sie V.5); 16,19b.c; sonst 11mal im *Sing.*
5,18(=Q) = 24,35(=Mk) als beide vergehend); 5,34f (als Thron bzw. Schemel
Gottes); 6,10.19f; 11,25(=Q *Herr beider*); 18,18a.b; 24,30; 28,18.
    5mal sonstiger *Plur.*: 3,16f(=Mk Öffnen und Stimme); 24,29b(=Mk *Kräfte
erschüttert*).31(=Mk *Sing.* Himmelsrichtungen).36(=Mk *Sing.* Engel). 12mal
sonstiger *Sing.* 6,26(+Q *Vögel des Himmels*) wie 8,20(=Q) und 13,32(=Mk);
11,23(=Q *erhöhtwerden* zum neuen Äon); 14,19(=Mk aufblicken); 16,1(=Mk
Zeichen vom Himmel); 21,25a.b(=Mk Autorität des Täufers vom Himmel vs.
Menschen); 24,29a(=Mk Sterne fallen).30c(+Mk Wolken) = 26,64(=Mk); 28,2(+Mk
Engel herabsteigend). Insgesamt im Plur.
οὐρανοῖ
    Mt 55 : Mk 5 : Lk 4 + 1
Οὐρίας ≯γαμ-
οὖς
    Mt 7 : Mk 4 : Lk 7 + 5 : Joh 0
        =(Mk 4 - 2 + 2) + (Q 1 + 2)
Spezifisch mt ist, daß das Subst. immer in Verbindung mit dem Vb. ἀκούω
verwendet ist:
    Mt 7 : Mk 3 : Lk 2 + 3
10,27b ist das Syntagma identisch mit dem red. Zusatz V.27a *ich befehle
euch*, mit dem das "Ich" Jesu in den Spruch eingebracht wurde, womit Mt
ihn red. benutzt, um sein Verhältnis von Jesus- und Schülerverkündigung
im Sinne eines 2-Etappen-Schemas darzustellen (LÜHRMANN 1969:50; SCHULZ
1972:462), das die Buchveröffentlichung selbst konnotiert: Was ihr von mir
als der auf Erden erschienenen, aber verfolgten Weisheit als Offenbarung
empfangt, das soll in der Gegenwart als Mt-Buch veröffentlicht werden -
und zwar so, daß man mit dem Leben dafür einsteht. Mt artikuliert mit dem
Spruch seine Verabsolutierung des irdischen Jesus und seine reine ipsissima-vox-Frömmigkeit, dessen ersten Teil er mit dem Vb. auch durch das
Erfüllungszitat 12,19(+Mk) belegend wiederholt.
    11,15(+Q) wird als Abschluß der aus Mk dupl. "Weckruf" erstmalig
eingeführt; dabei steht das Subst. - wie immer bei Mt - im Funktionsverbgefüge mit dem konditionalen Pt. ≯ἔχων; dies ist hier die direkte Wiederaufnahme des Konditionalsatzes von V.14: *wenn ihr es akzeptieren wollt.*
Dieser voluntative Bezug ist der Formel schon von der Wurzel Ez 3,27 (*wer*

hören will, der höre) her vorgegeben (BERGER 1972:479f). Da es im Kontext hier die auf die Erfüllung der Weissagung über den Täufer V.10 bezogene Enthüllung eines endzeitlichen Geheimnisses ist, so meint der Pt.-Satz konkret: *wenn jemand den Willen hat, diese Vorsehungsplanerfüllung zu akzeptieren,* und der angeschlossene Imp.: *dann qualifiziere er sich zum Empfänger dieser Offenbarung.*

Dieser gleiche Sinn ist auch anzunehmen, wenn der Weckruf in seiner mt Kurzform 13,9(=Mk) am Ende der Sämann-Allegorie wiederholt wird, da die mt Fortsetzung V.10 ja nicht mehr auf die Dekodierung selbst abgehoben ist: Für Mt ist die Allegorie als solche schon Offenbarung einer Vorsehungs- planerfüllung. Darum wird der Weckruf 13,433(=Mk 4.23 permutiert) in der häuslichen Schülerbelehrung typischerweise am Ende der Entschlüsselung der Unkraut-Allegorie wiederholt. Deutlicher kann Mt kaum signalisieren, daß er damit nicht eine Dekodierung selbst bezeichnet. Das wird schließlich 19,12 bestätigt, wo Mt eine analoge Formel mit abweichendem Gebrauch eines Vb. des geistigen Erfassens bildet, die allein an die Schüler adressiert ist, und wobei 19,11 auch das *Gegebensein = Haben* von 13,11 wieder aufnahm.

Im Erfüllungszitat 13,15b(+Mk) muß vom Parallelismus der umgebenden Glieder her das Syntagma als aktive Handlung gefaßt werden: *ihre Ohren haben sie schwerhörig gemacht,* woraus sich V.15e ergibt, daß sie *trotz ihrer Ohren (Hörfähigkeit) nicht hören.* Im Gegensatz zu diesen Aussagen über die Verwerfungsgeneration ist das Syntagma noch in der Antithese V.16(+Q) red. zugesetzt, um auch hier den voranstehenden Parallelsimus zum *Sehen* weiter durchzuhalten; dabei ist auch der nun bedingte Makarismus (*weil*) eine red. Betonung des aktiven Handlungsmoments. Synonym zum Subst. steht im Erfüllunsgzitat 13,14(+Mk Jes 6,9)

ἀκοή

Mt 4 : Mk 3 : Lk 1 + 2 : Joh 1

für die Hörfähigkeit (HORST ThWNT 5,544, was aus Mk 7,35 nicht übernommen wurde), während es sonst komplenym die *Nachricht* bezeichnet: 4,24(=Mk 1,28 permutiert) nach dem 1. Summarium mit schon Israel überschreitender Wirkung und dupl. 14,1(+Mk Herodes als Adressat); 24,6(=Mk Plur. *Kriegs- nachrichten).*

ὠτίον

Mt 1 : Mk 0 : Lk 1 + 0 : Joh 1 (NT sonst nie; LXX 16mal)

bezeichnet Mt 26,51 (statt des viersilbigen Deminutivs bei Mk) das äußere Ohr: *Ohrläppchen* (HORST ThWNT 5,557f).

ἀκούω (GUNDRY 641)

Mt 63 : Mk 43 : Lk 65 + 89 : Joh 58

=(Mk 43 - 23 + 18) + (Q 10 + 7) + (A-Mt 8)

Das Vb. steht an der 8. Stelle in der Häufigkeit der mt Vb.; die größte Dichte findet sich in der Allegorierede Mt 13: 16mal (im Anschluß an Mk 13mal): das Pass. steht nur im Zitat 2,18 und an der letzten Stelle des Buches 28,14 (übrigens auch Apg 28,28 - doch Fut.Med. B-D-R 77,2) für *Zu-Ohren-Kommen:*

Mt 2 : Mk 1 (Mk 2,1 auch als erster Stelle) : Lk 1 + 2;

dabei ist 2,18 die einzige rein akustische Stelle, während alle weiteren auf Menschenäußerungen bezogen und damit auf *verstehende Aufnahme* hin an- gelegt sind. Das physische Vermögen ist 11,5(=Q) im Blick: *Taube hören;* sonst geht es immer um das Spektrum von *Kenntnisnahme* und *Zustimmung* (*notitia/assensus*).

Im Rückblick auf die durch die LXX vermittelte Vorvergangenheit stehen die beiden aus Q übernommenen Inf.Aor. 12,42 (*Salomos Weisheit kennen- lernen)* und 13,17 (die vorhersagenden Propheten wollten das "Mehr" von 12,42, die Weissagungserfüllung in Jesus sehen, die ihr erlebt, und sie haben sie *noch nicht kennengelernt).* Als literarisch vermittelte steht diese

Vergangenheit auch in den red. Vordersätzen der Überbietungsformel 5,21.-27.33.38.43 (irreführend "Antithesen" genannt), wo mit ὅτι immer ein Pentateuchzitat eigeleitet ist: *ihr habt gelesen = wißt, kennt* (vgl. Gal 4,21), *habt bisher akzeptiert*. Daß dabei unser Syntagma nicht den Ton trägt, zeigt sich in der Auslassung 5,31.

Analog dazu steht 7,24.26(=Q) am Ende der Bergrede mit ausdrücklichem Rückbezug auf *diese meine Befehle* von Kap. 5-7 im Hinblick auf die *Ausführung (=Tun)* das Vb. zwar von einem erzählten *Hören*, das auf der primären kommunikativen Ebene des Autor/Adressaten-Bezugs aber ein *Lesen* ist. In der Isarelsendungsrede 10,14(+Mk) ist die nächste Stelle mit finitem Vb.-Gebrauch durch die Objektstilisierung direkt an 7,24.26 angeschlossen: *eure* (als Wiederaufnahme von: *meine) Worte* (vgl. 10,27). Dasselbe gilt auch für die Wiederholung derselben Wendungen von 11,4 in 13,17, und der Leserbezug ist ebenso in der anschließenden Allegorie-Entschlüsselung präsent gemacht, wo 13,23(=Mk) nicht nur 7,24 funktional entspricht, sd. ausdrücklich daran angeglichen ist, wie umgekehrt die von Mk übernommene negative Trias 13,19.20.22 der Antithese 7,26 entspricht und sie entfaltend konkretisiert. Dabei war die negative Trias schon durch die Triade 13,13(=Mk).-14f(+Mk Erfüllunsgzitat) vorbereitet worden.

Besondere Beachtung verdient der Imp.Aor. 13,18(+Mk) zur Einleitung der Entschlüsselung: Da die Allegorie schon erzählt ist, geht es nicht um eine bloße Aufforderung zum Hören; da auch das Verstehen der Schüler schon 13,12 festgestellt ist, geht es auch nicht um einen Aufruf zum Verstehen; das wird noch dadurch verstärkt, daß Mt das mk *Verstehen* ja hier gerade ersetzt. Im Unterschied zum mk markiert der mt Jesus ja nicht ein Jüngerunverständnis; doch auch als Beweis für das Verstehen der Schüler eignet sich die Fortsetzung nicht (gg. KINGSBURY 1969:54), denn dann hätten die Schüler selbst diese Entschlüsselung geben müssen. Im Sinne des Kontextes geht es vielmehr um die V.12a in Aussicht gestellte "Zugabe". Der Imp. nimmt vielmehr den von V.9 (und 11,5) auf und ist darum in Übereinstimmung mit dem semantischen Gehalt des "Weckrufes" bei Mt zu analysieren und damit auf der 10,27 eingeleiteten Basis: *Ihr sollt nun meine Offenbarungsträger sein* - auch bezüglich der Sämann-Parabel! Die pragmatische Intention ist dabei von 10,24 her stärker expressiv senderorientiert als appellativ empfängerorientiert. Der Imp. wird dabei gut griech. für den Opt. gebraucht (B-D-R 384 n.1). Damit werden die Schüler "zu Empfängern *seiner* Auslegung" gemacht und damit zu weitergebenden "Lehrern" eben dieser Auslegung "eingesetzt" (GRUNDMANN 342 - jedoch gg. diesen eben gerade nicht zu "Auslegern"!): es geht auch hier wieder um die strikte Bindung an den Wortlaut des mt Buches. Diese Grundintention ist darum auch bei dem komplenymen Imp.Aor. im Wiederholungsfalle 13,36 zu beachten:

διασαφέω

Mt 2 (NT sonst nie; LXX 11mal)

ist hier mit N-A und H-G (gg. JEREMIAS 1965:81) die urspr. LA; doch macht der Einspruch von JEREMIAS auf das semant. Sachproblem aufmerksam: Es geht hier wie 18,31(+Q) mehr um die *genaue Darlegung* (LOHMEYER 223) als um die "Deutung" (gg. GRUNDMANN 349).; es soll nicht etwa ein vorübergehendes Noch-nicht-Verstehen ausgeräumt werden (gg. KINGSBURY 1969: 95), sd. wiederum sollen die Schüler "zu den Empfängern seiner autoritativen Sinnfestlegung gemacht werden; daß dies dann mit einer mt red. Bildung gegeben wird, wirft ein unbezweifelbares Licht auf die Selbstkanonisierung des mt Buches. Mt hat somit chiast. einander zugeordnet:

A 13,9 konditionierter Imp. (Weckruf)
B 13,18 bloßer Imp.
B' 13,36 bloßer Imp. (Komplenym)
A' 13,43 konditionierter Imp. (Weckruf).

Genau im Sinne der beiden Vorgängerstellen ist darum auch die dritte analoge Stelle 15,15(+Mk) in ihrem semant. Gehalt und der entsprechenden pragmatischen Intention zu bestimmen, zumal V.11 in der mt Form gar nicht mehr der "Deutung" bedürftig ist und V.12 sogar schon von den Gegnern ja durchaus verstanden wurde:

φράζω

Mt 1 (NT sonst nie; LXX 3mal)
bittet wiederum um *autoritative Sinnfestsetzung* von 15,11, und die angeschlossene Frage nach dem Jüngerunverständnis V.16 darf nicht als Aussage darüber genommen werden, sd. kann bei der mt Betonung des Jüngerverständnisses (GNILKA 1961:109f) nur eine humorvoll bestätigende rhetor. Frage sein oder ist als Aufforderungsfrage zu nehmen. Mt betont also schon vor 28,20 sein Selbstverständnis von der Vollständigkeit der von ihm dargestellten Lehre Jesu und bekräftigt damit seinen Anspruch, kein blinder Blindenführer wie andere (V.14) zu sein (GUNDRY 271.307f).

Trotz der formalen Analogiebildung zu 13,18 hat der Imp.Aor. in 21,33 (+Mk) einen anderen Sinn, da er an Gegner gerichtet ist und die Parabel selbst einleitet. Übereinstimmung besteht nur insofern, als auch hier stärker der expressive als der rezeptive Aspekt bestimmend ist, also ein Äquivalent von "ich sage euch" (V.31.43) vorliegt: *Ihr sollt jetzt noch eine zweite Analogieschluß-Rede hören!* Dem korrespondiert anschließend 21,45 ihr *Hören* als Vorstufe des Verstehens.

In einer analogen Relation steht der Imp. zur Einleitung einer Redeeinheit auch 15,10(=Mk - allerdings red. ins Präs. versetzt und damit auf Dauer hin verallgemeinert wie durch Obj.-Auslassung stärker auf den anschließenden Gesetzessatz bezogen). Bestätigt wird dieser Anspruch Jesu durch dem Imp.Präs. im Munde Gottes selbst 17,5(=Mk): *Ihn gilt es zu hören* (mit Gen wie bei Personen klass. üblich auch 2,9; 18,5, weshalb 26,65 gg. Mk statt eines Gen. den Akk. der Sache einsetzt).

Angesprochenes Obj. ist Jesus bei dem noetisch qualifizierten Vb.-Gebrauch 21,16(+Mk) in der Gegnerfrage (+Akk.): *billigen;* ferner im Rettungsversuch des Pilatus 27,13(+Mk): *verstehst du denn nicht!* (+Akk.); auch in der Vergebungsregel 18,15f(+Q) liegt ein ähnlicher qualifizierter Gebrauch von *zustimmen* (+Gen. der Person, der in der Antithese verkürzend wegfiel); für den negativen Fall steht 18,17a.b das Synonym *bewußt ignorieren* (KITTEL ThWNT 1,224)

παρακούω

Mt 2 : Mk 1 (NT sonst nie; LXX 7mal),
was Mt aus Mk 5,36 als für Jesus verwendetes natürlich nicht übernahm.

Mt Häufigkeit ist auch im Gebrauch des Pt.Aor. festzustellen:
ἀκούσας/-σαντες (FUCHS 1980:158; GUNDRY 641)

Mt 21 : Mk 13 : Lk 17 + 21
=(Mk 13 - 6 + 9) + (Q 1 + 1) + (A-Mt 3)

Dieses Pt. bezeichnet wie die verwandten von ≻*Sehen* und ≻*Wissen* eine reaktionseinleitende Verknüpfung: Damit wird die darauffolgende Handlung entweder begründend (*propter hoc*) als Reaktionshandlung bestimmt oder aber - vor allem bei absolutem Gebrauch - eine nur zeitliche Verbindung (*post hoc*) gesetzt, wobei sich der semantische Gehalt auf ein einfaches *daraufhin* (synonym ≻τότε) reduziert. Im übrigen ist das Sem *Hören* auch bei allen Verwendungen des Lexems ≻*antworten* immer mitgesetzt. Die meisten mt Pt.-Stellen stehen im *Plur.*:

Mt 13 : Mk 6 : Lk 7 + 18;

dabei hat Mt es vor allem für die Gegner-Reaktion auf Jesus favorisiert, indem er es 5mal ausdrücklich mit *Pharisäer* verband: 12,24(+Q - wobei das Vb. von Mk 3,21 permutiert und die Gegner red. zugesetzt wurden); 15,12-(+Mk als Information der Schüler als Voraussetzung der ≻*Abwendung* und im Gegensatz zum *Verstehen* V.10); 21,45(+Mk als Voraussetzung der semantisch richtigen Substitution und des Verhaftungswillens); 22,22(+Mk mit impliziten Subj. V.15f).34(=Mk - doch Sing. in Plur. versetzt und Subj. red. geändert). Darüber hinaus ist auch die zwischen den beiden letztgenannten Stellen stehende 22,33(+Mk) hinzuzurechnen: *die Mengen (= ihre Schülerschaft)* erkennen und bestätigen die die Auferweckungsleugnung als ihre, also (in der Vorstellung des Mt) gesamtisraelitische Lehre (WALKER 1967:13); auch nach dem Kreuzesschrei 27,47(=Mk) liegt ein Gegnermißverständnis vor.

Die restl. *Plur.*-Stellen beziehen sich: auf die Magier 2,9 (Obj. im Gen. Herodes); auf die Mengen 14,13b(+Mk statt mk *erkennen*, doch ist das Pt. aus Mk 6,29 permutiert); auf die Schüler mit Bezug auf die Gottesstimme 17,6(+Mk abs.); auf diese auch 19,25(+Mk abs. auf ein Wort Jesu bezogen) und 20,24(=Mk abs. auf die Zebedaiden bezogen); auf die Blinden 20,30(=Mk - doch Plur. red.).

Bei der Hälfte der 8 *Sing.*-Belege ist *Jesus* Subj.: 4,12(+Mk); 8,10(=Q); 9,12(=Mk - bei ihm als erster und einziger Stelle); 14,13a(+Mk abs. auf Täufertod bezogen); Subj. der restl. 4 Stellen sind: 2,3 Herodes; 2,22 Josef; 11,2(+Q) der Täufer; 19,22(+Mk) der reiche Pharisäerschüler, der mit seiner Reaktion auf ein Wort Jesu auch noch zur Gruppe der 7 Plur.-Stellen mit Gegnerreaktion zugeordnet werden kann. Gehäuft ist dabei weiter Pt.-Aor. + δέ

Mt 8 : Mk 1 : Lk 6:
2,3.22; 4,12(+Mk); 8,18(=Q); 14,13a(+Mk); 19,22(+Mk).25(+Mk); 20,24(+Mk) – während Mk 6,16 nicht übernommen ist.

Für Gott als Subj. ist das Simpl. nie verwendet; dafür steht nur das (sonst wie das Simpl. gebrauchte) Komp.

εἰσακούω
Mt 1 : Mk 0 : Lk 1 + 1 (NT nur noch 1Kor 14,21; Hebr 5,7)
6,7(+Q) im Pass. im Blick auf die Heidenhoffnung, während der "t.t. der antiken Gebetssprache von der erhörenden Gottheit" ἐπακούω im synopt. Bereich völlig fehlt (KITTEL ThWNT 1,223 - NT nur 2Kor 6,2 Zitat).

οὔτε ≻οὐ
οὖτος, αὗτη, τοῦτο (GASTON 1973:61)
Mt 146 : Mk 76 : Lk 230 + 237 : Joh 237
=(Mk 76 - 33 + 68) + (Q 18 +13) + (A-Mt 4)
οὖτος Nom.Mask. (BROER 1972:50n.1)
Mt 32 : Mk 12 : Lk 39 +36 : Joh 50
=(Mk 12 + 16) + (Q 1 + 3)
Kennzeichnend mt ist der *identifizierende* Gebrauch im Nom. οὗτός ≻ἐστιν (15mal) bzw. Fem 1mal, Neutr. 3mal; dabei ist 13,19f.22f.38; 18,4 (LUZ 1968:408) ebenso noch

οὖτος als emphatische Wiederaufnahme (GUNDRY 646 resumptive): *genau der*
Mt 10 : Mk 4 : Lk 4 :
so noch nach Rel.-Satz: 5,19(+Q); 21,42(=Mk Zitat) 27,58(+Mk) bzw. nach Pt.: 24,13(=Mk) dupl. 10,22; 26,13(+Mk) wie neutr. 15,11(+Mk); im Akk. beim Pass. 27,32(+Mk).

Ferner *subst.* auf die positive Prädikation hin 27,54(=Mk adj.) 4mal als Gegnervorwurf an Jesus: 9,3(=Mk); 12,24(+Mk/Q); 26,61(+Mk); 27,47(+Mk) bzw. 26,71(=Mk) von Petrus; *adj.* semit. nachgestellt: 15,8(=Mk *Volk* - Zitat red. umgestellt) und 28.15(+Mk *Rede*).

αὕτη ist untyp.
      Mt 9 : Mk 9 : Lk 15 + 7 : Joh 7
         =(Mk 9 - 3 + 3)
4mal subst.: 21,42(=Mk Zitat); 22,38(=Mk; doch +ἐστιν) 26,13(=Mk) dupl.
V.12(+Mk); 5mal adj. nachgestellt: 9,26(+Mk Nachricht); 13,54(+Mk Weisheit);
22,20(=Mk Bild); 24,13(=Mk jetzige Generation); 26,8(=Mk Verschwendung).
τοῦτο (Nom. + Akk.)
      Mt 32 : Mk 16 : Lk 37 + 32 : Joh 51
         =(Mk 16 - 9 + 17) + (Q 4 + 3) + (A-Mt 1)
Neben den 10 spezifisch mt Akk.-Belegen für ✝διὰ τ., den 3 Identifikationen
mit ✝ἐστιν, den beiden Zitateinführungen mit ✝ὅλος 1,22; 26,56(+Mk) wie von
der Erfüllung auch 21,4(+Mk) für ein Geschehen, der Emphase nach Pt. 15,11
noch subst.: 8,9(=Q); 9,28(+Mk Geschehen); 12,11(+Q); 13,28(+Mk Geschehen);
16,22(+Mk Geschehen); 19,26(+Mk Geschehen); 20,23(+Mk; H-G wie N-A als
urspr. LA); 26,9(=Mk - doch adj.).42(+Mk); 28,14(+Mk Geschehen); - also red.
τοῦτο für ein Geschehen (statt Plur.; ROTHFUCHS 1969:35)
      Mt 8 : Mk 0 : Lk 0.
Adj. nachgestellt: 18,4(+Mk Kind); 26,12(+Mk Myrrhe).39(=Mk Becher).13(+Mk
✝Evangelium) bzw. vorangestellt 24,14.
τούτου (Mask. + Neutr.)
      Mt 4 : Mk 2 : Lk 7 + 14 : Joh 19
         =(Mk 2 - 1 + 3)
Subst. 19,5(=Mk Zitat deswegen); red. adj. nachgestellt 13,15(+Mk Zitat Volk);
27,24(+Mk dieser Blutschuld); bzw. vorangestellt 26,29(+Mk dieser Frucht).
ταύτης 12,41f(=Q) adj. nachgestellt: jetzige Generation
      Mt 2 : Mk 0 : Lk 6 + 17 : Joh 3
τούτῳ (Mask. + Neutr.)
      Mt 7 : Mk 4 : Lk 12 + 18 : Joh 13
         =(Mk 4 - 2 + 4) + (Q 1)
3mal subst.: 8,9(=Q); 13,54(=Mk) dupl. V.56; 4mal adj. nachgestellt 21,21(=Mk
Berg) dupl. 17,20; vorangestellt 12,32(+Mk jetzige Äon); 20,14(+Mk letzten).
ταύτῃ
      Mt 5 : Mk 3 : Lk 8 + 5 : Joh 0
         =(Mk 3 - 1 + 3)
Immer adj. - nachgestellt: 10,23(+Mk Stadt); 12,45(+Q Mk 8,38 permutiert jetzige Generation); 26,31(+Mk Nacht) dupl. von V.34(=Mk) vorangestellt wie
16,18(+Mk Fels).
τοῦτον
      Mt 3 : Mk 3 : Lk 11 + 20 : Joh 13
         =(Mk 3 - 3 + 3)
Subst. emphatisch 27,32(+Mk); adj. nachgestellt: 19,11.22(+Mk Rede; vgl. Nom.
28,15 und Akk.Plur. 7,24 sowie subst. Neutr.Plur., daher urspr. LA, während
der Satz 21,44 als sek. LA zu werten ist):
ταύτην
      Mt 3 : Mk 4 : Lk 14 + 11 : Joh 5
         =(Mk 4 - 3) + (Q 2)
Immer adj. nachgestellt 11,16(=Q) wie 23,36(=Q) jetzige Generation; 21,23(=Mk
Vollmacht).
οὗτοι
      Mt 7 : Mk 5 : Lk 10 + 14 : Joh 4
         =(Mk 5 - 4 + 4) + (Q 1) + (A-Mt 1)
4mal subst.: 13,28(+Mk εἰσιν identifizierend); 21,16(+Mk); 25,46; 26,62(=Mk);
adj. nachgestellt 4,3(=Q Steine); vorangestellt 20,14(+Mk letzten).20(+Mk
zwei).

ταῦτα (Nom + Akk.)
   Mt 22 : Mk 14 : Lk 47 + 28 : Joh 61
      =(Mk 14 - 5 + 6) + (Q 4 + 2) + (A-Mt 1)
Subst.: 1,20; 9,18(+Mk); 10,2(+Mk) ἐστιν kataphor. wie anaphor. 15,20(=Mk), 11,25(=Q); 21,23f.27(=Mk); 24,3(=Mk); adj. immer im Syntagma
ταῦτα πάντα (GUNDRY 647)
   Mt 12 (+ einmal ⊁Gen.) : Mk 4 : Lk 4
7mal vorangestellt: 4,9(=Q Sing.); 6,33(+Q Dubl. zu V.32a nachgestellt und Gen. V.32b); 13,34(+Mk) dupl. V.51.56(+Mk) für Jesu Rede wie 24,2(=Mk) doch V.33(=Mk) für Tempelzerstörung; 5mal nachgestellt: 6,32(=Q); 19,20(=Mk vertauscht); 23,36(+Q) Tempelzerstörung wie 24,8(=Mk) - doch V.34(=Mk vertauscht) für Parusie - also anaphor. je nach voranstehendem Kotext.
τούτων (Mask. + Neutr.)
   Mt 12 : Mk 2 : Lk 11 + 19 : Joh 8
      =(Mk 2 - 1 + 5) + (Q 3 + 2) + (A-Mt 1)
3mal subst.: 5,37; 6,29(=Q); 11,7(+Q Gen. abs.); 9mal adj.: nachgestellt 3,9(=Q Steine); 5,19(+Q Gebote); 10,42(+Mk Kleinen dupl. von 18,6(=Mk; mit N-A gg. H-G urspr. LA) wie V.10.14(+Q) bzw. vorangestellt 25,40.45 dupl.; ferner 6,32b(=Q ἁπάντων vgl. V.32a.33 Nom.).
ταύταις 22,40(=Mk - doch Gen. subst.) adj.: beiden (Geboten)
   Mt 1 : Mk 0 : Lk 4 + 3 : Joh 1
τούτους (immer red.)
   Mt 6 : Mk 1 : Lk 5 + 7 : Joh 2
      =(Mk 1 - 1 + 3) + (Q 0 + 3)
Neben adj. vorangestellt 10,5(+Mk Zwölf) immer nachgestellt: Reden
λόγους τούτους
   Mt 5 : Mk 0 : Lk 2 (=Lk 9,28.44 seinerseits red.)
7,24.26.28(+Q; vgl. 19,11.22; 28,15 und subst. Neutr.Plur.) wie 19,1(+Mk); 26,1(+Mk) bzw. statt dessen 13,53(+Mk) ad hoc auf ⊁παραβολάς spezifiziert:
ταύτας
   Mt 1 : Mk 1 : Lk 1 + 3 : Joh 0
ἐκεῖνος (MORGENTHALER 1973:181; GUNDRY 643)
   Mt 53 : Mk 20 : Lk 33 + 22 : Joh 70
      =(Mk 20 - 8 + 20) + (Q 10 + 7) + (A-Mt 4)
Das seltener als οὗτος verwendete Demonstr. weist nicht so oft auf das jeweils Entferntere hin, so daß die Übers. mit jener gerechtfertigt erscheint. In den meisten Fällen dient es eher der Hervorhebung der Identität und damit der Verstärkung denselben, genau den (BALZ EWNT 1,996).
   4mal steht es absolut: personal 13,11(=Mk jenen vs. euch) wie 20,4 (als Wiederaufnahme von ἄλλους eben diesen); sachlich 17,27(genau den) wie bei dem kataphorischen Imp. 24,43(+Q folgendes beachtet); nur sachlich im Plur. Neutr. verwendet Mt auch die kontrahierte Form
κἀκεῖνα
   Mt 2 : Mk 2 : Lk 4 + 3 : Joh 5
15,18 (statt mk Sing.Simpl.) wie 23,23(=Q im Gegensatz zu ταῦτα - also gg. B-D-R 291,2; BALZ EWNT 1,995f im NT nicht "nur" Lk 18,14; Jak 4,15). Die beiden mk personalen Stellen (12,4f) wurden nicht übernommen.
   Sachlich noch 5mal einem Subst. nachgestellt: 7,24.27(=Q eben dieses Haus); 18,32 (jene ganze Schuld) bzw. 13,44 wie 27,8 (jener dieser Acker).
   Noch 14mal personal: 12,45(=Q eben diesem Menschen) wie 26,24a.b(=Mk); 21,40(=Mk genau diesen Bauern) und anschließend 22,7 (eben diese Mörder) dupl.; auf Jesus bezogen nur an den beiden red. Schlußstellen 27,19(+Mk eben diesem Gerechten) und im betontem Kontrast dazu V.63 als der einzigen personalen Stelle mit betonender Voranstellung (genau dieser Betrüger); am häufigsten (6mal) in der Verbindung mit ⊁δοῦλος, was 24,46.50(=Q) vorgab (V.48 dürfte textkritisch sek. sein) und anschließend 25,7(alle diese

Jungfrauen).19(+Q) dupl. wurde; im Plur. gab es Q-Mt 22,10(=Lk 14,24 oder Mt permutiert) vor; dupl. im Sing. auch 18,27f (vgl. vor allem 18,27 mit 24,50).

8mal *lokal*: 14,35b(=Mk) und dupl. voranstehend V.35a wie anschließend 15,22 und schon 9,26.31; und Q-Mt 10,14(=Lk 9,5 permutiert).15(=Q *eben diese Stadt*). Dabei ist deutlich, daß alle lokalen Stellen letztlich metonymisch auch für Personen stehen. Rein lokal ist nur 8,28(+Mk *auf dem dortigen Weg*).

Mit 22 Belegen ist die *temporale* Verwendung die häufigste, wobei es 10mal betonend vorangestellt erscheint. 3 Syntagmen treten auf
ἐκείνη ἡμέρα
Mt 12 : Mk 9 : Lk 9 + 5 : Joh 6
3mal im narrativen Sing. 13,1(+Mk); 22,23(+Mk vorangestellt).46(+Mk mit ἀπό und vorangestellt an der Schlußstelle betont) und 3,1(=Mk 1,9 permutiert) im narrativen Plur.; im eschatol. Sing. ist es in Logien 24,36 (mit περί) und 26,29 von Mk vorgegeben und 7,22(+Q) von daher dupl.; im Plur. in Logien für die Zeit vor dem Gericht 24,19(=Mk vorangestellt).22a(=Mk).b(+Mk).29 (=Mk) und typologisch von der Vor-Sintflut-Zeit V.38(=Q mit B D pc it sa gg. N-A 70; H-G 226 wohl als urspr. anzusehen und wegen der Überfüllung eher verkürzt als nach den voranstehenden Stellen ergänzt).
ἐκείνη ὥρα (HAWKINS 1909:8.34; STRECKER 1971:121; GUNDRY 643)
Mt 7 : Mk 1 : Lk 1
wurde vorangestellt im Logion 10,13(=Mk ἐν) von der Stunde der gerichtlichen Verhandlung übernommen und nachgestellt im Erzählkontext Q-Mt 8,13 (=Lk 7,21 ἐν mit Heilungsbezug auf das anschließende Segment permutiert) vom sofortigen Eintritt der Heilung zur besonderen Betonung der Wirkung des von Jesus gesprochenen Wortes (HELD 1970:218f wie schon 8,3 εὐθέως; 21,19f ↗παράχρημα). In dieser Funktion wurde es 9,22(+Mk mit dort vorgegebenem ↗ἀπό) dupl. wie 15,28(+Mk wieder mit einer Frau und ἀπό) und 17,18 (+Mk mit ἀπό) wieder von einem fürbittenden Vater; dieses ἀπό dürfte zugleich signalisieren wollen, daß die Betreffenden seither zur Schülerschar gehören (vgl. dazu relational antonym das negative temporale ἀπό in Bezug auf die Gegner 22,46). Zur Verknüpfung der Redeeinleitung wird es 18,1 (+Mk) dupl. und zur Betonung eines nachfolgenden Redestückes an die Gegner auch 26,55(+Mk wie 10,13 vorangestellt dupl.) Der wechselnde Gebrauch der Präp. in den heilungsbezogenen Stellen dürfte dazu dienen, in der makrosyntaktischen Verteilung die einzige Logienstelle als Zentrum herauszustellen:

A ἐν im Erzählkontext:	8,13;		18,1; 26,55
B ἀπό nach Heilungen:	9,22;	15,28; 17,18;	
Z ἐν im Jesuswort:		10,19;	

ἐν ἐκείνῳ τῷ καιρῷ (STRECKER 1971:86f)
Mt 3 : Mk 0 : Lk 0
Q-Mt 11,25 (Lk dürfte καιρός in die analoge Wendung 13,1 permutiert und seine Vorzugspron. dort wie hier insertiert haben) wird in Q vorgegeben sein, da die Wendung in der ihm eigenen, multiplizierenden Weise sogleich anschließend 12,1(+Mk - also beidemale den gleichen Sabbat kennzeichnend) wie 14,1(+Mk für das Herodeszeugnis im zeitlichen Zusammenhang mit der Reaktion in Nazareth) dupl.; dabei dürfte mt diese indefinite Zeitbestimmung funktional im Sinne von ἡμέρα verwendet haben, um jeweils die Einheit ein und desselben Tages einbilden zu wollen. In dieser Funktion steht (außer bei Mk 8,1, was Mt nicht übernahm) typ. mt unmittelbar am erzählenden *Satzanfang*:
ἐν ἐκειν- + tempor. Subst. (KLOSTERMANN 9; STRECKER 1971:90-3)
Mt 8 : Mk 1 : Lk 0
Neben den 3 Stellen mit καιρῷ und den beiden mit ὥρᾳ (18,1; 26,55) ist *der-*

selbe Tag 13,1 eine anaphor. Verknüpfung der folgenden Abwendungsrede mit den voranstehenden Zeitverknüpfern 12,22.38.46. Die Einheit des 2. Tages in Jerusalem (21,18-26,5) ist deutlich 22,23 bezeichnet, da V.46 dann das definitive Ende der Wendung an die Gegner *seit diesem Tage* ansagt. Diese Wendungen sind also bei Mt jedenfalls nicht nur Übergänge "zur Herstellung des Zusammenhangs, aber keine präzise Zeitangabe" (KLOSTERMANN 9,21; B-D-R 291 n.5), sd. haben auch mit dem Plur. 3,1 die präzise Funktion, die "Offenbarungszeit" als "Einheit zwischen Jesus und dem Täufer" zu unterstreichen (STRECKER 1971:91), die ja mt dann auch in ihrer Botschaft immer wieder angeglichen sind. Von 24,19.22.29 her hat die Wendung eine klare eschatol. Prägung (KINGSBURY 1975:28-30 gg. die Mehrzahl der Kommentatoren, die es nur als "vage und farblos" oder rückblickend als *damals* bestimmen); da die ganze Passage in kompositorischer Parallele zu 1,1-17 steht und auf die Frage "Wann?" antwortet, so ist auch ein Bezug dieser Einleitungswendung zum apokalyptischen Fazit der Genealogie in 1,17 zu sehen: 6 x 7 Generationen sind vorüber – jetzt ist also die 7 x 7. und demnach letzte; daran knüpft 3,1 an: *die Endzeit wurde dadurch eingeleitet, daß...*

οὕτως (MORGENTHALER 1973:181 Vorzugswort; GUNDRY 646)
    Mt 33 : Mk 10 : Lk 21 + 27 : Joh 14
      =(Mk 10 - 7 + 10) + (Q 7 + 11) + (A-Mt 2)
Das Adv. ist *subst.* 9,33(=Mk 2,12 permutiert: *derartiges*) verwendet, *adj. prädikativ* 1,18 kataphor. wie 19,10(+Mk) anaphor.; dabei beidemale
οὕτως + 3.Pers. von εἶναι (JEREMIAS 1965:82n.11)
    Mt 12 : Mk 2 : Lk 3
im Präs. auch 20,26(=Mk); 18,14(=Q Allegorieschluß); mit Fut. ἔσται 12,40(=Q). 45(+Q) korrelativ nach ↗ὥσπερ Bildwortfolgerung im eschatol. Korrelativ wie 24,27.37(=Q).39(+Q) bzw. im Allegorieschlüssel dupl. 13,30.49(+Mk) wie 20,16 (+Mk Plur.).

Ein anderes Vb. hat der Allegorieschluß 18,35 bzw. keines die anredende Bildanwendung 23,28, die aber mit 6 anderen Stellen das von 24,33(=Mk) her multipl. mt Syntagm οὕ. ↗καί teilen. Mit Imp. nach der Allegorie 5,16(+Q) meint es folgernd *deshalb* – wie innerhalb des Bildes 7,17(+Q) und in der Frage 26,40(+Mk – da der Aor. folgt, nicht: *so wenig*; gg. SCHWEIZER 322). Die normale anaphor. Adv.-Bedeutung *(eben-)so, derart:* 3,15(+Mk); 5,12(+Q). 19(+Q); 6,30(=Q); 11,26(=Q); 19,8.12(+Mk); 24,46(=Q); 26,54; kataphorisches *folgendermaßen* neben 1,16 (also weniger erzählend als metanarrativ-klarstellend als argumentatives Vorzeichen vor einem narrativen Segment) noch zitateinleitend 2,5 wie gebetseinleitend 6,9(+Q). Wenn Mt 9,4.8; 15,16; 27,54 diese Pronominalisierung ausgelassen hat, hat er sie durch präzisere Inhaltsangaben renominalisiert (SENIOR 1981:325). Synonym sind hell. sowohl
τοιοῦτος *adj.* 9,8(+Mk) und 18,5(=Mk); *subst.* 19,14(=Mk)
    Mt 3 : Mk 6 : Lk 2 + 4 : Joh 2 – als auch
τοσοῦτος 8,10(=Q, doch vom neuen Kotext her entquantifiziert); 15,33(+Mk)
    Mt 2 : Mk 0 : Lk 2 + 2 : Joh 4.
οὐχί ↗οὐ
ὀφειλέτης, ὀφειλή, ὀφείλημα, ὀφείλω ↗ἀφίημι I
ὀφθαλμός (GUNDRY 646)
    Mt 24 : Mk 7 : Lk 17 + 7 : Joh 18
      =(Mk 7 - 1 + 6) + (Q 9 + 1) + (A-Mt 2)
Mt hat ca. 25% der ntl. Stellen. Das Subst. ist nie von Gott oder Jesus gebraucht. Der Plur.
    Mt 9 : Mk 5 : Lk 9 + 7
steht erst von der Blindenheilung 9,29f (Dubl. 20,33f) an in Erzählzusammenhängen. Dabei sind die *konkreten Sehorgane* im Blick wie 26,43(=Mk) beim Ermüdetsein (=schwer) als Begründung des Schlafens oder 17,8(+Mk) beim *Erheben* als Vorbereitung des Sehens (LXX-Wendung; BAUER WB 357)

ἐπαίρω (doch im Zusammenhang mit der Häufung des →Simplex)

Mt 1 : Mk 0 : Lk 6 + 5 : Joh 4,

wobei aber auch das noetische *Aufmerksamwerden* immer schon konnotiert ist. Auch im Zitat LXX-Jes 6,10 in 13,15a.b(+Mk) ist im Mittelglied des Chiasmus über das Sehorgan hinaus auch die *Seh- und Urteilsfähigkeit* im Blick, da das Vb.

καμμύω

Mt 1 (NT nur noch Apg 28,27 gleiches Zitat; LXX 4mal)

im Akt. die Schuld und Verantwortung betont: *Sogar ihre Augen haben sie geschlossen, um trotz ihrer Augen nicht zu sehen.* In dem 13,16(=Q) antithetisch dagegengesetzten Makarismus, den Mt red. in einen bedingten verwandelte (*weil*), vertritt das Subst. die Person: *Ihr als Sehfähige* (Metonym). Auch im Zitat LXX-PS 117,23 in 21,42 meint die Präp.-Wendung der LXX *nach unserem Urteil* (MICHAELIS ThWNT 5,376) und konnotiert damit das *Erkennen/Verstehen* (VÖLKEL EWNT 2,1351). Synonym steht in der Blindenheilung 20,34(=Mk 8,23 permutiert, da sonst nie im NT) der Plur. des gewählteren Ausdrucks

ὄμμα

Mt 1 = Mk 1 (NT sonst nie; LXX 10mal).

Beide mt Heilungserzählungen sind durch die Abfolge Berühren/Geöffnetwerden der Augen par. strukturiert 20,33(+Mk) : V.34 entspricht 9,29(=Mk 8,25 permutiert) : V.30(+Mk). Ohne konkrete Verbalisierung des Subst. gehört auch →*Weinen* zum Wortfeld *Augen*.

In der Begründung durch kausales Asyndeton 18,9b(=Mk) ist der Plur. durch die Antithese *beide Augen* vs.

μονόφθαλμος

Mt 1 = Mk 1 (NT und LXX sonst nie)

bedingt. Dabei ist der 18,9a(=Mk) voranstehenden Sing. neben 20,15 der einzige außerhalb der Bergrede, doch in beiden Fällen handelt es sich um dupl. Wiederaufnahme der Bergrede. Das zugehörige akt. Vb. *herausreißen*

ἐξαιρέω (GUNDRY 644)

Mt 2 (im Akt. im NT nur bei Mt)

ist wegen der festen hell. Wortverbindung mit dem Subst. (BAUER WB 538) red.; umgekehrt ist zu sehen, daß Mt also den Gebrauch des generischen Sing. auf die Bergrede konzentriert hat: Schon bei der einleitenden Dubl. 5,29(+Mk) hat Mt nämlich den Plur. der angeschlossenen Begründung abändernd vermieden; in 5,38 hat Mt den doppelten Sing. mit der Zitierung des Prinzips der adäquaten Vergeltung (*eine Auge für eine Auge* Ex 21,34 par.) red. eingebracht. In die Bergrede ist auch das Weisheitswort 6,22f(=Q) wegen des Stichwortes vorgezogen und durch den neuen Kontext auf das *Besitzstreben* bezogen worden; dabei nimmt *Auge* 6,22a(=Q) das Stichwort *Herz* (= *Interesse*) des voranstehenden V.21 auf (vgl. den red. Sing. bei sonstiger Pluralisierungstendenz des Mt): Organ des Besitzwillens, das ausschlaggebend ist für den gesamten Organismus (= Person, was beides analog schon 5,29 verband). Könnte in der im Weisheitsdualismus angeschlossenen Antithese das positive Glied 6,22b(=Q) bei Q noch bildlich verwendetes *organisch gesund* heißen (so in der einzigen LXX-Stelle Prov 11,25), so meint es im mt Zusammenhang mindestens *vernünftig* (wie JosAp 2,190) bzw. *genügsam, bescheiden* (was TestIs 3-5 als Bestimmtsein durch das Doppelgebot erläutert; BAUERNFEIND ThWNT 1,385f; MICHAELIS 5,377f); bei dem negativen Gegenstück 6,23(+Q) dürfte unser Subst. gg. Lk vorgegeben sein: Die Wendung wird schon Sir 14,10; 31(34),13 für Besitzstreben verwendet; wenn Mt 20,15(+Mk) sie dupl. hat, während er sie gleichzeitig an der ersten mk Stelle Mk 7,22 ausließ, so hat er sie faktisch permutiert.

Die größte Verwendungsdichte mit 6 aus Q übernommenen Belegen liegt in der dreifachen Splitter/Balken-Antithese 7,3-5 vor. Dabei ist trotz aller

Realistik, in der hier vom *Auge* als *Sehorgan* geredet ist, dennoch die noetische Bedeutung *Urteil* immer konnotiert: Mann erkennt einen geringeren Fehler im *Urteil* eines Mitchristen schneller als den größeren Fehler im eigenen *Urteil*. Die weisheitliche Begründung V.3f wie die abschließende Aufforderung ist mt auf Mitchristen (>*Bruder*) eingegrenzt, was da, wo sie zu selbstverständlich generell auf Mitmenschen bezogen wird, meist ohne Rechenschaft bleibt.

δοκός 7,3.4.5(=Q) *Balken* hyperbolisch im Sprichwort (BILL 1,446f)
    Mt 3 = Lk 3 (NT sonst nie; LXX 10mal) mit Antonym
κάρφος *Splitter, winziger Fremdkörper* (BAUER WB 801 gern sprichwörtlich)
    Mt 3 = Mk 3 (außer Gen 8,11 nie in NT und LXX)
βλέπω (GUNDRY 642)
    Mt 20 : Mk 15 : Lk 15 + 14 : Joh 17
    =(Mk 15 – 10 + 6) + (Q 3 + 2) + (A–Mt 4)
steht außer im Zitat LXX–Jes 6,9 in Mt 13,14(+Mk) immer im Präs.Akt.; es bezeichnet die grundsätzliche Funktion der Augen, die *Sehfähigkeit* (MICHAELIS ThWNT 5,317.342f); darum ist die offenkundige Funktionsunfähigkeit 13,13(=Mk).14(+Mk) eine Manifestation der Verstocktheit; von daher erklärt sich auch die häufige Verwendung des Pt.Präs. *sehend* (= Augen habend Mk 8,19, was Mt ausließ)
    Mt 9 : Mk 1 : Lk 5 + 7
5,28 als Prädikat eines Mannes (obj. Frau) wie 6,4,6,18 Gottesprädikat; 13,13(=Mk).14(+Mk) generell von Menschen; 14,30(+Mk als Pt.conj. Synonym V.26) von Petrus wie 15,31a(+Mk) von den nichtjüd. Zeugen der Berg-Heilungen; 15,31b(+Mk) von den geheilten Blinden. Das grundsätzliche Sem der Sehfähigkeit wird auch dadurch belegt, daß das Vb. wie 15,31b und auch 12,22(+Q) als Antonym. zu >*blind* steht; funktionsgleich erscheint das Komp.
ἀναβλέπω
    Mt 3 : Mk 6 : Lk 7 + 5 : Joh 4 (sonst nie im NT)
in 11,5(=Q) und 20,34(=Mk), während es 14,20(=Mk) das Zum-Himmel-Blicken als hoffenden Gebetsgestus bezeichnet.
    Konkret gegenstandsbezogen (in der Regel auf Sachen und nicht auf Personen) ist das Simpl. 11,4(+Q, wo Lk das Synonym hat) auf die "Werke des Messias" von V.2 (= dem Inhalt von Kap. 4-10), die auch Q-Mt 13,16f (als positive Antithese zu V.13-15) als "Geheimnisse der Basileia" (V.11) im Blick sind. Der dabei immer ausdrücklich ausgesprochene synthetische Parallelismus mit *hören* verbietet es, eine falsche erbauliche Alternative zwischen beiden dergestalt aufzurichten, daß "Sehen" einen geringeren Offenbarungswert habe als "Hören" (gg. MÜLLER EWNT 1,534f); diese Doppelung weist zugleich auf die noetische Bedeutungskomponente *durchschauen, erkennen, erfassen*. Schon bei den Pt. 14,30; 15,31a (hier sogar Nichtjuden an die verstehenden Schüler von 13,16f angeglichen; GUNDRY 319) war ein "Erfahren im umfassenden geistigen Sinn" im Blick (MICHAELIS ThWNT 5, 343). Deutlich ist das bei dem Imp. *achtgeben* 24,4(=Mk vgl. Synonym V.6) der Fall; auch 7,3a(=Q) ist nicht nur *Sehen* des Splitters oder *Gedanken machen, erkennen* im Blick, sd. das *Sich kümmern* um den geringen Fehler im *Urteil* des Mitchristen, denn in der Antithese 7,3b(=Q) steht synonysm dazu
κατανοέω
    Mt 1 : Mk 0 : Lk 4 + 4 : Joh 0
wie 7,5(=Q) das Simpl. durch das Komp.
διαβλέπω
    Mt 1 : Mk 1 : Lk 1 (NT und LXX sonst nie)
im Sinne von *sich kümmern um* wieder aufnimmt (während es als Intensivum *genau sehen* Mk 8,25 ausgelassen wurde). Auch in der Wendung 22,16(=Mk) *vom Menschenurteil unabhängig sein* ist das noetische Element stärker her-

vorgetreten (MICHAELIS ebd.343 n.151; gg. KLOSTERMANN Mk 123 ist keine LXX-Abhängigkeit nachzuweisen). Darum ist es berechtigt, die Verwendung in der Frage 24,2(=Mk), die im Unterschied zur Vorlage die Negation zuge- setzt bekommt und so eine positive Antwort erwartet und die statt des konkreten Obj. den Plur.Neutr. des Demonstr. erhalten hat, anaphor. auf die Kap.23 voranstehende Rede zu beziehen: Selbstverständlich *versteht* ihr das alles (was ich euch gesagt habe - "alles" wie 26,1 analog am Ende der fort- gesetzen Rede rahmend; HUMMEL 1966:86). Auch von den Engeln wird 18,10 (+Mk) nicht so sehr ein direktes Sehen Gottes ausgesagt, sd. mit einem Ausdruck der Hofsprache (2Regn 14,24) *Zugang haben, Audienz erhalten* (MICHAELIS ebd.324f.327). Bei dem Gottesprädikat 6,4.6.18 (vgl. LXX-Ps 9,32.35; Sir 15,18f; Dan 3,55; MICHAELIS ebd.) ist deutlich das *Wissen* im Blick, das nur er hat; damit korrespondiert, daß die einzigen ausdrücklichen Wissensaussagen mit Gott als Subj. 6,8.32 im unmittelbaren Kontext alterie- rend stehen und so die Synonymie deutlich ist. Dasselbe gilt auch vom Komp.

ἐμβλέπω

    Mt 2 : Mk 4 : Lk 2 + 1 : Joh 2 (NT sonst nie),

das 6,26(+Q) im Imp. nach dem noetischen Simpl. 6,4.6.18 und dem noeti- schen Subst. 6,22f mit dem Bedeutungseinschlag *verstehen, bedenken* (BAUER WB 504f) erscheint, denn es wird weiter gefolgt von dem funktions- gleichen Kontextsynonym

καταμανθάνω 6,28(+Q - NT sonst nie; LXX 9mal);

    die Abfolge beider ist analog der 7,31.b unmittelbar nachfolgenden Synonymfolge.

    Als Pt.conj. hat 19,26(=Mk) das Komp. übernommen; da es auf eine Frage zurückbezogen ist, würde man eher wie in V.25 funktionsgleich ein *Hören* erwarten; auf jeden Fall ist es funktionsgleich dem sonstigen mt →*Antwor- ten*; dennoch dürfte Mt hier das Vb. der Vorlage darum gewählt haben, um, indem er das Obj. zum finiten Vb. umstellte, deutlich zu machen, daß er dieses Obj. gerade *im Blick auf sie* (= die Zwölf als Beweis seiner Worte) auch im ersten Glied voraussetzt: Sie sind der Beweis für den Ermögli- chungsgrund, den er im Logion V.26 nennt, denn die Petrusfrage V.27 er- scheint dann auch im Unterschied zu Mk als eine weiterführende Bestäti- gungsfrage umkodiert.

    Während das mk Häufigkeits-Komp. περιβλέπω konsequent ausließ, hat er θεάομαι im Inf. (GUNDRY 644)

    Mt 4 : Mk 0 : Lk 3 + 3 : Joh 6 (NT nur noch Röm 15,24; 1Joh 3mal)

      =(Q 1 + 3)

Im Unterschied zu Lk verwendet Mt das Vb. an allen Stellen in dem 11,7 (=Q) übernommenen finalen Inf.; damit dürften bei ihm alle Stellen mit dieser überkommenen Grundstelle im Zusammenhang gesehen werden: Mt hat wiede- rum multipl. Der semant. Zusammenhang mit →θαυμάζω als ein bewunderndes Sehen (MICHAELIS ebd.317; PREISKER EWNT 2,326f) ist überall noch präsent; auch die 8 LXX-Stellen (vor allem in hell. Texten) zeigen klar diesen Aspekt (MICHAELIS ebd.327). Diese Bedeutung *bewundern* ist nach 11,7 auch noch V.8f in den angeschlossenen allgemeineren Vb. präsent (Supernyme als Kon- textsynonyme). Diese positive Konnotation muß darum auch in dem red. An- schluß 22,11(+Q) noch angenommen werden: Der König erscheint bei der den- noch gelungenen Hochzeitsfeier nicht von vornherein zum *eingehenden Be- trachten* (im Sinne einer beabsichtigten Kontrolle), sd. *um sich an den Gästen zu erfreuen;* um so größer ist der Kontrast zur nachfolgenden *Ent- deckung* (εἶδεν) eines Unwürdigen. Rahmend dazu stehen die beiden antijüd. Heuchler-Stellen 6,1(+Q) und 23,5(+Q): Sie wollen *bewundert werden.* Der semant. Gehalt ergibt sich klar aus der 6,2 nachfolgenden synonymen Final- bestimmung →δοξασθῶσιν.

θεωρέω

Mt 2 : Mk 7 : Lk 7 + 14 : Joh 24 (noch Hebr 7,4; 1Joh 3,17; Apk 11,11f) ist bei Mt 27,55(=Mk) und 28,1(=Mk 15,47 permutiert) nur für die Frauen am Grab Jesu verwendet und damit bewußt auf Tod und Auferweckung als Einlösung der Vorhersagen Jesu. Es handelt sich im Sinne des Mt nicht um ein *betrachtendes Zuschauen* (gg. MICHAELIS end.345; VÖLKEL EWNT 2,363), sd. um *Beobachten*, um so als Augenzeugen im Kontrast zu den jüd. Gegnern in Erscheinung zu treten (so auch in dem Mt vertrauten 3Makk 1,27; 3,8; 6,17). Schon an der ersten Stelle 27,55 ist es funktionsgleich mit dem synonymen *Sehen* V.54 zusammengebunden und auf das ganze bestätigende Beben und die daraus folgenden Ereignisse bezogen; auch nach 28,1 folgt dann das entsprechende Beben; hier ersetzt ihr *Beobachtenwollen* als Ziel das mk Salben und ist dadurch von vornherein besonders qualifiziert: Sie erwarten von vornherein die Niederlage der Wache und erleben sie denn auch. Darum ist auch ihr *Sitzen* in 27,61 verbindend in dieser finalen Funktion der Beobachtung zu sehen (so funktionsgleich im Rehabilitations–Schema auch beim Umschlag der Verfolgung in Rettung LXX–Dan 3,91.94).

ὀράω (GUNDRY 646)

Mt 13 : Mk 7 : Lk 14 + 16 : Joh 31
   =(Mk 7 – 1 + 6) + (Q 0 + 1)

Im Unterschied zu βλέπω ist das Obj. bei diesem Vb. meist eine Person (KREMER EWNT 2,1288). Im Erzählkontext ist es nur 17,3(=Mk) von der Epiphanie des Mose und Elijah verwendet (also Personen), wobei aber ὤφθη stärker das objektive *In–Erscheinung–Treten* meint und die Sichtbarkeit als solche nicht besonders hervorgehoben ist (eher V.8 nach der Erscheinung). Auch die rückblickende Bezeichnung 17,9(+Mk) mit dem Subst.

ὅραμα

Mt 1 (NT nur noch Apg 11mal) ist hier nicht *term.techn.* für Vision, sd. bezeichnet einfach *das Gesehene* (MICHAELIS ebd.372f). Diesem Rückweiser entspricht der Konj.Aor. 16,28(=Mk) als Vorweiser: Diese Weissagung findet 17,1–8 ihre Soforterfüllung; "*sehen* heißt: *dabeisein, teilnehmen*" (ebd.316f) wie *kommen* hier *In–Erscheinung–Treten* meint.

Auch bei der letzten Vorhersage der Ostererscheinung 28,7(=Mk).10(+Mk) ist nicht der optische Charakter überzubetonen, sd. – wie sich schon aus dem Rückweis auf die synsigmatische Aussage 26,32 ergibt – "*mit jemand zusammenkommen (Thuk, Xenopg)*" (ebd.317). Dieses *Zusammenkommen* ist auch das entscheidende Sem bei der Parusieaussage 24,30(=Mk), wie es 26,64(=Mk) nur dann keinen Widerspruch zu 23,39 ergibt, wenn man es semant. allgemein (seit Homer) als *merken* versteht: "Von nun an, im Blick auf seine nachösterliche Zukunft, ist Jesus nicht mehr der Messias Israels, sd. *sein* Richter" (WALKER 1967:70): "*Ihr werdet mich von jetzt an nur noch als den erfahren* ...". Schließlich ist auch bei der einmaligen Obj.–Angabe *Gott* 5,8(+Q) in der Entfaltung der Basileia–Beschreibungen nicht das optische Sem hervorzuheben, sd. wiederum einfach *zusammenkommen* (mit Synonymie V.9) gemeint; daneben ist eine Anspielung auf den Mann, der in Bethel Gott "sah" (wie Jub 45,4 und Philo öfter) möglich: "das wahre Israel sein".

Der noetische Aspekt ist bei dem Imp. vorherrschend: 16,6(=Mk) *gebt acht!* (KREMER EWNT 2,1289); multipl. hat Mt die Wendung

Imp. + μή + Konj. (GUNDRY 646)

Mt 4 : Mk 1 : Lk 0 + 0

von 8,4(=Mk) zu 9,30(+Mk); 18,10(+Mk); 24,6(+Mk – bgl. V.4 Synonym).

Latinismus ist das Fut. für den Imp. in der Abweisung der Verantwortung 27,4(+Mk).24(+Mk): *Das ist deine/eure Sache!* (SENIOR 1982:256.382 mit B–D–R 362,2 n.3 gg. LOHMEYER 385f; HUMMEL 1966:81 n.41 nicht doppeldeutig oder reine Strafvorhersage):

Mt 2 : Mk 0 : Lk 0 + 1 (Apg 18,3).

εἶδον

Mt 58 : Mk 42 : Lk 67 + 49 : Joh 37

=(Mk 42 - 22 + 16) +(Q 5 + 7) + (A-Mt 10)

Das Vb. steht in der Häufigkeit an der 9. Stelle der mt Vb.; "die Häufigkeit von βλέπω im Präsensstamm verbietet es, die Aoristform εἶδον nach Art und Weise der Konjugationsparadigmen aus den Schulgrammatiken einzig als Aoristform zu ὁράω zu behandeln. Die Konjugation würde für das ntl. Griech. mit mehr Recht: βλέπω, εἶδον lauten" (DAUTZENBERG 1975:198-200 mit B-D-R 101; MOULTON 2,231).

So sind von den 5 voluntativen Inf. nur 11,8f(=Q) personbezogen (als Kontextsynonym von V.7 bewundern); sachbezogen sind 12,38(+Q Zeichen); 13,17a(=Q - bei dem dabeisein, was ihr jetzt kennt, nämlich V.11 die Basileia-Geheimnisse); 26,58(+Mk Petrus wollte - in Wiederaufnahme von V.35 - bis zum Ende dabeisein: LOHMEYER 367; dies ist stärker betont als die Augenzeugenschaft, auf die SENIOR 1982:161f unter Verkennung der weiteren Bedeutung des Vb. abhebt).

Von den 28 finiten Vb.-Stellen sind 17 auf Personen als Obj. bezogen; davon 8mal auf Jesus 2,11; 16,28(=Mk - Vorhersage des Dabeiseins bei der Verklärung); 17,8(=Mk); 23,39(=Q) sowie 25,37-39.44; ferner auf den Geist 3,16(=Mk - doch Personalisierung durch Umstellung hergestellt), die Brüder 4,18.21(=Mk), die Schwiegermutter 8,14(+Mk), den Zöllner 9,9(=Mk), die Menge 14,14(=Mk - im Gefolge von V.13 ist die Bedeutung zusammentreffen die präzisere), die Arbeiter 20,3(+Mk - auch hier ist treffen prägnanter), den Unwürdigen 22,,11(+Q - hier ist entdecken spezifisch als das unvermittelte Stoßen auf etwas), Petrus 26,71(=Mk - entdeckt).

Sachliche Obj. (Sachverhalte) sind 11mal beim finit. Vb. im Blick: der Stern 2,2.9, das Licht 4,16(+Mk Zitat), die guten Werke 5,16(+Q), die Basileia-Geheimnisse 13,14(+Mk Zitat als merken, wahrnehmen par. zu verstehen).15(+Mk Zitatfortsetzung).17b(=Q dabeisein), die Tempelzerstörung 24,15. 33(=Mk), das Kommen Elijahs 27,49(=Mk), den Platz 28,6(+Mk statt ἴδε).

Das reaktionseinleitende Pt.Präs. im Nom. (außerdem analog bei den Synonymen von wissen und hören 14,30; 19,26 - ohne 9,4 mit H-G gg. N-A, da sek. Angleichung an V.2 wahrscheinlicher ist)

ἰδών/-όντες (GUNDRY 664)

Mt 25 : Mk 19 : Lk 31 + 18

=(Mk 19 - 13 + 12) + (Q 0 + 4) + (A-Mt 3)

Dabei wird das Pt. unmittelbar mit der Konjunktion δέ verbunden:

Mt 9 : Mk 3 : Lk 15 + 4

=(Mk 3 - 3 + 6) + (Q 0 + 2) + (A-Mt 1)

Im Sing. immer red.: 3,7(+Q); 5,1(+Q); 8,18(+Mk); 9,26(+Mk); 27,24(+Mk), während die 3 Stellen der Vorlage (Mk 9,25; 10,14; 15,39) nicht übernommen sind. Im Plur. immer red.: 2,10; 9,8(+Mk - die Wurzel ist versetzt übernommen); 21.15(+Mk); 26,8(+Mk) - also

Mt 4 : Mk 0 : Lk 7 + 1;

insgesamt ist der Anteil der Plur.-Stellen bei Mt am häufigsten:

Mt 14 : Mk 5 : Lk 9 + 4

Zu den 4 schon angeführten Belegen treten weiter: 8,34(=Mk 5,16 permutiert und auf Jesus bezogen, so daß die Bedeutung zusammentreffen entsteht); absolut von den Gegnern im Blick auf den voranstehenden Sachverhalt 9,11 (=Mk) und daran angeglichen 12,2(+Mk); von den Schülern 14,26(=Mk Obj. Jesus); in der Allegorie 18,31(+Q) erfahren die Mitangestellten das Geschehene; 21,20(+Mk - Wurzel vorgegeben) abs. von den Schülern; im ersten Teil der Verwerfungsrede gg. Israel 21,32(+Q) abs. im konzessiven Sinne wie 21,38(+Mk) in deren zweiten Teil erkennen die Winzer den Sohn; 27,54 (statt mk Sing. und auf das Auferweckungshandeln des Erdbebens und der Fol-

gen bezogen mit Synonymschluß V.55): "Nicht vom Kreuz, sd. von 'Ostern' her bekennen sie" (WALKER 1967:73); 28,17 als Erfüllung der Vorhersagen von V.7.10 mit Akk.-Obj. *mit ihm zusammentreffen.*
Im *Sing.*

   Mt 11 : Mk 14 : Lk 22 + 12

stehen: 2,10 Herodes *erkennt, daß* wie Judas 27,3(+Mk) und Pilatus 27,24 (+Mk mit explikativem ὅτι); Täufer 3,7(+Q) *entdeckt*; an den 7 Stellen, an denen Jesus Subj. ist, folgt immer ein Akk.-Obj.: er *erkennt* ihren Glauben 9,2(=Mk), *entdeckt* die Frau 9,22(+Mk Stamm vorgegeben) wie den Feigenbaum 21,19(=Mk); kennzeichnend ist dabei das Syntagma
Subj. Jesus + ἰδὼν ὄχλον (bzw. Plur.)

   Mt 4 : Mk 0 : Lk 0 + 0

während eine entsprechende Wendung mit finitem Vb. 14,14(=Mk) vorgegeben war, bildete Mt sie red. 5,1(+Q), wo das Vb. nach 4,25 *zusammenkommen mit* bedeutet; 8,18(+Mk) erfordert der Zusammenhang eine konzessive Auflösung (vgl. 21,32) - wohl als kataphorischer Vorweiser auf 9,36(+Mk), wo es die Israelsendungsrede einleitet (analog 5,1 die Bergrede); auch 9,23(+Mk) ist einzubeziehen, da das Zweitobj. bewußt durch red. Umstellung zugefügt wurde.

εἰδέα 28,3(+Mk - NT sonst nie; LXX 5mal) *Erscheinung, Aussehen*
τυφλός (HAWKINS 1909:7.32; GUNDRY 648)

   Mt 17 : Mk 5 : Lk 8 + 1 : Joh 16 (NT noch Röm 2,19; 2Pt 1,9; Apk 3,17;
       =(Mk 5 + 1) + (Q 3 + 8)   LXX nur 24mal)

Mt 15,14a ist der Gen. als ursp. anzusehen (N-A, GNTCom 39; H-G); die Weglassung in Haplographie zum folgenden Wort ist eine vereinfachende Verdünnung, falls nicht bewußte Angleichung an 23,16.24 anzunehmen ist.
Der physische Bedeutungsgebrauch ist immer auf Blindenheilungen bezogen:

   Mt 8 : Mk 8 : Lk 3 + 1
       =(Mk 5 + 1) + (Q 1 + 1)

Mt geht von den beiden Einzelheilungen des Mk aus: Auch wenn nur 20,30 (=Mk) das subst. Adj. direkt übernommen ist, so sind doch von den 3 mk Belegen der Perikope die restl. in der Dubl. 9,27f versetzt erhalten. Eine Konservierung durch red. Umstellung ist auch 15,30f anzunehmen, wo Mk 8,23f vorgezogen und so erhalten ist. Mt verbreitert und erweckt den Eindruck der Häufigkeit mit drei Mitteln:
- Red. Dublettenbildung 9,27f;
- Pluralisierung an 7 von 8 Stellen, wovon 6 red. sind, da nur in dem Logion 11,5(=Q) der Plur. vorgegeben war und nur in 12,22(+Q) ein Sing. red. zugefügt wurde;
- über die red. Personenverdopplung in 9,27f und 20,30 hinaus hat erst Mt (wie auch Lk 7,21 red.) summarische Blindenheilungen in den Sammelberichten 15,30f und 21,14(+Mk unhistorisch im Tempel).

   Die verbreiternde Häufung entspricht bei Mt der des Komplenyms *Sehen*. Auch das 11,5 vorgegebene Nebeneinander von *Blinden* und ≯*Lahmen* hat Mt red. 15,30f wie 21,14 dupl.; das ist insofern bemerkenswert, als auch in der zeitgenössisch nächsten Par. - bei den nicht eben häufigen Blindenheilungen - Vespasian durch die Heilung eines Blinden und eines Lahmen seine "von Gott bestätigte Majestät" zuteil wird (Suet 8,7,2f; vgl. SCHRAGE ThWNT 8,273f). Da auch von Hadrian (ScriptHistAug 1,26) die Heilung eines Blindgeborenen erzählt wurde, so dürfte auch bei Mt gerade mit diesen Heilungen speziell ein königlicher Zug (+ Davidssohn-Anrede!) betont sein. Eine weitere steigernde Doppelung liegt bei Mt darin, daß er nicht nur 12,22 *blind* zu einem vorgegebenen ≯*taub* ergänzte, sd. auch 15,30f, wie er weiter auch 9,32 unmittelbar an V.27ff anschloß und damit diese Doppelung makrosyntaktisch herstellte.

   Kennzeichnend mt ist ebenso der von Q her multiplizierte, noetisch ver-

gleichende und metaphor. Gebrauch *unverständig, unkundig:*
   Mt 9 : Mk 0 : Lk 2 + 0 (HAWKINS 1909:7)
      =(Q 2 + 7)
Es findet sich immer in Worten Jesu über die Gegner und charakterisiert
sie da 7mal als *Lehrende* (*Heuchlern* zugeordnet), während es 15,14a.b 2mal
auch daneben als Obj. die von ihnen Belehrten bezeichnet. Der semant. Gehalt ist bei Mt immer *unkundig* = blind "für den Willen Gottes" (SCHRAGE
ebd.292f; BARTH 1970:82). Das antik weitverbreitete Analogieschlußbild vom
blinden Blindenführer (nächste Par. PhiloVirt 7), das in Q zunächst wohl die
alleinige Lehrautorität Jesu betonte (Lk 6,40 als erklärende Anwendung von
V.39 bei vorgegebener Abfolge), wurde Mt 15,14b permutiert auf die Gegner
bezogen und durch die Umstilisierung in eine konditionale Protasis zu einer
Generalregel für den Determinismus, der in das Verurteilungsgericht führt,
gemacht. Der red. Vorbau 15,14a nimmt alle drei Elemente auf und definiert
im Anschluß an das Röm 2,19 zitierte Selbstverständnis, "Wegleiter der Blinden" zu sein (Plur.), sie selbst als Blinde. Dabei wird das Vb. ⇗ὁδεγέω red.
durch das Nom. agentis ⇗ὁδηγός multipl., das 23,16.24(+Q) in der gleichen
Verbindung mit *blind* wiederholt. Wenn er dabei das Adj. nachstellt, so
dürfte darin eine zusätzliche ironische Abwandlung ihrer Selbstbezeichnung
"Wegleiter der Blinden" zu "Wegleiter" - "selbst blind" liegen. Dabei liegt
23,24 geradezu eine Definition des Syntagmas vor: Mangelnde Unterschei-
dungsfähigkeit zwischen Wichtigem und Unwesentlichem. Wird dies hier
sprichwörtlich ausgedrückt, so V.17.19 direkt mit ⇗*größer.* Dabei hat 23,27(+Q)
ein Hendiadyoin mit vorangestelltem ⇗*töricht* gebildet (vgl. schon die analoge
Zusammenstellung für Sokrates bei XenMem 1,3,4). Wenn 23,19(+Q subst.).26
(+Q im Vok. adj. zu *Pharisäer*) sich im Wiederholungsfalle auf den Kurzaus-
druck allein beschränkt, so liegt makrosyntaktisch immer eine verkürzende
Wiederholung des vollen Ausdrucks von 23,16.24 vor: ihre Lehrfunktion als
Wegleiter ist immer mitgedacht. Die mt Supernyme sind *Licht* vs. *Finsternis.*
ὄφις (GUNDRY 646)
   Mt 3 : Mk 0 : Lk 2 + 0 : Joh 1 (NT nur noch Pl 2mal, Apk 5mal)
7,10(=Q vs.Fisch); 10,16(+Q klug); 23,33(+Q ident. ⇗*Giftschlangenbrut*)
ὄχλος ⇗*μαθητής*
ὀψέ, ὀψία ⇗*γίνομαι*
παγιδεύω ⇗*δαιμόνιον*
παιδίον ⇗*γαμέω*
παιδίσκη 26,69(=Mk) *Dienerin*
   Mt 1 : Mk 2 : Lk 2 + 2 : Joh 1 (NT nur noch Gal 4,22f.30f)
παῖς ⇗*γαμέω*
παίω ⇗*χείρ*
πάλαι 11,21(=Q) Adv. *schon längst* (LXX 8mal)
   Mt 1 : Mk 1 : Lk 1 (NT nur noch 2Kor 12,19; Hebr 1,1; Jud 4; 2Pt 1,9)
παλαιός ⇗*καινός*
παλιγγενεσία ⇗*αἰών*
πάλιν (GUNDRY 647)
   Mt 17 : Mk 28 : Lk 3 + 5 : Joh 43
     =(Mk 28 - 22 + 3) + (Q 0 + 4) + (A-Mt 4)
Angesichts der großen Auslassungsquote der Mk-Belege ist deutlich, daß Mt
das Adv. in einem spezifischen Sinn verwendet; das zeigt sich bei den 6
aus Mk übernommenen Belegen 19,24; 21,36; 26,42.43.72; 27,50(=Mk 15,13 in
der Verbindung mit dem gleichen Vb. permutiert) gleich an der ersten Stelle, wo es an die Satzspitze umgestellt ist, so daß hier zwei mt Besonderheiten zusammentreffen:
πάλιν Stellung am Satzanfang (KINGSBURY 1969:14)
   Mt 11 : Mk 1 (14,61) : Lk 1 + 1 (Lk 23,20; Apg 18,21)

4,7f(+Q); 5,33; 13,45.47; 18,19; 19,24(=Mk); 20,5(+Mk); 21,36(=Mk doch voranstehende καί ausgelassen) dupl. 22,4(+Q); 26,42(=Mk unter Auslassung von καί); dabei 4,7 (Bezeichnung eines Gegensatzes andererseits wie 1Kor 12,21; 2Kor 10,7; Lk 6,43; 1Joh 2,8); 5,33; 18,19; 19,24

πάλιν zur Verbindung von Logien innerhalb der wörtl. Rede:
　　Mt 4.
Nicht zu dieser, sd. zu einer weiteren Untergruppe sind 26,72(=Mk καί π.) 27,50(=Mk) wie 4,8; 20,5; 21,36; 22,4; 26,42.43(=Mk) dupl. V.44a.b(+Mk wie 27,50 auf ein wiederholtes Beten Jesu bezogen) zu zählen:

πάλιν als Szenen gliedernde Verbindung
　　Mt 10.
Eine verwandte, aber spezielle Gruppe bilden in wörtl. Rede 13,45.47 wie 22,1(+Q) erzählend:

πάλιν zur Anreihung einer weiteren Allegorie
　　Mt 3 : Mk 0 : Lk 0;
diese Gruppe hat als kontextsynonyme Wendung das nur Gegnern gegenüber verwendete Adj. ἄλλην berichtend 13,24(+Mk).31(+Mk).33(+Q) wie in dir. Rede 21,31(+Mk).

　　Zu der Gruppe mit Satzspitzenstellung gibt es noch als weitere, beizuordnende Gruppe: 26,43 stellt Mt gegenüber Mk so um, daß das Adv. im Anschluß an ein Pt.-conjunctum direkt den Hauptsatz einleitet; dieselbe Konstruktion wiederholt sogleich V.44a, was um so bemerkenswerter ist, als dieser Satz eine mt Dubl.-Bildung zu V.42 ist, wo Mt die Anfangsstellung herstellte; ebenso dürfte auch die Allegorieanreihung 22,1 mit Hauptsatz nach Pt. ein weiteres Indiz red. Bildung sein:

Pt.-Satz + πάλιν mit Satzanfangstellung im Hauptsatz
　　Mt 3.
Das Zusammentreffen von jeweils zwei mikrosyntaktischen und makrosyntaktischen Merkmalen beim Mk-Zusatz 20,5, den Q-Zusätzen 4,7f; 22,1.4 wie den Allein-Stellen 5,33; 13,45.47; 18,19 läßt diese mit Sicherheit als red. bestimmen. Da sich auch die Allegorieanreihungen 13,45.57 in dir. Rede finden, hat Mt

πάλιν in wörtl. Rede
　　Mt 9 : Mk 1 (11,3) : Lk 1 (6,43)
(davon 3mal innerhalb von erzählten Allegorien 20,5; 21,35; 22,4).

πάντοτε 26,11a.b(=Mk) Adv. allezeit (statt des nicht verwendeten δεί)
　　Mt 2 : Mk 2 : Lk 2 + 0 : Joh 7 (pl Vorzugswort 19 + dt-pl 8)

παρά I (+ Gen.)
　　Mt 6 : Mk 6 : Lk 9 + 13 : Joh 24
　　　　=(Mk 6 - 5 + 2) + (Q 0) + (A-Mt 3)
Das nur mit Personen verwendete von seiten (B-D-R 237) wird bei Mt nie direkt lokal (KÖHLER EWNT 3,29) und nie subst. verwendet. Daher dürfte sich erklären, daß Mt aus Mk nur die übertragene Bedeutung von Gott als Urheber 21,42 (Zitat) übernahm und sie 18,19 dupl.; gehäuft steht es 2,4.7.16 bei Vb. des Erfragens: sich erkundigen bei. Gg. N-A wird es wohl auch in der red. Mk-Abänderung 20,20 die urspr. LA sein (H-G 187), weil die spätere Tendenz hin zur Ersetzung von π. durch ἀπό geht (B-D-R 210,3) und evtl. die Tendenz zur Alliteration an dieser Stelle die Änderung begünstigte; vom Vb.-Gebrauch erbitten von her gibt es bei Mt keine vergleichbare Stelle mit Präp.-Verwendung.

παρά II (+ Dat.) (GUNDRY 647)
　　Mt 6 : Mk 2 : Lk 7 + 8 : Joh 10
　　　　=(Mk 2 + 2) + (Q 0 + 1) + (A-Mt 1)
Übernommen wurde 19,26a.b(=Mk): für Menschen ist es unmöglich, doch nicht für Gott; da Mk es als Teil gehobenen Stils nur an dieser Stelle hat, scheint es weniger wahrscheinlich, daß auch noch die 3. Setzung die urspr. LA dar-

stellt (gg. N-A wie H-G); eher ist der reine Dat. von B θ 892 pc urspr. und
die nochmalige Wiederholung sek. Ergänzung, so daß nicht Mt es ausgelassen
hat; red. Zusatz ist die folgende Stelle 22,25(+Mk) *bei uns*; antijüd. verschärfend
ist es auch 8,10(+Q) *bei keinem* eingebracht wie gegen Buchschluß
im direkten Leserbezug 28,15 *bei den Juden*. Weiterhin ist es für Gott 6,1
von 19,26 her dupl., wo sich – vom Vb. her bestimmt – der Dat.-Gebrauch
mit dem Gen. überschneidet (vgl. 1Pt 2,4.20; KÖHLER EWNT 3,30) und mehr
von Gott (im neuen Äon) als *bei* Gott bezeichnet, da es um den Akt der Belohnung
geht. Deutlich ist an allen Stellen die Verwendung nur bei Personen
(B-D-R 238). Gg. H-G ist als evtl. 7. Beleg wohl 21,25 nicht in Betracht
zu ziehen und mit N-A die LA ἐν vorzuziehen, da eine analoge Wortverbindung
auch 16,7f red. vorliegt und Mt diese Präp. ohnehin wesentlich gesteigert
und gg. Mk zur häufigsten gemacht hat.

παρά III (+ Akk.)

Mt 7 : Mk 7 : Lk 13 + 9 : Joh 0

=(Mk 7 – 2 + 2)

3mal steht es mit Bezug auf *See* 4,18(=Mk); 13,1(=Mk) und dupl. 15,29(+Mk
statt εἰς) und 3mal ist es mit Bezug auf den *Weg* 13,1.4(=Mk); 20,30(=Mk)
übernommen. Es ist für Mt nicht kennzeichnend und steht wie bei Mk, von
dem er abhängig ist, nur direkt lokal und nie bei Personen (B-D-R 236,1) –
es sei denn, daß man den Zusatz 15,30(+Mk) *zu seinen Füßen* nicht als rein
lokal zu verrechnen annimmt. Die beiden Mk-Auslassungen (2,21; 5,13) erfolgen
im Rahmen übergeordneter Kürzungen. Mt verwendet es auch nie für
den Gegensatz oder beim Komparativ.

παραβαίνω (GUNDRY 647)

Mt 2 (NT nur noch Apg 1,25 intrans.)

15,2f(+Mk) trans. *übertreten* als zurückgewiesener und umgekehrter Gegnervorwurf.

παραβολή (KINGSBURY 1969:30f; GASTON 1973:61); GUNDRY 647)

Mt 17 : Mk 13 : Lk 18 (NT nur noch Hebr 9,9; 11,19)

=(Mk 13 – 2 + 6)

Obwohl die morphologische Verwendung des Ausdrucks ganz von Mk her
vorgeprägt (übernommen sind 13,3.10.13.18.31.34a.b; 15,15; 21,33.45; 24,32)
und durch Multiplikationen 13,24(+Mk dupl. V.31).35(+Mk das Erfüllungszitat
LXX-Ps 77,2 dem Kontext im Plur. angepaßt).36(+Mk als Dupl. von V.18 bzw.
15,15).53(+Mk spezifizierte Rückblicksformel) erweitert ist (Q bot keinen
Beleg: 13,33 ist Dupl. von V.31 wie 22,1 von 21,33.45), so hat Mt dennoch im
Unterschied zum mk Kode als *Geheimoffenbarungsrede* für den Ausdruck ein
völlig neues semant. Konzept geschaffen (wie in anderer Richtung ebenso
Lk, der damit immer *erläuterndes Exempel* bezeichnet; SELLIN 1974); sein
Parabel-Begriff bezeichnet auch nicht die *parabolische Redeweise* als solche,
denn die meisten "parabolischen" Redestücke sind nicht mit der metasprachlichen
Kennzeichnung versehen (vgl. 5,25f; 6,19ff.22ff; 7,24ff; 9,16f; 11,16-19;
12,43ff; 18,12ff.23ff; 20,1ff; 21,28ff; 24,43f.45-51; 25,1-13.14-30), und auch in
Kap.13, wo sie erst einsetzt, ist die Bezeichnung nicht bei den vier allein
an die Schüler gerichteten Allegorien 13,44-50 angewendet. Mit Ausnahme
der rückblickend weiterführenden Schlußbemerkung 13,53 finden sich die
voranstehenden ersten 11 Belege im 13.Kap. alle im ersten Teil V.1-36 mit
dem betont abschließenden Autorkommentar V.34f.

Die restl. 5 Belege stehen später im Buch und sind – mit Ausnahme der
Schlußstelle 24,32 (wo es aber auch um den Untergang Jerusalems geht) –
auf die an Feinde gerichtete Texte bezogen. Es ist die negative Sprechhandlung
des mt Jesus, *Verstockungsrede*, die ihr Unverständnis beweist
bzw. 21,45 nach einer doppelten direkten Anrede ihr Teilverständnis im
Bezug auf sie selbst als die, die Jesus in ihrer Verstocktheit zu Tode
bringen.

Vor Kap. 13 bringt Mt keinen Beleg: Mk 3,23 wird bei Mt 12,25 ausgelassen, da es dort noch um offene Auseinandersetzung mit den Gegnern geht, hier dann um *Verstockungsrede*, die ihre völlige Blindheit belegen soll. So streicht der mt Dualismus charakteristischerweise auch Mk 4,13b mit der Aufhebung eines mk Jüngerunverständnisses. Mt gebraucht das Lexem nicht wie Mk innerhalb des Konzepts eines verborgenen Messias, sd. eines von vornherein offenbaren. Die mk Verbindung mit διδάσκω (Mk 4,1-2 hat Mt völlig beseitigt; für ihn gibt es weder "Parabel-Predigt" noch "Parabel-Lehre"; statt dessen ist die 13,34a.b(=Mk) vorgegebene Verbindung mit ↗λαλέω 13,3.10.13.33 stereotypisiert und dabei immer der Gegnerbezug (Vollform V.34a) ausdrücklich genannt wie in dem adv. Präp.-Syntagma mit dem Plur. ↗ἐν παραβολαῖς (13,3,10.13.34.35; 22,1) als *völlig einsichtige, unverhüllte Offenbarungsrede* bestimmt, gemäß der 13,35 im Erfüllungszitat gegebenen Definition. Synonym zu λαλέω von 13,33 ist voranstehend V.24.31 *daneben vorlegen* (was Mt von Mk 6,41; 8,6f von Speisen nicht übernahm)
παρατίθημι
    Mt 2 : Mk 4 : Lk 5 + 5 : Joh 0
verwendet bzw. 13,18; 21,33.45 korrelativ *ἀκούω*; dabei ist die Weiterführung 13,24.31.33; 21,33 mit dem mt Syntagma ἄλλην παραβολήν gekennzeichnet: Er führte noch einen 2., 3., 4. *Blindheitstest* als *Torheitsbeweis* durch. Zur Unterscheidung dieser einzelnen Tests kommt es bei Mt den Schülern gegenüber zu anaphor. Benennungen (JEREMIAS 1965:81) mit renominalisierendem Gen. 13,18 (*Sämann-Offenbarung* – im Boot) wie 13,36 (*Unkraut-Offenbarung* – im Haus) als jeweils bloße "Zugaben" im Sinne von V.12, nicht aber als prinzipiell nötige Entschlüsselungen (ebenso 15,15 mt zu verstehen).
παραγγέλλω ↗διδάσκω
παραγίνομαι (GUNDRY 647)
    Mt 3 : Mk 1 : Lk 8 + 20 : Joh 1
2,1 *ἀπό/εἰς* ankommen der Magier wie Jesu 3,13(+Mk) *ἀπό/ἐπί* im Präs.hist. bzw. der Täufer 3,1(=Mk 14,43 Judas permutiert) abs. *erscheinen, auftreten.*
παράγω ↗ἄγω
παραδίδωμι, παράδοσις ↗μαθητής
παραθαλάσσιος ↗Γαλιλαία
παρακαλέω (GUNDRY 647)
    Mt 9 : Mk 9 : Lk 7 + 22 : Joh 0
      =(Mk 9 – 6 + 1) + (Q 2 + 2) + (A–Mt 1)
Im Pass. (: Mk 0 : Lk 16,25 dupl.) *getröstet, gestärkt werden* 2,18 (im Erfüllungszitat gg. LXX) und im Wort Jesu 5,4(=Q Lk 6,24 permutiert und ins Subst. transformiert) als Endzeitlohn der Klagenden. Sonst im *Akt.* der *dringenden Bitte* erzählend 4mal an Jesus gerichtet 8,5(=Q).31.34(=Mk); 14,36(=Mk) – danach 3mal in Worten Jesu (: Mk 0 : Lk 0) als Gebetsbezeichnung 18,29.32(+Q Schuldenerlaß); 26,53(+Mk Beistand).
παρακούω ↗οὖς
παραλαμβάνω (MORGENTHALER 1973:181; GUNDRY 647)
    Mt 16 : Mk 6 : Lk 6 + 6 : Joh 3
      =(Mk 6 – 3 + 1) + (Q 3 + 3) + (A–Mt 6)
Mt hat die Verwendung des Komp. ebenso gesteigert wie die des ↗Simpl.; er verwendet es durchweg mit personalem Obj. (die sachl. Verwendung zur Bezeichnung der Tradition Mk 7,4 wurde ausgelassen) *jemanden auf-, annehmen* – im *Pass.* divinum vom Endgerichtslohn 24,34f(=Q) wie im *Akt.* am häufigsten von Josef 1,20.24 (Maria als Frau); 2,13f.20f (das Kind und seine Mutter im doppelten Engelbefehl und der jeweiligen Ausführung); von Jesu speziellem *Mitnehmen* der Drei 17,1(=Mk) wie 26,37(=Mk) bzw. der Zwölf 20,17 (=Mk) und von daher auch die innergemeindliche Anweisung, zur Bereinigung ein oder zwei Zeugen *hinzuzuziehen* 18,16(+Q) mit μετά in antithetischer Dubl. zum Dämon und seiner 7fachen Gefolgschaft 12,45(=Q). Das damit

gesetzte Lexem der autoritativen Verfügung wird auch umgekehrt rahmend Jesus als Obj. gegenüber 4,5.8(+Q) und 27,27(+Mk) in bewußter Entsprechung zueinander (par. zur Gottessohnanrede 4,3.5 : 27,40.43) zur Geltung gebracht.

παραλυτικός →πούς

παραπορεύομαι 27,39(=Mk) subst. Pt. *die Vorübergehenden*
    Mt 1 : Mk 4 (NT sonst nie)

παράπτωμα →ἀφίημι

παρασκευή 27,62(=Mk 15,42 permutiert) *Rüsttag zum Sabbat (=Freitag)*
    Mt 1 : Mk 1 : Lk 1 : Joh 3 (NT sonst nie; LXX 6mal)

παρατίθημι →παραβολή

παραχρῆμα →εὐθέως

πάρειμι 26,50(+Mk) pf. ellipt. *wozu du gekommen bist*(sc. *das eigene sich*)
    Mt 1 : Mk 0 : Lk 1 + 5 : Joh 2

παρεκτός 5,32(+Q) Adv. als uneigentl. Präp. *außer*
    Mt 1 (NT nur noch Apg 26,29; 2Kor 11,28 subst.Adv; LXX nie)

παρέρχομαι →ἔρχομαι

παρέχω →κόπος

παρθένος →γαμέω

παρίστημι →ἵστημι

παρομοιάζω →ὁμοι–

παρουσία →αἰών

παροψίς →ἄρτος

πᾶς, πᾶσα, πᾶν (GASTON 1973:63; GUNDRY 647)
    Mt 128 : Mk 66 : Lk 157 + 170 : Joh 66
       =(Mk 66 – 37 + 41) + (Q 17 + 27) + (A-Mt 14)
Kennzeichnend mt mit Demonstr. →ταῦτα (12mal) bzw. Relativum →ὅσος (8mal) und →ὅστις (3mal) sowie →οὐ (2mal), →γάρ (4mal).
πᾶς subst. immer *undeterminiert*
    Mt 25 = (Mk 11 + 8) + (Q 1 + 4) + (A-Mt 1)
15mal *Plur.Mask.*: 10,22(=Mk); 12,15(+Mk); 14,20(=Mk) dupl. 15,37(+Mk); 19,11 (+Mk); 21,26(=Mk); 22,10(+Q +Rel.).28(+Mk); 23,8(+Q); 25,5; 26,27.31.33(=Mk).70 (+Mk); 27,22(+Mk); sowie 8mal *Plur.Neutr.*: 5,18(+Mk 13,30 dupl.); 8,33(+Mk); 11,27(=Q); 17,11(=Mk); 18,26(+Mk); 19,26f(=Mk); 22,4(+Q); ferner in adv. Wendungen 18,10(=Mk 5,5 permutiert) διὰ παντός *ständig*; 22,27(=Mk) ὕστερον πάντων *zuletzt*.
    Adj. π. bei *artikellosem Subst.* distributiv (B-D-R 275,1 *jeder beliebige* im Unterschied zu ἕκαστος *jeder einzelne*); immer im *Sing.*
    Mt 28 = (Mk 2 + 10) + (Q 3 + 9) + (A-Mt 4):
immer red. bei →μαλακία (3mal) ergänzend zu νόσος (3mal 4,23; 9,35; 10,1); ferner 3,10(=Q) Baum dupl. 7,17.19(+Q); 4,4(+Q) Wort wie 12,36(+Q) und 18,16 (+Q Zitat) dupl. V.19 (Sache); 12,25a(=Q Königtum).b(+Q dupl. Stadt); 12,31 (=Mk Verfehlung); 13,52 (Schriftgelehrter); 15,13(+Mk Pflanze); 23,35(=Q Blut permutiert); 24,22(=Mk Mensch); auffallend immer (6mal) red. bei *Abstracta*: 3,15(+Mk δικαιοσύνη = πᾶν ὃ ἂν ᾗ δίκαιον; ebd. n.2); 5,11(+Q πονηρόν); 13,47 (γένος); 19,3(+Mk αἰτία); 23,27(+Q ἀκαθαρσία); 28,18 (ἐξουσία); daneben fehlt einmalig beim Pt. 13,19(+Mk jeder Hörer/Leser) im Gen.abs. der Art.; dgg. semitisierend ist fehlender Art. bei Ἱεροσόλυμα pleonast. *ganz* 2,3.
    Adj. π. in *attributiver Stellung* (nach Art. betont die Gesamtheit gegenüber den Teilen; B-D-R 275,3) fehlt bei Mt wie bei Mk und Lk (nur Apg 2. Hälfte 5mal), dgg. adj. π. in *prädikativer Stellung* (vor Art. B-D-R 275,2)
πᾶς ὁ
    Mt 54 : Mk 22 : Lk 74 + 74
       =(Mk 22 – 13 + 18) + (Q 9 + 11) + (A-Mt 7)
davon 5mal betonend *nachgestellt*, was 10,30(=Q Haare) übernommen ist; ferner 9,35a(+Mk Plur. Städte *und zwar alle*); 13,56(+Mk Schwestern *und zwar*

alle); 25,29(=Q Pt.Sing. umgestellt *und zwar jedem*); 26,56(=Mk Plur. durch
Subst. ergänzt *und zwar alle*), während es von Mk 1,5 so nicht übernommen
wurde;

Sing. Mt 10 = (Mk 2 + 5) + (Q 2 + 1):
ganz 3,5b(=Mk Judäa).c(=Q Umland +Art.); 6,29(=Q Herrlichkeit); 8,32(+Mk
Herde).34(+Mk) Stadt wie 21,10(+Mk); 13,2(=Mk Menge); 18,32(+Q Schuldsumme); 27,25(+Mk Volk).45(+Mk Erde);

Plur.. Mt 23 = (Mk 4 + 7) + (Q 2 + 3) + (A-Mt 7) :
4mal πάντα τὰ ﹥ἔθνη; ferner 1,17; 2,4.16a.b; 4,8(=Q); 5,15(+Q *im Hause)*;
11,13(=Q Sing. permutiert zu Propheten); 12,23(+Mk Leute); 13,32(=Mk Samen).41(+Mk Verursacher von Abfall); 23,5(+Q Werke).20(+Q Gaben); 24,30(+Mk
Völker); 25,7(Jungfrauen).31(Engel); 26,1(+Mk Reden).35(=Mk +Schüler); 27,1
(=Mk 14,64 permutiert zu Oberpriester); 28,20 (Tage); dazu
bei *subst. Pt.*

Mt 16 = (Mk 2 + 4) + (Q 3 + 7)
normal (B-D-R 275,5; 413,2); 8mal *Sing.*: 5,32(=Q) dupl. V.22.28(+Q); 7,8(=Q).
21.26(+Q funktionsgleich Relat. V.24); 15,17(=Mk); 18,34(+Q Schuld); 8mal
Plur.: Kranken 4,24(=Mk 1,32 permutiert) dupl. 8,16(+Mk) und 14,35(+Mk);
ferner 11,28(+Q); 18,31(+Q); 21,12(+Mk); 24,47(=Q); 26,52(+Mk);
ἅπας

Mt 3 : Mk 3 : Lk 11 + 10 : Joh 1
als verstärkte Form hat Mt 6,32(+Q) das Neutr.Plur. subst. zum Demonstr.
zugesetzt wie 24,39(+Q statt des Simpl., da Lk es nicht ausgelassen haben
dürfte) alleinstehen; 28,11(+Mk) ist es prädikativ dem Art. vorangestellt. Die
Vorgaben Mk 1,27; 8,25 wurden im größeren Kontext ausgelassen bzw. bei
11,32 wegen der Umkodierung von ﹥ὄχλος auf das Simpl. verkürzt.
ἕκαστος (GUNDRY 643)

Mt 4 : Mk 1 : Lk 5 + 11 : Joh 3
Das Pron. weist im Unterschied zu πᾶς stärker "auf die einzelnen Teile
einer Gesamtheit hin" (UNTERGASSMAIR EWNT 1,982). Nach der permutierten
und transkodierten Übernahme von Mk 13,34 in Mt 25,15 (*jedem einzelnen
nach seiner Fähigkeit*) ist es immer im Munde des mt Jesus mit Bezug auf
seine Schüler multipl.: 18,35 im Allegorieschluß (*jeder einzelne* seiner
Mitchristen); 16,27(+Mk Zitat LXX-Ps 61,13 *jedem einzelnen* nach seinem
Handeln im Sinne des positiven Gerichtslohns) – sowie 26,22(+Mk *jeder
einzelne*) im Erzählkontext in dem verstärkend redundanten Syntagma εἷς ἑ.
ὅλ-

Mt 24 : Mk 18 : Lk 16 + 19 : Joh 6
ὅλος (GUNDRY 646)

Mt 23 : Mk 18 : Lk 16 + 19 : Joh 6
    =(Mk 18 - 7 + 8) + (Q 3) + (A-Mt 1)
Charakteristisch ist die abs. Verwendung – also faktisch als Nomen – für
ein *Geschehen* (so sonst nie in NT und LXX, wohl aber gut klass.; ROTH-
FUCHS 1969:35f) in der Einführung der Erfüllungszitate 1,22 einleitend und
26,56(+Mk) abschließend sowie auch in 21,4 mit B, C^3 (wohl Koinetext), W
(bei Mt wohl Koinetext; METZGER 1966:56f). f$^{1.13}$, Koinetext, dem Altlateiner
q (unter Vulgata-Einfluß; ALAND 1982:193), vg^{cl}, sy^h (aus Koinetexten übersetzt; ebd,204), sa, mae, bo^{ms}. Der Auslassung bei 01, C*, D, L, Z, 882 pc,
lat, sy $^{c.p}$, bo folgen N-A wie H-G so selbstverständlich, das GNTCom die
Stelle nicht diskutiert (diskussionslos folgen dem auch die Kommentare von
B.WEISS, HOLTZMANN, J.WEISS-BOUSSET, WELLHAUSEN, ALLEN, KLOSTER-
MANN, LAGRANGE, SCHNIEWIND, SCNMID, LOHMEYER, GRUNDMANN, SCHWEIZER,
TRILLING, FILSON, HILL, MEIER, SENIOR, BEARE, GUNDRY sowie STRECKER
1971:50.56; ELLIGER EWNT 2,1243); ROTHFUCHS 1969:32 diskutiert die Frage
nicht, setzt aber S.35 offenbar eine positive Entscheidung voraus ("nicht
ein einziges Mal außer in den drei Erfüllungsformeln für ein Geschehen be-

nutzt"; auch SENIOR 1982:153 diskutiert die Frage nicht, zählt aber S. 63 n.1 3mal als Nomen gesetzt, was nur mit 21,4 möglich ist); einzig ZAHN (620 n.9) diskutiert die Frage mit der bezeichnenden Argumentation, das Fehlende "würde hinter V.7 oder 9 mehr am Platze sein wie hier"; doch genau dieses Motiv könnten auch die Auslasser in der frühen Textgeschichte gehabt haben: zuvor schienen dafür zu wenige Einzelereignisse zu stehen. Veranschlagt man die stilistische Besonderheit des Mt im Zusammenhang mit seinem Zug zu stereotypen Wiederholungen, so liegt darin das stärkere Argument für eine positive Entscheidung. Dies schließt ein, daß Mt ὅ. nicht streng anaphor. verwendet, sd. auch kataphorisch, was im übrigen auch für die beiden parallelen Verwendungen zutrifft, so daß er hier dasselbe semant. Element zum Ausdruck bringt, was er bei 3 weiteren Erfüllungsformeln mit ⊁ὅπως signalisiert. Der mt Stil gibt den Aussschlag für die Entscheidung zugunsten eines ägypt. Archetyps, der ὅ. auch 21,4 las.

Die restl. 20 Stellen sind adj. und finden sich bei Mt (wie im ganzen NT) nie attritbutiv gebraucht, sd. nur prädikativ (BAUER WB 1118). Dabei findet sich nur 2mal die prädikative Nachstellung, die eine besondere Betonung ausdrückt (B-D-R 275 n.5): 16,26(=Mk) "die Welt – und zwar die *ganze*"; 26,59(=Mk) "das Synhedrium – und zwar *vollständig*" hat Mt diese Umstellung red. vorgenommen (SENIOR 1982:163). Der Charakter besonderer Betonung dürfte auch bei der Ellipse 13,33(=Q) mit dem zu ergänzenden Subst. "Mehl" (BAUER ebd.) vorliegen.

Die übrigen 17 Stellen haben die normale prädikative Voranstellung (B-D-R 275,2). Davon ist nur 20,6(+Mk *den ganzen Tag*) temporal und nur 22,40(+Mk *das ganze Gesetz*) sachlich; 7 Stellen sind lokal, wobei Mt in dem ersten Summarium rahmende Doppelungen gebildet hat: auf 4,23(=Mk) folgt 4,24(=Mk 1,28 permutiert) wie 9,31(=Mk) im 9,26(+Mk) dupl. gegen Ende des ganzen Segments Mt 8-9 gesetzt wurde; summarisch ist auch der Sammelbericht 14,35(=Mk), während in den beiden Vorhersagen Jesu die Formulierung von 24,14(+Mk) deutlich an die von 26,13(=Mk) angeglichen wurde. 8 Stellen sind anthropol., wobei an den ersten Stellen in Worten Jesu wiederum Doppelungen kennzeichnend sind: von 6,22f(=Q) her ist die Wendung "der ganze Körper" auch in die Mk-Dubl. 5,29f(+Mk) eingeführt. Dreimal steht die prädikative Wendung im Gebot der Gottesliebe 22,37(=Mk), wobei Mt die mk Wiederholung in der stärker semit. Stilisierung ohne Art. wegließ; 27,27(=Mk) "die *ganze* Kohorte". Im Unterschied zu πᾶς, wo "die Ganzheit" als solche "im Vordergrund steht", hat ὅ. mehr "die Summe der einzelnen" im Blick (ROTHFUCHS 1969:36 n.18; ELLIGER EWNT 2,1242). Mt red. ist im Zusammenhang damit auch das Adv.

ὅλως 5,34 "*überhaupt* nicht schwören"
      Mt 1 (NT nur noch 1Kor 5,1; 6,7; 15,29; LXX nur Hi 34,8 v.l.; BAUER WB)
πάσχα ⊁ἄρτος
πάσχω ⊁μαλακία
πατάσσω ⊁χείρ
πατήρ ⊁γαμέω, θεός
πατρίς ⊁Γαλιλαία
παχύνομαι ⊁γινώσκω
πεζῇ ⊁πούς
πείθω (GUNDRY 647)
      Mt 3 : Mk 0 : Lk 4 + 17 : Joh 0
A überrreden 26,20(+Mk) wie A' 28,14 von den Gegnern bzw. davon gerahmt
B in ihrem Mund spottend 27,43(+Mk Zitat Pf.II) *vertrauen*.
πεινάω ⊁ἄρτος
πειράζω, πειρασμός ⊁δαιμονίζομαι
πέλαγος ⊁καταποντίζω
πέμπω ⊁ἀποστέλλω

πενθερά →γαμέω
πενθέω →ἄρτος
πεντακισχίλιοι, πέντε →δύο
πέραν →Γαλιλαία
πέρας 12,42(=Q – NT nur noch Röm 10,18; Hebr 6,16) *Enden der Erde*
περί + Gen. (GASTON 1973:63)
    Mt 20 : Mk 13 : Lk 40 + 64 : Joh 66
         =(Mk 13 – 7 + 7) + (Q 4 + 2) + (A–Mt 1)
Vom Gegenstand einer geistigen Tätigkeit ("klass." B–D–R 229) hat Mt von
11,7(=Q) her
λέγω περί (was von Mk 1,30; 8,30 nicht übernommen ist)
    Mt 4 : Mk 2 : Lk 2
16,11(+Mk); 17,13(+Mk); 21,45(+Mk) multipl.; analog ist *schreiben über* 11,7
(=Q) wie 26,24(=Mk) bzw. 15,7(=Mk) *weissagen über* und komplenym *lesen
über* 22,31(=Mk); von daher dann auch *denken, meinen von* 22,42(+Mk), *Be-
scheid wissen über* 24,36(=Mk); *fragen nach* 19,17(+Mk), *forschen nach* 2,8,
sich einigen über 18,19(+Q), 9,36(+Mk); "wenig klass. bei Vb. des Affekts"
(B–D–R 229,2) *erbarmen über*, 22,16(=Mk) *sich kümmern um*; mit kausalem
(ebd. 229,1) Einschlag 6,28(=Q) *sich sorgen*, 20,24(=Mk) *ärgern*, 12,36(+Q)
Rechenschaft geben wegen; mit finalem Aspekt 4,6(=Q) *befehlen zugunsten*
wie 26,28(+Mk) *vergossen für viele.*
περί + Akk.
    Mt 8 : Mk 9 : Lk 5 + 7 : Joh 0
         =(Mk 9 – 5 + 4)
3mal *lokal* 3,4(=Mk *um die Hüfte*), 18,8(=Mk *um den Hals*) und 8,18(=Mk 3,32
permutiert *um ihn)*; kennzeichnend mt ist die *temporale* Verwendung für die
ungefähre Zeitangabe, die Mt aufeinanderfolgend an den letzten Stellen
20,3(=Mk 6,28 Nachtwache permutiert wie Ortsbestimmung von Mk 6,56 her)
dupl. V.5.6.9(+Mk) wie 27,46(+Mk) immer bei *Stunde* hat (B–D–R 228,1 n.2)
περί + Ordinalia + ὥραν (FINEGAN 1934:32)
    Mt 5 : (Mk 1) : Lk 0 + 3 (Apg 10,3.9; 22,6 – NT sonst nie)
περιάγω →Γαλιλαία
περιβάλλω →γυμνός
περίλυπος →λυπέομαι
περιπατέω →πούς
περισσ–
    Mt 10 : Mk 8 : Lk 9 + 1 : Joh 3
περίσσευμα 12,34(=Q) *wovon der denkende Mensch ganz bestimmt ist*
    Mt 1 : Mk 1 : Lk 1 (NT noch 2Kor 8,14a.b; LXX nur Pred 2,15 als christl.
                        Zusatz; BAUER WB 1290)
bezeichnet hier wohl weniger den Über–fluß und Über–schuß, da Mt 15,37 die
Vorgabe Mk 8,8 (Überbleibsel, Rest) abändert, sd. die jeweilige *Fülle* als
Ganzbestimmtheit (also gg. BAUER ebd. nicht *überfließt* oder SCHNEIDER
EWNT 3,180 *übervoll ist*). Das distributive Sem des *Mehr* liegt für ihn in
περισσεύω (GUNDRY 647)
    Mt 5 : Mk 1 : Lk 4 + 1 : Joh 2 (sonst pl 26mal; LXX 9mal)
wobei er 15,37 statt des mk Subst. für *Rest, Überbleibsel* das subst. Pt.
dupl. hat, nachdem er es par. dazu schon bei der ersten Speisung 14,20
(=Mk 12,44 permutiert, wo es als *Überfluß* das entsprechende Sem vorgab)
verwendet hatte. Die seltenere trans. Bedeutung *überreich machen* ("von
Sachen, die man zum Überfluß steigert" BAUER ebd.1291) fügt Mt im Pass.
13,12(+Mk) wie 25,29(+Q) hinzu, wobei aber, da es an der ersten Stelle um
das Verstehen der Schüler geht (13,11), das nie den Sachgehalt der Gabe
übersteigen kann, wie an der zweiten um den letztlich je gleichen Endzeitlohn (dessen Quantifizierung die red. Zusätze 25,21.23 eben nochmals bewußt
eingeschränkt hatte), das entscheidende Sem nicht Über–fluß und Über–schuß

sein kann, sd. wiederum nur die jeweilige Ganzheit. Sofern Mt an der ersten Stelle 5,20(+Q) ein komparativisches Element benutzt, ist es im Blick auf die Gegner auch letztlich die Ganzheit im Tun des Gerechten, sofern sie sich auf die Einlaßbedingungen des mt Buches und seines Jesus bezieht. Auf das Vb. an dieser Stelle direkt bezogen ist 5,47(+Q) das Adj.

περισσός (GUNDRY 647)

Mt 2 (NT noch Joh 10,10; Röm 3,1; 2Kor 9,1 – wohl sek. adv. Mk 6,51) in der gleichen Gegner-Antithese *was tut ihr Besonderes?* (= meinen Geboten Entsprechendes; SCHÜRMANN Lk 353 n.56); 5,37 wurde es subst. zugefügt für das, was über bloßes Ja/Nein *hinausgeht*. Der Komparativ dazu

περισσότερος 11,9(=Q) *mehr/größer* als ein Prophet

Mt 1 : Mk 3 : Lk 4 (NT nur noch Kor 6mal; Hebr 2mal; LXX nie) wurde von den Vorgaben Mk 7,36 (Adv.); 12,33.40 nicht übernommen.

περισσῶς 27,23(=Mk) steigend *noch mehr*

Mt 1 : Mk 2 : Lk 0 + 1 (NT sonst nie; LXX 7mal)

περιστερά ⟶πετεινόν

περιτίθημι ⟶γυμνός

περίχωρος ⟶Γαλιλαία

πετεινόν

Mt 4 : Mk 2 : Lk 4 + 2 (NT nur noch Röm 1,23; Jak 3,7) *die Fliegenden = Vögel* 6,28(=Q); 8,20(=Q); 13,32(=Mk) mit Zusatz *des Himmels* bzw. 13,4(=Mk); dabei betont die Allegorie des neuen Äon 13,32 ihr *Nisten*

κατασκηνόω

Mt 1 : Mk 1 : Lk 1 + 1 (NT sonst nie) bzw. 8,20 im Funktionsverbgefüge (so daß 2. + 4. Stelle als B + B' mit dem Nisten argumentieren) mit

κατασκήνωσις

Mt 1 = Lk 1 (NT sonst nie; LXX 5mal), während 13,4 der negative Vergleichsaspekt (Teufel V.19) im *Wegfressen*

καταφάγω

Mt 1 : Mk 1 : Lk 2 : Joh 1 (NT noch Apk 4mal; LXX 7mal) besteht, während 6,28 mit ihrer Ernährung (also 1. + 3. Stelle als A + A') positiv argumentierte. Im einzelnen erscheinen:

ἀετός 24,28(=Q – NT nur noch Apk 4,7; 8,13; 12,14) *Adler*

περιστερά 3,16(=Mk *wie*) dupl. 10,16(+Q); 21,12(=Mk *Opfertier*) *Taube*

Mt 3 : Mk 2 : Lk 2 + 0 : Joh 3 (NT sonst nie)

ἀκέραιος 10,16(+Q – NT nur noch Phil 2,15; Röm 16,19) *lauter* (BAUER WB 59f)

Mit Phil stimmt das Verbsyntagma überein und mit Röm der Anschluß an den gnoseologischen Vordersatz. Seit PlatResp III 409a ist es eth. Maxime, so daß bei Mt wohl ein hell. Sprichwort aufgegriffen sein kann – falls nicht die eigene Bildung eines Wortspiels veranschlagt werden kann. Der Hintergrund macht es unwahrscheinlich, daß die Taube hier als das "zum Opfertier geeignete" Tier erscheint (gg. KITTEL ThWNT 1,210).

στρουθίον 10,29.31(=Q) *Sperling* (als Fleischnahrung des kleinen Mannes)

Mt 2 : Mk 0 : Lk 2 (NT sonst nie: LXX 12mal)

ἀλέκτωρ 26,34.74.75(=Mk) *Hahn* nach 3Makk 5,23 (Jerusalem wohl hühnerlos)

Mt 3 : Mk 3 : Lk 3 : Joh 2 (NT und LXX sonst nie)

ὄρνις 23,37(=Q – NT sonst nie; LXX 2mal) *Glucke* mit

πτέρυξ 23,37(=Q) *Flügel* der Henne zum Schutz (NT noch Apk 3mal) für

νοσσίον 23,37(=Q statt Lk Abstr. *Nest* als Metonym für *Brut*) *das Junge* eines

Vogels (hell. statt νεοσσίον wie LXX-Ps 83,4 – NT und LXX sonst nie; BAUER WB 1076)

πέτρα ⟶οἰκία

Πέτρος ⟶μαθητής

πετρώδης 13,5.20(=Mk – NT und LXX sonst nie) subst. Plur. *Felsplatten*

πήρα 10,10(=Mk) *Reisetasche* (BAUER WB 1301 nicht nur *Bettelsack*)

Mt 1 : Mk 1 : Lk 4 (NT sonst nie; LXX nur Jdt 10,5; 13,10.15)

πῆχυς 6,27(=Q) *Elle* Metonymie *kleine Zeitspanne* (SCHWARZ EWNT 3,203f)
    Mt 1 : Mk 0 : Lk 1 : Joh 1 (NT nur noch Apk 21,17)
πικρῶς ⊁κλαίω
Πιλᾶτος ⊁ἡγεμών
πίμπλημι 22,10(+Q); 27,48(+Mk) *anfüllen, vollmachen* (BAUER WB 1304f)
    Mt 2 : Mk 0 : Lk 13 + 9 : Joh 0
von Mt auch Mk 4,37 abgeändert; da Lk es auch bei beiden Mk-Vorgaben
nicht übernimmt, dürfte er 14,23 die Q-Formulierung haben und Mt 22,10
red. sein.
πίναξ, πίνω ⊁ἄρτος
πιπράσκω ⊁ἀγοράζω
πίπτω (GUNDRY 647; doch 21,44a.b sek. LA von typ. lk Verwendung *Tod* her)
    Mt 17 : Mk 8 : Lk 17 + 9 : Joh 3
         =(Mk 8 - 1 + 2) + (Q 2 + 5) : (A-Mt 1)
11mal vom obj., unbeabsichtigten *Fallen* (PALZKILL EWNT 3,213f); abs. vom
Zusammenstürzen des Hauses 7,27(=Q) und V.25(+Q wobei Lk geändert haben
dürfte) nach dem (ebenfalls von Lk geänderten) Komp.
προσπίπτω + Dat. *anprallen* (synonym V.27 προσκόπτω)
    Mt 1 : Mk 3 : Lk 3 + 1 (sonst nie im NT, was Mt aber für subj. *Nieder-
fallen* nie von Mk übernommen hat); mit Angabe des Ausgangspunktes *ἀπό*
(BAUER WB 1307) 15,27(+Mk *Brocken*) und 24,29(=Mk Komp. *Sterne*) bzw. des
Ziels mit Präp. + Akk.: *παρά* vom Samen 13,4(=Mk), 6mal ⊁ἐπί 13,5.7f(=Mk);
10,29(+Q *Sperling*) – sowie subj. *auf sein Gesicht* 17,6(+Mk) und 26,39(=Mk);
mit ⊁εἰς 17,20(=Mk 9,20 permutiert *Mondsüchtiger ins Feuer*); 15,14(=Q *Blinde
und Führer in Brunnen*) wie mit hell. verstärkendem Komp. 12,11(=Lk Simpl.
Tier in Brunnen)
ἐμπίπτω
    Mt 1 : Mk 0 : Lk 2 + 0 (NT noch 1Tim 3,6f; 6,9; Hebr 10,31).
Die 6 subj. Stellen des Simpl. für die Unterwerfungsgeste *niederfallen, sich
niederwerfen* neben 29,39 (=Mk *Jesus zum Beten*) und 17,6(+Mk *Epiphaniereaktion der Schüler*) noch vorbereitend 3mal mit ⊁προσκυνέω 2,11; 4,9(+Q) und
vor einer Schonungsbitte in der Allegorie 18,26(+Q) bzw. betont allein (also
nicht einfach von V.26 her als Filler in den Slot einzusetzen) V.29(+Q), da
die Huldigungsgeste im mt Kode nur dem Herrn gebührt. Ferner
πτῶμα 14,12(=Mk) *Leichnam (=Gefallenes)*; 24,38(+Q) *Kadaver* (vom Tier)
    Mt 2 : Mk 2 (NT nur noch Apk 3mal)
πτῶσις 7,27(+Q) *(Ein)sturz* (des Hauses)
    Mt 1 : Mk 0 : Lk 1 (NT sonst nie)
πιστ- (BARTH 1970:105-8; HELD 1970:168-71.182-9.227f.263-84; KLEIN 1982)
    Mt 31 : Mk 18 : Lk 29 + 57 : Joh 100
πιστεύω (GUNDRY 747)
    Mt 11 : Mk 10 : Lk 9 + 37 : Joh 98
         =(Mk 10 - 5 + 5) + (Q 0 + 1)
Das Subst. wird immer als damit identisches Nom. actionis verwendet
πίστις (GUNDRY 647)
    Mt 8 : Mk 5 : Lk 11 + 15 : Joh 0
         =(Mk 5 - 1) + (Q 2 + 2)
Schon der feststellende Einsatz 8,10(=Q) des Subst. im Munde Jesu dem
nichtjüd. Centurio gegenüber schließt an dessen Bitte und red. Kyrie-Anrede
wie das ausgesprochene Zutrauen an seine Befehlsgewalt an und definiert
es damit als dem Heilungsbefehl Jesu vorlaufenden Willen zum Gehorsam;
V.13 (+Q) dupl. vom Subst. her das Vb. in der hier aufgestellten genuin mt
Formel: Der Inhalt ihres *einsichtsvollen, bittenden Zutrauens zur Macht des
mt Jesus* in einem konkreten Anliegen wird Realität; "die Gesprächsform von
Bitte und Antwort bringt das Verhältnis vom Glauben und seiner Erhörung
zum Ausdruck" (HELD 1970:228. 9,29(=Mk 10,52 permutiert) wiederholt red.

diese mt Formel mit dem Subst., nachdem V.28(+Mk + ὅτι der Inhaltsangabe der Macht Jesu) das Vb. in der Bestätigungsfrage an die kafanaitischen Blinden erschien, die ja schon nach V.27 in seine Nachfolge getreten und ihn mit hoheitlicher Anrede bittend angegangen waren.

Da hier ein betonte Rahmung A/A' Subst. 8,10; 9,29 und B/B' Vb. 8,13; 9,28 vorliegt, so sind auch die beiden davon gerahmten Subst. C/C' 9,2.22 (=Mk) so zu verstehen; das wird auch daraus deutlich, daß 9,2 (Jesus sieht *ihr einsichtsvolles Zutrauen zu ihm*) das Subst. das Poss.pron. wie V.28 trägt und es wie 8,10.13 um die Bitte für einen anderen geht, was noch durch die betonte Renominalisierung betont wird, daß es sich in beiden Fällen um einen ►Gelähmten handelt. 9,22 ist die "aktivistisch klingende" mk Formel ἡ π. σου σέσωκέν σε (die 9,29 aus Mk 10,56 in die eigene umformuliert hat) zwar übernommen, jedoch typischerweise gg. Mk nun der Heilung selbst red. vorangestellt als Antwort auf die Bittgeste des *einsichtsvollen Zutrauens zu seiner Macht*: "Die Berührung des Gewandes durch die Frau ist jetzt lediglich ein Ausdruck ihrer Bitte" (HELD 1970:274f.204-7).

Mt 15,28(+Mk) hat diese red. Formel ein drittes Mal wiederholt, wobei als Vb. zwar das Supernym ►θέλω steht, dies jedoch hier als Kontextsynonym das Subst. πίστις σου aufnimmt, das von 8,10 her dupl. ist, wobei ebenso wie dort eine quantifizierende Aussage ("groß") damit verbunden ist, es um eine Nichtjüdin geht und diese wie dort als Bittende für ihr Kind und mit Hoheitsanrede herangetreten war. Im bestätigenden Kontrast dazu geht in der Feststellung für Nazareth 13,58(=Mk) das Antonym (ebenfalls mit Poss. pron.) voraus:

ἀπιστία

Mt 1 : Mk 2 : Lk 0 + 0 : Joh 0

Auf Grund ihres *Mangels an einsichtsvollem Zutrauen zu ihm* wirkte er dort natürlich auch wenige Heilungen: Wo keine Bitte ist, ist auch keine Antwort. Bestätigt wird dieser Bezug zur Hoheit des mt Jesus durch den abschliessenden Spott 27,42(=Mk + red. Zusatz ἐπ' αὐτόν): Wenn er jetzt als König Israels(!) vom Kreuz herabsteigt, dann *werden wir uns ihm im einsichtsvollen Zutrauen bittend zuwenden.*

Auch das an die Schüler adressierte abs. Verbot (red. verstärkt Konj. Aor.) der Zuwendung 24,23(=Mk) dupl. V.26(+Q) zu einem vermeintlichen "Messias" betont den Exousia-Zusammenhang: *verweigert das einsichtsvolle Zutrauen!* Der Jesus-Bezug ist hier sub contrario präsent. Dazu steht nicht im Widerspruch, daß das Vb. 21,25(=Mk) dupl. V.32a.b.c mit dem Dat. der Person auch auf den Täufer (mit dem Stichwort ἐχουσία!) angewendet ist, denn hier steht es im Aor. der vergangenen Einmaligkeit abschließend den jüd. Gegnern gegenüber, für die er ja mt mit der gleichen Botschaft wie Jesus als wiedergekommener Elijah aufgetreten war, also *einsichtvolles Zutrauen* verdient hätte, das ihm "Zöllner und Postituierte" in der Tat entgegenbrachten. Die letzte Stelle mit Subst. steht 23,23(+Q) in der Rede über die Verurteilung der Gegner und nimmt mit anaphor. Art. auf eben die voranstehenden Stellen Bezug; darum ist hier weder erst- und einmalig ein stillschweigender Gottesbezug (etwa im Sinne des Doppelgebots) anzunehmen noch das Nomen actionis anders als an allen voranstehenden Stellen (etwa als Dauerbeziehung *Treue*) zu verstehen; die anaphorisierende Nennung meint *Akte des einsichtsvollen Zutrauens* zu Jesus und dem Täufer als zwar vom Mosegesetz geboten - aber dennoch von der Endzeitgeneration der Juden nicht geleistet.

Auf dem Hintergrund der voranstehenden Wendungen ist auch das ausdrücklich jesus-bezogene Pt.Präs 18,5(=Mk + εἰ'ς ἐμέ wie 27,42 ἐπί) nicht in dem Sinne als Präs. der Dauer zu verstehen, als handelte es sich um die Bezeichnung einer kontinuierlichen Dauerbeziehung (*Glaubenden* im heutige übliche Gebrauch), sd. eher um ein Präs. der Allgemeinheit: Die "Kleinen"

sind diejenigen, die sich in einsichtsvollem Zutrauen immer wieder an mich
wenden. Wie sehr Mt mit π. weder einen christliche Existenz begründenden
Akt noch eine personale Dauerrelation zum mt Jesu, sd. ethisierend bestimmte einzelne Akte dieser Existenz bezeichnet, machen auch die beiden
identisch-rahmenden, ebenfalls speziell an die Schüler adressierten Subst.-
Stellen 17,20(=Q) und 21,21(=Mk) mit dem Funktionsverbgefüge π. ἔχω klar:
21,22(=Mk) folgt das Vb. angleichend ins Pt.Präs. der Vorgängerstelle
versetzt (und darum verkürzend erinnert und wie dort zu verstehen), wie
des konkreten mk Gebets- und damit Gottesbezugs (mk ὅτί-Satz) entkleidet
wie dieser beim Subst. im voranstehenden Satz gestrichen wurde. Der Leser
des mt Buches ist darum durch nichts veranlaßt, hier erst- und einmalig
stillschweigend mit π. eine Gottesbeziehung zu verbinden, zumal person-
bezogene Stellen nicht nur (zuletzt 18,6) voranstehen, sd. bezüglich des
Täufers V.25.32 auch unmittelbar folgen; in der Dubl. 17,20 ist diese
Verbindung durch den Heilungskontext gegeben: *einsichtsvolles Zutrauen
zur Macht Jesu* dürfte auch hier zu veranschlagen sein (zumal für den von
Mt kurz gedachten Rest der Jesuszeit bis zur Parusie für ihn 28,18 πᾶσα
ἐξουσία veranschlagt ist und 7,21 selbstverständlich bis dahin "viele
Wundertaten in deinem Namen" voraussetzt: ὄνομα und π. sind bei Mt korrelativ für die Bezeichnung eines Gebets im Namen Jesu); eine Analyse des mt
Textes kann bei dieser Dubl. nicht einfach von Mk, Q und Lk her eine Kodierung auf "Gott als Obj." auch ohne Zusatz als durch den Kontext "ausgewiesen" annehmen (gg. BARTH EWNT 3,220); der mt Kontext weist einen
anderen Kode aus. Es geht um die spezifische Weise des Anteils der Schüler
an der Vollmacht Jesu (HELD 1970:180f.258f). Der ethische Aspekt dieser π.
ist 21,21 zugleich noch durch die synonyme Ergänzung *nicht zweifeln* (=Mk
– doch mt auf Jesu ἐξουσία bezogen) ebenso gesetzt wie der noetische.

Auch vom Täufer ist das abschließend 21,25.32 verwendete π. dem red.
"ihn nicht erkennen" von 17,12 (bzw. *annehmen* 11,14) synonym; ebenso
macht der Titelgebrauch in den betr. Perikopen klar, daß immer eine Einsicht in das vorausgesetzt ist, was die Titel implizieren (GUNDRY 202). Es
ist darum ein personalistisch bedingte Fehlbeschreibung des mt Wortfeldes,
daß Mt das "noetische Moment aus dem π.-Begriff" ausgeklammert, auf συν-
ιέναι übertragen und mit π. wesentlich "Vertrauen" bezeichnet habe"
(BARTH 1970:107f; LUZ 1971:150 π. "richtet sich auf die Person Jesu", "dem
Wesen nach Treue" – aus der gekennzeichneten Tendenz heraus: "eher dem
Heilsindikativ zugeordnet"); es geht nicht um die unlösbare Kontinuität eines
"Jesusverhältnisses", sd. um je konkrete Akte der Zuwendung innerhalb der
mt Dauerbindung an die im Buch niedergelegt Botschaft des histor. Jesus;
der mt π.-Begriff ist durchweg zugleich jesuanisch und aktualistisch bestimmt (KLEIN 1982:39f), wie sich in ihm auch das noetische Element der
Gewißheit seiner mt gedachten Hoheit und Vollmacht als unlösbare Voraussetzung des affektiven Elements der Zuversicht miteinander verbunden
haben.

Wer *Glauben* kodiert als einen Begriff "zur Bezeichnung des Gottesver-
hältnisses" verwendet (BARTH EWNT 3,218), kann den Ausdruck nicht zur
Wiedergabe des mt π. verwenden, denn er muß feststellen: "Vom Glauben an
Gott spricht er nicht" (KLEIN 1982:32): Mt 21,21 wird der Gen. θεοῦ von Mk
11,22 beim Subst. nicht mit übernommen. "Mt streicht alle Imp., die den
Glauben fordern" (ebd.): Die Vorgaben Mk 5,36; 11,22 wurden abgeändert.
"Er bezeichnet den Eintritt in das Christentum nie mit π." (ebd.30): Mk 1,15
wurde nicht übernommen. Der mt Ausdruck π. ist nie in Korrespondenz zu
Offenbarung definiert, und darum für das Wortfeld eines "Offenbarungs-
glaubens" (spezifische Erkenntnisart für "Offenbarung") nicht zu verwenden. Das alles ist im Blick zu behalten bei der Analyse des mt Komp.

ὀλιγόπιστος, ὀλιγοπιστία (HAWKINS 1909:6; HELD 1970:278-84; GUNDRY 646)
   Mt 5 : Mk 0 : Lk 1 (NT und LXX sonst nie)
      =(Q 1 + 4)

Die vorher und außerchristlich nicht belegte Bildung ist vorzustellen als
eine Analogiebildung zu ὀλίγον βλέπων (kurzsichtig POxy 1,39,9; MICHAELIS
ThWNT 5,317) und erscheint als Adj. erstmalig in Q Mt 6,30(=Lk) nach zwei
noetischen Vb.-Imp. V.26.28 als vokativer Nom. für die Sorgenden im Blick
auf Ernährung und Kleidung. Selbst wenn Q dabei einen direkten Gottesbezug im Blick haben sollte, so sind es mt doch die, die diese Lektion Jesu
noch nicht gelernt haben: *schwachsichtig und kurzschlüssig*. Schon bei
dieser Bergrede ist für Mt wichtig, daß er sie nur an Anhänger adressiert
hat. So hat er auch alle folgenden Stellen nur den Schülern gegenüber
multipl.
   Das offenbar von ihm gebildete Subst. steht an der Schlußstelle 17,20 als
Schlußwort zu dieser Frage nach einem Heilungsversagen der Schüler, wo es
zugleich mit dem Simpl. der *einsichtsvollen Zuversicht in Jesu Macht*, an die
man sich wenden soll, aufgenommen wird. Damit ist dieses Subst. deutlich
unterschieden vom privativen bei den Leuten von Nazareth 13,58. Da allerdings im Zuge eines sich durchsetzenden π.-Begriffs als Beschreibung eines
kontinuierlichen Gottesverhältnisses schon der älteste Rezipient 6. Sentenz
des Sextus (um 200) beides gleichsetzte (ὀλιγόπιστος ἐν πίστει ἄπιστος;
BARTH EWNT 2,1237), sollte man die Eindeutung mit *kleingläubig, Kleinglaube* lieber vermeiden. Die Definition "Kleinglaube" = "Mangel an Glauben"
(ebd. bzw. HELD 1970:282f nach SCHLATTER "gebrochene Form des Glaubens") geht von einem anders kodierten, nämlich personalistischen Glaubensbegriff aus als Mt. Mt hat das privative Adj. zwar im gleichen Kontext
17,17(=Mk) in der Wendung γενέα

ἄπιστος
      Mt 1 : Mk 1 : Lk 2 + 1 : Joh 1
als Schüleranrede übernommen, doch hat er offenbar das α-privativum in
den semant. Gehalt der vorübergehenden Abwesenheit transkodiert, so daß
es weniger im Sachzusammenhang mit dem Subst. bei den Leuten von Nazareth zu sehen ist, sd. als Vorbereitung von V.20 α- mit ὀλιγο- identisch ist
(HELD 1970:181 "Das Wort über das ungläubige Geschlecht muß also im Sinne
des Kleinglaubens interpretiert und als Vorverweis auf das Jüngergespräch
begriffen werden. Nur auf diese Weise bekommt es bei Mt einen Sinn und
fügt sich in die Thematik der Jüngerschaft ein, die die mt Darstellung
bestimmt").
   Das Adj. als Schüleranrede 16,8 (wie 6,30 im Zusammenhang mit Nahrung-
fragen dupl.) hat im Kontext einen klare Synonymie mit noetischen Vb., was
wiederum die Behauptung einer angeblichen mt Trennung von Glauben und
Verstehen widerrät (gg. LUZ 1971:150 "Glauben und Verstehen sind bei Mt
getrennt: Die Jünger sind kleingläubig, aber sie verstehen" - er muß
typischerweise dann 16,8f als "Ausnahme" klassifizieren).
   Dazwischen sind die beiden Stellen 8,26 (statt mk Simpl.); 14,31 plaziert,
die sich auf ein ängstliches Verhalten in Seegefahren beziehen; ist an der
ersten Stelle wieder die plur. Anrede im Nom. dupl. so im 2. Falle einmalig
der Sing. im Vokativ. Beidemale geht der Bittruf "Herr rette" voraus; dennoch wird im ersten Falle die Furcht wie im zweiten das "Zögern" kritisch
angesprochen; dennoch ist nicht zu verkennen, daß im Schema der Beauftragungsepiphanie 14,31 eine Beistandserklärung vorliegt. Damit erweist sich
die Anrede wie an allen Stellen als eine Kategorie mit typ. paränetischer
Funktion, die im Rückblick auf eine spezielle Situation eben erinnert, daß
diese die Einsicht und Zuversicht in die präsente Wirkmacht Jesu erfordert
hätte, aber nicht zum Tragen kam, sie aber damit zugleich neu aktiviert.
Sie hat damit vollen Anteil am aktualistischen π.-Begriff des Mt.

δειλός 8,26(=Mk - NT nur noch Apk 21,8) *feige, verzagt*
διστάζω (9. genuin mt Intensivum als διά-Komp. GUNDRY 643)
    Mt 2 (NT und LXX sonst nie)
14,31(+Mk) wie 28,17 red. (BARTH 1970:123; STRECKER 1971:208) immer als
Epiphaniereaktion und nur für die engsten Schüler. In der Anrede an Petrus 14,31 erläutert es ↗ὀλιγόπιστος und ist Renominalisierung von ↗φοβέ-
ομαι V.30. Darum ist *Zweifel* (*Unglauben*) nicht die zutreffende Übersetzung,
sd. *zögern* (wie Did 4,7; Barn 19,11; FISCHER 1970:123). Als Epiphaniereaktion meint es auch 28,17 *verunsichert sein* (LOHMEYER 415 gg. ZAHN z.St.);
die Bedeutung *zweifeln* ist auszuschließen, denn V.11ff betonte ja unmittelbar voranstehend, daß selbst die Gegner das Faktum der Auferweckung
nicht leugnen können; die Doppelreaktion angesichts der Epiphanie *Proskynese + Zögern* entspricht chiast. der analogen Doppelreaktion von V.8
Furcht + Freude. Daß für Mt beides zusammengehört, zeigt sich auch darin,
daß er V.9 nur die Proskynese nennt, die Anrede-Reaktion aber mit der Be-
ruhigungsformel auf die *Furcht* anspricht. Makrosyntaktisch ist die Doppelreaktion also auch dann vorausgesetzt, wo ellipt. nur eins von beiden als
Metonym steht und das andere als Filler in den Slot einzusetzen ist.
πιστός (GUNDRY 647)
    Mt 5 : Mk 0 : Lk 6 + 4 : Joh 1
       =(Q 2 + 3)
wird von Mt nie im Sinne von *gläubig*, sd. immer und nur in Allegorien als
treu, zuverlässig verwendet und zeigt eine Differenz zum sonstigen Lexem-
stamm; 24,45(=Q) geht es φρόνιμος voran und wird im Nachsatz durch Fürsorge im eingesetzten Status beschrieben; dupl. ergänzt es im Vokativ
25,21b.23b(+Q) das voranstehende ἀγαθέ und wird anschließend durch die
Obj.-Angabe V.21c(=Q).23c(+Q) mit "treu über wenigem" begründet.
πλαν- (GUNDRY 647)
    Mt 10 : Mk 5 : Lk 1 + 0 : Joh 2
πλανάω
    Mt 8 : Mk 4 : Lk 1 + 0 : Joh 2
       =(Mk 4 - 1 + 2) + (Q 0 + 3)
Die von Mk übernommenen Belege massieren sich bei Mt an seinem 3. Jeru-
salem-Tag und beziehen sich dort sämtlich auf die Eschatologie: 22,29(=Mk)
zunächst in der Bedeutung des pass.-med. *verirrt sein = eine falsche Eschatologie vertreten* (=die Belohnung mit individueller Unsterblichkeit bestreiten) als Vorwurf an die *Sadduzäer* mit der Begründung, daß sie weder
ihre Schriften noch Gott verstehen (BÖCHER EWNT 3,236). Die anschließenden
4 Stellen stehen im Akt., beginnend mit der Warnung an die Schüler 24,4
(=Mk), *daß euch nicht jemand mit eschatol. Irrlehren hereinlege*; V.5(=Mk)
schließt sich im gleichen Sinne mit Nennung der Irrlehrerparole an; V.11
(+Mk) dupl. es red. und hat einen Bezug zum Synonm σκανδαλίζω V.10; V.24
(=Mk Komp., das im NT nur noch 1Tim 6,10 steht und das Mt wie öfter zum
Simp. verkürzt) wiederholt es nochmals, was auf eine gesteigerte Dringlich-
keit hinweist.
    Auch 18,12b.d.13(+Q) ist in der von Mt in konditionale Rechtssätze auf-
gelösten Schaf-Parabel durch den Anschluß an die eschatol. Einlaßsprüche
zur individuellen Unsterblichkeit V.8f die eschatol. Konnotation wie der
Irrlehrerbezug durch die chiast. Beziehung auf die synonyme Wortgruppe
V.6f gegeben (GUNDRY 365); dort wie hier ist ist bei Mt nicht primär auf
Sündenverstrickung, sd. auf die Lehrvoraussetzung abgehoben. Der Wortgebrauch dürfte wie 24,11 red. sein, da V.14 ja das lk Synonym hat und Mt
10,6; 15,24 die Q-Wendung vom "verlorenen Schaf" schon vorweggenommen
hatte (GUNDRY ebd. mit TRILLING 1964:112 gg. SCHULZ 1972:387f mit HAR-
NACK; WERNLE, JÜLICHER, BRAUN ThWNT 6,243 n.71 mit dem schwächeren,
weil allgemeineren Argument, daß Lk auch Mk gegenüber verkürze, was aber

hier angesichts der näherliegenden mt Tendenz weniger ausschaggebend ist): *nicht auf Irrlehrer mit einer falschen (=nicht mt) Eschatologie hereinfallen!* bzw. *den Verirrten heraushelfen!* Die mt "Seelsorge" besteht darin, daß alle, die noch nicht seine Eschatologie vertreten, auf die Linie dieses Buches gebracht werden sollen. Im Kontrast dazu legt Mt einen solchen Vorwurf auch den jüd. Führern in den Mund:

πλάνος (NT nur noch 2Kor 6,8; 1Tim 4,1; 2Joh 7a.b; LXX 2mal)

im subst. Adj. bezeichnen sie 27,63(+Mk) so Jesus selbst mit Bezug auf seine Rehabilitations-Vorhersage (gg. BÖCHER EWNT 3,238 nicht allgemein "Messiasanspruch") als einen *betrügerischen Irrlehrer*, und im Anschluß daran erscheint dann 27,64(+Mk) ebenso

πλάνη (NT noch epistolisch 9mal; LXX 6mal)

als *unwahre Irreführung* im gleichen Sachbezug der Auferweckung als Rehabilitierung, wobei der Jüngerbetrug den Jesusbetrug noch als Behauptung einer nun realisierten Tatsache verschärft. Für Mt fungiert das leere Grab damit klar wie schon seit 12,40 als Wahrheitsbeweis.

πλατεῖα, πλατύνω, πλατύς →ὁδός
πλεῖστος, πλείων, πλεῖον →πολύς
πλέκω 27,29(=Mk) *flechten*
   Mt 1 : Mk 1 : Joh 1 (NT sonst nie; LXX 2mal)
πληθύνω 24,12(+Mk) intrans. *zunehmen, überhandnehmen*
   Mt 1 : Mk 0 : Lk 0 + 5 (NT nur noch epistolisch 6mal)
πλήν als Konjunktion
   Mt 5 : Mk 0 : Lk 15 + 1 : Joh 0
   =(Mk 0 + 2) + (Q 2 + 1)

Die einmalige Verwendung als Präp. Mk 12,32 wurde von den nachfolgenden Evangelien nicht übernommen. Als disjunktive Konjunktion ist es der gebräuchliche Ausdruck für *nichtsdestoweniger* Polyb, Plut, Papyri MAYSER II/2 534); bei Mt markieren alle Stellen einen Abschluß und sind weniger adversativ als gesteigertes δέ oder ἀλλά (B-D-R 449,1) als vielmehr progressiv verwendet und zeigen so eine steigernde Überbietung an (THRALL 1962:20-5 vgl. vor allem bei Pl Argumentationen abschließend und die Hauptsache markierend). Mt verwendet es von der ersten Q-Stelle her nur in Worten Jesu (SENIOR 1982:108 - so auch Lk, der nur Apg 20,23 seinem Pl diese Jesus-Formulierung zubilligt, um seine vorsehungsplangemäße Leidenswegansage zu machen). Der Gebetsschluß 26,39(+Mk - die zufällig par. Änderung bei Lk erklärt sich durch naheliegende Wiederaufnahme der jeweiligen bisherigen Verwendungen, bei Mt vor allem dadurch, daß Q-Mt 18,7 eben erst erinnert und beispielhaft konkretisiert war) scheint der adversativen Verwendung *jedoch* noch am nächsten zu stehen, doch geht es stärker um die Erfüllung des Planes Gottes im Geschick Jesu, so daß die Übersetzung *vor allem* näher liegt. Alle weiteren Stellen beziehen sich auf die Verwirklichung des Endgerichts als letzter Planstufe: 18,7c(=Q) wird abschließend das "Wehe" von V.7a über das Verführungsobj. durch das über das Verführungssubj. überbietend benannt (SCHENK 1981:116f); das negative Endgerichtsschicksal ist auf den Vorsehungsplan Gottes bezogen, auch wenn die Vorhersageformel nicht verwendet ist; sie ist aber als Filler in den Slot zu ergänzen, denn den restlichen 3 Stellen ist gemeinsam, daß sie die genuin mt Vorhersageformel *ich sage euch vor allem* haben; an der ersten mt Stelle überhaupt, die die Konjunktion einführt, 11,22(=Q vgl. ebd.55f) war sie vorgegeben und wurde durch das metakommunikative Syntagma ergänzt als Abschluß und Steigerung der Aussage über das Endgerichtsschicksal; 11,24 (+Q) liegt im Anschluß daran die umgekehrte Ergänzungsauffüllung vor (die Dubl. 10,15 hat synonym dazu *Amen*). 26,64(+Mk) ergänzt dieses volle Syntagma unter Wiederaufnahme von 11,22.24 zu der die dortigen Aussagen noch überbietenden Abschlußvorhersage dem Priesterfürsten gegenüber, in

der der christol. Abschluß des Geschichtsplans Gottes hervorgehoben ist: Er
wird *vor allem* ihr künftiger, offenkundig von Gott gerechtfertigter Richter
sein (WALKER 1967:70).

πλήρης 14,20(=Mk 8,19 permutiert) par. dupl. 15,37(+Mk) *voll, gefüllt*
    Mt 2 : Mk 2 : Lk 2 + 8 : Joh 2
πληρόω (HAWKINS 1909:6.32; GASTON 1973:63; GUNDRY 647)
    Mt 16 : Mk 2 : Lk 9 + 16 : Joh 15
im räumlichen Sinn 13,48 (Pass. als das Netz *voll war*); wie im abstrakten
3,25(+Mk) aller Gerechtigkeit bzw. 5,17(+Q) dem Schriftinhalt *zur Verwirkli-*
chung verhelfen (im umfassenden und eigenen Sinn; STRECKER 1971:143-7;
BROER 1980:30-4; HAHN 1983:42-54); in rahmender Antithese dazu direkt der
iron. Befehl (an Abwesende!) 23,32(+Q), das Maß der Väter (als Prophetenmörder mit der Tötung Jesu) *vollzumachen,* verwendet den apokalyptischen
Gedanken des Höhepunkts der Schuld (Dan 8,23 wie nach-pl Glosse 1Thess
2,16) und steht damit auch im Zusammenhang aller weiteren Verwendungen
des Mt für die Schrifterfüllung (GUNDRY 468f). Diese ist in seiner allgemeinen Form 26,56(=Mk) vorgegeben und wurde V.54(+Mk) dupl. und von
da aus auf die   Einleitungen der konkreten einzelnen Erfüllungszitate
ausgeweitet, die die *Verwirklichung* der göttl. Planvorhersagen in einzelnen
erzählten Ereignissen (vgl. Ansatzpunkte dafür 3Regn 2,27; 8,15; 2Par 36,21;
Tob 14,5; ROTHFUCHS 1969:44-56) beweisen sollen 1,22; 2,5.15. 17.23; 4,14;
8,17; 12,17; 13,35; 21,4; 27,9:
Konjunktion + ἐπληρώθη/πληρωθῇ τὸ ῥηθὲν + Präp.-Wendung (ebd.36-9)
    Mt 11 : Mk 0 : Lk 0 : Joh 0
Wenn behauptet wird, daß "bei Mt die Berufung auf die Schrift und so-
mit(?) die Schrift selbst ihre eigentliche(?) Legitimität vom Christus-
geschehen her erhält" (HÜBNER EWNT 3,259), dann verkennt solche Apologetik durch ihren transzendentalen Rekurs auf die Bedingungen der Möglichkeit die Differenz eines solchen transzendentalen Arguments zu der anderen
Tätigkeit des Beschreibung des konkreten empirischen Texts des Mt und
übersieht dabei wortisolatorisch die die Zitateinleitungen bestimmenden
finalen bzw. temporalen Konjunktionen.
πλήρωμα 9,16(=Mk) *Füllung* = *Flicken*
    Mt 1 : Mk 3 : Lk 0 + 0 : Joh 1
πλησίον →ἀγαπάω
πλοῖον
    Mt 13 : Mk 17 : Lk 7 + 19 : Joh 7
        =(Mk 17 - 4)
Mt hat immer den Sing. in Abhängigkeit von Mk und sonst nie; der Plur.
Mk 4,36 wurde ausgelassen. Offenbar ist immer nur an ein Ruderboot gedacht; auf Segel weist nichts. 4,21f ist das Fischerboot des Zebedäus schon
im ersten Falle mit Art. als gut griech. *ihr Boot* bezeichnet, da Mt in allen
weiteren Fällen eines neuen Bootes den Art. wegläßt: 8,23 (mit den bisherigen 4 oder 5 Schülern; während V.24 anaphor. gekennzeichnet ist); 9,1
(zur Rückfahrt); 13,2 (zum Lehren mit den Zwölf, die dort V.10-23 belehrt
werden) und 14,13 (wohl er allein), während V.22 (die Zwölf im Kontrast
dazu) nach der Speisung der anaphorische Art. für dasselbe Boot wohl
urspr. ist (N-A gg. H-G nicht nachträgliche Angleichung an Mk), um V.24.29
(=Mk 6,43 permutiert).32.33(=Mk 8,14 permutiert) sowie letztmalig 15,39(=Mk)
beibehalten zu werden. Die Konnotation einer Kirchensymbolik dürfte Mt an
keiner Stelle haben, denn auch 8,23ff sorgen sich die Schüler um sich und
nicht um den Kahn, Kap.13 entspricht die weiterführende Belehrung im Boot
der anschließenden im Haus und Kap.14 findet die entscheidende Epiphanie
und Beauftragung außerhalb des Bootes statt, so daß auf der Akklamation
im Boot (wo sonst?) kein spezielles Gewicht liegt. Nur mit diesem Obj.
ἐμβαίνω εἰς πλοῖον 8,23; 9,1; 13,2; 14,22; 15,39 *ins Boot einsteigen*

Mt 5 = Mk 5 : Lk 3 + 1 : Joh 3 (NT sonst nie; LXX 6mal)
διαπεράω 9,1(=Mk 5,21 permutiert); 14,34(=Mk) *hinüberfahren*
Mt 2 = Mk 2 : Lk 1 + 1 (NT sonst nie; LXX 8mal)
πλούσιος, πλοῦτος ⊁πτωχός
πνεῦμα
Mt 19 : Mk 23 : Lk 36 + 70 : Joh 24
=(Mk 23 - 14 + 2) + (Q 3 + 3) + (A–Mt 2)

Gegenüber Mk fällt das Übergewicht der 15maligen Verwendung im theolog. Sinne für *Gottes schöpferische Willenspotenz* und deren jesulogische Konzentration auf: Die 5malige Verwendung mit dem Adj. ⊁ἅγιον ist betont auf den gehäuften Anfang (1,18.20; 3,11) und dessen Renominalisierung in der Mitte 12,32 und am Schluß 28,19 verteilt; darauf folgen als red. synonyme Syntagmen π. θεοῦ 3,16 und 12,28 bzw. π. μου im Erfüllungszitat 12,18 und 10,20 π. τοῦ πατρὸς ὑμῶν; die hell. Kurzbezeichnung des bloßen π. wird mit anaphor. Art. 4,1(=Mk) und 5,3(+Q) an den ersten Komplex angeschlossen und erscheint 12,31(=Q doch um das Adj. verkürzt) im zweiten Komplex und ist darum wegen des Art. wohl auch 26,41(=Mk) und 27,50(+Mk vom Vb. her gebildet) wie auch ohne Art. 22,43(=Mk unter Weglassung des Adj.) so zu verstehen. Zur antithet. dazu stehenden Bezeichnung des *destruktiven satanologischen* π. (⊁δαιμόνιον) erscheint das Subst. bezeichnenderweise jeweils in Doppelsequenz im Anschluß an die ersten beiden Blöcke von 6 bzw. 5 theol. Stellen (8,16[=Mk]; 10,1[=Mk] bzw. 12,43.45[=Q]), wodurch der dualist. Kontrast augenfällig wird; zugleich hat Mt durch die Ausscheidung von 12 solcher von Mk vorgegebenen negativen Verwendungen das positive theol. Gewicht seiner Wortverwendung entscheidend verdeutlicht.

Die *jesulogische* Akzentuierung ist dadurch deutlich, daß π. 1,18.20 weichenstellend von Anfang an diese *schöpferische Willenspotenz Gottes* für die Zeugung Jesu veranschlagt, 3,16(=Mk) der Täufer sie auf Jesus herabkommen sieht, was 12,18 (beidemale ἐπ' αὐτόν) als von Gott vorhergesagte Planerfüllung erinnert; 4,1 ist π. Subj. der Entrückung Jesu in die Wüste; Jesus selbst spricht 12,28(+Q im Anschluß an das Zitat V.18 red.) von ihr als dem Subj. seiner Überwindungen der destruktiven satanologischen Potenzen und setzt im Nachsatz π. mit der ihm verliehenen ⊁βασιλεία gleich (beidemale durch den seltenen Zusatz θεοῦ betont), wozu er V.31f renominalisierend ergänzt, daß die Lästerung dieser schöpferischen Willenspotenz Gottes in ihm unvergebbar ist und bleibt; wenn Mt dann abschließend 27,50 π. für Jesu aktives Handeln beim Tod (wie in der ganzen Passion betont) einsetzt, so meint er im Rückblick auf seine Aussagen von Vorhersage, Erzeugung, Taufe und Dämonenaustreibungswort, daß Jesus damit die ihm verliehene βασιλεία über Israel zurückgibt, da dieses Stück des Vorsehungsplans erfüllt ist (gg. KREMER EWNT 3,282 im mt Kontext nicht nur "Lebensodem" meint). Der jesulogische Bezug ist im abschließenden Taufbefehl 28,19 schon durch die Zuordnung von Vater/Sohn im mt Sinne gegeben und dadurch verstärkt, daß π. mit ihnen zusammen unter dem Sing. eines einzigen ὄνομα erscheint; wie weiter aus dem konsekutiven ⊁εἰς hervorgeht, ist damit formelhaft das mt Buchkonzept als solches zusammengefaßt: Gelehrt werden soll das mt Buch und getauft werden soll auf die Annahme des mt Buches hin; eine dahinterliegende Vorform ist nicht zu eruieren; ebensowenig läßt sich die Behauptung rechtfertigen: "Die frühe Kirche hat mit Recht in dieser Stelle den bibl. Ansatzpunkt für die Trinitätslehre gesehen (so KREMER ebd.291).

Existent war Gottes π. schon vorher, da es nicht nur als Subj. der Zeugung Jesu erschien, sd. nach der Aussage Jesu 22,43 schon sein Adoptiv-Ahn David *durch Einbezogensein in die Sphäre der schöpferischen Willenspotenz Gottes* ihn κύριος nannte. Ebenso hatte 3,11(=Mk) der Täufer mt den Gegnern vorausgesagt, daß Jesus durch sein *Einbezogensein in die Sphäre*

der Willenspotenz Gottes andere dorthin *einbeziehen werde* (metaphor. ↗βαπ-
τίζω, was V.12 als "seinen Weizen in die Scheune einsammeln" erläuterte,
wie das zu π. antonyme "Feuer" mt als das Vernichtungsgericht über Israel
im jüd. Krieg bezeichnet ist, da Mt ja an jüd. Lehrer als Gegner adressierte). Von daher wird klar, daß in der Rede zur verstockenden Sendung an
Israel zu den Schülern 10,20 von der *schöpferischen Willenspotenz Gottes* als
"eures Vaters" auch in ihnen die Rede ist, der in der anstehenden Verfolgungssituation in ihnen reden wird, wie er das ja auch in David (22,43)
und Jesus(12,18) tat (bzw. natürlich auch in denen, die wie Jesus oder der
Engel 1,20, der Täufer 3,11 oder Jesaja 12,18 vom π. redeten).
   Von daher ist auch der Zusatz im ersten Satz der Bergrede 5,3(+Q) zu
verstehen, der ja schon durch den anaphor. Art. klar auf seine 5 Vorgängerstellen zurückweist; der Dat. dürfte kausal (B-D-R 196) zu bestimmen
sein: *die willentlich Armen*, die ihre materielle Armut bewußt erwählt haben
(LOHMEYER 82 n.1) - und zwar durch Einbeziehung in die von Jesus vermittelte, *schöpferischer Willenspotenz Gottes* (SCHWEIZER 49); d.h. daß man
π. hier nicht "rein anthropol." verrechnen kann, daß die Alternative dazu
auch nicht einfach ein Dat. der Beziehung ist (der im übrigen ohne *ἐν* nur
bei Gegensätzen seine Platz hat B-D-R 197 n.2), der "arm" dann völlig spiri-
tualisiert sieht (so auf der von AUGUSTIN begründeten Linie GRUNDMANN
120-2 "der sich vor Gott beugt ... und sich dadurch in die rechte Stellung
vor Gott bringt", um die reine Haltung des Empfangens, der Demütigen, die
vor Gott als Bettler dastehen, ausgesprochen zu finden wie auch ZAHN,
KLOSTERMANN, SCHNIEWIND, MICHAELIS z.St.; STRECKER 1971:232; 1984:33f
wie auch die umgekehrte Lösung von SCHLATTER 133f, durch äußere Armut
innerlich zu verarmen). Ebenso geht es nach dem Kontext auch in der Sentenz 26,41 um eine allerdings spezifisch mt verstandene "Teilhabe an dem
Geist Gottes" (KREMER EWNT 3,283 gg. ebd.376), sofern die Bereitschaft, dem
Willen und Plan Gottes zu dienen, mt immer die *Einbeziehung in Gottes*
schöpferische Willenskompetenz im Blick hat, denn erst sie ist es, die die
hier vorausgesetzte hell. Amtsträgertugend *dienstbereit* (=Aktivität +
Initiative; RENGSTORF ThWNT 6, 694-6) in ihrer Ausrichtung auf Gottes Plan
begründet:
πρόθυμος
   Mt 1 : Mk 1 (NT nur noch Röm 1,15; LXX 7mal)
Da π. in seiner mt Kodierung immer das relationale Element der *Einbezie-*
hung hat, gibt es bei ihm keine "rein anthropol." Verwendung, woraus weiter deutlich wird, daß diese semant. Klassifikation eine statische, nicht am
Text selbst gewonnene Begriffsbestimmung des Wortfeldes "Geist" voraussetzt.
πνέω 7,25.27(+Q) Winde *wehen*
   Mt 2 : Mk 0 : Lk 1 + 1 : Joh 2 (NT nur noch Apk 7,1)
πνίγω trans. 13,7(=Mk Komp.) *ersticken*; 18,28(+Q Impf. Versuch) *erwürgen*
   Mt 2 : Mk 1 (5,13 Pass. - NT sonst nie; LXX 2mal)
συμπνίγω 13,22(=Mk) in Allegorieauflösung: das Evangelium *ersticken*
   Mt 1 : Mk 2 : Lk 2 (NT und LXX sonst nie)
πόθεν ↗εἰμί
ποιέω ↗ἐργάζομαι
ποικίλος ↗μαλακία
ποιμαίνω 2,6 (Zitat Mi 5,1) metaphor. *Königsherrschaft ausüben*
   Mt 1 : Mk 0 : Lk 1 +1 : Joh 1 von daher jesulogisch aufgenommen
ποιμήν (GUNDRY 647)
   Mt 3 : Mk 2 : Lk 4 + 0 : Joh 2
9,36(=Mk Schafe ohne Hirten = König); 25,32 (*Hirt* im Endgericht ↗ἀφορίζω);
26,31(=Mk Zitat Sach 13,7 Hirten schlagen) in Korrespondenz zu
ποίμνη (+Mk) *Herde*

Mt 1 : Mk 0 : Lk 1 + 0 : Joh 1 (NT nur noch 1Kor 9,7a.b; LXX 2mal)
ergänzend zu
πρόβατον (HAWKINS 1909:7; MORGENTHALER 1973:181; GASTON 1973:81; GUNDRY
Mt 11 : Mk 2 : Lk 2 + 1 : Joh 17   647)
     =(Mk 2 + 3) + (1 + 5)
von uspr. *Kleinvieh* her speziell auf *Schaf verengt* (FRIEDRICH EWNT 3,366),
wie 26,31(=Mk) auch 9,36(=Mk) in Korrespondenz zu ποιμήν übernommen und
25,32f dupl., so daß es für Mt zum ekklesiol. Terminus (die im Endgericht
Bestehenden) wird, "die Guten und Gerechten" konnotiert und zum Bildwort
dafür wird (FISCHER 1970:121) – so auch in der einzigen von Q übernommenen parabolischen Stelle 18,12 und 10,16(+Q) für die Sendung der Zwölf
antonym zu ≯Wölfe, was 7,15(+Q Pharisäer als Pseudopropheten) dupl.; von
daher ist wohl auch die von beiden gerahmte und von 18,12 her dupl. Wendung *verlorene Schafe = Haus Israel* ironisch gemeint, da die V.6 als Schafe
Genannten V.16 selbstverständlich als Wölfe erscheinen, wofür 7,15 offenbar
den vorbereitenden Kode liefern sollte. Ironisch soll darum der Leser wohl
auch von vornherein die wiederholte Dupl. dieser Wendung 15,24 verstehen.
Red. ist der Sing. auch 12,11f(+Q) für das in den Brunnen gefallene Tier,
das man am Sabbat herausholt, als Argument für die Heilung am Sabbat.
ποῖος
   Mt 7 : Mk 4 : Lk 8 + 3 : Joh 4
     =(Mk 4 + 1) + (Q 1 + 1)
Das Fragepronomen *welcher?* steht bei Mt außer an der Eröffnungsstelle
19,18(+Mk) in der Frage nach den Geboten als Dubl. zu 22,36(=Mk in red.
Relation zu ≯μεγάλος) immer mit Subst.; hell. statt dessen auch
ποταπός
   Mt 1 : Mk 2 : Lk 2 (NT nur noch 2Pt 3,11; 1Joh 3,1; LXX nur Sus 54)
mask. 8,27(=Mk 13,1 permutiert) ebenfalls in Relation zur Größe der Übermacht (≯μεγάλος V.26; B-D-R 298,3).
   21,23f.27(=Mk ἐξουσία) geht es auch weniger um die Beschaffenheit als
um die Alternative von Gott vs. Menschen; ebenso temporal vom Zeitpunkt
der Parusie 24,43(=Q) dupl. V.42.
πόλεμος 24,6a.b(=Mk) Plur. *Kriege*
   Mt 2 : Mk 2 : Lk 2 + 0 : Joh 0
πόλις (GASTON 1973:63; GUNDRY 647)
   Mt 27 : Mk 8 : Lk 39 + 42 : Joh 8
     =(Mk 8 - 2 + 7) + (Q 4 + 8) + (A-Mt 2)
Konkret bezeichnet sind 2,23 Nazareth, 8,33(=Mk 5,14 permutiert) und dupl.
V.34(+Mk *ihre ganze Einwohnerschaft*) Gadara, 9,1(=Mk 1,45 permutiert mit
mt vorangestelltem Adj. εἰς τὴν ἰδίαν π.) Kafarnaum, 10,5(+Mk) der Samaritaner, mit 8mal am häufigsten Jerusalem – nur bei Mt 4,5(+Q); 27,55(=Mk
14,16 permutiert) mit typ. mt vorangestelltem Adj.
εἰς τὴν ≯ἁγίαν πόλιν
   Mt 2 (NT nur noch Apk 11,2)
(seit Jes 48,2; 52,1; Neh 11,1.18 Bezeichnung für Jerusalem; LOHMEYER 54)
als die Gott und seinem Messiaskönig und Geistträger gehörende Stadt, wie
5,35 *Stadt des größten Königs* renominalisiert bzw. bloßes π. 21,10(+Mk *ihre
ganze Einwohnerschaft*).17(=Mk) dupl. V.18(+Mk); 26,18(=Mk); 28,11(+Mk) sowie betont distanzierend nach der Verfolgung der Schüler als Kontrast 22,7
(=Q-Lk 14,21 permutiert), was 11,1(+Mk) schon im Plur. hatte:
πόλις αὐτῶν;
   Mt 2 : Mk 0 : Lk 1 (4,29) + 0 : Joh 0
dieser Plur. bezeichnete schon 9,35(+Mk) mit betont nachgestelltem ≯πάσας
(*und zwar allen*) – und zwar an beiden Stellen vervollständigt durch ≯κώμας
– für einen zweiten und dritten Zug durch Galiläa *alle galiläischen Städte*
und im Rückblick darauf einerseits negativ 11,20(+Q) und andererseits 14,13

(=Mk) positiv für die Speisung der gesamten galiläischen Anhängerschaft; 7mal noch mehr ausgeweitet 10,11.14.15(=Q) dupl V.23a.b auf alle *Städte Israels* und nochmals 23,34a.b(+Q) renominalisiert, um zu betonen, daß auch hier Jerusalem eingeschlossen gedacht ist. Der allgemeine Sing. erscheint in den Argumentationsworten 5,14(+Q eine Stadt auf einem Berge) und 12,25 (+Mk/Q *jede Einwohnerschaft*). Red. ist damit auch die Verbindung

πόλις + πᾶσα 8,34; 9,35; 12,25; 21,10
    Mt 4 : Mk 0 : Lk 1 (10,1) + 3 (Apg 8,40; 13,44; 15,36) : Joh 0
davon 3mal (8,34; 12,25; 21,19 - Mk nur 1,33 eröffnend) metonymisch
πόλις = *Einwohnerschaft*
    Mt 3 : Mk 1 : Lk 0 + 3 (Apg 13,44; 14,21; 21,30) : Joh 0
red. ist ebenso die Aufeinanderfolge
πόλις + κώμη 9,35; 10,11; 11,1 (dgg. Mk 6,56 in umgekehrter Reihenfolge)
    Mt 3 : Mk 0 : Lk 2 (8,1; 13,22) + 0 : Joh 0.
κώμη 9,35(=Mk); 10,11(=Mk 8,26 permutiert); 14,15(=Mk); 21,2(=Mk) *Dorf*
    Mt 4 : Mk 7 : Lk 12 + 1 : Joh 3 (NT sonst nie)
        =(Mk 7 - 3)
Im Gegensatz zur Steigerung bei πόλις, als dessen bloße Ergänzung κ. an den beiden ersten Stellen erscheint, ist die mt Reduktion signifikant.
πολλάκις 17,17b(=Mk 9,22 permutiert)c(+Mk dupl.) Adv. *oft*
    Mt 2 : Mk 2 : Lk 0 + 1 : Joh 1
πολλαπλασίων 19,29(+Mk B L 1010 pc sa mae Or) *Vielfaches*
    Mt 1 : Mk 0 : Lk 1 (18,30 an gleicher Stelle - sonst nie NT und LXX)
πολυλογία 6,7(+Q - sonst nie im NT; LXX nur Prov 10,19) *Geschwätzigkeit*
πολύς (GASTON 1973:63; GUNDRY 647)
    Mt 50 : Mk 57 : Lk 51 + 46 : Joh 36
        =(Mk 57 - 38 + 17) + (Q 5 + 9) + (A-Mt 1)
In Worten Jesu steht es subst. 7,14:13(=Q); 9,37(=Q) 22,14(+Q); 25,21.23(+Q) in direkter Opposition *viele/wenige* zum Antonym
ὀλίγος (GUNDRY 646)
    Mt 6 : Mk 4 : Lk 7 + 10 : Joh 0
        =(Mk 4 - 3) + (Q 2 + 3),
das daneben nur adj. im Munde der Schüler 15,34(=Mk doch red. mt vorangestellt) in Relation zu einer "so großen Menge" V.33 verwendet ist.
    Im numerischen Sinn von *Personen* π. 16mal *subst.*: 3,7(+Q einmalig mit Gen. der Gegner); abs. in Logien 7,13(=Q) dupl. V.22(+Q); 8,11(+Q); 19,30 (=Mk); 20,28(=Mk); 22,14(+Q); 24,5a.b(=Mk).10.11b.12(+Mk und einmalig mit Art.); 26,28(=Mk); bzw. berichtend 12,15(=Mk); 15,30b(+Mk); 27,53(+Mk); dazu neben der mt kennzeichnenden 8maligen Verbindung mit ὄχλος noch 6mal *adj.* 8,16 (=Mk 1,34 permutiert Besessene); 9,10(=Mk Zöllner); 26,60(=Mk Falschzeugen); dazu in Logien 13,17(=Q Propheten); 24,11a(+Mk Pseudopropheten); 27,55(=Mk Frauen).
πολύς sachlich
    Mt 18 = (Mk 6 + 4) + (Q 3 + 4) + (A-Mt 1)
13mal *adj.* 2,18 (*heftiger* Schmerz als Zusatz zu LXX-Jer 38,15); 5,12(=Q Lohn *groß* als Zusammenfassung der βασιλεία-Nachsätze V.3-10); 7,22(+Q) Wunder wie 13,58(+Mk); 8,30(+Mk Schweine); 9,37(=Q Erntefeld); 10,31(=Q Sperlinge); 13,5(=Mk Erde); 14,24(+Mk lok. Stadien); 19,22(=Mk Besitz); 24,30(=Mk Herrlichkeit); 25,19(+Q temp. Zeit); 27,52(+Mk Leiber); dazu 5mal sachlich *subst.* πολλά 13,3(=Mk offenbaren); 16,21(=Mk) leiden wie 27,19(=Mk 5,26 permutiert); bzw. πολλῶν 25,21.23(+Q).
πολύς adv.
    Mt 2:
6,30(+Q π.μᾶλλον); 26,9(+Mk πολλοῦ vom Komp. her gebildet); da Mt das mk adv. πολλά immer ausließ, dürfte der Zusatz 9,14 in vielen HS (außer 01*, B al) als dem mt Stil widersprechende sek. LA anzusprechen sein (gg. GNTCom

25 und N–A in Klammern; H–G), da das Stilkennzeichen das stärkere Argument gegenüber der Annahme einer evtl. sek. Parallelangleichung des Mt an den kirchlich ungebräuchlicheren Mk ist. Der Komparativ von π.:

πλείων, πλεῖον (GUNDRY 647)
    Mt 7 : Mk 1 : Lk 9 + 19 : Joh 5
    =(Mk 1 – 1 + 3) + (Q 3 + 1)

erscheint 6mal mit komparativem Gen. *mehr als* 5,20(+Q Gerechtigkeit der Gegner); 6,25(=Q Seele/Nahrung); 12,41f(=Q Jona/Salomon); 21,36(+Mk *mehr als die ersten*); 26,53(+Mk *mehr als 12 Legionen*); abs. nur 20,10(+Mk *mehr erhalten*). Der Superlativ

πλεῖστος (GUNDRY 647)
    Mt 2 : Mk 1 (NT nur noch 1Kor 14,27; LXX 12mal))

adj. 11,20(+Q *die meisten Machttaten)*; 21,8(=Mk 4,1 permutiert und mt vorangestellt; elativisch *diese sehr große* →Menge).

πολύτιμος →τιμάω

πονηρία, πονηρός →δαιμόνιον

πορεύομαι (KLOSTERMANN 9; GASTON 1973:80; GUNDRY 647)
    Mt 29 : Mk 0 : Lk 51 + 37 : Joh 13
    =(Mk 0 + 6) + (Q 7 + 16)

Kennzeichnend für Mt ist der LXXismus des pleonastischen Gebrauchs des Pt. Nom. (STRECKER 1971:209 n.4; GUNDRY 647)
    Mt 13 : Mk 0 : Lk 12

vor allem 12mal im Aor.; 6mal berichtend: 18,12(=Q doch Pt. red.); 21,6(+Mk als Befehlsausführung zu V.2); 22,15(+Mk); 25,16(=Q als indirektes Signal der Befehlsausführung; Lk 19,12 permutiert); 26,14(+Mk Judas); 27,66(+Mk Befehlsausführung); 7mal in dir. Rede vor allem als *Imp.* 11,4(=Q) vorgegeben und multipliziert 2,8; 9,13(+Mk); 10,7(+Mk Präs.); 17,27(+Mk); 28,7(+Mk).19; dazu 2mal berichtend im Gen.abs. 11,7(+Q als Ausführung des Befehls V.4); 28,11(+Mk als Ausführung des Befehls V.7).

    Als *finit. Imp.* und *Ausführung* 8,9a.b(=Q) vorgegeben und von daher auch als Befehl dupl. 2,20; 10,6(+Mk); 21,2(=Mk Komp.); 22,9(=Q von Lk 14,10 permutiert); 25,9.41 bzw. als Ausführung 2,9; ferner finit. berichtend vom Dämon 12,45(=Q), 3mal von Jesus 12,1(=Mk Komp.); 19,15(=Mk Komp.); 24,1(=Mk Komp.); von den Schülern 28,16 (als Befehlsausführung gekennzeichnet).

    Die Häufung der Relationen von Befehl/Ausführung von den beiden Q-Vorgaben her sind also ein Kennzeichen mt Red.; mit Präp. 12,1 διά; vor allem 5mal εἰς 2,20; 17,24; 21,2; 25,41; 28,16; ἐπί 22,9; πρός 10,6; 25,9; 26,14.

πορνεία, πόρνη →γαμέω

πόρρω 15,8(=Mk) Adv. *weit entfernt*

ποσάκις 18,21(+Q); 23,37(=Q) Adv. *wie oft*

πόσος (GUNDRY 647)
    Mt 8 : Mk 6 : Lk 6 + 1 (NT nur noch Pl 3mal, Hebr 2mal; LXX 16mal))
    =(Mk 6 – 2) + (Q 1 + 3)

Die folgernde Abschlußfrage im *Sing.* 6,23(+Q *wie groß*) wird 8,12 (→ äußerste Finsternis) als beantwortet aufgenommen; abschließend folgernd auch mit der redundanten Doppelung π. μᾶλλον 7,11(=Q) und dup. 10,25 bzw. allein 12,12(+Q); die anschließenden Verwendungen unterscheiden sich dadurch, daß sie alle im *Plur.* stehend nach der Quantität fragen und alle von Mk übernommen sind: 15,34; 16,9f *wieviele Brote* bzw. *Körbe*; 27,10 abs. *was sie alles gegen dich bezeugen* (WOLTER EWNT 3,337f).

ποταμός →βαπτίζω

ποταπός →ποῖος

πότε 17,17a.b(=Mk *wie lange*); *wann* 24,3(=Mk); 25,37f(=Mk 13,33.35 als Anschlußstellen permutiert) und V.39.44 dupl.
    Mt 7 : Mk 5 : Lk 4 + 0 : Joh 2 (NT nur noch Apk 6,10)
    =(Mk 5 + 2)

ποτήριον, ποτίζω →ἄρτος

ποῦ 2,2; 26,17(=Mk) in dir., 2,4; 8,10(=Q) relativ. in indir. Fragen *wo*
    Mt 4 : Mk 3 : Lk 7 + 0 : Joh 18
πούς (GUNDRY 647)
    Mt 10 : Mk 6 : Lk 18 + 19 : Joh 14
      =(Mk 6 - 2 + 2) + (Q 1 + 2) + (A-Mt 1)
Von Gott nur 5,35 (Anspielung LXX-Ps 98,3) gebraucht, wo die Erde als
Thronschemel der Füße Gottes definiert ist; von Tieren nur 7,6(+Q – wohl
chiastisch auf Schweine bezogen), wo es aber allegor. für Menschen steht
und durch das Vb. (Antonym zu "Heiligem" als *Entheiligen* wie 3Makk 2,18)
καταπατέω (GUNDRY 645)
    Mt 2 : Mk 0 : Lk 2 (NT nur noch Hebr 10,29),
wie dies 5,13(+Q von Menschen) zeigt, auch noch metonymisch auf die ganze
Gestalt bezogen gedacht werden muß. Diese Pars-pro-toto-Beziehung ist darum auch in der Verwendung des Subst. auf Gott 5,35 zu veranschlagen, so
daß der Anthropomorphismus nicht überbetont ist; hier tritt hinzu
ὑποπόδιον Erde als sein *Fußschemel* (LXX-Jes 66,1)
    Mt 1 : Mk 0 : Lk 1 + 2 (NT nur noch Hebr 1,13; 10,13; Jak 2,3; LXX 4mal)
Auch auf Menschen bezogen ist π. an der ersten Stelle 4,6(=Q Zitat LXX-Ps
90,12) der Sing. "auf die Gefährdung der ganzen Person bezogen" (BERG-
MEIER EWNT 3,344). Speziell die Zwölf sind in dem Gerichtsankündigungs-
gestus 10,14(=Mk) angesprochen (Staub von den Füßen schütteln). Der Körperteil (der auch *das ganze Bein* meinen kann) ist als abfallgefährdender
18,8a(=Mk) im Blick, der geopfert werden muß, um nicht mit *beiden Beinen*
V.8b(=Mk – als ganze Gestalt/Person) in die Hölle zu kommen. Die dabei von
Mt vollzogene Nebeneinanderstellung mit den vorderen Extremitäten ist auch
red. 22,13(+Q) wiederholt, wo das Bild zur →*Fesselung* (= völlig entmachten)
hin erweitert ist.
    Machtsymbol wie beim *Zertreten* sind die *Füße* auch an den drei christo-
log. Stellen: 15,30(+Q9 beim Zu-Füßen-Werfen der diversen nicht-jüd. Kranken (vgl. zeitgenössisch zum heilenden Fuß auch bei Vespasian TacAnn 4,81;
SuetVesp 7); 28,9(+Mk) ist das Umfassen der *Beine* des Auferweckten als
→Proskynese erklärt (Hendiadyoin); 22,44(=Mk Zitat LXX-Ps 109,1 mit Präp.
aus Ps 8,7) legt Gott seinem Mitherrscher seine Feinde *unter seine Füße*
(vgl. 5,13 *Zertreten*). Zum Wortfeld gehört
περιπατέω (GUNDRY 645)
    Mt 7 : Mk 8 : Lk 5 + 8 : Joh 17
      =(Mk 8 - 5 + 3) + (Q 1),
das 3mal für den Erfolg der Lahmenheilung steht: 9,5(=Mk); 11,5(=Q) dupl.
15,31(+Mk), während Mk 5,42 entfiel, da keine Lahmenheilung vorlag; daneben dreimal für epiphanes (Ijob 9,8) Gehen auf dem Wasser 14,25f(=Mk) und
V.29(+Mk) für Petrus dupl. (BERGMEIER EWNT 3,177f). Jesu *Umhergehen,
Sich-Aufhalten* (BAUER WB 1287) erscheint 4,18(+Mk – evtl. Mk 11,27 versetzt), weil Mt das mk Vb. in anderer Bedeutung verwendete (GUNDRY 61).
Die ethische Bedeutung in Mk 7,5 wurde nicht übernommen.
πεζῇ Mt 14,13(=Mk –NT sonst nie; LXX nur 4Regn 15,17) Adv. *zu Fuß*
χωλός (GUNDRY 649)
    Mt 5 : Mk 1 : Lk 3 + 3 : Joh 1 (NT nur noch Hebr 12,13; LXX 12mal)
      =(Mk 1) + (Q 1 + 3)
meint 18,8(=Mk) klar *beinamputiert* und steht im synthetischen Parallelismus
zu →*blind* V.9; diese Koppelung erscheint auch an allen weiteren Stellen und
ist so für Mt kennzeichnend. ebenso ist auch an allen weiteren Stellen eine
Dauerbehinderung und nicht nur eine zeitweise Lähmung bezeichnet. Der
Plur. aus dem Heilungsbeweis 11,5(=Q) wurde in dem Heidenheilungssumma-
rium 15,30f(+Mk) wie dem Tempelheilungssummarium 21,14(+Mk) red. dupl.;
synonym dazu verwendet ist gleich oft voranstehend das erst hell. zeit-

genössisch belegte und damit moderne (Diosc. 1,16; BAUER WB 1230)
παραλυτικός (GUNDRY 647)
   Mt 5 : Mk 5 (NT und LXX sonst nie)
      =(Mk 5 - 2 + 1) + (Q 0 + 1)
Während Mk 2,3-10 alle Stellen in einer einzigen Episode vorgab, sind von
Mt 9,2a.b.6 nur drei übernommen; gleichzeitig wurde dieses Segment zur mt
Letztverwendung; die beiden andern stehen voran: 8,6(+Q dürfte die urspr.
Q-Fassung bieten (von der aus dann im übrigen Mk 2,1ff erst red. abgeleitet gebildet und nicht "weithin unverändert aus der Gemeinde-Tradition
übernommen" sein dürfte gg. RISSI EWNT 3,73); Mt hat beide Stellen noch
weiter durch labiale Alliteration mit ≯liegend aneinander angeglichen. Der
Plur. der ersten Stelle 4,24(+Mk) bei der summarischen Syrer-Heilung stellt
wieder eine red. Dupl. dar. Lk vermied das Adj. zugunsten des Pt.Pass. er-
lahmt, um einen zeitlich begrenzten Zustand von dem Dauerzustand des ersten Adj. (von Geburt an) zu differenzieren (BUSSE 1977:120). Im Vergleich
damit hebt sich die mt Pauschalisierung und Generalisierung noch deutlicher heraus wie die synonyme Renominalisierung mit χωλοί. Antonym zu beiden Adj. ist bei Mt darum περιπατέω (vgl. 9,5 mit 11,5; 15,31).
πρᾶγμα ≯ἔργον
πραιτώριον 27,27(=Mk) lat. *praetorium* Residenz des Provinzgouverneurs
   Mt 1 : Mk 1 : Lk 0 + 1 : Joh 4 (außer Phil 1,13 nie in NT und LXX)
πρᾶξις ≯ἔργον
πραΰς (BARTH 1970:121f; CHRIST 1970:114f; STRECKER 1971:173f; GUNDRY 647)
   Mt 3 (NT nur noch 1Pt 3,4; LXX 17mal)
Das Erfüllungszitat 21,5(+Mk Sach 9,9) begründet den Eselseinzug in Jerusalem und nennt im Zitat π. als Begründung dafür im Zusammenhang mit dem
Königstitel. Es ist die königliche Tugend der Großmut (analog der Toleranz
als der Fürstentugend der Aufklärungszeit), die verzeiht und beschenkt,
wie sie JosAnt 19,7.4 beispielhaft von Agrippa einem Jerusalemer Simeon gegenüber gewährt; in der belehrend weisheitlich nachgestellten Gnome heißt
es ausdrücklich, "weil dieser urteile, daß *Großmut* königlicher sei als Zorn
und dem Hochstehenden Milde besser anstehe als Heftigkeit". Es steht damit
im Wortfeld der Aussöhnung und hat so einen mt Bezug zur Feindesliebe.
Sie darf also nicht vorschnell als Hyponym unter "Niedrigkeit" subsummiert
werden (gg. BERGER 1977:213f auch nicht einfach als Synonym zu ταπεινός),
denn auch Mt 21,5 spricht ausdrücklich mit Bezug auf Jerusalem von "deinem König". Der Endzeitkönig, der zugleich die Weisheit Gottes ist, läßt das
Adj. mt gefüllt sein von 23,37: Sammeln wollen wie eine Glucke ihre Küken".
Innerhalb der mt Ganzzuwendung zu Israel ergänzt damit diese Zuwendung
zu Jerusalem (typischerweise ergänzt Mt 21,14 das Lehren dort durch Heilungen) die vorherige zu Galiläa, wo das Adj. von Sach 9,9 im red. ver-
heißenden, von Sir 6,23-31; 51,23-30 her ergänzten Ruf der Weisheit 11,29
(SCHULZ ThWNT 6,649f; CHRIST 1970:112ff) christol. eingefügt ist. Hier im
Galiläateil ist es sachlich mit dem umschrieben, was 12,18-21 das aus-
führlichste Erfüllungszitat aus Jes 42,1-4 konkret entfaltet (BARTH 1970:
117ff) und es dadurch wieder mit der prädizierten mt Gottessohnschaft als
Endzeitkönigtum zusammendenkt. In der christol. Verwendung von π. verhält
sich damit 11,29 zu 12,18-21 in Galiläa wie 21,5 zu 23,37 in Jerusalem und
bindet beide zusammen. Es ist eine ethische Bezeichnung für "Jesu Haltung"
als Endzeitkönig und Weisheit Gottes (STRECKER 1971:173f m.R. gg. "die
paulinisierende Mt-Interpretation" von BARTH 1970:139, der hier mit
SCHLATTER und SCHNIEWIND "die Niedrigkeit Jesu, nämlich das Eintreten
Jesu für die Sünder, ausgesagt findet"). Von daher hat Mt π. auch 5,4(+Q)
in seinen Katalog der Grundbedingungen für die wahren Weisheitslehrer als
Einlaßbedingung in die Himmels-Basileia unter Aufnahme aus dem weisheitlichen LXX-Ps 36,11 (FRANKEMÖLLE EWNT 3,352f) eingereiht, wo im rahmen-

den Chiasmus der Nachsätze (B:B') V.9 wiederum die eschatol. "Sohnschaft" im königlichen Sinne (=Mitherrscher) dieser Tugend der Großmut zugeordnet ist. Es ist die Eigenschaft derer, die vor Gott auf Gewalt verzichten (KOCH 1974:51f), erscheint "nie aber als Attribut Gottes" (CHRIST 1970: 115).

πρέπω ⟩εἰμί

πρεσβύτερος ⟩ἀρχιερεύς

πρίν 1,18; 26,34.75(=Mk) Adv. temporal *ehe, bevor*

    Mt 3 : Mk 2 : Lk 2 + 3 : Joh 3 (NT sonst nie)

πρό ⟩ἔμπροσθεν, + Inf. ⟩ὁ

προάγω ⟩ἄγω

προβαίνω 4,21(=Mk) *vorwärtsgehen*

    Mt 1 : Mk 1 : Lk 3 (temp. übertragen; NT sonst nie; LXX 19mal)

πρόβατον ⟩ποιμήν

προβιβάζω 14,8(+Mk; NT sonst nie; wie an den beiden einzigen LXX-Stellen

    Ex 35,34; Dt 6,7 *vorschicken* = *anweisen*; BAUER WB 1395)

προέρχομαι ⟩ἔρχομαι

πρόθεσις 12,4(=Mk) Brote der *Schaustellung* (3Regn 21,7; Lev 24,5-9)

    Mt 1 : Mk 1 : Lk 1 + 2 : Joh 0

πρόθυμος ⟩πνεῦμα

προλέγω 24,25(=Mk) *vorhersagen*

    Mt 1 : Mk 1 : Lk 0 + 1 (LXX nur hell. Schriften 13mal)

πρός + Akk.

    Mt 40 : Mk 62 : Lk 164 + 133 : Joh 97

        =(Mk 62 - 51 + 16) + (Q 3 + 6) + (A-Mt 4)

Kennzeichnend mt ist 5mal red. πρός + Inf. ⟩ὁ zur Angabe eines angestrebten *Ziels* oder der *Folge* wie mit Subst. 19,8(=Mk Starrköpfigkeit) – doch hier evtl. nur π. der *Beziehung* (BAUER WB 1409) wie 27,4(+Mk *was betrifft uns das?*).14(+Q *antworten auf*);

    meist *lokale Zielangabe* nach Vb. der Bewegung neben 12mal bei ⟩ἔρχομαι und 3mal bei ⟩πορεύομαι noch 9mal (10,13 dürfte gg. N-A, H-G mit Q ἐφ' urspr. sein): 2,12; 3,5(=Mk).13(+Mk); 4,6(=Q); 11,28(+Q); 13,2(=Mk) *versammeln bei* dupl. 27,69(+Q); 26,18a(+Mk).57(=Mk); 5mal des Sendens: 21,34.37(=Mk); 23,34(+Q).37(=Q); 27,19(+Mk);

    daneben Bezeichnung des *Seins* (BAUER WB 1410) und *Bleibens* 3,10(=Q κεῖται); 13,56(=Mk εἰσιν); 26,18b(+Mk ποιῶ). Bei Mt nie temporal verwendet und nie für den Adressaten der Rede (3,15 dürfte darum mit B *f³* pc der Dat. urspr. sein und π. gg. N-A, H-G nach der doppelten Verwendung V.13f hier sek. eingedrungen sein; RADL EWNT 3,386).

προσάγω ⟩ἄγω

προσδοκάω 11,3(=Q) *erwarten*; 24,50(=Q) *unerwartet, überraschend*

    Mt 2 : Mk 0 : Lk 6 + 5 (NT nur noch 2Pt 3,12-14; LXX 12mal)

προσέρχομαι ⟩ἔρχομαι

προσεύχομαι (GUNDRY 647)

    Mt 15 : Mk 10 : Lk 19 + 16 : Joh 0

        =(Mk 10 - 3 + 2) + (Q 2 + 4)

dazu 21,13(=Mk Zitat *Haus zum Beten*).22(+Mk statt Vb. *bitten beim Beten*) das wohl erst von LXX gebildete Subst. (BAUER WB 1414) als Nom. actionis προσευχή

    Mt 2 : Mk 2 : Lk 3 + 9 : Joh 0

Das immer ein an Gott gerichtetes Reden bezeichnende Vb. hat Mt in Entsprechung zur 5fachen Häufung am Schluß 26,36.39.41f(=Mk).44(+Mk dupl.) in einer 7fachen Häufung am Anfang in der Bergrede gesetzt: 5,44(=Q nur hier mit Präp. für Verfolger); 6,5a(=Q-Lk 11,2 permutiert) dupl. V.6a.b.7.9(+Q), dem jüd. Beten als dem von Heuchlern 6,5b(=Mk 12,40 permutiert) entgegengesetzt; dabei ist die einmalige Verbindung mit Adv. in dem auffordernden Imp. einleitend zum Herrengebet eine ausdrückliche Verpflichtung auf diesen

Wortlaut, worauf dann 26,36-44 in mehrfacher Hinsicht zurückweist. Eine Gebetsabsicht Jesu geht 14,23(=Mk) der See-Epiphanie voraus (während der Bericht Mk 1,35 nicht übernommen ist), während der Inf. 19,13(+Mk ergänzend zum Auflegen der Hände) einen an ihn herangetragenen Wunsch nach Fürbitte für Anwesende (SCHENK 1967:66-73) bezeichnet. Der Imp. mit Inhaltsangabe 24,20(=Mk) ermuntert zu einer Bitte um Verschonung vor Gefahren auf der ansonsten befohlenen Flucht. Synonyme ⇾αἰτέω, ἐρωτάω, κράζω.

προσέχω (GASTON 1973:63; GUNDRY 647)

Mt 6 : Mk 0 : Lk 4 + 6 : Joh 0

bis auf die letzte, referierende Stelle 16,12(+Mk) im Inf. immer im Imp. des mt Jesu als Eröffnungssignal an die Schüler adressiert *hütet euch vor!*, wobei an der ersten Stelle 6,1(+Q) die Negation μή und an allen folgenden die Präp. ἀπό (Mt 5 : Lk 2) folgt, wobei Mt auch nie den für Lk kennzeichnenden Dat. ἑαυτοῖς hat: 7,15(+Mk) wie 16,6.11(+Mk) auf die Lehre der jüd. Gegner bezogen und 10,17(+Q) auf das Verfolgungshandeln selbst als die Entfaltung der Überschrift von V.16, klug wie die Schlangen zu sein, wie V.23 als Hyponym φεύγετε erscheint; es gehört hier in das mt Wortfeld der Verfolgung und entspricht dem jesuanischen Ausweichen und Rückzug ἀναχωρέω.

προσήλυτος ⇾(προσ-)ἔρχομαι

πρόσκαιρος ⇾ἡμέρα

προσκαλέομαι ⇾καλέω

προσκόπτω 4,6(=Q Zitat); 7,27(+Q synonym V.24 προσπίπτω) *stoßen*

Mt 2 : Mk 0 : Lk 1 + 0 : Joh 2 (NT nur noch Röm 9,32; 14,21; 1Pt 2,8)

προσκυλίω ⇾λίθος

προσκυνέω (HAWKINS 1909:7; MORGENTHALER 1973:181; GUNDRY 647)

Mt 13 : Mk 2 : Lk 3 + 4 : Joh 11

=(Mk 2 + 5) + (Q 2 + 1) + (A-Mt 3)

Kennzeichnend für Mt ist, daß er Mk 5,6 π. (gut griech. mit Akk. von der Präp. des Komp. her als ursprünglich trans. *Anküssen*; B-D-R 151,2) für diese Handlung der *achtungsvollen Unterwerfung* unter *einen an Macht Überlegenen* mit Dämonen als Subj. Jesus gegenüber nicht übernahm und statt dessen in der darauffolgenden Episode für einen für seine Tochter hilfesuchenden Vater Mt 9,18 (mit dem bei ihm üblichen LXXismus des Dat.; GREEVEN ThWNT 6,762f) permutierte. Auch bei der Spottgeste Mk 15,19 hat er π. (+ Dat.) gestrichen und dafür in die von ihm erst gebildete erste Auferweckungserscheinung vor den Frauen 28,9 versetzt. Betont steht sie auch bei der ersten seiner individuellen Heilungsdarstellungen 8,2(+Mk - zugleich die Gewinnung des fünften Schülers, des ersten, der als Zeuge gg. Israel ausgesandt wird) und ersetzt hier mk

γονυπετέω

Mt 2 : Mk 2 (NT und LXX sonst nie),

was Mt 19,16 auch bei dem feindlichen Antragsteller aus Mk 10,17 wegließ und wiederum nach Mt 17,14 für einen für seinen Sohn hilfesuchenden Vater vorverlegte; ferner hat er es 27,29 als Spottgeste der Soldaten statt des lat. Funktionsverbgefüges Mk 15,19 verwendet.

Seine synonymes Vorzugswort π. hat Mt vor einer Heilungsbitte der kanaanäischen Mutter für ihre Tochter auch 15,25(+Mk + Dat.) eingefügt; hier ist wie auch 8,2 und 17,17 die ⇾κύριε-Anrede konstitutiv damit verbunden und für die mt Semantik der Handlung konstitutiv (STRECKER 1971:124). Dem entspricht die Verwendung durch die Zwölf 14,33(+Mk) nach der See-Epiphanie in Verbindung mit der bestätigenden Gottessohn-Akklamation. Die Proskynese ist also bei Mt keine übliche Form der Ehrung eines Höhersteheden und weist auch nirgends historisch auf einen bloßen Huldigungsgruß Jesus gegenüber zurück (GREEVEN ebd.764f gg. HORST 1932:186); sie ist auch nicht bloßer Ausdruck einer Bitte, da π. auch in der einzigen pt. Stelle (als Nebenhandlung abs.) 20,20(+Q) dem ausdrücklich metakommunikativ noch genannten "Bitten" voransteht; es ist also primär ein Gestus der *Zugehörigkeit* und *Anerkennung*, der funktional primär mit der Hoheitsanrede verbunden ist - bzw. diese unausgesprochen auch als solche signalisiert, wobei eine solche Bitte dann auch wie hier als töricht abgewiesen werden kann. Mt verabsolutiert also durchaus nicht das Bitten bzw. Bittgebet als solches.

Aus Q übernommen ist die Proskynese-Forderung des Satans 4,9 (+ Dat. für einen *Einzelakt*) wie deren Zurückweisung V.10 (=Q + Akk., um die *regelmäßig* geübte Gottesverehrung davon zu unterscheiden), wo π. in das Zitat Dt 6,13 (statt φοβέω) schon in Q um der antithetischen Entsprechung willen ersetzend eingefügt war. Das Ansinnen des Verhöhners ist für Mt von vornherein absurd, weil sein Jesus selbst schon 2,2.11 (+Dat.) Obj. der Proskynese als Endzeitkönig Israels war - bzw. 2,8 auch scheinheilig der des Herodes werden sollte. In Korrespondenz dazu ist auch die letzte Stelle 28,17 red. und beschreibt dupl. wie schon V.9 und von daher eine Reaktion auf die Epiphanie. Es ist die letzte von neun nur bei Mt Jesus erwiesenen Proskynesen; da diese schon dem Kinde gegenüber geübt wurden, kann keine Rede davon sein, daß Mt die Erscheinungen des Auferweckten damit besonders abhebt (gg. LOHMEYER 415 - im Unterschied zur pointierten Aufsparung des Ausdrucks in christol. Hinsicht bei Lk 24,52 mit Akk.). Das Vb. bezeichnet also auch nicht als solches "göttl. Verehrung" (gg. FRANKEMÖLLE 1974:166), weshalb die pauschale trinitäts-apologetische Wiedergabe mit "Anbetung" inadäquat ist (gg. eine Pauschalisierung auch in falschen Alternativen wie bei NÜTZEL EWNT 3,420 "Während im außer-bibl. Sprachgebrauch die Bedeutung von π. von Anbetung bis zu bloßer(?!) Wertschätzung reichte, ist *der rel. Gehalt des Wortes* (?!) im NT *durchgehalten*").

Red. ist auch die Verwendung in der Endgerichtsallegorie 18,26(+Q), wo die Proskynese wieder einer Verschonungsbitte eines Christen vorausgeht; Mt hat auch hier den Dat. der Person gesetzt (auch 28,17 wird mit H-G 279 gg. N-A; GNTCom 72 das Obj. aus Gründen des stereotypen Stils des Mt wohl urspr. LA sein und die Verkürzung eine sek. Glättung darstellen, da das Obj. schon V.9 genannt war bzw. das Pron. eben erst im Akk. voranstand, während 20,20 wegen der dortigen Verwendung des Pt. nicht als vergleichbare Par. herangezogen werden kann):

προσκυνέω αυτῷ/μοι

Mt 11 : Mk 1 : Lk 0 + 1 : Joh 2.

Die Allegoriestelle 18,26 hat als weiteres mt Stilmerkmal auch die redundante Verbindung mit dem Pt.Aor. von ⊁πίπτω, was 2,11 einführte und auch 4,9(+Q) red. zusetzte (vgl. sachlich synonym auch das Umfassen der Füße 28,9):

πεσὼν/-όντες προσκυν- αὐτῷ

Mt 3 : Mk 0 : Lk 0 + 1 : Joh 0.

Daraus ergibt sich nochmals deutlich, daß für Mt "auch sonst" die Proskynese als Einzelakt "im Niederfallen geschieht" (NÜTZEl ebd.). In ähnlicher Weise ist 8,2; 9,18; 20,20; 28,9

προσέρχομαι + π.

Mt 4 : Mk 0 : Lk 0 + 0 : Joh 0

vorgeordnet bzw. 2,2.8; 15,25 synonym dazu das Simpl.; Mt betont also mit π. den gottköniglichen Charakter seines Jesus. Hinter dem Ausdruck steht bei ihm als referentielles Konzept wesentlich der persische Hofkuß, wie ihn Alexander d.Gr. als Anordnung in den griech. Bereich übertrug (FOX 1979: 434-9.724), wo nach und nach seine orientalische Fremdheit verblaßte (GREEVEN ebd.760f). Wenn Mt ihn also durch die Magier aus dem Osten einführte und auch für die hervorgehobene Kanaanäerin bezeichnend sein läßt, dann dürfte er signalisieren, daß er sich wie seinen Lesern mit dem gleichen Kode den Gestus nicht zu abstrakt, sd. konkret als *achtungsvolle Unterwerfung* durch *Anküssen* vorgestellt haben dürfte. Damit ist im mt Kotext auch der Judas-Kuss 26,49 einer Isolierung entnommen. In den christl. Ge-

meindeversammlungen des Mt ist eine christol. Proskynese nicht vorstellbar
– es sei denn in der Gestalt, daß Mt intendierte, daß seinem sich selbst
kanonisierenden "Buch von der wahren Vaterschaft Gottes über Jesus" (1,1)
ein solcher Fußfall und Kuß dargebracht würde, wie er bei den Juden den
Tora-Rollen nach EpArist 177.179 und JosAnt 12,114 schon zukam (GREEVEN
ebd.763). Auf jeden Fall sind entsprechende Handlungen in der Verlänge-
rung der pragmatischen Intention des Mt konsequent und stellen eine Entfaltung und keine Transkodierung der mt Semantik dar.

προσλαμβάνω 16,22(=Mk) *beiseite nehmen*
    Mt 1 : Mk 1 : Lk 0 + 5 (NT noch Pl 5mal; LXX 8mal)
προσμένω 15,32(=Mk) *ausharren bei*
    Mt 1 : Mk 1 : Lk 0 + 3 (NT nur noch 1Tim 1,3; 5,5; LXX nur hell. 4mal)
προσπίπτω ⇥πίπτω
προστάσσω ⇥διδάσκω
προστίθημι + Akk. 6,27(=Q) *hinzufügen*; 6,33(=Q) Pass. *hinzugegeben werden*
    Mt 2 : Mk 1 : Lk 7 + 6 (NT nur noch Gal 3,19; Hebr 12,19)
προσφέρω (HAWKINS 1909:7; MORGENTHALER 1973:181; GASTON 1973:63; GUNDRY
    Mt 15 : Mk 3 : Lk 4 + 3 : Joh 2 (NT nur noch Hebr 20mal)   647)
    =(Mk 3 + 5) + (Q 0 + 4) + (A-Mt 3)
Von Mk vorgegeben waren 8,4; 9,2(=Mk 2,4 versetzt); 19,13; zugesetzt wurde
es 4,24; 8,16(+Mk Simpl.); 14,35(+Mk περί-Komp.); 17,16(+Mk Simpl.); 22,19(+Mk
Simpl.). Der Einleitungssatz zur Dämonenaustreibungskontroverse 12,22(+Q
Dupl. 9,32) erweist sich als red. wie 18,24(+Q wohl urspr. LA als mt Vorzugswort N-A; LAGRANGE 358); auch die letzte Stelle 25,20(+Q) dürfte mt Zusatz sein. Bei den A-Mt-Stellen ist nicht nur bei der Dubl. 9,32, sd. auch
bei 2,11; 5,23f eine vor-mt Formulierung nicht zu erschließen.

    Neben der mt Häufigkeit gibt es auch noch für Mt charakteristische Ver-
bindungen:
a) Während sich der pron. Dat. der Person bei Mk 2,4 mit Inf.Aor. bzw.
10,13 beim Impf. vorfand, hat Mt in seinem standardisierenden Stil im
Impf. mit αὐτῷ nur 9,2 in kontextnotwendiger Abwandlung, da es sich um
eine erst versuchte Handlung (Impf. de conatu) handelt, sonst aber die
finit. Vb.-Form des Aor. 2,11; 4,24; 8,16; 9,32; 12,22 (wegen der zusätzlichen
Kennzeichen (b) + (d) dürfte aus inneren Gründen mit B 1424 pc hier gg.
N-A, H-G LAGRANGE 240; KLOSTERMANN 107; GRUNDMANN 328 nicht das Pass.
urspr. sein); 14,35; 22,19 im Akt. und 18,24; 19,13 im Pass.
προσ(ήνεγκαν) + αὐτῷ (womit immer Jesus gemeint ist)
    Mt 9 : Mk 0 : Lk 0
Als kotextbedingte Variante kann 17,16 mit akt. Aor. noch als 10. Stelle
dazugerechnet werden, da auch bei dem Dat. "zu *deinen* Schülern" der Bezug zu Jesus christol. betont ist.
b) Dabei ist das genannte Syntagma noch mit dem Pt. von ⇥δαιμονίζομαι im
Obj.-Akk. verbunden – bei den beiden ersten Summarien 4,24 und 8,16 im
Plur. wie 9,32 wie 12,22 im Sing., was sich so nur bei Mt findet
προσήνεγκαν αὐτῷ δαιμονιζόμενον/-ους
    Mt 4 : Mk 0 : Lk 0
Daneben verdient Beachtung, daß das 4,24 dem noch vorgeschaltete Obj.
auch in dem Summarium 14,35 wiederholt ist.
c) Nach dem mt Prinzip der Gleichbehandlung aufeinanderfolgender Stellen
προσφέρω ⇥δῶρον 2,11(Plur.); 5,23f; 8,4
    Mt 4 : Mk 0 : Lk 0
Dabei meint 2,11 (vgl.[e]) das *Überreichen* der Huldigungsgeschenke und
auch 5,23f wie 8,4 geht es, da nicht der Priester angeredet ist, nicht um
Opferdarbringung selbst, sd. nur um "die *Übergabe* des zu Opfernden an
den Priester" (WEISS ThWNT 9,68; SCHENK EWNT 3,429 gg. JEREMIAS 1966:
103f).

d) Nach dem gleichen Prinzip erklärt sich die Aufeinanderfolge der beiden Pass.-Stellen 18,24 und 19,13, wobei nach dem verbreiteten, schon klass. Sprachgebrauch von Pass. + Dat. der Person *erscheinen vor, begegnen* meint (Belege bei BAUER WB 1427f; WEISS ThWNT 9,67f); 19,13 werden so von Mt die "Eltern" völlig ausgeschaltet, wie der red. Fortgang der Stilisierung der Perikope zeigt, der nur so erklärlich wird; für 18,24 läßt sich so die Frage entscheiden, ob das Vb. speziell eine "Vorführung" aus der Schuldhaft meint (so BAUER WB 14,27; JEREMIAS 1965:208 n.8) oder eben nicht (die Ablehnung von LINNEMANN 1969:176 n.11 wird erst damit durchschlagend entscheidbar; SCHENK EWNT 3,428f).

e) Ein weiteres Beispiel für das Prinzip der Gleichbehandlung aufeinanderfolgender Stellen liefern auch die beiden letzten: 22,19 wie 25,20 haben "Geld" als Sachobj., wodurch π. *aushändigen, übergeben* bedeutet.

προσφωνέω ⇒καλέω

πρόσωπον (GUNDRY 647)

    Mt 9 : Mk 3 : Lk 13 + 11 : Joh 0

      =(Mk 3 + 6)

Das *menschl. Gesicht* als Obj. des Verstellens 6,16, Waschens 6,17, Anspuckens 26,67(=Mk), als Subj. des Leuchtens 17,2(+Mk als Legitimationszeichen von Ex 24,40 Mose her; BERGER EWNT 3,435f); übertragen πίπτω εἰς/ἐπὶ π. αὐτοῦ/-ῶν *für sich niederwerfen* (Proskynese - uspr., um die Erde der chthonischen Gottheiten wegen zu küssen) als Reaktion auf die Epiphanie 17,6(+Mk) bzw. zum Gebet 26,39(+Mk); die *äußere Erscheinung, das Aussehen eines Menschen achten* 22,16(=Mk); schlicht zur Verstärkung des Pers. Pron. in präp. Wendung *vor dir her* 11,10(=Mk 1,2 Zitat). Von *Gott* als Obj. der Engel nur 18,10(+Mk): "Das Antlitz jemandes sehen heißt: Kontakt mit ihm haben. Die entscheidenden Pole der Kontaktnahme (Antlitz und Sehen) stehen daher hier metaphor. für den gesamten Kontakt" (BERGER ebd. 437). Die einzige *sachliche* Verwendung 16,3 *die äußere Erscheinung, das Aussehen des Himmels* dürfte auch als solche sek. Zusatz sein.

προφητεία, προφητεύω, προφήτης ⇒γραφή

προφθάνω ⇒βασιελία

πρωί, πρωία ⇒γίνομαι

πρωτοκαθεδρία ⇒καθέδρα

πρωτοκλισία ⇒ἄρτος

πρῶτον, πρῶτος ⇒ἔσχατος

πτηρύγιον ⇒ἀρχιερεύς

πτέρυξ ⇒πετεινόν

πτύον ⇒ἄρτος

πτῶμα, πτῶσις ⇒πίπτω

πτωχός (GUNDRY 647)

    Mt 5 : Mk 5 : Lk 10 + 0 : Joh 4

      =(Mk 5 - 2) + (Q 2)

Die 5,3(=Q) um des Vorsehungsplanes willen *willentlich Armen*, denen die Lohnverheißung der individuellen Unsterblichkeit gilt, werden mt als dieselben 11,5(=Q - da mt "Evangelium" Lohnzusage meint) erinnert (= mt Lesergemeinde), während 19,21(=Mk) unspezifisch und genereller gemeint ist, wenn der Art. nicht urspr. LA ist wie auch 26,9.11(=Mk - als Gegenüber der Zwölf). *Arm* ist keine absolute Bezeichnung (wo alle wenig haben, wird das nicht so bezeichnet) sd. nur relational zum Antonym

πλούσιος 19,23(=Mk).24(+Mk dupl.) als positiver Kontrast dazu 27,57(+Mk)

    Mt 3 : Mk 2 : Lk 11 + 0 : Joh 0

πλοῦτος 13,22(=Mk) *Reichtum* als betrügerisch gekennzeichnet

    Mt 1 : Mk 1 : Lk 1 + 0 : Joh 0

πύλη ⇒ὁδός

πυλῶν ⇒ἀρχιερεύς

πυνδάνομαι 2,4 *sich erkundigen*
   Mt 1 : Mk 0 : Lk 2 + 7 : Joh 1 (NT sonst nie; LXX 15mal)
πῦρ (GUNDRY 647)
   Mt 12 : Mk 4 : Lk 7 + 4 : Joh 1
   =(Mk 4 - 1 + 4) + (Q 3 + 2)
Außer 17,15(=Mk 9,22 als dessen einleitender Stelle) ist es von Mt immer
eschatol. als Folter- und Tötungsmittel für die *ewige Vernichtung* (LICH-
TENBERGER EWNT 3,483f) verwendet, doch auch hier im Sinne von Gefährdung übernommen, während eine positive Verwendung wie Mk 9,49 ausgelassen wurde. Niemals erscheint es mit der positiven Bedeutungskomponente
des Wärmenden (muß Mt in wärmeren Gegenden als Lk angesiedelt werden?:
χειμών 24,20[=Mk] *im Winter*; v.l. 16,3 *schlechtes Wetter* wohl Zusatz
   Mt 1 : Mk 1 : Lk 0 + 1 : Joh 1 [NT nur noch 2Tim 4,21; LXX 6mal]
Von daher veranlaßt dürfte die metaphor. Verwendung von
ψύχομαι 24,12(+Mk *erkalten* [der Liebe]
   Mt 1 [NT sonst nie; LXX 5mal]
sein; auch das Adj. hat nur Mt
ψυχρός 10,42[+Mk] subst. *kaltes, kühles Wasser*
   Mt 1 [NT nur noch Apk 3mal; LXX 3mal],
so daß auch diese Wurzel als für Mt kennzeichnend erscheint).
   Im eschatol. Sinne ist π. zweimal 18,8 von Mk 9,43.28 übernommen und
von daher 5,22 dupl. worden. Drei Stellen entstammen der Täuferrede aus Q:
3,10.11.12, wovon die erste Stelle 7,19 im Munde Jesu dupl. wurde. Auch die
red. mt Gerichtsallegorien 13,40.42.50 sind deutlich im Anklang an die Q-
wie Mk-Vorgaben gebildet (wie Mk seinerseits schon von Q abhängig sein
dürfte): *Geworfensein.* 25,41 hat er red. die schon 18,8 gebildete Wendung
mit →αἰώνιον wiederholt; als Synonym fügt er dort 25,46
κόλασις
   Mt 1 (im NT nur noch 1Joh 4,18; LXX 15mal)
im gleichen Syntagma hinzu; dies wiederum ist synonym mit dem in 3,12 aus
Q übernommenen Zusatz (vgl. DionHal, Strabo, Philo, Plut BAUER WB 227)
ἄσβεστον
   Mt 1 : Mk 1 : Lk 1 (NT sonst nie; LXX nur Hi 20,26 v.l.),
den Mk 9,43 verwendet hatte. Der früheste Beleg dieses Konzepts ist der
späte (sicher noch Trito-Jes überbietende) Abschluß des Jes-Buches 66,24,
den Mk 9,48 in diesem Sachzusammenhang ausdrücklich aufnahm.
   5,22 hatte Mt schon das Gen.-Syntagma →γέεννα τ.π. gebildet, das er
auch 18,8 wiederholt. Von daher ist es auch an den Stellen sachlich zu
hören, die nur ein Element dieser Verbindung in der Textoberfläche verbalisieren. Analog dazu hat 13,42.50 ein entsprechendes Syntagma mit
κάμινος (NT noch Apk 2mal) *Schmelzofen, Töpferofen* (BAUER WB 794) diff.
κλίβανος 6,30(=Q - NT sonst nie; LXX 12mal) *(tönernen) Backofen* (ebd.862).
   Dafür liegt eine direkte Entsprechung im Mahnredenbuch 1Hen 98,3 vor
(KNIBB 1979:356f ɣg. THEISOHN 1975:182-201, der Mt direkt von den Bilderreden des Hen abhängig sieht; doch ist 1Hen 54,6 nur eine entferntere Entsprechung wie ebenso 1Hen 10,6.13 im Noah-Buch). Doch Mt kennt auch Dan
3,15.17 und 3Makk 6,6 (=LXX-Dan 3,48-50 Gebet Asarjas). Mit der Verdoppe-
lung der eschatol. *Feuer*-Stellen hat Mt einen Schwerpunkt gesetzt. Das
Feuer erscheint dabei immer als Mittel zu der übergeordneten Handlung des
Verbrennens; dies ist immer vorausgesetzt - auch da, wo es nicht verbalisiert ist:
κατακαίω (GUNDRY 645)
   Mt 3 : Mk 0 : Lk 1 + 1 (noch 1Kor 3,15; Hebr 13,11; 2Pt 3,10; Apk 5mal)
Im Munde des Täufers 3,17(=Q) ist Obj. im Sing. die *Spreu* (=Israel); diese
Antithese wurde 13,30 im Munde Jesu unter Ellipse von *Feuer* mit Obj. im
Plur. für das Völkergericht dupl., das in der anschließenden Dekodierung

V.40 wieder steht; gg. H-G 95 ist hier von der mt Multiplizierung und Stereotypisierung her nicht das Simpl.

καίω

Mt 1 : Mk 0 : Lk 2 + 0 : Joh 2 (noch 1Kor 13,3; Hebr 12,18; Apk 5mal) zu lesen, das Mt nur 5,15(+Q) vom Anzünden der Lampe hat.

καυματίζω 13,6(=Mk) versengen von der Sonne (Resultat →verdorren)

Mt 1 : Mk 1 (NT nur noch Apk 16,8f; LXX nie) allegorisch von der Verfolgung, was sicher auch so konnotiert ist bei καύσων 20,12(+Mk – NT noch Lk 12,55; Jak 1,11; LXX 15mal) Hitze, Sonnenbrand im entsprechenden allegor. Zusammenhang.

Da das mt Endgericht immer als Zusammenfassung der vorläufigen geschichtlichen Gerichte gedacht ist, so verwundert es nicht, daß er für die allegor. Vorhersage des Untergangs Jerusalems 22,7(+Q) auch das Hyponym in Brand stecken für das Vernichtungsgericht über Israel (vgl. 2Makk 8,6; JosBell 411; BAUER WB 508; B-D-R 93, 101) verwenden kann: ἐμπίμπρημι Mt 1 (sonst nie im NT).

Die Häufigkeit der Nennung unendlicher Scheiterhaufen im neuen Äon, für die die Gegner nur Spreu und Unkraut sind wie die exemplarische Bezugnahme auf historische Vorgänge darauf hin läßt kaum die Vermutung unterdrücken, daß Mt eine unbewußte Tendenz zur Pyromanie nicht abzusprechen ist. Eine Konnotation von Feuer ist auch mit der Erwähnung von →Σόδομα 10,15(=Q) und 11,23f dupl. (Lk 17,29 dürfte wohl dessen Analogiebildung dazu sein), denn im ersten Falle verstärkt Mt diese Feuer und Schwefel konnotierende Bezugnahme auf Gen 19,24f (vgl. Sap 19,13.20) noch durch die zusätzliche Nennung von →Γόμορρα (NT nur noch analog Röm 9,29; Jud 7; 2Pt 2,6); auch bei der zugeordneten Erwähnung von →Τύρος καί →Σιδών 11,21f(=Q – 15,21[=Mk] als Bestätigung und Erfüllung dieser Vorhersage wiederholt) dürfte Mt deutlich wegen der von ihm mit der Fortsetzung geschaffenen Komposition an Sach 9,2-4 wegen der dortigen Erwähnung des Feuers anspielen, die ja Jes 23; Ez 26-28; LXX-Joel 4,4 noch nicht ausgedrückt ist.

πύργος 21,33(=Mk) Turm als Jerusalem-Allegorie

πυρέσσω 8,14(=Mk – NT und LXX sonst nie) Fieber haben

πυρετός 8,15(=Mk) Fieber (BAUER WB 1448f; WEISS ThWNT 6,956-9)

Mt 1 : Mk 1 : Lk 2 + 1 : Joh 1 (NT sonst nie; LXX nur Dt 28,22) (πυρράζω 16,2f im sek. Zusatz Rotsein der Himmels als Wettervorzeichen)

πωλέω →ἀγοράζω

πῶλος →ἐπιβαίνω

πῶς (GASTON 1973:63; GUNDRY 647)

Mt 14 : Mk 14 : Lk 16 + 9 : Joh 20
=(Mk 14 – 12 + 5) + (Q 4 + 3)

Übernommen in den 3 indirekten Fragen 6,28(=Q) nach Vb. des Erkennens im Ind. modal wie (auf welche Weise) oder gar verstärkt daß (sie überhaupt) wachsen; 10,19(=Q) nach negiertem Prohibitiv der Sorge wie (oder gar verstärkt daß) und was ihr reden werdet; 12,4(=Mk) in der übergeordneten Frage "nicht gelesen, was ..., als ... wie (=daß; SCHENK EWNT 3,492). Kennzeichnend mt ist an den übrigen Stellen

πῶς interrogativ (GUNDRY 647)

Mt 11 : Mk 4 : Lk 7

immer in argumentativen Fragen oder Exklamationen in folgernder Absicht bei sachlichen Unverträglichkeiten unmöglich (ebd.489f), was besonders durch die folgernde mt Verbindung 12,26(=Q auf welche Weise = unmöglich würde dann seine Herrschaft Bestand haben); 22,43(=Mk wieso = unmöglich würde ihn David dann Herr nennen); 26,54(+Mk auf welche Weise = unmöglich würden dann die Schriftweissagungen erfüllt):

πῶς οὖν
   Mt 3 : Mk 0 : Lk 0 + 0 : Joh 0 (NT nur noch Röm 4,10; 10,14).
Dieses ist auch sonst vorauszusetzen, wenn bloßes π. steht, wie die beiden
dupl. angeschlossenen Renominalisierungen 12,29(+Q) bzw. 22,45(+Mk) zeigen;
ferner mit der Konnotation der *Mißbilligung* den Schülern gegenüber 7,4(=Q
wieso = unmöglich = woher nimmst du das Recht, zu deinem Mitchristen zu
sagen...*) und 16,11(+Mk einmalig mit Negation *wieso versteht ihr nicht?*);
erst recht nach Gegneranrede "Giftschlangenbrut" 12,34(+Q *wieso = unmöglich* könnt ihr Gutes reden) und 23,33(+Q *auf welche Weise = unmöglich* werdet ihr der Verurteilung zur Hölle entgehen) und auch 22,12(+Q *auf welche
Weise = woher nimmst du das Recht,* hierher hereinzukommen). Während die
genannten 13 Belege im Munde des mt Jesus erschienen, ist 21,20(+Mk) einmalig im Munde der Schüler und mit angeschlossenem Adv. das Element der
Verwunderung konnotiert, weshalb man π. hier auch als Exklamationspartikel
fassen kann: *ich begreife nicht = wie ist es möglich, daß = es ist unmöglich,
daß* der Feigenbaum sofort verdorrte.
ῥαββί →ἀρχιερεύς, διδάσκαλος
ῥάβδος →χείρ
ῥακά →γινώσκω
ῥάκος →γυμνός
῾Ραμά 2,18 (Zitat LXX-Jer 38,15 →῾Ραχήλ) Stadt in (Nord-)Judäa
ῥαπίζω →χείρ
ῥαφίς →γυμνός
῾Ραχάβ →γαμ-
῾Ραχήλ 2,18 benjaminitische Stamm-Mutter (Gen 35,19 Grab Bethlehem →῾Ραμά)
ῥήγνυμι, ῥησσω →διαρήσσω
ῥῆμα →λέγω
ῥίζα →δένδρον
ῥίπτω →βάλλω
῾Ροβοάμ 1,7a.b (NT sonst nie) *Rehabeam* (Sohn Salomos 1Chr 3,10)
῾Ρούθ →γαμ-
ῥύομαι →σῴζω
ῥύμη →ὁδός
σαβαχθάνι →ἐγείρω
σάββατον (GUNDRY 648)
   Mt 11 : Mk 11 : Lk 20 + 10 : Joh 13 (NT nur noch 1Kor 16,2; Kol 2,16)
        =(Mk 11 - 3 + 2) + (Q 1)
28,1a(=Mk) bezeichnet der Plur. den *Shabbat* und anschließend V.1b(=Mk)
μία σαββατῶν den *ersten Tag der Woche* (= Sonntag als Tag der Auferwek
kung und der ersten -serscheinungen). Gestrichen hat Mt die rahmenden
Nennungen Mk 1,21 und 6,2, die Jesus in einem positiven Verhältnis zum
Sabbat im Zusammenhang mit der Synagoge setzten. In antithetischer Entsprechung dazu hat er bei der Fluchtanweisung 24,20(+Mk) den *Shabbat* als
dem vorgegebenen "Winter" analoge Gefährdungsgröße und damit als verfol-
gungssteigernd zugefügt: "Von Judaismus zu reden, gibt der Spruch keinen
Anlaß, da er ja die vollständige Trennung vom Tempel verkündet und damit
aus der jüd. Frömmigkeit das Hauptstück entfernt" (SCHLATTER 706; GUNDRY
483; der Zusatz ist gg. HUMMEL 1966:41.164f kein Beleg für eine mt "Obser-
vanz des Sabbatgebots" und weil überhaupt nicht für ein positives Verhältnis zum Sabbat darum auch nicht ausweichend als vor-mt Zusatz zu klassifizieren gg. J.WEISS 367; STRECKER 1971:32; GRUNDMANN 506, weil dann immer noch die mt Kontextsemantik eines solchen petrifzierten Relikts ungeklärt bleibt; da Mt 28,1 keine Salbungsabsicht der Frauen mehr hat, liegt
auch hier kein Beleg mehr vor für ein "selbstverständliches Einhalten der
Sabbatruhe"; gg. BEILNER EWNT 3,529).
   Die restl. 8 Nennungen stehen voran in den beiden Kontroversen um ein

Abrupfen von Ähren durch die hungrigen Schüler 12,1.2(=Mk).5a(+Mk).b(=Mk 2,27 permutiert).8(=Mk) und eine einzige - noch dazu nur durchs Wort und ohne Arbeit vollzogene - Heilung Jesu 12,10(=Mk).11(=Q).12(=Mk) und werden wie bei Mk zum Ausgangspunkt des Tötungsbeschlusses gemacht. Dabei erscheint der Spruch von der Herrschaft des Sohnes 12,8 nicht mehr als Folgerung, sd. als *Begründung* neben der red. Selbstaussage, größer als der Tempel zu sein, was flankiert wird durch das gegenüber Mk stillschweigend korrigierte David-Exempel V.3f (1Regn 21,7), das ergänzt wurde durch den Hinweis auf das Handeln der Priester V.5 (Num 28,9) und die Überordnung des Liebesgebots in V.6 mit Hos 6,6 unter Weglassung der These, daß der *Shabbat* für den Menschen sei. In die Heilungskontroverse ist das Analogieargument aus Q von der Rettung des in den Brunnen gefallenen Schafes eingesetzt, das seine Schlüssigkeit aus entsprechenden jüd.-pharisäischen Verfahrensweisen gewann, womit V.12 die V.2 gestellte Gegnerfrage als endgültig geklärt ansieht: es ist von Gott erlaubt.

σαγήνη ⇒βάλλω

σαδδουκαίος ⇒ἀρχιερεύς

Σαδόκ 1,14a.b (NT sonst nie)

σάκκος ⇒γυμνός

Σαλαθιήλ 1,12a.b (1Chr 3,19; NT nur noch Lk 3,27 mit anderem Vater)

σαλεύω ⇒κάλαμος

Σαλμών 1,4f (1Chr 2,11)

σάλπιγξ 24,31(+Mk) *Signalhorn*

σαλπίζω 6,2 *ausposaunen*

Σαμαρίτης 10,5(+Mk) *Samaritaner*, von den Juden gemieden (BAUER WB 1470), vom mt Jesus seinen Schülern historistisch-literarisch verboten

    Mt 1 : Mk 0 : Lk 3 + 1 : Joh 4 (NT sonst nie; LXX 1mal)

σαπρός ⇒δένδρον

σάρξ ⇒αἷμα

σαρόω ⇒οἶκος

σατάν(ᾶς) ⇒δαιμόνιον

σάτον ⇒ἄρτος

σβέννυμι ⇒φῶς

σεαυτοῦ ⇒ἑαυτοῦ

σέβομαι ⇒ἀγαπάω

σει- (KILPATRICK 1050:131f; GUNDRY 648)

    Mt 7 : Mk 1 : Lk 1 + 1 : Joh 0

σεισμός (HAWKINS 1909:7)

    Mt 4 : Mk 1 : Lk 1 + 1 (NT noch Apk 7mal; LXX 15mal)

Während 24,7(=Mk) *Erdbeben* als Indikatoren der Vor-Endzeit vorhergesagt sind, hat Mt sonst seine Verwendung jesulogisch orientiert (KRATZ EWNT 3,564f): Das Seebeben 8,24(+Mk vgl. Hag 2,6) ist keine theophanische Reaktion seines Erscheinens auf dem See, sd. Signal seiner Größe im Schlafen wie im wirksamen Machtwort zur Belehrung der Schüler BORNKAMM 1970:27. 48-53; ThWNT 7,197f). Die übrigen Verwendungen sind rahmend auf Anfang und Ende der Jerusalemer Tage konzentriert; verwendet ist auch

σείω (GUNDRY 648)

    Mt 3 (NT nur noch Hebr 12,26; Apk 6,13)

21,10(+Mk aus Komp. 15,11 permutiert und transkodiert) für das *Erbeben* der Einwohnerschaft wie 28,4(+Mk) als Reaktion der Wächter auf die Beauftragungsepiphanie des Engels; 27,51(+Q) ist die Erde Obj. als Reaktion auf den Tod Jesu, was durch das Subst. V.54(+Mk) als Obj. des Sehens des Centurio und Auslösung seiner Akklamation beschrieben ist; 28,2(+Mk) leitet ein Beben das Erscheinen des Engels ein, das wie 8,24 durch ⇒μέγας gekennzeichnet ist. Eine spezifische Apokalyptisierung ist mit der 4fachen Häufung am Schluß Mt 27/28 nicht gegeben - auch nicht in dem Sinn, daß die nachfolgenden Stellen als mt Erfüllung der Vorhersage von 24,7 zu verstehen wären (gg. SCHMAUCH 1967:78f).

σελήνη →φῶς

σεληνιάζομαι →μαλακία

σημεῖον →γραφή

σήμερον →ἡμέρα

σής →γυμνός

σιαγών →κεφαλή

Σιδών →ἔθνος

Σίμων →Πέτρος

σίναπι →αὐξάνω, δένδρον

σίνδων →ἐντυλίσσω

σιτιστός, σῖτος →ἄρτος

σῖτος →ἄρτος

Σιών →ἀρχιερεύς, γαμέω(θυγατήρ)

σιωπάω →λέγω

σκανδαλ- (GUNDRY 648)

   Mt 19 : Mk 8 : Lk 3 + 0 : Joh 2

σκανδαλίζω

   Mt 14 : Mk 8 : Lk 2 + 0 : Joh 2 (NT nur noch 1Kor 8,13a.b; 2Kor 11,29;
     =(Mk 8 – 1 + 5) + (Q 1) + (A–Mt 1)   Röm 14,21 v.l.)

Mt hat fast die Hälfte der 29/30 ntl. Belege, während LXX σ. nur 3/4mal in Sir (und Dan 11,41 v.l.) hat, doch ist der immer metaphor.-geistige Gebrauch von der LXX her bestimmt; im jüd.-hell. Schrifttum fehlt die Wortgruppe (außer PsSal 16,7) wie auch Lk sie außer in direkten Jesusworten meidet – offenbar auch wegen ihrer Unverständlichkeit. Die semant. Probleme wurde noch durch die von Luther eingebürgerte Übersetzung mit *Ärgernis, Anstoß*, die in ihrem heutigen Sinne (*Beleidigung*) geradezu moralisierend irreführend ist, vergrößert (MÜLLER 1969:32f.39–42). Wenngleich deutlich ist, daß es um ein *Sich–Distanzieren, Abfallen* geht, so ist der Ausdruck dennoch nicht vorschnell auf einen inkohärent expandierten Glaubensbegriff (= Gottesverhältnis) hin zu beziehen (gg. STÄHLIN ThWNT 7, 343–52; GIESEN 1982:210–6; EWNT 3,592–6 "Glaubensverweigerung", "Glaubensabfall"), da mt →πιστεύω nicht als Oberbegriff fungiert. Für die semant. Bestimmung sind zwei Elemente wichtig: Alle Stellen sind auf den mt Jesus und seine Worte bezogen; überall ist das noetische Element präsent, das die mt Verwendung seinem Wortfeld *töricht/klug, verstehen/ nicht verstehen* zuordnet.

   Das 8mal verwendete Pass./Med. bezeichnet das tatsächliche Eintreten der verderblichen Wirkung des *Fallens* (STÄHLIN ebd.345.352): 11,6(=Q) hat der Bedingungssatz in der faktisch doppelt negierten Bedeutung eine verstärkend positive Aussagefunktion *richtig verstehen* (=συνίημι); es heißt hier konkret nach V.3 "keinen anderen erwarten", bzw. nach 10,40 synonym *annehmen*. Der Sachbezug "Reaktion auf das Hören Jesu, seiner Geltendmachung des Gesetzes als Eintrittsbedingung in den neuen Äon" wird durch den Zusatz der Präp. in dem Syntagma

σκανδαλίζομαι ἐν (HAWKINS 1909:7.33)

   Mt 4 : Mk 1 : Lk 1 + 0

ausgedrückt, wie er auch an den drei Sir-Stellen (9,5; 23,8; 32,15) vorliegt; allerdings ist er bei Mt nicht wie dort instrumental-kausal, sd. bezeichnet das Obj. außer 11,6 noch 13,57(=Mk); 26,31(=Mk + Präp. red.).33b(=Mk + Präp. red.). Dieser Zusatz ist auch an den dazwischenliegenden bzw. nachfolgenden Stellen kontextsemant. vorausgesetzt und darum als Filler zu ergänzen, wo ein entsprechender Slot die Belege als "absolute" erscheinen läßt: 13,21 (=Mk); 15,12(+Mk); 24,10(+Mk); 26,33c(+Mk).

   Die Bedeutung ist immer: *sich unverständig von Jesus abwenden.* Zum

semant. Merkmal des Abtrünnigwerdens gehört bei Mt immer auch das semant. Merkmal des Unverständnisses: 11,6 durch die konsekutive Relation zu
"Hören/Sehen" V.4f (und V.19c "Weisheit"); 13,21 darüber hinaus mit metaphor. *Ersticken* V.7.22 synonym und V.19.23 von Antonym *Verstehen* gerahmt
wie auch in dem synonymen Adj. "oberflächlich sein" V.21 selbst ein noeti-
scher Aspekt liegt; 13,57 geht V.54 "Lehren" voran wie V.55 "Weisheit" von
11,19 erinnert, während "Unglauben" erst V.58 nachgeordnet und damit semant. untergeordnet ist; 15,12 ist σ. von den noetischen Antonymen V.10.16f
gerahmt und mit *blind* V.14 (=*unwissend*) synonym und meint darum *die
verweigerte Einsicht, das Reagieren mit Unverständnis* der gegnerischen
Lehrer (nicht aber ein Sich-vor-den-Kopf-gestoßen-Fühlen gg. LOHMEYER
248 im Banne der geläufigen Fehlübersetzung); 24,10 ist wie 13,21 die
Verfolgung als Voraussetzung genannt und σ. ist seinerseits die noetische
Voraussetzung für das gegenseitige Sich- Ausliefern und Hassen, wobei die
Wendung aus LXX-Dan 11,41 v.l. übernommen sein kann wie das "Sich-un-
verständig-Abwenden" sogar mit dem "Als-Falschlehrer-in-Erscheinung-Tre-
ten" V.11 (vgl. Subst. 13,41) identisch sein kann; 26,31.33b.c hat die Passion
Jesu für die Schüler einen Verfolgungsaspekt und ist Voraussetzung ihres
"Einsicht verweigernden Abtrünnigwerdens": als Synonyme dazu erscheinen
V.31(=Mk Zitat LXX-Sach 13,7 variierendes) "Sich-Zerstreuen" (wobei das
Akt. 25,24.26 Synonym für "Säen" war) ferner V.34f ≻*ἀπαρνέομαι* und V.56
≻*ἀφίημι* mit Jesus als Obj.

Im Unterschied zu dem mit dem Med. bezeichneten realen Resultat bezeichnet das 6malige *Akt. de conatu* erst die Drohung und Gefahr. In der
einzigen, vor 1Kor 8,13 überhaupt belegten Stelle PsSal 16,7 (Bewahrung vor
der bösen Frau, die den "Toren" *zur Dummheit verleiten = zu Fall bringen*
will) ist der weisheitliche Bezugsrahmen augenfällig. Dieser Stelle nahe steht
die kausative Verwendung für die Körperorgane 18,8f(=Mk), die schon 5,29f
dupl. allen vorangestellt hatte, wobei zugleich eine direkte Antithese zu
dem Logion V.28 vorliegt: Das "Verleiten zur Dummheit" ist also eine "irreführende Beratung" (MÜLLER 1969:44f), weil und indem sie sich gg. eine
Weisung des mt Jesus richtet. Der erkennende Bezug auf den Lehraspekt
ist also auch hier gegeben und bei der Wiederholung 18,8f mitzuhören und
als Filler zu ergänzen. Dasselbe gilt auch für die beiden dort unmittelbar
vorausgehenden Belege: Für 18,6(=Mk) gilt das ohnehin, da der Obj.-Bezug
zu den "an mich Glaubenden" explizit gegeben ist und diese Warnregel nur
die negative Ergänzung zu der V.5 voranstehenden positiven Mahnung zum
"Aufnehmen" ist. Es geht also in der Umkehrung um falsches Lehren, *irreführende Beratung*, wobei alles "Verleitung zur Dummheit" ist, was nicht
dem mt Buchkonzept entspricht. Der noetische Charakter ergibt sich auch
daraus, daß dieser Warnspruch vor allem von seiner Drohung her nur eine
metaphor. wiederholte Variante des Torheits-Warnspruchs von 5,13 ist. In
dem red. Mt 17,27 verwendeten Vb. handelt es sich um eine Zielangabe gegenüber solchen, die noch nicht "Belehrte" und "Gewonnene" sind; doch im
Kontext der Clusterbildung der vier aktiven Vb.-Stellen, die damit eingeleitet ist, geht es weder um "Vermeidung von Ärgernis" noch pauschal um
"Anstoß zur Sünde", sd. noetisch darum, nicht eine vorschnelle Ablehnung
zu provozieren - und zwar dadurch, daß man Mißverständnisse vermeidet.

σκάνδαλον
    Mt 5 : Mk 0 : Lk 1 (NT nur noch Pl 6mal und 1Pt 1Joh Apk je einmal)
       =(Mk 0 + 1) + (Q 1 + 2) + (A-Mt 1)
Typ. mt ist die Verwendung diese Abstraktums für ein *personales Konkretum*, für Menschen, die diese Rolle spielen (KLOSTERMANN 123; JEREMIAS
1965:82 n.15); das Subst. steht also als *nomen agentis* funktionsgleich mit
dem akt. Vb. kausativ und wie dieses de conatu: Dieses rahmt 18,6.8 nicht
zufällig den Cluster der Subst. 18,7a.b.c. Diese Verwendungsweise erklärt

sich auch daraus, daß ein personales Nom. agentis offenbar noch nicht existierte (STÄHLIN ebd. 339 n.8: ein solches erscheint inschriftlich erst im 2.Jh. im Soziolekt "Trapezkünstler"). Ein Ansatzpunkt für diese Verwendung lag im prädikativen Gebrauch bei drei der 21 LXX-Belege in dem Syntagma "Person + Sein für + Dat. einer Person + εἰς σ." (Jos 23,13; 1Regn 18,21; 1Makk 5,4).

In der Gerichtsallegorie 13,41 13,41 (unter Verwendung von LXX-PS 140,9 und nicht Zef 1,3 H–G 95 gg. KLOSTERMANN, GRUNDMANN, GUNDRY, STÄHLIN, GIESEN) ist Q-Mt 18,7b dupl.; die personale Bedeutung ergibt sich klar aus der angeschlossenen Zusatzwendung "Täter der Bosheit", mit der unser Abstraktum jedoch semantisch nicht zu identifizieren, sd. das ihr als Voraussetzung vorgeordnet ist; beide entsprechen der Aufeinanderfolge von "Lehren und Tun" in 5,19: den falschen (= nicht-mt) Gesetzeslehrern, die Teufelsbrut sind, wird die eschatol. Vernichtung zugedacht.

16,23(+Mk) ist es red. erläuternder Zusatz (ALLEN 181; KLOSTERMANN 141) zu dem von Mk vorgegebenen Fremdwort "Satan", das offenbar rein funktional gebraucht werden konnte (vgl. Sir 21,27 jeder persönliche Gegner und Widersacher: LIMBECK 1974:292f); diese funktionale Abfolge des Mt wird jedoch in ihre Umkehrung verdreht, wenn man hier Petrus als "personifizierte Versuchung" (STÄHLIN ebd.348; GIESEN 595; vgl. EÜ "du willst mich verführen") bezeichnen sehen wollte; schließlich wird ja noch die weitere noetische Erläuterung in Antithese angeschlossen: Menschen vs. Gottes Plan vertreten; darum ist umgekehrt zu analysieren: Nicht "Satan" erklärt "Skandalon", sd. das funktional gebrauchte Fremdwort wird erläutert, wobei der Imp. des Petrus V.22 den Bezugspunkt bildet: seine Aufforderung zur Schonung war ein falscher Ratschlag; er selbst war damit ein *falscher Gesetzeslehrer* ("Gesetz" = universaler Plan Gottes); zu beachten ist dabei weiter, daß Mt auch offenbar kein solches Konzept von ↗"Versuchung" hat, wie man es in der Regel hier zu selbstverständlich voraussetzt. Beachtet man weiter den Gen. der Zugehörigkeit, der in seinem attributiven Bezug meist verkannt wird, weil er vom Nomen abgerückt steht, so ist hier gemeint: Als mein Irrlehrer (d.h. in meinem Namen kommender Irrlehrer) müßtest du gelten, falls du (wie eben V.22) nicht Gottes-, sd. Menschenwillen vorziehst.

18,7 ist der Bezug zum Lehrhaften und Noetischen von V.5f her vorgegeben, so daß man nicht bloß formal verallgemeinernd mit "Verführung" (GIESEN ebd.595) übersetzen dürfte; es geht vielmehr konkreter um falsche (= un-mt) Gesetzeslehre. Im Zentrum der chiastisch angeordneten Trias steht 18,7b derselbe Plur. wie 13,41, der auch darum personal als "Irrlehrer" zu präzisieren ist wie an den beiden voranstehenden Stellen. Diesem Begründungssatz vorgeordnet ist red. V.7a das erste "Wehe", wobei "Welt" wohl nicht aktiv als Subj. (so johanneisierend EÜ: "Wehe der Welt mit ihrer Verführung"), sd. pass. als Obj. und Opfer (so auch im "Wehe" 24,19; STÄHLIN ebd.347 n.50) gemeint ist: In Antonymie zu 24,14; 28,19. wo die ganze "Menschheit" Ziel des Mt-Buches ist, ist die gleiche Zielgruppe auch Obj. der entgegenstehenden falschen Gesetzeslehrer. Erst in Ergänzung dazu folgt 18,7c ergänzend und überbietend in Analogiebildung zu 26,24 noch das "Wehe" gg. jeden potentiellen Irrlehrer als Subj.; an dieser Stelle kann das Subst. sachlich als nomen actionis "irreführende Beratung" genommen werden, da der Personbezug davon abgehoben ausgedrückt ist.

Die Häufigkeit bei Mt dürfte für seine Situation charakteristisch und für die Erfassung seiner Lage wichtig sein und die Steigerung gegenüber Q und Mk erklären. Alle Stellen finden sich im Munde Jesu mit Ausnahme bei den medialen Stellen 15,12; 26,33 im Munde der Schüler und 13,57 als direkter Bericht des Autors.

σκεῦος 12,29(=Mk) Plur. kollektiv (Lys 19,31) *Habe, Besitz* (PLÜMACHER EWNT

Mt 1 : Mk 2 : Lk 2 + 5 : Joh 1   3,598)
σκηνή
    Mt 1 : Mk 1 : Lk 2 + 3 (NT nur noch Hebr 10mal; Apk 3mal)
17,4(=Mk) Plur. *(Laub-)Hütten* (MICHAELIS ThWNT 7,380-2; NÜTZEL 1973:
122-41; BÜHNER EWNT 3,600 "Die Beziehung auf die bibl. zentrale Sinai-Szene
ist unübersehbar: Durch die Hütten soll analog zur Stiftshütte die himmlische
Herrlichkeit einen Erscheinungsort erhalten").
σκιά ⇥φῶς
σκληροκαρδία, σκληρός ⇥γινώσκω
σκορπίζω ⇥διασκορπίζω
σκοτεινός, σκοτία, σκοτίζομαι, σκότος ⇥φῶς
σκυθρωπός 6,16 *traurig blickend* (XenMem 2,7.12; JosBell 1,80; BAUER WB
    Mt 1 (NT nur noch Lk 24,15; LXX 4mal)   1502)
σκύλλω 9,36(+Mk) Pass. *ermüdet, geplagt, geschunden* (1Hen 104,5; BAUER
    Mt 1 : Mk 1 : Lk 2 (NT und LXX sonst nie)   ebd.)
σμύρνα ⇥θησαυρός
Σόδομα ⇥ἔθνος
Σολομών ⇥βασιλεύς
σός ⇥σύ
σοφία
    Mt 3 : Mk 1 : Lk 6 + 4 : Joh 0
         (=Mk 1) + (Q 2)
Die mt Verwendung ist jesulogisch: Der mt Jesus tritt "als Sprecher und
Träger der Weisheit, darüber hinaus aber auch als die Weisheit selbst auf"
(CHRIST 1970:153; HEGERMANN EWNT 3,623f) – als der verkörperte Schöp-
fungs- und Geschichtsplan Gottes selbst. In der Allegorieentschlüsselung
11,19(=Q) ist σ. kontextsynonym mit ὁ υἱὸς τοῦ ἀνθρώπου im Vordersatz und
durch den Verweis auf die Rechtfertigung ἀπὸ τῶν ἔργων αὐτῆς synonym mit
τὰ ἔργα τοῦ Χριστοῦ 11,1 (= Inhalt von Mt 5-10) auch mit mt χριστός. Auch
der Hinweis auf die σ. Salomos 12,42(=Q synonym V.41 κήρυγμα Ἰωνᾶ) zielt
auf den jesuanischen Überschuß des Nachsatzes und nimmt wiederum ὁ υἱὸς
τοῦ ἀνθρώπου von V.40 auf. Nach diesen beiden Verwendungen im Munde Jesu ist das Staunen im Munde der Leute von Nazareth 13,54(=Mk neben
"Wunder" als Taten) klar auf sein ⇥"Lehren" (V.54a) zurückbezogen und von
daher in seiner mt Semantik gefüllt.
σοφός
    Mt 2 : Mk 0 : Lk 1 + 0 : Joh 0
Gemäß dem Revelationsschema war die jetzige endgültige Offenbarung, deren
alleiniger Empfänger, Kenner und Offenbarer der mt Jesus ist, *allen bisherigen Weisen* 11,25(=Q) noch durch Gott verborgen worden (HEGERMANN
ebd.625f seien sie priesterlicher wie Sir od. Qumran, apokalyptischer wie
Dan od. 1Hen bzw. apologetischer Prägung wie Sap od. Philo). 23,34(+Q statt
lk Abstraktum 11,49 permutiert) bezeichnet der Plur. abschließend rückblickend die von Jesus jetzt zu dieser Endzeitgeneration zum Beweis ihrer
Blindheit Gesandten (Kap.10), seine Schüler als Träger seines Konzepts,
deren Bedingungen als wahre Weisheitslehrer er 5,3-10 gesetzt und deren
Einsetzung er 5,11-16 vollzogen hatte.
σπεῖρα 27,27(=Mk) *Kohorte* (seit Polyb; auch statt lat. *cohors, manipulus*)
    Mt 1 : Mk 1 : Lk 0 + 3 : Joh 2 (NT sonst nie; LXX nur Jdt 14,11; 2Makk
8,23; 12,20.22; SCHNEIDER EWNT 3,627)
σπείρω, σπέρμα ⇥δένδρον
σπήλαιον 21,13(=Mk Zitat Jer 7,11) *Höhle als Schlupfwinkel für Räuber*
    Mt 1 : Mk 1 : Lk 1 : Joh 1 (NT nur noch Hebr 11,39; Apk 6,15)
σπλαγχνίζομαι ⇥ἐλεέω
σπόγγος ⇥ἄρτος
σποδός ⇥μετανοέω

σπόριμος ⇥δένδρον
σπύρις ⇥ἄρτος
στάδιον 14,24(+Mk) *192 m* (600 griech., 625 röm. Fuß; BAUER WB 1513)
    Mt 1 : Mk 0 : Lk 1 : Joh 2 (NT noch Apk 2mal; 1Kor 9,24 *Rennbahn*; LXX 8mal)
στατήρ ⇥ἀργύριον
σταυρός, σταυρόω ⇥ἀποθνῄσκω
σταφυλή, στάχυς ⇥ἄρτος
στέγη ⇥οἰκία
στενός ⇥ὁδός
στέφανος 27,29(=Mk) *Krone* (von Dornen; Verspottung des Königtums Jesu)
    Mt 1 : Mk 1 : Lk 0 : Joh 2
στόμα (GASTON 1973:63; GUNDRY 648)
    Mt 11 : Mk 0 : Lk 9 + 12 : Joh 1
        (=Mk 0 + 7) + (Q 2 + 2)
Außer im Gen.-Syntagma auf das *Maul* des Fisches 17,27 bezogen und mit dem Vorzugswort ⇥ἀνοίγω verbunden, das daneben auch 5,2(+Q); 13,35(+Mk Zitat LXX-Ps 77,2) im LXXismus die Rede-Eröffnung bezeichnet, überhaupt 8mal zur Bezeichnung des Instruments des Redens: 12,34(=Q); 15,11b.18(+Mk im genuin mt Syntagma mit ἐκπορεύομαι) im Kontrast zum Instrument des Essens V.11a.17(+Mk)
ἐκπορεύομαι
    Mt 5 : Mk 11 : Lk 3 + 3 : Joh 2
        =(Mk 11 - 7) + (Q 1)
Als Vb. der Fortbewegung wurde es von Mk nur an der ersten und letzten Stelle 3,5 und 20,29 (wohl bewußt rahmend A : A') übernommen. Dazwischen steht es in Worten Jesu immer in Verbindung mit στόμα, was auffällt, da Mt 15,11.19(=Mk) wohl das Vb. übernommen, dieses direkte Syntagma (mit ἐκ) aber erst hergestellt hat. Im Kontrast zu dem von Gott Trennenden, *was aus dem Munde hervorgeht*, steht die Verwendung für Gott im Zitat Dt 8,3 in Q-Mt 4,4 (Lk dürfte sie gelesen und nach 4,22 permutiert haben).
εἰσπορεύομαι 15,17(=Mk bildlich *in den Mund eingehen*; BALZ EWNT 1,976)
    Mt 1 : Mk 8 : Lk 5 + 4 : Joh 0 (NT sonst nie);
21,16(+Mk Zitat Ps 8,3; dritte mt σ.-Stelle mit ἐκ und vierte mit Gen.); von daher auch als Metonym für *Aussage* 18,16(+Q Zitat Dt 19,15 und fünfte mit Gen.; RADL EWNT 3,667f) und schließlich 4,4(=Q Zitat Dt 8,3 und sechste mit Gen. – wohl bei Lk 4,22 permutiert und transkodiert, da es die einzige Stelle ist, die vom "Mund Gottes" redete) für Gott als Subj. metonymisch für die ganze Person. Synonym für das Organ des Redens ist 15,8(=Mk Zitat LXX-Jes 29,13)
χεῖλος Plur. *Lippen* (Metonym *Mund* LXXismus)
    Mt 1 = Mk 1 (NT noch Röm 3,13; 1Kor 14,21; Hebr 11,12; 13,15; 1Pt 3,10)
στράτευμα 22,7(+Q) Plur. *Truppen* (4Makk 5,1; JosAnt 13,131; BAUER WB 1525)
    Mt 1 : Mk 0 : Lk 1 + 2 (NT nur noch Apk 4mal; LXX nur hell. 7mal)
στατιώτης 8,9(=Q); 27,27(=Mk) dupl. 28,12(+Mk) Plur. *Soldaten*
    Mt 3 : Mk 1 : Lk 2 + 13 : Joh 6 (NT nur noch 2Tim 2,3; LXX 7mal)
στρέφω (GUNDRY 648)
    Mt 6 : Mk 0 : Lk 7 + 3 : Joh 4 (NT nur noch Apk 11,6)
        =(Mk 0 + 4) + (Q 0 + 2)
Kennzeichnend für Mt ist einerseits der *transitive* Gebrauch des *Akt.* (SCHENK EWNT 3,671): 5,39(+Q die andere Backe direkt *hinhalten* – wohl vorgegeben, was Lk abgeändert haben dürfte, der es nur berichtend und nur für Jesus verwendet) und 27,3(+Mk Silbermünzen *zurückbringen*):
    Mt 2 (NT nur noch Apk 11,6, während Apg 7,42 intransitiv ist),
andererseits die Verwendung in *Worten Jesu*: neben 5,39 noch im reflexiven *Med.* als Bekehrungsterminus 18,3(+Mk synonym V.4 ⇥ταπεινόω) und negativ

antithetisch dazu 7,6(+Q) im konditionalen Pt.Aor. der Vorzeitigkeit chiastisch auf "Hunde" bezogen *wenn sie wieder abgefallen sind* (ebd.672): Mt 3 (sonst nie in den Evangelien; ebd.671). Daneben verwendet Mt das Simpl. berichtend von Jesus im Pt.Pass.Aor. für reflexives *sich umdrehen* als Vorbereitungshandlung statt des mk Komp. 9,22 und 16,23 ohne mit Lk zusammenzutreffen; dieses Komp.

ἐπιστερέφω
    Mt 4 : Mk 4 : Lk 7 + 11 : Joh 1
hat Mt nur *intransitiv* und nur in *Worten Jesu*
    Mt 4 : Mk 2 : Lk 3 + 0 : Joh 0
        =(Mk 2) + (Q 0 + 2)
vom *Zurückkehren* des Dämon 12,44(+Q εἴς wohl vorgegeben, da Lk es in sein genuines ὑπό-Komp. verändert haben dürfte) und 10,13(+Q ἐπί) antithetisch dazu dupl. für das analoge *Zurückkehren* des abgewiesenen Friedens zu den Schülern wie im Verbot 24,18(=Mk Sodom-Anspielung Gen 19,17 statt des dortigen "Zurückblickens") sowie als Bekehrungsterminus in der Verhinderungsabsicht des Erfüllungszitats 13,15(=Mk 4,12 permutiert Zitat LXX-Jes 6,10).

στρουθίον ⟩πετεινόν
στρωννύω 21,8a(=Mk).b(=Mk 14,15 permutiert) Kleider *ausbreiten*
    Mt 2 : Mk 2 : Lk 1 + 1 (NT sonst nie; LXX 12mal)
(στυγνάζω 16,3 v.l. Zusatz *trübe werden* des Himmels)
σύ
    Mt 205 : Mk 89 : Lk 224 + 137 : Joh 151
σύ Nom. (GUNDRY 648)
    Mt 18 : Mk 10 : Lk 26 + 17 : Joh 60
        =(Mk 10 – 4 + 8) + (Q 2 + 1) + (A–Mt 1)
als Redebestätigung (RADL EWNT 3,675 *gg.* BAUER WB 448.929 nicht negativ) σὺ λέγεις 27,11a(=Mk) dupl. 26,25.64(+Mk) mit εἶπας auf die Frage nach der Identität, die 26,63(=Mk); 27,11a(=Mk) mit σὺ εἶ wie 11,3(=Q) voransteht und als indirekte Frage (wie red. auch 26,63) 14,28(+Mk) dupl. wurde. Als Identifizierung des Titels bzw. Namens mit σὺ εἶ dann auch christol. 16,16(=Mk) und korrelativ dupl. für Petrus 16,18(+Mk).
καὶ σύ emphatisch *auch, gerade du*
    Mt 5 : Mk 1 : Lk 4 + 1 : Joh 6
2,6 (Erfüllungszitat LXX-Mi 5,1) wie 11,23(=Q) noch durch Vok. der Namensnennung verstärkt; 26,69(=Mk).73(+Mk dupl.) bzw. im personalen *Gegensatz* 3,14(+Mk), wofür 6,6(+Q).17(+Mk) σὺ δέ hat bzw. 26,39(=Mk) ἀλλά vorgegeben ist und der 27,4(+Mk) asyndetisch markiert wurde.
σοῦ
    Mt 112 : Mk 40 : Lk 114 + 60 : Joh 35
        =(Mk 40 – 15 + 22) + (Q 24 + 36) + (A–Mt 5)
20mal *abs.* nach Präp. ἀντί 17,27; ἀπό 18,8(=Mk).9(+Mk) dupl. 5,29f(+Mk).42 (+Q) 12,38(+Mk); ἐκ 2,6 (Zitat) 21,19(=Mk); ἔμπροσθεν 6,2(+Q) dupl. von 11,26 (=Q); κατά 5,23(+Q); μετά 18,16(+Q); μεταξύ 18,15(+Q); περί 4,6(=Q); ὑπό 3,14(+Mk) bzw. im Gen.abs. 6,3 und Obj. von ἀκούω 18,15(+Q) bzw. καταμαρτυρέω 26,62(=Mk) und 27,13(=Mk);
    32mal eigene Person: Leib 5,29f(+Mk); 6,22f(=Q), Glied 5,29f(+Mk), Herz 6,21 (+Q); 22,37(=Mk), Seele 22,37(=Mk), Verstand 22,37(=Mk), Kopf 5,36; 6,17, Gesicht 6,17(+Q) dupl. von 11,10(=Q), Auge 18,9(=Mk) dupl. 5,29(+Q); 6,22f(=Q) dupl. 20,15(+Mk); 7,4a.b.5(=Q), Backe 5,39(+Q), Hand 18,8(=Mk) dupl. 5,30 (+Mk); 12,13(+Mk), Rechte 6,3, Linke 6,3; 20,21(=Mk), Fuß 4,6(=Q); 18,8(=Mk); 22,44(=Mk);
    35mal andere Personen: 1,20 Frau; 4,7.10(=Q); 22,37(=Mk) Gott bzw. Name 6,9 (=Q) bzw. Herrschaft V.10(=Q) und von daher dupl. Vater 6,4.6b.c.18b.c (+Q) bzw. Wille 6,10(+Q) und 26,42(+Q), Herr 25,21.23(+Q), Bruder 5,23f(+Q);

7,3.4.5 (=Q); 18,15a(=Q).b(+Q), Prozeßgegner 5,25, Nächster 5,43(+Q); 19,19 (=Mk), Feind 22,44(=Mk) dupl. 5,43(+Q), Schüler 9,14(+Mk); 12,2(+Mk); 15,2 (=Mk); 17,16(=Mk), Tochter 9,18(=Mk), Mitsklave 18,33(+Q), König 21,5(+Mk), Kinder 23,37(=Q);

     23mal Sachen: Gabe 5,23.24b.c; Eide 5,33; Gewand 5,40(=Q); Almosen 6,4; Speisekammer 6,6; Tür 6,6; Schatz 6,21(+Q); Sünden 9,2.5(=Mk); Liege 9,5 (=Mk); Haus 9,6(=Mk); Glauben 9,22(=Mk) dupl. 15,28(+Mk); Weg 11,10(=Q); Worte 12,37a.b(+Q); Besitz 19,21(+Mk); Herrschaft 20,21(=Mk); Talent 25,25 (=Q); Schwert 26,52(+Mk); Sprache 26,73(+Mk).

σός (GUNDRY 648)
     Mt 8 : Mk 2 : Lk 4 + 3 : Joh 7
        =(Mk 2 - 2 + 2) + (Q 0 + 5) + (A-Mt 1)
Das poss. Adj. statt des Gen. des Pers.pron. als Kennzeichen gehobeneren Stils (BAUER WB 1504; B–D–R 285,1) wird bei Mt in Relation zum Komplenym ↗ἐμός christol. akzentuiert verwendet. Mt hat das subst. Mask. *die Seinen* (Mk 2,18; 5,19) ausgelassen; dgg. hat er es 24,3(+Mk) adj. *deine Parusie;* gg. die Q–Vorlage hat er 7,22 3mal die Wendung *in deinem Namen* im Anschluß an den Kyrios–Titel; auch in der Allegorie 13,37(+Mk) folgt es auf die Kyrie–Anrede. Das subst. Neutr. *dein Besitz* dürfte in der Allegorie 25,25(+Q red. sein (vgl. das Komplenym V.27); dem entspricht die analoge Verwendung im Allegorieschluß 20,14(+Mk antonym zur 1.Pers. V.15); die Abschlüsse beider Schüler–Allegorien sind offenbar red. analog stilisiert. Nicht christol. verwendet ist es 7,3(+Q *dein Auge*).

σοί
     Mt 46 : Mk 20 : Lk 47 + 22 : Joh 29
        =(Mk 20 - 12 + 14) + (Q 7 + 11) + (A-Mt 6)
nach *Vb.* des Redens 2,13; 5,26(=Q); 11,25(=Q) dupl. 16,18; 18,22(+Q); 26,34 (=Mk), Offenbarens 16,17(+Mk), Wollens 5,40(+Q), Sich–Richtens 22,16(=Mk), Entscheidens 17,25; 22,17(+Mk), Erlaubens 14,4(=Mk), Gebens/Lohnens/Erstattens 4,9(=Q) dupl. 16,19; 6,4.6.18; 18,26.29(+Q); 20,14(+Mk); 21,23(=Mk), Erlassens 18,32(+Q), Nutzens 5,29f(+Mk); 11,24(+Q); 18,8f(+Mk), Dienens 25,44, Anrichtens 26,17(+Mk), Schaffens 17,4(=Mk), Widerfahrens 8,13(+Q wie 15,28 (+Mk); 16,22a.b(+Mk); 18,17(+Q), Nachfolgens 8,19(=Q); 19,27(=Mk), Kommens 21,5(+Mk); sonst in der Distanzierungswendung 9,29(=Mk); 27,19(+Mk), beim Weheruf 11,21a.b(=Q); 4mal nach *Präp.* ἐν 6,23(=Q); 11,23(+Q); 26,33(+Mk) und σύν 26,35(=Mk).

σε
     Mt 29 : Mk 19 : Lk 37 + 38 : Joh 27
        =(Mk 19 - 15 + 8) + (Q 6 + 6) + (A-Mt 5)
Obj. von Tragen 4,6(=Q), Übergeben 5,25(=Q), zum Abfall Verleiten 18,9 (=Mk) und dupl. V.8(+Mk) wie 5,29f(+Mk), Schlagen 5,39(=Q) dupl. 26,68 (+Mk), Zwingen 4,41(+Q), Bitten 5,42(=Q), Heilen 9,22(=Mk), Erbarmen 18,33a.b(+Q), Benachteiligen 20,13(+Mk), Einsetzen 25,21.23(+Q), Kennen 15,24(=Q), Nötigsein 25,27(+Q), Sehen 25,37.38.39.44, Absagen 26,35(=Mk), Beschwören 26,63(=Mk 5,7 permutiert), Erkennbarmachen 26,73(+Mk); dazu mit Präp. εἰς 18,15(=Q sündigen gegen); πρός 14,28(+Mk) "kommen zu" wie 25,39; 26,18(+Mk herrichten bei).

συζεύγνυμι ↗ἀπολύω
σῦκη, σῦκον ↗δένδρον
συλλαλέω ↗λαλέω
συλλαμβάνω ↗χείρ
συλλέγω ↗ἀφορίζω
συμβουλεύω, συμβούλιον ↗λαμβάνω
συμπνίγω ↗πνίγω
συμφέρει ↗δένδρον
συμφωνέω (GUNDRY 648) 18,19(+Q) übereinkommen; 20,2.13(+Mk) *vereinbaren*

Mt 3 : Mk 0 : Lk 1 + 2 (NT sonst nie; LXX 4mal)
σύν 25,27(=Q mit Zinsen); 26,35(=Mk Komp.) mit dir/ihm 27,38(=Mk).44(=Mk)
Mt 4 : Mk 6 : Lk 23 +53 : Joh 3
συνάγω, συναγωγή →διασκορπίζω
συναίρω →ἀργύριον
συνανακείμαι →ἄρτος
συναυξάνομαι →δένδρον
συνδοῦλος →δοῦλος
συνέδριον →γραμματεύς
συνέρχομαι →γαμέω
συνετός →γινώσκω
συνέχω →μαλακία
(συνθλάω v.l. 21,44 = Lk; NT sonst nie; Pass. zerschmettert werden)
συνίημι →γινώσκω
συντάσσω →διδάσκω
συντέλεια →αἰών
συντηρέω →ἀποθνῄσκω (ἀπόλλυμι)
συντρίβω →κάλαμος
Συρία (GUNDRY 648) 4,24(+Mk) röm. Provinz (von Antiochia bis Damaskus)
Mt 1 : Mk 0 : Lk 1 + 5 (NT nur noch Gal 1,21 als literar. Haftpunkt)
συσταυρόομαι →ἀποθνῄσκω
συστρέφομαι →Γαλιλαία
σφόδρα (HAWKINS 1909:7; GASTON 1973:63; GUNDRY 648)
Mt 7 : Mk 1 : Lk 1 + 1 (NT nur noch Apk 16,21)
=(Mk 1 + 4) + (Q 0 + 1) + (A-Mt 1)
Von 11 ntl. Stellen sind 7 mt (gg. EWNT 3,756 nicht nur 5mal; das ist nur
die Zahl der red. Mk-Zusätze, die auch GASTON mit 4mal falsch veranschlagt). Das als erstarrter Kasus vom Plur.Neutr. des Adj. seit Pind, Hdt
gebildete (L-S-J 1741) und in LXX sehr beliebte (ca. 400 mal) Adv. meint
nicht nur eine Steigerung überhaupt, sd. eine starke Steigerung: heftig,
gewaltig (die Übers. mit sehr ist darum unzureichend. Für Mt kennzeichnend
ist weiter die durchgehende Verbindung mit dem Vb. im Gegensatz zu Mk
16,4 wie Lk 18.23 (zum Adj). Für dieses Syntagma – immer bei Vb. des
Affekts – ergibt der Vergleich die noch stärkere Häufigkeit
Mt 7 : Mk 0 : Lk 0 + 1 (Apg 5,6)
Typ. ist, daß Mt es Mk 16,4 ausläß; da er aber den Hinweis auf die Größe
des Steins nach 27,60 vorgezogen hatte, so ist auch das Adv. in 27,54 (+Mk)
als von dort vorgezogen anzusehen; hier steht es mit der Furcht als Reaktion auf das Erdbeben und seine Folgen verbunden, wie es schon 17,6(+Mk)
heftige Ergriffenheit als Reaktion auf analoge Epiphanie-Ereignisse, die als
außerordentliche nur von Gott selbst verursacht gedacht sind, kennzeichnet. Analog zu dieser doppelten Verbindung ist auch die davon gerahmte
dreifache mit totaler depressiver Verzweiflung 17,23(+Mk); 18,31(+Q); 26,22
(+Mk) in einer Wendung, die sich so auch Jon 4,9 (hier ist "bis zum Tode"
Synonym dazu wie Mt 26,38) und 1Makk 14,16 findet. Gegenstand des hefti-
gen Entsetzens ist die deterministische Festlegung der Bedingungen des
Vorsehungsplans auch 19,26(+Mk).
Von diesen 6 Stellen wie von der Beobachtung her, daß die Verbindung
mit dem Adj. Mk 16,4 ausgelassen wurde, wird nahegelegt, das Adv. auch
2,10 zum Vb. zu ziehen, das es im Chiasmus ebenso näher bestimmt wie das
Adj. das zugeordnete Subst. A B : B' A' (gg. BAUER WB 1576, dem EWNT
folgt). Vor allem ist auch an dieser astrologischen Stelle die Grundlage der
so beschriebenen Reaktion ein besonderes Ereignis im Vorsehungsplan. Das
diese mt Funktion nicht nur für die meisten, sd. alle seine Stellen gelten
kann, entscheidet sich an der Allegorie-Verwendung 18,31, die nicht als
Ausnahme ausgeklammert werden muß: schon der Eingang dieser Rede 18,7,

dessen bebildernder Abschluß die Allegorie darstellt, setzt voraus: Auch der Abfall ist im deterministischen Vorsehungsplan ja vorherbestimmt. Daß hier eine an LXX geschulte Ausdrucksweise vorliegt, ergibt die große Häufigkeit dort wie etwa auch die Tatsache, daß dieser Semitismus bei Jdt als Indiz eines hebr. Originals gewertet wird (ZENGER 1981:431).

σφραγίζω 27,66 *versiegeln* (großer Stein wie Dan 6,18 auf Löwengrube)
    Mt 1 : Mk 0 : Lk 0 : Joh 2
σχίζω 27,51a(=Mk) Tempelvorhang *zerreißen* dupl. V.51b Felsen *zerspalten*
    Mt 2 : Mk 2 : Lk 3 + 2 : Joh 2 (NT sonst nie; LXX 12mal)
σχίσμα 9,16(=Mk) ein schlimmerer *Riß*
    Mt 1 : Mk 1 : Lk 0 : Joh 3 (NT nur noch 1Kor 3mal; LXX nie)
σχολάζω →οἶκος
σῴζω (GUNDRY 648)
    Mt 15 : Mk 14 : Lk 17 + 13 : Joh 6
    =(Mk 14 - 4 + 4) + (Q 0) + (A-Mt 1)

Mt verwendet das Lexem wie Mk *nur als Vb.* und ist in seiner Verwendung ganz von Mk abhängig. Der semant. Gehalt ist durchgehend *Rettung aus Notlage durch einen Mächtigeren als den bedrängenden Gegner*. Daß Mt dabei eigene semant. Akzente im Sinne einer möglichst engen Fassung setzt, wird schon an der Auslassung der ersten mk Vorgaben deutlich: Mk 3,4 bot σ. mit dem Antonym "töten" und 5,23 im Hendiadyoin mit dem Synonym "leben". Die Not und Gefahr, angesichts deren sich ein Subj. mächtiger als das Bedrängende erweisen soll, sind immer deutlich gegeben; für Mt gilt uneingeschränkt: "Die Bedeutung *Bewahrung, Erhaltung* eines natürlichen Bestandes einer Person oder einer Sache findet sich nicht" (FOERSTER ThWNT 7, 989). 8,25(+Q) bitten die fünf ersten Schüler um rettende Hilfe angesichts des Seebebens wie 14,30(+Mk) Petrus für sich in seiner plötzlichen Furcht bei seinem Seewandel, wobei beidemale die Kyrie-Anrede voransteht und im zweiten Falle die ausgestreckte Hand als angebotene Macht den Charakter der Bitte um befreienden Einsatz der Übermacht in einer Notlage verdeutlicht.

Jesulogisch eingeführt war das Vb. schon in der nach Analogie von Sir 46,1 (Josua als "Jesus" σωτηρία ἐκλετῶν) bzw. PhilMut 121 (σωτηρία κυρίου) den semit. Gehalt reaktivierenden Namensdefinition 1,21 (allerdings mit dem Vb., nicht mit Gott als Subj. und auf die "Sünden" als Notlage bezogen, was in der LXX-Vorgabe ungewöhnlich ist und nur Ez 36,29 - allerdings mit Gott als Subj. - vergleichbar erscheint, bzw. mit Synonym ῥύω LXX-Ps 129,8, was auch Mt 27,43 für Gott verwendet und es von dem an Jesus gerichteten σ. dort V.40.42 gerade differenziert): Jesus wird (Fut. = soll) "sein Volk" (also als König seiner Israel-Generation) "von ihren Sünden erretten" (d.h. mt durch seinen Ruf zur Umkehr = durch Bekanntmachung der Einlaßbedingungen für den neuen Äon, was durch Abweisung und Tötung gerade als nicht realisiert - mit Ausnahme derer, die seine Schüler wurden - zur Darstellung kommt). Der Spott 27,42(=Mk "andere hat er gerettet") ist mt rahmend dazu in Beziehung gesetzt.

Wo die Notlage in der Krankheit und die Rettung in der *Heilung* besteht, ist stärker die Eigenaktivität der Betroffenen betont: Der Wille 9,21(=Mk), wenn ich bloß seinen Mantel berühre, werde ich *mich aus meiner Notlage befreien = mir Heilung verschaffen (mich von meinen zwölfjährigen Gebärmutterblutungen befreien)*, erhält V.22b(=Mk) die Zusage: dein einsichtsvolles Zutrauen hat dich *befreit, geheilt*, um V.22c (=Mk 5,23 permutiert) wiederum im Pass. die Feststellung des Vollzugs anzuschließen; der Zusammenhang der Satzgefüge im einzelnen wie im ganzen macht an dieser gehäuften Stelle deutlich, daß das doppelte Pass. hier (wie öfter im jüd.-hell. Sprachgebrauch; FOERSTER ebd.981) med.-reflexiv *sich retten, Heilung verschaffen* bedeutet. Dupl. wurde dieser Gebrauch rahmend dazu (und wiede-

rum in Akolouthie auf die zweite Bootsstelle) mit der Vollzugsmeldung der Mantel-Berührer im Gennesaret-Summarium 14,36(=Mk Simpl.) mit dem Komp.
διασῴζω

Mt 1 : Mk 0 : Lk 1 + 5 (NT nur noch 1Pt 3,20),
was in der Vollzugsmeldung weniger ein Intensivum als ein volles Synonym darstellt: Alle, die ihn anrührten, verschafften sich Heilung, befreiten sich von ihrer Notlage.

Die meisten Verwendungen beziehen sich auf Verfolgung, so ob Jesus als der Mächtigere sich 27,40.42(=Mk) bzw. V.47(+Mk) Elijah ihn aus der Notlage der Kreuzigung befreit. In der Korrespondenz der Verwerfung von Lehrer und Schüler wird das nach dem ersten Verwerfungsorakel 16,25(=Mk) auch als Bedingung auf seine Schüler übertragen, wobei statt des reflexiven Pron. in 27,40.42 das semit. Äquivalent ψυχήν αυτοῦ für fehlendes Reflexivum übernommen wurde. Beachtlich ist, daß Mt das Vb. hier nur in der Protasis, nicht aber in der Apodosis übernommen (sd. statt dessen an die Q-Fassung Finden von 10,39 angeglichen; SCHULZ 1972:445) und damit nicht mehr das paradoxe Oxymoron hat; damit ist die Konzentration von σ. auf die Verwendung für die Notlage der Verfolgung noch unterstrichen: Wer sich aus der Notlage der Verfolgung befreien will... (indem er aus Furcht vor der Verfolgung die Jüngerschaft aufgibt: "Aufforderung zur Lebenshingabe" GRUNDMANN 301). Gerade auch in diesem Sachbezug ist das Pass. in reflexiver Verwendung 24,13(=Mk) und dupl. 10,22(+Mk) gebraucht: Wer bis zum Ende durchhält, wird sich retten (im Zusammenhang mit Flucht wie 1Makk 2,44; 9,9; 10,83; 11,48; FOERSTER ebd.981), worauf 24,22(=Mk) unmittelbar im gleiche Sinne folgt: würde kein Mensch sich aus der Notlage der Verfolgung retten (= überleben; RADL EWNT 3,767). Da auch in diesen drei Fällen nicht die Bedeutung selig werden (im Sinne von Rettung im Endgericht) verwendet war und Gott nie als mt Subj. des σ. erschien, so kann auch in der Schülerfrage 19,25(=Mk) nicht von vornherein Gott als Subj. eines Pass. divinum veranschlagt, sd. muß σ. ebenfalls als reflexives Sich-Retten verstanden werden. Das erfordert auch der unmittelbare Kontext, da sonst die angeschlossenen Antwort mit dem Hinweis auf Gottes Vermögen keine Antwort auf die Frage wäre, wenn schon die Frage diesen Gottesbezug implizierte. Die Antwort bringt einen Fortschritt nur dann, wenn die Frage meint: Wer kann sich dann aus dieser Notlage befreien? Im Kontext sind die Schüler als Verfolgte schon V.21 (= freiwillig Arme) gemeint und als die alles Verlassenden auch anschließend im Blick. So dürfte Mt wohl an keiner seiner Stellen σ. mit Gott als Subj. verwenden und die Bedeutung selig werden (= Rettung im Endgericht) ist bei ihm (ganz im Unterschied zu Lk) nicht aktiviert. Das bildet eine weitere Hemmung dafür, auch ➤μακάριος vorschnell in diesem Sinne mit selig kodiert zu sehen.

ῥύομαι 6,13(+Q vom Bösen); 27,43(+Mk Spott LXX-Ps 21,9) retten Subj. Gott
Mt 2 (red.) : Mk 0 : Lk 1 (1,74) + 0 : Joh 0

σῶμα (GUNDRY 648)
Mt 14 : Mk 4 : Lk 13 + 1 : Joh 6
=(Mk 4 – 1 + 2) + (Q 6 + 3)
Das genuin griech. Wort, für das es kein hebr. Äquivalent gab, bezeichnet bei Mt immer - wie seit der Kodierung durch Aristoteles (bei Homer nur Leiche) - den menschlichen Organismus, als dessen wesentlicher Teil 6,22a (=Q) das Auge als Organ definiert ist in Relation zum ganzen Körper V.22b. 23(=Q), was 5,29f(+Q/Mk) vorwegnehmend in der gleichen Relation zu Auge und ergänzt durch Hand dupl., die hier beide bei Mt red. einmalig als
μέλος (GUNDRY 645) Körperglied, Organ
Mt 2 : Mk 0 : Lk 0 : Joh 0 (NT sonst nur pl und nach-pl)
zum ganzen Körper in Relation gesetzt werden (als Ganzheit "stärker griech., nicht hebr. gedacht" SCHWEIZER ThWNT 7,1055).

6,25a.b(=Q) parallelisiert den menschlichen *Körper* in Relation zur Kleidung (Ziel-Mittel- Relation) mit der *ψυχή* in Relation zur Ernährung und erklärt beide gleichermaßen zum primären Verfügungsobj. der Fürsorge Gottes, so daß ihr Verhältnis zueinander nicht platonisierend (Leib als Gefängnis der Seele) gedacht ist, sd. eher aristotelisch-stoisch (AristolAn 412A; Zeno fr. 135) als leib-seelische Einheit. Dualisierender zugespitzt ist die par. Verwendung beider in dem späten Warnspruch 10,28a(=Q).b(+Q wohl vorgegeben SCHULZ 1972:161; POLAG 1977: 76; SCHENK 1981:84f) vor den Verfolgern, die nur den *Leib*, nicht aber die Seele töten können, während Gott *Leib und Seele* im ewigen Straffeuer vernichten kann. Dahinter steht die semant. Kodierung der dualist. Weisheit, nach der die Seelen nicht ihrem Wesen nach unsterblich sind, sd. die Seelen der Gerechten aufbewahrt werden (Sap 3,1-5; 4,7-14), während die Ungerechten wie Sap 2,1-5 *total umgebracht* werden (BOISMARD 1975; SCHENK 1985:84f). Schon 5,29f hatte diese Vernichtung hinsichtlich des *Leibes* im Blick.

In der Passionsgeschichte beziehen sich 26,12(=Mk) auf den zum Begräbnis gesalbten wie 27,58(=Mk).59(+Mk dupl.) zu begrabenden *Leib* Jesu (uspr. bezeichnete bei Homer σ. überhaupt nur *Leiche*), was 27,52(+Mk) im einmaligen Plur. dupl.: *viele Leiber* der verstorbenen Gerechten werden erweckt. Zwischen den beiden mit Poss.-Pron. auf Jesus bezogenen Stellen steht die Selbstaussage beim letzten Mahl 26,26(=Mk); war diese schon durch den von Mk zugesetzten Imp. auf das Brot statt auf das Mahl selbst umorientiert worden, so hat Mt diesen Elementen–Bezug durch einen weiteren Imp. noch verstärkt. Durch die rahmenden Stellen ist damit vor allem der Begräbnisbezug verstärkt und damit der Zusammenhang mit der Auferweckung: Das Mahl gibt Anteil am begrabenen Jesu als Anwartschaft auf die Auferweckung. Während bei dem anschließenden Trinkspruch die Zusammenbindung der Schüler mit dem Lehrer in den Zusammenhang von Verwerfung und Rehabilitierung Jesu durch ein Doppelwort expliziert ist, ist sie in der Bezeichnung *Leib* implizit gegeben.

Die Abstraktkategorie "Leiblichkeit" (SCHWEIZER EWNT 3,772f) sollte man für die semantische Analyse nicht verwenden, da sie eine eigengeprägte semantische Kategorie aus dem Wortfeld der Bewußtseinsphilosophie des 19.Jh. darstellt, die als Komplenym zu "Bewußtsein" steht und in der Semiotik SCHLEIERMACHERs die Gestalt, den Zeichenträger im Hinblick auf den semant. Gehalt bezeichnet: "Es gibt keine Form des Bewußtseins, die anders als mit ihrer Leiblichkeit zugleich hervortreten könnte" (Über den Begriff des höchsten Gutes 1827, Werke 3/2 487; vgl. VOLP 1982).

ψυχή
    Mt 16 : Mk 8 : Lk 13 + 15 : Joh 10
        =(Mk 8 -1 + 1) + (Q 3 + 4) + (A-Mt 1)
Den vier Q-Stellen in Relation zu ⊁σῶμα voran steht 2,20 *nach dem Leben trachten* als Komplenym zu *sein Leben verlieren* vs. ⊁*finden* 10,39a(=Q).b (+Q); Dubl. 16,25a.b(=Mk), wo V.26a.b(=Mk) durch das red. einleitende Fut. (⊁*ὀφελέω*) die von Gott aufbewahrte Seele mit dem Lohn des ewigen Lebens identisch wird. *Lebenshingabe* 20,28(=Mk) hat ebenfalls die *Lebendigkeit* als Prinzip des menschlichen Organismus im Blick. Als Semitismus erscheint es partiell 22,37(=Mk Zitat Dt 6,5) für *Lebenskraft, Anstrengung* und metonymisch für den Menschen selbst 11,29(+Q Ruhe für *euch selbst*); 26,38(=Mk *niedergeschlagen bin ich selbst*) wie für Gott 12,18(+Mk Zitat Jes 42,1 *meine Seele = ich*).

τάλαντον ⊁*ἀργύριον*
ταμιεῖον 6,6(+Q); 24,26(+Q) *verschließbarer Vorratsraum im Haus*
    Mt 2 : Mk 0 : Lk 2 (NT sonst nie)
ταπειν– (GUNDRY 648)
    Mt 4 : Mk 0 : Lk 7 + 2 : Joh 0

ταπεινός
    Mt 1 : Mk 0 : Lk 1
steht 11,29(+Q) als jesulogisches Adj. (ergänzend, nicht synonym zu ⇥πραΰς)
mit dem Dat. ⇥καρδία, um so die Freiwilligkeit des *Sich-Erniedrigens* zu
markieren (GIESEN EWNT 3,798f *demütig*) und ist so Äquivalent zum seltenen
und wohl genuin christl. gebildeten *Reflexivum* beim Vb.
ταπεινόω
    Mt 3 : Mk 0 : Lk 5 + 0
in dem Q-Spruch 23,12b, dessen entsprechender Bedingungsteil 18,4 dupl.
wurde, wo *sich selbst erniedrigen* die Synonyme ⇥στρέφω und "werden wie
die Kinder" hat. Im Kontext von 23,12 faßt dieses reflexive τ. die innergemeindlichen Verhaltensweisen von V.8-10 (nicht Rabbi, Vater, Lehrer nennen) zusammen und ist synonym mit dem schon zusammenfassenden διάκονος
V.11 (GIESEN EWNT 3,802). Die Strafzusage im fut. pass. *Erniedrigtwerden*
V.12a(=Q) wird in dem V.13 anschließenden, wiederholten οὐαί entfaltet und
V.33 mit der synonymen Verdammung zur Feuerhölle rahmend konkretisiert.
Das Antonym
ὑψόω
    Mt 3 : Mk 0 : Lk 6 + 3 : Joh 5
steht 23,12a(=Q) reflexiv in der Protasis *sich selbst erhöhen* als Zusammenfassung für das im ganzen Kap. und vor allem V.2-7.13ff konkretisierten
Verhalten der jüd. Führer, während das Pass. divinum in der Apodosis V.12b
(=Q) identisch mit dem Lohn der individuellen Unsterblichkeit im neuen Äon
ist. 11,23(=Q Zitat Jes 14,13) ist es die trügerische Hoffnung Kafarnaums, die
das Antonym ⇥καταβαίνω erhält.
ταράσσω ⇥φοβέω
τάσσω ⇥διδάσκω
ταῦρος 22,4(+Q - NT nur noch Apg 14,13; Hebr 9,13; 10,4) *Stiere, Ochsen*
ταφή, τάφος ⇥ ἀποθνῄσκω
ταχύ (JÜLICHER 1910:II 240; GUNDRY 648)
    Mt 3 : Mk 1 : Lk 1 + 1 : Joh 1 (NT nur noch Apk 6mal)
Neutr. Sing. von ταχύς als Adv. *schnell* 5,25(+Q) und 28,7(+Mk) im Auftrag
und V.8(+Mk zur Verstärkung der Umkehrung der Vorlage) für die Ausführung immer red. (STRECKER 1971:159 n.4; SCHULZ 1972:421 n.126).
τε ⇥καί
τέκνον ⇥γαμέω
τέκτων ⇥γαμέω
τελ- I
    Mt 26 : Mk 6 : Lk 17 + 4
τελέω I (GASTON 1973:63; GUNDRY 648) *vollenden*
    Mt 6 : Mk 0 : Lk 4 + 1 : Joh 2
Da Mt nie das Pass. hat, das bei Lk und Joh überwiegt, so lautet der
Vergleich für das Akt.
    Mt 6 : Mk 0 : Lk 1 + 1 : Joh 0
        =(Mk 0 + 5) + (Q 0 + 1)
Davon entfallen 5 auf die stereotype Weiterführungswendung nach Reden
Jesu καὶ ἐγένετο ὅτε ἐτέλεσεν ὁ ᾽Ιησοῦς + Akk. (bzw. 11,1 ein nachgestelltes
Pt.conj.). Diese Wendung ist keine reine Abschlußwendung und vor allem
kein Trenner, sd. ein Verbinder der temporalen Weiterführung (KINGSBURY
1975:3-7). Die erste Stelle 7,28(+Q) dürfte in Struktur und Funktion von Q
übernommen sein, da Lk 7,1 einen analogen Übergang hat und außerdem das
hier gegenüber Lk fehlende "alle" dann bei Mt typischerweise an der letzten Stelle 26,1 auftaucht. Hier ist es aber nicht auf alle Reden Jesu überhaupt zu beziehen, sd. nur auf die letzten von Kap. 21 an als "alle Jerusalemer Reden". Auch deshalb ist die Heranziehung der Wendung zur Begründung der Behauptung, Mt habe sein Werk damit in 5 Bücher analog zum

Pentateuch gliedern wollen, ausgeschlossen. Die auf die erste Stelle folgenden Multiplikationen sind immer Zusätze zur Mk-Vorlage: 11,1; 13,53; 19,1; 26,1.

Auch innerhalb der Rede 10,23(+Mk) folgt ein Akk.-Obj.; Mt bezieht das Vb. hier konkret auf die vorgenannte Anweisung, ins Exil zu gehen, zurück.

τέλειος (TRILLING 1964: 192-6; YARNOLD 1968; BARTH 1970:96; STRECKER
     Mt 3 (sonst nie bei den Evangelisten)   1971:141f)
       =(Mk 0 + 1) + (Q 0 + 2)

hat Mt immer nur im Funktionsverbgefüge der Zustandsbeschreibung mit "sein", so daß es als Verhaltensmaxime der Schüler 5,48a(+Q) aus Jak 1,4b (vgl. V.17.25; 3,2 als sein Vorzugswort) her übernommen sein dürfte. Die als begründender Vergleich hier 5,48b(+Q) vorgenommene Anwendung auf Gott findet sich sonst nie im NT (wohl aber Stoa und PhilGig 45). Der semantische Gehalt ist V.45 klar definiert als "restloser Erweis der Liebe" (GOPPELT 1978:559) und bildet das Zentrum des mt Konzepts im Sachzusammenhang mit ≯δικαιοσύνη, was 6,1 als synonyme Renominalisierung auftaucht und im Zusammenhang mit dem umgreifenden Weisheitskonzept gesehen werden muß: nur die echten mt Buchschüler sind solche. Wie es an der ersten Stelle Rechtsverzicht und Feindesliebe zusammenfaßt, so an der zweiten 19,21(+Mk) Besitzverzicht um der willentlich Armen (=Lesergemeinde) willen. Es folgt an beiden Stellen auf das Liebesgebot (BERGER 1972:445) und klassifiziert dieses auch damit als unzulänglich oder wenigstens mißverständlich. Mt insistiert primär auf die Erfüllung seines spezifisch eigenen Religionsgesetzes. Es ist methodisch unmöglich, eine quantitative Wortverwendung in Qumran zum formalistischen Vergleichspunkt zu nehmen, ihr eine mt "Modifikation des Gesetzes" entgegenzustellen, um so apologetisch die (scheinlutherische oder scheinchristliche, in Wirklichkeit aber idealistische) Antithese zu erhalten: "Weder 5,48 noch 19,21 sind gesetzliche(!) Forderungen gestellt" (so HÜBNER EWNT 3,823; 1973:110-2). Wenn man sich schon (unter Ausblendung des jurist. Aspekts der notwendigen Regelung gesellschaftlichen Zusammenlebens; SMITH 1981:45-8) auf diese Kategorien einläßt, so muß man im Blick auf Mt als Schöpfer eines Religionsgesetzes wohl sagen: Natürlich sind solche gestellt - nur eben andere.

Man kann noch erkennen, was Mt zur Wahl des Ausdrucks in 5,48 veranlaßte, denn er stellt der grenzenlosen Liebe V.45 die Gegenseitigkeitsliebe der stammgleichen ≯Zöllner entgegen. Bei der mt Vorliebe in der Verwendung dieses Stammes hat er hier nicht nur eine Sachantithese, sd. zugleich auch ein Wortspiel hergestellt.

τέλος I
     Mt 5 : Mk 3 : Lk 4 + 0 : Joh 1
       =(Mk 3 - 1 + 3)

Es ist kennzeichnend, daß Mt die negative Stelle Mk 3,26, die Lk 1,33 versetzt modifiziert übernehmen konnte, nicht übernahm. Daraus ergibt sich klar, daß Mt immer eine positive Bedeutung mit dem Subst. verbindet. Dann aber lauten die engeren Vergleichszahlen

     Mt 5 : Mk 2 : Lk 3

Übernommen wurden die Parusiebezüge 24,6.13(=Mk), was Mt V.14 wie 10,22 (+Mk) dupl.; wichtiger als der Referenzbezug zur Parusie dürfte allerdings das Sem der Vorsehungsplanerfüllung sein, weil Mt sonst das Komp. ≯συντέλεια gewählt hätte. Unter dem Aspekt der Vorsehungsplanerfüllung erklärt sich aber auch die Substitution 26,58(+Mk) zur mt Neumotivierung der weiteren Jesusnachfolge des Petrus als Betonung seiner Treue.

τελευτάω, τελευτή ≯ ἀποθνῃσκω

τελ- II *Abgaben entrichten*
     Mt 11 : Mk 4 : Lk 13 + 0 : Joh 0

Der Erweiterung des monetären Wortfeldes durch Mt entspricht auch eine

Erweiterung diese Stammes:

τελέω II *Abgaben entrichten*
    verwendet von den Evangelisten nur Mt 17,24   - wohl von Röm 13,6
übernommen, da sich die Par. im Anschluß fortsetzt:

τέλος II Plur. *Abgaben*
    hat von den Evangelisten nur Mt 17,25 - wohl vom Sing. Röm 13,7
inspiriert. Als beigeordnet davon zu unterscheiden wurde hier

κῆνσος
    Mt 3 : Mk 1 (sonst nie in NT und LXX)
von 22,17(=Mk).19(+Mk) nochmals dupl. wie 17,25; das lat. Lehnwort bezeichnet die *Kopfsteuer*, die vom röm. Cäsar als Abgabe auf das persönliche
Vermögen (*tributum capitis*) erhoben und mit dem röm. >Silber-Denar bezahlt
wurde, der Münze, die Kopf und Inschrift des Kaisers verwendete (BALZ
EWNT 2,707-9). Damit bezeichnet 22,19(+Mk)

νόμισμα (sonst nie in NT und LXX) präzis die *Steuermünze, Kaisermünze.*
    Von Mk übernommen ist das in Pap. (Par 62,8.3 vor 170 v.Chr.; M-M 631)
und Inschriften (OGIS II 496,9) belegte

τελώνιον
    Mt 1 = Mk 1 = Lk 1 (NT und LXX sonst nie)
9,9(=Mk Deminutiv) ist τ. durch das *Sitzen* wohl als "einfacher Wechseltisch"
zu denken, "auf welchem Quittungen geschrieben und Bezahlungen vorgenommen wurden" (MICHEL ThWNT 8,96 n.92).

τελώνης (GUNDRY 648)
    Mt 8 : Mk 3 : Lk 10 (NT und LXX sonst nie)
        =(Mk 3) + (Q 2 + 3)
Mt ist ganz von Mk und Q abhängig (gg. MICHEL ebd.103; HERRENBRÜCK
1981:180 keine "mt Sonderüberlieferung"): 9,10f(=Mk) ist der einzige Mk-
Komplex übernommen, und der dort straffend ausgelassene Beleg Mk 2,16a
ist wegen des Namenwechsels, den Mt vornahm, erinnernd der Schülerliste
10,3 (+Mk) zugefügt, so daß letztlich nur Permutation vorliegt. 11,19 ist der
Doppelausdruck, mit dem auch Mk schon von Q abhängig sein dürfte
(SCHENK 1979), von der Q-Red. übernommen (SCHENK 1981:45-7); auch 21,32
(=Q) stammt aus der gleichen Schicht der Täuferrede in Q (ebd.) und wurde
V.32(+Q) dupl.; mit 5,46(+Q) dürfte Mt die urspr. Q-Fassung bewahrt
haben, da es im dritten Teil des Q-Mahnredenschemas steht, das in rhetor.
Fragen konkrete Beispiele gibt (ebd.28f). Die hier V.47f vorgegebene *Doppelung* des Beispiels hat Mt 18,17(+Q) als mikrosyntaktisches Syntagma dupl.
insertiert. Damit ist die Verwendung im *Sing.* 10,3 und 18,17 erst red. (wie
analog bei Lk); die Vorlagen boten nur den Plur.; außerdem hat die Doppelgruppe der Vorlagen 11,19(=Q)/9,10f(=Mk) wie das Nebeneinander in 5,46f Mt
dazu gebracht, nicht nur 18,17, sd. auch 21,32f eine analoge dritte und
neue Doppelgruppe zu bilden: *Abgabenerheber und Huren.* Diese ist wohl
nicht historistisch so verständlich zu machen, daß beide Gruppen für das
Fraternisieren mit der Besatzungsmacht als "Quislinge" typ. seien (so
GIBSON 1981), da Mt ja (a) nicht anti-röm. eingestellt ist (wie sein Pila-
tusbild zeigt) und außerdem (b) die *Abgabenerheber* von 5,46 her auch
18,17 in negativer Wertung verwendet, was Lk darum an der ersten Stelle
ausgelassen haben dürfte, da es bei ihm nur reuige *Abgabenerheber* gibt.
Nur Mt hat daneben auch eine bleibende bzw. aktuell negative Wertung.
    GIBSON hat auch darum Unrecht, weil er zu selbstverständlich von einer
semant. Füllung des Subst. ausgeht, die fraglich ist; Beim Wechsel der In-
stitutionen sind die semant. Füllung und eine ihr entsprechende Übers. immer ein Problem, das aber die verengende Übers. mit *Zöllner* zu leicht ver-
deckt (MICHEL ebd.89; MERKEL EWNT 3,836); seit der alt-lat. Übers. mit *pub-
licanus* haben Tertullian wie Luther 18,17 als Hendiadyoin mißverstanden
und sie so für Römer gehalten, wogegen schon Hieronymus Widerspruch ein-

gelegt hat (HERRENBRÜCK ebd.180-4); es handelt sich aber weder um röm. Großsteuerpächter noch um deren Angestellte, die *portitores* (so von MOMMSEN 1876 bis MICHEL ebd.96f; SCHOTTROFF-STEGEMANN 1978:15ff; dgg. HERRENBRÜCK ebd.184-6). Seit der Auswertung der Zenonpapyri ist wahrscheinlicher, daß die Institution der hell. *Abgabenpächter* weiterbestand und die von Q dem Täufer wie Jesus gegenüber gelegentlich je einmal Erwähnten mit der röm. Verwaltung gar nichts zu tun hatten (HERRENBRÜCK ebd.189-94 nach ROSTOVTZEFF 1902; 1955; YOUTIE 1937): "Im Aufstandsjahr 66 n. Chr. wird von einem angesehenen τ. Johannes in Caesarea berichtet (JosBell 2, 287ff). Er war ein angesehener Jude, reich und in der jüd. Gemeinde sehr einflußreich. Diese Charakteristik entspricht sehr genau dem ptolemäischen τ." (ebd.193f). Für einen Angehörigen des Priesterstammes, der ja den Namen *Levi* Mk 2,14 trägt, ist durch die geforderte besondere rituelle Reinheit ein röm. *Zöllner-Dienst* auszuschließen, falls nicht erst Mk red. von der V.15f dreimal übernommenen Q-Wendung her auch hier mit *Wechseltisch* eines seiner beliebten Deminutiva gebildet hat (V.14 ist eher red. als trad.; PESCH 1977: I 164 gg. GNILKA 1979 I 104; MERKEL EWNT 3,836). Mt hat den Namen natürlich wegen der von ihm intendierten Begrenzung auf den Zwölferkreis geändert; als Nebenmotiv ist aber auch die Vermeidung der positiven Erwähnung eines Priesters bei ihm nicht auszuschließen. Für Mt ist gerade wegen der synthetischen Doppelung mit *Heiden* gerade an Juden zu denken. Wesentlich ist jedoch bei ihm die monetäre Denotation. Auf jeden Fall ist für ihn die Übers. *Zöllner* falsch, weil damit semant. *Angestellte einer röm. Steuerpachtgesellschaft* bezeichnet wären. Man muß also auch bei τ. die semant. Füllung und Übers. für jeden Autor gesondert bestimmen. Das im Zusammenhang der histor. Jesus-Frage heute überstrapazierte Theologoumenon vom "Freund der τ." hat nicht nur mit 11,9(Q-Spätschicht als Allegorieanwendung) eine sehr schmale Textbasis, die von daher schon bei Mk erst red. übernommen zu sein scheint und erst bei Lk tertiär verbreitert wurde; leider wird der lk Eindruck vorschnell historisiert, während Q daneben auch noch die gleiche Relation der τ. zum Täufer hat und diese sogar als die primärere erscheint.

τέρας 24,24(=Mk) *Unbegreifliches, Wunder*
   Mt 1 : Mk 1 : Lk 0 + 9 : Joh 1
τεσσαράκοντα, τέσσαρες, τέταρτος ✦δύο
τετράρχης ✦βασιλεύς
τετρακισχίλιοι ✦δύο
τηρέω ✦διδάσκω
τίθημι *setzen* 5,15(=Q); 24,51(=Q); *legen* 12,18(+Mk); 22,44(=Mk); 27,60(=Mk)
   Mt 5 : Mk 10 : Lk 16 + 23 : Joh 18
τίκτω ✦γαμ-
τίλλω ✦ἄρτος
τιμ-
   Mt 18 : Mk 13 : Lk 13 + 12
τιμάω
   Mt 6 : Mk 3 : Lk 1 + 1 : Joh 6
   =(Mk 3 + 3)
15,4(=Mk Zitat Ex 20,12) wie 19,19(=Mk) ist das Dekaloggebot, die Eltern zu *ehren*, übernommen, wobei der Kontext jeweils deutlich erkennen läßt, daß es nicht einen rein ideellen Sinn hat, sd. der materielle Aspekt der *Fürsorge* deutlich präsent ist; dieser vorgegebene finanzielle Aspekt der *Honorierung* wird durch die Dupl. in der antithetischen Gegensatzbildung 15,6(+Mk) noch verstärkt. Im Anschluß daran ist 15,8(=Mk Zitat Jes 29,13) in Analogie zum Gebrauch von ✦ἀγαπάω im "Doppelgebot" das Vb. zur Kennzeichnung einer pervertierten *Verehrung* Gottes übernommen. Schon 13,57(=Mk) war das Adj.

ἄτιμος *ohne Anerkennung*
   Mt 1 : Mk 1 (NT nur noch 1Kor 4,10; 12,23; LXX 10mal)
in der Maxime vom Propheten in seiner Vaterstadt übernommen. Deutlich monetär getönt ist die doppelte red. Verwendung des Vb. 27,9b.c(+Mk ἀργυρία), was sich auch in der Verwendung des Subst. zeigt:
τιμή
   Mt 2 : Mk 0 : Lk 0 + 6 : Joh 1
      (=Mk 0 + 2)
27,6 ist es die für eine Bluttat gezahlte *Geldsumme* und V.9b der *Preis (Schätzpreis)* für den *Wertgeschätzten* (Pt., wozu gg. BAUER WB 1816 nicht "Acker" zu ergänzen ist, da der Referenzbezug in der Abänderung der verwendeten Zitatsplitter von Sach 11,13 deutlich auf Jesus personalisiert ist; SENIOR 1982:355); dazu ergänzt der Relativsatz V.9c noch ironisch: *soviel (wie nun eine Mülldeponie Töpferschutt) war er den Israeliten wert*". Die red. verstärkte antijüd. Zuspitzung der Passionsdarstellung durch Mt macht "die Kinder Israels zu Verkäufern Jesu" (ROTHFUCHS 1969:87), während je nach Auflösung des einleitenden ἔλαβον Judas (1.Pers. SENIOR ebd. wie KLOSTERMANN 218; GRUNDMANN 549-51; SCHWEIZER 328) od. die Volksführer (3.Pers.Plur. ROTHFUCHS ebd. nach LAGRANGE 516f; LOHMEYER 328; SCHMID 256; GUNDRY 1967:126; STENDAHL 1969:135; STRECKER 1971:81; BEARE 525) als Käufer Jesu erscheinen. Auf jeden Fall gehört die Verwendung hier in den Bereich der monetären Phantasien des Mt (und ist daher gg. STRECKER ebd.77 kein Kennzeichen vor-mt Tradition) wie ebenso die Adj.:
πολύτιμος *besonders wertvoll, kostbar, teuer*
   Mt 1 (NT nur noch Joh 12,3; 1Pt 1,7; LXX nie)
13,45 zur Kennzeichnung der Perle in einer typ. mt Reichtumsallegorie und
βαρύτιμος *sehr (sündhaft) teuer*
   Mt 1 (NT und LXX sonst nie)
26,7(+Mk) vom "Salböl" zeigt dieselbe Tendenz und verstärkt wohl noch um einen Grad stärker als die sek. LA (N-A, H-G) mit dem vorangehenden Komp., da auch die Favorisierung von βαρ-Verbindungen mt Stil ist und Mt damit hier eine bewußte Antithese um Judas-Lohn in V.15 und den Wortanklang zum Subst. 27,6.9 herstellt (GUNDRY 520).
ἐπιτιμάω
   Mt 7 : Mk 9 : Lk 12 + 0 (NT nur noch 2Tim 4,2; Jud 9; LXX 10mal)
      =(Mk 9 - 2)
mit adversativem Sinn der Präp. des Komp. (BAUER WB 599f; GIESEN EWNT 2,107f) vom *drohenden Befehlswort* Jesu 8,26(=Mk) gegenüber Wind und Meer wie 17,12(=Mk) dem Dämon; schwächer dgg. mit der jeweiligen Inhaltsangabe 12,16(=Mk + ἵνα) gegenüber den von ihm Versorgten zum Zweck der Schrifterfüllung als Schweigebefehl wie am Ende des ersten Buchteils den Schülern gegenüber 16,20(=Mk + ἵνα; mit B* D e syᶜ Or gg. N-A, H-G wohl urspr. LA, da Mt das mk διαστέλλομαι 5mal ausgelassen und nie verwendet hat, so daß hier eine mt Permutation von Mk 8,15 wie eine sek. Rückangleichung an Mk als unwahrscheinlicher erscheint; gg. GUNDRY 336 ist nicht ein Wechsel wegen des Übergangs von einer negativen zu einer mehr positiven Konnotation anzunehmen, weil dann die Vorgängerstelle 12,16 übersehen wäre). 3mal ist in einer Chrie-Einleitung als Torheitswort eine Fehlanwendung im Munde *seiner Schüler* zum Zwecke der Überbietung durch ein Jesuswort damit bezeichnet: 16,22(=Mk) durch Petrus Jesus gegenüber; 19,13(=Mk) durch die Zwölf den Kinderzuführern gegenüber; 20,31(=Mk) durch die Jericho-Nachfolger den Blinden gegenüber.
τίς, τί (GASTON 1973:63)
   Mt 90 : Mk 71 : Lk 114 + 55 : Joh 78
      =(Mk 71 - 30 + 21) + (Q 19 + 9)
In der *dir. Frage* steht das Frage-Pron. typ. mt 7mal in der Frage nach

dem Grund ≻διὰ τί wie 5mal τί ≻γάρ; genuin mt auch 6mal in der Vorfrage τί ὑμῖν/σοι ≻δοκεῖ neben dem übernommenen funktionsgleichen τίς ἐξ ὑμῶν 6,27(=Q); 7,9(=Q); 12,11(=Q) bzw. variiert *wer von beiden* 21,31(+Q); gehäuft auch in den Folgerungsfragen τί(ς) ≻ἄρα bzw. οὖν (17,10[=Mk +]; 21,25[=Mk]; 22,28[=Mk +]; 27,22[=Mk])

    Mt 8 : Mk 2 : Lk 4 + 2 : Joh 2

bzw. *ellipt.* ohne Folgerungspartikel 21,40(=Mk); 22,20(=Mk).

Allgemein *subst.* τίς ferner 3,7(=Q); 11,16(=Q); 12,48a(=Mk).b(+Mk); 16,13. 15(=Mk); 21,10(+Mk).23(=Mk); 22,42b(+Mk); 26,68(+Mk); 27,17.21(+Mk *welchen von beiden* = πότερος); *subst.* τί ferner 6,31b.c(=Q).d(+Q); 9,5(=Mk) beim Komparativ *welches von beiden* (= πότερον) wie 23,17.19(+Q); 8,29(=Mk ellipt. *was habe ich mit dir zu schaffen* wie Epikt 2,19,16; 2,20,11 L-S-J 1798; BAUER WB 1621; HORSTMANN EWNT 3,864; STANTON 1973; BÄCHLI 1977); ähnlich ellipt. 27,4(+Mk τί πρός *was geht uns das an*; BAUER WB 1409 vgl. Epikt 4,1,10; PlutMor 986B); 16,26a.b(=Mk); 19,20(=Mk 19,20 permutiert); 20,21. 32(=Mk); 26,15(+Mk); bzw. mit Präp. εἰς 14,31(+Mk) und 26,8(=Mk); ἐν 5,13 (=Q/Mk) und 12,27(=Q).

4mal *adj.* (statt ποῖος; HORSTMANN EWNT 3,864) τίς nur 5,46(+Q) bzw. τί 5,47(+Q); 19,16(=Mk doch Verbindung red.); 27,23(=Mk).

12mal *adv.* τί als Frage *warum?* (klass. wie LXX; BAUER WB 1621; B-D-R 299,3; von Mk 2,7f; 11,3 nicht übernommen): 6,28(=Q); 7,3(=Q) und von 11,9 (=Q) her in diesem Sinne wohl auch V.7f(=Q); 8,26(=Mk); 16,8(=Mk); 19,17 (=Mk); 20,6(+Mk); 22,18(=Mk); 26,10.65(=Mk) (als Ausruf 7,14 *wie!* gg. N-A wohl sek. LA).

In *indir. Fragen* nach Vb. der geistigen Tätigkeit 21,16(+Mk *hören*); 26,62 (=Mk) hell. anstelle eines *Rel.pron.* (B-D-R 298,4) 15,32(=Mk ἔχω = *wissen*; BAUER WB 1621); 20,22(=Mk); 26,70(=Mk); vor allem nach Imp. 24,3(=Mk) mit Ind. 6,3(+Q); 9,13(+Mk) = 12,7(+Mk); 10,11(+Q); 12,3(=Mk) oder Konj. 6,25b.c (=Q); 10,19a(=Mk).b(+Mk).

τίς, τι

    Mt 20 : Mk 32 : Lk 78 + 112 : Joh 52
        =(Mk 32 - 22 + 8) + (Q 1 + 1)

Mt hat das enklitische Indefinit.-Pron. klar reduziert. Er verwendet es meist *subst.*, vor allem 6mal mask. mit Negation (≻οὐδέ) für *keiner* 11,27b(+Q nach V.27a statt Fragepron.); 12,19(+Mk red. zum Zitat); 22,46b(+Mk nach V.46a) bzw. nach μή 8,28(+Mk) und 24,4(=Mk) wie funktionsgleich nach πῶς 12,29(+Mk). Mehr trad. mit einem angeschlossenen Gen. partitivus 5mal: 9,3 (=Mk) dupl. 12,36(+Q); 16,28(=Mk Pt.) = 27,47(=Mk); 28,11(+Mk); damit funktionsgleich einmal adj. im Konditionalsatz 18,12(=Q) sonst immer in Konditionalsätzen (auch von daher ist 12,47 sek. LA) abs.: 16,24(=Mk); 21,3(=Mk); 22,24(=Mk); 24,23(=Mk). Das subst. Neutr. τι erscheint nur 4mal: 5,23(=Mk 11,25 permutiert) dupl. 18,28(+Q); 20,20(+Mk); 21,3(=Mk).

τοιοῦτος ≻οὗτος

τόκος ≻ἀργύριον

τολμάω 22,46(=Mk) *wagen*

    Mt 1 : Mk 2 : : Lk 1 + 2 : Joh 1

τόπος (GUNDRY 648)

    Mt 10 : Mk 10 : Lk 19 + 18 : Joh 17
        (=Mk 10 - 4 + 3) + (Q 1)

Mit adj. Näherbestimmung 12,43(=Q) *wasserlose Gegenden*; 14,13.15(=Mk - dort aber Renominalisierung von 1,35.45, was Mt ausließ) *unbewohnter Ort*; ≻ἐκεῖνος 14,35(+Mk Rückbezug auf Gennesaret V.34); ἅγιος = *Tempel* 24,15 (+Mk); mit Ortsnamen 27,33a.b(=Mk *Golgotha, Schädel*) bzw. Relativsatz 28,6 (=Mk *Begräbnis*); daneben allgemein 24,(=Mk) κατὰ τόπους *stellenweise, an einzelnen Orten* (Belege bei BAUER WB 802); funktional der *Platz*, an dem sich etwas befinden sollte (+Gen.; ebd.1628) 26,52(+Mk *Schwert* ≻Scheide).

τοσοῦτος ⊁οὗτος

τότε (FUCHS 1971:134–8; MORGENTHALER 1973:181; GASTON 1973:62; GUNDRY
Mt 90 : Mk 6 : Lk 14 + 21 : Joh 10   648)
    =(Mk 6 + 57) + (Q 4 + 12) + (A-Mt 11)
τότε in dir. Rede (HAWKINS 1909:8)
Mt 30 : Mk 6 : Lk 12
    =(Mk 6 + 7) + (Q 4 + 5) + (A-Mt 8)
12mal nicht am Satzanfang, sd. καὶ τ. in Apodosis nach Protasis mit ⊁ἐάν,
⊁ὅταν 5,24(+Q); 7,5(=Q).23(=Q Lk 13,26 permutiert); 9,15(=Mk); 12,29(=Mk);
16,27(+Mk); 24,10.14(+Mk).30a(=Mk).b(=Mk 13,27 permutiert); bzw. im Hauptsatz nach ἔσται γὰρ τ. 24,21(+Mk); daneben 19mal am Satzanfang – vor allem
in allegor. Erzählungen und mit eschatol. Bezug – 12,44(+Q nach ὅταν).45
(=Q); 13,26(+Mk nach ὅτε).43; 18,32(+Q); 22,8(=Q Lk 14,23 permutiert).13(+Q
dupl.); 24,9(+Mk).16(=Mk nach ὅταν).23(=Mk).40(+Q); 25,1.7.31(nach ὅταν).34.37.
41.44.45 mit der größten Häufung überhaupt in dieser Schlußrede.
τότε in berichtender Autorrede (HAWKINS ebd.; JEREMIAS 1965:81 n.1)
Mt 60 : Mk 0 : Lk 2 (Lk 21,10; 24,45 treffen nicht mit Mt zusammen)
    =(Mk 0 + 50) + (Q 0 + 7: 4,5.10f; 11,20; 12,22.38; 18,21) + (A-Mt 3)
Außer den Verwendungen im Satz 27,16(+Mk klass. damals), nachsatzeinlei-
tend 21,1(+Mk nach ὅτε wie 13,26 daraufhin), dem Anakoluth 9,6(+Mk) und
dem genuin mt 3maligen ⊁ἀπὸ τ. (auch klass. damals Vergangenheit betont)
immer am Satzbeginn (davon 22mal statt mk καί: 3,5.13; 4,1; 8,26; 12,13;
13,36; 15,1.12.28; 16,20; 17,19; 19,13; 20,20; 22,21; 23,1; 26,31.36.38.45.56.67;
27,38); die klass. Bedeutung damals ist außerdem in der red. mt 2maligen
Verknüpfung mit der Erfüllungsformel ⊁ἐπληρώθη... 2,17; 27,9(+Mk) betont.
Red. ist auch die Verknüpfung
τότε + λέγει (Präs. hist.) + Dat. (SCHENK 1975/6 Höhepunktsmarkierer)
Mt 12 : Mk 0 : Lk 0
außer (in der dir. Rede 12,44 vom Dämon; 22,8 vom König und) von Pilatus
27,13 immer von Jesus explizit 4,10(+Q); 26,31.52; 28,10 und elliptisch 9,6.37;
12,13; 22,21; 26,38. Daneben 8mal mit sonstigem Präs.hist. 3,13.15; 4,11; 9,14;
12,45; 15,1; 26,36.45.
τότε + προσέρχομαι an Jesus
Mt 7 : Mk 0 : Lk 0
ist 9,14 (Täuferschüler); 15,1(Gegner).12 und 17,19 (Schüler); 18,21(+Q
Petrus); 20,20 (Zebedaidenmutter); 26,50 (Verhafter) ebenso ein genuin mt
Syntagma; daneben analog mit προσφέρω 12,22 und 19,13.
τότε + ἀφίημι 3,15(+Mk); 4,11(+Q); 13,36(+Mk); 26,56(+Mk)
Mt 4 : Mk 0 : Lk 0.
τότε ἤρξατο neben 4,17 und 16,21 (ἀπό τ.) noch 11,20(+Q) und 26,74(+Mk)
Mt 4 : Mk 0 : Lk 0.
τότε συνῆκαν (οἱ μαθηταὶ) ὅτι ... εἶπεν 16,12; 17,13 als Schülerreaktion
Mt 2 : Mk 0 : Lk 0.
τότε + Eigenname + Pt. 2,7.16 (Herodes); 19,27 (Petrus); 26,14 und 27,3
(Judas) bzw. finit. Vb. 27,58 bei Pilatus und bei Jesus (neben λέγει) 3,13;
4,1; 16,24; 21,1; 26,36.
Die größte Dichte der Verwendung liegt im Buchschlußteil 26,3–28,10 vor:
Mt 22 : Mk 0 : Lk 0 : Joh 3
Hier wird die mt Funktion historisierender Verknüpfung (STRECKER 1971:
90–3) besonders deutlich. Dabei steht es ist nicht bloß als ein solches Mittel
neben und unter anderen, sd. hat immer eine typ. Zwischenstellung, sofern
es hypotaktisch nach einer konkreten Zeitangabe steht und gefolgt ist von
noch untergeordneten Zeitbestimmungen. Mt bildet damit die Vorstellung
einer Kontinuität ein, nichts ausgelassen zu haben. Zugleich gewinnt τ.
gelegentlich über den temporalen Aspekt hinaus auch den eines kausalen
daraufhin wie 26,3.14.65 nach Orakeln oder 9,29 nach einer Bitte.

ὅτε (GASTON 1973:61)
  Mt 12 : Mk 12 : Lk 11 + 10 : Joh 1
    =(Mk 12 – 9 + 6) + (Q 0 + 2) + (A–Mt 1)
Autorspezifisch ist die tempor. Konj. in der stereotypen Wendung
→ἐγένετο ὅτε 7,28; 11,1(+Q); 13,53; 19,1; 26,1(+Mk) als
  Mt 5 =(Mk 0 + 3) + (Q 0 + 2).
auch sonst immer mit Ind.Aor. *nachdem* (B–D–R 382,1) 9,25(+Mk); 12,3(=Mk);
13,48; 21,34(+Mk); 27,31(=Mk) sowie genuin mt 13,26(+Mk) und 21,1(=Mk doch
statt Präs.hist. und mit zugesetztem, pleonastischem τότε) in der Abfolge
ὅτε – τότε
  Mt 2 : Mk 0 : Lk 0 + 0 : Joh 1 (NT nur noch Joh 12,16 vgl. JosAp 1,127)
Die Verbindungen mit Impf. Mk 14,12; 15,41 wurden nicht übernommen. Q hat
offenbar keine Vorgabe geboten.
τοὔνομα →ὄνομα
τράπεζα 15,27(=Mk Essen); 21,12(=Mk Geldwechseln) *Tisch*
  Mt 2 : Mk 2 : Lk 4 + 2 : Joh 1
τραπεζίτης →ἀργύριον
τράχηλος →κεφαλή
τρεῖς →δύο
τρέφω →ἄρτος
τρέχω 27,48(=Mk); 28,8(+Mk dupl. bzw. Mk 5,6 permutiert) *laufen*
  Mt 2 : Mk 2 : Lk 1 + 0 : Joh 2
τρῆμα, τρύπημα →γυμνός
τριάκοντα →δύο
τρίβολος →δένδρον
τρίβος →ὁδός
τρίς, τρίτος →δύο
τρόπος 23,37(=Q) relativ. Wendung *wie* (Plato, Xen, LXX oft; BAUER WB 1637)
τροφή, τρύβλιον, τρώγω →ἄρτος
τύπτω →χείρ
Τύρος →ἔθνος
τυφλός →ὀφθαλμός
τύφομαι →φῶς
ὑβρίζω →κολαφίζω
ὑγιής →θεραπεύω
ὕδωρ →βαπτίζω
υἱός →γαμέω
ὑμεῖς
  Mt 247: Mk 75 : Lk 220 + 121 : Joh 255
ὑμεῖς Nom. (GUNDRY 648)
  Mt 31 : Mk 10 : Lk 20 + 25 : Joh 68
    =(Mk 10 – 3 + 7) + (Q 5 + 12)
Die jesuanischen Schüleranreden Mk 6,31; 13,9.23 sind durch kotextbedingte
Änderungen nicht übernommen; dennoch ist die mt Steigerung der Häufigkeit
auffallend; der Nom. ὑ. verstärkt den Anredecharakter, indem Mt gut klass.
das in der Vb.-Form schon enthaltene Pron. so oft zusetzt (B–D–R 277,1).
Diese Verwendungsfunktion liegt da nicht vor, wo ὑ. 7,11(=Q) und 19,28b(=Q)
des pt. Nominalsatzes wegen steht (ebd. 277,2 n.2); demgegenüber zeigen
6,26(=Q); 23,32(=Q); 24,44(=Q) schon die pleonast. verstärkende Funktion;
nach 6,26 könnte auch 10,31(+Q) vorgegeben sein, während die übrigen
Q-Mt-Stellen 5,13f.48; 6,9; 7,12; 19,28d; 21,32; 23,8a.b.13.28 red. zu sein
scheinen. Aus Mk übernommen (und wohl dort schon mehrheitlich red.) sind
10,20; 14,16; 15,5.15; 16,15; 21,13; 24,33, während eindeutige Zusätze 13,18;
15,3; 20,4.7; 26,31; 27,24; 28,5(+Mk) vorliegen. Typ. mt ist
ὑμεῖς zur Verstärkung eines Imp.
  Mt 12 : Mk 4

6,9(+Q); 7,12(+Q); 13,18(+Mk); 14,16(=Mk); 20,4.7(+Mk); 23,8a(+Q); 24,33(=Mk).44 (=Q); 28,5(+Mk); sowie beim funktionsgleichen imp. Fut. 5,48(+Q) und 27,24 (+Mk).

καὶ ὑμεῖς auch ihr

Mt 10 : Mk 2 : Lk 4

7,12(+Q);   15,3(+Mk).16(=Mk);   19,28(+Q);   20,4.7(+Mk);   23,28.32(+Q); 24,33(=Mk).44(=Q).

Damit ist zugleich die häufigste textsyntaktische Verwendungsweise bei Mt als *verstärkende Weiterführung schon angeredeter Adressaten* bezeichnet, die ferner 5,13f(+Q); 6,9(+Q); 10,20(=Mk).31(+Q); 26,31(+Mk) vorliegt (also insgesamt 16mal);

anders allerdings 23,13[+Q], wo fiktive Adressaten als ein Zweitpublikum eingeführt werden); dies gehört zu der anderen Gruppe der 13maligen Verwendung zur Bezeichnung einer *Antithese* zum voranstehenden Text: A 5,48 (+Q); 6,26(=Q); 13,18(+Mk); 14,16(=Mk); dann B 3mal ausdrücklich gekennzeichnet durch ein von Mk übernommenes zusätzliches δέ 15,5; 16,15; 21,13, das B' genau im Anschluß daran 21,32(+Q); 23,8a.b(+Q) 3mal red. dupl. ist, um schließlich A' 23,13(+Q); 27,24; 28,5(+Mk) wieder durch bloßes ὑ. ausgedrückt zu sein. Gerade an der letzten Stelle ist die durch red. ὑ. bezeichnete Antithese durch die 28,4 vorangestellte red. Erweiterung besonders deutlich: "Ihr dagegen braucht euch nicht zu fürchten!"

Die Übersetzung hat also die emphatische Verstärkung des Anredecharakters bei Mt durch das pleonastische Pers.pron. wohl zu beachten und in seiner Differenzierung in die beiden Hauptverwendungsgruppen zur Geltung zu bringen; dies geschieht in der Gruppe der weiterführenden Verstärkung etwa durch den Ausdruck *gerade ihr, selbst ihr*, in der Gruppe der antithetischen Weiterführung aber durch den Ausdruck *ihr dagegen*.

Nicht im Munde Jesu erscheinen nur die beiden zuletzt zugesetzten Stellen 27,24 (Pilatus) und 28,5 (Engel). Die Verwendung dieser pleonastischen Anrede ist zugleich ekklesiol. bedeutsam, da in der Mehrzahl der Fälle die Anhänger Jesu (und damit zugleich auch die Leser des Buches) angeredet sind. In diese Absicht fügt sich auch die 8malige Verwendung in der Anrede an Gegner Jesu 15,3.5; 21,13.32; 23,13.28.32; 27,24, da Mt diese ja seinen Lesern als warnendes Beispiel vorzeichnet. Es handelt sich also insgesamt um eines der für Mt kennzeichnenden appellbetonten Textsignale.

ὑμῶν

Mt 75 : Mk 14 : Lk 68 + 36 : Joh 47

=(Mk 14 + 14) + (Q 16 + 27) + (A–Mt 4)

Genuin mt ist die 20malige Verwendung in der schülerbezogenen Gottesprädikation ≯πατὴρ ὑ.; *schülerbezogen* beim Nom. auch possessiv, da Mt (wie Mk das Poss.-Pron. nie verwendet): 5,12a(=Q *Lohn*).16a(+Q *Licht*).b.37(Rede). 44(=Q *Feinde*).47(=Q *Brüder*); 6,1(+Q *Gerechtigkeit*).15(=Mk *Übertretungen*).25a (+Q *Leben* dupl. 11,29).b(+Q *Leib*); 7,6(Perlen).11(=Q *Kinder*); 9,29(+Mk *Glauben*) wie 17,20(+Q *Kleinglauben*); 10,9(+Mk *Beutel*).13a(=Q *Friede*).b(+Q dupl.). 14a (=Mk *Worte*).b(=Mk *Füße*); 12,27a(=Q *Söhne*).b(=Q *Richter*); 13,16(+Q *Ohren*); 18,35(+Q *Herzen*); 23,10(+Q *Lehrhaupt*); 24,20(+Mk *Flucht*).44(+Mk *Herr*); dabei vor allem

ὑμῶν betonend vorangestellt

Mt 9 : Mk 1 : Lk 5 + 2 : Joh 5

5,16b(+Q *Taten*).20(+Q *Gerechtigkeit*); 10,30(=Q *Haare* red. umgestellt); 13,16 (+Q *Augen*); 20,26(=Mk *Diener*).27(+Mk dupl.) und 23,11(+Q) dupl.; 23,8(+Q *Lehrer*).9(+Q *Vater*).

Daneben 11mal bei *Präp.* ἀπέναντι 21,2(=Mk); ἐξ 6,27(=Q); 7,9(=Q); 12,11(=Q); 18,19(+Q); 26,21(=Mk); κατά 5,11(=Q); μετά 17,17(=Mk); 26,29(+Mk); 28,20; πρό 5,12b(+Q);

ferner als *Vb.-Obj.* 17,17b(=Mk *ertragen*); beim *Komparativ* 23,11(+Q).

Im Munde Jesu 11mal an *Gegner* 9,4(=Mk *Herz*); 15,3.6(=Mk *Überlieferun-gen*).7(=Mk περί); 19,8b(=Mk *Verhärtung*).c(+Mk *Frauen*); 21,43(+Mk ἀπό); 23,15(+Q beim Komparativ).32(=Q *Väter*).34(+Q *Synagogen*).38(=Q *Haus*).

Nur 2mal *von Gegnern* 9,11(+Mk) *Lehrer* wie 17,24(+Mk); schließlich allegor. 25,8 (*Öl*).

ὑμῖν

Mt 107 : Mk 37 : Lk 95 + 34 : Joh 103
      =(Mk 37 – 9 + 26) + (Q 34 + 16) + (A–Mt 3)

Davon vor allem 54mal (12mal von Mk und 14mal von Q übernommen) meta-kommunikatives ⊁λέγω *ὑ.* nach 3,9 vom Täufer immer von Jesus; so auch kontextgemäß auf *Vergangenheit* abgewandelt 16,11(+Mk); 19,8(=Mk) und 22,31 (+Mk) an Gegner; 23,3(+Q); 24,25(=Mk); 28,20 bzw. 28,7(=Mk) des Engels.

Auch sonst als Obj.-Dat. in dir. Rede des Täufers an die Gegner 3,7(=Q) bzw. Jesu an die Anhänger 6,14(=Mk dupl. 18,35).19f(+Q).33(=Q); 7,2.7a.c.12 (=Q); 9,29(+Mk); 10,19(=Mk); 11,17.22(=Q); 17,20d(=Q); 20,4.32(+Mk); bzw. an die *Gegner* als fiktives Zweitpublikum nur 23,13.15.23.25.27.29.38(=Q) dupl. V.16(+Q); 24,26(=Q); 25,9.34; im Munde des Pilatus 27,17(=Mk).21(+Mk dupl.);

ὑμῖν dem Vb. *betonend vorangestellt*

Mt 9 : Mk 7 : Lk 12 + 8 : Joh 5
13,11(=Mk); 18,12(=Q permutiert) = 21,28(+Q) = 22,42(+Mk) = 26,66(=Mk im Munde des Priesterfürsten); 21,3(=Mk).24(=Mk permutiert); 24,23(=Mk); im Munde des Judas 26,15(+Mk).

Nur 5mal mit *Präp.* und zwar immer ἐν: 10,20(+Mk dupl. von V.19); 11,21 (=Q); 20,26a.b.27(=Mk).

ὑμᾶς

Mt 34 : Mk 14 : Lk 37 + 26 : Joh 37
      =(Mk 14 – 2 + 5) + (Q 9 + 8)

als Obj.Akk. im Munde des *Täufers* an Gegner betonend vorangestellt 3,11a (=Mk/Q permutiert).c(=Q gg. Mk permutiert); im Munde *Jesu* an Gegner 21,24 (=Mk).31(+Q), meist an Anhänger: 4,19(=Mk); 5,11.44.46(=Q); 6,30(=Q); 7,6(+Q). 23(=Q); 10,14(=Mk).16(=Q).17a(+Mk = 24,9a[=Mk].b[+Mk] dupl.).b(+Mk dupl.). 19(=Mk/Q).23(+Mk).40(=Mk/Q); 11,28(=Mk 6,31 permutiert); 24,4(=Mk vorange-stellt); 25,12(=Q); 26,32(=Mk) = 28,7(=Mk) im Munde des Engels; 28,14(+Mk) im Munde der Oberpriester.

7mal mit *Präp.* ἐπί 10,13(=Q) dupl. 11,29(+Q); 12,28(=Q); 23,35(+Q an Gegner); πρός 7,15(+Q); 21,32(+Q) und 23,34(+Q) an Gegner.

1mal im A.c.I. statt Nom. 6,8(+Q).

ὑμνέω 26,30(=Mk) *Lobpreis Gottes*

Mt 1 : Mk 1 : lk 0 + 1 (NT nur noch Hebr 2,12)

ὑπάγω (GUNDRY 648)

Mt 19 : Mk 15 : Lk 5 + 0 : Joh 32 (Jak 1Joh 1mal; Apk 6mal; LXX 7mal)
      (=Mk 15 – 6 + 5) + (Q 1 + 4)

Das nur umgangssprachlich intransitiv (*hingehen*) verwendete Vb. (B-D-R 101,1; PROBST EWNT 940) hat Mt nur 2mal nicht im Imp.: 26,24(=Mk – wäh-rend Mk 6,31.33 nicht übernommen sind) erscheint es als Komplenym zu ⊁παραδίδωμι (SCHENKE 1971:261) *sagt Ja zum Vorsehungsplan* (daß ein Euphemismus für *sterben* vorliege, wird zwar wie von vielen auch von PROBST ebd. im Anschluß an BAUER WB 1655 und KLOSTERMANN Mk 146 be-hauptet, die aber auch keine Belege beibringen und das nur von Joh her begründen, was aber als Projektion von einem autorspezifischen Kode her auf die Vorgänger hin fragwürdig ist). 13,44 ist der Ind. in der Allegorie durch dupl. narrative Umsetzung des Imp. und des Ausagenzusammenhangs von Mk 10,21.28 her red. gebildet: das *vor Freude wegen des Schatzes hin-gehen* meint mt hier ebenso ein *Ja zum Vorsehungsplan* (vgl. die partiellen Dubl. in der Magierlegende 2,10f).

ὕπαγε/ὑπάγετε Imp. (seit Aristoph; DELLING ThWNT 8,507f)
    Mt 17 : Mk 12 : Lk 2
Mit negativem Akzent nur 2mal red. 4,10(+Q) im Sing. als Befehl an den
Teufel zum *Verlassen* (der V.11 ausgeführt wird) wie 8,32 von den Dämonen
im Plur. *ihr habt hier nichts mehr zu suchen.*
    Sonst geht es um die positive *Ausführung eines Sendungsauftrags* Jesu:
5,41 (+Q nach V.24 dupl.); 8,13(+Q nach V.4 dupl. bzw. Mk 7,29 permutiert);
16,23 (=Mk *zurück in die Nachfolge*) und vor allem da, wo 8mal (wie auch
bei Epiktet) ein *zweiter* konkretisierender Imp. folgt wie 5,24(=Q Lk 12,58
permutiert); 8,4(=Mk); 18,15(+Q); 19,21(=Mk); 21,28(+Q); 26,18(=Mk hier mit
καί); 28,10(=Mk) bzw. 27,65(+Mk) im Munde des Pilatus – oder *ὑ.* selbst als
2. Imp. ergeht wie 9,6(=Mk) und 20,14(+Mk), wo im Anschluß an die einglied-
rigen plur. Imp. der Einladung 20,4.7(=Mk 11,2 mit εἰς permutiert und
dupl.) ebenso wie aus der Zusammenhangsfunktion der Begründung für 19,
28ff eine einladend positive Semantik *komm* anzusetzen ist (gg. JEREMIAS
1965:137; VIA 1970:145 kein "Hinauswurf").
ὑπακούω ⟶διδάσκω
ὑπαντάω, ὑπάντησις ⟶ἀπαντάω
ὑπάρχω Pt. τὰ ὑπάρχοντα 24,47(=Q) dupl. 19,21(+Mk) und 25,14(+Q)
    Mt 3 : Mk 0 : Lk 15 + 25 : Joh 0
ὑπέρ + Gen. 5,44(+Q) beten *für*
    Mt 1 : Mk 2 : Lk 3 + 7 : Joh 13
ὑπέρ + Akk. statt Komp. *mehr als* 10,24a(=Q).b.37a.b(+Q dupl.)
    Mt 4 : Mk 0 : Lk 2 + 1 : Joh 0 (größte Häufigkeit und Dichte im NT)
ὑπηρέτης 5,25(+Q evtl. Mk 14,65 permutiert); 26,58(=Mk) *Diener*
    Mt 2 : Mk 2 : Lk 2 + 4 : Joh 9 (NT nur noch 1Kor 4,1; LXX 4mal)
ὕπνος ⟶γρηγορέω
ὑπό I + Gen. (GASTON 1973:63)
    Mt 23 : Mk 8 : Lk 23 + 38 : Joh 1
         =(Mk 8 – 4 + 11) + (Q 2 + 3) + (A–Mt 3)
Zur Angabe des Subj. der Handlung als dem *Verursacher* beim Akt. nur
17,12(=Mk 5,26 als auch dort einziger Stelle mit πάσχω permutiert) – sonst
immer beim *Pass.* neben einem *Gen. der Sache Wellen* 8,24(+Mk) = 14,24(+Mk
vgl. XenAn 1,5,6); *Wind* 11,7(=Q wie 3Makk 2,22; AppianBellCiv 4,28,120) in
der Regel mit einem *Gen. der Person:*
ὑπό + *Gott*
    Mt 5 : Mk 0 : Lk 1
in der Erfüllungsformel mit Rede-Vb. 1,22; 2,15; 22,31(+Mk) bzw. vom Offen-
barungsempfangs 11,27(=Q) dupl. 20,23(+Mk) für die Vorherbestimmung; daneben 4,1a(+Mk) vom *Geist* dupl. von V.1b(=Mk *Teufel*) her; ferner:
ὑπὸ τῶν ἀνδρώπων 5,13(+Q); 6,2; 19,12(+Mk); 23,7(+Q)
    Mt 4 : Mk 0 : Lk 0
neben 2,16 (verspottet *von den Magier*); 3,6(=Mk *getauftwerden von
Johannes*) dupl. V.13f(+Mk); 24,9(=Mk *von allen gehaßt*) = 10,22(+Mk dupl.);
14,8(+Mk *von der Mutter vorgeschickt*); 27,12(+Mk *von den Oberpriestern
angeklagt*); (28,14 bei *Hören* wohl sek. LA)
ὑπό II + Akk. lokal *unter – hin* 5,15(=Q); 8,8.9a.b(=Q); 23,37(=Q)
    Mt 5 : Mk 3 : Lk 7 + 3 : Joh 1
ὑποκάτω uneigentl. Präp. + Gen. *unter* 22,44(=Mk diff. LXX-Ps 109,1)
ὑποδείκνύω 3,7(=Q) *zeigen, beweisen, offenbaren*
    Mt 1 : Mk 0 : Lk 3 + 2 (NT sonst nie)
ὑπόδημα 3,11(=Mk); 10,10(=Q) Plur. *Sandalen*
    Mt 2 : Mk 1 : Lk 4 + 2 : Joh 1 (NT sonst nie)
ὑποζύγιον ⟶ἐπιβαίνω
ὑποκάτω ⟶ὑπό

ὑποκριν- (GUNDRY 648)
  Mt 14 : Mk 2 : Lk 5 + 0 : Joh 0
ὑπόκρισις
  Mt 1 : Mk 1 : Lk 1 (NT noch Gal 2,13; 1Tim 4,2; 1Pt 2,1; LXX 2Makk 6,25)
Das Nom. actionis (statt des nie verwendeten Vb.) steht 23,28(+Q von Mk
12,15 permutiert) neben ⤏ἀνομία in Opposition zu ⤏δίκαιος zwischen den
letzten beiden fiktiven Anreden an die Gegner im Nom. agentis
ὑποκρτιτής (HAWKINS 1909:8; MORGENTHALER 1973:181; GIESEN 1982:151-7)
  Mt 13 : Mk 1 : Lk 3 (NT sonst nie; LXX nur Ijob 34,30; 36,13)
    =(Mk 1 + 1) + (Q 1 + 7) + (A-Mt 3)
Dies ist 7,5(=Q) im einzigen Sing. als Anrede übernommen, wo es in Relation
zu ⤏κρίνω steht; der Plur. war 15,7(=Mk) im Gegnerbezug in Lehrfunktion
vorgegeben, wurde jedoch zur die Anrede umgeformt und von daher an den
folgenden Stellen als plur. Anrede multipl.: 22,18(+Mk statt des Nom. actionis
definiert durch ⤏πειράζω in mt Kodierung); 23,13(+Q definiert als Verhinderer der Zugangs zur Himmel-Basileia und synonym mit V.12 sich selbst erhöhen).15(+Q definiert durch Schaffung der Höllenanwärter in ihrer Mission).
23(+Q definiert durch Minimierung des Gesetzes um das Entscheidende).25
(+Q definiert durch räuberische Speisen und Getränke).27(+Q gesteigert
durch definitorischen Relativsatz zur Tautologie, selbst innerlich μεστοί
ὑποκρίσεως καὶ ἀνομίας zu sein).29(+Q Höhepunkt: Ausrottung der Propheten
und Gerechten trotz Prophetenkult. Darauf folgt als betonte Schlußstelle
24,51(+Q) die aussagende Verwendung im Gerichtsorakel, das dem untreuen
Anhänger seinen Platz in der Hölle bei den ὑ. anweist. Als Aussagestelle
steht die Schlußstelle A' in rahmender Korrespondenz zu den drei Einleitungsstellen A 6,2(mit anaphor. Art. auf die Pharisäer/Gesetzeslehrer von
5,20 zurückbezogen, worauf auch 6,1 mit dem verbundenen Antonym δικαιοσύνη zurückwies).5.16, weil somit ein Rahmen um die 9 Anreden im Komplex B
geschaffen wurde.
  Bei dem durchgehenden Bezug auf die Gegner entsteht bei der einzigen
Sing.-Stelle 7,5 die Frage, ob auch diese so prinzipiell gemeint (WILCKENS
ThWNT 8,565 n.39 gg. KÜMMEL 1956:15) oder nicht doch direkt auf die "Jünger" bezogen ist. Für die mt Red. ist der Text wegen der umgebenden ⤏ἀδελ-
φός-Stellen in mt Kodierung sicher im zweiten Sinne (womit aber über die
Kodierung des vorgegebenen Q-Textes noch nicht mitentschieden ist) zu
beantworten (FRANKEMÖLLE 1974:286), wobei aber von 24,51 her klargestellt
ist, daß es sich dann um eine Aussage im Hinblick auf einen abgefallenen
Schüler im mt Sinne handelt.
  Die semant. Grundfrage besteht darin, ob die mt Kodierung primär vom
Gegensatz Innen/Außen her bestimmt werden muß, indem man 6,2-17 und
23,25-29 zum semant. Schlüssel macht und im hell. Sinne Heuchler als maß-
gebende Übers. verteidigt (TRILLING 1964:198-202; STRECKER 1971: 139-41 -
vgl. dgg. mt ⤏φαίνομαι), oder aber vom LXX-Sprachgebrauch her (WILCKENS
ebd.562f.565-7 vor allem Vb. 9mal) darauf insistiert, daß damit primär immer
ein Verhalten vor Gott bezeichnet ist (FRANKEMÖLLE ebd.285f; GIESEN 1982:
151-7.216-9; EWNT 3,964-6, ohne daß damit dessen inkohärente Abstraktionen
"praktische Atheisten", "Gottlose", "Ausdruck des Unglaubens", die eher
apologetische Scheinaktualisierungen darstellen, gerechtfertigt wären). Wie
die durchgehenden Konkretionen im Kontext deutlich machen. geht es um
kein bloßes "Tun wider besseres Wissen" und auch nicht um primäre "Zur-
schaustellung", sd. im Zusammenhang mit mt κρίνω um anmaßende Richter
und Lehrer, die andere hereinlegen, und im Antonym zu mt δίκαιος um
Scheinheilige im strikten Sinnes des Wortes, weil damit die Beziehung zu
Gott auf Leute, die vorgeben, Gott zu dienen, der polemischen mt Sinn-
gebung am ehesten gerecht wird (gg. SCHNIEWIND 224 geht es nicht nur
um einen "objektiven Selbstwiderspruch", was HAENCHEN 1965:37ff m.R.

zurückwies; das sachkritische Urteil über "dieses kollektive Verdammungs-
urteil" und zu "jener Schwarzweißmalerei, die am Gegner nichts Gutes mehr
sieht", muß bedenken: "In solcher Polemik wird nicht nur deutlich, wie man
den Gegner sieht, sd. auch, wo man selbst steht" ebd.50).

ὑπομένω >ἐκλεκτός
ὑποπόδιον >πούς
ὑστερέω 19,20(=Mk) *fehlen*
   Mt 1 : Mk 1 : Lk 2 + 0 : Joh 1
ὕστερον (HAWKINS 1909:8; GUNDRY 648)
   Mt 7 : Mk 0 : Lk 1 + 0 : Joh 1 (von 10 NT-Stellen; LXX 14mal)
    =(Mk 0 + 3) + (Q 0 + 4)
Im Unterschied zum rein komparativischen Gebrauch an den drei restl. ntl.
Stellen im Sinne eines bloßen *danach* (Lk 20,32 ist hier nur morphologisch
der Mt-Änderung analog, nicht aber in der semant. Tiefenstruktur; Joh
13,36; Hebr 12,11; sowie Ps-Mk 16,14) dürfte bei Mt auch 4,2(+Q); 21,29.32
(+Q); 25,11(+Q) keine nur komparative Verwendung vorliegen, sd. ein stärker
betontes *zuletzt, schließlich doch* (gg. BAUER WB 168o; EWNT 3,979 – während schon WILCKENS ThWNT 8,593 auf Mt 21,29.32 reduzierte) wie an den
übrigen Stellen.
   Bei 4,2 ergibt sich das schon aus der steigernden Abänderung, daß
Jesus nach dem 40tägigen Fasten *schließlich* hungert und der Teufel erst
jetzt auftritt (bei Mk dgg. während des Fastens, was Mt betont durch das
Adv. abändert). Bei 25,11 ergibt sich das klar aus dem spezifisch klimak-
tischen mt Syntagma
ὕστερον δέ *schließlich doch*
   Mt 4 : Mk 0 : Lk 0 : Joh 0 (vgl. Hebr 12,11; Ps-Mk 16,14),
das Mt kontinuierlich seit 21,37(+Mk) an den letzten vier Stellen verwendet
sowie dem Höhepunktsmarkierer des Präs.hist. (SCHENK 1975/6; 1978). Auch
21,29.32 ist durch die Reue (im Zusammenhang der Begründung der Verwerfung den Feinden gegenüber) stärker das Gegenbild *zuletzt* betont. In der
Sohnsendungsallegorie 21,37 wie der Sadduzäerparabel 22,27(+Mk hier noch
geklärt durch den redundanten Gen. *von allen*) ist der superlativische Verwendung unbestritten. Außerdem zeigt sich hier ein Kompositionsprinzip des
Mt: Das Zeitadv. steht B 5mal in den Parabeln Mt 21-25 und wird gerahmt
von zwei Verwendungen im primären Erzähltext A 4,2 und A' 26,60(+Mk). An
der letzten Stelle ist der Kontrast besonders klar, da Mt im Gegensatz zu
Mk die so Eingeführten nicht mehr als Falschzeugen betrachtet und darum
deren mk Nichtübereinstimmung ihres Urteils wegfallen-lassend verneint.
Hier hat die Zeitangabe schließlich auch eine makrosyntaktisch gliedernde
Funktion, als sie auf V.55 als die letzte Zeitangabe zurückblickt und nun
über die dort angegebene Stunde hinaus weiterführt. Mt hat also das Adv.
wie das übrige NT nur temporal, nie aber lokal oder logisch im Zusammenhang der mt Historisierung und der damit gehäuften Zeitbegriffe (STRECKER
1971:153). Verstärkend dürfte auch
ὕστερος 21,31(+Q)
   Mt 1 (NT nur noch superlativisch 1Tim 4,1; LXX 4mal)
im Kontext der Allegorie und mit den beiden rahmenden Adv. mit B 700 bo
die urspr. LA sein (SCHMID 302; 1951).
ὑψηλός >ὄρος
ὕψιστος >ὡσαννά
ὑψόω >ταπεινόω
φαγέω, φάγος >ἄρτος
φαίνομαι (HAWKINS 1909:8.34; GUNDRY 648)
   Mt 13 : Mk 1 : Lk 2 + 0 : Joh 2
    =(Mk 1 – 1 + 2) + (Q 0 + 4) + (A-Mt 7)
Mt führt 1,20; 2,13.19 sein Vorzugswort mit dem Dat. der Person in einer

dreifach schematisierten Wendung ein mit dem deutlich theol. motivierten Akzent, daß der Engel nicht nur überhaupt *erschien*, sd. *als Gottes Offenbarung unübersehbar in Erscheinung trat*. Das beweist das metakommunikativ abkürzende Äquivalent der vollen Situationsschilderung mit der dir. Rede in χρηματίζω, das 2,12.22 als zusammenfassendes Synonym jeweils am Ende eines Abschnitts statt dessen gesetzt ist.

Darum ist auch an der dazwischenstehenden Stelle 2,7 nicht nur das *Erscheinen* des Sterns als solches gemeint, sd. - da ihm gleiche Offenbarungsqualität wie den Träumen Josefs zukommt - dieser Aspekt der *Offenbarung* zugleich konnotiert; nicht das bloße *Auftauchen* will Mt hier signalisieren, sd. nach dem Kontext ist der nicht verbalisierte Personenbezug *ihnen* als Filler klar von den umgebenden Stellen her zu ergänzen und mit diesem Personalbezug auch der Offenbarungsaspekt.

Beides gilt in noch höherem Maße für den wiederum nur in der sequenziellen Oberfläche "absoluten" Gebrauch in der Doxologie 9,33(+Q), zumal gerade sie im Kontrast zum Beelzebul-Vorwurf als bewußte Wiederaufnahme des Aor.Pass. von 1,20 stilisiert erscheint. Damit geht es auch hier nicht um das neutrale *vorkommen* (so BAUER WB 1684), das "gänzlich unbetont" gebraucht sei (so LÜHRMANN ThWNT 9,2), vielmehr wird in wesentlich stärkerer Weise von den mt Akklamierenden anerkannt, daß die Dämonenaustreibung nicht nur göttl. qualifiziert ist (MÜLLER EWNT 3,985), sd. für Mt *Offenbarungs*-Qualität hat (von 8,1; 9,8 her sind diese ≻ὄχλοι ohnehin *Nachfolge*-Menschen).

Für die ≻*Parusie* des Menschensohns steht das Vb. 24,30(+Mk) synonym und markiert auch hier die göttl. Aktivität für dieses *Erscheinen*. Wenn Mt es im unmittelbaren Zusammenhang damit 24,27(+Q) in den eschatol. Vergleich einträgt, so ist damit nicht nur die *Unübersehbarkeit* denotiert, sd. zugleich die Sache in das Bild (Blitz) hinein projiziert und das göttl. Handeln konnotiert. Ebenso wie bei dem *Stern* in 2,7 so geht das mt φ. auch hier über eine rein physische Beschreibung hinaus, wenn man die mt Kontextverflechtung nicht ausblendet. Sie ist auch nicht rein formal mit einer bloßen mt Tendenz zur Kontextangleichung zu erklären, da solche mt Vereinheitlichungen semant. gefüllt sind.

Die restl. 6 Stellen sind auf die *Gegner* bezogen: Der abs. Gebrauch, in dem φ. 6,5 auftaucht, signalisiert dem Leser wohl nicht nur ein "um sich den Leuten zu zeigen" (so BAUER ebd.; MÜLLER ebd.), sd. im Anschluß an die 4 Stellen in Kap. 1-2 darüber hinaus im vollen Gewicht der dualist. Antithese: *um sich als Gottes Offenbarer auszuweisen*, weil in dieser Zuspitzung die Antithese erst ihre eigentliche Schärfe gewinnt; darum ist wieder der Dat. commodi der Person (= der Adressaten) hinzugesetzt. Die bloße Öffentlichkeit des Betens als solche hätte Mt kaum abgewiesen, zumal er in der grundlegenden Beauftragung 5,11-16 eben erst "Öffentlichkeit" als konstitutive Bedingung gefordert hatte. Darum wird nicht das öffentliche Gebet als solches abgewiesen, sd. primär die Zweckstellung, daß Beten als solches einen Offenbarungsbeweis erbringen soll. Dafür spricht auch, daß Mt den einzigen Mk-Beleg 14,64 im Sinne des unpersönlichen *Eindruck* (wohl Latinismus) durch δοκέω ersetzt hat.

Diese Zuspitzung von 6,5 ist auch 6,16 noch präsent, zumal hier (ebenso wie V.18) der gleich Dat. commodi wiederholt wird und das *Fasten* wohl nur als verstärkende Begleithandlung zum Gebet im Blick ist. Dgg. spricht nicht, daß dieses Handeln hier im Pt. als Prädikatsnominativ zu gesetzt ist (gut griech.; Belege BAUER ebd.), da das Fasten nur ein Mittel ist; somit ist "als Faster" hier nicht vordergründig betont, sd. dualist. der damit gegebene falsche Anspruch auf *göttl. Offenbarung*. Daß auf dem Vb. der Ton liegt, markiert Mt von vornherein dadurch, daß er es wortspielerisch mit dem stammgleichen und sogleich anschließend V.20f(+Q) wiederholten

ἀφανίζω (GUNDRY 642)
   Mt 3 : Mk 0 : Lk 0 + 1 (NT nur noch Jak 4,14)
in eine ironische Beziehung setzt; Sie machen ihr Gesicht unkenntlich und
meinen doch gerade dadurch, sich – durch das Mittel des Fastens – *als Offenbarungsträger kenntlich zu machen.*
   Analog dazu ist 23,27f(+Q) stilisiert (gleicher Dat. commodi in V.27 als
Slot), wo jeweils ein Adj. als entsprechender Prädikatsnominativ fungiert;
gerade das synopt. einmalige ⊁ὡραῖος V.27 (vgl. den Offenbarungsbezug Röm
10,15) als synonym zu ⊁δίκαιος V.28 dürfte diesen Akzent signalisieren; die
Schwere der Anklage liegt darin, daß sie gerade mit diesem größeren Anspruch der Propheten-Kontinuität (vgl. V.13.15 sowie V.16.24 ⊁*blinde Blin-
denleiter* im gleichen mt Wortfeld) in ihrer Subjektivität als *so von Gott
Autorisierte in Erscheinung treten.* Dieser mt Dualismus ist also nicht auf
eine bloß moralische Differenz von Sein und Scheinen zu reduzieren, sd.
theol. geladen zu verstehen.
   Wenn 13,26(+Q) φ. im gleichen Aor.Pass. wie 1,20 und 9,33 in der Unkraut-Allegorie wiederholt, so ist auch da nicht rein neutral und unbetont
nur *sichtbar werden, zum Vorschein kommen* gemeint, sd. analog zu 24,27
schon allegor. die Sache in das Bild hinein konnotiert: In dualist. Zuspitzung geht es um ein allegor. qualifiziertes, *mit göttl. Offenbarungsanspruch auftretendes* Unkraut, das den Leser an 6,5-18 erinnert. Das Sem
"Ausdruck eines Epiphaniegeschehens" (MÜLLER ebd.) dürfte bei Mt an allen
Stellen präsent sein und ist im Zusammenhang seiner Vorzugswörter ⊁φῶς/
σκότος zu sehen.
   Offenbarungsterminus ist auch das für die Auferweckungserscheinungen
aller verfolgten Gerechten 27,53(+Mk) verwendete Komp.
ἐμφανίζω
   Mt 1 : Mk 0 : Lk 0 + 5 : Joh 2 (NT nur noch Hebr 2mal; LXX 11mal), wobei der forensische Charakter der bestätigenden Rehabilitation in der *Bekanntmachung* wesentlich ist (SENIOR 1982:317f).
φανερός
   Mt 1 : Mk 3 : Lk 2 + 2 : Joh 0
ist nur 12,16(=Mk) als Schweigebefehl stehen geblieben, um im angeschlossenen Erfüllungszitat neu motiviert zu werden und damit als beispielhafte
Konkretisierung von 6,5-18 zu fungieren.
φάντασμα 14,26(=Mk – sonst nie im NT; LXX 3mal) *Trugerscheinung, Gespenst*
Φάρες 1,3a.b (Lk 3,33; LXX-1Par 2,4f; Gen 38,29) *Perez*
φαρισαῖος ⊁ἀρχιερεύς
φέγγος ⊁φῶς
φέρω ⊁χείρ
φυγ-
   Mt 8 : Mk 5 : Lk 3 + 2 : Joh 2
φεύγω (GUNDRY 648)
   Mt 7 : Mk 5 : Lk 3 + 2 : Joh 2
      =(Mk 5 – 2 + 2) + (Q 1 + 1)
Im Zusammenhang mit dem mt Vorzugswort ⊁ἀναχωρέω ist 2,13 und 10,23(+Mk)
genuin mt der Imp. φ. + εἰς von einem gebotenen *fliehenden Entkommen* im
Zusammenhang mit Verfolgungen von 24,16(=Mk) her dupl., wobei V.20(+Mk)
eine dupl. Renominalisierung durch das Nom.actionis
φυγή
   Mt 1 (NT sonst nie; LXX 13mal)
erfolgte; auf diesem Hintergrund ist die auch vorhergesagte *Schülerflucht*
26,56(=Mk) bei Mt eher als notwendiges, vorsehungsplangemäßes Handeln gesehen und hat nicht den primären Aspekt des moralisch Verwerflichen (eine
göttl. Vorhersage impliziert immer eine Weisung). Dagg. ist die *Flucht* der
Schweinehirten 8,33(=Mk) eine Epiphaniereaktion auf die mt Höhepunktsaus-

sage von der Tötung der Dämonen hin. Für ein unmögliches *Entrinnen* vor
dem Strafgericht ist φ. + ἀπό im Munde Jesu 23,33(+Q) vom Täuferwort 3,7
(=Q) her dupl..

φημ-
Mt 20 : Mk 7 : Lk 8 + 24 : Joh 3 (↗διαφημίζω)

φήμη 9,26(+Mk - NT noch Lk 4,14; LXX 4mal) *Kunde*; red. im Zusammenhang
mit

φημί (MORGENTHALER 1973:181; GASTON 1973:63; GUNDRY 648)
Mt 17 : Mk 6 : Lk 8 + 24 : Joh 3
=(Mk 6 - 1 + 8) + (Q 0 + 4)

Neben red. Präs. hist. als Höhepunktsmarkierer φησιν 13,29(+Mk allegor.) und
der unmittelbar darauffolgenden Stelle 14,8(+Mk nur hier eingeschoben wie
lat. *inquit*) immer

ἔφη
Mt 15 : Mk 6 : Lk 7 + 14 : Joh 2
=(Mk 6 - 1 + 6) + (Q 0 + 4)

zur metakommunikativen Einleitung einer dir. Rede Jesu 4,7(+Q die erneute
Entgegnung betonend); 17,26(=Mk von Mk 9,12 oder 38 als dessen ersten
Stellen her permutiert: die klärende Antwort geben); 19,18(=Mk 10,20 permutiert; gg. N-A und H-G uspr. LA zur Betonung der Nennung des Dekalogs). 21(=Mk 10,29 permutiert: entscheidende Bedingung); 21,27(+Mk entscheidende Schlußantwort auf die Vollmachtsfrage); 22,37(=Mk 12,24 permutiert zur Betonung der Nennung des Doppelgebots); 26,34(=Mk 14,29 permutiert zur Hervorhebung des Offenbarungswortes mit "Amen") wie auch im
Gegnerreferat V.61(+Mk *hat vorhergesagt*); 27,11(+Mk entscheidende, abschließende Bejahung der Frage nach dem Königtum); 3mal red. allegorisch
13,28(+Mk die entscheidende Antwort: der Teufel als Verursacher); 25,21.23
(+Q zur Betonung der positiven Lohnzusage im Zusammenhang mit den beiden Zusätzen der Verheißung des Eingangs zum Freudenfest); des Centurio
8,8(+Q mit κύριε-Anrede das Zutrauen zum Machtwort Jesu hervorhebend);
letzte Unschuldsfrage des Pilatus 27,23(+Mk) bzw. V.65 dessen Schlußent-
scheidung. Damit dürfte sich bei Mt an allen Stellen die mantisch-propheti-
sche Verwurzelung (KRÄMER ThWNT 6,783) in einem "expressiven, autoritativ
ankündigenden und manifestierenden Charakter" zeigen und "selbst bei den
Worten Jesu ... die abgeflachte Verwendung" gerade *nicht* zu behaupten
sein (gg. HASLER EWNT 3,1006f wird die red. Emphase von SENIOR 1982;95f
m.R. beobachtet). Betont wird diese Emphase 4,7; 17,26; 19,21; 21,27; 25,21.23;
26,34; 27,65 noch durch einen

asyndetischen Einsatz von ἔφη αὐτῷ/-οῖς (SENIOR 1982:96; GUNDRY 648)
Mt 8 : Mk 3 : Lk 0 + 0 : Joh 1

als Kennzeichen der mt Verwendung. Antonym ist

φιμόω 22,12(=Mk 1,25 permutiert).34(=Mk 4,39) *zum Schweigen bringen*
Mt 2 : Mk 2 : Lk 1 (NT nur noch 1Tim 5,18; 1Pt 2,15; LXX 3mal)

φθάνω ↗βασιλεία

φθόνος ↗δαιμόνιον (πονηρός)

φιλέω, φίλος ↗ἀγαπάω

Φίλιππος I II ↗Ἡρῴδης, μαθητής

φιμόω ↗φημί

φοβ- (GUNDRY 648f)
Mt 21 : Mk 13 : Lk 30 + 19 : Joh 8

φοβέομαι
Mt 18 : Mk 12 : Lk 23 + 14 : Joh 5
=(Mk 12 - 8 + 6) + (Q 5) + (A-Mt 3)

φόβος als funktionsgleiches Nom. actionis
Mt 3 : Mk 1 : Lk 7 + 5 : Joh 3
(=Mk 1 + 2)

Bedeutung und Kontextbeziehung sind stärker differenziert als daß eine mechanische Eindeutschung mit *fürchten* gerechtfertigt wäre:

a) + Inf. *sich scheuen* (als *Mangel an Mut*), etwas zu tun: 1,20; 2,22; elliptisch 25,25(=Q ergänze: *Geldhandel zu treiben*) wie evtl. auch 14,30; 17,7; unbegründete Furcht als *Feigheit*.

b) Abs. *Erschrecken* als richtige Epiphaniereaktion ist Ausdruck des positiven *Ergriffenseins* und nicht eines Verunsichertseins: 9,8(+Mk sich in Doxologie aussprechend; SCHENK 1963); 17,6(+Mk nach der Himmelsstimme statt des mk Adj. vor der Himmelsstimme) im Niederwerfen sich ausdrückend, wie das Beistandswort V.7(+Mk), das dem Anfassen und dem Befehl zum Aufstehen folgt, nicht abstrakt (weder als "Zuspruch von Mut" noch als "Aufruf zur Furchtlosigkeit") gefaßt werden darf, sd. nur *zur Beendigung der richtigen Epiphaniereaktion* des Erschreckens auffordert, wie es im Aufstehen besteht (oder ein ellipt. Inf. *aufzustehen* anzusetzen: *sich nicht scheuen*); ganz entsprechend folgt die Beistandserklärung bei der Christophanie 28,10 (+Mk) auf ein Niederfallen die Aufrichtung als dessen Beedigung zur Auftragsausführung; 27,54(+Mk) ist durch das Adv. *heftig* mit 17,6 verbunden wie durch die Folge einer Doxologie mit 9,8; in der gleichen positiven Funktion erscheint das Nom. act. 28,8(+Mk statt Vb.) im Unterschied sowohl zum Gebrauch in V.4 wie V.5, da im Blick auf die Koppelung mit der Freude und im Blick auf die mt red. Ausführung des Auftrags das positive *Ergriffensein* die Bedeutung der *Ganzhingabe* erhält; damit holt die zweite Gruppe von 27,55 das nach, was die erste schon 27,54 vollzog. Die drei proklamatorischen Stellen 9,8; 27,54; 28,10 gehören besonders eng zusammen, da ihnen nicht nur kein Befehl zur Furchtaufhebung folgt, sd. auch gar nicht folgen kann; sie sind im Sinne des φόβος κυρίου der LXX formuliert, was mit *Gottesfurcht* sehr unzureichend übersetzt würde, da es stärker positiv um die *volle Hingabe* geht (also auch nicht um *Ehrfurcht*). Daneben:
ταράσσω 2,3 dupl. von 14,26(=Mk) *Erschrecken* als Epiphaniereaktion

Mt 2 : Mk 1 : Lk 2 + 3 : Joh 6 (NT nur noch Gal 1,7; 5,10; 1Pt 3,14

c) + *Akk.* eigentliches (nämlich begründetes) *Sich-Fürchten vor jemandem* als mächtiger Gewalt wie Verfolgern: 10,26(=Q).28a(=Q ἀπό statt Akk.).31(=Q ellipt. wiederholt) im Kontrast zum vernichtenden Gott V.28b(=Q); vor fremder Anhängerschaft: 14,5(=Mk); 21,26.46(=Mk); *ellipt.* 14,27(=Mk) wie mit dem Nom. actionis V.26(=Mk 4,31 permutiert) vor der V.26 angenommenen Trugerscheinung: *ihr braucht euch nicht zu fürchten* (*weil ich es ja bin* - hier als Abwehr einer falschen Reaktion) dupl. V.30(+Mk - oder ein ellipt. Inf. zu *kommen* einzusetzen: *sich nicht scheuen* vor dem mächtigen Wind (also hier gg. BALZ EWNT 3,1029f keine Epiphaniereaktionen); eine *Panik* beschreibt das Nom.actions 28,4(+Mk) in der Tat der Angelophanie gegenüber, wobei das betr. Obj. V.3 klar beschrieben war; im Kontrast dazu (vgl. redundantes ὑμεῖς) redet der Engel die Frauen V.5(+Mk) mit der 14,30 entsprechenden Aufforderung an, daß sie *sich nicht zu fürchten brauchen* (im Unterschied zu 17,7 nicht zu einer Beendigung auffordernd, da diese ja gar nicht geschildert war). Die bei Mt 7malige Aufforderung μη φοβ- hat also durchaus unterschiedliche semant. und pragmatische Valenzen. 14,27(=Mk und bei ihm sicher im synonymen Sinne seiner Doppelausdrücke) folgt es auf
θαρσέω

Mt 3 : Mk 2 : Lk 0 + 1 : Joh 1 (sonst θαρρέω 2Kor 4mal; Hebr 13,6 wie LXX-Dan und 4Makk), was Mt 9,22 von Mk 10,49 (bei Blindenheilung wie Tob 11,11), wo es nicht im Munde Jesu erschien, auf die gebärmutterblutende Frau hin permutierte und für den Gelähmten 9,2(+Mk) dupl., so daß er es *immer im Munde Jesu selbst* verwendet (HELD 1970:253 n.1). Es steht immer als abs. Aufforderung wie in LXX als Wiedergabe von "fürchte dich nicht" (GRUNDMANN ThWNT 3,25f). Dennoch ist es bei Mt nicht einfach mit μη φ. zu identifizieren, da 9,2.22 immer schon eine positive Annäherung vorangeht, der es bestätigend folgt: *Ja, sei getrost;* von daher ist es auch 14,27 nicht wie bei Mk als mit der nachfolgenden Aufforderung synonym anzunehmen, sd. hat eine eigene Aussage. An allen drei Stellen folgt ein asyndetischer Begründungssatz, der 9,2 theol., 9,22 mt pistologisch und 14,27 jesulogisch ist. Genuin mt ist darum

θαρσεῖ(τε) + Subj. Jesus + asyndetischer Begründungssatz

Mt 3 : Mk 1 : Lk 0 : Joh 1.

φονεύς, φονεύω, φόνος ✛ἀποθνῄσκω

φορέω ✛γυμνός

φορτίζω, φορτίον ✛βαρέομαι

φραγελλόω ✛χείρ

φραγμός 21,33(=Mk = LXX-Jes 5,2) *Zaun, Mauer*

Mt 1 : Mk 1 : Lk 1 (NT nur noch Eph 2,14; LXX 18mal)

φράζω ✛οὖς

φρονέω, φρόνιμος ✛γινώσκω

φυγή ✛φεύγω

φυλακή (GUNDRY 649)

Mt 10 : Mk 3 : Lk 8 + 16 : Joh 1

=(Mk 3 + 4) + (Q 2 + 1)

Nicht selbständig verwendet Mt φ. 14,25(=Mk – *vierte* nach röm. Zählung) und 24,43(=Q) in der *temporalen* Bedeutung *Nachtabschnitt, Wache.* Die restlichen Stellen meinen mit *lokalem*

φυλακή immer mit εἰς oder ἐν

Mt 8 : Mk 2 : Lk 6

das *Gefängnisgebäude,* den *Kerker,* was 14,3.10(=Mk) für den Täufer vorgegeben war und von daher 25,36.39.43f für die verfolgten Christen dupl. wurde. 5,25(=Q) gab es als eschatol. Drohung der Schuldhaft vor, was 18,20 (+Q) red. dupl.; von der geprägten Wendung *ins Gefängnis werfen* (Polyb 24,8,8; PapEleph 12 vgl. M-M 71; LXX-Lev 24,12; Num 15,34; 2Par 18,26; SCHNEIDER EWNT 1,352) her hat Mt 14,3(+Mk) das med. Vb. zugefügt:

ἀποτίθεμαι

Mt 1 : Mk 0 : Lk 0 + 1 (NT epistolisch 7mal übertragen; LXX 18mal).

φυλακτήριον ✛γυμνός

φυλάσσω ✛διδάσκω

φυλή ✛ἔθνος

φύλλον, φυτεία, φυτεύω ✛δένδρον

φωλεός 8,20(=Q) *Höhle, Schlupfwinkel* (BAUER WB 1721 wie PlutTibGr 9,4)

φωνέω, φωνή ✛καλέω

φῶς (GUNDRY 649)

Mt 7 : Mk 1 : Lk 6 + 13 : Joh 23

=(Mk 1 – 1 + 3) + (Q 2 + 2)

6,23(=Q) scheint die prinzipielle *Sehfähigkeit* des Auges bezeichnet, doch ist das allgemeine Weisheitswort, das wohl schon in Q "auf Gott hin ausgerichtet" meint (RITT EWNT 3,1072), durch den mt Kotext noch konkreter auf die "Schätze im Himmel" (V.20 als Belohnung des neuen Äons) zurückbezogen. Dualist. Antonym ist auch 10,27(=Q) *Finsternis,* wo φ. für den *Öffentlichkeitsauftrag* in der Extension der mt Jesus-Offenbarung durch die Schüler steht. Grundlegend für Mt ist der doppelte jesulogische Einsatz der Verwendung mit dem Erfüllungszitat am Ende der Bucheinleitung 4,16a.b(+Mk in der gleichen Antonymbeziehung zu *Finsternis/Tod*); aus LXX-Jes 9,1 ist das qualifizierende Attribut ✛*groß* übernommen, während die die Realisierung anzeigenden Aor.-Formen der Vb. red. sind; φ. ist Subj. red. *Aufstrahlens*

ἀνατέλλω (GUNDRY 641)

Mt 3 : Mk 2 : Lk 1 (NT nur noch Hebr 7,14; Jak 1,11; 2Pt 1,19), das 5,45(+Q) wie 13,6(=Mk) auf die *Sonne* bezogen ist (während Mk 16,2 ausgelassen und Lk 12,54f auf *Wolke* bezogen ist) wie 13,5(=Mk) das Komp.

ἐξανατέλλω vom schnellen Aufgehen (BAUER WB 540)
    Mt 1 : Mk 1 (NT sonst nie; LXX 5mal).
Die red. Wahl des Vb. d. ist in 4,16 zugleich ein betonter Rückweis auf das Subst.
ἀνατολή (HAWKINS 1909:4 als schwaches Kennzeichen; GUNDRY 641)
    Mt 5 : Mk 0 : Lk 2 + 0 (NT nur noch Apk 3mal)
in 2,1(Osten – Sonne).2.9(Stern); vgl. danach dann 8,11(=Q Osten) wie 24,27 (+Q vom Blitz) in der Inkonymbeziehung Ost/West:
δυσμή
    Mt 2 : Mk 0 : Lk 2 + 4 (NT nur noch Apk 21,13 – während Mt das Vb. von Mk 1,32 in der Wendung Sonnenuntergang nicht übernahm).
    Der doppelte jesulogische Licht-Einsatz 4,16 ist auch mitbestimmend für die mt Favorisierung der ≻Blindenheilungen ab 9,27ff. Doch noch signifikanter ist analog zur Sohn/Söhne-Parallelisierung die Wiederaufnahme von φ. für die Extension der Ethik des mt Jesus im Handeln seiner Schüler 5,14.16 (+Q); hier ist φ. red. als Supernym vom Q-Hyponym Öllampe 5,15(=Q/Mk) her eingebracht
λύχνος
    Mt 2 : Mk 1 : Lk 6 + 0 : Joh 1 (NT nur noch 2Pt 1,19; Apk 3mal),
das auch 6,22(=Q metaphorisch für Auge) im Zusammenhang mit φ. steht; hier 5,15(=Q/Mk) mit dem weiteren Hyponym
λυχνία Leuchter (MICHAELIS ThWNT 4,325–9; SCHNEIDER EWNT 2,905–9)
    Mt 1 : Mk 1 : Lk 2 + 0 (NT nur noch Hebr 9,2; Apk 7mal) zusammen mit
καίω 5,15(=Q) anzünden
    Mt 1 : Mk 0 : Lk 2 + 0 : Joh 2. Antonym
σβέννυμι 12,20(+Mk Zitat Jes 42,4) auslöschen; 25,8 Pass. verlöschen
    Mt 2 : Mk 1 (NT noch 1Thess 5,19; Eph 6,16; Hebr 11,34) vom
λίνον 12,20(+Mk Zitat Jes 42,3; NT nur noch Apk 15,6) Leinen/Lampendocht
τύφομαι 12,20(+Mk gg. Zitat LXX-Jes 42,3) rauchen, qualmen = glimmen
    Mt 1 (NT und LXX sonst nie; vgl. JosBell 6,257; BAUER WB 1644)
Jesulogisch ist wiederum die letzte φ.-Stelle 17,2(+Mk – sich darin mit 4,16 A : A' rahmend um die 4 Schüler-Stellen schließend) als unmittelbare Erfüllung der Vorhersage von 16,29 (die so ihrerseits als partielle Wiederaufnahme der Jes-Weissagung von 4,16 gelten kann): Jesu nachösterliche Himmlischkeit ist vorherverwandelt, sofern seine Kleidung ≻weiß (vgl. 28,3) wie φ. wurde. Entsprechend bekommt auch die Wolke 17,5(+Mk) im unmittelbaren Zusammenhang damit das Attribut
φωτεινός im aktiven Sinne hell leuchtend (BAUER WB 1726)
    Mt 2 : Mk 0 : Lk 3 (NT sonst nie; LXX nur Sir 17,31; 23,19),
das hier also von 6,22(=Q im pass. Sinne erleuchtet) zusammen mit dem Subst. φ. dupl. ist. Bei einer so einheitlich theol. qualifizierten Verwendung von φ. ist es nicht verwunderlich, daß Mt die einzige Verwendung für eine Feuerstelle Mk 14,45 nicht übernommen und also aus dem mt Wortfeld ausgegrenzt hat.
ἐπιφώσκω 28,1(+Mk) Anbrechen (des 1. Wochentages; erstrahlen ist abgeblaßt)
    Mt 1 : Mk 0 : Lk 1 (NT sonst nie; LXX nur 1Esr 9,46; BAUER WB 602)
Mt verlagert die Szene gegenüber Mk auf den Abend (LOISY; LOHMEYER 404 n.1; GRUNDMANN 568; SCHWEIZER 342f gg. KLOSTERMANN 272) und bildet "ein Geschehen in der Nacht nach dem Sabbat; vgl. auch V.13" ein (EWNT 2,113). Abgeblaßt ist 17,5(=Mk) auch die Bedeutung – weil von der hell leuchtenden Wolke ausgesagt – von
ἐπισκιάζω + Akk. bedecken (Ex 40,35 nicht überschatten; BAUER WB 590f)
    Mt 1 : Mk 1 : Lk 2 + 1 (NT sonst nie; LXX 4mal).
In Mt 17,2(+Mk) geht φ. synonym konkretisierend für das Gesicht Jesu
ἥλιος
    Mt 5 : Mk 4 : Lk 3 + 4 : Joh 0

voraus; die *Sonne* war schon 5,45(+Q) wie 13,6(=Mk) Subj. des ἀνατέλλω *beginnen zu scheinen*; hier erscheint als Supernym dazu

λάμπω (GUNDRY 645)

Mt 3 : Mk 0 : Lk 1 + 1 (NT nur noch 2Kor 4,6a.b; LXX 10mal) als Dubl. von 5,15(=Q Lk 17,24 permutiert).16(+Q), wo es schon für *Licht* bzw. *Öllampe* mit der Konnotation der Offenbarungsqualität (vgl. synonym ⇥φαίνω) verwendet war. Ebenfalls im Vergleich mit der *Sonne* verwendete 13,43(+Mk) red. das Komp. *aufleuchten, emporlodern* (BAUER WB 480)

ἐκλάμπω

Mt 1 (NT sonst nie; LXX 8mal) metaphor. für die Beschreibung des Unsterblichkeitslohns im neuen Äon. Kontrastierend dazu ist die letzte *Sonne*-Stelle 24,29(=Mk gegenüber dem verfinsterten Sonnenaufgang des zitierten Jes 13,10 gesteigert) mit dem Verlust ihrer Funktion bei der Parusie (ausgelassen wurden typischerweise die rein zeitangebenden *Sonnen*-Stellen Mk 1,32; 16,2; HOLTZ EWNT 2,292f).

λαμπάς (GUNDRY 645)

Mt 5 : Mk 0 : Lk 0 + 1 : Joh 1 (NT nur noch Apk 2mal; LXX 19mal) wäre bei der Konzentration in einem Segment A-Mt 25.2.3.4.7.8 (immer Plur.) nicht besonders signifikant, doch im Zusammenhang mit der mt Favorisierung der stammgleichen Vb. ist die zusammenhängende Häufigkeit ein verstärkender Bewertungsfaktor:

λαμπ-

Mt 9 : Mk 0 : Lk 1 + 2; außerdem ist das Subst. in Mt 25 wohl in bewußter Rückerinnerung an die Vb. in 5,15f gewählt, zumal vergleichbar mit der dortigen betonten Verwendung der Pers.- bzw. Poss.-Pron. auch hier 4mal das Poss.-Pron. steht (sowie V.3 im anaphor. Art. steckt). Im Zusammenhang des mt Makrotextes ist eher an *Öllampen* als an "Fackeln" zu denken (SCHNEIDER EWNT 2,384-6); der allegor. Bezug auf die guten Werke ist ohnehin evident (SCHENK 1978), wird aber durch den weiteren Bezug auf 5,15f als bewußte Rückerinnerung an die Bergrede noch verstärkt.

ἀστραπή

Mt 2 : Mk 0 : Lk 3 + 0 (NT nur noch Apk 4,5; 8,5; 11,19; 16,18) 24,27(=Q) ist der *Blitz* als Naturerscheinung der Vergleichspunkt in dem einzigen Naturvergleich der eschatol. Korrelative (EDWARDS 1969) zur Bezeichnung der "Plötzlichkeit und allg. Sichtbarkeit" (ZMIJEWSKI EWNT 1,421); von daher 28,3(+Mk) für die Epiphanie eines Engels dupl.; wurzelgleich ist ἀστήρ (HAWKINS 1909:4; GUNDRY 642) *Stern* (ohne Sonne und Mond)

Mt 5 : Mk 1 (NT nur noch 1Kor 15,41a.b.c; Jud 13; Apk 14mal) konzentriert sich aus 2,2.9f als Obj. des *Sehens* bzw. V.7 als Subj. des ⇥φαίνομαι. 24,29(=Mk) zusammen mit der Sonne Obj. des *Vergehens* bei der Parusie als göttl. und offenbarende Mächte; dies ist auch die einzige Stelle, wo der vom mt Vb. σεληνίζομαι(⇥μαλακία) her offenbar negativ als teuflische, dämonen-analoge Macht kodierte *Mond*:

σελήνη

Mt 1 : Mk 1 : Lk 1 + 1 (NT nur noch 1Kor 15,41; Apk 4mal) verwendet ist zusammen mit speziell ihm zugeordnetem

φέγγος verderblich-trügerischer (Mond-)*Schein*

Mt 1 : Mk 1 : Lk 1 (NT sonst nie; LXX 24mal). Als Antonyme zu φῶς stehen im Erfüllungszitat 4,16(+Mk)

σκιά *Dunkelheit*

Mt 1 : Mk 1 : Lk 1 + 1 (NT nur noch Kol 2,17; Hebr 8,5; 10,1) und

σκότος (GUNDRY 648)

Mt 7 : Mk 1 : Lk 4 + 3 : Joh 1
    =(Mk 1) + (Q 1 + 4) + (A-Mt 1)
Die letzte Stelle 27,45 ist aus Mk 15,33 übernommen, doch dürfte Mt nach

den vorher mit σ. eingebrachten Gerichtsbezügen diesen Akzent auch hier verstärkt als semantisches Merkmal gelesen haben wollen (SCHENK 1974:42f. 64–86; SENIOR 1982:293f in Angleichung an die dreitägige ägyptische Finsternis von LXX-Ex 10,22; doch ist es wie 24,29 eine *vor* dem Umschlag ins Positive der Rettung eintretende, so daß gg. HACKENBERG EWNT 3,612 ein Zusammenhang mit Am 8,9 nicht herzustellen ist). Aus Q übernommen ist 6,23b, wobei jedoch Mt in V.23c einen stereotypisierenden Gerichtsschluß angebracht hat, der sicherlich mit πόσον auf den folgenden Q-Zusatz 8,12 vorweist und von dorther inhaltlich gefüllt gelesen werden muß. Hier hat Mt erstmalig seine dreimalige Wendung

ἐκβάλλ(ω) εἰς τὸ σκότος τὸ ἐξώτερον

    Mt 3 : Mk 0 : Lk 0 + 0 : Joh 0.

die er 22,13 wie 25,30 am Ende von Q-Allegorien stereotyp wiederholt (BARTH 1970:54). Dieselbe Häufigkeit und Verteilung gilt auch für das nur in dieser Wendung superlativisch gesteigert vorkommende Adv. (B-D-R 63,3). Wie der an allen 3 Stellen folgende Definitionssatz beweist, der auch noch 13,42.50 folgt, so ist die Wendung identisch mit der dort beidemale voranstehenden βάλλω εἰς κάμινον τοῦ ≻πυρός und bezeichnet so den Eintritt des neuen Äons mit der *Geenna* als ihrem Straf- und Qualort. Die Kontextsynonymie macht deutlich, daß *Finsternis* nicht im Gegensatz zu *Feuer* gesehen ist. Eine Übers. hat dem Rechnung zu tragen, indem in all diesen mt Allegorien die Wendung in Übereinstimmung mit *Geenna* übersetzt werden muß. Damit ist zugleich deutlich, daß ἐξώτερος hier synonym mit ≻αἰώνιος ist und speziell die *Zugehörigkeit zum neuen Äon* anzeigen soll.

    Zugesetzt hat Mt 4,16 das Subst. σ. wohl auch mit dem Zitat aus Jes 9,1 (N-A gg. H-G 21; ROTHFUCHS 1969:69, die mit einer sek. Angleichung an LXX-Jes wie Lk 1,79 rechnen, während er

σκοτία nur 10,27[=Q] verwendet

    Mt 1 : Mk 0 : Lk 1 + 0 : Joh 8 [NT nur noch 1Joh 6mal; LXX 3mal]).

Da das Zitat vor allem dazu dient, Kafarnaum als Wohnort Jesu zu favorisieren (ROTHFUCHS ebd.67f), so dürfte Mt hier sein Vorzugsnomen auch darum bewußt aufgenommen haben, weil die *Hades-*(=*Geenna-*)Stelle 11,23 bewußt synonym darauf zurückweist: Kafarnaums Anwartschaft auf den neuen Äon ist verspielt; es wird vielmehr in den *Verdammungsabgrund des neuen Äon* gestoßen werden. Dahinter stehen konkrete Anschauungen wie die der gefesselten Rudersklaven im Zwischendeck des Schiffes 3Makk 4,10: "Dazu waren sie auch durch die oberhalb dazwischen liegende dicke Bretterschicht *vom Licht abgesperrt*, damit ihre Augen *ringsum von Finsternis umgeben* wären und sie so bei der ganzen Hinabfahrt die Behandlung von Verrätern erführen." Die ungewöhnliche Verstärkung dieses Synonymfeldes intendiert eine gefährliche Gewöhnung an Horror.

σκοτεινός 6,23(=Q) *finster* (vs. Antonym)

    Mt 1 : Mk 0 : Lk 2 (NT sonst nie; LXX 16mal)

σκοτίζομαι 24,29(=Mk) Med. *sich verfinstern* (Sonne)

    Mt 1 = Mk 1 (NT nur noch Röm 1,21; 11,10; Apk 8,12; LXX 6mal)

χαίρω (GUNDRY 649)

    Mt 6 : Mk 2 : Lk 12 + 7 : Joh 9

      =(Mk 2 + 2) + (Q 2)

Mt hat 3mal (: Mk 1 : Lk 1 + 2 : Joh 1) den üblichen griech. Gruß, wobei die Spotthandlung 27,29(=Mk) wie die Dupliz. im Munde des Judas 26,49(+Mk) zeigen, daß Mt ihn nicht abgeblaßt verwendete, sd. den semant. Gehalt des Vb. dabei offenbar fest im Blick hatte: *Freue dich* (sc. *mich zu sehen*). Im Kontrast dazu hat er ihn bei seiner Osterepiphanie vor den Frauen 28,9 (als Bestätigung des Subst. V.8) auch im Munde Jesu nochmals dupl.; als Aussage findet sich χ. als Reaktion über das gefundene Schaf 18,13(=Q) in einem eschatol. Amen-Wort, als präs. Imp. schon 5,12(=Q in den gegenwärti-

gen Verfolgungen angesichts des eschatol. Lohns) zur erklärenden Aufnahme des voranstehenden →μακάριοι als das Vorzeichen, unter dem bei Mt
auch die spottend-grüßenden Passionsverwendungen zu lesen sind. Im Erzähltext des Autors erscheint es nur in der Epiphaniereaktion auf den
Stern 2,10 (von der Gegnerfreude Mk 14,11 als jeweils erster Stelle nach
Pt. + δέ permutiert) zusammen mit dem Nom.
χαρά (GUNDRY 649)
   Mt 6 : Mk 1 : Lk 8 + 4 : Joh 9
      =(Mk 1 + 3) + (Q 0 + 2)
im inneren Akk.; sonst immer in Präp.-Wendungen (5 : Mk 1 : Lk 4): μετά
13,20(=Mk von der Annahme des Wortes) wie dupl. 28,8(+Mk neben →φόβος
nach der Angelophanie); auch 13,44 mit ἀπό dürfte eine Dubl. von V.20 vorliegen, da der allegor. Bezugspunkt in beiden Fällen das mt Evangelium ist;
eschatol. ist die Verwendung mit εἰς 25,21.23(+Q) als Metonym für *Freudenfest* (Synonym mt *Himmels-Basileia*; BERGER EWNT 3,1090).
χαλεπός 8,28(+Mk – NT nur noch 2Tim 3,1; LXX 11mal) *bösartig, gefährlich*
χαλκός →ἀργύριον
Χαναναῖος →ἔθνος
χαρά →χαίρω
χεῖλος →στόμα
χειμών →πῦρ
χείρ
   Mt 24 : Mk 24 : Lk 25 + 45 : Joh 15
      =(Mk 24 – 10 + 8) + (Q 2)
Die Hand als Instrument des Essens ist 26,23(+Mk) hervorgehoben wie 15,2.
20(=Mk 7,3.2 permutiert) im Zusammenhang mit dem vorbereitenden *Waschen*,
das auch 27,24(+Mk gemäß Dt 21,1-9 und sprichwörtlich von LXX-Ps 25,6;
72,13; Ps-Arist 305f her) als Handlung der Unschuldserklärung eingebracht
ist. Am häufigsten hat Mt χ. instrum. mit dem Handlungs-Vb.
ἐκτείνω
   Mt 6 : Mk 3 : Lk 3 + 3 : Joh 1 (NT sonst nie)
      =(Mk 3 + 3)
Das Syntagma einer Vorbereitungshandlung *den Arm ausstrecken* (χ. meint
in diesem Zusammenhang immer *Arm*) ist 8,3(=Mk) als Heilungsgeste Jesu
(zur Vorbereitung des Berührung und des Wortes) übernommen wie umgekehrt 12,13a(=Mk) als Aufforderung an den Kranken mit einem kraftlosen
Arm, was dieser dann V.13b(=Mk unter Ellipse des zu ergänzenden Obj. im
Wiederholungsfalle) auch vollzieht, womit er ironischerweise ebensowenig wie
Jesus eine tatsächliche Sabbatarbeit vollzieht. Das *Pt.Aor.* hat Mt im
Anschluß an 8,3 und nach diesen Stellen 12,49(+Mk); 14,31(+Mk) für Jesus
wie 26,51(+Mk) für einen Schüler multipl.:
ἐκτείνας τὴν χεῖρα (GUNDRY 643)
   Mt 4 : Mk 1 : Lk 1 (LXX häufig, aber auch sonst; BAUER WB 486).
Das 19,15(=Mk) dupl. V.13(+Mk) als Fürbitthandlung definierte *Handauflegen*
ist auch 9,18(=Mk) von Mt speziell *Kindern* zugeordnet (→ἐπιτίθημι). Das
Ergreifen der Hand einer Kranken/Toten zum Aufrichten ist 8,15(=Mk) und
9,25(=Mk) Gestus des Wundertäters.
    In Jesu Vorhersagen 17,22(=Mk) und 26,45(=Mk) ist seine Auslieferung in
die *Gewalt* von Menschen (= Sündern) thematisiert, die mit dem von ihm
befohlenen *Ergreifen* 26,50(=Mk) vollzogen wird. Im Kontrast dazu steht der
allegor. Befehl zum Binden der Hände und Füße 22,13(+Q) zur Auslieferung
des Abgefallenen an den eschatol. Strafort als Dubl. von 18,8b(=Mk), wo
V.8a(=Mk) die *Hand* als zum Abfall verleitend als Verursacher stand, was
5,30 dupl. In Relation dazu steht 18,8(=Mk)
κυλλός *verstümmelt = einarmig* (neben *lahm*), was 15,30f(+Mk) dupl.
    Mt 3 : Mk 1 (NT und LXX sonst nie).

Allegor. χ. im Täuferwort 3,12(=Q) von der Hand des Weltenrichters, in der *die Wurfschaufel* als deren verlängernd-verstärkendes Instrument ist; χ. als spezifisch menschl. Organ auch von den Engeln im Teufelsmund 4,6(=Q Zitat LXX-Ps 90,12), während es Mt nie direkt für Gott verwendete.

δάκτυλος 23,4(=Q) *mit keinem Finger bewegen* (ironisch steigernd für *Hand*)
    Mt 1 : Mk 1 : Lk 3 + 0 : Joh 2
ἅπτομαι *med.*
    Mt 9 : Mk 11 : Lk 9 + 0
        =(Mk 11 - 5 + 3)

Mt ist in der Verwendung für die heilende Berührung ganz von Mk abhängig. Ausgelassen wurden Mk 3,10 (die Absicht, ihn zu berühren) wie 10,13 (die Absicht, von ihm berührt zu werden) und ebens 5,30f der Ausdruck der Unwissenheit Jesu, wer ihn berührt habe. Damit hat Mt die 7 mk Stellen, bei denen *Jesus Obj.* ist, auf 4 reduziert, die er außerdem paarweise zwischen den Stellen, bei denen Jesus Subj. ist, beließ; sie beziehen sich immer auf das Gewand Jesu: 9,20f(=Mk) im Einzelfall und 14,36a.b(=Mk) im Summarium. Da die Handlung im ersten Falle als Ausdruck des Glaubenswillens erklärt wird, so ist das auch an der zweiten Stelle vorauszusetzen.

Favorisiert hat Mt die Verwendung mit *Jesus* als *Subj.*, die Mk nur 4mal mit seiner ersten und den 3 letzten Stellen rahmend vorgab. Obwohl Mt nicht nur die Willensaussage Mk 10,13 ausließ, sd. mit den ganzen Perikopen auch Mk 7,33 und 8,22, hat er doch die Jesus-Stellen auf 7 erhöht. Übernommen wurde die erste Stelle Mk 1,41 beim Aussätzigen 8,5, wo sie einem Heilungswort vorausgehend zugeordnet ist. Sie wurde sogleich anschließend bei der Schwiegermutter des Petrus dupl. 8,15(+Mk). Da Mt im ersten Falle Proskynese und Kyrie-Anrede vorausgehen läßt, so ist die positive Voraussetzung auch im Wiederholungsfalle zu machen. Auch bei der letzten Stelle der beiden Blinden 20,34 geht eine solche bittende Kyrie-Anrede voraus. Hier ist die auf die Augen bezogene Beistandsgeste der Berührung Jesu erkennbar von Mk 8,22 permutiert. Auch bei der Dupl. des ganzen Segments 9,29(+Mk) hat Mt sowohl vorangehende Kyrie-Anrede wie anschließendes Heilungswort mit-wiederholt. Die engsten Schüler sind Obj. in 17,7(+Mk), wo es sich nach der Struktur der Epiphanie-Erzählung deutlich um den Topos des "Beistands" handelt, der auch hier wieder mit dem anschließenden Wort verbunden ist. Dieses semant. Element der Beistandsgeste ist an allen 7 Stellen präsent und muß in der Übers. zum Ausdruck kommen. In den reziproken Stellen, bei denen Jesu Gewand Obj. ist, wird man es ebenfalls (etwa durch den Zusatz *beistandsuchend*) zum Ausdruck bringen können. Wieder zeigt sich, daß Mt eine gleichmäßige und ringkompositorische Verteilung vorgenommen hat:

A Jesus Subj.: 8,3.15   17,7; 2o,34
B Jesus Obj.:   9,20.21   16,36a.b
Z Jesus Subj.:   9,29

ἐπιτίθημι (GASTON 1973:61; GUNDRY 644 - doch ist Mk 16,12 sek.)
    Mt 7 : Mk 7 : Lk 5 + 14 : Joh 3 (NT nur noch 1Tim 5,22; Apk 22,18)
        =(Mk 7 - 4 + 3) + (Q 1)

Mt hat ἐ. immer nur als konkretes Handlungs-Vb. verwendet und die Anwendung auf eine Symbolhandlung Mk 3,16f (*Namen verleihen*) ausgelassen. Die kompatiblen synopt. Vergleichswerte lauten daher
    Mt 7 : Mk 5 : Lk 5.
Mit Jesus als Subj. bei der Bitte um *Handauflegen* 9,18(=Mk red. im Sing. + ἐπί + Akk.) und 19,13(=Mk 7,32 oder 8,23.25 permutiert, wo ebenfalls der Dat. vorliegt), da der Vollzugsbericht V.15 die Wendung in Mk 10,16 Simpl. vorgab, so daß auch die Erweiterung im Wiederholungsfalle als mt Permutation anzusehen ist. Die Vereinheitlichung des Mt geht neben der morphol. Oberflächenstruktur auch noch in der semant. Tiefenstruktur daraufhin, daß

er es nur für *Kinder* verwendet, deren Eltern es erbitten. Daß Mt die Kinder-Stellen bewußt aufeinander bezogen hat, geht auch daraus hervor, daß er das angeschlossens ἐπί von der Schlußstelle Mk 10,16 auf seine Anfangsstelle vorgetragen hat sowie dort den Sing. *Hand* verwendet, da das Gegenüber nur ein Kind ist, während der Plur. 19,13.15 dem Plur. der Obj. entspricht. *Handauflegen* ist bei Mt eine spezifisch kindbezogene Handlung für solche Kinder, deren Eltern sie ihm bringen und die zu ihm kommen. Da diesem *Kommen* der Endzeitlohn des neuen Äon zuerkannt wird, besteht dieses *Kommen* in der Zuwendung zum mt Buchkonzept.

In dir. Rede nur Q-Mt 23,4(+ἐπί von Lk 15,5 her permutiert und ins Negative transkodiert) im Vorwurf an die Gegner vom *Aufbürden* von Lasten. Das Ziel-Obj. *Schultern*

ὦμος

Mt 1 : Mk 0 : Lk 1 (NT sonst nie).

Berichtend red. 21,7(+Mk mit ἐπί) ersetzt ε. ein anderes Komp. vom *Darauflegen der Kleidung*; 27,29(+Mk + ἐπί) vom *Aufsetzen des Dornenkranzes*) wie 27,37(+Mk + ἐπάνω) vom *Anbringen der Schuldinschrift* ist Jesu Kopf das Obj., so daß diese Verwendung des Vb. am Ende in Jerusalem in einer antithet. Korrespondenz zur Huldigung beim Einzug in die Stadt 21,7 stehen dürfte. Typisch für Mt ist die Verbindung des Komp. mit der gleichen Präp.

ἐπιτίθημι + ἐπ-

Mt 4 : Mk 1 : Lk 1 + 4 : Joh 2.

In allen Verwendungsarten ist das Obj. für ἐ. etwas Darunterstehendes, so daß der asymmetrische Bezug (von oben nach unten) kennzeichnend ist, in dem ein Höherstehender Macht gegenüber einem Niedrigeren ausübt. Ähnlich

κρατέω (GUNDRY 645)

Mt 12 : Mk 15 : Lk 2 + 4 : Joh 2
        =(Mk 15 – 7 + 1) + (Q 0 + 3)

Mt hat die 4 mk Vorgaben, wo κ. eine geistige Handlung beschreibt, nicht übernommen. Von den 3 mk Vorgaben mit Gen., die ein "durchweg gewaltfreies Handeln zum Ausdruck" bringen (OSTEN-SACKEN EWNT 2,777), hat Mt wohl mit Bedacht nur an seiner ersten Stelle 9,25(=Mk *Hand ergreifen* zur Auferweckung) im Kontrast zu allen 11(: Mk 7) folgenden Stellen, die mit Akk. stehen, um eine "mehr oder weniger gewaltsames *Ergreifen*" zu bezeichnen (ebd.) wie 14,3(=Mk *Gefangennahme des Täufers*); 18,28(+Q unbrüderliche = feindanaloge *Gefangennahme des Mitangestellten*); 21,46(=Mk Jesu) bzw. 22,6(+Q allegor. dupl. seiner Schüler: gleiches Verfolgungsschicksal); 26,4.48.50.55.57(=Mk Jesus) – bzw. mindestens: "das Handeln erfolgt unabhängig vom Willen des von ihm Betroffenen" (ebd.) – so rahmend 12,11(+Q *Ergreifen* des in die Grube gefallenen Schafes – und zwar bewußt an die Gegner – als für ihr Handeln typ. – adressiert) wie 28,9(+Mk die Frauen *umschlingen* die Füße des auferweckt Erscheinenden als Epiphaniereaktion, die als Furcht bestimmt wird).

συλλαμβάνω 26,55(=Mk) *verhaften*

Mt 1 : Mk 1 : Lk 7 + 4 : Joh 1

βαστάζω (GUNDRY 642)

Mt 3 : Mk 1 : Lk 5 + 4 : Joh 5 (LXX nur 7mal)
        =(Mk 1 – 1 + 3)

Mk 14,13 wurde ausgelassen (*tragen* von Kultgerät), während es Mt 3,11 (+Mk/Q) für das Obj. "Sandalen" *jmd. nachtragen* einfügte (geringster Sklavendienst; KLOSTERMANN 22; SCHLATTER 78: "Den ankommenden Herrn bedient der Sklave dadurch, daß er ihm die Schuhe abnimmt, die er nur auf der Straße, nicht im Hause trägt"); 8,16(+Mk) steht es im Erfüllungszitat (gg. Wortlaut und Sinn von LXX-Jes 53,4) vom *Wegtragen der Krankheiten* durch Jesus synonym par. zu ⊁*wegnehmen* (darum ist hier bloßes *tragen* eine Verkürzung, die die Spannung zur Verwendung von Jes 53 einebnet;

BÜCHSEL ThWNT 1,597 gg. STENGER EWNT 1,499f); 20,12 in mt Labial-Alliteration das "*Ertragen* der Last und Hitze des Tages"). Synonym zu αἴρω, ἔχω,
λαμβάνω und
φέρω 14,11a.b(=Mk).18(+Mk); 17,17(=Mk) *bringen* (7,18a.b sek. LA)
    Mt 4 : Mk 15 : Lk 4 + 10 : Joh 17 – synonym häufiger:
αἴρω
    Mt 19 : Mk 19 : Lk 20 + 9 : Joh 25
        =(Mk 19 – 8 + 1) + (Q 3 + 1 – 4) + (A-Mt 3)
Ausgelassen wurden Mk 2,3.9.12; 4,15; 6,8; 8,9.20; 15,24. Von den berichtenden Stellen blieben nur 4, davon der mittlere Komplex Mt 14,12.20; 15,37
und als Schlußstelle 27,32 – wohl betont als Abschluß (unter Auslassung
von Mk 15,24) in Relation zum Imp. von 16,24. Mt konzentriert das Lexem
auf die wörtl. Rede, wo es sich – außer der ersten Stelle 4,6(=Q) als
Scheinverheißung im Munde des Teufels – immer im Munde Jesu findet:
    Mt 14 : Mk 11 : Lk 15.
Innerhalb der wörtl. Rede Jesu ist die weitere Konzentration auf *Imp.*-Sätze
ein mt Zug:
    Mt 10 : Mk 7 : Lk 9;
dies ist 9,6 Liege; 14,26 Kreuz; 21,21 Tempelberg reflexiv – betont anti-
judaistisch; 24,17f von Mk vorgegeben und findet sich in allen A-Mt-Stellen
11,29 Joch; 17,27 Fisch; 20,14 Lohn sowie Q-Mt 25,29f (Mt dürfte hier die
beiden voranstehenden Belege Lk 19,21f wie auch 6,29f abgeändert haben,
während er es in der Schilderung der Flut-Folge Q-Mt 24,39 in der negativen Bedeutung bei abs. Gebrauch [RADL EWNT 1,98] wohl konservierte).
In der negativen Bedeutung steht es mit der Trennpräp. ἀπό
    Mt 5 : Mk 3 : Lk 4 + 2
im trans. Sinne von *abreißen* 9,16(=Mk) und sonst *wegnehmen von* wie Q-Mt
25,28f so auch in der Mk-Dublette Mt 13,12(=Mk), was 21,43(+Mk) nochmals
als Untergangsweissagung an die jüdischen Führer adressierend dupl. Damit
zu vergleichen ist
ἀπαίρομαι 9,15(=Mk) *Entrissensein* (des Bräutigams)
    Mt 1 : Mk 1 : Lk 1 (NT sonst nie)
μεταίρω 13,53(+Mk); 19,1(+Mk – NT sonst nie)
    Beide red. Stellen verwenden es *intrans.* mit *Jesus* als Subj. und immer
in der *Anschlußformel* an Reden, so daß es vom Kontext her stärker als
Verbinder denn als Trenner fungiert. Es bezeichnet also nur den Ausgangspunkt der Entfernung im Hinblick auf ein Ziel, so daß 19,1 mit der
red. Verwendung signalisiert, daß er den Übergang von Galiläa nach Jerusalem nicht so sehr als einen Buchteileinschnitt verstanden wissen will.
Negativer Hand-Gebrauch vor allem:
δέρω 21,35(=Mk 12,3 – während 12,5; 13,9 nicht übernommen sind) *prügeln*
    Mt 1 : Mk 3 : Lk 5 + 3 : Joh 1 (NT noch 1Kor 9,26; 2Kor 11,20; LXX 3mal)
κολαφίζω 26,67(=Mk) *mit der Hand/Faust schlagen, mißhandeln*
    Mt 1 : Mk 1 (LXX nie, NT nur noch 1Kor 4,11; 2Kor 12,7; 1Pt 2,20)
ῥαπίζω 26,67(vom mk Subst. her) und als Ertragens-Gebot 5,39(+Q) dupl.
    Mt 2 (NT sonst nie; LXX 3mal); das Subst.
ῥάβδος 10,10(=Mk) *Wanderstock* (als Waffe gegen wilde Tiere)
    Mt 1 : Mk 1 : Lk 1 + 0 : Joh 0
παίω 26,68(=Mk 14,47 permutiert) synonym
    Mt 1 : Mk 1 : Lk 1 : Joh 1 (NT nur noch Apk 9,5 *stechen*)
τύπτω 24,49(=Q); 27,30(=Mk) synonym
    Mt 2 : Mk 1 : Lk 4 + 5 (NT nur noch 1Kor 8,2 geistig)
ὑβρίζω 22,6(+Q) *mißhandeln*
    Mt 1 : Mk 0 : Lk 2 + 1 (NT nur noch 1Thess 2,2; LXX 6mal)
μαστιγόω 10,17 und 23,34(+Q) jüd. *Auspeitschung* wie Jesu röm. 20,19(=Mk)
    Mt 3 : Mk 1 : Lk 1 : Joh 1 (NT nur noch Hebr. 12,6 übertr.) synonym:

φραγελλόω 27,26(=Mk lat. Lehrwort *flagello*) als Vollzug der Vorhersage
πατάσσω 26,31(=Mk Zitat Gott).51(+Mk dupl. Schüler) als LXX t.t. *schlagen*
     Mt 2 : Mk 1 : Lk 2 + 3 (NT nur noch Apk 11,6; 19,15)
χείρων →κακός
χιτῶν →γυμνός
χιών →λευκός
χλαμύς →γυμνός
χοῖρος 7,6(Mk 5,16 permutiert); 8,30.31.32(=Mk) *(junge) Schweine, Ferkel*
     Mt 4 : Mk 4 : Lk 4 (NT und LXX sonst nie)
ἀγέλη 8,30(=Mk).31(+Mk dupl.).32(=Mk) *Herde (von Schweinen)*
     Mt 3 : Mk 2 : Lk 2 (NT sonst nie)
χολή →ἄρτος
Χοραζίν →Βεθσαιδά
χορτάζω →ἄρτος
χόρτος →αὐξάνω
χρεία, χρῄζω →ἔχω
χρηματίζω →ὄναρ
χρηστός 11,30(+Q) *brauchbar, notwendig, gut* vom Joch des mt Jesus
     Mt 1 : Mk 0 : Lk 2 - evtl. als Wortspiel mit
χριστός →'Ιησοῦς
χρονίζω, χρόνος →ἡμέρα
χρυσός →ἀργύριον
χωλός →πούς
χώρα →Γαλιλαία
χωρέω →γινώσκω
χωρίζω →ἀπολύω
χωρίον →Γαλιλαία
χωρίς + Gen. uneigentl. Präp. *ohne* 13,34(=Mk) dupl. 14,21; 15,38
     Mt 3 : Mk 1 : Lk 1 + 0 : Joh 3
ψευδ- (GUNDRY 649) *Lügen-*
     Mt 9 : Mk 5 : Lk 2 + 4 : Joh 3
ψεύδομαι 5,11(+Q) *lügen* als →teuflisches Gegnerkennzeichen
     Mt 1 : Mk 0 : Lk 0 + 2 : Joh 0
ψευδομαρτυρέω 19,18(=Mk Ex 20,16 Dekalog) *falsche Zeugenaussage machen*
     Mt 1 : Mk 3 : Lk 1 (NT sonst nie; LXX 2mal)
ψευδομαρτυρία 15,19(+Mk wegen Dekalog); 26,59(+Mk aus Simpl.)
     Mt 2 (NT und LXX sonst nie)
ψευδομαρτύς 26,60(+Mk statt Vb.) *Lügenzeuge*
     Mt 1 (NT nur noch 1Kor 15,15; LXX nur Sus 60)
ψευδοπροφήτης →γραφή
ψευδόχριστος 24,24(=Mk - NT und LXX sonst nie)
ψιχίον →ἄρτος
ψυχή →σῶμα
ψύχομαι, ψυχρός →πῦρ
ὦ 15,28(+Mk) dupl. von 17,17(=Mk) Interjektion vor Anrede
     Mt 2 : Mk 1 : Lk 2 + 4 : Joh 0
ὧδε (GASTON 1973:62; GUNDRY 649)
     Mt 18 : Mk 10 : Lk 16 + 2 : Joh 5
         =(Mk 10 - 4 + 8) + (Q 3 + 1)
17,4 wie 24,23 liegen Doppelbelege vor (gg. GUNDRY ebd., der mit MORGEN-
THALER 1973:153 nur 17 angibt); bei Mk sind wohl 10 Belege zu veranschlagen, wenn 13,2 urspr. ist (N-A; anders H-G 218 mit der Annahme einer sek.
Angleichung an Mt).
     Alle Belege dieses deiktischen Ortsadv. stehen naturgemäß in dir. Rede.
In Relation zu seinem inkonym →*dort* ist es nur 28,6(=Mk) übernommen, während es gegenüber Mk 6,3:5 und 13,21 aufgelöst ist. Der lokale Sachbezug

wie 20,6(+Mk) spielt bei Mt offenbar eine geringere Rolle als bei Mk, jedenfalls ist ω. dafür nicht das bevorzugte Signal. Das dürfte auch der Grund
für die Substitution durch das ordinäre Synonym
αὐτοῦ (Adv. nach Imp.) 26,36(+Mk; vgl. auch Lk 9,27 und →ἐκεῖ) hier sein
     Mt 1 : Mk 0 : Lk 1.
Statt des lokalen Sachbezugs dient das referenzdeiktische ω. bei Mt primär
zur Verstärkung des *Personbezugs* – vor allem in *christol.* Beziehung: Typ.
dafür ist 26,38(=Mk), wo ein solcher Neubezug durch die Ergänzung durch
das mt *mit mir* entsteht; schon 12,41f(=Q) vertritt ω. überhaupt ein ἐγώ: *Ich
bin* (= als die gesandte Weisheit Gottes) mehr als Jona bzw. Salomo; dupl.
hat 12,6(+Mk) schon die Analogie gebildet: *Ich bin* (= als der gesandte Endzeitkönig Israels) mehr als der Tempel (gg. EWNT 3,1207 mehr als "im Umkreis Jesu"). Eine jesulogische Verstärkung liegt ebenso in dem tautologischen Zusatz μοι ω. 17,17(+Mk) nach Imp. den auch schon 14,18(+Mk) einbrachte – und zwar als betonten Gegensatz zu dem Unvermögen und der
Verlegenheit der Schüler 14,17(+Mk), nachdem schon 14,8(+Mk) dieselbe Wendung im Munde der Herodiastochter un-christol. vorbereitet hatte. Dieses
Syntagma ist typ. mt:
μοι ὧδε
     Mt 3 : Mk 0 : Lk 0.
Dieselbe semant. Tiefenstruktur ist dann auch bei bloßem ω. als Metonym für
die volle christol. Wendung zu sehen in der Gerichtsallegorie 22,12(=Q wie
bist du *hierher* = *zu mir* hereingekommen) wie 16,28(=Mk), wo *hier* = *bei mir*
schon dadurch gegeben ist, daß es sich um ein Amen-Orakel handelt. Auch
24,2(=Mk) ist ω. eine pragmatische Verstärkung der illokutionären Amen-
Einleitung, zumal der Personbezug Jesus/Tempel nicht nur durch 12,6 vorgegeben, sd. nochmals durch die unmittelbare Textsequenz mit dem red. An-
chluß an 23,38f deutlich betont ist. Von daher wird auch verständlich, wo
der Akzent der Ersetzung des mk *hier/dort* in 24,23 durch mt *hier/hier*
liegt (und gg. EWNT 3,1207 nicht etwa synonym zu fassen ist): Im Gefolge
von 12,6.41f wird damit der lügnerische Messias-Anspruch in starker personaler Deixis *Ich bin* bezeichnet.
     Auch die Doppelung in 17,4a(=Mk).b(+Mk) dürfte in der unmittelbaren Se-
quenz von 16,28 ebenso metonymisch jesulogisch getönt sein. Schon die allererste Stelle 8,29(+Mk) bringt den Zusatz zusammen mit der red. Zeitangabe betont zur Verstärkung in die durch den Chiasmus hervorgehobene Zen-
ralerikope von Mt 8–9 ein, um die Gottessohnprädikation zu versärken: Der
König Israels ist als mt Vernichter (und nicht nur Bezwinger) der Dämonen
schon vor dem Endgericht *hier* erschienen (d.h. in Israel als *seinem* Volk,
da Gadara mit der Dekapolis nach 4,25 zum Raum der mt Messias-Generation
und nicht als Heidenland gerechnet wird). Die Ich-hier-jetzt-Origo des
Sprechers der jeweils erzählten Rede ist bei Mt am häufigsten betont, wobei
seine Verwendung von ω. ein sprachliches Mittel neben anderen (wie z.B.
λέγω ὑμῖν) ist.
     Eine weitere semant. Präzisierung liegt darin, daß das referenzdeiktische
Adv. in den *Fragen* 8,29 wie 22,12 und vor allem nach *Imp.* 14,8.18 wie 17,17
die vor allem in den Papyri vorkommende finale Bedeutung *hierher* (BAUER
WB 1769; B-D-R 103,1 n.1) hat, die Mt an der einzigen einschlägigen Mk-
Stelle (11,3) ausgelassen hat:
     Mt 5 : Mk 1 : Lk 4 + 1 : Joh 2 (NT noch Jak 2,3; Apk 4,1; 11,12),
wobei das Zusammentreffen mit Mt an der ersten Stelle Lk 9,41 zufällig sein
dürfte; Lk 14,21 sollte für Q reklamiert werden können, so daß Mt 22,12 Permutation vorliegt (Lk noch 19,27; 23,5; Apg 9,21). Das Komplenym *von hier*
ἔνθεν (B-D-R 105,1 n.1 statt klass. ἐνθένθε/ἐντεῦθεν Lk 4,9; 13,31)
     Mt 1 : Mk 0 : Lk 1 (NT sonst nie)
hat Mt 17,20(+Q – wie andernorts Lk 16,26).

ὠδίν ⇥ἀρχή
ὦμος ⇥χείρ
ὥρα ⇥ἡμέρα
ὡραῖος ⇥καθαρός
ὡς (GUNDRY 649)
    Mt 40 : Mk 20 : Lk 25 + 31 : Joh 13
Da Mt ω. nie wie die anderen auch als temp. Konj. verwendet, sind diese
realen Vergleichszahlen zum Ausgangspunkt zu nehmen (MORGENTHALER
1973:159 gg. GUNDRY ebd.). Man hat aber auch noch die Verwendung bei
Zahlenangaben in der Bedeutung *ungefähr* abzuziehen, da auch diese bei Mt
fehlt; mit N-A und H-G dürfte es 15,38 sek. und als Zusatz nach V.21 und
den Par. leicht eingeflossen sein. In 14,21 aber hat Mt red.
ὡσεί (GUNDRY 649)
    Mt 3 : Mk 1 : Lk 9 + 6 (NT nur noch Röm 6,13; Hebr 1,12),
das hier anstelle des versetzten Simpl. von Mk 8,9 stehen dürfte. So erklären sich auch die Verwendungen an den beiden anderen Stellen als Mk-
Abänderungen. Diese Partikel steht nie vor Sätzen, sd. nur vor Begriffen
(B-D-R 453,3): 3,16(+Mk Taube; 9,36(+Mk Schafe). Damit ergibt sich eine
weitere mt Besonderheit und wohl auch ein Grund für die Neuverwendung
hier: In beiden Fällen steht es für Tiere als Vergleichspunkt für den Got-
tesgeist bzw. die Messiasgeneration; Mt dürfte mit dieser Verwendung eine
stärkere Distanzierung beabsichtigt haben, da er andererseits für seine
Schüler 10,16a.b.c das Simpl. gehäuft bei Tiervergleichen verwendet.
    Zieht man also die Verwendung des Simpl. bei Zahlenangaben in den Par.
auch noch ab, so lauten die realen Vergleichszahlen
    Mt 40 : Mk 18 : Lk 25 + 24 : Joh 5
        =(Mk 18 - 9 + 13) + (Q 5 + 7) + (A-Mt 6)
Mt kennzeichnend ist vor allem die *korrelative* Verbindung mit adv. καί 6,10
(+Q wie Gal 1,9; Phil 1,6; 2Kor 13,2; Apg 7,51; PlutMor 39E; BAUER WB 1773).
Diese adv. Korrelation kann schon klass. (K-G 2,256) redundant wiederholt
werden und bei dem komparativen Konj. selbst zum
einen vergleichenden Nachsatz einleiten: 18,33(+Q; B-D-R 453,1 n.3; vgl. Röm
1,13); dieses so kurzgebundene Syntagma hat Mt schon 6,12(+Q im Anschluß
an die analoge Bildung V.10) verwendet und allegor. 20,14 nochmals wiederholt. Als mt Stilmerkmal sind also nicht nur diese drei Direkt-Syntagmen zu
zählen (gg. GUNDRY ebd.), sd. auch schon die Ausgangswendung 6,10; alle
vier Stellen finden sich im Munde des mt Jesus, dem Mt so eine schon
klass. griech. Ausdrucksweise zulegt:
ὡς καί
    Mt 4 : Mk 0 : Lk 0 + 1.
Dieser Wendung funktionsgleich ist das mt Vorzugswort
ὥσπερ (HAWKINS 1909:8; MORGENTAHLER 1973:181; GUNDRY 649)
    Mt 10 : Mk 0 : Lk 2 + 3 : Joh 2
        =(Mk 0 + 2) + (Q 1 + 3) + (A-Mt 4)
Hier entspricht die zweite Silbe dem Komp. *wie ja auch* dem Zusatz des Adv.
in dem Syntagma mit dem Simpl.; Mt hat auch alle diese Stellen im Munde
seines Jesus. Übernommen ist es 24,27(=Q) in der eschatol. Blitz-Analogie mit
dem Korrelativ *so* und anschließend 24,37(+Q) in der eschatol. Noah-Analogie
wie schon 12,40(+Q) in der heilsgeschichtlichen Jona-Analogie dupl. und
ebenso im Allegorieschlüssel 13,40(+Mk):
ὥσπερ - οὕτως
    Mt 4 : Mk 0 : Lk 1 + 0
Ohne Korrelativ anschließend noch in der Allegorieeinleitung 25,14(+Q) wie
25,32 zur Vergleichseinführung dupl. Die 24,27 ebenso aus Q übernommene
argumentative Kontexteinpassung als Argument mit γάρ, das auch 12,40;
24,37 (vgl. V.38 mit Simpl. wiederholt); 25,14 erscheint:

ὥσπερ γάρ

Mt 4 : Mk 0 : Lk 1 + 0.

20,28(+Mk) wird ein begründender Nachsatz damit eingeleitet, während es 18,17 für einen Wortvergleich (*wie ein Zolleinnehmer*) nachstellt. Eingeführt wurde das Komp. 6,2, um einen bewertenden Rückblick auf den Vordersatz auszudrücken, und 6,7 wie 18,17 auf einen Wortvergleich verkürzt. Kennzeichnend ist, daß dasselbe 6,5 dazwischen und 6,16 danach an strukturgleicher Stelle mit dem Simpl. ausgedrückt ist. Dabei zeigt sich die weitere mt Besonderheit des Syntagmas (wie 18,13 beim Komp.)

εἶναι/γίνομαι ὡς

Mt 6 + 11 : Mk 2 : Lk 5 + 0

Neben den 8 Stellen mit zusätzlichem Nom. bei ⊁γίνομαι noch satzergänzend im Gebet 6,10(+Q) und in den mt Heilungszusageformeln 8,13(+Q) und 15,28 (+Mk); bei εἰμι in Worten Jesu einleitend 5,48(=Q aus Komp. verkürzt) und antithetisch dupl. 6,5 (vgl. V.16 analog mit γίνομαι); 22,30(=Mk); 24,38(+Q); dazu schildernd 28,3a.b(+Mk nach 17,2 und Q–Mt 24,27 dupl.).

Als weiteres mt Stilkennzeichen muß die Verstärkung durch Doppelung und Wiederholung gelten

ὡς – ὡς

Mt 16 : Mk 2 : Lk 4 + 0

In Antithese positiv/negativ 7,29a.b(=Mk 1,22 permutiert) und 26,39a.b(+Mk); als positive Doppel-Par. 10,16b.c(+Q) zusätzlich zu V.16a(=Q) wie 10,25a(=Q).b (+Q) und den Imp. 18,3(=Mk).4(+Mk). Par. Schilderungen liegen 17,2b.c(+Mk) wie 28,3a.b(+Mk), wobei 28,4(=Mk 9,26 Komp. permutiert) wieder wie 10,16 noch ein drittes Glied im unmittelbaren Kotext tritt.

Das mt Syntagma der Ausführungsformel

(Aor.) ⊁ποιέω + ὡς + (Aor.)Befehl

Mt 3 : Mk 0 : Lk 0

hat 21,6(=Mk) mit dem hell. stark vermehrten, von Mt aber wie von anderen als ordinär vermiedene (fehlt Jak Jud Apk) Komp.

καθώς

Mt 3 : Mk 8 : Lk 17 + 11

=(Mk 8 – 5)

Es wurde von Mt nur für eine satzeinleitende Reaktionsfolge auf eine göttl. verursachte Redehandlung, die immer auf die Verwirklichung des Geschichtsplans Gottes bezogen ist, und nur im Jerusalem-Komplex beibehalten: 21,6 blieb es stehen, weil Mt V.5 das Erfüllungszitat ergänzt hatte und wurde zu Vollform der Ausführungsformel ergänzt. 26,24(=Mk) wurde es im Wort Jesu darüber übernommen, daß er seinen Weg zu Ende geht, wie es der Vorsehungsplan in den Schriften vorschreibt; 28,6(=Mk) im Engelmund auf die Auferweckung bezogen: *gemäß seiner Vorhersage.*

Von den restl. Stellen des *Simpl.* sind 6,29 (*wie eine von diesen*) und 17,20 (*wie ein Senfkorn*) aus Q übernommen und aus Mk 14,5 (*als Propheten ansehen*), was 21,26(+Mk) dupl. wurde, wie 22,39 (*wie dich selbst*), was 19,19(+Mk) dupl. ist, sowie 26,55 (*wie gegen einen Terroristen*). Red. sind ferner 12,13(+Mk *wie die andere*); 13,43(+Mk *wie die Sonne*, was 17,2 dupl.); 27,65(+Mk *entsprechend eurem Fachwissen*).

ὡσαννά 21,9b.d(=Mk).15(+Mk dupl.) Ps 118,25 hebr. transskripiert *hilf doch*

Mt 3 : Mk 2 : Lk 0 : Joh 1 (NT und LXX sonst nie) mit

ὕψιστος 21,9(=Mk) in den *Höhen* (= Metonym für Gott; BERTRAM ThWNT 8,614) Während man ὡ. bei Mk durchaus noch als Bittruf an Gott verstehen muß (BERTRAM ThWNT 9,617 gg. LÜDEMANN EWNT 3,980), da er mit semit. Ausdrücken immer den wunderwirkenden Aspekt signalisiert (hier wie Mk 15,34 in der Aufforderungsfrage am Kreuz die Bitte um Rehabilitation), so erhebt sich die Frage, ob Mt es zu einem Lobpreis transkodiert hat, falls er es 21,16(+Mk Zitat LXX–Ps 8,3) metasprachlich in der speziellen LXX-Bedeutung

als *Lob* bestimmen sollte:
αἶνος (NT nur noch Lk 18,43; LXX 11mal),

doch könnte diese Bestimmung auch rein funktional und müßte keine Beschreibung eines transkodierten Inhalts sein, da die direktere Verbindung V.15 mit ⅃κράζω im mt Sinne (und als Exempel für προσευχή V.13) eher auf einen Hilferuf weist. Noch wahrscheinlicher ist aber, daß Mt αἶ. zurück transkodierte und nicht in der speziellen LXX-Bedeutung verwendete, sd. in der gemein-griech. von "(inhaltsschwerer) Rede" überhaupt (vgl. PASSOW I 39 und vor allem als rhetor. t.t. für "Warnrede" wie vor allem die aesopschen Fabeln: Quint 5,11,20)

ὡσαύτως (GUNDRY 649)

   Mt 4 : Mk 2 : Lk 3 (NT nur noch Röm 8,26; 1Kor 11,25; Past 6mal)
Mt verwendet *ebenso, in gleicher Weise* im Unterschied zu den anderen Synopt. immer in Allegorien, so daß sich eine gesteigerte Häufigkeit ergibt:

   Mt 4 : Mk 0 : Lk 0
       =(Mk 0 + 2) + (Q 0 + 2)
Dabei wird es immer *abkürzend* für einen *zweiten* Handlungsgang einer Allegorieperson verwendet; diese verkürzende Kennzeichnung des Wiederholungsfalles ist an allen Stellen red.: 20,5(+Mk) mit ποιέω wie 21,36(+Mk); 21,30(+Q) mit εἶπεν und ellipt. 25,17(+Q) für *Handel treiben*.

ὥστε (GASTON 1973:62; GUNDRY 649)

   Mt 15 : Mk 13 : Lk 5 + 8 : Joh 1
       =(Mk 13 – 6 + 7) + (Q 0 + 1)
Da Mt 12,12 Mk 2,28 wie 12,22 Mk 3,30 zurückversetzt übernommen hat, sind beide Stellen zwar in der Sequenz red., nicht jedoch abs. als Zusätze, sd. als Permutationen zu zählen (gg. GUNDRY, der das nicht differenziert). Mt hat diese *konsekutiv subordinierende Konj.* (B-D-R 391; 457,3) in drei klar abgegrenzten und unterschiedenen Verwendungsgruppen:

ὥστε + Ind.

   Mt 3 : Mk 2 : Lk 0 + 0
       =(Mk 2) + (Q 0 + 1)
drückt die *wirkliche Folge* aus: 12,12 ist Mk 2,28 an den Schluß der Serie von Kontroversen versetzt, um den Höh- und Schlußpunkt zu markieren: *also tatsächlich*. Mt kommt es auf die abschließend feststellende Bemerkung der Berechtigung an, während er 12,8 das Herr-Sein seines Jesus nicht erst erweisen muß, da er der geborene König Israels ist und davon mit *denn* ausgehen konnte. Auch 19,6(=Mk) ist die Tatsächlichkeit der Einheit unterstrichen wie 23,11(+Q) die abschließende Tatsächlichkeit der Selbstentlarvung und -verurteilung der Ideologen der Jesusgeneration. Auch bei

ὥστε + A.c.I.

   Mt 8 : Mk 9 : Lk 4 + 6
       =(Mk 9 – 4 + 3)·
ist mt immer die *tatsächliche Folge* bezeichnet – doch hier, ohne daß sie besonders unterstrichen ist und eher als *natürliche, anzunehmende* Folge erscheint: 8,24(=Mk Wellen als Folge des Seebebens); 8,28(+Mk; einzige mt Stelle mit Negation, wie sie Mk 3mal hat; hier wohl von Mk 1,48; 2,2 her gebildet zur Schilderung der realen Gefährlichkeit der Besessenen); 12,22 (=Mk 3,20 vorversetzt, um den Heilungserfolg als Höhepunkt und gleichzeitig als Ausgangspunkt der Kontroverse stärker zu markieren); 13,2(=Mk).54(+Mk tatsächlicher Widerstand); 15,31(+Mk für Heilungserfolg wie 12,22); 27,14 (=Mk Verwunderung). Von dieser konsequenten Verwendung her ist auch im Allegorieschluß 13,32 dem mt Stil nach an die *tatsächliche* und nicht nur an die mögliche oder beabsichtigt Folge (Zustrom der Vögel = Völker) gedacht. Davon klar abgehoben hat Mt seine dritte Gruppe

ὥστε + bloßen Inf.
   Mt 4 : Mk 2 : Lk 1 + 2
       =(Mk 2 – 2 + 4),
die bei Mt immer als Mk-Zusatz die *beabsichtigte Folge* ausdrückt, also faktisch *final* ist, weshalb Mk 2,2 und 3,10 aus eben diesem Grunde gestrichen wurden: 10,1(+Mk *damit* sie austreiben); 15,33(+Mk *damit* wir sättigen); 24,24(+Mk Gegnerabsicht *verführen*), 27,1(+Mk Gegneransicht *töten*). An allen vier Stellen ist zu übers.: *damit.*

ὠτίον ⊁οὖς

ὠφελέω 15,5(=Mk *unterstützen*); *(nichts)* nützen 16,26(=Mk) wie 27,24(=Mk 5,26)
   Mt 3 : Mk 3 : Lk 1 + 0 : Joh 2.

Literatur:
Abel, E.L. 1970/1: Who wrote Matthew?, NTS 17, 138-52
Aguirre Monasterio, R. 1980: Exegesis de Mateo 27,51b-53, Eset
Aland, K. ⁹1976: Synopsis Quattuor Evangeliorum, Stuttgart
-"- - Aland, B. 1982: Der Text des NT, Stuttgart
-"- (ed.) 1978/83: Vollständige Konkordanz zum griechischen NT I-II,
    Berlin
-"- (ed.) ²1985: Computer-Concordance to the NTG, Berlin
Albright, W.C. - Mann, C.S. 1971: Matthew (AB 26), Garden City
Allen, E.L. 1954: On this Rock, JTS 5, 59-62
Allen, W.C. ³1912(=1977): The Gospel according to St. Matthew (ICC),
    Edinburgh
Almquist, H. 1946: Plutarch und das NT (ASNU 15), Uppsala
Arens, E. 1976: The ΗΛΘΟΝ-Sayings in the Synoptic Tradition (OBO 10),
    Fribourg
Argyle, A.W. 1964: The Gospel according to St. Matthew, (CBC), London
Bachmann, M. 1980: Jerusalem und der Tempel (BWANT 109), Stuttgart
Bacon, B.W. 1918: The Five Books of Matthew against the Jews, Exp. 15/8,
    56-66
-"- 1930: Studies in Matthew, London/New York
Bächli, O. 1977: "Was habe ich mit dir zu schaffen?" Eine formelhafte Frage
    im AT und NT, ThZ 33, 69-80
Balz, H. - Schneider, G. (ed.) 1980-3: Exegetisches Wörterbuch zum NT I-III,
    Stuttgart
Bammel, E. 1961: Mt 10,23, StTh 15, 79-92
Banks, R. 1974: Matthew's Understanding of the Law. Authenticity and In-
    terpretation in Mt 5,17-20, JBL 93, 226-42
-"- 1975: Jesus and the Law in the Synoptic Tradition (SNTS.MS 28),
    Cambridge
Barr, J. 1965: Biblische Semantik, München
-"- 1967: Alt und Neu in der biblischen Überlieferung
Barth, G. 1970: Das Gesetzesverständnis des Evangelisten Matthäus. In:
    Bornkamm-Barth-Held, 54-154
-"- 1978: Auseinandersetzung um die Kirchenzucht im Umkreis des Mat-
    thäusevangeliums, ZNW 69, 158-77
Bartsch, H.W. 1962: Entmythologisierende Auslegung (ThF 26), Hamburg
Bauer, J.B. 1961: Das milde Joch und die Ruhe Mt 11,28, ThZ 17, 99-106
Bauer, W. ⁵1963(=1975): Griechisch-Deutsches Wörterbuch zu den Schriften
    des NT und der übrigen urchristlichen Literatur, Berlin
Bauernfeind, O. 1956: Eid und Friede (FKG 2), Stuttgart
Baumbach, G. 1963: Das Verständnis des Bösen in den synoptischen Evange-
    lien (ThA 19), Berlin
-"- 1967: Die Mission in Matthäusevangelium, ThLZ 92, 889-93
-"- 1971: Jesus von Nazareth im Lichte jüdischer Gruppenbildung (AVTR
    54), Berlin 1971
Baumstark, A. 1956: Die Zitate des Matthäusevangeliums aus dem Zwölfpro-
    phetenbuch, Bibl 37, 296-313
Beare, F.W. 1962: The Earliest Records of Jesus, Oxford
-"- 1970: The Mission of the Disciples and the Mission Charge: Mt 10 and
    Parallels, JBL 89, 1-13
-"- 1981: The Gospel according to Matthew, Oxford (Rez. J.M.Court
    JTS 33 [1982] 533-5)
Becker, J. 1970: Untersuchungen zur Entstehungsgeschichte der Testamente
    der zwölf Patriarchen (AGAJU 8), Leiden
-"- 1974: Die Testamente der zwölf Patriarchen (JSHRZ 3/1), Gütersloh
Ben Chorin, S. 1967: Bruder Jesus, München

Benoit, P. 1953: La mort de Judas. In: Synoptische Studien (FS A.Wikenhauser), München, 1-19
-"- [3]1961: L'Evangile selon Saint Matthieu (la Bible de Jérusalem), Paris
Benoit, P. - Boismard, M.-E. 1972: Synopse des quatres évangiles en francais II, Paris
Berger, K. 1970: Die Amen-Worte Jesu (BZNW 39), Berlin
-"- 1970a: Zu den sogen. Sätzen heiligen Rechts, NTS 17, 10-40
-"- 1970b: Hartherzigkeit und Gottes Gesetz. Die Vorgeschichte des antijüdischen Vorwurfs in Mk 10,5, ZNW 61, 1-47
-"- 1970/1: Zum traditionsgeschichtlichen Hintergrund christologischer Hoheitstitel, NTS 17, 413-22
-"- 1972: Die Gesetzesauslegung Jesu I (WMANT 40), Neukirchen
-"- 1973: Die königliche Messiastradition des NT, NTS 20, 1-44
-"- 1974: Zum Problem der Messianität Jesu, ZThK 71, 1-30
-"- 1976: Die Auferweckung des Propheten und die Erhöhung des Menschensohns (SUNT 13), Göttingen
-"- 1977: Exegese des NT (UTB 658), Heidelberg
-"- 1981: Das Buch der Jubiläen (JSHRZ 2/3), Gütersloh
Bergman, J. 1968: Ich bin Isis (AUU.HR 3); Uppsala
Berner, U. 1979([2]1983: Die Bergpredigt (GTA 12), Göttingen
Betz, H.D. 1961: Lukian von Samosata und das Neue Testament (TU 76), Berlin
-"- (ed.) 1975: Plutarch's Theological Writings and Early Christian Literature (StCHNT 3), Leiden
-"- 1975a: Eine judenchristliche Kultdidache in Mt 6,1-18. In: Jesus Christus in Historie und Theologie (FS H.Conzelmann), Tübingen, 445-57
-"- 1978: Die Makarismen der Bergpredigt (Mt 5,3-12), ZThK 75, 3-19
-"- 1979: The Sermon on the Mount. Its Literary Genre and Function, JRel 59, 285-97
-"- 1983: Die hermeneutischen Prinzipien in der Bergpredigt (Mt 5,17-20). In: Verifikationen (FS G.Ebeling), Tübingen, 27-41
-"- 1984: Kosmogonie und Ethik in der Bergpredigt, ZThK 81, 139-71
Beyer, K. [2]1968: Semitische Syntax im NT I/1 (SUNT 1), Göttingen
Black, M. [2]1954: An Aramaic Approach to the Gospel and Acts, Oxford
Blair, E.P. 1960: Jesus in the Gospel of Matthew, Nashville
Blair, H.A. 1964: Mt 1,16 and the Matthaean Genealogy, StEv 2 (TU 67),149-54
Blank, J. 1979: Exegese als theologische Basiswissenschaft, ThQ 159, 2-23
Blaß, F. - Debrunner, A. - Rehkopf, F. [14]1976: Grammatik des neutestamentlichen Griechisch, Göttingen
Boismard, M.E. 1975: Unser Sieg über den Tod nach der Bibel, Conc 11,340-5
Bonhöffer, A. 1911: Epiktet und das NT (RVV 10), Gießen
Bonnard, P. [2]1970: L'Evangile selon saint Matthieu (CNT 1), Neuchâtel
Bornkamm, G. 1956: Jesus von Nazareth (TBUr 19), Stuttgart
-"- 1968/71: Glaube und Geschichte I-II (BEvTh 48, 53), München
-"- 1978: Der Aufbau der Bergpredigt, NTS 24, 419-32
Bornkamm, G. - Barth, G. - Held, H.J. [6]1970: Überlieferung und Auslegung im Matthäusevangelium (WMANT 1), Neukirchen
Bourke, M.M. 1960: The Literary Genus of Mt 1-2, CBQ 22, 160-75
Bousset, W. [3]1926: Kyrios Christos (FRLANT 21), Göttingen
Brandenburger, E. 1980: Das Recht des Weltenrichters. Untersuchungen zu Mt 25,31-46 (SBS 99), Stuttgart
Braumann, G. 1965: "Mit euch" Mt 26,29, ThZ 21, 161-9
-"- 1968: Die Zweizahl und Verdoppelungen im Mt, ThZ 24, 255-66
-"- 1973: Wozu (Mk 15,34). In: Theokratia II (FS K.H.Rengstorf), Leiden, 155-65
Braun, H. 1966: Qumran und das NT I-II, Tübingen

-"- ²1967: Gesammelte Studien zum NT und seiner Umwelt, Tübingen
-"- ²1969: Spätjüdisch-häretischer und frühchristlicher Radikalismus (BHTh 24), Tübingen
Broer, I. 1970: Das Gericht des Menschensohnes über die Völker. Eine Auslegung von Mt 25,31-46, BiLe 11, 273-95
-"- 1971: Die Bedeutung der Jungfrauengeburt im Matthäusevangelium, BiLe 12, 248-60
-"- 1972: Die Urgemeinde und das Grab Jesu (StANT 31), München
-"- 1975: Die Antithesen der Bergpredigt, BZ 19, 50-63
-"- 1977/8: Die Kindheitsgeschichte im Matthäusevangelium und die neuere Exegese, SiePädSt 23, 46-55
-"- 1978: Die Gleichnisexegese und die neuere Literaturwissenschaft. Ein Diskussionsbeitrag zur Exegese von Mt 20,1-16, BN 5, 13-27
-"- 1980: Freiheit vom Gesetz und Radikalisierung des Gesetzes (SBS 98), Stuttgart (Rez. ThLZ 108 [1983] 428-9)
Brooks, O.S. 1981: Mt 28,16-20 and the Design of the First Gospel, JSNT 10, 2-18
Brothwell, P. - Brothwell, D.R. 1984: Manna und Hirse: Eine Kulturgeschichte der Ernährung, Mainz (engl. 1969)
Brown, R.E. et al. (ed.) 1976: Der Petrus der Bibel, Stuttgart
-"- 1977: The Birth of the Messiah, Garden City
Brown, S. 1977: The Twofold Representation of the Mission in Matthew's Gospel, StTh 31, 21-32
-"- 1978: The Mission to Israel in Matthew's Central Section, ZNW 69, 73-90
-"- 1979: The Matthaean Apocalypse, JSNT 4, 2-27
-"- 1980: The Matthaean Community and the Gentile Mission, NT 22, 193-221
Buckler, F.W. 1938: Eli, Eli, Lama Sabachthani?, AJSL 55, 378-91
Bühner, J.A. 1971/2: Zur Form, Tradition und Bedeutung der ἦλθον-Sprüche. In: Das Inst. Jud. der Univ. Tübingen, Tübingen, 45-68
Bultmann, R. ²1931(=⁹1979): Die Geschichte der synoptischen Tradition (FRLANT 29), Göttingen
-"- ⁶1968: Theologie des Neuen Testaments, Tübingen
Burchard, C. 1970: Das doppelte Liebesgebot in der frühen christlichen Überlieferung. In: Der Ruf Jesu und die Antwort der Gemeinde (FS J. Jeremias), Göttingen, 39-62
-"- 1975: Versuch, das Thema der Bergpredigt zu finden. In: Jesus Christus in Historie und Theologie (FS H.Conzelmann), Tübingen, 409-32
-"- 1978: Formen der Vermittlung christlichen Glaubens im NT, EvTh 38, 313-40
-"- 1983: Josef und Aseneth (JSHRZ 2/4), Gütersloh
Burger, C. 1970: Jesus als Davidssohn (FRLANT 98), Göttingen
-"- 1973: Jesu Taten nach Mt 8-9, ZThK 70, 272-87
Burkitt, F.C. ²1907: The Gospel History and its Transmission, Edinburgh
Burnett, F.W. 1981: The Testament of Jesus-Sophia: A Redaction-Critical Study of the Eschatological Discourse in Matthew, Washington
-"- 1983: Παλιγγενεσία in Mt 19,28: A Window to the Matthaean Community?, JSNT 17, 60-72
-"- 1985: Prolegomenon to reading Mt's eschatological discourse: Redundancy and the education of the reader in Mt, Semeia 31, 91-109
Busse, U. 1977: Die Wunder des Propheten Jesus (FzB 24), Stuttgart
Bussmann, W. 1925/31: Synoptische Studien I-III, Halle
Butler, B.C. 1951: The Originality of St. Matthew, Cambridge
Cairns, F. 1972: Generic Composition in Greek and Roman Poetry, Edinburgh
Cancik, H. 1983: Libri fatales. Römische Offenbarungsliteratur und Geschichtstheologie. In: Hellholm (ed.) 549-76
Carlisle, C.R. 1985: Jesu Walking on the Sea: A Note on Mt 14,22-23, NTS

31, 151-5
Carlston, C.E. 1975: The Parables in the Triple Tradition, Philadelphia
Carson, D.A. 1978: The Sermon on the Mount, Grand Rapids
-"- 1985: The ὅμοιος Word-Group as Introduction to some Matthaean Parab-
   les, NTS 31, 277-82
Cartlidge, D.R. - Dungan, D.L. 1980: Documents for the Study of the Gos-
   pels, Philadelphia
Catchpole, D.R. 1971: The Answer of Jesus to Caiaphas (Mt 26,64), NTS 17,
   213-26
Cerfaux, L. 1954/5: Les Sources scripturaires de Mt 11,25-30, ETL 30, 740-6;
   31, 331-83
Charlesworth, J.H. 1980: The Portrayal of the Righteous as an Angel, SCSt
   12, 135-151
Childs, B.S. 1963: A Study of the Formula "until this day", JBL 82, 279-92
Christ, F. 1970: Jesus Sophia (AThANT 57), Zürich
Christian, P. 1975: Jesus und seine geringsten Brüder (EThS 12), Leipzig
Clark, D.L. 1957: Rhetoric in Greco-Roman Education, New York
Clark, K.W. 1940: Realized Eschatology, JBL 59, 367-83
-"- 1947: The Gentile Bias in Matthew, JBL 66, 165-72
Comber, J.A.C. 1978: The Verb θεραπεύω in Matthew's Gospel, JBL 97, 431-4
Combrink, H.J.B. 1977: Structural Analysis of Mt 9,35-11,1; Neotest 11, 98-114
Congdon, R.D. 1978: Did Jesus Sustain the Law in Mt 5?, BS 135, 117-25
Conzelmann, H. 1967: Grundriß der Theologie des NT, München
-"- 1972/78: Literaturbericht zu den synoptischen Evangelien, ThR 37,220-
   72; 43, 3-51.321-7
Cope, O.L. 1969: Mt 25,31-46 "The Sheep and the Goats" Reinterpreted, NT
   11, 15-51
-"- 1976: Matthew: A Scribe Trained for the Kingdom of Heaven
   (CBQ.MS 5), Washington
-"- 1976a: The Death of John the Baptist in the Gospel of Matthew; or, the
   case of a confusing conjunction, CBQ 38, 515-19
Corsani, B. 1964: Linee di ricerca per lo studio della composizione del
   Vangelo di Matteo, Protestantismo 19, 6-22
Court, J.M. 1981: The Didache and St. Matthew's Gospel, SJT 34, 109-20
-"- 1985: Right and Left: the Implication for Mt 25,31-46, NTS 31,
   223-33
Cremer, H. - Kögel, J. [10] 1915: Biblisch-theologisches Wörterbuch des neu-
   testamentlichen Griechisch, Gotha
Cullmann, O. [2]1960: Petrus, Zürich/Stuttgart
Czerski, J. 1971: Christozentrische Ekklesiologie im Mt, BiLe 12, 55-66
Dahl, N.A. 1955/6: Die Passionsgeschichte bei Matthäus, NTS 2,17.32 (=
   Limbeck [1981] 205-25)
Dalman, G. [3]1924: Orte und Wege Jesu (SDPI 1), Gütersloh (=Darmstadt 1967)
-"- 1928/42: Arbeit und Sitte in Palästina I-VII, Gütersloh (=Hildesheim
   1974)
-"- [2]1930: Die Worte Jesu, Leipzig (= Darmstadt 1965)
Daube, D. 1956: The NT and Rabbinic Judaism, London
Dautzenberg, G. 1966: Sein Leben bewahren (StANT 14), München
-"- 1975: Urchristliche Prophetie (BWANT 104), Stuttgart
-"- 1981: Ist das Schwurverbot Mt 5,33-37; Jak 5,12 mein Beispiel für die
   Torakritik Jesu?, BZ 25, 47-66
-"- 1982: Eid IV (NT), TRE 9, 379-82
Davies, W.D. 1953: "Knowledge in the Dead Sea Scolls and Mt 11,25-30, HTR
   46,113-39
-"- 1957: Mt 5,17-18. In: Mélanges Bibliques (FS A.Roberts), Paris, 428-56
-"- 1964([2]1966): The Setting of the Sermon on the Mount, Cambridge

-"- 1970: Die Bergpredigt, München
Davis, C.T. 1971: Tradition and Redaction in Mt 1,18-2,23, JBL 90, 404-21
Deissmann, A. ⁴1923: Licht vom Osten, Tübingen
 -"- 1925: ²1925: Paulus, Tübingen
Delling, G. 1940: Das Zeitverständnis des NT, Gütersloh
 -"- 1970: Studien zum NT und zum hell. Judentum, Berlin
Derrett, J.D.M. 1970: Law in the NT, London
 -"- 1974: Jesus's Audience, New York
 -"- 1977/8: Studies in the NT I-II, Leiden
 -"- 1983: Binding and Loosing (Mt 16,19; 18,18; Joh 20,23) JBL 102, 112-7
Descamps, A. 1946: Le Christianisme comme justice dans le Premier Evangile,
     ETL 22, 5-33
 -"- 1959: Essai d'interprétation de Mt 5,17-48, StEv 1 (TU 73), 156-73
Dibelius, M. 1929: Zur Formgeschichte der Evangelien, ThR 1, 185-216
 -"- 1949: Jesus (SG 1130), Berlin
 -"- 1953/6: Botschaft und Geschichte I-II, Tübingen
 -"- ⁶1971: Die Formgeschichte des Evangeliums, Tübingen
Dietzfelbinger, C. 1975: Die Antithesen der Bergpredigt (ThExh 186),
     München
 -"- 1979: Die Antithesen der Bergpredigt im Verständnis des Matthäus, ZNW
     70, 1-15
Didier, M (ed.) 1972: L'Evangile selon Matthieu (BETL 29), Gembloux
Dihle, A. 1962: Die Goldene Regel, Göttingen
Dinkler, E. 1967: Signum Crucis, Tübingen
Dobschütz, E.v. 1928: Matthäus als Rabbi und Katechet, ZNW 27, 338-48
Dodd, C.H. 1954: NT Studies, New York
 -"- 1968: More NT Studies, Manchester
Dörrie, H. 1971: Was ist "spätantiker Platonismus"?, ThR 36, 285-302
 -"- 1974: Zur Methodik der antiken Exegese, ZNW 65, 121-38
 -"- 1979: Der Prolog zum Evangelium nach Joh im Verständnis der älteren
     Apologeten. In: Kerygma und Logos (FS C.Andresen), Göttingen, 136-52
Doeve, J.W. 1954: Jewish Hermeneutics in the Synoptic Gospels and Acts,
     Assen
Donaldson, T.L. 1985: Jesus and the Mountain. A Study in Matthaean
     Theology (JSNT.SS 8), Manchester
Dover, K.J. 1983: Homosexualität in der griechischen Antike, München
Dschulnigg, P. 1984: Sprache, Redaktion und Intention des Markusevange-
     liums (SBB 11), Stuttgart
Dupont, J. ²1969/73: Les Béatitudes I-III, Paris
Eckert, W.P. (et al. ed.) 1967: Antijudaismus im NT? (ACJD 2), München
Edlund, C. 1952: Das Auge der Einfalt. Eine Untersuchung zu Mt 6,22-23
     und Lk 11,23-25, Uppsala
Edwards, E.R. 1969: The Eschatological Correlative as a Gattung in the
     NT, ZNW 60, 9-20
 -"- 1971: The Sign of Jonah (StBTh II/18), London
 -"- 1975: A Concordance to Q (SBSt 7), Missoula (Rez. ThLZ 102 [1977]
     586-7)
 -"- 1976: A Theology of Q, Philadelphia
Eichholz, G. ²1970: Auslegung der Bergpredigt (BSt 46), Neukirchen
 -"- 1971: Gleichnisse der Evangelien, Neukirchen
Eißfeldt, O. 1958: Βίβλος γενεσεως. In: Gott und die Götter (FS E.Fascher),
     Berlin, 31-40
 -"- ³1964: Einleitung in das AT, Tübingen
Eitrem, S. 1938: Mantis und σφαγία, SO 18, 9-30
Elliott, J.H. 1968; Die Antithesen der Bergpredigt, LR 18, 19-29
Ellis, J.P. 1967/8: But Some Doubted, NTS 14, 574-80

Ellis, P.E. 1974: Matthew: His Mind and His Message, Collegeville
Enslin, M.S. 1931: The Five Books of Mt: Bacon on the Gospel of Mt, HTR 24,
    67-97
-"- 1984: Luke nad Matthew, Compilers or Authors?, ANRW II 25/3, 2357-88
Epictetus 1925(=1967): The Discourses I-II (LCL 131, 218), London
Erdmann, G. 1932: Die Vorgeschichte des Lukas- und Matthäusevangeliums
    und Vergils vierte Ekloge (FRLANT 30), Göttingen
Farmer, W.R. 1964: The Synoptic Problem, New York
Farrer, A. ²1966: St. Matthew and St. Mark, Westminster
Fascher, E. 1940: Anastasis - Resurrectio - Auferstehung, ZNW 40, 166-229
-"- 1951: Das Weib des Pilatus. Die Auferweckung der Heiligen, Halle
-"- 1954: Jesus der Lehrer, ThLZ 79, 325-42
Fenton, J.C. 1959: Inclusio and Chiasm in Matthew, StEv 1 (TU 73) 174-9
-"- 1964: The Gospel of St. Matthew (PelGospCom), Baltimore
Feuillet, A. 1970/1: Morale Ancienne et Morale Chrétienne d'après Mt 5,17-20,
    NTS 17, 123-37
Fiedler, P. 1969: Die Formel "und siehe" im NT (StANT 20), München
-"- 1070: Der Sohn Gottes über unseren Weg in die Gottesherrschaft: Die
    übergebenen Talente, BiLe 11,259-73
-"- 1975: Der Sohn Gottes über unseren Weg in die Gottesherrschaft.
    Gegenwart und Zukunft der βασιλεία im Matthäusevangelium In: Gegen
    wart undkommendes Reich (FS A.Vögtle), Stuttgart, 91-100
-"- 1976: Jesus und die Sünder (BET 3), Frankfurt
Fiedler, M.J. 1970: Δικαιοσύνη in der diasporajüdischen und intertestamen-
    tarischen Literatur, JSJ 1, 120-43
-"- 1979: Gerechtigkeit im Matthäusevangelium, TheolVers 8, 63-75
Filson, L.V. 1956: Broken Patterns in the Gospel of Mt, JBL 75, 227-31
-"- ²1971: A Commentary on the Gospel according to St. Mt (BNTC), London
Finley, M.I. ²1980: Die antike Wirtschaft (dtv 4277), München (engl. 1973)
-"- 1981: Die Sklaverei im Altertum, München
Fischer, K.M. 1970: Redaktionsgeschichtliche Bemerkungen zur Passionsge-
    schichte des Matthäus, TheolVers 2, 109-28
Fitzmyer, J.A. 1960/1: The Use of Explicit OT Quotations in Qumran Litera-
    ture and in the NT, NTS 7, 297-333
-"- 1965: Anti-Semitism and the Cry of 'All the People' (Mt 27,26), ThSt 26,
    667-71
-"- 1970: The Language of Palestine in the First Century, CBQ 32, 501-31
-"- 1975: Der semitische Hintergrund des ntl. Kyriostitels. In: Jesus
    Christus in Historie und Theologie (FS H.Conzelmann), Tübingen, 267-98
-"- 1981: The Gospel according to Luke (AB 28), Garden City
Foerster, W. 1924: Herr ist Jesus, Gütersloh
-"- 1953: Das Gleichnis von den anvertrauten Pfunden. In: Verbum Dei
    manet in aeternum (FS O.Schmitz), Witten, 37-56
Flusser, D. ⁴1972: Jesus in Selbstzeugnissen und Bilddokumenten, Hamburg
-"- 1975: Two Anti-Jewish Montages in Matthew, Immanuel 5, 37-45
-"- 1980: Das Schisma zwischen Judentum und Christentum, EvTh 40,
    214-39
Fox, R.L. ²1979: Alexander der Große, Düsseldorf (engl. London 1973)
France, R.T. 1979: Herod and the Children of Bethlehem, NT 21, 1-23
-"- 1981: The Formula Quotations of Mt 2 and the Problem of Communica-
    tion, NTS 27, 233-51
Frankemölle, H. 1971: Die Makarismen (Mt 5,3-12; Lk 6,20-23), BZ 15, 52-75
-"- 1973: Amtskritik im Matthäusevangelium?, Bibl 54, 247-62
-"- 1974: Jahwebund und Kirche Christi (NTA 10), Münster (Rez. W.Trilling
    ThLZ 101 [1976] 580-3)
-"- 1979: Evangelist und Gemeinde. Eine methodenkritische Besinnung (mit

Beispielen aus dem Matthäusevangelium), Bibl 60, 153-90
-"- 1979a: "Pharisäismus" in Judentum und Kirche. In: H.Goldstein (ed.), Gottesverächter und Menschenfeinde?, Düsseldorf, 123-89
-"- 1982: Zur Theologie der Mission im Mt. In: K.Kertelge (ed.), Mission im NT, Freiburg, 93-129
Franzman, M.H. 1969: Follow Me: Discipleship according to St. Mt, St.Louis
Freyne, S. 1980: Galilee from Alexander the Great to Hadrian 323 B.C.E. to 135 C.E. (UND.CSJCA 5), Notre Dame
Fridrichsen, A. 1923: Le péché contre le Saint-Esprit, RHPhR 3, 367-72
-"- 1927: Accomplir toute justice, RHPhR 7, 245-52
Friedrich, G. 1970: Zum Problem der Semantik, KuD 16, 41-57
-"- 1983: Die formale Struktur von Mt 28,18-20, ZThK 80, 173-83
Friedrich, J. 1977: Gott im Bruder? (CThM 7), Stuttgart
Frisk, H. 1960-72: Griechisches etymologisches Wörterbuch I-III, Heidelberg
Fuchs, A. 1971: Sprachliche Untersuchungen zu Matthäus und Lukas (AnBib 49), Roma
-"- 1980: Die Entwicklung der Beelzebulkontroverse bei den Synoptikern (StNTU B 5), Linz (Rez. ThRev 77 [1981] 196-8)
Fuchs, E. [2]1965: Zur Frage nach dem historischen Jesus (GA II), Tübingen
Fuller, R. [2]1968: Die Wunder Jesu in Exegese und Verkündigung, Düsseldorf
-"- 1975: Das Doppelgebot der Liebe. In: Jesus Christus in Historie und Theologie (FS H.Conzelmann), Tübingen, 317-29
Gadamer, H.G. [3]1960: Wahrheit und Methode, Tübingen
Gaechter, P. 1964: Das Matthäus-Evangelium, Innsbruck
-"- 1966: Die literarische Kunst im Matthäus-Evangelium (SBS 7), Stuttgart
Gärtner, B. 1954: The Habakkuk Commentary (DSH) and the Gospel of Matthew, StTh 8, 1-24
-"- 1957: Die rätselhaften Termini Nazoräer und Ischariot (HorSoed 6), Uppsala
Garland, D.E. 1979: The Intention of Mt 23 (NT.S 52), Leiden
Gaston, L. 1962: Beelzebul, ThZ 18, 247-55
-"- 1973: Horae Synopticae Electronicae (SBL.SBS 3), Missoula (Rez. ThLZ 101 [1976] 38-40)
-"- 1975: The Messiah of Israel as Teacher of the Gentiles, Int 29, 24-40
Geist, H. 1970: Jesusverkündigung im Mt. In: W.Pesch (ed.), 105-26
Georgi, D. 1980: Weisheit Salomos (JSHRZ 3/4), Gütersloh
Gerhardsson, B. 1959: Mattheusevangeliet och Judekristendomen, SEÅ 24, 97-110
-"- [2]1964: Memory and Manuscript (ASNU 22), Uppsala
-"- 1966: The Testing of God's Son (CB.NT 2/1), Lund
-"- 1973: Sohn Gottes als Diener Gottes: Messias, Agape und Himmelsherrschaft nach dem Matthäusevangelium, StTh 27, 73-106
-"- 1974: Sacrificial Service and Atonement in the Gospel of Mt. In: Reconciliation and Hope (FS L.L.Morris), Exeter, 25-35
-"- 1981: Jesus, ausgeliefert und verlassen - nach dem Passionsbericht des Mt. In: Limbeck (ed.) 262-91 (=SEÅ 32 [1967] 92-120; franz. RB 76 [1969] 206-27)
Gesenius, W. - Buhl, F. [17]1915(=1962): Hebräisches und Aramäisches Wörterbuch über das AT, Berlin
Gewalt, D. 1973: Mt 25,31-46 im Erwartungshorizont heutiger Exegese, Ling Bibl 25/6, 9-21
Gibbs, J.M. 1964: Purpose and Pattern in Matthew's Use of the Title 'Son of David', NTS 10, 446-64
-"- 1968: The Son of God as the Torah Incarnate in Matthew, StEv 4 (TU 102) 38-46
Giblin, C.H. 1968: Theological Perspective and Mt 10,23b, ThSt 29, 637-61

-"- 1975: Structure and Thematic Correlation in the Matthaean Burrial-Re
   surrection-Narrative (Mt 27,57-28,20), NTS 21, 406-20
-"- 1975a: A Note on Doubt and Reassurance in Mt 28,16-20, CBQ 37, 68-75
Gibson, J. 1981: Οἱ τελῶναι καὶ αἱ πορναῖ, JTS 32, 429-33
Giesen, H. 1982: Christliches Handeln. eine redaktionskritische Untersuchung zum δικαιοσύνη-Begriff im Mt (EHS 23/181), Frankfurt
Gladigow, B. 1983: Aetas, aevum und saeclorum ordo. Zur Struktur zeitli-
   cher Deutungssysteme. In: Hellholm (ed.) 255-71
Glasson, T.E. 1960/1: Anti-Pharisaism in St. Matthew, JQR 51, 316-20
Gnilka, J. 1961: Die Verstockung Israels. Jes 6,9-10 in der Theologie der
   Synoptiker (SANT 3), München
-"- 1963: Die Kirche des Matthäus und die Gemeinde von Qumran, BZ
   7, 43-63
-"- 1978/9: Das Evangelium nach Markus (EKK II/1-2), Neukirchen
Goodspeed, E.J. 1959: Matthew, Apostel and Evangelist, Philadelphia
Goldschmidt, H.L. - Limbeck, M. 1976: Heilvoller Verrat? Judas im NT,
   Stuttgart
Goppelt, L. [3]1980: Theologie des NT, Göttingen
Goulder, M.D. 1968: Characteristics of the Parables in the Several Gospels,
   JTS 19, 51-69
-"- 1974: Midrash and Lection in Matthew, London
Grässer, E. [2]1960: Das Problem der Parusieverzögerung in den synoptischen
   Evangelien und in der Apg (BZNW 22), Berlin
Green, H.B. 1968: The Structure of St. Matthew's Gospel, StEv 4 (TU 102),
   47-59
-"- 1974: The Gospel according to Matthew (NClB), New York
-"- 1982: Solomon the Son of David in Matthaean Typology, StEv 7
-"- 1984:The Credibility of Luke's Transformation of Mt, JSNT.SS 7, 133-55
-"- 1984a: Mt 12,22-50 and Parallels: An Alternative to Matthaean Confla-
   tion, ebd. 155-76
Greeven, H. 1955: Die Heilung des Gelähmten nach Mt, WuD 4, 65-78
Grimal, P. 1981: Liebe im alten Rom, Frankfurt (franz. 1963)
Groß, G. 1964: Die "geringsten Brüder" Jesu in Mt 25,40, BiLe 5, 172-80
Grundmann, W. [3]1972: Das Evangelium nach Matthäus (ThHK 1), Berlin
Guelich, R.A. 1973: Mt 5,22. Its Meaning and Integrety, ZNW 64, 39-52
-"- 1976; The Antithesis of Mt 5,25-48. Traditional and/or Redactional?,
   NTS 22, 444-57
-"- 1976a: The Matthaean Beatitudes: Entrance Requirements or Eschatolo
   gical Blessings?, JBL 95, 415-34
-"- 1982: The Sermon on the Mount: A Foundation for Understanding, Waco
Güttgemanns, E. 1970: Offene Fragen zur Formgeschichte des Evangeliums
   (BEvTh 54), München
Gundry, R.H. 1964: The Narrative Framework of Mt 16,17-19. A Critique of
   Professor Cullmann's Hypothesis, NT 7, 1-9
-"- 1967: The Use of the Old Testament in St. Matthew's Gospel
   (NT.S 18), Leiden
-"- 1982: Matthew. A Commentary on His Literary and Theological Art,
   Grand Rapids
Gutmann, J. (ed.) 1975: The Synagogue: Studies in Origins, Archeology and
   Architecture, New York
Haacker, K. 1971: Ehescheidung und Wiederverheiratung im NT, ThQ 151,
   28-38
Haag, H. (ed.) [2]1968: Bibel-Lexikon, Einsiedeln
Habicht, C. [2]1979: Das 2. Makkabäerbuch (JSHRZ 1/3), Gütersloh
Haenchen, E. 1965: Gott und Mensch, Tübingen
Hahn, F. [2]1965: Das Verständnis der Mission im NT (WMANT 13), Neukirchen

-"- [3]1966: Christologische Hoheitstitel (FRLANT 83), Göttingen
-"- 1967: Nachfolge Jesu in vorösterlicher Zeit. In: P.Rieger (ed.), Die
Anfänge der Kirche im NT, Göttingen, 7-36
-"- 1983: Mt 5,17 - Anmerkungen zum Erfüllungsgedanken bei Mt. In: Die
Mitte des NT (FS E.Schweizer), Göttingen, 42-54
Hammerton-Kelly, R.G. 1972: Attitudes to the Law in Matthew's Gospel. A
Discussion of Mt 5,18, BR 17, 19-32
Hanssen, O. 1970: Zum Verständnis der Bergpredigt (Mt 5,17f). In: Der Ruf
Jesu und die Antwort der Gemeinden (FS J.Jeremias), Göttingen, 94-111
Hardmeyer, C. 1978: Texttheorie und biblische Exegese (BEvTh 79), München
Harnack, A. 1900: Das Wesen des Christentums, Leipzig
-"- 1907: Sprüche und Reden Jesu (BENT 2), Leipzig
-"- [4]1924: Die Mission und Ausbreitung des Christentums in den
ersten drei Jahrhunderten I-II, Leipzig
Hare, D.R.A. 1967: The Theme of Jewish Persecution of Christians in the
Gospel according to St. Matthew (SNTS.MS 6), Cambridge
-"- - Harrington, D.J. 1975: Make Disciples of all the Gentiles (Mt 28,19),
CBQ 37, 359-69
Harnisch, W. 1969: Verhängnis und Verheißung der Geschichte (FRLANT 97),
Göttingen
Harrington, D.J. 1975: Matthaean Studies since J.Rohde, HeyJ 16, 375-88
Hartmann, L. 1963: Testimonium Linguae (CN 19), Lund
-"- 1975: Into the Name of Jesus. A Suggestion concerning the Earliest
Meaning of the Phrase, NTS 20, 432-40
Hasler, V. 1959: Das Herzstück der Bergpredigt, ThZ 15, 90-106
-"- 1962: Die königliche Hochzeit Mt 22,1-14, ThZ 18, 25-35
-"- 1969: Amen, Zürich
Hatch, E. - Redpath, H.A. 1975: A Concordance to the Septuagint I-II, Graz
Hawkins, J.C. [2]1909(=1968): Horae Synopticae, Oxford
Hedinger, U. 1976: Jesus und die Volksmenge, ThZ 32, 201-6
Heil, J.P. 1981: Jesus Walking on the Sea (AnBibl 87), Roma
Held, H.J. 1970: Matthäus als Interpret der Wundergeschichten. In: Born
kamm-Barth-Held, 155-287
Hellholm, D. (ed.) 1983: Apocalyticism in the Mediterranean World and Near
East. Tübingen
Hempfer, K.W. 1973: Gattungstheorie, München
Hengel, M. 1961([2]1976): Die Zeloten (AGSU 1), Leiden
-"- [2]1968: Nachfolge und Charisma (BZNW 34), Berlin
-"- 1969([2]1973): Judentum und Hellenismus (WUNT 10), Tübingen
-"- - Merkel, H. 1973: Die Magier aus dem Osten und die Flucht nach
Ägypten (Mt 2) im Rahmen der antiken Religionsgeschichte und der
Theologie des Matthäus. In: Orientierung an Jesus (FS J.Schmid),
Freiburg, 139-69
Hennecke, E, - Schneemelcher, W. [4]1968/71: Neutestamentliche Apokryphen
in deutscher Übersetzung, Tübingen
Hermann, E. 1944: Das Praesens historicum in Xenophons Anabasis, GGA 206,
244
Herrenbrück, F. 1981: Wer waren die "Zöllner"?, ZNW 72, 178-94
Heuss, A. 1960: Römische Geschichte, Braunschweig
Hiers, R.H. 1970: The Kingdom of God in the Synoptic Tradition (MFHM 33),
Gainesville
Hill, D. 1965: Δίκαιοι as a Quasi-Technical Term, NTS 11, 296-302
-"- 1972(=1982): The Gospel of Matthew (NCBC), London
-"- 1973/4: On the Evidence for the Creative Role of Christian Prophets,
NTS 20, 262-74
-"- 1976: False Prophets and Charismatics. Structure and Interpretation

in Mt 7,15-23, Bibl 57, 327-48
-"- 1979: NT Prophecy, Atlanta
-"- 1980: Son and Servant: An Essay on Matthaean Christology, JSNB, 2-16
-"- 1984: The Figure of Jesus in Matthew's Story, JSNT 21, 37-52
Hillyer, E. 1964: Matthew's Use of the OT, EvQ 36, 12-25
Hirsch, E. 1941: Frühgeschichte des Evangeliums I-II, Tübingen
Hirsch, E.D. 1972: Prinzipien der Interpretation (UTB 104), München
Hoenig, S.B. 1979: The Ancient City-Square: The Forerunner of the Synago
    gue, ANRW II 19/1,448-76
Hoet, R. 1982: Omnes autem vos fratres estis. Etude du concept ecclésiolo-
    gique des 'frères' selon Mt 23,8-12 (AG 252), Roma
Hoffmann, P. 1969: Die Anfänge der Theologie der Logienquelle. In: J.Schrei-
    ner (ed.), Gestalt und Anspruch des NT, Würzburg, 134-52
-"- 1969/70: Die Auslegung der Bergpredigt I-V, BiLe 10, 57-65.111-22.
    175-89.264-75; 11, 89-104
-"- 1972: Studien zur Theologie der Logienquelle (NTA 8), Münster
-"- 1974: Der Petrusprimat im Matthäusevangelium. In: NT und Kirche (FS
    R.Schnackenburg), Freiburg, 94-114
-"- - Eid, V. 1975: Jesus von Nazareth und die christliche Moral (QD 66),
    Freiburg
Hoh, J. 1926: Der christliche γραμματεύς (Mt 13,52), BZ 17, 256-69
Holtzmann, H.J. [3]1892: Lehrbuch der historisch-kritischen Einleitung in das
    NT, Freiburg
-"- [3]1901: Die Synoptiker (HCNT I/1), Tübingen
-"- [2]1911: Lehrbuch der neutestamentlichen Theologie I-II, Tübingen
Honeyman, A.M. 1954/5: Mt 5,18 and the Validity of the Law, NTS 1, 141-2
Horbury, W. 1982: The Benediction of the Minim and Early Jewish-Christian
    Controversy, JTS 33, 19-61
Horst, J. 1932: Proskynein, Stuttgart
Howard, V. 1975: Das Ego Jesu in den Synoptischen Evangelien (MThSt 14),
    Marburg
Hubbard, B.J. 1974: The Matthaean Redaction of a Primitive Apostolic Com-
    missioning: An Exegesis of Mt 28,16-20 (SBL.DS 19), Missoula
Huchthausen, L. (ed.) 1975([2]1983): Römisches Recht (BdA), Berlin-Weimar
Huck, A. - Greeven, H. [13]1981: Synopse der drei ersten Evangelien,
    Tübingen
Hübner, H. 1973: Das Gesetz in der synoptischen Tradition, Witten
Hummel, R. [2]1966: Die Auseinandersetzung zwischen Kirche und Judentum im
    Matthäusevangelium (BEvTh 33), München
Iersel, B.M.F. 1961: Der "Sohn" in den synoptischen Jesusworten (NT.S 3),
    Leiden
Ingarden, R. [2]1060: Das literarische Kunstwerk, Tübingen
Iser, W. 1976: Der Akt des Lesens (UTN 636), München
Jenni, E. - Westermann, C. (ed.) [3]1984: Theologisches Handwörterbuch zum
    Alten Testament, München-Zürich
Jeremias, J. [2]1959: Jesu Verheißung für die Völker, Stuttgart
-"- [3]1962: Jerusalem zur Zeit Jesu I-II, Göttingen
-"- [7]1965: Die Gleichnisse Jesu, Göttingen
-"- 1966: Abba, Göttingen
-"- [4]1967: Die Abendmahlsworte Jesu, Göttingen
-"- [3]1979(=1971): Neutestamentliche Theologie I, Gütersloh
-"- 1980: Die Sprache des Lukasevangelium (KEK.S), Göttingen
Johannessohn, M. 1939/40: Das biblische καί ἰδού in der Erzählung samt
    hebr. Vorlage, ZVSF 66, 145-95; 67, 30-84
Johnson, M.D. 1969: The Purpose of the Biblical Genealogies (SNTS.MS 8),
    Cambridge

-"- 1974: Reflections on a Wisdom Approach to Matthew's Christology, CBQ 36, 44-64

Johnson, S.E. 1943: The Biblical Quotations in Mt, HTR 36, 135-53

-"- 1951: The Gospel according to St. Matthew (IntB 7), New York

Jonge, M.de 1970: Testamenta XII Patriarcharum (PVTG 1), Leiden

Josephus, F. 1927 (ed. H.S.J.Thackeray): Opera I-IX (LCL), London

-"- 1959-69 (ed. O.Michel-O.Bauernfeind): De Bello Judaico I-III, München

Jülicher, A. [2]1910([3]1957): Die Gleichnisse Jesu I-II, Tübingen

-"- - Fascher, E. [7]1931: Einleitung in das NT, Tübingen

Kähler, C. 1974: Biblische Makarismen, Diss. Jena (ThLZ 101 [1976] 77-80)

-"- 1976/7: Zur Form- und Traditionsgeschichte von Mt 16,17-19, NTS 23, 36-58

Käsemann, E. [3]1968; Exegetische Versuche und Besinnungen I-II, Göttingen

Kahmann, J. 1972: Die Verheißung an Petrus: Mt 16,18-19 im Zusammenhang des Matthäusevangeliums. In. M.Didier (ed.), 261-80

Kautzsch, E. (ed.) 1900: Die Apokryphen und Pseudepigraphen des AT I-II, Tübingen

Kayser, W. [13]1968: Das sprachliche Kunstwerk, Bern

Kee, H.C. 1971: The Gospel according to Matthew (IntOVCom), Nashville

Kilpatrick, G.D. 1946([2]1950): The Origin of the Gospel according to St. Matthew, Oxford

Kingsbury, J.D. 1969(=[3]1978): The Parables of Jesus in Mt 13, Richmond

-"- 1975: Matthew: Structure, Christology, Kingdom, Philadelphia

-"- 1976: The Titel 'Son of David' in Matthew's Gospel, JBL 95, 591-602

-"- 1977: Matthew. A Commentary for Preachers and Others, Missoula

-"- 1978: The Verb ἀκολουθεῖν (To Follow) as an Index of Matthew's View of his Community, JBL 97, 56-73

-"- 1978a: Observations on the 'Miracle-Chapters' of Mt 8-9, CBQ 40, 559-73

-"- 1979: The Figure of Peter in Matthew's Gospel as a Theological Problem, JBL 98, 67-83

-"- 1984: The Figure of Jesus in Matthew's Story. A Literary-Critical Problem, JSNT 21, 3-36

-"- 1986: Matthew as Story, Philadelphia

Kissinger, W.S. 1975: The Sermon on the Mount, München

Kittel, G. - Friedrich, G. (ed.) 1933-79: Theologisches Wörterbuch zum Neuen Testament, Stuttgart

Kittel, R. (ed.) [6]1950: Biblia Hebraica, Stuttgart

Klauck, H.-J. 1970: Das Gleichnis vom Mord im Weinberg, BiLe 11, 118-45

-"- 1978: Allegorie und Allegorese in synoptischen Gleichnis texten (NTA 13), Münster

-"- 1980: θυσιαστήριον - eine Berichtigung, ZNW 71, 274-7

Klein, C. 1975: Theologie und Antijudaismus, München

Klein, G. 1969: Rekonstruktion und Interpretation (BEvTh 50), München

-"- 1970: Ärgernisse, München

-"- 1971: Bibel und Heilsgeschichte, ZNW 62, 1-47

Klein, H. 1982: Das Glaubensverständnis im Mt. In: F.Hahn-H.Klein (ed.), Glaube im NT (BThSt 7), Neukirchen, 29-42

Kloppenborg, J.S. 1982: Isis and Sophia in the Book of Wisdom, HTR 75,57-84

Klostermann, E. [4]1950: Das Markusevangelium (HNT 3), Tübingen

-"- [4]1971: Das Matthäusevangelium (HNT 4), Tübingen

-"- [3]1975: Das Lukasevangelium (HNT 5), Tübingen

Knox, W.L. 1957: The Sources of the Synoptic Gospels I-II, Cambridge

Koch, K. 1962: Der Spruch "Sein Blut bleibe auf seinem Haupt" und die israelitische Auffassung vom vergossenen Blut, VT 12, 396-412

-"- 1968: Der Schatz im Himmel. In: Leben jenseits des Todes (FS H.Thie-

licke), Hamburg, 47-60
-"- 1970: Ratlos vor der Apokalyptik, Gütersloh
Koch-Harnack, G. 1983: Knabenliebe und Tiergeschenke, Berlin
Kodell, J. 1977: The Celibacy Logion in Mt 19,12, BTB 8, 19-23
Köster, H. 1980: Einführung in das Neue Testament, Berlin
 -"- - Robinson, J.M. 1971: Entwicklungslinien durch die Welt des frühen
    Christentums, Tübingen
Kosmala, H. 1963: At the End of the Days, ASThI 2, 27-37
 -"- 1970: His Blood on us and on our Children: The Background of Mt 27,
    24-25, ASThI 7, 94-126
Kossi Agbanou, V. 1983: Le discours eschatologique de Matthieu 24-25 (EtB
    20), Paris 1983
Kotzé. P.P.A. 1977: The Structure of Mt 1, Neotestamentica 11, 1-9
Krämer, M. 1964: Die Menschwerdung Jesu Christi nach Mt (Mt 1), Bibl 45,
    1-50
Kramer, W. 1963: Christos Kyrios Gottessohn (AThANT 44), Zürich
Kratz, R. 1973: Auferweckung als Befreiung (SBS 65), Stuttgart
Kreissig, H. 1978: Wirtschaft und Gesellschaft im Seleukidenreich (SGKA
    16), Berlin
Krentz, E. 1964: The Extent of Matthew's Prologue: Towards the Structure
    of the First Gospel, JBL 83, 409-14 (= 1980: Der Umfang des
    Mt-Prologs. In: J.Lange [ed.] 316-25)
Kretzer, A. 1971: Die Herrschaft der Himmel und die Söhne des Reiches (SBM
    10), Stuttgart
Kruijf, T.de 1962: Der Sohn des lebendigen Gottes. Ein Beitrag zur Christo-
    logie des Matthäusevangeliums (AnBib 16), Roma
Kühner, R. - Gerth, B. [4]1957: Ausführliche Grammatik der griechischen Satz-
    lehre I-II, Hannover
Kümmel, W.G. [3]1956: Verheißung und Erfüllung (AThANT 6), Zürich
 -"- 1965/78: Heilsgeschehen und Geschichte I-II (MThST 3), Marburg
 -"- 1967: Die Weherufe über die Schriftgelehrten und Pharisäer Mt
    23,13-36. In: Eckert et.al. (ed.), 135-47
 -"- [7]1977: Einleitung in das NT, Heidelberg
 -"- 1978: Jesusforschung seit 1965 IV, ThR 43, 105-61
 -"- Küng, H. - Lapide, P. 1976: Jesus im Widerstreit, Stuttgart
Künzel, G. 1978: Studien zum Gemeindeverständnis des Matthäus-Evangeliums
    (CTM A 10), Stuttgart
Künzi, M. 1970: Das Naherwartungslogion Mt 10,23 (BGBE 9), Tübingen
Kürzinger, J. 1959; Zur Komposition der Bergpredigt nach Mt, Bibl 40, 569-89
Kuhn, K.G. 1960: Konkordanz zu den Qumrantexten, Göttingen
Kwaak, H.van den 1966: Die Klage über Jerusalem Mt 23,37-39, NT 8, 156-70
Lagrange, M.-J. [8]1948: Evangile selon saint Matthieu (EB 1), Paris
Lambrecht, J. 1977: Jesus and the Law, EThL 52, 24-52
Lange, J. 1973: Das Erscheinen des Auferstandenen im Evangelium nach
    Matthäus (FzB 11), Würzburg
 -"- (ed.) 1980: Das Matthäusevangelium (WdF 525), Darmstadt
Larfeld, W. 1925: Die neutestamentlichen Evangelien nach ihrer Eigenart
    und Abhängigkeit, Gütersloh
Lategan, B.C. 1077: Structural interrelations in Mt 11-12, Neotest 11,115-29
Lausberg, H. [5]1976: Elemente der literarischen Rhetorik, München
Legasse, S. 1972: L'antijudaisme dans l'Evangile selon Matthieu. In: Di-
    dier (ed.), 417-28
Lehmann, K. 1968: Auferweckt am dritten Tage nach der Schrift (QD 38),
    Freiburg
Levine, L.I. 1981: Ancient Synagogues Revealed, Jerusalem
Liddell, H.G. - Scott, R. - Jones, H.S. [9]1977: A Greek-English Lexicon,

Oxford
Lightfoot, R.H. 1938: Locality and Doctrine in the Gospels, London
Limbeck, M. 1973: Beelzebul - eine ursprüngliche Bezeichnung für Jesus? In:
    Wort Gottes in der Zeit (FS K.H.Schelkle), Düsseldorf, 31-42
-"- 1974: Satan und das Böse im NT. In: H.Haag (ed.), Teufelsglaube,
    Tübingen, 271-388
-"- 1976: Das Judasbild im NT aus christlicher Sicht. In: Goldschmidt-
    Limbeck, 37-101
-"- (u.a.) 1977: Die bessere Gerechtigkeit: Matthäusevangelium (BAP 16)
    Stuttgart
-"- (ed.) 1981: Redaktion und Theologie des Passionsberichtes nach
    den Synoptikern (WdF 481), Darmstadt
Lindars, B. 1961: New Testament Apologetics, Philadelphia
Lindemann, A. 1984: Literaturbericht zu den synoptischen Evangelien 1978-
    1983, ThR 49, 223-76.311-71
Linnemann, E. [5]1969: Gleichnisse Jesu, Göttingen
-"- 1970: Studien zur Passionsgeschichte (FRLANT 102), Göttingen
Ljungmann, E. 1954: Das Gesetz erfüllen. Mt 5,17ff und 3,15 untersucht
    (LUÅ 50), Lund
Loader, W.R.G. 1982: Son of David, Blindness, Possession and Duality in
    Matthew, CBQ 44, 570-85
Lövestam, S. 1962: Wunder und Symbolhandlung. Eine Studie über Mt 14,28-
    31, KuD 8, 124-35
Lohmeyer, E. 1936: Galiläa und Jerusalem, Göttingen
-"- [5]1962: Das Vaterunser, Göttingen
-"- [4]1967: Das Evangelium des Matthäus (KEK.S), Göttingen
Lohse, E. 1970: Ich aber sage euch (Mt 5,21-48). In: Der Ruf Jesu und die
    Antwort der Gemeinde (FS J.Jeremias), Göttingen, 189-203
-"- [2]1971: Die Texte aus Qumran, München
-"- [2]1979: Grundriß der ntl. Theologie (ThW 5), Stuttgart
Lohr, C.H. 1961: Oral Techniques in the Gospel of Matthew, CBQ 23, 403-35
Loisy, A. 1907/8: Les évangiles synoptiques I-II, Ceffonds
Lotze, D. 1963: Aspekte der Sklaverei im Altertum, ZdZ 17, 330-8
Louw, J.P. 1977: The Structure of Mt 9,1-9,35, Neotestamentica 11, 91-7
-"- 1982: Semantics of NT Greek (SemSt 11), Philadelphia
Luck, U. 1968: Die Vollkommenheitsforderung der Bergpredigt (ThExh 150),
    München
Lührmann, D. 1969: Die Redaktion der Logienquelle (WMANT 33), Neukirchen
-"- 1972: Liebet eure Feinde (Lk 6,27-36/Mt 5,39-48); ZThK 69, 412-38
-"- 1981: Mk 14,55-64. Christologie und Zerstörung des Tempels im Markus-
    evangelium, NTS 27, 457-74
Lukian (ed. K.Mras) [2]1980: Die Hauptwerke, Zürich
-"- (ed. J.Werner - H.Greiner-Mai) 1974: Werke in drei Bänden (BdA),
    Berlin-Weimar
Luz, U. 1971: Die Jünger im Matthäusevangelium, ZNW 62, 141-71 (= 1980 in:
    J.Lange [ed.] 377-414)
-"- 1978: Die Erfüllung des Gesetzes bei Matthäus (Mt 5,17-20), ZThK 75,
    398-435
-"- 1985: Das Evangelium nach Matthäus (EKK I/1), Neukirchen
Lyons, J. [4]1975: Einführung in die moderne Linguistik, München
Maartens, P.J. 1977: The Cola-Structure of Mt 6, Neotestamentica 11, 48-76
Magaß, W. 1977: Die Kirche und ihre Legitimation (Mt 9,9-13), LingBibl
    41/42, 5-20
Maier, J. 1978: Die Tempelrolle vom Toten Meer (UTB 829), Basel
-"- - Schreiner, J. (ed.) 1973: Literatur und Religion des Frühjudentums,
    Würzburg

- 484 -

1982: Die Qumran-Essener (UTB 224), Basel
Malina, B.J. 1971: The Literary Structure and Form of Mt 28,16-20, NTS 17,
    87-103
Manson, T.W. 1949: The Sayings of Jesus, London
-"- 1952: Bist Du, der da kommen soll?, Zürich
-"- [2]1967: The Teaching of Jesus, Cambridge
Marquerat, D. 1981: Le Judgement dans l'Evangile de Matthieu, Geneve (Rez.
    M.Goulder JTS 34 [1983] 248-51)
Marshall, I.H. 1978: The Gospel of Luke (NIGTC), Exeter
Marti, K. - Beer, G. 1927: 'Abôt (Die Mischna IV/9), Gießen
Martin, B.L. 1983: Matthew on Christ and the Law, ThSt 44, 53-70
Martinez, E.R. 1961: The Interpretation of οἱ μαθηταί in Mt 18, CBQ 23,
    281-92
Marxsen, W. [2]1959: Der Evangelist Markus (FRLANT 67), Göttingen
-"- [2]1964: Der "Frühkatholizismus" im NT, Neukirchen
Massaux, E. 1950: Influence de l'évangile de saint Matthieu sur la litté-
    rature chrétienne avant saint Irénée (UCL II/42), Louvain
-"- Le texte du sermon sur la montagne de Matthieu utilisé par St. Justin,
    ETL 28, 411-48
Mayer, G. 1974: Index Philoneus, Berlin
Mayser, E. [2]1970: Grammatik der griechischen Papyri aus der Ptolemäerzeit
    I-II, Berlin
McConnell, R.S. 1969: Law and Prophecy in Matthew's Gospel (ThD 2), Basel
McEleney, N.J. 1976: Mt 17,24-27 - Who paid the Temple Tax? A Lesson in
    avoidance of scandal, CBQ 38, 178-92
McKenzie, J.L. 1968: The Gospel according to Matthew (JeBiCom 2), Engle-
    wood Cliffs, 62-114
McNeile, A.H. 1910/1: Τότε in St. Matthew, JTS 12, 127-8
-"- 1915(=[6]1955): The Gospel according to St. Matthew, London
Meier, J.P. 1976: Law and History in Matthew's Gospel (AnBib 71), Roma
-"- 1977: Two Disputed Questions in Mt 28,16-20, JBL 96, 407-24
-"- 1979: The Vision of Matthew, New York
-"- 1980: Matthew (NTMess 3), Dublin
-"- 1980a: John the Baptist in Matthew's Gospel, JBL 99, 383-405
Meinertz, M. 1957; "Dieses Geschlecht" im NT, BZ 1, 283-9
Merkel, H. 1967/8: Jesus und die Pharisäer, NTS 14, 194-208
Merklein, H. 1978: Die Gottesherrschaft als Handlungsprinzip (FzB 34),
    Würzburg
Merwe, M.A.V. van der 1977: The Form and Message of Mt 2, Neotest 11,
    10-9
Metzger, B.M. 1951: The Formulas Introducing Quotations in the NT and the
    Mishnah, JBL 70, 297-307
-"- 1971: A Textual Commentary on the Greek NT, Stuttgart
Meyer, P.D. 1970: The Gentile Mission in Q, JBL 89, 405-17
Michaelis, C. 1968: Die π-Alliteration der Subjektworte der ersten vier
    Seligpreisungen in Mt 5,3-6 und ihre Bedeutung für den Aufbau der
    Seligpreisungen bei Mt, Lk und Q, NT 10, 148-61
Michaelis, W. 1948/9: Das Evangelium nach Matthäus I-II (ZBK 1), Zürich
-"- [3]1956: Die Gleichnisse Jesu, Hamburg
Michel, O. 1937/8: Diese Kleinen - eine Jüngerbezeichnung Jesu, ThStK 108,
    401-15
-"- 1950/1: Der Abschluß des Matthäusevangeliums, EvTh 10, 16-26
Miller, M. 1963: Münzen des Altertums (BKAF 43), Braunschweig
Milobenski, E. 1964: Der Neid in der griechischen Philosophie (KPS 29),
    Wiesbaden
Milton, H. 1962: The Structure of the Prologue to St. Mt's Gospel, JBL 81,

175-81

Minear, P.S. 1974: The Disciples and the Crowds in the Gospel of Matthew, AThR.SS 3, 28-44

-"- 1974a: Jesus' Audiences according to Luke, NT 16, 81-109

Moloney, F.J. 1979: Mt 19,3-12 and Celibacy. A Redactional and Formcritical Study, JSNT 2, 42-60

Mommsen, Th. [2]1876: Römisches Staatsrecht (HRA II/1) Leipzig (=Basel 1952)

Montefiore, C.G. [2]1927: The Synoptic Gospels I-II, London

Montefiore, H.W. 1956: God as Father in the Synoptic Gospels, NTS 3, 31-46

Moore, G.F. [10]1966: Judaism in the First Centuries of the Christian Era I-II Cambridge

Moreton, M.J. 1964: The Genealogy of Jesus, StEv 2 (TU 87), 219-24

Morgenthaler, R. 1971: Statistische Synopse, Zürich

-"- [2]1973: Statistik des neutestamentlichen Wortschatzes, Zürich

Moule, C.F.D. [2]1959(=1971): An Idiom-Book of NT Greek, Cambridge

-"- 1959a: The Intention of the Evangelists. In: NT Essays (FS T.W. Manson), Manchester, 165-79

-"- 1964: St. Matthew's Gospel. Some Neglected Features, StEv 2 (TU 87), 91-9

Moulton, J.H. - Howard, W.F. - Turner, N. 1908-76: A Grammar of New Testament Greek I-IV, Edinburgh

-"- - Milligan, G. 1930: The Vokabulary of the Greek Testament illustrated from the Papyri and other Non-Literary Sources, London

Moulton, W.F. - Geden, A.S. [4]1963(=1970): A Concordance to the NT, Edinburgh

Müller, C.D. 1978: Die Erfahrung der Wirklichkeit, Gütersloh

Müller, K. 1969: Anstoß und Gericht (StANT 19), München

Müller, K.E. (ed.) 1984: Menschenbilder früherer Gesellschaften. Ethnologische Studien zum Verhältnis von Mensch und Natur, Frankfurt

Müller, M. 1984: Der Ausdruck "Menschensohn" in den Evangelien (AThD 17), Leiden

Müller, U.B. 1977: Vision und Botschaft, ZThK 74, 416-49

Münchow, C. 1981: Ethik und Eschatologie, Berlin

Mussies, G. 1972: Dio Chrysostom and the New Testament (StCHNT 2), Leiden

-"- 1983: Greek as the Vehicle of Early Christianity, NTS 29, 356-69

Mußner, F. 1979: Traktat über die Juden, München

Nagel, W. 1961: Gerechtigkeit oder Almosen? (Mt 6,1), VigChr 15, 141-5

Neirynck, F. 1967: La rédaction matthéenne et la structure du premier évangile, ETL 43, 41-73

-"- 1968/9: Les femmes au tombeau: Etude de la rédaction matthéenne (Mt 28,1-20), NTS 15, 168-98

-"- 1970: Hawkins's Additional Notes to his "Horae Synopticae", ETL 46, 78-111

-"- 1974: The Minor Agreements of Matthew and Luke against Mark (BETL 37), Leuven

Nellessen, E. 1970: Das Kind und seine Mutter (SBS 39), Stuttgart

Nepper-Christensen, P. 1958: Das Matthäusevangelium - ein judenchristliches Evangelium? (AThD 1), Aarhus

-"- 1985: Die Taufe im Matthäusevangelium, NTS 31, 189-207

Nestle, E. - Aland, K. (ed.) [26]1979: Novum Testamentum Graece, Stuttgart

Nicol, W. 1977: The Structure of Mt 7, Neotestamentica 11, 77-90

Nissen, A. 1974: Gott und der Nächste im antiken Judentum (WUNT 15), Tübingen

Nock, A.D. - Festugière, A.J. [2]1960: Corpus Hermeticum I, Paris

Nolan, B.M. 1979: The Royal Son of God. The Christology of Mt 1-2 in the Setting of the Gospel (OBO 23), Fribourg

Norden, E. 1898: Die antike Kunstprosa I-II, Leipzig (= Darmstadt 1974)

Nützel, J.M. 1973: Die Verklärungserzählung im Markusevangelium (FzB 6), Würzburg (Rez. ThLZ 100[1975] 425-7)

Oberlinner, L. 1975: Historische Überlieferung und christologische Aussage. Zur Frage der "Brüder Jesu" in den Synoptikern (FzB 19), Stuttgart

Oepke, A. 1948: Der Herrenspruch über die Kirche. Mt 16,17-19 in der neuesten Forschung, StTh 2, 110-65

Ogawa, A. 1979: Paraboles de l'Israel véritable? Reconsidération critique de Mt 21,28-22,14, NT 21, 121-49

Ogilvie. R.M. 1969: The Romans and their Gods, London (dt. 1982: Und bauten die Tempel wieder auf: Religion und Staat im Zeitalter des Augustus, Stuttgart)

O'Neill, J.C. 1959: The Six Amen-Sayings in Luke, JTS 10,1-9

O'Rourke, J. 1962: The Fulfilment Texts in Matthew, CBQ 24, 394-403

Ossege, M. 1975: Einige Aspekte der Gliederung des Wortschatzes (am Beispiel von δικαιοσύνη bei Matthäus), LingBibl 34, 37-101

Pamment, M. 1981: The Kingdom of Heaven according to the First Gospel, NTS 27, 211-32

-"- 1983: The Son of Man in the First Gospel, NTS 29, 116-29

-"- 1983a: Singleness and Matthew's Attitude to the Torah, JSNT 17, 73-86

Paschen, W. 1970: Rein und Unrein (StANT 24), München

Passow, F. [6]1970: Handwörterbuch der griechischen Sprache I-II, Darmstadt

Paul, A. 1968: L'Evangile de l'Enfance selon saint Matthieu (LIB 17), Paris

- "- 1984: Mt 1 comme écriture apocalyptique. Le récit veritable de la 'crucifixuin' de l' ἔρως, ANRW II 25/3, 1952-68

Percy, E. 1953: Die Botschaft Jesu (LUÅ 49), Lund

Perrin, N. 1970: The Use of (παρα)διδόναι in Connection with the Passion of Jesus in the NT. In: Der Ruf Jesu und die Antwort der Gemeinde (FS J.Jeremias), Göttingen, 204-12

-"- 1972: Was lehrte Jesus wirklich?, Göttingen

Pesch, R. 1966/7: Eine alttestamentliche Ausführungsformel im Matthäus-Evangelium, BZ 10, 220-45; 11,79-95

-"- 1967a: Der Gottessohn im mt Evangelienprolog (Mt 1-2), Bibl 48, 395-420

-"- 1968: Levi-Matthäus (Mk 2,14/Mt 9,9; 10,3), ZNW 59, 40-56

-"- 1970: Eschatologie und Ethik. Eine Auslegung von Mt 24,1-36, BiLe 11, 223-38

-"- 1976/7: Das Markusevangelium (HThK II/1-2), Freiburg

Pesch, W. 1963: Die sogenannte Gemeindeordnung Mt 18, BZ 7, 220-35

-"- 1966: Matthäus der Seelsorger (SBS 2), Stuttgart

-"- (ed.) 1970: Jesus in den Evangelien (SBS 45), Stuttgart

-"- 1973: Theologische Aussage der Redaktion von Mt 23. In: Orientierung an Jesus (FS J.Schmid), Freiburg, 286-99

Petzke, G. 1970: Die Traditionen über Apollonius von Tyana und das NT (StCHNT 1), Leiden

Pfleiderer, O. [2]1902: Das Urchristentum I-II, Berlin

Philo (ed. L.Cohn-P.Wendland) [2]1962/3: Opera I-VI, Berlin

-"- (ed. L.Cohn-I.Heinemann) 1962/3): Die Werke in deutscher Übersetzung I-VII

Piper, R. 1982: Mt 7,7-11 par. Lk 11,9-13: Evidence of Design and Argument in the Collection of Jesus' Sayings, BETL 59, 411-8

Plessis, P.J.du 1959: Τέλειος. The Idea of Perfection in the NT, Kampen

Popkes, W. 1967: Christus traditus (AThANT 49), Zürich

Punge, M. 1961: Endgeschehen und Heilsgeschichte im Matthäusevangelium (masch. Diss.theol.), Greifwald

Plummer, A. [5]1920: An Exegetical Commentary on the Gospel according to St.

Matthew, London

Plutarch 1914ff: Lives I–XI (LCL), London

-"- 1927ff: Moralia I–XV (LCL), London

Polag, A. 1977: Die Christologie der Logienquelle (WMANT 45), Neukirchen

-" [2]1981: Fragmenta Q, Neukirchen

Pregeant, R. 1978: Christology Beyond Dogma: Matthew's Christ in Process Hermeneutics (Sem.S 7), Philadelphia

Preisigke, F. 1925-31: Wörterbuch der griechischen Papyrusurkunden I–III, Berlin

Puig i Tarrech, A. 1983: La parabole des dix vierges (AnBib 102), Roma

Quesnell, Q 1968: Made Themselves Eunuchs for the Kingdom of Heaven, CBQ 30, 335-85

Quinn, J.F. 1970: The Pilate Sequence in the Gospel of Matthew, DunR 10, 154-77

Rad, G.v. [4]1962/5: Theologie des AT I–II, München

-"- 1970: Weisheit in Israel, Neukirchen

Rademakers, J. 1972: Au fil de l'évangile selon saint Matthieu I–II, Louvain

Radermacher, L. [2]1925: Neutestamentliche Grammatik (HNT 1/1), Tübingen

Rahlfs, A. (ed.) [5]1952: Septuaginta, Stuttgart

Raible, W. [2]1975: Textlinguistische Überlegungen zu ntl. Texten. In: U.Gerber-E.Güttgemanns (ed.), "Linguistische Theologie" (FThL 3), Bonn 9-37

Rehm, M. 1958: Eli, Eli lamma sabachthani, BZ 2,275-8

Reiling, J. 1971: The Use of ψευδοπροφητης in the Septuagint, Philo and Josephus, NT 13, 147-56

Rendtorff, R. 1962: Botenformel und Botenspruch, ZAW 74, 165-77

Rengstorf, K.H. - Kortzfleisch, S.v. (ed.) 1968/70: Kirche und Synagoge I–II, Stuttgart

Reventlow, H. 1060: Sein Blut komme über sein Haupt, VT 10, 311-27

Richter, W. 1971: Exegese als Literaturwissenschaft, Göttingen

Riebl, M. 1978: Auferstehung Jesu in der Stunde seines Todes? Zur Botschaft von Mt 27,51b-53 (SBB 8), Stuttgart

Riedl, J. 1968: Die Vorgeschichte Jesu. Die Heilsbotschaft von Mt 1-2 und Lk 1-2, Stuttgart

Riesner, R. 1981: Jesus als Lehrer WUNT 2/7), Tübingen

Rigaux, B. 1968: The Testimony of St. Matthew, Chicago

Robbins, V.K. 1982: Mk 1,14-20: An Interpretation at the Intersection of Jewish and Greco-Roman Traditions, NTS 28, 220-36

-"- 1984: Jesus the Teacher, Philadelphia

Robertson, N. 1982: The Ritual Background of the Dying God in Cyprus and Syro-Palestine, HTR 75, 313-59

Robinson, J.M. 1960: Kerygma und historischer Jesus, Zürich

Robinson, T.H. 1928: The Gospel of Matthew (MoffNTC), London

Rohde, J. 1965: Die redaktionsgeschichtliche Methode (ThA 22), Berlin

Roloff, J. [2]1973: Das Kerygma und der irdische Jesus, Göttingen

Rostovtzeff, M.I. 1902: Geschichte der Staatspacht in der röm. Kaiserzeit bis Diokletian, Leipzig (=Rom 1971)

-"- [3]1931: Gesellschaft und Wirtschaft im röm. Kaiserreich I–II, Leipzig

-"- 1955/6: Gesellschafts- und Wirtschaftsgeschichte der hellenistischen Welt, Darmstadt

-"- 1955/6a: Die hellenistische Welt I–III, Stuttgart

Rothfuchs, W. 1968/9: Die sogenannten Antithesen des Matthäusevangeliums und ihr Gesetzesverständnis - untersucht im Zusammenhang Mt 5,17-48, LR 16/7, 98-109

-"- 1969: Die Erfüllungszitate des Matthäusevangeliums (BWANT 88), Stuttgart

Ruether, R. 1978: Nächstenliebe und Brudermord, München

Rydbeck, L. 1967: Fachprosa, vermeintliche Volkssprache und NT (AUU.SGU 5), Uppsala

Sabourin, L. 1978: Mt 5,17-20 et le rôle prophétique de la loi, ScEs 30, 303-11

Sand, A. 1969: Die Unzuchtsklausel in Mt 5,31f und 19,3-9, MThZ 20, 118-29
-"- 1970: Die Polemik gegen "Gesetzlosigkeit" im Evangelium nach Matthäus und bei Paulus, BZ 14,112-125
-"- 1974: Das Gesetz und die Propheten. Untersuchungen zur Theologie des Evangeliums nach Matthäus (BU 11), Regensburg

Sandvoss, E. 1971: Soteria. Philosophische Grundlagen der platonischen Gesetzgebung, Göttingen
-"- 1981: Aristoteles (TBU 332), Stuttgart

Sauer, G. 1981: Jesus Sirach (JSHRZ 3/5), Gütersloh

Schaberg, J. 1982: The Father, the Son and the Holy Spirit. The Triadic Phrase in Mt 28,19b (SBL.DS 61), Chico

Schaller, B. 1970: Die Sprüche über Ehescheidung und Wiederheirat in der synoptischen Überlieferung. In: Der Ruf Jesu und die Antwort der Gemeinde (FS J.Jeremias), Göttingen, 226-46
-"- 1979: Das Testament Hiobs (JSHRZ 3/3), Gütersloh

Schenk, W. 1963: Den Menschen Mt 9,8, ZNW 54, 272-5
-"- 1967: Der Segen im NT (ThA 25), Berlin
-"- 1972: Naherwartung und Parusieverzögerung, ThVers 4, 47-69
-"- 1972a: Die urchristlichen Jona-Sprüche. In: Gott liebt diese Welt. Handreichung zur 35. Bibelwoche, Gladbeck, 48-57
-"- 1974: Der Passionsbericht nach Mk, Gütersloh
-"- 1975/6: Das Praesens historicum als makrosyntaktisches Gliederungssignal im Mt, NTS 22, 464-75
-"- 1977: Studienheft zu sieben Texten aus dem Mattäusevangelium, Berlin
-"- 1978: Auferweckung der Toten oder Gericht nach den Werken. Tradition und Redaktion in Mt 25,1-13, NT 20, 278-99
-"- Predigtmeditation Mt 4,1-11, EPM 7, 123-7
-"- 1979: Der Einfluß der Logienquelle auf das Mk, ZNW 70, 141-65
-"- 1981: Synopse zur Redenquelle der Evangelien, Düsseldorf
-"- 1983: Evangelium - Evangelien - Evangeliologie (ThEx 216), München
-"- 1983a: Das Mattäusevangelium als Petrusevangelium, BZ 27, 58-80
-"- 1983b: Gefangenschaft und Tod des Täufers, NTS 29, 453-83
-"- 1984: Der derzeitige Stand der Auslegung der Passionsgeschichte, EvErz 36, 527-43

Schille, G. 1957/8: Bemerkungen zur Formgeschichte des Evangeliums II. Das Evangelium des Matthäus als Katechismus, NTS 4,101-14

Schlatter, A. 1930: Die Kirche des Matthäus (BFchTh 33/1), Gütersloh
-"- ^{6}1963(=1929): Der Evangelist Matthäus, Stuttgart

Schmahl, G. 1974: Die Antithesen der Bergpredigt, TThZ 83, 284-97

Schmauch, W. 1956: Orte der Offenbarung und der Offenbarungsort in NT, Berlin
-"- 1958: Reich Gottes und menschliche Existenz nach der Bergpredigt In: Königsherrschaft Christi (ThExh 64), München, 5-19
-"- 1967: Zu achten aufs Wort. Ausgewählte Arbeiten, Berlin

Schmid, J. 1930: Matthäus und Lukas (BSt 23,2-4), Freiburg
-"- 1951: Das textgeschichtliche Problem der Parabel von den zwei Söhnen Mt 21,28-32. In: Vom Wort des Lebens (FS M.Meinertz), Münster, 68-84
-"- 1953: Markus und der aramäische Matthäus. In: Synoptische Studien (FS A.Wikenhauser), München, 148-83
-"- ^{5}1956: Das Evangelium nach Matthäus (RNT 1), Regensburg

Schmidt, K.L. 1919: Der Rahmen der Geschichte Jesu, Berlin (=Darmstadt 1964)

Schnackenburg, R. [2]1965: Gottes Herrschaft und Reich, Freiburg

Schneider, G. 1969: Die Botschaft der Bergpredigt, Aschaffenburg

-"- 1970: Das Bildwort von der Lampe, ZNW 61, 183-209

-"- 1973: Die Passion Jesu nach den drei älteren Evangelien (BHB 9), München (Rez. ThLZ 99 [1974] 56-8)

Schniewind, J. [12]1968: Das Evangelium nach Matthäus (NTD 2), Göttingen

Schöllig, H. 1968: Die Zählung der Generationen im matthäischen Stammbaum, ZNW 59, 261-8

Schottroff, L. - Stegemann, W. 1978: Jesus von Nazareth - Hoffnung der Armen (UrTB 639), Stuttgart

Schrage, W. 1963: "Ekklesia" und "Synagoge", ZThK 60, 178-202

-"- 1976: Theologie und Christologie bei Paulus und Jesus auf dem Hintergrund der modernen Gottesfrage, EvTh 36, 121-54

-"- 1977: Leiden im NT. In: G.Gerstenberger-W.S., Leiden, Stuttgart, 118-236

-"- 1980: Die Elia-Apokalypse (JSHRZ 5/3), Gütersloh

-"- 1982: Ethik des NT (NTD.R 4), Göttingen

-"- 1982a: Einige Bemerkungen zur Lehre im NT, EvTh 42, 233-51

-"- 1986: Heil und Heilung im Neuen Testament, EvTh 46, 197-214

Schreiner, J. (ed.) 1969: Gestalt und Anspruch des NT, Würzburg

-"- 1981: Das 4. Buch Esra (JSHRZ 5/4), Gütersloh

Schüngel-Straumann, H. 1973: Der Dekalog - Gottes Gebote? (SBS 67), Stuttgart

Schürmann, H. [3]1959: Das Gebet des Herrn (BG II/6), Leipzig

-"- 1968: Traditionsgeschichtliche Untersuchungen zu den synoptischen Evangelien, Düsseldorf

-"- 1970: Erörterungen und Besinnungen zum NT, Düsseldorf

-"- [3]1984: Das Lukasevangelium (HThK 3,1), Freiburg

Schulthess, F. 1922: Zur Sprache der Evangelien, ZNW 21, 216-36, 241-58

Schulz, A. 1962: Nachfolgen und Nachahmen (StANT 6), München

Schulz, S. 1967: Die Stunde der Botschaft, Hamburg

-"- 1972: Q. Die Spruchquelle der Evangelisten, Zürich

Schunck, K. 1980: Das 1. Makkabäerbuch (JSHRZ 1/4), Gütersloh

Schwank, B. 1972: Dort wird Heulen und Zähneknirschen sein, BZ 16, 121-2

Schwarz, G. 1975: ἰῶτα ἓν ἢ μία κεραία (Mt 5,18), ZNW 66, 268-9

Schweizer, E. [2]1962: Gemeinde und Gemeindeordnung im NT (AThANT 35), Zürich

-"- 1963: Neotestamentica, Zürich

-"- 1970: Beiträge zur Theologie des NT, Zürich

-"- 1973([2]1976): Das Evangelium nach Matthäus (NTD 2), Göttingen

-"- 1974: Matthäus und seine Gemeinde (SBS 71), Stuttgart

Schwertner, S. 1974: Internationales Abkürzungsverzeichnis für Theologie und Grenzgebiete, Berlin

Seitz, O.J.F. 1950: Upon this Rock. A Critical Re-Examination of Mt 16,17-19, JBL 69, 329-40

Seneca, L.A. 1980/4: Philosophische Schriften I-IV, Darmstadt

Senior, D. 1976: The Death of Jesus and the Resurrection of the Holy Ones (Mt 27,51-53), CBQ 36, 312-29

-"- 1976a: The Ministry of Continuity: Matthew's Gospel and the Interpretation of History, BiTod 82, 629-708

-"- 1977: Invitation to Matthew. A Commentary, Garden City

-"- [2]1982: The Passion Narrative according to Matthew (BETL 39), Leuven (Rez. G.Sellin ThLZ 102 [1977] 437-9)

Shuler, P.L. 1982: A Genre for the Gospels: The Biographical Character of Matthew, Philadelphia

Sider, J.W. 1981: The Meaning of Parabole in the Usage of the Synoptic

Evangelists, Bibl 62, 453-70

-"- 1983: Rediscovering the Parables: The Logic of the Jeremias Tradition, JBL 102, 61-83

-"- 1985: Proportional Analogy in the Gospel Parables, NTS 31, 1-23

Slingerland, H.D. 1979: The Transjordanian Origin of St. Matthew's Gospel, JSNT 3, 18-28

Smith, C.W.F. 1963: The Mixed State of the Church in Matthew's Gospel, JBL 82, 149-68

Smith, M. 1952: Mt 5,43: Hate Thine Enemy, HTR 45, 71-3

-"- 1981: Jesus der Magier, München (engl. New York 1978; Rez. H.F.Weiß ThLZ 108 [1983] 731-4; J.A.Bühner EvTh 43 [1983] 256-75)

Snodgrass, K. 1983: The Parable of the Wicked Tenants (WUNT 27), Tübingen

Snyman, A.H. 1977: Analysis of Mt 3,1-4,22, Neotestamentica 11, 19-31

Soares Prabhu, G.M. 1976: The Formula Quotations in the Infancy Narrative of Matthew (AnBib 63), Roma

Soiron, T. ^{2}1944: Die Bergpredigt Jesu, Freiburg

Soltau, W. 1899: Eine Lücke der synoptischen Forschung, Leipzig

-"- 1900: Zur Entstehung des ersten Evangeliums, ZNW 1, 219-48

-"- 1901: Unsere Evangelien, ihre Quellen und ihr Quellenwert, Leipzig

Soucek, J.B. 1963: Salz der Erde und Licht der Welt. Zur Exegese von Mt 5, 13-16, ThZ 19, 169-79

Sparks, H.F.D. 1955: The doctrine of Divine Fatherhood in the Gospels. In: Essays in Memory of R.H.Lightfoot, Oxford, 241-62

Spicq, C. 1978/83: Notes de lexicographie néo-testamentaire I-III, Fribourg

Staab, K. ^{2}1963: Das Evangelium Matthäus (EchB), Würzburg

Stählin, G. 1962: Zm Gebrauch von Beteuerungsformeln im NT, NT 5, 115-43

Stanton, G.N. (ed.) 1983: The Interpretation of Matthew (IRTh 3), London

-"- 1984: The Origin and Purpose of Matthew's Gospel, ANRW II25/3, 1889-1951

-"- 1984a: The Gospel of Matthew and Judaism, BJRL 66, 264-84

-"- 1985: Aspects of Early Christian-Jewish Polemic and Apologetic, NTS 31, 377-92

Stanton, G.R. 1973: Quid ergo Athenis et Hierosolymis? Quid mihi tecum est? And τί ἐμοὶ καὶ σοί, RhMus 116, 84-90

Steck, O.H. 1967: Israel und das gewaltsame Geschick der Propheten (WMANT 23), Neukirchen

Stegemann, H. 1971: Die des Uria. In: Tradition und Glaube (FS K.G.Kuhn), Göttingen, 246-76

Stegemann, W. 1985: Die Versuchung Jesu im Matthäusevangelium (Mt 4,1-11), EvTh 45, 29-45

Stendahl, K. 1962: Matthew. In: Peake's Commentary on the Bible, New York, 769-98

-"- ^{2}1964: Quis et unde? An Analysis of Mt 1-2. In: Judentum, Urchristentum, Kirche. FS J.Jeremias (BZNW 26) 94-105 (dt. 1980 in: J.Lange [ed.] 296-311)

-"- ^{2}1968: The School of Matthew and its Use of the Old Testament (ASNU 20), Lund

-"- 1978: Der Jude Paulus und wir Heiden (KTr 36), München

Stenger, W. 1978: Die Gottesbezeichnung "lebendiger Gott" im NT, TThZ 87, 61-9

Stonehouse, N.B. ^{2}1958: The Witness of Matthew and Mark on Christ, London

-"- 1963: Origins of the Synoptic Gospels, Grand Rapids (=London 1964)

(Strack, H.L. -) Billerbeck, H. ^{4}1965: Kommentar zum NT aus Talmud und Midrasch I-V, München

-"- - Stemberger, G. ^{7}1982: Einleitung in Talmud und Midrasch, München

Strecker, G. ^{3}1971: Der Weg der Gerechtigkeit (FRANT 82), Göttingen

-"- 1978: Die Antithesen der Bergpredigt (Mt 5,21-48 par.), ZNW 69, 36-72
-"- 1979: Eschaton und Geschichte, Göttingen
-"- 1984: Die Bergpredigt, Göttingen
Suggs, M.J. 1957: Wisdom of Solomon 2,5-5,23. A Homily Based on the Fourth
    Servant Song, JBL 76, 26-33
-"- 1970: Wisdom, Christology and Law in Matthew's Gospel, CambridgeMass.
-"- 1975: The Antitheses as Redactional Products. In: Jesus Christus in
    Historie und Theologie (FS H.Conzelmann), Tübingen, 433-44
Suhl, A. 1968: Die Wunder Jesu, Gütersloh
-"- 1968a: Der Davidssohn im Matthäusevangelium, ZNW 59, 57-81
Tabachovitz, D. 1956; Die Septuaginta und das NT, Lund
Tagawa, K. 1969/70: People and Community in the Gospel of Matthew, NTS 16
    149-62
Talbert, C.H. 1977: What is a Gospel?, Missoula
-"- 1978: Biographies of Philosophers and Rulers as Instruments of Reli
    gious Propaganda in Mediterranean Antiquity, ANRW II/2, 1619-51
Tasker, R.V.G. 1963(=1983): The Gospel according to St. Matthew (TynNTC),
    London
Theißen, G. 1974: Urchristliche Wundergeschichten (StNT 8), Gütersloh
-"- 1977: Soziologie der Jesusbewegung (ThExh 194), München
-"- 1985: "Meer" und "See" in den Evangelien, SNTU 10, 5-25
-"- 1985a: Das "schwankende Rohr in Mt 11,7 und die Gründungsmünzen
    von Tiberias, ZDPV 101, 79-92
-"- 1985b: Lokalkoloritforschung in den Evangelien, EvTh 45, 481-99
Theobald, M. 1978: Der Primat der Synchronie vor der Diachronie als
    Grundaxiom der Literarkritik, BZ 22, 161-86
Thieme, K. 1949: Matthäus, der schriftgelehrte Evangelist, Jud 5, 130-52
Thoma, C. 1970: Kirche aus Juden und Heiden, Wien
-"- 1978: Christliche Theologie des Judentums (CiW 6/4), Aschaffenburg
Thompson, W.G. 1970: Matthew's Advice to a Divided Community: Mt 17,22-
    18,33 (AnBib 44), Roma
-"- 1971: Reflection on the Composition of Mt 8,1-9,34, CBQ 33, 365-88
Thrall, M. 1962: Greek Particles in the NT (NT.S 3), Leiden
-"- 1974: An Historical Perspective in the Gospel of Matthew, JBL 93,
    243-62
Thysman, R. 1974: Communauté et directives éthiques. La catéchèse de
    Matthieu, Gembloux
Tilborg, S.van 1972: The Jewish Leaders in Matthew, Leiden
Tödt, H.E. [2]1963: Der Menschensohn in der synoptischen Überlieferung,
    Gütersloh
Toit, A.B. du 1977: Analysis of the Structure of Mt 4,23-5,48, Neotest 11,
    32-47
Torrey, C.C. 1943: The Name "Iscarioth", HTR 36, 51-62
Toynbee, J.M.C. 1983: Tierwelt der Antike (KGAW 17), Mainz (engl. 1973)
Trench, R.C. 1907: Synonyma des NT, Tübingen
Trilling, W. 1959: Die Täufertradition bei Matthäus, BZ 3,271-89
-"- 1960: Hausordnung Gottes. Eine Auslegung von Mt 18 (BG II/18),
    Leipzig
-"- 1960a: Zur Überlieferungsgeschichte des Gleichnisses vom Hochzeitsmahl
    Mt 22,1-14, BZ 4, 251-65
-"- 1963: Der Einzug in Jerusalem Mt 21,1-17. In: Neutestamentliche Auf-
    sätze (FS J.Schmid), 303-9
-"- [3]1964: Das wahre Israel (StANT 10), München (=1975 [EThSt 7] Leipzig)
-"- 1969: Matthäus, das kirchliche Evangelium. In: Schreiner (ed.) 186-99
-"- 1972: Amt und Amtsverständnis bei Matthäus, ThJ(L) 1972, 160-83 (=
    1970: Mélanges Bibliques, FS B.Rigaux, Gembloux, 29-44)

Townsend, J.T. 1961: Mt 23,9, JTS 12, 56-9

Tuttle, G.A. 1977: The Sermon on the Mount. Its Wisdom Affinities and their Relation to its Structure, JETS 20, 213-30

Uhlig, S. 1985: Das äthiopische Henochbuch (JSHRZ 5/6), Gütersloh

Vardiman, E.E. 1982: Die Frau in der Antike, Wien

Vielhauer, P. 1965: Aufsätze zum NT (ThB 31), München
-"- [2]1978: Geschichte der urchristlichen Literatur, Berlin

Visser, M. 1982: Worship Your enemy: Aspects of the Cult of Heroes in Ancient Greece, HTR 75, 403-28

Vögtle, A. 1971: Messias und Gottessohn, Düsseldorf
-"- 1971a: Das Evangelium und die Evangelien, Düsseldorf

Völkel, M. 1978: Freund der Zöllner und Sünder, ZNW 69, 1-10

Volp, R. 1982: Die Semiotik F.Schleiermachers. In: Ders. (ed.), Zeichen, München, 114-40

Vorster, W.S. 1977: The Structure of Mt 13, Neotest 11, 130-8
-"- 1979: Aischynomai en stamverwante woorde in die NT, Pretoria
-"- 1984: Der Ort der Gattung Evangelium in der Literaturgeschichte, VuF 29/1, 2-25

Waetjen, H.L. 1976: The Origin and Destiny of Humaness. Structure and Style of Matthew, Corte Madera
-"- 1976a: The Genealogy as the Key to the Gospel according to Matthew, JBL 95, 205-30

Walker, R. 1965: Einführung in die Bergpredigt. In: H.U.Nübel-W.Ullrich (ed.), Die Bergpredigt, Stuttgart, 5-9
-"- 1967: Die Heilsgeschichte im ersten Evangelium (FRANT 91), Göttingen

Walker, W.O. 1977: A Method for Identifying Redactional Passages in Mt on Functional and Linguistic Grounds, CBQ 39, 76-93

Walter, N. 1968: Die Bearbeitungen der Seligpreisungen durch Mt, StEv 4 (TU 102), 246-58
-"- 1981: Zum Kirchenverständnis des Mt, TheolVers 12, 25-45

Weder, H. 1978: Die Gleichnisse Jesu als Metaphern (FRLANT 120), Göttingen

Weinel, H. [4]1928: Biblische Theologie des Neuen Testaments, Tübingen

Weiss, B. [9]1898: Das Matthäus-Evangelium (KEK I,1), Göttingen

Weiss, H.-F. 1965: Der Pharisäismus im Lichte der Überlieferung des Neuen Testaments, SSAW.L PHK 110/2, 87-132

Weiss, J. - Bousset, W. [4]1929: Das Matthäusevangelium (SNT 1), Göttingen

Wellek, R. - Warren, A. 1966: Theorie der Literatur (UlTB 420/1), Berlin

Wellhausen, J. [2]1911: Einleitung in die drei ersten Evangelien, Berlin
-"- [2]1914: Das Evangelium Matthaei, Berlin

Wenham, D. 1973: The Resurrection-Narratives in Matthew's Gospel, TynB 24, 21-54
-"- 1984: Matthew and Divorce: An old crux revisited, JSNT 22,95-107

Weren, W.J.C. 1979: De Broeders van de Mensenzoon. Mt 25,31-46 als toegang tot de eschatologie van Matteüs, Amsterdam (Rez. J.W.Rogerson JTS 33 [1982] 245-7)

Wernle, P. 1899: Die synoptische Frage, Freiburg

Wilamowitz-Moellendorff, U.v. 1931([2]1955): Der Glaube der Hellenen I-II, Berlin

Wilcken, U. [9]1962: Griechische Geschichte, München

Wilckens, U. 1975: Gottes geringste Brüder (zu Mt 25,31-46). In: Jesus und Paulus (FS W.G.Kümmel), Göttingen, 363-83

Wilke, C.G. 1843: Die ntl. Rhetorik, Leipzig

Wilkens, W. 1982: Die Versuchung Jesu nach Matthäus, NTS 28, 479-89

Windisch, H. 1917/8: Kleinere Beiträge zur evangelischen Überlieferung. ZNW 18, 73-83

-"- 1928: Die Sprüche vom Eingehen in das Reich Gottes, ZNW 27, 163-92
-"- [2]1937: Der Sinn der Bergpredigt (UNT 16), Leipzig
Witherington, B. 1985: Mt 5,32 and 19,9 - Exception or Exceptional Situation?, NTS 31, 571-76
Wolbert, W. 1981: Ethische Argumentation und Paränese in 1Kor 7 (MSS 8), Düsseldorf
Wolff, C. 1976: Jeremias im Frühjudentum und Urchristentum (TU 118), Berlin
Wolff, H.W. [2]1974: Anthropologie des AT, München
Wrede, W. 1900(=[4]1969): Das Messiasgeheimnis in den Evangelien, Göttingen
Wrege, H.T. 1968: Die Überlieferungsgeschichte der Bergpredigt (WUNT 9), Tübingen
-"- 1978: Die Gestalt des Evangelium (BET 11), Frankfurt
Wuellner, W.H. 1967: The Meaning of "Fishers of Men" (NTL), Philadelphia
Yarnold, E. 1968: Τέλειος in St. Matthew's Gospel, StEv 4 (TU 102), 269-73
Youtie, H. 1967: Publicans and Sinners, ZPE 1, 1-20 (reprint)
Zahn, T. [4]1922: Das Evangelium des Matthäus (KNT 1), Leipzig
-"- [4]1924: Einleitung in das NT I-II, Leipzig
Zeller, D. 1971/2: Das Logion Mt 8,11f/Lk 13,28f und das Motiv der "Völker-wallfahrt, BZ 15, 2222-37; 17, 84-93
-"- 1977: Die weisheitlichen Mahnsprüche bei den Synoptikern (FzB 17), Würzburg
Zenger, E. 1973: Die späte Weisheit und das Gesetz. In: Maier-Schreiner (ed.) 43-56
-"- 1981: Das Buch Judith (JSHRZ 1/6), Güterloh
Zerwick, M. [5]1966: Graecitas Biblica (SPIB 92), Roma
Ziegler, K. - Sontheimer, W. 1964-75: Der Kleine Pauli, Stuttgart-München
Zimmermann, H. 1963: Christus nachfolgen, ThGl 53, 241-55
Zinniker, F. 1972: Probleme der sogenannten Kindheitsgeschichte bei Matthäus, Fribourg
Zumstein, J. 1977: La condition du croyant dans l'évangile selon Matthieu (OBO 16), Fribourg
-"- 1980: Antioche sur l'Oronte et l'évangile selon Matthieu, SNTU 5, 122-38

Joachim Jeremias

Die Sprache des Lukasevangeliums

Redaktion und Tradition im Nicht-Markusstoff des dritten Evangeliums. (Sonderband: Meyers Kritisch-Exegetischer Kommentar über das Neue Testament). 1980. 323 Seiten, Leinen

Joachim Jeremias hat die Frage nach Redaktion und Tradition erstmals auf das gesamte Lukasevangelium ausgedehnt und mit seiner sprachlichen und stilistischen Analyse jedes Einzelstückes eine solide Grundlage und damit ein unentbehrliches Hilfsmittel mit durchaus eigenständigem Charakter geschaffen. Mit der Freilegung des vorlukanischen Traditionsgutes hat er den Blick erneut auf den historischen Jesus gelenkt, dessen Botschaft herauszuarbeiten ihm besonders wichtig war.

Klaus Berger/Carsten Colpe (Hg.)

Religionsgeschichtliches Textbuch zum Neuen Testament

(Texte zum Neuen Testament / NTD-Textreihe, Band 1). 1987. 328 Seiten, kart.

In der Reihenfolge der neutestamentlichen Schriften werden zu einzelnen Stellen und Texten Vergleichstexte in wortgetreuer Übersetzung geboten. Diese über 600 Texte aus der näheren Umwelt des Neuen Testaments werden in der Regel nicht zu einzelnen Begriffen geliefert, sondern zu ganzen Abschnitten. Die Art der jeweiligen Beziehung zum Stoff des Neuen Testaments wird für jeden einzelnen Text in einem Kurzkommentar erläutert. Im Einführungsteil wird nicht nur die theologische Bedeutung religionsgeschichtlichen Vergleichens dargestellt, vielmehr werden vor allem auch Kategorien angeboten, mit denen die Beziehungen zwischen Texten differenzierter erfaßt werden können, als es mit dem Modell der »Abhängigkeit« möglich war.
Dieses Textbuch ist die erste Sammlung, die den neuen Methoden religionsgeschichtlichen Vergleichs zum Neuen Testament Rechnung trägt und überraschende Perspektiven eröffnet.

Klaus Beyer

Die aramäischen Texte vom Toten Meer

samt den Inschriften aus Palästina, dem Testament Levis aus der Kairoer Genisa, der Fastenrolle und den alten talmudischen Zitaten; Aramaistische Einleitung, Text, Übersetzung, Deutung, Grammatik/Wörterbuch, Deutsch-aramäische Wortliste, Register. 2. Auflage 1986. 779 Seiten, Leinen

»Das mit umfangreichen Literaturangaben ausgestattete Buch von Beyer darf man, ohne zu zögern, als ein Meisterwerk bezeichnen, das souverän philologische, historische und auch theologische Fragestellungen vereint und die bislang nur schwer oder überhaupt nicht zugänglichen Texte für die weitere Forschung bequem bereitstellt.«   *Samuel Vollenweider in: Kirchenblatt f. d. ref. Schweiz*

Vandenhoeck & Ruprecht · Göttingen und Zürich